해커스경찰

갓대환 형법 기출 1200제

2권 | 각론

해커스경찰

형법 + 형소법 출제 문항과 비중표

	Essential ★	Core ★★	Superlative ★★★
형법 총론	143(23.8%)	269(44.8%)	189(31.4%)
형법 각론	164(26.2%)	285(45.6%)	176(28.2%)
형법 합계	307(25.0%)	554(45.2%)	365(29.8%)
수사 · 증거	191(29.9%)	276(43.2%)	172(26.9%)
공판	159(26.2%)	268(44.2%)	179(29.5%)
형사소송법 합계	350(28.1%)	544(43.7%)	351(28.2%)

경찰채용, 경찰승진, 경찰간부, 국가직, 법원직 학생들을 위한 기출 필독서입니다(경찰채용, 경찰간부는 기출총정리 교재를 보면 되고, 경찰승진, 국가직 법원직 학생들은 형법 기출1200제와 형사소송법 기출1000제 교재를 구매하면 됩니다).

특히 경찰채용과 경찰간부 시험이 2022년도부터 형사법으로 바뀌면서 문제의 경향이 바뀌었습니다. 단순히 기존의 기출을 반복하는 것이 아니라 기출 + 심화 다시 말해 변호사시험 스타일의 사례형 문제가 추가되었습니다. 그래서 기존 기출문제집에 형소법 수사 · 증거편에 변호사시험 사례형을 집중적으로 추가했으며, 형법과 형소법이 결합된 종합사례형은 수사 · 증거편 뒤에 추가해서 사례형을 강화하기 위한 노력을 했습니다.

이 책은 기출문제집 한 권으로 형법과 형사소송법을 과목으로 하는 모든 객관식 시험을 대비할 수 있다는 장점이 있습니다. 따라서 경찰채용을 준비하는 학생뿐만 아니라 국가직 7/9급, 법원직, 경찰승진, 경찰간부, 해양경찰, 해경승진, 5급 승진시험 변호사, 법원행시, 군무원을 준비하는 학생에게 가장 필요한 책입니다.

이번 2025년판 형사법 기출총정리는 형법 1,226문제(총론 601문제, 각론 625문제)와 형사소송법 1245문제(수사와 증거 639문제, 공판 606문제)로 구성되어 있으며, 최근 실시된 2024년 1 · 2차 경찰채용, 법학특채, 2024년 해경채용, 해경승진, 해경간부, 2025년 경찰간부, 2024년 국가 9급, 2024년 법원직9급, 2024년 변호사, 2024년 법원행시 등을 반영한 교재입니다. 아울러 친족상도례 헌법불합치와 수사준칙 개정된 내용과 통비법 개정된 내용을 반영한 교재입니다.

이 책의 장점은,

1. 최근 어려워지고 있는 형사법 시험 경향에 맞춰 난도를 7급 기준으로 높였으며, 조합형/사례형까지 반영하였습니다.

2. 전반적으로 형법총론의 비중을 높여 학설문제, 조문문제의 반영비율을 높였습니다.

3. 한 문제로 두 번 공부할 수 있도록, 오답지문/정답지문 구별 없이 모든 지문에 해설을 달아서 문제를 풀다가 다시 기본서를 찾아보는 시간을 줄일 수 있도록 하였습니다.

4. 해설지문도 단순히 정답해설지문만 나열한 것이 아니라, 해설지문 중 중요한 내용에 굵은 글씨 및 색글자로 처리하여 해설지문을 다 읽지 않아도 지문의 쟁점을 쉽게 알 수 있도록 하였습니다.

5. 문제 배열 순서도 단원별로 쉬운 문제부터 시작해서 어려운 문제를 풀 수 있도록 배열하였습니다. 문제를 순서대로 풀다 보면 앞에서 푼 문제의 쟁점을 이해하고, 뒷부분의 어려운 문제(조합형 또는 개수형 문제)를 저절로 풀 수 있도록 신경 써서 배열하였습니다.

6. 모든 문제를 난도별로 구분했습니다. 가장 중요하면서 쉬운 문제를 **Essential ★**, 보통의 문제를 **Core ★★**, 가장 어려운 문제를 **Superlative ★★★**로 구별했습니다. 따라서 처음 공부하는 학생들은 **Essential ★** → **Core ★★** → **Superlative ★★★** 순으로 공부하시면 됩니다.

7. 2025년판의 가장 특징적인 부분은 형법 + 형소법의 형사법 종합사례형을 추가하였으며, 이 부분은 QR코드로 보면 해설강의를 볼 수 있도록 신경을 썼습니다.

이 책이 출간되도록 도와주신 모든 분들께 고마움을 전합니다.

2024년 9월

김대환

차례

각론

제1편 개인적 법익에 관한 죄

제1장 생명과 신체에 관한 죄 8

제1절 살인의 죄 8
제2절 상해와 폭행의 죄 11
제3절 낙태의 죄 30
제4절 유기와 학대의 죄 34
제5절 생명과 신체에 관한 죄 종합 39

제2장 자유에 관한 죄 41

제1절 협박의 죄 41
제2절 강요의 죄 51
제3절 체포와 감금의 죄 54
제4절 약취 · 유인 및 인신매매의 죄 61
제5절 강간과 추행의 죄 68
제6절 자유에 관한 죄 종합 95

제3장 명예, 신용 및 업무에 관한 죄 100

제1절 명예에 관한 죄 100
제2절 신용 · 업무 · 경매에 관한 죄 146

제4장 사생활의 평온에 관한 죄 177

제5장 재산에 관한 죄 200

제1절 재산죄 일반(친족상도례) 200
제2절 절도의 죄 209
제3절 강도의 죄 224
제4절 사기의 죄 238
제5절 공갈의 죄 284
제6절 횡령의 죄 295
제7절 배임의 죄 331
제8절 장물의 죄 372
제9절 손괴의 죄 382
제10절 권리행사방해의 죄 389
제11절 재산에 관한 죄 종합 409

제2편 사회적 법익에 관한 죄

제1장 **공공의 안전과 평온에 관한 죄** 434

제1절 공안을 해하는 죄 434
제2절 방화와 실화의 죄 438
제3절 교통방해의 죄 450

제2장 **공공의 신용에 관한 죄** 458

제1절 통화에 관한 죄 458
제2절 유가증권 등에 관한 죄 461
제3절 문서에 관한 죄 469
제4절 공공의 신용에 관한 죄 종합 516

제3장 **사회의 도덕에 관한 죄** 522

제1절 성풍속에 관한 죄 522
제2절 도박과 복표에 관한 죄 527
제3절 신앙에 관한 죄 534

제3편 국가적 법익에 관한 죄

제1장 **국가의 존립 · 권위에 관한 죄** 538

제1절 내란의 죄 538
제2절 외환의 죄 540
제3절 국교에 관한 죄 544

제2장 **국가의 기능에 관한 죄** 546

제1절 공무원의 직무에 관한 죄 I 546
제2절 공무원의 직무에 관한 죄 II 560
제3절 공무방해의 죄 591
제4절 도주와 범인은닉의 죄 625
제5절 위증과 증거인멸의 죄 635
제6절 무고의 죄 650
제7절 국가의 기능에 관한 죄 종합 667

제4편 종합문제

제4편 **종합문제** 676

해커스경찰
police.Hackers.com

제 1 편

개인적 법익에 관한 죄

제1장 생명과 신체에 관한 죄
제2장 자유에 관한 죄
제3장 명예, 신용 및 업무에 관한죄
제4장 사생활의 평온에 관한 죄
제5장 재산에 관한 죄

제1장 생명과 신체에 관한 죄

제1절 | 살인의 죄

001 다음은 살인의 죄에 대한 설명이다. 가장 적절하지 않은 것은? (다툼이 있으면 판례에 의함)

□□□

14 경찰채용 [Essential ★]

① 피고인이 소란을 피우는 피해자를 말리다가 피해자가 욕하는 것에 격분하여 예리한 칼로 피해자의 왼쪽 가슴부분에 길이 6cm, 깊이 17cm의 상처 등이 나도록 찔러 곧바로 좌측심낭까지 절단된 경우에 피고인에게 살인의 고의가 인정된다.

② 피고인이 살인의 범의를 부인할 경우, 범행 당시 살인의 범의가 있었는지 여부는 피고인이 범행에 이르게 된 경위, 범행의 동기, 준비된 흉기의 유무·종류·용법, 공격의 부위와 반복성, 사망의 결과발생 가능성 정도 등 범행 전후의 객관적인 사정을 종합하여 판단할 수밖에 없다.

③ 형수를 향하여 살의를 갖고 몽둥이로 힘껏 내리쳤으나 형수의 등에 업힌 조카의 머리부분에 맞아 조카가 현장에서 즉사한 경우, 조카에 대한 살인죄가 성립한다.

④ 적재된 임산물에 대한 부정성 여부를 조사하기 위하여 화물자동차의 승강구에 뛰어올라 정차를 명하는 경찰관을 폭행하여 추락시켜 사망케 한 경우 살인의 고의가 인정된다.

해설

④ [×] 적재된 임산물에 대한 부정성 여부를 조사하기 위하여 화물자동차의 승강구에 뛰어올라 정차를 명함에 있어 화주가 이를 피하기 위해 경찰관을 폭행하여 추락시켜 사망케 한 경우, **위 사실만으로는 가해자가 피해자를 살해할 것을 결의하였다고 속단할 수 없다.**(대법원 1957. 5. 24. 57도56)

① [○] 원심은, 피고인이 소란을 피우는 피해자를 말리다가 피해자가 한 쪽 다리를 저는 피고인에게 '병신새끼'라고 욕하는 데 격분하여 예리한 칼로 피해자의 팔꿈치 부분에 길이 13cm, 허리 부분에 길이 3cm, 왼쪽 가슴부분에 길이 6cm의 상처가 나도록 찔렀고 그 가슴의 상처깊이가 무려 17cm나 되어 곧 바로 죄측심낭까지 절단된 사실을 인정한 다음 피고인에게 **살인의 고의가 있었다**고 판단하였는바, 원심의 판단은 수긍이 된다.(대법원 1991. 10. 22. 91도2174 **병신새끼 사건**)

② [○] 피고인이 범행 당시 살인의 범의는 없었고 단지 상해 또는 폭행의 범의만 있었을 뿐이라고 다투는 경우에 피고인에게 범행 당시 살인의 범의가 있었는지 여부는 피고인이 범행에 이르게 된 경위, 범행의 동기, 준비된 흉기의 유무 · 종류 · 용법, 공격의 부위와 반복성, 사망의 결과발생 가능성 정도 등 범행 전후의 **객관적인 사정을 종합하여 판단할 수밖에 없다.**(대법원 2009. 2. 26. 2008도9867 **정성현 사건**)

③ [○] (1) 소위 **타격의 착오**가 있는 경우라 할지라도 행위자의 살인의 고의 성립에 방해가 되지 아니한다.
(2) 피고인이 형수 A를 향하여 살의를 갖고 몽둥이를 힘껏 후려친 가격으로 마당에 고꾸라진 A녀와 등에 업힌 조카 B의 머리 부분을 몽둥이로 내리쳐 B를 현장에서 사망하게 한 소위를 **살인죄로 의율한 원심조처는 정당하게 긍인된다.**(대법원 1984. 1. 24. 83도2813 **형수 · 조카 살해사건**)

002 다음의 설명 중 가장 적절한 것은? (다툼이 있으면 판례에 의함) 21 경찰승진 [Essential ★]

□□□

① 피고인이 범행 당시 살인의 범의는 없었고 단지 상해 또는 폭행의 범의만 있었을 뿐이라고 다투는 경우에 피고인에게 범행 당시 살인의 범의가 있었는지 여부는 피고인이 범행에 이르게 된 경위, 범행의 동기, 준비된 흉기의 유무·종류·용법, 공격의 부위와 반복성, 사망의 결과발생 가능성 정도 등 범행 전후의 객관적인 사정을 종합하여 판단할 수밖에 없다.

② 「형법」 제250조 제2항 존속살해죄의 직계존속은 법률상 존속뿐만 아니라 사실상의 존속을 포함한다.

③ 피고인이 인터넷 사이트 내 자살 관련 카페 게시판에 청산염 등 자살용 유독물의 판매 광고를 한 행위가 단지 금원 편취 목적의 사기행각의 일환으로 이루어졌고, 변사자들이 다른 경로로 입수한 청산염을 이용하여 자살한 사정 등이 있다고 하더라도 피고인의 행위는 자살방조에 해당한다.

④ 제왕절개 수술의 경우 '의학적으로 제왕절개 수술이 가능하였고 규범적으로 수술이 필요하였던 시기'를 분만의 시기로 볼 수 있다.

해설

① [○] 피고인이 범행 당시 살인의 범의는 없었고 단지 상해 또는 폭행의 범의만 있었을 뿐이라고 다투는 경우에 피고인에게 범행 당시 살인의 범의가 있었는지 여부는 피고인이 범행에 이르게 된 경위, 범행의 동기, 준비된 흉기의 유무 · 종류 · 용법, 공격의 부위와 반복성, 사망의 결과발생 가능성 정도 등 범행 전후의 객관적인 사정을 **종합하여 판단할 수밖에 없다**.(대법원 2009. 2. 26. 2008도9867 **정성현 사건**)

② [×] 형법 제250조 제2항의 **직계존속이란 법률상의 개념으로서** 사실상 혈족관계가 있는 부모관계일지라도 법적으로 인지절차를 완료하지 아니한 한 직계존속이라 볼 수 없고, 아무 특별한 관계가 없는 타인 사이라도 일단 합법한 절차에 의하여 입양관계가 성립한 뒤에는 직계존속이라 할 것이다.(대법원 1981. 10. 13. 81도2466)

③ [×] 피고인이 인터넷 사이트 내 자살 관련 카페 게시판에 청산염 등 자살용 유독물의 판매광고를 한 행위는 단지 금원 편취 목적의 사기행각의 일환으로 이루어졌고 (중략) 피고인의 행위는 **자살방조에 해당하지 않는다**.(대법원 2005. 6. 10. 2005도1373 **자살에 관하여 카페 사건**)

④ [×] 제왕절개 수술의 경우 **'의학적으로 제왕절개 수술이 가능하였고 규범적으로 수술이 필요하였던 시기(時期)'**는 판단하는 사람 및 상황에 따라 다를 수 있어 분만개시 시점 즉, 사람의 시기(始期)도 불명확하게 되므로 **이 시점을 분만의 시기(始期)로 볼 수는 없다**.(대법원 2007. 6. 29. 2005도3832 **무리한 자연분만 사건**)

정답 | 001 ④ 002 ①

003 다음 설명 중 가장 옳지 않은 것은? (다툼이 있으면 판례에 의함)

21 해경채용 [Essential ★]

□□□

① 피고인이 범행 당시 살인의 범의는 없었고 단지 상해 또는 폭행의 범의만 있었을 뿐이라고 다투는 경우에 범행 당시 살인의 범의가 있었는지 여부는 피고인이 범행에 이르게 된 경위, 범행의 동기, 준비된 흉기의 유무·종류·용법, 공격의 부위와 반복성, 사망의 결과 발생 가능성 정도 등 범행 전후의 객관적인 사정을 종합하여 판단할 수밖에 없다.

② 살인예비죄가 성립하기 위해서는 살인죄의 실현을 위한 준비행위가 있어야 하는데, 여기서 준비 행위는 객관적으로 보아 살인죄의 실현에 실질적으로 기여할 수 있는 외적 행위임을 요하지 아니 하고 단순히 범행의 의사 또는 계획만으로 족하다.

③ 총알이 장전되어 있는 엽총의 방아쇠를 잡고 있다가 총알이 발사되어 피해자가 사망한 경우 살인의 고의가 인정된다.

④ 혼인 외의 출생자가 인지하지 않은 생모를 살해하면 존속살해죄가 성립한다.

해설

② [×] 살인예비죄가 성립하기 위하여는 살인죄를 범할 목적 외에도 살인의 준비에 관한 고의가 있어야 하며, 나아가 실행의 착수까지에는 이르지 아니하는 살인죄의 실현을 위한 준비행위가 있어야 한다. 여기서의 준비행위는 물적인 것에 한정되지 아니하며 특별한 정형이 있는 것도 아니지만, **단순히 범행의 의사 또는 계획만으로는 그것이 있다고 할 수 없고 객관적으로 보아서 살인죄의 실현에 실질적으로 기여할 수 있는 외적행위를 필요로 한다.**(대법원 2009. 10. 29. 2009도7150 실패한 살인교사 사건)

① [○] 피고인이 범행 당시 살인의 범의는 없었고 단지 상해 또는 폭행의 범의만 있었을 뿐이라고 다투는 경우에 피고인에게 범행 당시 살인의 범의가 있었는지 여부는 피고인이 범행에 이르게 된 경위, 범행의 동기, 준비된 흉기의 유무 · 종류 · 용법, 공격의 부위와 반복성, 사망의 결과발생 가능성 정도 등 범행 전후의 **객관적인 사정을 종합하여 판단할 수밖에 없다.**(대법원 2009. 2. 26. 2008도9867)

③ [○] 피고인의 변소처럼 피해자를 겁주려고 협박하다가 피해자의 접촉행위로 생겨난 **단순한 오발사고가 아니라, 살인의 고의가 있는 범죄행위였다고 보기에 그 증거가 충분하다고 보인다.**(대법원 1997. 2. 25. 96도3364)

④ [○] 혼인 외의 출생자와 생모(生母)간에는 그 **생모의 인지나 출생신고를 기다리지 않고 자(子)의 출생으로 당연히 법률상의 친족관계가 생긴다.**(대법원 1980. 9. 9. 80도1731) 지문의 경우 존속살해죄가 성립한다.

제2절 | 상해와 폭행의 죄

004 상해와 폭행의 죄에 관한 설명 중 가장 적절하지 않은 것은? (다툼이 있으면 판례에 의함)

□□□

16 경찰승진 [Essential ★]

① 난소를 이미 제거하여 임신불능 상태에 있는 피해자의 자궁을 적출했다 하더라도 그 경우 자궁을 제거한 것이 신체의 완전성을 해한 것이거나 생활기능에 아무런 장애를 주는 것이 아니고 건강상태를 불량하게 변경한 것도 아니라고 할 것이므로 상해에 해당한다고 볼 수 없다.

② 피해자가 입은 상처가 극히 경미하고 자연적으로 치유될 수 있는 정도라면 강도상해죄에서의 상해에 해당하지 않는다.

③ 신체의 청각기관을 직접적으로 자극하는 음향도 경우에 따라서는 폭행에 포함될 수 있다.

④ 상습적으로 상해죄를 범한 경우에는 형을 가중 처벌한다.

해설

① [×] **난소의 제거로 이미 임신불능 상태에 있는 피해자의 자궁을 적출했다 하더라도** 그 경우 자궁을 제거한 것이 신체의 완전성을 해한 것이 아니라거나 생활기능에 아무런 장애를 주는 것이 아니라거나 건강상태를 불량하게 변경한 것이 아니라고 할 수 없고 이는 업무상 과실치상죄에 있어서의 **상해에 해당한다**.(대법원 1993. 7. 27. 92도2345 자궁적출 사건)

② [○] 강도상해죄에 있어서의 상해는 피해자의 신체의 건강상태가 불량하게 변경되고 생활기능에 장애가 초래되는 것을 말하는 것으로서, 피해자가 입은 상처가 **극히 경미하여 굳이 치료할 필요가 없고** 치료를 받지 않더라도 일상생활을 하는 데 아무런 지장이 없으며 시일이 경과함에 따라 자연적으로 치유될 수 있는 정도라면 강도상해죄에 있어서의 **상해에 해당한다고 할 수 없다**.(대법원 2004. 10. 28. 2004도4437)

③ [○] 형법 제260조에 규정된 폭행죄는 사람의 신체에 대한 유형력의 행사를 가리키며 그 유형력의 행사는 신체적 고통을 주는 물리력의 작용을 의미하므로 신체의 청각기관을 직접적으로 **자극하는 음향도 경우에 따라서는 유형력에 포함될 수 있다**.(대법원 2003. 1. 10. 2000도5716 심수봉 사건)

④ [○] 상습으로 제257조, 제258조, 제258조의2, 제260조 또는 제261조의 죄를 범한 때에는 그 죄에 정한형의 **2분의 1까지 가중한다**.(제264조)

정답 | 003 ② 004 ①

005 상해죄에 관한 설명 중 가장 적절하지 않은 것은? (다툼이 있으면 판례에 의함)

□□□

15 경찰승진 [*Core* ★★]

① 1~2개월간 입원할 정도로 다리가 부러진 상해 또는 3주간의 치료를 요하는 우측흉부자상이 중상해에 해당하지 않는다.

② 피해자가 소형승용차 안에서 강간범행을 모면하려고 저항하는 과정에서 피고인과의 물리적 충돌로 인하여 입은 우측 슬관절 부위 찰과상 등이 강간치상죄의 상해에 해당한다.

③ 피해자의 음모의 모근 부분을 남기고 모간 부분만을 일부 잘라냄으로써 음모의 전체적인 외관에 변형이 생겼다면 강제추행치상죄의 상해에 해당한다.

④ 오랜 시간 동안의 협박과 폭행을 이기지 못하고 실신하여 범인들이 불러온 구급차 안에서야 정신을 차리게 되었다면, 외부적으로 어떤 상처가 발생하지 않았다고 하더라도 생리적 기능에 훼손을 입어 신체에 대한 상해가 있었다고 보아야 한다.

해설

③ [×] 음모는 성적 성숙함을 나타내거나 치부를 가려주는 등의 시각적 · 감각적인 기능 이외에 특별한 생리적 기능이 없는 것이므로 피해자의 음모의 모근(毛根) 부분을 남기고 모간(毛幹) 부분만을 일부 잘라냄으로써 음모의 전체적인 외관에 변형만이 생겼다면 피해자의 신체의 건강상태가 불량하게 변경되거나 생활기능에 장애가 초래되었다고 할 수는 없을 것이므로 **강제추행치상죄의 상해에 해당한다고 할 수 없다.**(대법원 2000. 3. 23. 99도3099 음모 면도 사건)

① [○] 1~2개월간 입원할 정도로 다리가 부러지는 상해 또는 3주간의 치료를 요하는 우측흉부자상은 **중상해에 해당하지 아니한다.**(대법원 2005. 12. 9. 2005도7527 아파트재건축조합 알력사건)

② [○] 피해자의 상해부위가 우측 슬관절 부위 찰과상 및 타박상, 우측 주관절 부위 찰과상이고, 예상치료기간은 수상일로부터 2주이며, 입원 및 향후 치료(정신과적 치료를 포함)가 필요할 수도 있는 경우, 이는 강간치상죄에 있어 **상해에 해당한다.**(대법원 2005. 5. 26. 2005도1039 군인 여중생 강간사건)

④ [○] 피해자가 오랜 시간 동안의 협박과 폭행을 이기지 못하고 **실신**하여 범인들이 불러온 **구급차 안에서야 정신을 차리게 되었다면 생리적 기능에 훼손을 입어 신체에 대한 상해가 있었다**고 봄이 상당하다.(대법원 1996. 12. 10. 96도2529 거목초밥집 사건)

006 '상해와 폭행의 죄'에 대한 설명으로 가장 적절한 것은? (다툼이 있으면 판례에 의함)

□□□

18 경찰승진 [Essential ★]

① 지하철 공사구간 현장안전업무 담당자인 甲이 공사현장에 인접한 기존의 횡단보도 표시선 안쪽으로 돌출된 강철빔 주위에 라바콘 3개를 설치하고 신호수 1명을 배치하였는데, 피해자가 위 횡단보도를 건너면서 강철빔에 부딪혀 상해를 입은 경우 업무상 과실치상죄가 성립한다.

② 속칭 '생일빵'을 한다는 명목으로 甲이 A를 폭행하였다면 폭행죄에 해당하나, '생일빵'은 사회상규에 위배되지 아니하는 정당행위에 해당하므로, 폭행죄에 대한 위법성이 조각된다.

③ 甲이 자신의 차를 가로막고 서 있는 A를 향해 차를 조금씩 전진시키고 A가 뒤로 물러나면 다시 차를 전진시키는 방식의 운행을 반복하였다면 甲은 특수폭행죄에 해당한다.

④ 상해죄의 성립에는 상해의 원인인 폭행에 관한 인식 및 상해를 가할 의사가 필요하다.

제1편 개인적 법익에 관한 죄

해설

③ [○] 피고인이 자신의 차를 가로막고 서 있는 피해자를 향해 차를 조금씩 전진시키고 피해자가 뒤로 물러나면 다시 차를 전진시키는 방식의 운행을 반복하였는데, 이는 그 자체로 피해자에 대한 유형력의 행사에 해당하고 또한 **이를 정당방위나 정당행위에 해당한다고 할 수 없다.**(대법원 2016. 10. 27. 2016도9302 조금씩 전진 사건)

① [×] **피고인이 안전조치를 취하여야 할 업무상 주의의무를 위반하였다고 보기 어렵고,** 일부 도로 지점에서 기존의 횡단보도 표시선이 제대로 지워지지 않고 드러나 있었다거나 라바콘을 3개만 설치하고 신호수 1명을 배치하는 외에 별다른 조치를 취하지 아니하였다고 하더라도 그것과 사고 발생 사이에 **상당인과관계에 있다고 보기도 어렵다.**(대법원 2014. 4. 10. 2012도11361 차관아파트 교차로 사건)

② [×] 원심은, 피고인이 속칭 '생일빵'을 한다는 명목 하에 피해자를 가격하였다면 **폭행죄가 성립한다고 판단하였는바,** 가격행위의 동기, 방법, 횟수 등의 제반 사정에 비추어 보면 원심의 판단은 옳다.(대법원 2010. 5. 27. 2010도2680 생일빵 사건) 甲의 행위는 정당방위나 정당행위에 해당하지 아니한다.

④ [×] 상해죄의 성립에는 상해의 원인인 폭행에 대한 인식이 있으면 충분하고 **상해를 가할 의사의 존재까지는 필요하지 않다.**(대법원 2000. 7. 4. 99도4341 인천 신흥동 뺑소니사건)

정답 | 005 ③ 006 ③

007 상해와 폭행의 죄에 관한 설명으로 가장 적절하지 않은 것은? (다툼이 있으면 판례에 의함)

□□□

22 경찰채용 [Essential ★]

① 형법은 태아를 임산부 신체의 일부로 보거나 낙태행위가 임산부의 태아양육, 출산 기능의 침해라는 측면에서 임산부에 대한 상해죄를 구성하는 것으로 보지는 않는다고 해석된다.

② 다방 종업원 숙소에 이르러 종업원들 중 1인이 자신을 만나주지 않는다는 이유로 시정된 탁구장문과 주방문을 부수고 주방으로 들어가 방문을 열어주지 않으면 모두 죽여버린다고 폭언하면서 시정된 방문을 단순히 수회 발로 찬 甲의 행위도 종업원들의 신체에 대한 유형력의 행사로 볼 수 있어 폭행죄에 해당한다.

③ 식당의 운영자인 甲이 식당 밖에서 당겨 열도록 표시되어 있는 출입문을 열고 음식 배달 차 밖으로 나가던 중 이웃 가게 손님으로 마침 위 식당 출입문 앞쪽 길가에서 있던 A의 오른발 뒤꿈치 부위를 위 출입문 모서리 부분으로 충격하여 상해를 입게 한 행위는 업무상과실치상죄의 성립을 인정할 수 없다.

④ 甲이 상습으로 A를 폭행하고, 어머니 B를 존속폭행하였다는 내용으로 기소된 사안에서, 甲에게 폭행 범행을 반복하여 저지르는 습벽이 있고 이러한 습벽에 의하여 단순폭행, 존속폭행 범행을 저지른 사실이 인정된다면 단순폭행, 존속폭행의 각 죄별로 상습성을 판단할 것이 아니라 포괄하여 그 중 법정형이 가장 중한 상습존속폭행죄만 성립할 여지가 있다.

해설

② [×] 다방종업원이 피고인을 만나주지 않는다는 이유로 시정된 탁구장문과 주방문을 부수고 주방으로 들어가 "방문을 열어주지 않으면 모두 죽여버린다"고 폭언하면서 시정된 방문을 수회 발로 찬 피고인의 행위는 재물손괴죄 또는 숙소 안의 자에게 해악을 고지하여 외포케 하는 단순 협박죄에 해당함은 별론으로 하고, 피해자들의 신체에 대한 유형력의 행사로는 볼 수 없다.(대법원 1984. 2. 14. 83도3186 녹원다방 사건)

① [○] 형법은 태아를 임산부 신체의 일부로 보거나 낙태행위가 임산부의 태아양육, 출산 기능의 침해라는 측면에서 **임산부에 대한 상해죄를 구성하는 것으로 보지는 않는다**고 해석된다.(대법원 2007. 6. 29. 2005도3832 무리한 자연분만 사건)

③ [○] 식당의 운영자인 甲이 식당 밖에서 당겨 열도록 표시되어 있는 출입문을 열고 음식 배달차 밖으로 나가던 중 이웃 가게 손님으로 마침 위 식당 출입문 앞쪽 길가에 서 있던 A의 오른발 뒤꿈치 부위를 위 출입문 모서리 부분으로 충격하여 상해를 입게 한 행위는 **업무상과실치상죄의 성립을 인정할 수 없다**.(대법원 2009. 10. 29. 2009도5753 식당 여닫이문 사건) 업무상과실치상죄가 아니라 단순과실치상죄가 성립한다.

④ [○] 단순폭행, 존속폭행의 범행이 동일한 폭행 습벽의 발현에 의한 것으로 인정되는 경우 그 중 법정형이 더 중한 **상습존속폭행죄에 나머지 행위를 포괄하여 하나의 죄만이 성립한다**.(대법원 2018. 4. 24. 2017도10956 계부 친모 폭행사건)

008 상해와 폭행의 죄에 대한 <보기> 설명 중 옳은 것은 모두 몇 개인가? (다툼이 있으면 판례에 의함)
□□□

21 해경채용 [Core ★★]

〈보기〉

㉠ 상해죄의 성립에는 상해의 원인인 폭행에 관한 인식 및 상해를 가할 의사가 필요하다.
㉡ 폭행죄는 피해자의 명시한 의사에 반하여 공소를 제기할 수 없는 반의사불벌죄로서 피해자가 사망한 후에는 그 상속인이 피해자를 대신하여 처벌불원의 의사표시를 할 수 없다.
㉢ 「형법」의 폭행죄, 존속폭행죄, 특수폭행죄는 모두 미수범 처벌규정이 없다.
㉣ 피해자로부터 신용카드를 강취하고 비밀번호를 알아내는 과정에서 피해자에게 입힌 상처가 극히 경미하고 일상생활에 지장을 초래하지 않았고, 그 회복을 위하여 치료행위가 특별히 필요하지 않은 경우에도 강도상해죄의 상해에 해당한다.
㉤ 피고인이 폭력행위 당시 과도를 범행현장에서 호주머니 속에 지니고 있었더라도 그 사실을 피해자가 몰랐다거나 실제로 범행에 사용하지 않았다면 '위험한 물건의 휴대'에 해당하지 않는다.

① 1개 ② 2개 ③ 3개 ④ 4개

해설

② ㉡㉢ 2 항목이 옳다.
㉠ [×] 상해죄의 성립에는 상해의 원인인 폭행에 대한 인식이 있으면 충분하고 상해를 가할 의사의 존재까지는 필요하지 않다.(대법원 2000. 7. 4. 99도4341 인천 신흥동 뺑소니사건)
㉡ [○] 폭행죄에 있어 피해자가 사망한 후 그 **상속인이 피해자를 대신하여 처벌불원의 의사표시를 할 수는 없다.** 따라서 피해자의 상속인들이 제1심판결 선고 전에 피고인에 대한 처벌불원의 의사표시를 하였다고 하더라도, 원심이 피고인에 대한 폭행죄를 유죄로 판단한 것은 옳다.(대법원 2010. 5. 27. 2010도2680 생일빵 사건)
㉢ [○] 옳은 설명이다.
㉣ [×] 피해자가 입은 상처가 극히 경미하여 굳이 치료할 필요가 없고 치료를 받지 않더라도 일상생활을 하는 데 아무런 지장이 없으며 시일이 경과함에 따라 자연적으로 치유될 수 있는 정도라면, 그로 인하여 피해자의 신체의 건강상태가 불량하게 변경되었다거나 생활기능에 장애가 초래된 것으로 보기 어려워 강도상해죄에 있어서의 상해에 해당한다고 할 수 없다.(대법원 2003. 7. 11. 2003도2313)
㉤ [×] (1) 범행 현장에서 범행에 사용하려는 의도 아래 흉기 등 위험한 물건을 소지하거나 몸에 지닌 이상 그 사실을 피해자가 인식하거나 실제로 범행에 사용하였을 것까지 요구되는 것은 아니다.(대법원 2007. 3. 30. 2007도914 꽃농원 싸움사건)
(2) 과도를 범행현장에서 호주머니 속에 지니고 있었던 이상 이는 위험한 물건을 휴대한 경우이므로 이를 폭처법 제3조 제1항에 의율한 원심조치에 위법이 없다.(대법원 1984. 4. 10. 84도353)

정답 | 007 ② 008 ②

009 다음 중 상해와 폭행의 죄에 대한 설명으로 가장 옳지 않은 것은? (다툼이 있으면 판례에 의함)

□□□

23 해경간부 [Essential ★]

① 甲과 乙이 의사연락 없이 우연히 A를 각각 폭행하여 상해의 결과가 발생한 경우 상해가 甲의 폭행에 의한 것으로 밝혀졌다면 乙을 공동정범의 예에 의하여 처벌할 수는 없다.

② 甲에게 폭행 범행을 반복하여 저지르는 습벽이 있고 이러한 습벽에 의하여 단순폭행, 존속폭행 범행을 저지른 사실이 인정된다면 그 중 법정형이 가장 경한 단순폭행의 상습범만 성립한다.

③ 범행 현장에서 범행에 사용하려는 의도로 위험한 물건을 소지하거나 몸에 지닌 경우 피해자가 이를 인식하지 못하였거나 실제 범행에 사용하지 아니하더라도 특수폭행죄의 '휴대'에 해당한다.

④ 상해죄 및 폭행죄의 상습범에 관한 형법 제264조에서 말하는 '상습'이란 동 규정에 열거된 상해 내지 폭행행위의 습벽을 말하고, 동 규정에 열거되지 아니한 다른 유형의 범죄까지 고려하여 상습성의 유무를 결정하여서는 안된다.

해설

② [×] 단순폭행, 존속폭행의 범행이 동일한 폭행 습벽의 발현에 의한 것으로 인정되는 경우 **그 중 법정형이 더 중한 상습존속폭행죄에 나머지 행위를 포괄하여 하나의 죄만이 성립한다.**(대법원 2018. 4. 24. 2017도10956 계부 친모 폭행사건)

① [○] 독립행위가 경합하여 상해의 결과를 발생하게 한 경우에 있어서 **원인된 행위가 판명되지 아니한 때에는** 공동정범의 예에 의한다.(제263조) A가 상해를 입은 것은 甲의 폭행 때문이므로(원인된 행위가 판명된 경우이므로) 乙은 폭행죄의 죄책을 질 뿐 공동정범의 예에 의하여 상해죄로 처벌되지 않는다.

③ [○] 폭력행위 등 처벌에 관한 법률 제3조 제1항 소정의 '흉기 기타 위험한 물건을 휴대하여 그 죄를 범한 자'란 범행현장에서 '사용하려는 의도' 아래 흉기 기타 위험한 물건을 소지하거나 몸에 지니는 경우를 가리키는 것이고, 그 범행과는 전혀 무관하게 우연히 이를 소지하게 된 경우까지를 포함하는 것은 아니라 할 것이나, **범행 현장에서 범행에 사용하려는 의도 아래 흉기 등 위험한 물건을 소지하거나 몸에 지닌 이상 그 사실을 피해자가 인식하거나 실제로 범행에 사용하였을 것까지 요구되는 것은 아니다.**(대법원 2007. 3. 30. 2007도914 꽃농원 싸움사건)

④ [○] 상해죄 및 폭행죄의 상습범에 관한 형법 제264조에서 말하는 '상습'이란 제257조, 제258조, 제258조의2, 제260조 또는 제261조에 **열거된 상해 내지 폭행행위의 습벽을 말하는 것이므로 위 규정에 열거되지 아니한 다른 유형의 범죄까지 고려하여 상습성의 유무를 결정하여서는 아니 된다.**(대법원 2018. 4. 24. 2017도21663)

010 상해와 폭행의 죄에 관한 설명 중 가장 적절하지 않은 것은? (다툼이 있으면 판례에 의함)

□□□

14 경찰승진 [Essential ★]

① 피해자에게 근접하여 욕설을 하면서 때릴 듯이 손발이나 물건을 휘두르거나 던지는 행위를 한 경우 직접 피해자의 신체에 접촉하지 않았다고 하여도 피해자에 대한 유형력의 행사로서 폭행에 해당한다.

② 상해죄의 성립에는 상해의 원인인 폭행에 대한 인식만으로는 부족하고 상해를 가할 의사의 존재까지 필요하다.

③ 1~2개월간 입원할 정도로 다리가 부러진 상해 또는 3주간의 치료를 요하는 우측흉부자상은 중상해에 해당하지 않는다.

④ 피고인의 구타행위로 상해를 입은 피해자가 정신을 잃고 빈사상태에 빠지자 사망한 것으로 오인하고 자신의 행위를 은폐하고 피해자가 자살한 것처럼 가장하기 위하여 피해자를 베란다 아래의 바닥으로 떨어뜨려 사망케 한 경우 포괄하여 단일의 상해치사죄에 해당한다.

해설

② [×] 상해죄의 성립에는 상해의 원인인 **폭행에 대한 인식이 있으면 충분하고** 상해를 가할 의사의 존재까지는 필요하지 않다.(대법원 2000. 7. 4. 99도4341 인천 신흥동 뺑소니사건)

① [○] 피해자에게 근접하여 욕설을 하면서 때릴 듯이 손발이나 물건을 휘두르거나 던지는 행위를 한 경우 직접 피해자의 신체에 접촉하지 않았다고 하여도 피해자에 대한 **유형력의 행사로서 폭행에 해당한다.**(대법원 1990. 2. 13. 89도1406)

③ [○] 1~2개월간 입원할 정도로 다리가 부러진 상해 또는 3주간의 치료를 요하는 우측흉부자상은 **중상해에 해당하지 않는다.**(대법원 2005.12. 9. 2005도7527 아파트재건축조합 알력사건)

④ [○] 피고인이 피해자에게 우측 흉골골절 및 늑골골절상 등의 상해를 가함으로써 피해자가 바닥에 쓰러진 채 정신을 잃고 **빈사상태에 빠지자,** 피해자가 사망한 것으로 오인하고, 피고인의 행위를 은폐하고 피해자가 자살한 것처럼 가장하기 위하여 피해자를 베란다 밑 약 13m 아래의 바닥으로 떨어뜨려 뇌손상 및 뇌출혈 등으로 사망에 이르게 하였다면 피고인의 행위는 포괄하여 단일의 **상해치사죄에 해당한다.**(대법원 1994. 11. 4. 94도2361 낙산비치호텔 사건)

정답 | 009 ② 010 ②

011 다음 중 적절하지 않은 것으로만 묶인 것은? (다툼이 있으면 판례에 의함) 13 경찰승진 [Core ★★]

□□□

㉠ 피해자로부터 신용카드를 강취하고 비밀번호를 알아내는 과정에서 피해자에게 입힌 상처가 일상생활에 지장을 초래하지 않았고, 그 회복을 위하여 치료행위가 특별히 필요하지 않은 경우에는 강도상해죄의 상해에 해당하지 않는다.
㉡ 폭행죄는 피해자의 명시한 의사에 반하여 공소를 제기할 수 없는 반의사불벌죄로써 피해자가 사망한 후에는 그 상속인이 피해자를 대신하여 처벌불원의 의사표시를 할 수 없다.
㉢ 자기 또는 배우자의 직계존속의 신체에 대하여 폭행을 가할 때에는 존속폭행죄가 성립하며, 이 경우 피해자의 명시한 의사에 반하여 공소를 제기할 수 있다.
㉣ 甲과 乙이 독립하여 A를 살해하고자 총을 쏘아 탄환 하나가 A의 다리에 적중하여 A가 상해를 입었을 경우, 甲과 乙은 형법 제263조의 소위 동시범이 성립한다.
㉤ 형법 제260조에 규정된 폭행죄의 폭행이란 소위 사람의 신체에 대한 유형력의 행사를 가리키며, 그 유형력의 행사는 신체적 고통을 주는 물리력의 작용을 의미하므로 신체의 청각기관을 직접적으로 자극하는 음향도 경우에 따라서는 유형력에 포함될 수 있다.

① ㉠㉡㉤ ② ㉠㉢
③ ㉢㉣ ④ ㉣㉤

해설

③ ㉢㉣ 2 항목이 옳지 않다.

㉠ [○] 강도상해죄에 있어서의 상해는 피해자의 신체의 건강상태가 불량하게 변경되고 생활기능에 장애가 초래되는 것을 말하는 것으로서, 피해자가 입은 상처가 극히 경미하여 굳이 치료할 필요가 없고 치료를 받지 않더라도 일상생활을 하는 데 아무런 지장이 없으며 시일이 경과함에 따라 **자연적으로 치유될 수 있는 정도라면 강도상해죄에 있어서의 상해에 해당한다고 할 수 없다.**(대법원 2004. 10. 28. 2004도4437)

㉡ [○] 폭행죄는 피해자의 명시한 의사에 반하여 공소를 제기할 수 없는 반의사불벌죄로써 피해자가 사망한 후에는 그 **상속인이 피해자를 대신하여 처벌불원의 의사표시를 할 수 없다.**(대법원 2010. 5. 27. 2010도2680 **생일빵 사건**)

㉢ [×] 존속폭행죄는 반의사불벌죄로서 **피해자의 명시한 의사에 반하여 공소를 제기할 수 없다.**(제260조)

㉣ [×] 상해가 아니라 피해자를 '살해하고자' 총을 쏜 경우이므로 형법 제263조의 동시범이 아니라 **형법 제19조가 적용된다.** 甲과 乙은 살인미수죄의 죄책을 진다.

㉤ [○] 형법 제260조에 규정된 폭행죄는 사람의 신체에 대한 유형력의 행사를 가리키며 그 유형력의 행사는 신체적 고통을 주는 물리력의 작용을 의미하므로 신체의 청각기관을 직접적으로 자극하는 음향도 경우에 따라서는 유형력에 포함될 수 있다.(대법원 2003. 1. 10. 2000도5716 **심수봉 사건**)

012 상해죄와 폭행죄에 관한 설명 중 가장 적절하지 않은 것은? (다툼이 있으면 판례에 의함)

□□□

23 경대편입 [Essential ★]

① 甲이 길이 140cm, 지름 4cm의 대나무로 乙의 머리를 여러차례 때려 그 대나무가 부러지고, 乙의 두피에 표재성 손상을 입혀 사건 당일 병원에서 봉합술을 받은 경우 甲이 사용한 대나무는 특수상해죄에서의 '위험한 물건'에 해당한다.

② 「형법」 제260조에 규정된 폭행죄는 사람의 신체에 대한 유형력의 행사를 가리키며, 그 유형력의 행사는 신체적 고통을 주는 물리력의 작용을 의미하므로 신체의 청각기관을 직접적으로 자극하는 음향도 경우에 따라서는 유형력에 포함될 수 있다.

③ 상해에 관한 동시범 규정은 가해행위를 한 것 자체가 분명하지 않은 사람에게도 적용되며, 이때 상해에 대한 인과관계를 개별적으로 판단할 필요는 없다.

④ 폭행죄는 피해자의 명시한 의사에 반하여 공소를 제기할 수 없는 반의사불벌죄로서 처벌불원의 의사표시는 의사능력이 있는 피해자가 단독으로 할 수 있는 것이고, 피해자가 사망한 후 그 상속인이 피해자를 대신하여 처벌불원의 의사표시를 할 수는 없다.

⑤ 상해를 입힌 행위가 동일한 일시, 장소에서 동일한 목적으로 저질러진 것이라고 하더라도 피해자를 달리하는 경우 상해죄는 각각 피해자별로 성립한다고 보아야 한다.

해설

③ [×] 상해죄에 있어서의 동시범은 두사람 이상이 가해행위를 하여 상해의 결과를 가져올 경우에 그 상해가 어느 사람의 가해행위로 인한 것인지가 분명치 않다면 가해자 모두를 공동정범으로 본다는 것이므로 **가해행위를 한 것 자체가 분명치 않은 사람에 대하여는 상해죄의 동시범으로 다스릴 수 없다.**(대법원 1984. 5. 15. 84도488 **싸움 말린 피해자 사건**)

① [○] 甲이 길이 140cm, 지름 4cm의 대나무로 乙의 머리를 여러차례 때려 그 대나무가 부러지고, 乙의 두피에 표재성 손상을 입혀 사건 당일 병원에서 봉합술을 받은 경우 甲이 사용한 **대나무는 특수상해죄에서의 '위험한 물건'에 해당한다.**(대법원 2017. 12. 28. 2015도5854 **대나무 사건**)

② [○] 형법 제260조에 규정된 폭행죄는 사람의 신체에 대한 유형력의 행사를 가리키며 그 유형력의 행사는 신체적 고통을 주는 물리력의 작용을 의미하므로 **신체의 청각기관을 직접적으로 자극하는 음향도 경우에 따라서는 유형력에 포함될 수 있다.**(대법원 2003. 1. 10. 2000도5716 **심수봉 사건**)

④ [○] 폭행죄는 피해자의 명시한 의사에 반하여 공소를 제기할 수 없는 **반의사불벌죄로서 처벌불원의 의사표시는 의사능력이 있는 피해자가 단독으로 할 수 있다.**(대법원 2010. 5. 27. 2010도2680 **생일빵 사건**)

⑤ [○] 상해를 입힌 행위가 동일한 일시, 장소에서 동일한 목적으로 저질러진 것이라 하더라도 피해자를 달리하고 있으면 **피해자별로 각각 별개의 상해죄를 구성한다**고 보아야 할 것이고 1개의 행위가 수개의 죄에 해당하는 경우라고 볼 수 없다.(대법원 1983. 4. 26. 83도524 **파이프와 면도칼 사건**)

정답 | 011 ③ 012 ③

013 □□□ **형법 또는 특정경제범죄 가중처벌 등에 관한 법률상 사기죄에 관한 다음 설명 중 옳지 않은 것은 모두 몇 개인가? (다툼이 있으면 판례에 의함)** 24 법원행시 [Superlative ★★★]

㉠ 적법하게 개설되지 아니한 의료기관의 실질 개설·운영자가 적법하게 개설된 의료기관인 것처럼 의료급여비용 지급을 청구하여 이에 속은 국민건강보험공단으로부터 의료급여비용 명목의 금원을 지급받아 편취한 경우 국민건강보험공단을 피해자로 보아야 하고, 의료급여비용이 시·도에 설치된 의료급여기금을 재원으로 지급된다거나 의료급여비용 편취 범행으로 인한 재산상 손해가 최종적으로 국민건강보험공단에 귀속되지 않는다고 하여 달리 볼 것은 아니다.
㉡ 재물을 편취한 후 현실적인 자금의 수수 없이 형식적으로 기왕에 편취한 금원을 새로이 장부상으로만 재투자하는 것으로 처리한 경우 그 재투자금액도 편취액의 합산에 포함시켜야 한다.
㉢ 기망행위에 의하여 조세를 포탈하거나 조세의 환급·공제를 받은 경우 조세범 처벌법 위반죄와 형법상 사기죄가 별개로 성립한다.
㉣ 도급계약에서 편취에 의한 사기죄의 성립 여부는 계약 당시를 기준으로 피고인에게 일을 완성할 의사나 능력이 없음에도 피해자에게 일을 완성할 것처럼 거짓말을 하여 피해자로부터 일의 대가 등을 편취할 고의가 있었는지 여부에 의하여 판단하여야 하고, 이때 법원으로서는 도급계약의 내용, 그 체결 경위 및 계약의 이행과정이나 그 결과 등을 종합하여 판단하여야 한다.
㉤ 피고인의 제소가 사망한 자를 상대로 한 것이라면 이와 같은 사망한 자에 대한 판결은 그 내용에 따른 효력이 생기지 아니하여 상속인에게 그 효력이 미치지 아니하므로 사기죄를 구성한다고 할 수 없다.

① 없음 ② 1개 ③ 2개
④ 3개 ⑤ 4개

해설

③ ㉡㉢ 2 항목이 옳지 않다.

㉠ [○] 적법하게 개설되지 아니한 의료기관의 실질 개설·운영자가 적법하게 개설된 의료기관인 것처럼 의료급여비용의 지급을 청구하여 이에 속은 **국민건강보험공단으로부터 의료급여비용 명목의 금원을 지급받아 편취한 경우 국민건강보험공단을 피해자로 보아야 한다.**(대법원 2023. 10. 26. 2022도90 **사무장병원 의료급여비용 편취사건**)

㉡ [×] 재물을 편취한 후 현실적인 자금의 수수 없이 형식적으로 기왕에 편취한 금원을 새로이 장부상으로만 재투자하는 것으로 처리한 경우 **그 재투자금액은 이를 편취액의 합산에서 제외하여야 한다.**(대법원 2007. 1. 25. 2006도7470 **SR마케팅플랜 사건**)

㉢ [×] 기망행위에 의하여 조세를 포탈하거나 조세의 환급·공제를 받은 경우에는 조세범 처벌법에서 이러한 행위를 처벌하는 규정을 별도로 두고 있을 뿐만 아니라 조세를 강제적으로 징수하는 국가 또는 지방자치단체의 직접적인 권력작용을 사기죄의 보호법익인 재산권과 동일하게 평가할 수 없는 것이므로 **기망행위에 의하여 조세를 포탈하거나 조세의 환급·공제를 받은 경우에는 조세범 처벌법 위반죄가 성립함은 별론으로 하고 형법상 사기죄는 성립할 수 없다.**(대법원 2021. 11. 11. 2021도7831 **부가가치세 부당조기환급 사건**)

ⓓ [○] 사기죄의 보호법익은 재산권이므로 기망행위에 의하여 국가적 또는 공공적 법익이 침해되었다는 사정만으로 사기죄가 성립한다고 할 수 없다. 따라서 **도급계약 당시 관련 영업 또는 업무를 규제하는 행정법규나 입찰 참가자격, 계약절차 등에 관한 규정을 위반한 사정이 있더라도** 그러한 사정만으로 도급계약을 체결한 행위가 **기망행위에 해당한다고 단정해서는 안 되고,** 그 위반으로 말미암아 계약 내용대로 이행되더라도 일의 완성이 불가능하였다고 평가할 수 있을 만큼 그 위법이 일의 내용에 본질적인 것인지 여부를 심리 · 판단하여야 한다.(대법원 2022. 7. 14. 2017도20911 **한국입업 사건**)

ⓔ [○] 소송사기에 있어서 피기망자인 법원의 재판은 피해자의 처분행위에 갈음하는 내용과 효력이 있는 것이어야 하고, 그렇지 아니하는 경우에는 착오에 의한 재물의 교부행위가 있다고 할 수 없어서 사기죄는 성립되지 아니한다고 할 것이므로 **피고인의 제소가 사망한 자를 상대로 한 것이라면 이와 같은 사망한 자에 대한 판결은 그 내용에 따른 효력이 생기지 아니하여 상속인에게 그 효력이 미치지 아니하고 따라서 사기죄를 구성한다고는 할 수 없다.**(대법원 2019. 10. 31. 2019도12140 **일부 사망 피고들 사건**)

014 다음 중 옳지 않은 설명은 모두 몇 개인가? (다툼이 있으면 판례에 의함)

□□□ 12 법원행시 [*Core* ★★]

㉠ 형법 제260조에 규정된 폭행죄는 사람의 신체에 대한 유형력의 행사를 가리키므로 음향(音響)은 유형력에 포함될 수 없다.

㉡ 다방 종업원들의 숙소에 이르러 종업원 중 1인이 피고인을 만나주지 않는다는 이유로 주방문을 부수고 주방으로 들어가 방문을 열어주지 않으면 모두 죽여 버린다고 폭언하면서 시정된 방문을 수회 발로 찬 피고인의 행위는 다른 범죄가 성립함은 별론으로 하고, 단순히 방문을 발로 몇 번 찼다고 하여 그것이 피해자들의 신체에 대한 유형력의 행사로는 볼 수 없어 폭행죄에 해당한다 할 수 없다.

㉢ 외국사절의 숙소 앞에서 시위를 벌이다가 숙소에서 나오던 외국사절을 태운 승용차를 발견하고 5m도 되지 않는 거리에서 위 승용차를 향하여 연이어 계란 4개를 던져 그 중 2개를 위 승용차 운전석 유리창 및 본넷트에 맞힌 행위는 외국사절폭행죄에서의 폭행에 해당한다.

㉣ 피해자에게 근접하여 욕설을 하면서 때릴 듯이 손발이나 물건을 휘두르거나 던지는 행위를 한 경우에 직접 피해자의 신체에 접촉하지 않았다고 하여도 피해자에 대한 유형력의 행사로서 폭행에 해당한다.

① 1개 ② 2개 ③ 3개
④ 4개 ⑤ 없음

정답 | 013 ③ 014 ①

해설

① ㉠ 항목만 옳지 않다.
㉠ [×] 폭행죄는 사람의 신체에 대한 유형력의 행사를 가리키며, 그 유형력의 행사는 신체적 고통을 주는 물리력의 작용을 의미하므로 **신체의 청각기관을 직접적으로 자극하는 음향도 경우에 따라서는 유형력에 포함될 수 있다.**(대법원 2003. 1. 10. 2000도5716 **심수봉 사건**)
㉡ [○] 단순히 방문을 발로 몇번 찼다고 하여 그것이 피해자들의 신체에 대한 **유형력의 행사로는 볼 수 없어 폭행죄에 해당한다 할 수 없다.**(대법원 1984. 2. 14. 83도3186 **녹원다방 사건**)
㉢ [○] 형법 제108조 제1항에서 말하는 외국사절에 대한 폭행죄에 있어서의 '폭행'이라 함은 외국사절의 신체에 대한 위법한 **일체의 유형력의 행사를 의미**하고, 여기서의 유형력의 행사는 외국사절의 신체에 대하여 가해지면 충분하며 반드시 **신체에 직접적으로 접촉할 필요는 없다.**(대법원 2003. 7. 11. 2003도1800)
㉣ [○] 피해자의 신체에 공간적으로 근접하여 고성으로 폭언이나 욕설을 하거나 동시에 **손발이나 물건을 휘두르거나 던지는 행위는** 직접 피해자의 신체에 접촉하지 아니하였다 하더라도 피해자에 대한 불법한 **유형력의 행사로서 폭행에 해당될 수 있다.**(대법원 1990. 2. 13. 89도1406)

015 살인 및 폭행 · 상해의 죄에 관한 설명 중 가장 적절하지 않은 것은? (다툼이 있으면 판례에 의함)

□□□

23 경찰채용 [Essential ★]

① 살인예비죄가 성립하기 위하여는 살인죄를 범할 목적 외에도 살인의 준비에 관한 고의가 있어야 한다.
② 자살의 의미를 이해할 능력이 없고 자신의 말은 무엇이나 복종하는 어린 자식을 권유하여 익사하게 하였다면, 물속에 직접 밀어서 빠뜨린 것이 아니더라도 형법 제253조의 위계에 의한 살인죄가 성립한다.
③ 시간적 차이가 있는 2인 이상의 독립된 상해행위가 경합하여 사망의 결과가 일어난 경우에 그 원인된 행위가 판명되지 아니한 때에는 공동정범의 예에 의하여야 한다.
④ 단순폭행, 존속폭행의 범행이 동일한 폭행 습벽의 발현에 의한 것으로 인정되어 상습존속 폭행죄로 처벌되는 경우 피해자의 명시한 의사에 반하여도 공소를 제기할 수 있다.

해설

② [×] 비록 피해자들을 물 속에 직접 밀어서 빠뜨리지는 않았다고 하더라도 자살의 의미를 이해할 능력이 없고 피고인의 말이라면 무엇이나 복종하는 어린 자식들을 권유하여 익사하게 한 이상 **살인죄의 범의는 있었음이 분명하다.**(대법원 1987. 1. 20. 86도2395 **어린 자식들 사건**) 지문의 경우 형법 제250조 제1항의 살인죄가 성립한다.
① [○] 살인예비죄가 성립하기 위하여는 살인죄를 범할 목적 외에도 살인의 준비에 관한 고의가 있어야 하며, 나아가 실행의 착수까지에는 이르지 아니하는 **살인죄의 실현을 위한 준비행위가 있어야 한다.**(대법원 2009. 10. 29. 2009도7150 **실패한 살인교사 사건**)

③ [○] 시간적 차이가 있는 독립된 상해행위나 폭행행위가 경합하여 사망의 결과가 일어나고 그 사망의 원인된 행위가 판명되지 않은 경우에는 공동정범의 예에 의하여 처벌할 것이다.(대법원 2000. 7. 28. 2000도2466 **폭행치사죄 동시범 사건**)

④ [○] 단순폭행, 존속폭행의 범행이 동일한 폭행 습벽의 발현에 의한 것으로 인정되는 경우 그 중 법정형이 더 중한 **상습존속폭행죄에 나머지 행위를 포괄하여 하나의 죄만이 성립한다.**(대법원 2018. 4. 24. 2017도10956 **계부 친모 폭행사건**) **상습존속폭행죄는 반의사불벌죄가 아니다.**

016 다음 설명 중 가장 옳지 않은 것은? (다툼이 있으면 판례에 의함) 20 경찰간부 [*Core* ★★]

□□□

① 존속살해죄와 촉탁·승낙살인죄는 예비·음모를 처벌하는 규정이 없다.

② 상해죄 및 폭행죄의 상습범에 관한 형법 제264조는 "상습으로 제257조, 제258조, 제258조의2, 제260조 또는 제261조의 죄를 범한 때에는 그 죄에 정한 형의 2분의 1까지 가중한다." 라고 규정하고 있다. 형법 제264조에서 말하는 '상습'이란 위 규정에 열거된 상해 내지 폭행행위의 습벽을 말하는 것이므로, 위 규정에 열거되지 아니한 다른 유형의 범죄까지 고려하여 상습성의 유무를 결정해서는 아니된다.

③ 상해는 피해자의 신체의 완전성을 훼손하거나 생리적 기능에 장애를 초래하는 것으로 반드시 외부적인 상처가 있어야만 하는 것이 아니고, 여기서의 생리적 기능에는 육체적 기능뿐만 아니라 정신적 기능도 포함한다.

④ 폭행죄는 피해자의 명시한 의사에 반하여 공소를 제기할 수 없는 반의사불벌죄로서 피해자가 사망한 후에는 그 상속인이 피해자를 대신하여 처벌불원의 의사표시를 할 수 없다.

해설

① [×] 촉탁 · 승낙살인죄는 예비 · 음모를 처벌하는 규정이 없으나, **존속살해죄는 예비 · 음모를 처벌하는 규정이 있다.**(제255조)

② [○] 상해죄 및 폭행죄의 상습범에 관한 형법 제264조에서 말하는 '상습'이란 제257조, 제258조, 제258조의2, 제260조 또는 제261조에 열거된 상해 내지 폭행행위의 습벽을 말하는 것이므로, **위 규정에 열거되지 아니한 다른 유형의 범죄까지 고려하여 상습성의 유무를 결정하여서는 아니 된다.**(대법원 2018. 4. 24. 2017도21663) 상습상해죄를 판단할 때 손괴 전과 같은 것은 고려하지 말라는 판례이다.

③ [○] 성폭법 제9조 제1항[개정법 제8조 제1항]의 상해는 피해자의 신체의 완전성을 훼손하거나 생리적 기능에 장애를 초래하는 것으로 반드시 외부적인 상처가 있어야만 하는 것이 아니고, 여기서의 **생리적 기능에는 육체적 기능뿐만 아니라 정신적 기능도 포함된다.**(대법원 1999. 1. 26. 98도3732 **외상후 스트레스장애 사건**)

정답 | 015 ② 016 ①

④ [○] 폭행죄에 있어 피해자가 사망한 후 그 **상속인이 피해자를 대신하여 처벌불원의 의사표시를 할 수는 없다.** 따라서 피해자의 상속인들이 제1심판결 선고 전에 피고인에 대한 처벌불원의 의사표시를 하였다고 하더라도, 원심이 피고인에 대한 폭행죄를 유죄로 판단한 것은 옳다.(대법원 2010. 5. 27. 2010도2680 생일빵 사건)

017 다음 중 위험한 물건을 휴대하면 형법상 가중처벌되는 범죄는 모두 몇 개인가? 13 법원9급 [Core ★★]

□□□

㉠ 주거침입죄　㉡ 공무집행방해죄　㉢ 손괴죄　㉣ 체포죄

① 1개　② 2개　③ 3개　④ 4개

해설

④ 모두 위험한 물건을 휴대하면 **형법상 가중처벌된다.**(㉠ 제320조 ㉡ 제144조 제1항 ㉢ 제369조 제1항 ㉣ 제278조)

018 다음 중 甲의 행위가 '위험한 물건을 휴대'한 경우라고 볼 수 있는 것은 모두 몇 개인가? (다툼이 있으면 판례에 의함) 20 해경채용 [Core ★★]

□□□

㉠ 甲이 이혼 분쟁 과정에서 자신의 아들을 승낙 없이 자동차에 태우고 떠나려고 하는 피해자들을 상대로 급하게 추격 또는 제지하던 중 소형승용차로 중형승용차를 충격한 경우
㉡ 국회의원인 甲이 국회 본회의 심리를 막기 위하여 의장석 앞 발언대 뒤에서 최루탄 1개를 터뜨리고 최루탄 몸체에 남아있는 최루분말을 국회부의장에게 뿌린 경우
㉢ 甲이 경륜장 사무실에서 술에 취해 소란을 피우면서 소화기를 집어던졌지만 특정인을 겨냥하여 던진 것이 아닌 경우
㉣ 甲이 피해자가 거짓말을 하였다는 이유로 당구큐대로 피해자의 머리 부위를 3~4회 가볍게 톡톡 때리고 배 부위를 1회 밀어 폭행한 경우

① 0개　② 1개　③ 2개　④ 3개

해설

② ㉡ 항목만 '위험한 물건을 휴대'한 경우라고 볼 수 있다.

㉠ 피고인의 범행이 소형승용차(라노스)로 중형승용차(쏘나타)를 충격한 것이고, 충격할 당시 두 차량 모두 정차하여 있다가 막 출발하는 상태로서 차량 속도가 빠르지 않았으며 상대방 차량의 손괴 정도가 그다지 심하지 아니한 점 등을 종합하면 피고인의 자동차 운행으로 인하여 사회통념상 **상대방이나 제3자가 생명 또는 신체에 위험을 느꼈다고 보기 어렵다(위험한 물건의 휴대에 해당하지 아니한다).**(대법원 2009. 3. 26. 2007도3520 라노스 소나타 사건)

㉡ 국회의원인 피고인이 한미FTA 비준동의안의 국회 본회의 심리를 막기 위하여 의장석 앞 발언대 뒤에서 최루탄을 터뜨리고 최루탄 몸체에 남아 있는 최루분말을 국회부의장에게 뿌린 경우, **최루탄과 최루분말은 위험한 물건에 해당한다.**(대법원 2014. 6. 12. 2014도1894 김선동 의원 최루탄 투척사건)

㉢ 피고인이 경륜장 사무실에서 술에 취해 소란을 피우면서 소화기를 집어던졌지만 특정인을 겨냥하여 던진 것이 아닌 점 등 피해자들이나 제3자가 생명 또는 신체에 위험을 느꼈던 것으로는 보기 어렵다면 **소화기는 '위험한 물건'에 해당하지 아니한다.**(대법원 2010. 4. 29. 2010도930 경륜장 소화기 사건)

㉣ 피해자가 거짓말을 하였다는 이유로 피고인이 당구큐대로 피해자의 머리 부위를 3~4회 가볍게 톡톡 때리고 배 부위를 1회 밀어 폭행한 것이라면, 피고인의 위와 같은 폭행으로 인하여 피해자나 제3자가 생명 또는 신체에 위험성을 느꼈으리라고 보여지지는 아니하므로 **당구큐대는 위험한 물건에 해당하지 아니한다.**(대법원 2004. 5. 14. 2004도176 당구큐대 사건)

019 다음 설명 중 옳지 않은 것은 모두 몇 개인가? (다툼이 있으면 판례에 의함)

□□□

21 법원행시 [Superlative ★★★]

㉠ 마약사범이 비닐봉지에 담아 버리려고 했던 칼을 소지해 집을 나서다가 체포된 경우, 폭력행위 등 처벌에 관한 법률 제7조(우범자)에서 말하는 '위험한 물건의 휴대'에 해당한다고 보기 어렵다.

㉡ 폭력 행위 당시 과도를 호주머니 속에 지니고 있었던 것에 불과한 이상 이는 위험한 물건을 휴대한 경우에 해당한다고 보기 어렵다.

㉢ 직계존속인 피해자를 폭행하고, 상해를 가한 것이 존속에 대한 동일한 폭력습벽의 발현에 의한 것으로 인정되는 경우 상습존속상해죄와 상습존속폭행죄가 각 성립하고, 위 두 죄는 실체적 경합범 관계에 있다.

㉣ 만나주지 않는다는 이유로 시정된 탁구장 문과 주방문을 부수고 주방으로 들어가 방문을 열어주지 않으면 모두 죽여버린다고 폭언하면서 시정된 방문을 수회 발로 찬 행위는 피해자들 신체에 대한 유형력의 행사로는 볼 수 없어 폭행죄에 해당한다고 보기 어렵다.

㉤ 피해자를 부딪칠 듯이 차를 조금씩 전진시키는 것을 반복하는 행위는 폭행죄에 해당한다고 할 수 없다.

① 없음 ② 1개 ③ 2개 ④ 3개 ⑤ 4개

정답 | 017 ④ 018 ② 019 ④

해설

④ ㉡㉢㉤ 3 항목이 옳지 않다.

㉠ [○] 원심은, 피고인이 칼을 검은 **비닐봉지에 담아 버리려고 했다는 변소에 충분히 수긍이 가고**, 피고인이 범행 현장에서 사용할 의도 아래 흉기를 휴대하였다고 볼 수 없다는 이유로 **무죄를 선고**하였는 바, 원심의 위와 같은 조치는 옳은 것으로 수긍이 간다.(대법원 2008. 7. 24. 2008도2794)

㉡ [×] 피고인이 과도를 범행현장에서 호주머니 속에 지니고 있었던 이상 이는 **위험한 물건을 휴대한 경우에 해당한다.**(대법원 1984. 4. 10. 84도353)

㉢ [×] 직계존속인 피해자를 폭행하고, 상해를 가한 것이 존속에 대한 동일한 폭력습벽의 발현에 의한 것으로 인정되는 경우 그 중 **법정형이 더 중한 상습존속상해죄에 나머지 행위들을 포괄시켜 하나의 죄만이 성립한다.**(대법원 2003. 2. 28. 2002도7335 망나니 아들 사건 I)

㉣ [○] 다방종업원이 피고인을 만나주지 않는다는 이유로 시정된 탁구장문과 주방문을 부수고 주방으로 들어가 "방문을 열어주지 않으면 모두 죽여버린다"고 폭언하면서 **시정된 방문을 수회 발로 찬 피고인의 행위는 재물손괴죄 또는 숙소 안의 자에게 해악을 고지하여 외포케 하는 단순 협박죄에 해당함은 별론으로 하고, 피해자들의 신체에 대한 유형력의 행사로는 볼 수 없다.**(대법원 1984. 2. 14. 83도3186 녹원다방 사건)

㉤ [×] 자신의 차를 가로막는 피해자를 부딪친 것은 아니라고 하더라도 피해자를 부딪칠 듯이 차를 조금씩 전진시키는 것을 반복하는 행위 역시 **피해자에 대해 위법한 유형력을 행사한 것이라고 보아야 한다.**(대법원 2016. 10. 27. 2016도9302 조금씩 전진 사건)

020 □□□ **다음 설명 중 가장 옳지 않은 것은? (다툼이 있으면 판례에 의함)** 15 법원9급 [Core ★★]

① 위험한 물건을 '휴대하여'라는 말은 소지뿐만 아니라 널리 이용한다는 뜻도 포함한다.

② 피고인이 폭력행위 당시 위험한 물건인 과도를 호주머니 속에 지니고 있었던 이상 피해자가 과도의 존재를 인식하지 못하였더라도 위험한 물건을 휴대한 경우에 해당한다.

③ 피고인이 청산염 2그램을 협박편지에 동봉 우송하여 피해자에게 도달케 하였다는 것만으로는 위험한 물건의 휴대라고 할 수는 없다.

④ 甲, 乙, 丙이 흉기를 휴대하여 타인의 건조물에 침입하기로 공모한 다음, 甲, 乙은 건물로부터 30 내지 50미터 떨어진 차량에서 흉기를 보관한 채 망을 보고, 丙은 흉기를 소지하지 아니하고 건조물에 침입한 경우, 甲, 乙, 丙에 대하여 흉기 기타 위험한 물건을 휴대하여 타인의 주거 등에 침입함으로서 성립하는 폭력행위 등 처벌에 관한 법률 제2조 제1항 소정의 특수주거침입죄가 성립한다.

해설

④ [×] (1) 수인이 흉기를 휴대하여 타인의 건조물에 침입하기로 공모한 후 그 중 일부는 밖에서 망을 보고 나머지 일부만이 건조물 안으로 들어갔을 경우에 있어서 특수주거침입죄의 구성요건이 충족되었다고 볼 수 있는지의 여부는 직접 건조물에 들어간 범인을 기준으로 하여 그 범인이 흉기를 휴대하였다고 볼 수 있느냐의 여부에 따라 결정되어야 한다.

(2) 흉기가 보관되어 있던 차량은 피고인 등이 침입한 건물로부터 약 30 내지 50m 떨어진 거리에 있었고, 차량 안에 남아 있던 다른 피고인들은 만약의 사태에 대비하면서 차량 안에 남아서 유심히 주위의 동태를 살피다가 피고인 등이 도망치는 모습을 발견하고서는 그대로 차를 운전하여 도주한 사실을 인정할 수 있는바, 그렇다면 건물 안으로 들어간 **피고인 등 범인들을 기준으로 할 경우에 그들이 건조물에 들어갈 때 30 내지 50여m 떨어진 거리에 세워진 차 안에 있던 흉기를 휴대하고 있었다고는 볼 수 없다.**(대법원 1994. 10. 11. 94도1991 승용차 안 흉기 사건)

① [○] 위험한 물건을 '휴대하여'라는 말은 소지뿐만 아니라 **널리 이용한다는 뜻도 포함하고 있다.**(대법원 2002. 9. 6. 2002도2812)

② [○] 피고인이 과도를 범행현장에서 **호주머니 속에 지니고 있었던 이상 이는 위험한 물건을 휴대한 경우에 해당한다.**(대법원 1984. 4. 10. 84도353)

③ [○] 청산염 2g 정도를 협박편지에 동봉 우송하여 피해자에게 도달케 하였다는 것만으로는 **위험한 물건의 휴대라고 할 수 없다.**(대법원 1985. 10. 8. 85도1851)

021 폭행죄에 대한 설명으로 가장 적절하지 않은 것은? (다툼이 있으면 판례에 의함)

□□□

20 경찰채용 [Essential ★]

① 흉기 기타 위험한 물건을 휴대하여 폭행을 저지르는 경우 그 범죄와 전혀 무관하게 우연히 이를 소지하게 된 경우까지를 포함하는 것은 아니지만, 범행현장에서 범행에 사용하려는 의도 아래 흉기 등 위험한 물건을 소지하거나 몸에 지닌 이상 그 사실을 피해자가 인식하거나 실제로 범행에 사용하였을 것까지 요구되지 않는다.

② 특수폭행죄에서 다중의 위력을 보인다는 것은 위력을 상대방에게 인식시키는 것을 말하고 상대방의 의사가 현실적으로 제압될 것을 요하지 않으며 상대방의 의사를 제압할 만한 세력을 인식시킬 정도에 이르지 않아도 족하다.

③ 단순폭행, 존속폭행의 범행이 동일한 폭행 습벽의 발현에 의한 것으로 인정되는 경우, 그 중 법정형이 더 중한 상습존속폭행죄에 나머지 행위를 포괄하여 하나의 죄만 성립한다.

④ 甲은 경륜장 사무실에서 소화기들을 던지며 소란을 피웠는데 특정인을 겨냥하여 던진 것으로는 보이지 아니하는 점, 피해자 들이 상해를 입지 않은 점 등의 여러 사정을 종합하면, 이때 '소화기'는 '위험한 물건'에 해당하지 않는다.

정답 | 020 ④ 021 ②

해설

② [×] 다중의 '위력'이라 함은 다중의 형태로 집결한 다수 인원으로 사람의 의사를 제압하기에 족한 세력을 지칭하는 것으로서 그 인원수가 다수에 해당하는가는 행위 당시의 여러 사정을 참작하여 결정하여야 할 것이며, 이 경우 상대방의 의사가 현실적으로 제압될 것을 요하지는 않는다고 할 것이지만 **상대방의 의사를 제압할 만한 세력을 인식시킬 정도는 되어야 한다.**(대법원 2008. 7. 10. 2007도9885 보성초등학교 기간제교사 사건)

① [○] 성폭법 제6조 제1항[개정법 제4조 제1항] 소정의 '흉기 기타 위험한 물건을 휴대하여 강간죄를 범한 자'란 범행 현장에서 그 범행에 사용하려는 의도 아래 흉기를 소지하거나 몸에 지니는 경우를 가리키는 것이고, 그 범행과는 전혀 무관하게 우연히 이를 소지하게 된 경우까지를 포함하는 것은 아니라 할 것이나, 범행 현장에서 범행에 사용하려는 의도 아래 흉기 등 위험한 물건을 소지하거나 몸에 지닌 이상 **그 사실을 피해자가 인식하거나 실제로 범행에 사용하였을 것까지 요구되는 것은 아니다.**(대법원 2004. 6. 11. 2004도2018)

③ [○] 단순폭행, 존속폭행의 범행이 동일한 폭행 습벽의 발현에 의한 것으로 인정되는 경우, 그 중 법정형이 더 중한 상습존속폭행죄에 나머지 행위를 **포괄하여 하나의 죄만이 성립한다.**(대법원 2018. 4. 24. 2017도10956 계부 친모 폭행사건)

④ [○] 피고인이 경륜장 사무실에서 술에 취해 소란을 피우면서 소화기를 집어던졌지만 특정인을 겨냥하여 던진 것이 아닌 점 등 피해자들이나 제3자가 생명 또는 신체에 위험을 느꼈던 것으로는 보기 어렵다면 **소화기는 '위험한 물건'에 해당하지 아니한다.**(대법원 2010. 4. 29. 2010도930 경륜장 소화기 사건)

022 □□□ **「폭력행위 등 처벌에 관한 법률」의 규정에 관한 설명으로 옳지 않은 것은? (다툼이 있으면 판례에 의함)**

24 경대편입 [Superlative ★★★]

① 「폭력행위 등 처벌에 관한 법률」 제3조 제4항은 이 법률을 위반하여 2회 이상 징역형을 받은 사람이 다시 소정의 죄를 범하여 누범으로 처벌할 경우를 가중처벌하고 있는데, 이에 해당하여 처벌하는 때도 「형법」 제35조의 누범가중 규정이 적용될 수 있다.

② 「폭력행위 등 처벌에 관한 법률」은 이 법에 규정된 범죄를 목적으로 하는 단체의 구성원으로 활동하는 행위를 처벌하도록 정하고 있는데, 여기에서 말하는 범죄단체 구성원으로서의 '활동'이란 범죄단체의 내부 규율 및 통솔 체계에 따른 조직적·집단적 의사 결정에 기초하여 행하는 범죄단체의 존속·유지를 지향하는 적극적인 행위를 의미한다.

③ 수인이 범죄단체의 배후에서 일체의 조직활동을 지휘하는 역할과 그 전면에서 단체 구성원의 통솔을 담당하는 역할을 분담하고 있는 경우 양자 모두 「폭력행위 등 처벌에 관한 법률」에서 말하는 범죄단체의 수괴로 인정될 수 있다.

④ 「폭력행위 등 처벌에 관한 법률」에서 말하는 '범죄를 목적으로 하는 단체'에 해당하기 위하여는 그 단체를 주도하거나 내부의 질서를 유지하는 최소한의 통솔체계가 갖추어져 있어야 하고, 그 구성 또는 가입에 관하여 단체의 명칭이나 강령이 명확하게 존재할 것이 필요하다.

⑤ 「폭력행위 등 처벌에 관한 법률」은 "정당한 이유 없이 이 법에 규정된 범죄에 공용될 우려가 있는 흉기나 그 밖의 위험한 물건을 휴대하거나 제공 또는 알선한 사람"에 대한 처벌규정을 두고 있는데, 여기에서 말하는 '이 법에 규정된 범죄' 란 「폭력행위 등 처벌에 관한 법률」에 규정된 범죄만을 의미한다.

해설

④ [×] 폭처법 제4조에서 규정하는 범죄를 목적으로 한 단체는 위 법률에서 규정한 범죄를 한다는 공동의 목적 아래 특정 다수인에 의하여 구성된 계속적인 결합체로서 그 단체를 주도하거나 내부의 질서를 유지하는 최소한의 통솔체계를 갖추면 된다. 나아가 이러한 범죄단체는 다양한 형태로 성립 · 존속할 수 있는 것으로서 정형을 요하는 것이 아니므로, **그 구성 또는 가입에 관하여 반드시 단체의 명칭이나 강령이 명확하게 존재하고 단체 결성식이나 가입식과 같은 특별한 절차가 있어야만 하는 것이 아니다.**(대법원 2014. 2.13. 2013도12804 당진식구파 사건)

① [○] 폭처법 제3조 제4항에 해당하여 처벌하는 경우에도 **형법 제35조의 누범가중 규정의 적용은 면할 수 없다**고 할 것이므로 원심이 형법 제35조를 적용한 것은 정당하고, 그것이 동일한 행위에 대한 이중처벌로서 헌법상의 인간의 존엄과 가치, 행복추구권을 침해하는 것이라고는 볼 수 없다.(대법원 2007. 8.23. 2007도4913 폭처법 누범 형법 누범 사건)

② [○] 폭처법 제4조 제1항에서 말하는 범죄단체 구성원으로서의 '활동'이란 범죄단체의 내부 규율 및 통솔 체계에 따른 조직적 · 집단적의사 결정에 기초하여 행하는 **범죄단체의 존속 · 유지를 지향하는 적극적인 행위를 의미한다.**(대법원 2022. 9. 7. 2022도6993 텔레그램 성착취 사건)

③ [○] 폭처법 제4조 제1항 제1호에서 말하는 '수괴'라 함은 그 범죄단체의 우두머리로 단체의 활동을 지휘 · 통솔하는 자를 가리키는 것으로서, **'수괴'는 반드시 1인일 필요가 없고 2인 이상의 수괴가 역할을 분담하여 활동할 수도 있는 것이어서** 범죄단체의 배후에서 일체의 조직활동을 지휘하는 자와 전면에서 단체 구성원의 통솔을 담당하는 자로 역할을 분담하고 있는 경우 양인을 모두 범죄단체의 수괴로 인정할 수 있다.(대법원 2015. 5.28. 2014도18006 칠성파 사건)

⑤ 폭처법 제7조(우범자)에서 말하는 '이 법에 규정된 범죄'라고 함은 **'폭처법에 규정된 범죄'만을 의미한다고 해석함이 타당하다.**(대법원 2018. 6.19. 2018도5191 식칼 휴대 사건)

정답 | 022 ④

제3절 | 낙태의 죄

023 살인죄나 낙태죄에 관련된 설명으로 옳지 않은 것은 몇 개인가? (다툼이 있으면 판례에 의함)

□□□

14 법원9급 [Core ★★]

㉠ 사람의 생명과 신체의 안전을 보호법익으로 하고 있는 형법의 해석으로는 규칙적인 진통을 동반하면서 분만이 개시된 때(소위 진통설 또는 분만개시설)가 사람의 시기(始期)라고 봄이 타당하다.

㉡ 제왕절개 수술의 경우에는 '의학적으로 제왕절개 수술이 가능하였고 규범적으로 수술이 필요하였던 시기(時期)'를 분만의 시기(始期)로 보아야 한다.

㉢ 태아를 사망에 이르게 하는 행위는 태아의 사망으로 인하여 그 태아를 양육, 출산하는 임산부의 생리적 기능이 침해되어 임산부에 대한 상해가 된다.

㉣ 낙태시술을 하였으나 살아서 출생한 미숙아가 정상적으로 생존할 확률이 적은 경우, 그 미숙아에게 염화칼륨을 주입하여 사망에 이르게 하였다면 이는 낙태행위의 완성일 뿐 별개의 살인행위를 구성하지 않는다.

㉤ 소위 타격의 착오가 있는 경우라 할지라도 행위자의 살인의 고의 성립에 방해가 되지 아니한다.

① 1개　　② 2개

③ 3개　　④ 4개

해설

③ ㉡㉢㉣ 3 항목이 옳지 않다.

㉠ [○] 사람의 생명과 신체의 안전을 보호법익으로 하고 있는 형법의 해석으로는 규칙적인 진통을 동반하면서 **분만이 개시된 때(소위 진통설 또는 분만개시설)가 사람의 시기(始期)라고 봄이 타당하다.**(대법원 2007. 6. 29. 2005도3832 **무리한 자연분만 사건**)

㉡ [×] (1) 규칙적인 진통을 동반하면서 분만이 개시된 때(소위 진통설 또는 분만개시설)가 사람의 시기(始期)라고 봄이 타당하다.
(2) 제왕절개 수술의 경우 **'의학적으로 제왕절개 수술이 가능하였고 규범적으로 수술이 필요하였던 시기(時期)'는** 판단하는 사람 및 상황에 따라 다를 수 있어, 분만개시 시점 즉, 사람의 시기(始期)도 불명확하게 되므로 **이 시점을 분만의 시기(始期)로 볼 수는 없다.**(대법원 2007. 6. 29. 2005도3832 **무리한 자연분만 사건**)

㉢ [×] (형법은 태아를 임산부 신체의 일부로 보거나 낙태행위가 임산부의 태아양육, 출산 기능의 침해라는 측면에서 낙태죄와는 별개로 임산부에 대한 상해죄를 구성하는 것으로 보지는 않는다고 해석되므로) 태아를 사망에 이르게 하는 행위가 임산부 신체의 일부를 훼손하는 것이라거나 태아의 사망으로 인하여 그 태아를 양육, 출산하는 임산부의 생리적 기능이 침해되어 **임산부에 대한 상해가 된다고 볼 수는 없다.**(대법원 2007. 6. 29. 2005도3832 **무리한 자연분만 사건**)

㉣ [×] 피고인이 낙태시술을 하였으나 태아가 살아서 미숙아 상태로 출생하자 그 미숙아에게 염화칼륨을 주입하여 사망하게 한 경우 (중략) 업무상촉탁낙태죄에 외에 **별도의 살인죄가 성립한다.**(대법원 2005. 4. 15. 2003도2780 **낙태전문 의사 사건**)

ⓜ [○] (1) 소위 **타격의 착오**가 있는 경우라 할지라도 행위자의 살인의 고의 성립에 방해가 되지 아니한다.
(2) 피고인이 형수 A를 향하여 살의를 갖고 몽둥이를 힘껏 후려친 가격으로 마당에 고꾸라진 A녀와 등에 업힌 조카 B의 머리 부분을 몽둥이로 내리쳐 B를 현장에서 사망하게 한 소위를 **살인죄로 의율한 원심조처는 정당하게 긍인된다**.(대법원 1984. 1. 24. 83도2813 **형수 · 조카 살해사건**)

핵심정리 **낙태죄 헌법불합치결정(헌재 2019. 4. 11. 2017헌바127)**

자기낙태죄 · 의사낙태죄 헌법불합치

[1] 현 시점에서 최선의 의료기술과 의료 인력이 뒷받침될 경우 **태아는 임신 22주 내외부터 독자적인 생존이 가능하다**고 한다. 한편 자기결정권이 보장되려면 임신한 여성이 임신 유지와 출산 여부에 관하여 전인적 결정을 하고 그 결정을 실행함에 있어서 충분한 시간이 확보되어야 한다. 이러한 점들을 고려하면, 태아가 모체를 떠난 상태에서 독자적으로 생존할 수 있는 시점인 임신 22주 내외에 도달하기 전이면서 동시에 임신유지와 출산 여부에 관한 자기결정권을 행사하기에 충분한 시간이 보장되는 시기까지의 낙태에 대해서는 국가가 생명보호의 수단 및 정도를 달리 정할 수 있다고 봄이 타당하다.

[2] **자기낙태죄 조항은** 모자보건법에서 정한 사유에 해당하지 않는다면 결정가능기간 중에 다양하고 광범위한 사회적 · 경제적 사유를 이유로 낙태갈등 상황을 겪고 있는 경우까지도 **예외 없이 전면적 · 일률적으로 임신의 유지 및 출산을 강제하고, 이를 위반한 경우 형사처벌하고 있다.**

[3] 따라서, 자기낙태죄 조항은 입법목적을 달성하기 위하여 필요한 최소한의 정도를 넘어 임신한 여성의 자기결정권을 제한하고 있어 침해의 최소성을 갖추지 못하였고, 태아의 생명 보호라는 공익에 대하여만 일방적이고 절대적인 우위를 부여함으로써 법익균형성의 원칙도 위반하였으므로, 과잉금지원칙을 위반하여 **임신한 여성의 자기결정권을 침해한다.**

[4] 자기낙태죄 조항과 동일한 목표를 실현하기 위하여 임신한 여성의 촉탁 또는 승낙을 받아 낙태하게 한 의사를 처벌하는 **의사낙태죄 조항도 같은 이유에서 위헌이라고 보아야 한다.**

[5] 자기낙태죄 조항과 의사낙태죄 조항에 대하여 단순위헌결정을 하는 대신 각각 **헌법불합치결정을 선고**하되, 다만 입법자의 개선입법이 이루어질 때까지 계속적용을 명하는 것이 타당하다. 입법자는 가능한 한 빠른 시일 내에 개선입법을 해야 할 의무가 있으므로, 늦어도 **2020. 12. 31.까지는 개선입법을 이행하여야 하고**, 그때까지 개선입법이 이루어지지 않으면 위 조항들은 2021. 1. 1.부터 효력을 상실한다.

정답 | 023 ③

024 다음은 (구) 형법 제269조 제1항 자기낙태죄에 대한 헌법재판소의 입장에 대한 설명이다. 가장 적절하지 않은 것은?

□□□ 22 경찰간부 [Superlative ★★★]

① 자기결정권에는 여성이 그의 존엄한 인격권을 바탕으로 하여 자율적으로 자신의 생활영역을 형성해 나갈 수 있는 권리가 포함되고, 여기에는 임신한 여성이 자신의 신체를 임신 상태로 유지하여 출산할 것인지 여부에 대하여 결정할 수 있는 권리가 포함되어 있다.

② 자기낙태죄 조항은 태아의 생명을 보호하기 위한 것으로서 그 입법목적이 정당하고, 낙태를 방지하기 위하여 임신한 여성의 낙태를 형사처벌하는 것은 이러한 입법목적을 달성하는 데 적합한 수단이다.

③ 동일한 생명이라 할지라도 법질서가 생명의 발전과정을 일정한 단계들로 구분하고 그 각 단계에 상이한 법적 효과를 부여하는 것이 불가능하지 않다. 태아가 모체를 떠난 상태에서 독자적으로 생존할 수 있는 시점인 임신 22주 내외에 도달하기 전이면서 동시에 임신유지와 출산 여부에 관한 자기결정권을 행사하기에 충분한 시간이 보장되는 시기까지의 낙태에 대해서는 국가가 생명보호의 수단 및 정도를 달리 정할 수 있다

④ 자기낙태죄 조항은 입법목적을 달성하기 위하여 필요한 최소한의 정도를 넘어 임신한 여성의 자기결정권을 제한하고 있다고 볼 수는 없지만, 태아의 생명 보호와 임신한 여성의 자기결정권의 실제적 조화와 균형을 이루려는 노력을 충분히 하지 아니하여 태아의 생명 보호라는 공익에 대하여만 일방적이고 절대적인 우위를 부여함으로써 공익과 사익간의 적정한 균형관계를 달성하지 못하여 법익균형성의 원칙에 위반하였다고 할 것이므로 임신한 여성의 자기결정권을 침해하는 위헌적인 규정이다.

해설

④ [×] 자기낙태죄 조항은 모자보건법에서 정한 사유에 해당하지 않는다면 결정가능기간 중에 다양하고 광범위한 사회적 · 경제적 사유를 이유로 낙태갈등 상황을 겪고 있는 경우까지도 예외 없이 전면적 · 일률적으로 임신의 유지 및 출산을 강제하고 이를 위반한 경우 형사처벌하고 있다. 따라서 **자기낙태죄 조항은 입법목적을 달성하기 위하여 필요한 최소한의 정도를 넘어 임신한 여성의 자기결정권을 제한하고 있어 침해의 최소성을 갖추지 못하였고**, 태아의 생명 보호라는 공익에 대하여만 일방적이고 절대적인 우위를 부여함으로써 법익균형성의 원칙도 위반하였으므로 과잉금지원칙을 위반하여 임신한 여성의 자기결정권을 침해한다.(헌법재판소 2019. 4. 11. 2017헌바127) 헌법재판소는 과잉금지의 원칙을 세부적으로 목적의 정당성 및 수단의 적합성, 침해의 최소성 그리고 법익의 균형성의 원칙에 따라 판단한다. 낙태죄에 관한 형법 제269조 제1항은 침해의 최소성과 법익의 균형성의 원칙 모두에 위반된다. 지문은 침해의 최소성 위반이 아니라고 나와서 틀린지문이다.

①②③ [O] 자기낙태죄 조항은 모자보건법이 정한 예외를 제외하고는 임신기간 전체를 통틀어 모든 낙태를 전면적 · 일률적으로 금지하고, 이를 위반할 경우 형벌을 부과함으로써 임신의 유지 · 출산을 강제하고 있으므로, **임신한 여성의 자기결정권을 제한한다**. 자기낙태죄 조항은 태아의 생명을 보호하기 위한 것으로서, **정당한 입법목적을 달성하기 위한 적합한 수단이다**. 임신 · 출산 · 육아는 여성의 삶에 근본적이고 결정적인 영향을 미칠 수 있는 중요한 문제이므로, 임신한 여성이 임신을 유지 또는 종결할 것인지 여부를 결정하는 것은 스스로 선택

한 인생관 · 사회관을 바탕으로 자신이 처한 신체적 · 심리적 · 사회적 · 경제적 상황에 대한 깊은 고민을 한 결과를 반영하는 전인적(全人的) 결정이다. 현 시점에서 최선의 의료기술과 의료 인력이 뒷받침될 경우 태아는 임신 22주 내외부터 독자적인 생존이 가능하다고 한다. 한편 자기결정권이 보장되려면 임신한 여성이 임신 유지와 출산 여부에 관하여 전인적 결정을 하고 그 결정을 실행함에 있어서 충분한 시간이 확보되어야 한다. 이러한 점들을 고려하면, 태아가 모체를 떠난 상태에서 독자적으로 생존할 수 있는 시점인 임신 22주 내외에 도달하기 전이면서 동시에 임신 유지와 출산 여부에 관한 자기결정권을 행사하기에 충분한 시간이 보장되는 시기(이하 착상 시부터 이 시기까지를 '결정가능기간'이라 한다)까지의 **낙태에 대해서는 국가가 생명보호의 수단 및 정도를 달리 정할 수 있다고 봄이 타당하다.** 낙태갈등 상황에서 형벌의 위하가 임신종결 여부 결정에 미치는 영향이 제한적이라는 사정과 실제로 형사처벌되는 사례도 매우 드물다는 현실에 비추어 보면, 자기낙태죄 조항이 낙태갈등 상황에서 태아의 생명 보호를 실효적으로 하지 못하고 있다고 볼 수 있다. 낙태갈등 상황에 처한 여성은 형벌의 위하로 말미암아 임신의 유지 여부와 관련하여 필요한 사회적 소통을 하지 못하고, 정신적 지지와 충분한 정보를 제공받지 못한 상태에서 안전하지 않은 방법으로 낙태를 실행하게 된다. 모자보건법상의 정당화사유에는 다양하고 광범위한 사회적 · 경제적 사유에 의한 낙태갈등 상황이 전혀 포섭되지 않는다. 예컨대, 학업이나 직장생활 등 사회활동에 지장이 있을 것에 대한 우려, 소득이 충분하지 않거나 불안정한 경우, 자녀가 이미 있어서 더 이상의 자녀를 감당할 여력이 되지 않는 경우, 상대 남성과 교제를 지속할 생각이 없거나 결혼 계획이 없는 경우, 혼인이 사실상 파탄에 이른 상태에서 배우자의 아이를 임신했음을 알게 된 경우, 결혼하지 않은 미성년자가 원치 않은 임신을 한 경우 등이 이에 해당할 수 있다. 자기낙태죄 조항은 모자보건법에서 정한 사유에 해당하지 않는다면 결정가능기간 중에 다양하고 광범위한 사회적 · 경제적 사유를 이유로 낙태갈등 상황을 겪고 있는 경우까지도 예외 없이 전면적 · 일률적으로 임신의 유지 및 출산을 강제하고, 이를 위반한 경우 형사처벌하고 있다.(헌법재판소 2019. 4. 11. 2017헌바127)

정답 | 024 ④

제4절 | 유기와 학대의 죄

025 유기와 학대의 죄에 관한 설명 중 가장 적절하지 않은 것은? (다툼이 있으면 판례에 의함)

□□□

16 경찰승진 [Essential ★]

① 유기죄는 행위자가 요부조자에 대한 보호책임의 발생 원인이 된 사실이 존재한다는 것을 인식하고 이에 기한 부조의무를 해태한다는 의식이 있음을 요한다.

② 甲이 乙에게 강간치상의 범행을 저지르고 그 범행으로 인하여 실신상태에 있는 乙을 구호하지 않고 방치하였다고 하더라도 유기죄가 성립하지 않는다.

③ 유기죄의 보호의무는 법률이나 계약에 제한되지 않고 사무관리·관습·조리에 의해서도 가능하다는 것이 판례의 태도이다.

④ 술에 취한 甲과 乙이 우연히 같은 길을 가다가 개울에 떨어져 甲은 가까스로 귀가하고 乙은 머리를 다쳐 앓다가 추운 날씨에 심장마비로 사망한 경우 甲은 무죄이다.

해설

③ [×] **유기죄의 죄책을 인정하려면** 구성요건이 요구하는 **법률상 또는 계약상 보호의무를 밝혀야 하고** 설혹 동행자가 구조를 요하게 되었다 하여도 일정거리를 동행한 사실만으로서는 피고인에게 법률상 계약상의 보호의무가 있다고 할 수 없다.(대법원 1977. 1. 11. 76도3419 **일정거리 동행사건**)

① [O] 유기죄가 성립하기 위하여는 행위자가 '노유, 질병 기타 사정으로 인하여 부조를 요하는 자를 보호할만한 법률상 또는 계약상 의무 있는 자'에 해당하여야 할 뿐만 아니라, 요부조자에 대한 보호책임의 발생원인이 된 사실이 **존재한다는 것을 인식하고, 이에 기한 부조의무를 해태한다는 의식이 있음을 요한다.**(대법원 2008. 2. 14. 2007도3952 **필로폰에 쩔은 내연녀 사건**)

② [O] 피고인의 강간미수행위로 인하여 상해를 입고 의식불명이 된 피해자를 그곳에 그대로 방치한 피고인의 소위는 **강간치상죄만이 성립하고 별도로 유기죄는 성립하지 아니한다.**(대법원 1980. 6. 24. 80도726 **강간피해자 떡실신 사건**)

④ [O] 피고인이 피해자 A(41세)와 함께 **마차 4리**를 향하여 가던 중 술에 취하였던 탓으로 도로 위에서 실족하여 2m 아래 개울로 미끄러 떨어져 약 5시간 가량 잠을 자다가 술과 잠에서 깨어난 피고인과 피해자는 도로 위로 올라가려 하였으나 야간이므로 도로로 올라가는 길을 발견치 못하여 개울 아래 위로 헤매든 중 피해자는 후두부 타박상을 입어서 정상적으로 움직이기가 어렵게 되었고 (피해자는 나중에 사망함) 피고인은 도로로 나오는 길을 발견, 혼자 도로 위로 올라온 경우 **유기치사죄에 해당하지 아니한다.**(대법원 1977. 1. 11. 76도3419 **일정거리 동행사건**)

026 유기와 학대의 죄에 관한 설명 중 가장 적절한 것은? (다툼이 있으면 판례에 의함)

□□□

17 경찰승진 [Core ★★]

① 현행 형법은 부조를 요하는 자를 보호할 법률상 또는 계약상 의무 있는 자만을 유기죄의 주체로 규정하고 있다.

② 甲은 호텔 객실에서 애인인 乙女에게 성관계를 요구하였는데 乙女는 그 순간을 모면하기 위하여 甲이 모르는 사이에 7층 창문으로 뛰어내리다가 중상을 입었다. 그러나 이 사실을 모르는 甲이 빈사상태의 乙女를 방치하고 혼자서 호텔을 나온 경우 甲에게 유기죄가 성립한다.

③ 형법 제271조 제1항의 죄를 범하여 사람의 생명·신체에 대한 위험을 발생하게 한 때에는 중유기죄로서 가중처벌된다.

④ 유기죄는 형법상 상습범에 관한 가중처벌 규정이 있다.

해설

① [○] 노유, 질병 기타 사정으로 인하여 부조를 요하는 자를 보호할 **법률상 또는 계약상의무 있는 자**가 유기한 때에는 3년 이하의 징역 또는 500만원 이하의 벌금에 처한다.(제271조 제1항)

② [×] (1) 유기죄에 있어서는 행위자가 요부조자에 대한 보호책임의 발생원인이 된 사실이 존재한다는 것을 인식하고 이에 기한 부조의무를 해태한다는 의식이 있음을 요한다.
(2) 피고인이 성류파크호텔 7층 1713호실에서 피해자에게 성관계를 요구하다가 같은 피해자가 그 순간을 모면하기 위하여 7층 창문으로 뛰어내렸다고 하더라도, **피해자가 뛰어내린 여부를 피고인이 전혀 알지 못하였다면 피고인의 범의를 인정할 수 없다.**(대법원 1988. 8. 9. 86도225 **성류파크호텔 사건**)

③ [×] 형법 제271조 제1항의 죄(유기죄)를 범하여 **사람의 생명에 대한** 위험을 발생하게 한 때에는 중유기죄로서 가중처벌된다.(제271조 제3항)

④ [×] 유기죄는 **상습범 가중처벌 규정이 없다.**

정답 | 025 ③ 026 ①

027 다음 설명 중 가장 옳은 것은? (다툼이 있으면 판례에 의함) 20 경찰간부 [Essential ★]

□□□

① 甲은 호텔에 함께 투숙한 애인 A녀에게 성관계를 요구하였고 A녀는 그 순간을 모면하기 위하여 甲이 전혀 모른 사이에 7층에서 뛰어내려 중상을 입고 생명이 위독하게 되었는데 그 사실을 전혀 모르는 甲이 빈사상태의 A녀를 방치하고 혼자서 호텔에서 나온 경우 중유기죄가 성립한다.

② 형법 제271조 제1항의 죄(단순유기죄)를 범하여 사람의 생명·신체에 대한 위험을 발생하게 한 때에는 중유기죄로서 가중 처벌된다.

③ 유기죄의 보호의무는 법률이나 계약에 제한되지 않고 사무관리·관습·조리에 의해서도 가능하다는 것이 판례의 태도이다.

④ 경찰관은 경찰관 직무집행법 등에 의하여 머리를 심하게 다친 상태로 경찰서에 누워 있는 사람을 구조할 법률상 의무가 있기 때문에 유기죄의 주체가 될 수 있다.

해설

④ [○] 국민의 생명과 신체의 안전을 보호하기 위한 응급의 조치를 강구하여야 할 직무를 가진 **경찰관인 피고인으로서는** 술에 만취된 피해자가 향토예비군 4명에게 떼메어 운반되어 지서 나무의자 위에 눕혀 놓았을 때 숨이 가쁘게 쿨쿨 내뿜고 자신의 수족과 의사도 자제할 수 없는 상태에 있음에도 불구하고 근 **3시간 동안이나 아무런 구호조치를 취하지 아니한 것은 유기죄에 대한 범의를 인정할 수 있다.**(대법원 1972. 6. 27. 72도863)

① [×] 유기죄에 있어서는 행위자가 요부조자에 대한 보호책임의 발생원인이 된 사실이 존재한다는 것을 인식하고 이에 기한 부조의무를 해태한다는 의식이 있음을 요하는 것이다.(대법원 1988. 8. 9. 86도225 **성류파크호텔 사건**) 지문의 경우 피해자가 호텔 객실에서 뛰어내린 사실을 피고인이 몰랐으므로 즉, **범의를 인정할 수 없어 유기죄는 성립하지 않는다.**

② [×] 형법 제271조 제1항의 죄(유기죄)를 범하여 **사람의 생명에 대한** 위험을 발생하게 한 때에는 중유기죄로서 가중처벌된다.(제271조 제3항)

③ [×] **유기죄의 죄책을 인정하려면** 구성요건이 요구하는 **법률상 또는 계약상 보호의무를 밝혀야 하고** 설혹 동행자가 구조를 요하게 되었다 하여도 일정거리를 동행한 사실만으로서는 피고인에게 법률상 계약상의 보호의무가 있다고 할 수 없다.(대법원 1977. 1. 11. 76도3419 **일정거리 동행사건**) 유기죄의 보호의무는 (부작위범에 있어 작위의무와는 달리) 사무관리·관습·조리에 의해서는 인정되지 아니한다.

028 유기와 학대의 죄에 관한 설명 중 가장 적절하지 않은 것은? (다툼이 있으면 판례에 의함)

□□□

15 경찰승진 [Core ★★]

① 현행 형법은 부조를 요하는 자를 보호할 법률상 또는 계약상의 의무 있는 자만을 유기죄의 주체로 규정하고 있다.

② 특정 종교의 신도인 甲이 교리에 어긋난다는 이유로 최선의 치료방법인 수혈을 요하는 수술을 거부하여 자신의 딸인 乙을 사망하게 한 경우에는 유기치사죄가 성립한다.

③ 甲은 호텔 객실에서 애인인 乙女에게 성관계를 요구하였는데, 乙女는 그 순간을 모면하기 위하여 甲이 모르는 사이에 7층 창문에서 뛰어내리다가 중상을 입었다. 그러나 이 사실을 모르는 甲이 빈사상태의 乙女를 방치하고 혼자서 호텔을 나온 경우 甲에게 유기죄가 성립한다.

④ 4세인 아들이 대소변을 가리지 못한다고 닭장에 가두고 전신을 구타한 사안에서 판례는 학대죄를 인정하였다.

해설

③ [×] 유기죄에 있어서는 행위자가 요부조자에 대한 보호책임의 발생원인이 된 사실이 존재한다는 것을 인식하고 이에 기한 부조의무를 해태한다는 의식이 있음을 요하는 것이다. 피해자가 호텔 객실에서 뛰어내린 여부를 피고인이 전혀 알지 못하였다면 **피고인의 범의를 인정할 수 없다.**(대법원 1988. 8. 9. 86도225 **성류파크호텔 사건**)

① [○] 노유, 질병 기타 사정으로 인하여 부조를 요하는 자를 보호할 **법률상 또는 계약상의무 있는 자**가 유기한 때에는 3년 이하의 징역 또는 500만원 이하의 벌금에 처한다.(제271조 제1항)

② [○] 피고인이 의사들이 당시의 의료기술상 최선의 치료방법이라고 하면서 권유하는 수혈을 자신이 믿는 종교인 **여호와의 증인**의 교리에 어긋난다는 이유로 시종일관 완강히 거부하는 언동을 하여 결국 그의 딸이 사망하였다면 피고인은 **유기치사죄의 죄책을 진다.**(대법원 1980. 9. 24. 79도1387 **여호와의 증인 사건**)

④ [○] 4세인 아들이 대소변을 가리지 못한다고 닭장에 가두고 전신을 구타한 경우 **학대죄가 성립한다.**(대법원 1969. 2. 4. 68도1793)

정답 | 027 ④ 028 ③

029 유기죄와 학대죄에 대한 설명으로 옳은 것만을 모두 고르면? (다툼이 있으면 판례에 의함)

□□□

21 국가9급 [Core ★★]

㉠ 유기죄에서 '계약상 의무'는 계약에 기한 주된 급부의무가 부조를 제공하는 것인 경우에 한정된다.

㉡ 술에 만취된 피해자가 경찰지구대로 운반되어 의자 위에 눕혀졌을 때 숨을 가쁘게 쿨쿨 내뿜고 자신의 수족과 의사도 자제할 수 없는 상태에 있음에도 불구하고 경찰관이 3시간여 동안이나 아무런 구호조치를 취하지 아니한 경우 유기죄의 범의를 인정할 수 있다.

㉢ 강간치상의 범행을 저지른 자가 그 범행으로 인하여 실신상태에 있는 피해자를 구호하지 아니하고 방치하였더라도 유기죄는 성립하지 않는다.

㉣ 학대죄의 '학대'란 육체적으로 고통을 주거나 정신적으로 차별대우를 하는 행위를 가리키는 것으로, 단순히 상대방의 인격에 대한 반인륜적 침해만으로는 부족하지만 유기에 준할 정도에 이를 것은 요하지 않는다.

① ㉠㉢　　② ㉠㉣

③ ㉡㉢　　④ ㉡㉣

해설

③ ㉡㉢ 2 항목이 옳다.

㉠ [×] 유기죄에 관한 형법 제271조 제1항의 '계약상 의무'는 간호사나 보모와 같이 계약에 기한 **주된 급부의무가 부조를 제공하는 것인 경우에 반드시 한정되지 아니하며,** 계약의 해석상 계약관계의 목적이 달성될 수 있도록 상대방의 신체 또는 생명에 대하여 주의와 배려를 한다는 **부수적 의무의 한 내용으로 상대방을 부조하여야 하는 경우를 배제하는 것은 아니다.**(대법원 2011. 11. 24. 2011도12302 **돈에 눈먼 술집여주인 사건**)

㉡ [○] 경찰관인 피고인이 술에 만취된 피해자가 향토예비군 4명에게 떼메어 운반되어 지서 나무의자 위에 눕혀 놓았을 때 숨이 가쁘게 쿨쿨 내품고 자신의 수족과 의사로 자제할 수 없는 상태에 있음에도 불구하고 근 3시간 동안이나 아무런 구호조치를 취하지 아니한 것은 **유기죄에 대한 범의를 인정할 수 있다.**(대법원 1972. 6. 27. 72도863)

㉢ [○] 피고인의 강간미수행위로 인하여 상해를 입고 의식불명이 된 피해자를 그곳에 그대로 방치한 피고인의 소위는 **강간치상죄만이 성립하고 별도로 유기죄는 성립하지 아니한다.**(대법원 1980. 6. 24. 80도726 **강간피해자 떡실신 사건**)

㉣ [×] 학대죄에서 말하는 '학대'라 함은 육체적으로 고통을 주거나 정신적으로 차별대우를 하는 행위를 가리키고, 이러한 학대행위는 단순히 상대방의 인격에 대한 반인륜적 침해만으로는 부족하고 **적어도 유기에 준할 정도에 이르러야 한다.**(대법원 2000. 4. 25. 2000도223 **장장 8년간 사건**)

제5절 | 생명과 신체에 관한 죄 종합

030 다음 설명 중 가장 적절한 것은? (다툼이 있으면 판례에 의함) 17 경찰채용 [Core ★★]

□□□

① 甲이 乙을 살해하기 위하여 丙, 丁 등을 고용하면서 그들에게 대가의 지급을 약속한 경우, 甲에게 살인예비죄가 성립하지 않는다.

② 상해를 입힌 행위가 동일한 일시, 장소에서 동일한 목적으로 저질러진 것이라면 피해자를 달리하고 있더라도 포괄하여 일죄를 구성한다.

③ 피해자(女)가 버려진 영아인 피고인을 주어다 기르고 그 부와의 친생자인 것처럼 출생신고를 하였으나 입양요건을 갖추지 아니하였다면 피고인이 동녀를 살해하였더라도 존속살인죄로 처벌할 수 없다.

④ 상해죄와 폭행죄는 피해자의 명시한 의사에 반하여 공소를 제기할 수 없다.

해설

③ [○] 피해자 A가 그의 문전에 버려진 영아인 피고인 甲을 주어다 기르고 그 **부(夫)와의 친생자인 것처럼 출생신고를 하였으나 입양요건을 갖추지 아니하였다면** 甲과의 사이에 모자관계가 성립될리 없으므로 甲이 A를 살해하였다고 하여도 **존속살인죄로 처벌할 수 없다.**(대법원 1981. 10. 13. 81도2466)

① [×] 甲이 乙을 살해하기 위하여 丙, 丁 등을 고용하면서 그들에게 대가의 지급을 약속한 경우, 甲에게는 살인죄를 범할 목적 및 살인의 준비에 관한 고의뿐만 아니라 살인죄의 실현을 위한 준비행위를 하였음이 인정되므로 **살인예비죄가 성립한다.**(대법원 2009. 10. 29. 2009도7150 **실패한 살인교사 사건**)

② [×] 상해를 입힌 행위가 동일한 일시, 장소에서 동일한 목적으로 저질러진 것이라 하더라도 **피해자를 달리하고 있으면 피해자별로 각각 별개의 상해죄를 구성한다**고 보아야 할 것이고 1개의 행위가 수개의 죄에 해당하는 경우라고 볼 수 없다.(대법원 1983. 4. 26. 83도524)

④ [×] 폭행죄는 피해자의 명시한 의사에 반하여 공소를 제기할 수 없는 반의사불벌죄이지만, **상해죄는 반의사불벌죄가 아니다.**(제260조)

정답 | 029 ③ 030 ③

031 생명과 신체에 대한 죄에 관한 다음 설명 중 옳지 않은 것은? (다툼이 있으면 판례에 의함)

□□□

14 법원행시 [Superlative ★★★]

① 산부인과 의사가 산모의 태반조기박리에 대한 대응조치로서 응급 제왕절개 수술을 시행하기로 결정하였다면 이러한 경우에는 적어도 제왕절개 수술 시행 결정과 아울러 산모에게 수혈을 할 필요가 있을 것이라고 예상되는 특별한 사정이 있어 미리 혈액을 준비하여야 할 업무상 주의의무가 있다고 보아야 한다.

② 피고인이 금원 편취 목적의 사기행각의 일환으로 인터넷 사이트 내 자살 관련 카페 게시판에 청산염 등 자살용 유독물의 판매광고를 한 행위만으로는 자살방조에 해당하지 않는다.

③ 살해의 의사로 위험한 저수지로 유인한 조카(10세)가 물에 빠지자 구호하지 아니한 채 방치하여 익사하게 한 경우 부작위에 의한 살인죄에 해당한다.

④ 공휴일 또는 야간에는 소장을 대리하는 당직간부에게는 구치소에 수용된 수용자들의 생명·신체에 대한 위험을 방지할 법령상 내지 조리상의 의무가 있다고 할 것이고, 이와 같은 의무를 직무로서 수행하는 교도관들의 업무는 업무상과실치사죄에서 말하는 '업무'에 해당한다.

⑤ 낙태죄는 태아를 자연분만기에 앞서서 인위적으로 모체 밖으로 배출하거나 모체 안에서 살해함으로써 성립하므로, 산부인과 의사인 피고인이 약물에 의한 유도분만의 방법으로 낙태시술을 하였으나 태아가 살아서 미숙아 상태로 출생하자 그 미숙아에게 염화칼륨을 주입하여 사망하게 한 경우 염화칼륨 주입행위는 낙태를 완성하기 위한 행위에 해당하여 별도로 살인죄가 성립하지 않는다.

해설

⑤ [×] (1) 낙태죄는 태아를 자연분만기에 앞서서 인위적으로 모체 밖으로 배출하거나 모체 안에서 살해함으로써 성립하고, 그 결과 태아가 사망하였는지 여부는 낙태죄의 성립에 영향이 없다.
(2) 피고인이 약물에 의한 유도분만의 방법으로 낙태시술을 하였으나 태아가 살아서 미숙아 상태로 출생하자 그 미숙아에게 염화칼륨을 주입하여 사망하게 한 경우 **별도로 살인죄가 성립한다.**(대법원 2005. 4. 15. 2003도2780 **낙태전문 의사 사건**)

① [○] 산부인과 의사가 산모의 **태반조기박리**에 대한 대응조치로서 응급 제왕절개 수술을 시행하기로 결정하였다면 이러한 경우에는 적어도 제왕절개 수술 시행 결정과 아울러 산모에게 수혈을 할 필요가 있을 것이라고 예상되는 특별한 사정이 있어 **미리 혈액을 준비하여야 할 업무상 주의의무가 있다고 보아야 한다.**(대법원 2000. 1. 14. 99도3621 **태반조기박리 사건**)

② [○] 피고인이 인터넷 사이트 내 자살 관련 카페 게시판에 청산염 등 자살용 유독물의 판매광고를 한 행위가 단지 금원 편취 목적의 **사기행각의 일환**으로 이루어졌고, 변사자들이 다른 경로로 입수한 청산염을 이용하여 자살한 사정 등이 있는 경우, 피고인의 행위는 **자살방조에 해당하지 않는다.**(대법원 2005. 6. 10. 2005도1373 **자살에 관하여 카페 사건**)

③ [○] 피고인이 조카인 피해자(10세)를 살해할 것을 마음먹고 저수지로 데리고 가서 **미끄러지기 쉬운 제방 쪽**으로 유인하여 함께 걷다가 피해자가 물에 빠지자 그를 구호하지 아니하여 피해자를 익사하게 한 경우 **부작위에 의한 살인죄가 성립한다.**(대법원 1992. 2. 11. 91도2951 **저수지 조카 살해사건**)

④ [○] 공휴일 또는 야간에는 소장을 대리하는 당직간부에게는 구치소에 수용된 수용자들의 생명·신체에 대한 위험을 방지할 법령상 내지 조리상의 의무가 있다고 할 것이고, 이와 같은 의무를 직무로서 수행하는 교도관들의 업무는 업무상과실치사죄에서 말하는 '업무'에 해당한다.(대법원 2007. 5. 31. 2006도3493 **울산구치소 수용자사망사건**)

정답 | 031 ⑤

제2장 자유에 관한 죄

제1절 | 협박의 죄

032 □□□ **협박죄에 관한 설명 중 가장 적절한 것은? (다툼이 있으면 판례에 의함)** 15 경찰승진 [Essential ★]

① 친권자가 자(子)에게 야구방망이로 때릴 듯한 태도를 취하면서 "죽여 버린다"고 말한 경우에는 이를 교양권의 행사라고 볼 수 있으므로 협박죄를 구성하지 않는다.

② "앞으로 수박이 없어지면 네 책임으로 한다"는 말은 정당한 훈계의 범위를 벗어났으므로 해악의 고지에 해당하여 협박죄가 성립한다.

③ 협박에 의하여 상대방이 현실적으로 공포심을 일으킨 경우에 비로소 구성요건이 충족되어 협박죄는 기수에 이른다.

④ 해악의 고지가 있다 하더라도 그것이 사회의 관습이나 윤리관념 등에 비추어 볼 때에 사회통념상 용인할 수 있을 정도의 것이라면 협박죄는 성립하지 아니한다.

해설

④ [○] 해악의 고지가 있다 하더라도 그것이 사회의 관습이나 윤리관념 등에 비추어 **용인할 수 있는 정도의 것이라면 협박죄가 성립하지 아니한다.**(대법원 2010. 7. 15. 2010도1017 회사를 아작내겠다 사건)

① [×] 스스로의 감정을 이기지 못하고 야구방망이로 때릴 듯이 피해자에게 "죽여 버린다"고 말하여 협박하는 것은 그 자체로 피해자의 인격 성장에 장해를 가져올 우려가 커서 이를 교양권의 행사라고 보기도 어렵다.(대법원 2002. 2. 8. 2001도6468 야구방망이 사건) 지문의 경우 협박죄가 성립한다.

② [×] "앞으로 수박이 없어지면 네 책임으로 한다"고 말하였다고 하더라도 이를 해악의 고지라고 보기 어렵고, 가사 다소간의 해악의 고지에 해당한다고 가정하더라도 정당한 훈계의 범위를 벗어나는 것이 아니어서 사회상규에 위배되지 아니하므로 위법성이 없다.(대법원 1995. 9. 29. 94도2187 네 책임으로 한다 사건)

③ [×] 일반적으로 사람으로 하여금 공포심을 일으키게 하기에 충분한 해악을 고지함으로써 상대방이 그 의미를 인식한 이상, 상대방이 현실적으로 공포심을 일으켰는지 여부와 관계없이 협박죄는 기수에 이른다.(대법원 2011. 1. 27. 2010도14316 회칼 2자루 사건)

정답 | 032 ④

033 □□□ 다음 설명 중 가장 적절하지 않은 것은? (다툼이 있으면 판례에 의함) 16 경찰채용 [Essential ★]

① 조상천도제를 지내지 아니하면 좋지 않은 일이 생긴다는 취지의 해악의 고지는 길흉화복이나 천재지변의 예고로서 행위자에 의하여 직접·간접적으로 좌우될 수 없는 것이고 가해자가 현실적으로 특정되어 있지도 않으며 해악의 발생가능성이 합리적으로 예견될 수 있는 것이 아니므로 협박으로 평가될 수 없다.

② 폭행죄는 미수범 처벌규정이 없으나, 협박죄의 미수범은 처벌된다.

③ 甲정당의 국회 예산안 강행처리에 화가 나서 경찰서에 전화를 걸어 전화를 받은 경찰관에게 관할구역에 있는 甲정당의 당사를 폭파하겠다고 말한 행위는 공무집행방해죄뿐만 아니라 그 경찰관에 대한 협박죄를 구성한다.

④ "앞으로 수박이 없어지면 네 책임으로 한다"고 말한 것은 해악의 고지라고 보기 어렵고, 가사 다소간의 해악의 고지에 해당한다고 가정하더라도 위법성이 없다.

해설

③ [×] 피고인이 공중전화를 이용하여 경찰서에 여러 차례 전화를 걸어 전화를 받은 **각 경찰관에게 경찰서 관할구역 내에 있는 한나라당의 당사를 폭파하겠다는 말을 하였더라도**, 한나라당 정당에 대한 해악의 고지가 각 경찰관 개인에게 공포심을 일으킬 만큼 서로 밀접한 관계에 있다고 보기 어려우므로 **각 경찰관에 대한 협박죄를 구성한다고 할 수 없다**.(대법원 2012. 8. 17. 2011도10451 **한나라당 경기당사 폭파협박사건**)

① [○] **조상천도제를 지내지 아니하면 좋지 않은 일이 생긴다**는 취지의 해악의 고지는 길흉화복이나 천재지변의 예고로서 행위자에 의하여 직접, 간접적으로 좌우될 수 없는 것이고 가해자가 현실적으로 특정되어 있지도 않으며 해악의 발생가능성이 합리적으로 예견될 수 있는 것이 아니므로 **협박으로 평가될 수 없다**.(대법원 2002. 2. 8. 2000도3245 **조상천도제 사건**)

② [○] **폭행죄는 미수범 처벌규정이 없으나, 협박죄는 미수범 처벌규정이 있다**.(제286조)

④ [○] 피고인이 **"앞으로 수박이 없어지면 네 책임으로 한다"**고 말하였다고 하더라도 그것만으로는 구체적으로 어떠한 법익에 어떠한 해악을 가하겠다는 것인지를 알 수 없어 이를 해악의 고지라고 보기 어렵고, 가사 다소간의 해악의 고지에 해당한다고 가정하더라도 이는 정당한 훈계의 범위를 벗어나는 것이 아니어서 사회상규에 위배되지 아니하므로 **위법성이 없다**고 봄이 상당하다.(대법원 1995. 9. 29. 94도2187 **네 책임으로 한다 사건**)

034 협박죄에 관한 <보기> 설명 중 옳은 것은 모두 몇 개인가? (다툼이 있으면 판례에 의함)

□□□

21 해경채용 [Core ★★]

〈보기〉

㉠ 피고인이 공소사실의 기재 일시, 장소에서 자신의 동거남과 성관계를 가진 바 있던 피해자에게 "사람을 사서 쥐도 새도 모르게 파묻어 버리겠다. 너까지 것 쉽게 죽일 수 있다."라고 한 말에 관하여 이는 언성을 높이면서 말다툼으로 흥분한 나머지 단순히 감정적인 욕설 내지 일시적 분노의 표시를 한 것에 불과하고 해악을 고지한다는 인식을 갖고 한 것이라고 보기 어렵다.

㉡ 채권추심 회사의 지사장이 회사로부터 자신의 횡령행위에 대한 민·형사상 책임을 추궁당할 지경에 이르자 이를 모면하기 위하여 회사본사에 '회사의 내부비리 등을 금융감독원 등 관계기관에 고발하겠다'는 취지의 서면을 보내는 한편, 위 회사 경영지원본부장이자 상무이사에게 전화를 걸어 자신의 횡령행위를 문제삼지 말라고 요구하면서 위 서면의 내용과 같은 취지로 발언한 사안에서 위 상무이사에 대한 협박죄는 인정되지 않는다.

㉢ 상습으로 협박죄, 존속협박죄, 특수협박죄를 범한 때에는 그 죄에 정한 형의 2분의 1까지 가중한다.

㉣ 협박죄에서 고의는 행위자가 해악을 고지한다는 것을 인식, 인용하는 것을 그 내용으로 하고 고지한 해악을 실제로 실현할 의도나 욕구는 필요하지 않다.

① 1개 ② 2개 ③ 3개 ④ 4개

해설

③ ㉠㉢㉣ 3 항목이 옳다.

㉠ [○] 피고인이 자신의 동거남과 성관계를 가진 바 있던 피해자에게 "사람을 사서 쥐도 새도 모르게 파묻어 버리겠다. 너까지 것 쉽게 죽일 수 있다"라고 말한 경우 이는 언성을 높이면서 말다툼으로 흥분한 나머지 **단순히 감정적인 욕설 내지 일시적 분노의 표시를 한 것에 불과하고 해악을 고지한다는 인식을 갖고 한 것이라고 보기 어렵다.**(대법원 2006. 8. 25. 2006도546 **쥐도 새도 모르게 사건**)

㉡ [×] 채권추심 회사의 지사장이 회사로부터 자신의 횡령행위에 대한 민·형사상 책임을 추궁당할 지경에 이르자 이를 모면하기 위하여 회사 본사에 '회사의 내부비리 등을 금융감독원 등 관계 기관에 고발하겠다'는 취지의 서면을 보내는 한편, 회사 경영지원본부장이자 상무이사에게 전화를 걸어 자신의 횡령행위를 문제삼지 말라고 요구하면서 서면의 내용과 같은 취지로 발언한 경우 **상무이사에 대한 협박죄가 성립한다.**(대법원 2010. 7. 15. 2010도1017 **회사를 아작내겠다 사건**)

㉢ [○] **상습으로** 제283조 제1항·제2항 또는 전조의 죄를 범한 때에는 그 죄에 정한 **형의 2분의 1까지 가중한다.**(제285조)

㉣ [○] 협박죄에 있어서의 협박이라 함은 일반적으로 보아 사람으로 하여금 공포심을 일으킬 수 있는 정도의 해악을 고지하는 것을 의미하므로 그 주관적 구성요건으로서의 고의는 행위자가 그러한 정도의 해악을 고지한다는 것을 인식, 인용하는 것을 그 내용으로 하고 고지한 해악을 **실제로 실현할 의도나 욕구는 필요로 하지 아니한다.**(대법원 2006. 8. 25. 2006도546 **쥐도 새도 모르게 사건**)

정답 | 033 ③ 034 ③

035 협박죄에 대한 다음 설명 중 가장 옳지 않은 것은? (다툼이 있으면 판례에 의함)

□□□

14 법원9급 [Essential ★]

① 법인도 협박죄의 객체가 될 수 있다.

② 협박의 경우 행위자가 직접 해악을 가하겠다고 고지하는 것은 물론, 제3자로 하여금 해악을 가하도록 하겠다는 방식으로도 가능하다.

③ 피고인이 공중전화를 이용하여 경찰서에 여러 차례 전화를 걸어 전화를 받은 각 경찰관에게 경찰서 관할구역 내에 있는 甲 정당의 당사를 폭파하겠다는 말을 한 경우에는 각 경찰관에 대한 협박죄를 구성하지 아니한다.

④ 피고인이 피해자의 장모가 있는 자리에서 서류를 보이면서 "피고인의 요구를 들어주지 않으면 서류를 세무서로 보내 세무조사를 받게 하여 피해자를 망하게 하겠다."라고 말하여 피해자의 장모로 하여금 피해자에게 위와 같은 사실을 전하게 하고, 그 다음날 피해자의 처에게 전화를 하여 "며칠 있으면 국세청에서 조사가 나올 것이니 그렇게 아시오."라고 말한 경우, 협박죄에 해당한다.

해설

① [×] 협박죄는 사람의 의사결정의 자유를 보호법익으로 하는 범죄로서 형법규정의 체계상 개인적 법익, 특히 사람의 자유에 대한 죄 중 하나로 구성되어 있으므로 (중략) 협박죄는 자연인만을 그 대상으로 예정하고 있을 뿐 **법인은 협박죄의 객체가 될 수 없다.**(대법원 2010. 7. 15. 2010도1017 회사를 아작내겠다 사건)

② [○] 협박죄에 있어서의 협박이라 함은 사람으로 하여금 공포심을 일으킬 수 있을 정도의 해악을 고지하는 것을 의미하고, 행위자가 직접 해악을 가하겠다고 고지하는 것은 물론 **제3자로 하여금 해악을 가하도록 하겠다는 방식으로도 해악의 고지는 가능**한 바, 고지자가 제3자의 행위를 사실상 지배하거나 제3자에게 영향을 미칠 수 있는 지위에 있는 것으로 믿게 하는 명시적 · 묵시적 언동을 하였거나 제3자의 행위가 고지자의 의사에 의하여 좌우될 수 있는 것으로 상대방이 인식한 경우에는 고지자가 직접 해악을 가하겠다고 고지한 것과 마찬가지의 행위로 평가할 수 있다.(대법원 2007. 6. 1. 2006도1125 세무조사로 망하게 하겠다 사건)

③ [○] 피고인이 공중전화를 이용하여 경찰서에 여러 차례 전화를 걸어 전화를 받은 각 경찰관에게 경찰서 관할구역 내에 있는 **한나라당의 당사를 폭파하겠다**는 말을 하였더라도, 한나라당 정당에 대한 해악의 고지가 각 경찰관 개인에게 공포심을 일으킬 만큼 서로 밀접한 관계에 있다고 보기 어려우므로 **각 경찰관에 대한 협박죄를 구성한다고 할 수 없다.**(대법원 2012. 8. 17. 2011도10451 한나라당 경기당사 폭파협박사건)

④ [○] 피고인이 피해자의 장모가 있는 자리에서 서류를 보이면서 "요구를 들어주지 않으면 서류를 세무서로 보내 세무조사를 받게 하여 피해자를 망하게 하겠다"라고 말하여 피해자의 장모로 하여금 피해자에게 위와 같은 사실을 전하게 하고, 그 다음날 피해자의 처에게 전화를 하여 **"며칠 있으면 국세청에서 조사가 나올 것이니 그렇게 아시오"**라고 말한 경우, 피고인의 각 행위는 **협박죄에 있어서의 해악의 고지에 해당한다.**(대법원 2007. 6. 1. 2006도1125 세무조사로 망하게 하겠다 사건)

036 협박죄에 관한 다음 설명 중 가장 적절하지 않은 것은? (다툼이 있으면 판례에 의함)

□□□

13 경찰승진 [Essential ★]

① 조상천도제를 지내지 아니하면 좋지 않은 일이 생긴다는 취지의 해악의 고지는 길흉화복이나 천재지변의 예고로서 행위자에 의하여 직접, 간접적으로 좌우될 수 없는 것이고 가해자가 현실적으로 특정되어 있지도 않으며 해악의 발생가능성이 합리적으로 예견될 수 있는 것이 아니므로 협박으로 평가될 수 없다.

② 협박죄의 성립에 요구되는 협박은 일반적으로 그 상대방이 된 사람으로 하여금 공포심을 일으키기에 충분한 정도의 해악을 고지하는 것을 말한다.

③ 해악의 고지가 상대방에게 도달하였다면 상대방이 지각하지 못하거나 그 의미를 인식하지 못한 경우에도 협박죄의 기수를 인정할 수 있다.

④ 피해자와 언쟁 중 "입을 찢어 버릴라"라고 한 말은 당시의 주위 사정 등에 비추어 단순한 감정적인 욕설에 불과하고 피해자에게 해악을 가할 것을 고지한 행위라고 볼 수 없어 협박에 해당하지 않는다.

해설

③ [×] 해악의 고지가 현실적으로 상대방에게 도달하지 아니한 경우나 **도달은 하였으나 전혀 지각하지 못한 경우 혹은 고지된 해악의 의미를 상대방이 인식하지 못한 경우에는 협박미수에 해당한다.**(대법원 2007. 9. 28. 2007도606 전원합의체 정보과 형사 협박사건)

① [○] **조상천도제를 지내지 아니하면 좋지 않은 일이 생긴다**는 취지의 해악의 고지는 길흉화복이나 천재지변의 예고로서 행위자에 의하여 직접, 간접적으로 좌우될 수 없는 것이고 가해자가 현실적으로 특정되어 있지도 않으며 해악의 발생가능성이 합리적으로 예견될 수 있는 것이 아니므로 **협박으로 평가될 수 없다.**(대법원 2002. 2. 8. 2000도3245 조상천도제 사건)

② [○] 협박죄의 성립에 요구되는 '협박'이라고 함은 일반적으로 그 상대방이 된 사람으로 하여금 **공포심을 일으키기에 충분한 정도의 해악을 고지하는 것**으로서 그러한 해악의 고지에 해당하는지 여부는 행위자와 상대방의 성향, 고지 당시의 주변 상황, 행위자와 상대방 사이의 관계 · 지위, 그 친숙의 정도 등 행위 전후의 여러 사정을 종합하여 판단되어야 한다.(대법원 2012. 8. 17. 2011도10451 한나라당 경기당사 폭파협박사건)

④ [○] 피고인이 피해자에게 "**입을 찢어 버릴라**"라고 한 말은 단순한 감정적인 욕설이었다고 보기에 충분하고 피해자에게 **해악을 가할 것을 고지한 행위라고 볼 수 없다.**(대법원 1986. 7. 22. 86도1140)

정답 | 035 ① 036 ③

037 협박죄에 대한 설명으로 가장 적절한 것은? (다툼이 있으면 판례에 의함) 20 경찰채용 [Essential ★]

□□□

① 권리행사나 직무집행의 일환으로 상대방에게 일정한 해악을 고지한 경우, 그 해악의 고지가 정당한 권리행사나 직무집행으로서 사회상규에 반하지 아니하는 때에도 협박죄가 성립한다.

② 공군 중사가 상관인 피해자에게 그의 비위 등을 기록한 내용을 제시하면서 자신에게 폭언한 사실을 인정하지 않으면 그 내용을 상부기관에 제출하겠다는 취지로 말한 사안에서 공군 중사에게는 군형법상 상관협박죄가 성립하지 않는다.

③ 甲이 슈퍼마켓 사무실에서 식칼을 들고 피해자를 협박한 행위와 식칼을 들고 매장을 돌아다니며 손님을 내쫓아 그의 영업을 방해한 행위는 협박죄와 업무방해죄의 상상적 경합관계에 있다.

④ 협박죄에 있어서의 협박이라 함은 사람으로 하여금 공포심을 일으킬 수 있을 정도의 해악을 고지하는 것을 의미하고, 협박죄가 성립하기 위하여는 적어도 발생 가능한 것으로 생각될 수 있는 정도의 구체적인 해악의 고지가 있어야 한다.

해설

④ [○] 협박죄에 있어서의 협박이라 함은 사람으로 하여금 공포심을 일으킬 수 있을 정도의 해악을 고지하는 것을 말하고, 협박죄가 성립하기 위하여는 적어도 발생 가능한 것으로 생각될 수 있는 정도의 **구체적인 해악의 고지가 있어야 한다**.(대법원 2011. 5. 26. 2011도2412 사채업자 협박사건)

① [×] 권리행사나 직무집행의 일환으로 상대방에게 일정한 해악의 고지를 한 경우, 그 해악의 고지가 **정당한 권리행사나 직무집행으로서 사회상규에 반하지 아니하는 때에는 협박죄가 성립하지 아니하나**, 외관상 권리행사나 직무집행으로 보이는 경우에도 그것이 실질적으로 권리나 직무권한의 남용이 되어 사회상규에 반하는 때에는 협박죄가 성립한다.(대법원 2007. 9. 28. 2007도606 全合 정보과 형사 협박사건)

② [×] 피고인이 피해자의 비위 등을 기록한 내용을 피해자에게 제시하면서 피해자가 피고인에게 폭언한 사실을 인정하지 아니하면 그 내용을 상부기관에 제출하겠다고 한 행위는 **사람으로 하여금 공포심을 일으키게 하기에 충분한 정도의 해악의 고지에 해당한다고 할 것이므로** 피해자가 그 취지를 인식하였음이 명백한 이상 설령 피해자가 현실적으로 공포심을 느끼지 못하였다 하더라도 **상관협박죄의 기수에 이른 것이다**.(대법원 2008. 12. 11. 2008도8922 상관 협박 · 무고사건)

③ [×] 피고인이 슈퍼마켓사무실에서 식칼을 들고 피해자를 협박한 행위와 식칼을 들고 매장을 돌아다니며 손님을 내쫓아 그의 영업을 방해한 행위는 **별개의 행위이다**.(대법원 1991. 1. 29. 90도2445 슈퍼마켓 사건) '특수' 협박죄와 업무방해죄는 실체적 경합범의 관계에 있다.

038 협박죄에 관한 다음 설명 중 옳지 않은 것은? (다툼이 있으면 판례에 의함) 17 경찰간부 [Core ★★]

□□□

① 피고인이 자신의 동거남과 성관계를 가진 바 있던 피해자에게 "사람을 사서 쥐도 새도 모르게 파묻어버리겠다. 너까지 것 쉽게 죽일 수 있다."라고 말한 경우, 이는 언성을 높이면서 말다툼으로 흥분한 나머지 단순히 감정적인 욕설 내지 일시적 분노의 표시를 한 것에 불과하고 해악을 고지한다는 인식을 갖고 한 것이라고 보기 어렵다.

② 채권추심 회사의 지사장이 회사로부터 자신의 횡령행위에 대한 민·형사상 책임을 추궁당할 지경에 이르자 이를 모면하기 위하여 회사 본사에 '회사의 내부비리 등을 금융감독원 등 관계기관에 고발하겠다'는 취지의 서면을 보내는 한편, 위 회사 경영지원본부장이자 상무이사에게 전화를 걸어 자신의 횡령행위를 문제삼지 말라고 요구하면서 위 서면의 내용과 같은 취지로 발언한 경우, 지사장에게는 협박죄가 성립하는데 이때 협박죄의 객체는 회사이다.

③ 피고인이 피해자인 누나의 집에서 온 몸에 연소성이 높은 고무놀을 바르고 라이타 불을 켜는 동작을 하면서 이를 말리려는 피해자 등에게 가위, 송곳을 휘두르면서 "방에 불을 지르겠다", "가족 전부를 죽여버리겠다"고 소리치고 이를 약 1시간 가량 말리던 피해자가 끝내 무섭고 두려워 신고를 하였다면, 피고인의 행위는 피해자 등에게 공포심을 일으키기에 충분할 정도의 해악을 고지한 것이고, 나아가 피고인에게 실제로 피해자 등의 신체에 위해를 가할 의사나 불을 놓을 의사가 없었다고 할지라도 위와 같은 해악을 고지한다는 점에 대한 인식, 인용은 있었다고 봄이 상당하다.

④ 협박죄에 있어서의 협박이라 함은, 일반적으로 보아 사람으로 하여금 공포심을 일으킬 수 있는 정도의 해악을 고지하는 것을 의미하므로 그 주관적 구성요건으로서의 고의는 행위자가 그러한 정도의 해악을 고지한다는 것을 인식, 인용하는 것을 그 내용으로 하고 고지한 해악을 실제로 실현할 의도나 욕구는 필요로 하지 아니한다.

해설

② [×] **협박죄는 사람의 의사결정의 자유를 보호법익으로 하는 범죄로서** 형법규정의 체계상 개인적 법익, 특히 사람의 자유에 대한 죄 중 하나로 구성되어 있는바, 위와 같은 협박죄의 보호법익, 형법규정상 체계, 협박의 행위 개념 등에 비추어 볼 때, 협박죄는 자연인만을 그 대상으로 예정하고 있을 뿐 **법인은 협박죄의객체가 될 수 없다.**(대법원 2010. 7. 15. 2010도1017 **회사를 아작내겠다 사건**) 지문의 경우 법인인 회사가 아닌, 자연인인 상무이사에 대한 협박죄가 성립한다.

① [○] 피고인이 자신의 동거남과 성관계를 가진 바 있던 피해자에게 "**사람을 사서 쥐도 새도 모르게 파묻어버리겠다. 너까지 것 쉽게 죽일 수 있다**"라고 말한 경우, 이는 언성을 높이면서 말다툼으로 흥분한 나머지 단순히 감정적인 욕설 내지 일시적 분노의 표시를 한 것에 불과하고 **해악을 고지한다는 인식을 갖고 한 것이라고 보기 어렵다.**(대법원 2006. 8. 25. 2006도546 **쥐도 새도 모르게 사건**)

③ [○] 피고인이 피해자인 누나의 집에서 갑자기 온 몸에 **연소성이 높은 고무놀을 바르고** 라이타 불을 켜는 동작을 하면서 이를 말리려는 피해자 등에게 가위, 송곳을 휘두르면서 "방에 불을 지르겠다, 가족 전부를 **죽여 버리겠다**"고 소리쳤고 피해자가 피고인의 행위를 약 1시간 가량 말렸으나 듣지 아니하여 무섭고 두려워서 신고를

정답 | 037 ④ 038 ②

하였다면, 피고인의 행위는 공포심을 일으키기에 충분할 정도의 **해악을 고지한 것에 해당한다.**(대법원 1991. 5. 10. 90도2102 고무놀 사건)

④ [○] 협박죄에 있어서의 협박이라 함은 일반적으로 보아 사람으로 하여금 공포심을 일으킬 수 있는 정도의 해악을 고지하는 것을 의미하므로 그 주관적 구성요건으로서의 고의는 행위자가 그러한 정도의 해악을 고지한다는 것을 인식, 인용하는 것을 그 내용으로 하고 고지한 **해악을 실제로 실현할 의도나 욕구는 필요로 하지 아니한다.**(대법원 2006. 8. 25. 2006도546 쥐도 새도 모르게 사건)

039 협박죄에 관한 설명 중 옳은 것은 모두 몇 개인가? (다툼이 있으면 판례에 의함)

□□□

12 경찰간부 [Core ★★]

㉠ 조상천도제를 지내지 아니하면 좋지 않은 일이 생긴다는 취지의 해악의 고지는 길흉화복이나 천재지변의 예고로서 행위자에 의하여 직접·간접적으로 좌우될 수 없는 것이고 해악의 발생가능성이 합리적으로 예견될 수 있는 것이 아니므로 협박이라고 할 수 없다.

㉡ "앞으로 일이 잘못되면 모두 네 책임이다"고 말하였다고 하더라도 그것만으로는 구체적으로 어떠한 법익에 어떠한 해악을 가하겠다는 것인지를 알 수 없이 협박죄에 해당하지 않는다.

㉢ 협박죄에 있어서의 해악을 가할 것을 고지하는 행위는 통상 언어에 의하는 것이므로, 사소한 문제로 시비하다가 소지 중이던 가위를 목에 겨누면서 찌를 것처럼 한 행위는 협박에 해당하지 아니한다.

㉣ 피해자와 언쟁 중 "입을 찢어버릴라"라고 한 말이 당시의 주위사정에 비추어 단순한 감정적인 욕설에 불과하다면 피해자에게 해악을 가할 것을 고지한 행위라고 볼 수 없기 때문에 협박에 해당하지 않는다.

㉤ 친권자는 자녀를 보호 또는 교양하기 위하여 필요한 징계를 할 수 있지만, 야구방망이로 때릴 듯이 그 자녀에게 "죽여버린다"고 말하여 협박하는 것은 그 자체로 자녀의 인격 성장에 장해를 가져올 우려가 커서 교양권의 행사에 의한 정당행위라고 볼 수 없으므로 그 친권자는 협박죄로 처벌된다.

① 2개 ② 3개 ③ 4개 ④ 5개

해설

③ ㉠㉡㉣㉤ 4 항목이 옳은 설명이다.

㉠ [○] **조상천도제를 지내지 아니하면 좋지 않은 일이 생긴다**는 취지의 해악의 고지는 길흉화복이나 천재지변의 예고로서 행위자에 의하여 직접, 간접적으로 좌우될 수 없는 것이고 가해자가 현실적으로 특정되어 있지도 않으며 해악의 발생가능성이 합리적으로 예견될 수 있는 것이 아니므로 **협박으로 평가될 수 없다.**(대법원 2002. 2. 8. 2000도3245 조상천도제 사건)

㉡ [○] 피고인이 **"앞으로 수박이 없어지면 네 책임으로 한다"**고 말하였다고 하더라도 그것만으로는 구체적으로 어떠한 법익에 어떠한 해악을 가하겠다는 것인지를 알 수 없어 이를 해악의 고지라고 보기 어렵고, 가사 다소간의 해악의 고지에 해당한다고 가정하더라도 이는 정당한 훈계의 범위를 벗어나는 것이 아니어서 사회상규에 위배되지 아니하므로 **위법성이 없다**고 봄이 상당하다.(대법원 1995. 9. 29. 94도2187 네 책임으로 한다 사건)

㉢ [×] 가위로 목을 찌를 듯이 겨누었다면 신체에 대하여 위해를 가할 고지로 못 볼 바 아니므로 이를 **협박죄로 단정한 조치는 정당하다.**(대법원 1975. 10. 7. 74도2727)
㉣ [○] 피고인이 피해자에게 **"입을 찢어 버릴라"**라고 한 말은 단순한 감정적인 욕설이었다고 보기에 충분하고 피해자에게 **해악을 가할 것을 고지한 행위라고 볼 수 없다.**(대법원 1986. 7. 22. 86도1140)
㉤ [○] 친권자는 자를 보호하고 교양할 권리의무가 있고(민법 제913조) 그 자를 보호 또는 교양하기 위하여 필요한 징계를 할 수 있기는 하지만(민법 제915조) 인격의 건전한 육성을 위하여 필요한 범위 안에서 상당한 방법으로 행사되어야만 할 것인데, 스스로의 감정을 이기지 못하고 **야구방망이로 때릴 듯이 피해자에게 "죽여 버린다."**고 말하여 **협박하는 것**은 그 자체로 피해자의 인격 성장에 장해를 가져올 우려가 커서 이를 교양권의 행사라고 보기도 어렵다.(대법원 2002. 2. 8. 2001도6468 **야구방망이 사건**)

040 다음은 협박죄에 대한 설명이다. 옳지 않은 것은 모두 몇 개인가? (다툼이 있으면 판례에 의함)

□□□

13 경찰채용 [Essential ★]

㉠ 피고인이 혼자 술을 마시던 중 甲정당이 국회에서 예산안을 강행처리하였다는 것에 화가 나서 공중전화를 이용하여 경찰서에 여러 차례 전화를 걸어 전화를 받은 각 경찰관에게 경찰서 관할구역 내에 있는 甲정당의 당사를 폭파하겠다는 말을 한 사안에서, 피고인의 행위는 각 경찰관에 대한 협박죄를 구성한다.
㉡ 협박죄는 자연인만을 그 대상으로 예정하고 있을 뿐 법인은 협박죄의 객체가 될 수 없다.
㉢ 제3자에 대한 법익 침해를 내용으로 하는 해악을 고지하는 것이라고 하더라도 피해자 본인과 제3자가 밀접한 관계에 있어 그 해악의 내용이 피해자 본인에게 공포심을 일으킬만한 정도의 것이라면 협박죄가 성립할 수 있다. 이 때 제3자에는 자연인뿐만 아니라 법인도 포함된다.
㉣ 협박죄의 고의는 행위자가 해악을 고지한다는 것을 인식, 인용하는 것과 고지한 해악을 실제로 실현하겠다는 의도나 욕구가 필요하므로, 행위자의 언동이 단순한 감정적인 욕설 내지 일시적 분노의 표시에 불과하여 주위사정에 비추어 가해의 의사가 없음이 객관적으로 명백한 때에는 협박행위 내지 협박의 의사를 인정할 수 없다.
㉤ 협박죄는 사람의 의사결정의 자유를 보호법익으로 하는 위험범이라 봄이 상당하고, 협박죄의 미수범 처벌조항은 해악의 고지가 현실적으로 상대방에게 도달하지 아니한 경우나 도달은 하였으나 상대방이 이를 지각하지 못하였거나 고지된 해악의 의미를 인식하지 못한 경우 등에 적용될 뿐이다.

① 1개　② 2개　③ 3개　④ 4개

정답 | 039 ③

해설

② ㉠㉣ 2 항목이 옳지 않다.

㉠ [×] 피고인은 甲정당에 관한 해악을 고지한 것이므로 각 경찰관 개인에 관한 해악을 고지하였다고 할 수 없고, 다른 특별한 사정이 없는 한 일반적으로 甲정당에 대한 해악의 고지가 각 경찰관 개인에게 공포심을 일으킬 만큼 서로 밀접한 관계에 있다고 보기 어려우므로 피고인의 행위는 **각 경찰관에 대한 협박죄를 구성한다고 볼 수 없다.**(대법원 2012. 8. 17. 2011도10451 **한나라당 경기당사 폭파협박사건**)

㉡ [○] 협박죄는 사람의 의사결정의 자유를 보호법익으로 하는 범죄로서 형법규정의 체계상 개인적 법익, 특히 사람의 자유에 대한 죄 중 하나로 구성되어 있는바, 위와 같은 협박죄의 보호법익, 형법규정상 체계, 협박의 행위 개념 등에 비추어 볼 때, 협박죄는 자연인만을 그 대상으로 예정하고 있을 뿐 **법인은 협박죄의 객체가 될 수 없다.**(대법원 2010. 7. 15. 2010도1017 **회사를 아작내겠다 사건**)

㉢ [○] (1) 피해자 본인이나 그 친족뿐만 아니라 그 밖의 제3자에 대한 법익 침해를 내용으로 하는 해악을 고지하는 것이라고 하더라도 피해자 본인과 제3자가 밀접한 관계에 있어 그 해악의 내용이 피해자 본인에게 공포심을 일으킬 만한 정도의 것이라면 협박죄가 성립할 수 있다.
(2) 이때 **'제3자'에는 자연인뿐만 아니라 법인도 포함된다 할 것인데,** 피해자 본인에게 법인에 대한 법익을 침해하겠다는 내용의 해악을 고지한 것이 피해자본인에 대하여 공포심을 일으킬 만한 정도가 되는지 여부는 고지된 해악의 구체적 내용 및 그 표현방법, 피해자와 법인의 관계, 법인 내에서의 피해자의 지위와 역할, 해악의 고지에 이르게 된 경위, 당시 법인의 활동 및 경제적 상황 등 여러 사정을 종합하여 판단하여야 한다.(대법원 2010. 7. 15. 2010도1017 **회사를 아작내겠다 사건**)

㉣ [×] 협박죄의 주관적 구성요건으로서의 고의는 행위자가 해악을 고지한다는 것을 인식, 인용하는 것을 그 내용으로 하고 **고지한 해악을 실제로 실현할 의도나 욕구는 필요로 하지 아니한다.**(대법원 2006. 8. 25. 2006도546 **쥐도 새도 모르게 사건**)

㉤ [○] 협박죄는 사람의 의사결정의 자유를 보호법익으로 하는 위험범이라 봄이 상당하고, 형법 제286조의 미수범 처벌조항은 해악의 고지가 현실적으로 상대방에게 도달하지 아니한 경우나 도달은 하였으나 전혀 지각하지 못한 경우 혹은 고지된 **해악의 의미를 상대방이 인식하지 못한 경우 등에 적용된다.**(대법원 2007. 9. 28. 2007도606 全合 **정보과 형사 협박사건**)

제2절 | 강요의 죄

041 강요죄에 관한 다음 설명 중 옳지 않은 것은? (다툼이 있으면 판례에 의함) 17 경찰간부 [Essential ★]

□□□

① 골프시설의 운영자가 골프회원에게 불리하게 변경된 내용의 회칙에 대하여 동의한다는 내용의 등록신청서를 제출하지 아니하면 회원으로 대우하지 아니하겠다고 통지한 것은 강요죄에 해당한다.

② 폭력조직 전력이 있는 피고인이 특정 연예인에게 팬미팅 공연을 하도록 강요하면서 만날 것을 요구하고, 팬미팅 공연이 이행되지 않으면 안 좋은 일을 당할 것이라고 협박한 경우, 해당 연예인에게 공연을 할 의무가 없다는 점에 대한 미필적 인식이 피고인에게 있는 것으로 보아 강요죄의 고의가 있다고 할 것이다.

③ 상관이 직무수행을 태만히 하거나 지시사항을 불이행하고 허위보고 등을 한 부하에게 근무태도를 교정하고 직무수행을 감독하기 위하여 직무수행의 내역을 일지 형식으로 기재하여 보고하도록 명령하는 행위는 직무권한 범위 내에서 내린 정당한 명령이므로 부하는 명령을 실행할 법률상 의무가 있고, 명령을 실행하지 아니하는 경우 군인사법 제57조 제2항에서 정한 징계처분이 내려진다거나 그에 갈음하여 얼차려의 제재가 부과된다고 하여 그와 같은 명령이 형법 제324조의 강요죄를 구성한다고 볼 수 없다.

④ 직장에서 상사가 범죄행위를 저지른 부하직원에게 징계절차에 앞서 자진하여 사직할 것을 단순히 권유하였다고 하여 이를 강요죄에서의 협박에 해당한다고 볼 수는 없다.

해설

② [×] 피고인이 특정 연예인에게 팬미팅 공연을 하도록 강요하면서 만날 것을 요구하고 팬미팅 공연이 이행되지 않으면 안 좋은 일을 당할 것이라고 협박한 경우라도, 연예인에게 공연을 할 의무가 없다는 점에 대한 미필적 인식 즉, **강요죄의 고의가 피고인에게 있었다고 단정하기 어려워 강요죄는 성립하지 아니한다.**(대법원 2008. 5. 15. 2008도1097 **팬미팅 강요사건**)

① [○] 골프시설의 운영자가 골프회원에게 불리하게 변경된 내용의 회칙에 대하여 동의한다는 내용의 **등록신청서를 제출하지 아니하면 회원으로 대우하지 아니하겠다고 통지한 것은 강요죄에 해당한다.**(대법원 2003. 9. 26. 2003도763 **리베라컨트리클럽 사건**)

③ [○] 상관이 직무수행을 태만히 하거나 지시사항을 불이행하고 허위보고 등을 한 부하에게 근무태도를 교정하고 직무수행을 감독하기 위하여 직무수행의 내역을 일지 형식으로 기재하여 보고하도록 명령하는 행위는 직무권한 범위 내에서 내린 정당한 명령이므로 부하는 명령을 실행할 법률상 의무가 있고, 명령을 실행하지 아니하는 경우 징계처분이 내려진다거나 그에 갈음하여 얼차려의 제재가 부과된다고 하여 그와 같은 명령이 **강요죄를 구성한다고 볼 수 없다.**(대법원 2012. 11. 29. 2010도1233 **업무일지작성 지시사건**)

④ [○] 직장에서 상사가 범죄행위를 저지른 부하직원에게 징계절차에 앞서 자진하여 **사직할 것을 단순히 권유하였다고 하여 이를 강요죄에서의 협박에 해당한다고 볼 수는 없다.**(대법원 2008. 11. 27. 2008도7018 **사직권유사건**)

정답 | 040 ② 041 ②

042 다음 중 강요의 죄에 대한 설명으로 가장 옳지 않은 것은?(다툼이 있는 경우 판례에 의함)

□□□

19 해경채용 [*Core* ★★]

① 상관이 직무수행을 태만히 하거나 지시사항을 불이행하고 허위보고 등을 한 부하에게 근무태도를 교정하고 직무수행을 감독하기 위하여 직무수행의 내역을 일지 형식으로 기재하여 보고하도록 명령하는 행위는 직무권한 범위 내에서 내린 정당한 명령이므로 부하는 명령을 실행할 법률상 의무가 있고, 명령을 실행하지 아니하는 경우 「군인사법」 제57조 제2항에서 정한 징계처분이 내려진다거나 그에 갈음하여 얼차려의 제재가 부과된다고 하여 그와 같은 명령이 「형법」 제324조의 강요죄를 구성한다고 볼 수 없다.

② 형법상 인질강요죄를 범한 자가 인질을 안전한 장소에 풀어준 때에는 그 형을 감경할 수 있다.

③ 인질강요죄에서 강요를 당하는 자는 인질 혹은 제3자이다.

④ 골프시설의 운영자가 골프회원에게 불리하게 변경된 내용의 회칙에 대하여 동의한다는 내용의 등록신청서를 제출하지 아니하면 회원으로 대우하지 아니하겠다고 통지한 것이 강요죄에 해당한다.

해설

③ [×] 사람을 인질로 삼아 **제3자에 대하여** 권리행사를 방해하거나 의무없는 일을 하게 하는 경우 인질강요죄가 성립한다.(제324조의2) 즉, 인질강요죄에서 강요를 당하는 자는 제3자로 제한된다.

① [○] 상관이 직무수행을 태만히 하거나 지시사항을 불이행하고 허위보고 등을 한 부하에게 근무태도를 교정하고 직무수행을 감독하기 위하여 직무수행의 내역을 일지 형식으로 기재하여 보고하도록 명령하는 행위는 직무권한 범위 내에서 내린 **정당한 명령**이므로 부하는 명령을 실행할 법률상 의무가 있고, 명령을 실행하지 아니하는 경우 징계처분이 내려진다거나 그에 갈음하여 얼차려의 제재가 부과된다고 하여 그와 같은 명령이 **강요죄를 구성한다고 볼 수 없다.**(대법원 2012. 11. 29. 2010도1233 **업무일지작성 지시사건**)

② [○] 제324조의2 또는 제324조의3의 죄를 범한 자 및 그 죄의 미수범이 인질을 안전한 장소로 풀어준 때에는 **그 형을 감경할 수 있다.**(제324조의6)

④ [○] 골프시설의 운영자가 골프회원에게 불리하게 변경된 내용의 회칙에 대하여 동의한다는 내용의 등록신청서를 제출하지 아니하면 회원으로 대우하지 아니하겠다고 통지한 것은 **강요죄에 해당한다.**(대법원 2003. 9. 26. 2003도763 **리베라컨트리클럽 사건**)

043 다음 설명 중 가장 옳지 않은 것은? (다툼이 있으면 판례에 의함) 21 법원9급 [Essential ★]

□□□

① 폭행에 수반된 상처가 극히 경미한 것으로서 굳이 치료할 필요가 없어서 자연적으로 치유되며 일상생활을 하는 데 아무런 지장이 없는 경우에는 상해죄의 상해에 해당되지 아니한다고 할 수 있을 터이나, 이는 폭행이 없어도 일상생활 중 통상 발생할 수 있는 상처와 같은 정도임을 전제로 하는 것이므로 그러한 정도를 넘는 상처가 폭행에 의하여 생긴 경우라면 상해에 해당된다.

② 폭행죄의 상습성은 폭행 범행을 반복하여 저지르는 습벽을 말하는 것으로서, 동종 전과의 유무와 그 사건 범행의 횟수, 기간, 동기 및 수단과 방법 등을 종합적으로 고려하여 상습성 유무를 결정하여야 하고, 단순폭행, 존속폭행의 범행이 동일한 폭행 습벽의 발현에 의한 것으로 인정되는 경우, 그중 법정형이 더 중한 상습존속폭행죄에 나머지 행위를 포괄하여 하나의 죄만이 성립한다고 봄이 타당하다.

③ 강요죄는 폭행 또는 협박으로 사람의 권리행사를 방해하거나 의무 없는 일을 하게 하는 범죄이다. 여기에서 협박은 객관적으로 사람의 의사결정의 자유를 제한하거나 의사실행의 자유를 방해할 정도로 겁을 먹게 할 만한 해악을 고지하는 것을 말한다. 이와 같은 협박이 인정되기 위해서는 발생 가능한 것으로 생각할 수 있는 정도의 구체적인 해악의 고지가 있어야 한다.

④ 피고인이 혼자 술을 마시던 중 甲정당이 국회에서 예산안을 강행처리하였다는 것에 화가 나서 공중전화를 이용하여 경찰서에 여러 차례 전화를 걸어 전화를 받은 각 경찰관에게 경찰서 관할구역 내에 있는 甲정당의 당사를 폭파하겠다는 말을 하였다면 각 경찰관에 대한 협박죄를 구성한다.

해설

④ [×] 피고인은 甲정당에 관한 해악을 고지한 것이므로 각 경찰관 개인에 관한 해악을 고지하였다고 할 수 없고, 다른 특별한 사정이 없는 한 일반적으로 甲정당에 대한 해악의 고지가 각 경찰관 개인에게 공포심을 일으킬 만큼 서로 밀접한 관계에 있다고 보기 어려우므로 피고인의 행위는 **각 경찰관에 대한 협박죄를 구성한다고 볼 수 없다.**(대법원 2012. 8. 17. 2011도10451 **한나라당 경기당사 폭파협박사건**)

① [○] 폭행에 수반된 상처가 극히 경미한 것으로서 굳이 치료할 필요가 없어서 자연적으로 치유되며 일상생활을 하는 데 아무런 지장이 없는 경우에는 상해죄의 상해에 해당되지 않지만, 이는 폭행이 없어도 일상생활 중 통상 발생할 수 있는 상처와 같은 정도임을 전제로 하는 것이므로 **그러한 정도를 넘는 상처가 폭행에 의하여 생긴 경우라면 상해에 해당된다.**(대법원 2008. 11. 13. 2007도9794 **상경시위 저지사건 I**)

② [○] 폭행죄의 상습성은 폭행 범행을 반복하여 저지르는 습벽을 말하는 것으로서, 동종 전과의 유무와 그 사건 범행의 횟수, 기간, 동기 및 수단과 방법 등을 **종합적으로 고려하여 상습성 유무를 결정하여야 하고**, 단순폭행, 존속폭행의 범행이 동일한 폭행 습벽의 발현에 의한 것으로 인정되는 경우, 그중 법정형이 더 중한 상습존속폭행죄에 나머지 행위를 포괄하여 하나의 죄만이 성립한다고 봄이 타당하다.(대법원 2018. 4. 24. 2017도10956 **계부 친모 폭행사건**)

③ [○] 강요죄에서 협박은 객관적으로 사람의 의사결정의 자유를 제한하거나 의사실행의 자유를 방해할 정도로 **겁을 먹게 할 만한 해악을 고지하는 것을 말한다.** 이와 같은 협박이 인정되기 위해서는 발생 가능한 것으로 생각할 수 있는 정도의 구체적인 해악의 고지가 있어야 한다.(대법원 2020. 2. 13. 2019도5186 **김기춘 · 조윤선 화이트리스트 사건**)

정답 | 042 ③ 043 ④

제3절 | 체포와 감금의 죄

044 **체포 · 감금죄에 관한 다음 설명 중 가장 적절하지 않은 것은? (다툼이 있으면 판례에 의함)**

□□□

15 경찰채용 [Essential ★]

① 체포·감금죄는 행동의 자유와 의사를 가질 수 있는 자연인을 대상으로 하므로 정신병자나 영아는 본죄의 객체가 되지 못한다.

② 감금의 본질은 사람의 행동의 자유를 구속하는 것으로 행동의 자유를 구속하는 그 수단과 방법에는 아무런 제한이 없다.

③ 감금을 하기 위한 수단으로서 행사된 단순한 협박행위는 감금죄에 흡수되어 따로 협박죄를 구성하지 않는다.

④ 수용시설에 수용 중인 부랑인들의 야간도주 방지를 위해 취침시간 중 출입문을 안에서 잠근 경우 감금죄가 성립하지 않는다.

해설

① [×] 영아(嬰兒)가 감금죄의 객체가 되는지 여부에 대해서는 견해의 대립이 있으나, **정신병자는** 잠재적인 신체활동의 자유를 가진 자이므로 **감금죄의 객체가 된다는 것이 통설과 판례의 입장이다.**(대법원 2002. 10. 11. 2002도4315 **정신병자 감금치사사건**)

② [○] 감금죄는 사람의 행동의 자유를 그 보호법익으로 하여 사람이 특정한 구역에서 나가는 것을 불가능하게 하거나 또는 심히 곤란하게 하는 죄로서, 이와 같이 사람이 특정한 구역에서 나가는 것을 불가능하게 하거나 심히 곤란하게 하는 그 장애는 물리적 · 유형적 장애뿐만 아니라 심리적 · 무형적 장애에 의하여서도 가능하고 또 감금의 본질은 사람의 행동의 자유를 구속하는 것으로 행동의 자유를 구속하는 그 **수단과 방법에는 아무런 제한이 없으므로** 그 수단과 방법에는 유형적인 것이거나 무형적인 것이거나를 가리지 아니하며, 감금에 있어서의 사람의 행동의 자유의 박탈은 반드시 전면적이어야 할 필요가 없으므로 감금된 특정구역 내부에서 일정한 생활의 자유가 허용되어 있었다고 하더라도 감금죄의 성립에는 아무 소장이 없다.(대법원 2011. 9. 29. 2010도5962 **도박장 감금사건**)

③ [○] 감금을 하기 위한 수단으로서 행사된 단순한 협박행위는 **감금죄에 흡수되어 따로 협박죄를 구성하지 아니한다.**(대법원 1982. 6. 22. 82도705 **망우리 공동묘지까지 사건**)

④ [○] 형제복지원의 시설장 및 총무직에 있는 피고인들이 수용중인 피해자들의 **야간도주를 방지하기 위하여** 그 취침시간 중 출입문을 잠근 행위는 제반사정에 비추어 사회적 상당성이 인정되는 행위라고 못 볼 바 아니어서 형법 제20조에 의하여 그 **위법성이 조각된다.**(대법원 1988. 11. 8. 88도1580 **형제복지원 사건**)

045 감금죄에 관한 설명 중 가장 적절하지 않은 것은? (다툼이 있으면 판례에 의함)
□□□

15 경찰승진 [Essential ★]

① 차량 내에서 피해자의 하차요구를 무시하고 빠른 속도로 진행하여 피해자를 내리지 못하게 하는 행위는 감금죄에 해당하지 않는다.
② 정신병자의 어머니의 의뢰 및 승낙 하에 그 감호를 위하여 그 보호실 문을 야간에 한해서 3일간 시정하여 출입을 못하게 한 감금행위는 그 병자의 신체의 안정과 보호를 위하여 사회통념상 부득이한 조처로서 수긍될 수 있는 것이면 위법성이 없다.
③ 피해자가 만약 도피하는 경우에는 생명·신체에 심한 해를 당할지도 모른다는 공포감에서 도피하기를 단념하고 있는 상태 하에서 호텔로 데리고 가서 함께 유숙한 후 함께 항공기로 국외로 나간 행위는 감금죄를 구성한다.
④ 피고인들이 대한상이군경회원 80여명과 공동으로 호텔출입문을 봉쇄하며 피해자들의 출입을 방해하였다면 감금죄에 해당한다.

해설

① [×] 승용차로 피해자를 가로막아 승차하게 한 후 피해자의 하차 요구를 무시한 채 당초 목적지가 아닌 다른 장소를 향하여 시속 약 60km 내지 70km의 속도로 진행하여 피해자를 차량에서 내리지 못하게 한 행위는 **감금죄에 해당한다.**(대법원 2000. 2. 11. 99도5286)
② [○] **정신병자의 어머니**의 의뢰 및 승낙하에 그 감호를 위하여 그 보호실 문을 야간에 한해서 **3일간 시정하여 출입을 못하게 한 감금행위는** 그 병자의 신체의 안정과 보호를 위하여 사회통념상 부득이 한 조처로서 수긍될 수 있는 것이면, **위법성이 없다.**(대법원 1980. 2. 12. 79도1349)
③ [○] 피해자가 만약 도피하는 경우에는 **생명 · 신체에 심한 해를 당할지도 모른다는 공포감**에서 도피하기를 단념하고 있는 상태하에서 피고인이 그를 호텔로 데리고 가서 함께 유숙한 후 그와 함께 **항공기로 국외에 나간 행위는 감금죄를 구성한다.**(대법원 1991. 8. 27. 91도1604)
④ [○] 피고인들이 대한상이군경회원 80여명과 공동으로 **호텔 출입문을 봉쇄하며 피해자들의 출입을 방해하였다면 감금죄에 해당한다.**(대법원 1983. 9. 13. 80도277 **대구 상이군경 난동사건**)

정답 | 044 ①　045 ①

046 체포 · 감금죄에 대한 설명으로 가장 옳지 않은 것은? (다툼이 있으면 판례에 의함)

□□□

14 경찰간부 [Essential ★]

① 체포·감금죄는 행동의 자유와 의사를 가질 수 있는 자연인을 대상으로 하므로 정신병자나 영아는 본죄의 객체가 되지 못한다.

② 피고인의 협박과 폭행행위로 말미암아 야기된 공포심으로 피해자가 밖으로 나가지 못한 것이라면 피해자가 처음에 그 장소에 간 것이 자발적인 것이고 또 그 장소에 시정장치 등 출입에 물리적인 장애사유가 없었다고 하여도 감금이 성립한다.

③ 감금에 있어서의 사람의 행동의 자유의 박탈은 반드시 전면적이어야 할 필요가 없으므로 감금된 특정구역 내부에서 일정한 생활의 자유가 허용되어 있었다고 하더라도 감금죄는 성립한다.

④ 감금을 하기 위한 수단으로서 행사된 단순한 협박행위는 감금죄에 흡수되어 따로 협박죄를 구성하지 않는다.

해설

① [×] **정신병자도 감금죄의 객체가 될 수 있다.**(대법원 2002. 10. 11. 2002도4315 **정신병자 감금치사사건**)

② [○] 피고인의 협박과 폭행위로 말미암아 야기된 **공포심으로 피해자가 사무실 밖으로 나가지 못한 것이라면** 가사 피해자가 처음에 위 장소에 간 것이 자발적인 것이고 또 위 장소에 시정장치 등 출입에 물리적인 장애사유가 없었다고 하여도 **감금죄가 성립한다.**(대법원 1985. 6. 25. 84도2083 **횡령 자인서 사건**)

③ [○] 감금죄는 사람의 행동의 자유를 그 보호법익으로 하여 사람이 특정한 구역에서 나가는 것을 불가능하게 하거나 또는 심히 곤란하게 하는 죄로서, 이와 같이 사람이 특정한 구역에서 나가는 것을 불가능하게 하거나 심히 곤란하게 하는 그 장애는 물리적 · 유형적 장애뿐만 아니라 심리적 · 무형적 장애에 의하여서도 가능하고 또 감금의 본질은 사람의 행동의 자유를 구속하는 것으로 행동의 자유를 구속하는 그 수단과 방법에는 아무런 제한이 없으므로 그 수단과 방법에는 유형적인 것이거나 무형적인 것이거나를 가리지 아니하며, 감금에 있어서의 사람의 행동의 자유의 박탈은 반드시 전면적이어야 할 필요가 없으므로 **감금된 특정구역 내부에서 일정한 생활의 자유가 허용되어 있었다고 하더라도 감금죄의 성립에는 아무 소장이 없다.**(대법원 2011. 9. 29. 2010도5962 **도박장 감금사건**)

④ [○] 감금을 하기 위한 수단으로서 행사된 단순한 협박행위는 **감금죄에 흡수되어 따로 협박죄를 구성하지 아니한다.**(대법원 1982. 6. 22. 82도705 **망우리 공동묘지까지 사건**)

047 다음 중 옳지 않은 것은 모두 몇 개인가? (다툼이 있으면 판례에 의함) 21 해경간부 [Core ★★]

□□□

㉠ 피해자가 피고인으로부터 강간미수 피해를 입은 후 피고인을 뿌리치고 현관문을 열고 나와 엘리베이터를 누르고 기다리는데 피고인이 팬티 바람으로 쫓아 나왔으며, 피해자가 엘리베이터를 탔는데도 피해자의 팔을 잡고 끌어내리려고 해서 이를 뿌리쳤다면, 피고인은 강간미수죄와 체포기수죄가 성립한다.

㉡ 감금죄에 있어서의 사람의 행동의 자유의 박탈은 반드시 전면적이어야 할 필요가 없으므로 감금된 특정구역 내부에서 일정한 생활의 자유가 허용되어 있었다고 하더라도 감금죄가 성립한다.

㉢ 「정신보건법」 제23조 제2항에서 정한 자의(自意)입원 정신질환자로부터 퇴원요청이 있었음에도 관련 법령에 정해진 절차를 밟지 않은 채 방치한 경우 감금행위에 해당한다.

㉣ 정신병자의 어머니의 의뢰 및 승낙 하에 감호를 위하여 그 보호실문을 야간에 한해서 3일간 시정하여 출입을 못하게 하였다면 위법성이 없다.

㉤ 피고인이 알콜중독의 남편인 피해자를 의사의 진찰도 없이 병원원무과장에게 부탁하여 강제로 병원에 입원시켰고, 이후 불안감을 느낀 피해자가 퇴원을 조건으로 하여 그 부동산의 이전요구에 응하였다면 감금죄와 공갈죄의 상상적 경합의 죄책을 진다.

① 1개 ② 2개 ③ 3개 ④ 4개

해설

② ㉠㉤ 2 항목이 옳지 않다.

㉠ [×] 피해자가 피고인으로부터 강간미수 피해를 입은 후 피고인의 집에서 나가려고 하였는데 피고인이 피해자가 나가지 못하도록 현관에서 거실 쪽으로 피해자를 세 번 밀쳤고 피해자가 피고인을 뿌리치고 현관문을 열고 나와 엘리베이터를 누르고 기다리는데 피고인이 팬티 바람으로 쫓아 나왔으며 피해자가 엘리베이터를 탔는데도 피해자의 팔을 잡고 끌어내리려고 해서 이를 뿌리쳤고 피고인이 닫히는 엘리베이터 문을 손으로 막으며 엘리베이터로 들어오려고 하자 피해자가 버튼을 누르고 손으로 피고인의 가슴을 밀어낸 경우, 피고인은 피해자의 신체에 대한 유형력의 행사를 통해 일시적으로나마 피해자의 신체를 구속한 것이므로 **체포미수죄가 성립한다.**(대법원 2018. 2. 28. 2017도21249 강간 · 체포 모두 미수사건) 물론 강간미수죄도 성립한다.

㉡ [○] 감금에 있어서의 사람의 행동의 자유의 박탈은 반드시 **전면적이어야 할 필요가 없으므로** 감금된 특정구역 내부에서 일정한 생활의 자유가 허용되어 있었다고 하더라도 **감금죄의 성립에는 아무 소장이 없다.**(대법원 2011. 9. 29. 2010도5962 도박장 감금사건)

㉢ [○] 구 정신보건법 제23조 제2항은 '정신의료기관의 장은 자의로 입원 등을 한 환자로부터 퇴원 신청이 있는 경우에는 지체 없이 퇴원을 시켜야 한다'고 정하고 있다(2016. 5.29. 법률 제14224호로 전부 개정된 정신건강증진 및 정신질환자 복지서비스 지원에 관한 법률 제41조 제2항은 '정신의료기관 등의 장은 자의 입원 등을 한 사람이 퇴원 등을 신청한 경우에는 지체 없이 퇴원 등을 시켜야 한다'고 정하고 있다). **환자로부터 퇴원요구가 있는데도 구 정신보건법에 정해진 절차를 밟지 않은 채 방치한 경우에는 위법한 감금행위가 있다.**(대법원 2017. 8. 18. 2017도7134)

㉣ [○] 정신병자의 어머니의 의뢰 및 승낙하에 그 감호를 위하여 그 보호실 문을 야간에 한해서 **3일간 시정하여 출입을 못하게 한 감금행위는 그 병자의 신체의 안정과 보호를 위하여 사회통념상 부득이 한 조처로서 수긍될 수 있는 것이면, 위법성이 없다.**(대법원 1980. 2. 12. 79도1349)

정답 | 046 ① 047 ②

ⓜ [×] 피고인은 감금죄와 공갈죄의 **실체적 경합범으로서의** 죄책을 진다.(대법원 2001. 2. 23. 2000도4415 **남편 정신병원 강제입원사건**)

048 감금의 죄에 관한 설명 중 옳은 것을 모두 고른 것은? (다툼이 있으면 판례에 의함)

□□□

17 변호사 [Superlative ★★★]

㉠ 정신병자도 감금죄의 객체가 될 수 있다.
㉡ 감금행위가 단순히 강도상해 범행의 수단이 되는 데 그치지 아니하고 강도상해의 범행이 끝난 뒤에도 계속된 경우에는 감금죄와 강도상해죄가 성립하고, 두 죄는 실체적 경합범 관계에 있다.
㉢ 감금행위가 강간죄나 강도죄의 수단이 된 경우에도 감금죄는 강간죄나 강도죄에 흡수되지 아니하고 별도로 성립한다.
㉣ 경찰서 내 대기실로서 일반인과 면회인 및 경찰관이 수시로 출입하는 곳이고 여닫이문만 열면 나갈 수 있도록 된 구조라 하여도 경찰서 밖으로 나가지 못하도록 그 신체의 자유를 제한하는 유·무형의 억압이 있었다면 이는 감금에 해당한다.
㉤ 감금을 하기 위한 수단으로 행사된 단순한 협박행위는 감금죄에 흡수되어 따로 협박죄를 구성하지 않는다.

① ㉠㉡ ② ㉠㉡㉢㉣ ③ ㉠㉢㉣㉤
④ ㉡㉢㉣㉤ ⑤ ㉠㉡㉢㉣㉤

해설

⑤ 모든 항목이 옳다.
㉠ [○] 정신병자도 **감금죄의 객체가 될 수 있다.**(대법원 2002. 10. 11. 2002도4315 **정신병자 감금치사사건**)
㉡ [○] 감금행위가 단순히 강도상해 범행의 수단이 되는 데 그치지 아니하고 강도상해의 범행이 끝난 뒤에도 계속된 경우에는 1개의 행위가 감금죄와 강도상해죄에 해당하는 경우라고 볼 수 없고, 이 경우 **감금죄와 강도상해죄는 경합범 관계에 있다.**(대법원 2003. 1. 10. 2002도4380 **월드컵경기장까지 사건**)
㉢ [○] 감금행위가 강간죄나 강도죄의 수단이 된 경우에도 **감금죄는 강간죄나 강도죄에 흡수되지 아니하고 별죄를 구성한다.**(대법원 1997. 1. 21. 96도2715 **강취 신용카드 술집결제사건**)
㉣ [○] 감금죄에 있어서의 감금행위는 사람으로 하여금 일정한 장소 밖으로 나가지 못하도록 하여 신체의 자유를 제한하는 행위를 가리키는 것이고, 그 방법은 반드시 물리적, 유형적 장애를 사용하는 경우뿐만 아니라 심리적, 무형적 장애에 의하는 경우도 포함되는 것이므로, 설사 그 장소가 경찰서 내 대기실로서 일반인과 면회인 및 경찰관이 수시로 출입하는 곳이고 여닫이문만 열면 나갈 수 있도록 된 구조라 하여도 **경찰서 밖으로 나가지 못하도록 그 신체의 자유를 제한하는 유형, 무형의 억압이 있었다면 이는 감금에 해당한다.**(대법원 1997. 6. 13. 97도877 **즉결대상자 강제유치 사건**)
㉤ [○] 감금을 하기 위한 수단으로서 행사된 단순한 협박행위는 **감금죄에 흡수되어 따로 협박죄를 구성하지 아니한다.**(대법원 1982. 6. 22. 82도705 **망우리 공동묘지까지 사건**)

049 감금에 관한 죄에 대한 다음 설명 중 가장 틀린 것은? (다툼이 있으면 판례에 의함)

□□□

12 법원행시 [Superlative ★★★]

① 감금죄에서 감금행위는 사람으로 하여금 일정한 장소 밖으로 나가지 못하도록 신체의 자유를 제한하는 행위를 가리키며 그 방법은 반드시 물리적인 장애를 사용하는 경우 뿐만 아니라 무형적인 수단으로서 공포심에 의하여 나갈 수 없게 한 경우도 포함하고, 피해자가 그 장소에 자발적으로 가거나 그 장소가 잠겨있지 않아 출입할 수 있는 경우에도 감금죄가 성립한다.

② 감금죄가 성립하기 위하여 반드시 사람의 행동 자유를 전면적으로 박탈할 필요는 없고, 감금된 특정한 구역 범위 안에서 일정한 생활의 자유가 허용되어 있었다고 하더라도 사람이 특정한 구역에서 벗어나는 것을 불가능하게 하거나 매우 곤란하게 한 이상 감금죄의 성립에는 아무런 지장이 없다.

③ 미성년자를 유인한 피고인이 계속하여 미성년자를 불법 감금하였을 때에는 미성년자유인죄 이외에 감금죄가 별도로 성립한다.

④ 인신구속에 관한 직무를 행하는 피고인이 피해자를 구속하기 위하여 진술조서 등을 허위로 작성한 후 검사와 영장전담판사를 기망하여 구속영장을 발부받아 피해자를 구금한 행위는 직권남용감금죄가 성립한다.

⑤ 피해자가 자동차에서 내릴 수 없는 상태에 있음을 이용하여 강간하려고 결의하고, 주행 중인 자동차에서 탈출 불가능하게 하여 외포케 하고 50㎞를 운행하여 여관 앞까지 강제 연행한 후 강간하려다 미수에 그친 경우 감금죄는 강간미수죄와 실체적 경합관계에 있는 별죄를 구성한다.

해설

⑤ [×] 감금과 강간미수의 두 행위가 시간적, 장소적으로 중복될 뿐 아니라 감금행위 그 자체가 강간의 수단인 협박행위를 이루고 있는 경우로서 감금죄와 강간미수죄는 **상상적 경합관계에 있다.**(대법원 1983. 4. 26. 83도323 **조개트럭 사건**)

① [○] 감금행위는 사람으로 하여금 일정한 장소 밖으로 나가지 못하도록 신체의 자유를 제한하는 행위를 가리키며 그 방법은 반드시 물리적인 장애를 사용하는 경우 뿐만 아니라 무형적인 수단으로서 공포심에 의하여 나갈 수 없게 한 경우도 포함하고, 피고인의 협박과 폭행위로 말미암아 야기된 공포심으로 피해자가 밖으로 나가지 못한 것이라면 가사 피해자가 처음에 자발적인 간 것이고 또 시정장치등 출입에 물리적인 장애사유가 없었다고 하여도 **감금죄가 성립한다.**(대법원 1985. 6. 25. 84도2083 **횡령 자인서 사건**)

② [○] 감금죄가 성립하기 위하여 반드시 사람의 행동의 자유를 전면적으로 박탈할 필요는 없고, 감금된 특정한 구역 범위 안에서 일정한 생활의 자유가 허용되어 있었다고 하더라도 유형적이거나 무형적인 수단과 방법에 의하여 사람이 특정한 구역에서 벗어나는 것을 불가능하게 하거나 매우 곤란하게 한 이상 **감금죄의 성립에는 아무런 지장이 없다.**(대법원 1998. 5. 26. 98도1036 **완전한 사육 사건**)

③ [○] 미성년자를 유인한 자가 계속하여 미성년자를 불법하게 감금하였을 때에는 **미성년자유인죄 이외에 감금죄가 별도로 성립한다.**(대법원 1998. 5. 26. 98도1036 **완전한 사육 사건**)

정답 | 048 ⑤ 049 ⑤

④ [○] 감금죄는 간접정범의 형태로도 행하여질 수 있는 것이므로 인신구속에 관한 직무를 행하는 자 또는 이를 보조하는 자가 피해자를 구속하기 위하여 진술조서 등을 허위로 작성한 후 이를 기록에 첨부하여 구속영장을 신청하고 진술조서 등이 허위로 작성된 정을 모르는 **검사와 영장전담판사를 기망하여 구속영장을 발부받은 후 그 영장에 의하여 피해자를 구금하였다면 직권남용감금죄가 성립한다.**(대법원 2006. 5. 25. 2003도3945 서류조작 구속사건)

050 체포와 감금의 죄에 대한 설명으로 옳은 것은? (다툼이 있으면 판례에 의함)

□□□

21 국가9급 [Essential ★]

① 강도계획 후에 피해자를 강제로 자신의 승용차에 태우고 가면서 돈을 빼앗고 상해를 가한 뒤에 계속하여 상당한 거리를 진행하여 가다가 교통사고를 일으켜 감금행위가 중단된 경우 감금죄와 강도상해죄의 실체적 경합범이 성립한다.

② 체포죄에서 체포의 수단과 방법은 불문하며, 체포의 고의로 타인의 신체적 활동의 자유를 현실적으로 침해하는 행위를 개시한 때 체포죄의 기수가 된다.

③ 미성년자를 유인한 자가 계속하여 미성년자를 불법하게 감금한 경우 감금죄는 성립하지 않고 미성년자유인죄만 성립한다.

④ 운전자가 피해자를 강제로 승용차에 태운 뒤 운전하여 가자 겁에 질린 피해자가 차에서 뛰어내리다가 상해를 입은 경우 감금죄와 상해죄의 실체적 경합범이 성립한다.

해설

① [○] 감금행위가 단순히 강도상해 범행의 수단이 되는 데 그치지 아니하고 강도상해의 범행이 끝난 뒤에도 계속된 경우에는 **감금죄와 강도상해죄는 형법 제37조의 경합범 관계에 있다.**(대법원 2003. 1. 10. 2002도4380 월드컵경기장까지 사건)

② [×] 체포죄는 계속범으로서 체포의 행위에 확실히 사람의 신체의 자유를 구속한다고 인정할 수 있을 정도의 시간적 계속이 있어야 하나, 체포의 고의로써 **타인의 신체적 활동의 자유를 현실적으로 침해하는 행위를 개시한 때 체포죄의 실행에 착수하였다고 볼 것이다.**(대법원 2018. 2. 28. 2017도21249 강간·체포 모두 미수 사건) 체포죄의 기수가 아니라 미수에 불과하다.

③ [×] 미성년자를 유인한 자가 계속하여 미성년자를 불법하게 감금하였을 때에는 **미성년자유인죄 이외에 감금죄가 별도로 성립한다.**(대법원 1998. 5. 26. 98도1036 완전한 사육 사건)

④ [×] 피고인이 1997. 4. 5. 피해자를 승용차에 강제로 태운 뒤 대전에서 서울까지 운전하였고 같은 해 8월 15일 피해자를 역시 강제로 승용차에 태운 뒤 운전하여 가자 겁에 질린 피해자가 차에서 뛰어 내리다가 상해를 입은 경우, **감금죄 및 감금치상죄가 성립한다.**(대법원 2000. 5. 26. 2000도440)

제4절 | 약취 · 유인 및 인신매매의 죄

051 약취 · 유인 및 인신매매의 죄에 관한 설명 중 가장 적절한 것은? (다툼이 있으면 판례에 의함)

□□□

17 경찰승진 [Essential ★]

① 베트남 국적 여성인 피고인이 남편의 동의 없이 생후 13개월 된 자녀를 베트남에 있는 친정으로 데려간 행위는 실력을 행사하여 자녀를 평온하던 종전의 보호·양육 상태로부터 이탈시킨 것으로서 국외이송약취죄 및 피약취자국외이송죄에 해당한다.

② 약취의 경우에 폭행·협박의 정도는 상대방의 반항을 억압할 정도의 것임을 요한다.

③ 형법 제288조 제1항의 영리목적 약취죄는 존속에 대한 범죄에 대하여 가중처벌 규정을 두고 있다.

④ 형법 제289조 제4항의 국외이송목적 인신매매 및 국외이송의 죄를 범한 사람이 매매 또는 이송된 사람을 안전한 장소로 풀어준 때에는 그 형을 감경할 수 있다.

해설

④ [○] 제287조부터 제290조까지, 제292조와 제294조의 죄를 범한 사람이 약취, 유인, 매매 또는 이송된 사람을 안전한 장소로 풀어준 때에는 그 **형을 감경할 수 있다.**(제295조의2)

① [×] 베트남 국적 여성인 피고인이 남편의 의사에 반하여 생후 약 13개월 된 아들을 주거지에서 데리고 나와 베트남에 함께 입국한 경우, 피고인이 아들을 데리고 베트남으로 떠난 행위는 어떠한 실력을 행사하여 아들을 평온하던 종전의 보호 · 양육 상태로부터 이탈시킨 것이라기보다 **친권자인 모(母)로서 출생 이후 줄곧 맡아왔던 아들에 대한 보호 · 양육을 계속 유지한 행위에 해당하여,** 이를 폭행, 협박 또는 불법적인 사실상의 힘을 사용하여 아들을 자기 또는 제3자의 지배하에 옮긴 약취행위로 볼 수는 없으므로 **국외이송약취죄나 피약취자국외이송죄는 성립하지 아니한다.**(대법원 2013. 6. 20. 2010도14328 全合 아이와 함께 베트남으로 사건)

② [×] 형법 제288조(간음목적약취유인죄)에 규정된 약취행위는 피해자를 그 의사에 반하여 자유로운 생활관계 또는 보호관계로부터 범인이나 제3자의 사실상 지배하에 옮기는 행위를 말하는 것으로서, 폭행 또는 협박을 수단으로 사용하는 경우에 **그 폭행 또는 협박의 정도는 상대방을 실력적 지배하에 둘 수 있을 정도이면 족하고 반드시 상대방의 반항을 억압할 정도의 것임을 요하지는 아니하고,** 뿐만 아니라 약취에는 폭행 또는 협박 이외의 사실상의 힘에 의한 경우도 포함된다.(대법원 2009. 7. 9. 2009도3816 우리집에 자러가자 사건)

③ [×] 영리목적 약취죄는 존속에 대한 범죄에 대하여 **가중처벌 규정을 두고 있지 않다.**

정답 | 050 ① 051 ④

052 약취와 유인의 죄에 대한 설명 중 옳은 것은 모두 몇 개인가? (다툼이 있으면 판례에 의함)

□□□

16 경찰간부 [Superlative ★★★]

㉠ 甲이 간음할 목적으로 초등학교 5학년 여학생인 乙의 소매를 잡아끌면서 "우리 집에 자러가자"고 한 행위는 간음목적의 약취행위에 해당한다.
㉡ 약취와 유인의 죄의 장의 각 죄들은 친고죄이며, 대한민국 영역 밖에서 죄를 범한 외국인에게도 적용되도록 세계주의 규정을 두고 있다.
㉢ 미성년자를 유인한 자가 계속하여 미성년자를 불법하게 감금하였을 때에는 미성년자유인죄 이외에 감금죄가 별도로 성립한다.
㉣ 미성년자약취·유인죄의 입법취지는 심신의 발육이 불충분하고 지려와 경험이 풍부하지 못한 미성년자의 자유를 특별히 보호하자는 것이며, 부차적으로 보호자의 감독권도 보호하게 된다.

① 1개 ② 2개
③ 3개 ④ 4개

해설

③ ㉠㉢㉣ 3 항목이 옳다.
㉠ [○] 피고인이 초등학교 5학년 여학생인 피해자의 소매를 잡아끌면서 **"우리 집에 같이 자러가자"**라고 한 행위는 피해자를 그 의사에 반하여 자유로운 생활관계 또는 보호관계로부터 피고인의 사실상 지배하에 옮기기 위한 약취행위의 수단으로서 폭행에 충분히 해당한다고 할 것이고 또한 약취의 의사도 인정된다고 할 것이므로 **약취행위에 해당하는 실행행위가 있다고 보아야 한다.**(대법원 2009. 7. 9. 2009도3816 **우리집에 자러가자 사건**)
㉡ [×] 약취와 유인의 죄(정확히는 '약취, 유인 및 인신매매의 죄')의 장에는 대한민국 영역 밖에서 죄를 범한 외국인에게도 적용한다는 세계주의 규정은 존재하지만(제296조의2), **이 장에 규정된 범죄는 모두 친고죄가 아니다.**
㉢ [○] 미성년자를 유인한 자가 계속하여 미성년자를 불법하게 감금하였을 때에는 **미성년자유인죄 이외에 감금죄가 별도로 성립한다.**(대법원 1998. 5. 26. 98도1036 **완전한 사육 사건**)
㉣ [○] 미성년자약취죄는 심신의 발육이 불충분하고 지려와 경험이 풍부하지 못한 미성년자를 특별히 보호하기 위하여 그를 약취하는 행위를 처벌하려는 데 그 입법의 취지가 있으며, 미성년자의 자유 외에 **보호감독자의 감호권도 그 보호법익으로 하고 있다**는 점을 고려하면, 피고인과 공범들이 피해자(女, 14세)를 보호·감독하고 있던 그 아버지의 감호권을 침해하여 그녀를 자신들의 사실상 지배하로 옮긴 이상 미성년자약취죄가 성립한다 할 것이고, 약취행위에 피해자의 동의가 있었다 하더라도 본죄의 성립에는 변함이 없다.(대법원 2003. 2. 11. 2002도7115)

053 약취, 유인 및 인신매매의 죄에 대한 설명으로 적절한 것을 모두 고른 것은? (다툼이 있으면 판례에 의함)
□□□
21 경찰승진 [Essential ★]

㉠ 생후 약 13개월 된 자녀를 친부모가 함께 동거하면서 보호·양육하여 오던 중 친모가 어떠한 폭행, 협박이나 불법적인 사실상의 힘을 행사함이 없이 친부의 의사에 반하여 그 자녀를 주거지에서 데리고 나와 국외에 이송한 경우 보호·양육권의 남용에 해당하는 등 특별한 사정이 없다 하더라도 친모의 행위를 약취행위로 볼 수 있다.
㉡ 「형법」 제289조의 인신매매죄를 범할 목적으로 예비 또는 음모한 사람은 처벌한다.
㉢ 미성년자가 혼자 머무는 주거에 침입하여 그를 감금한 뒤 폭행 또는 협박에 의하여 부모의 출입을 봉쇄하거나 미성년자와 부모가 거주하는 주거에 침입하여 부모만을 강제로 퇴거시키고 독자적인 생활관계를 형성하기에 이르렀다면 비록 장소적 이전이 없었다 할지라도 미성년자약취죄에 해당한다.
㉣ 「형법」 제287조 미성년자약취·유인죄는 대한민국 영역 밖에서 죄를 범한 외국인에게 적용되지 않는다.

① ㉠㉡　　② ㉠㉣
③ ㉡㉢　　④ ㉡㉣

해설

③ ㉡㉢ 2 항목이 옳다.

㉠ [×] 미성년의 자녀를 부모가 함께 동거하면서 보호·양육하여 오던 중 부모의 일방이 상대방 부모나 그 자녀에게 어떠한 폭행, 협박이나 불법적인 사실상의 힘을 행사함이 없이 그 자녀를 데리고 종전의 거소를 벗어나 다른 곳으로 옮겨 자녀에 대한 보호·양육을 계속하였다면, **그 행위가 보호·양육권의 남용에 해당한다는 등 특별한 사정이 없는 한** 설령 이에 관하여 법원의 결정이나 상대방 부모의 동의를 얻지 아니하였다고 하더라도 그러한 행위에 대하여 곧바로 **형법상 미성년자에 대한 약취죄의 성립을 인정할 수는 없다.**(대법원 2013. 6. 20. 2010도14328 全合 **베트남 엄마 사건**)

㉡ [○] 사람을 매매한 사람은 7년 이하의 징역에 처한다.(제289조) 제287조부터 제289조까지, 제290조 제1항, 제291조제1항과 제292조제1항의 죄를 범할 목적으로 **예비 또는 음모한 사람은 3년 이하의 징역에 처한다.**(제296조)

㉢ [○] 형법 제287조(미성년자약취유인죄)에 규정된 약취행위는 폭행 또는 협박을 수단으로 하여 미성년자를 그 의사에 반하여 자유로운 생활관계 또는 보호관계로부터 이탈시켜 범인이나 제3자의 사실상 지배하에 옮기는 행위를 말하는 것이다. 물론, 여기에는 미성년자를 장소적으로 이전시키는 경우뿐만 아니라 **장소적 이전 없이 기존의 자유로운 생활관계 또는 부모와의 보호관계로부터 이탈시켜 범인이나 제3자의 사실상 지배하에 두는 경우도 포함된다.**(대법원 2008. 1. 17. 2007도8485 **광주 인질강도사건**)

㉣ [×] 형법 제287조 미성년자약취·유인죄는 대한민국 영역 밖에서 죄를 범한 **외국인에게도 적용된다.**(제287조, 제296조의2)

정답 | 052 ③　053 ③

제1편 개인적 법익에 관한 죄

054 약취 · 유인의 죄에 대한 다음 설명 중 가장 적절하지 않은 것은? (다툼이 있으면 판례에 의함)

□□□

16 경찰채용 [*Core* ★★]

① 피고인과 공범들이 미성년자를 보호·감독하고 있던 그 아버지의 감호권을 침해하여 그녀를 자신들의 사실상 지배하로 옮긴 이상 미성년자약취죄가 성립한다 할 것이고, 약취행위에 미성년자의 동의가 있었다 하더라도 본 죄의 성립에는 변함이 없다.

② 형법 제288조에 규정된 약취행위는 피해자를 그 의사에 반하여 자유로운 생활관계 또는 보호관계로부터 범인이나 제3자의 사실상 지배하에 옮기는 행위를 말하는 것으로서, 폭행 또는 협박을 수단으로 사용하는 경우에 그 폭행 또는 협박의 정도는 상대방을 실력적 지배하에 둘 수 있을 정도이면 족하고 반드시 상대방의 반항을 억압할 정도의 것임을 요하지는 않는다.

③ 형법 제288조 제1항의 영리목적 약취죄는 존속에 대한 범죄에 대하여 가중처벌 규정을 두고 있다.

④ 미성년자가 혼자 머무는 주거에 침입하여 그를 감금한 뒤 폭행 또는 협박에 의하여 부모의 출입을 봉쇄하거나 미성년자와 부모가 거주하는 주거에 침입하여 부모만을 강제로 퇴거시키고 독자적인 생활관계를 형성하기에 이르렀다면, 비록 장소적 이전이 없었다 할지라도 미성년자약취죄에 해당한다.

해설

③ [×] 영리목적약취죄는 **존속에 대한 범죄에 대하여 가중처벌 규정을 두고 있지 않다.**

① [○] 미성년자약취죄는 심신의 발육이 불충분하고 지려와 경험이 풍부하지 못한 미성년자를 특별히 보호하기 위하여 그를 약취하는 행위를 처벌하려는 데 그 입법의 취지가 있으며, 미성년자의 자유 외에 보호감독자의 감호권도 그 보호법익으로 하고 있다는 점을 고려하면, 피고인과 공범들이 피해자(女, 14세)를 보호 · 감독하고 있던 그 아버지의 감호권을 침해하여 그녀를 자신들의 사실상 지배하로 옮긴 이상 미성년자약취죄가 성립한다 할 것이고, **약취행위에 피해자의 동의가 있었다 하더라도 본죄의 성립에는 변함이 없다.**(대법원 2003. 2. 11. 2002도7115)

② [○] 형법 제288조(간음목적약취유인죄)에 규정된 약취행위는 피해자를 그 의사에 반하여 자유로운 생활관계 또는 보호관계로부터 범인이나 제3자의 사실상 지배하에 옮기는 행위를 말하는 것으로서, 폭행 또는 협박을 수단으로 사용하는 경우에 그 폭행 또는 협박의 정도는 상대방을 실력적 지배하에 둘 수 있을 정도이면 족하고 **반드시 상대방의 반항을 억압할 정도의 것임을 요하지 아니한다.**(대법원 2009. 7. 9. 2009도3816 우리집에 자러가자 사건)

④ [○] 형법 제287조(미성년자약취유인죄)에 규정된 약취행위는 폭행 또는 협박을 수단으로 하여 미성년자를 그 의사에 반하여 자유로운 생활관계 또는 보호관계로부터 이탈시켜 범인이나 제3자의 사실상 지배하에 옮기는 행위를 말하는 것이다. 물론, 여기에는 미성년자를 장소적으로 이전시키는 경우뿐만 아니라 **장소적 이전 없이 기존의 자유로운 생활관계 또는 부모와의 보호관계로부터 이탈시켜 범인이나 제3자의 사실상 지배하에 두는 경우도 포함된다.**(대법원 2008. 1. 17. 2007도8485 광주 인질강도사건)

055 약취와 유인의 죄에 관한 다음 설명 중 가장 적절하지 않은 것은? (다툼이 있으면 판례에 의함)

□□□

13 경찰승진 [Core ★★]

① 약취행위는 피해자를 그 의사에 반하여 자유로운 생활관계 또는 보호관계로부터 범인이나 제3자의 사실상 지배하에 옮기는 행위를 말하는 것으로서 폭행 또는 협박을 수단으로 사용하는 경우에 그 폭행 또는 협박의 정도는 상대방을 실력적 지배하에 둘 수 있을 정도면 족하고 반드시 상대방의 저항을 억압할 정도의 것임을 요하지 않는다.

② 미성년자를 유인한 자가 계속하여 미성년자를 불법하게 감금하였을 때에는 미성년자유인죄 이외에 감금죄가 별도로 성립한다.

③ 약취와 유인의 죄, 인질강요죄, 인질강도죄에는 약취·유인·매매·이송된 자나 인질을 안전한 장소로 풀어준 때에는 형을 감경하는 규정이 있다.

④ 미성년자가 혼자 머무는 주거에 침입하여 그를 감금한 뒤 폭행 또는 협박에 의하여 부모의 출입을 봉쇄하거나 미성년자와 부모가 거주하는 주거에 침입하여 부모만을 강제로 퇴거시키고 독자적인 생활관계를 형성하기에 이르렀다면, 비록 장소적 이전이 없었다 할지라도 미성년자약취죄에 해당한다.

해설

③ [×] 약취유인죄와 인질강요죄에 대해서는 해방감경 규정이 적용되지만(제295조의2, 제324조의6), **인질강도죄에 대해서는 해방감경 규정이 적용되지 아니한다.**

① [○] 형법 제288조(간음목적약취유인죄)에 규정된 약취행위는 피해자를 그 의사에 반하여 자유로운 생활관계 또는 보호관계로부터 범인이나 제3자의 사실상 지배하에 옮기는 행위를 말하는 것으로서, 폭행 또는 협박을 수단으로 사용하는 경우에 그 폭행 또는 협박의 정도는 **상대방을 실력적 지배하에 둘 수 있을 정도이면 족하고 반드시 상대방의 반항을 억압할 정도의 것임을 요하지 아니한다.**(대법원 2009. 7. 9. 2009도3816 우리집에 자러가자 사건)

② [○] 미성년자를 유인한 자가 계속하여 미성년자를 불법하게 감금하였을 때에는 **미성년자유인죄 이외에 감금죄가 별도로 성립한다.**(대법원 1998. 5. 26. 98도1036 완전한 사육 사건)

④ [○] 형법 제287조(미성년자약취유인죄)에 규정된 약취행위는 폭행 또는 협박을 수단으로 하여 미성년자를 그 의사에 반하여 자유로운 생활관계 또는 보호관계로부터 이탈시켜 범인이나 제3자의 사실상 지배하에 옮기는 행위를 말하는 것이다. 물론, 여기에는 미성년자를 장소적으로 이전시키는 경우뿐만 아니라 **장소적 이전 없이 기존의 자유로운 생활관계 또는 부모와의 보호관계로부터 이탈시켜 범인이나 제3자의 사실상 지배하에 두는 경우도 포함된다.**(대법원 2008. 1. 17. 2007도8485 광주 인질강도사건)

정답 | 054 ③ 055 ③

056 약취와 유인의 죄에 관한 설명 중 가장 적절하지 않은 것은? (다툼이 있으면 판례에 의함)

□□□

14 경찰승진 [Core ★★]

① 미성년의 자녀를 부모가 함께 동거하면서 보호·양육하여 오던 중 부모의 일방이 그 자녀에게 어떠한 폭행, 협박이나 불법적인 사실상의 힘을 행사함이 없이 그 자녀를 데리고 종전의 거소를 벗어나 다른 곳으로 옮겨 자녀에 대한 보호·양육을 계속하였다면 형법상 미성년자에 대한 약취죄의 성립이 인정된다.

② 미성년자유인죄라 함은 기망 또는 유혹을 수단으로 하여 미성년자를 꾀어 현재의 보호상태로부터 이탈하게 하여 자기 또는 제3자의 사실적 지배하로 옮기는 행위를 말한다.

③ 미성년자를 보호감독하는 자라 하더라도 다른 보호감독자의 감호권을 침해하거나 자신의 감호권을 남용하여 미성년자 본인의 이익을 침해하는 경우 미성년자 약취·유인죄의 주체가 될 수 있다.

④ 미성년자 혼자 머무는 주거에 침입하여 강도 범행을 하는 과정에서 미성년자와 그 부모에게 폭행·협박을 가하여 일시적으로 부모와의 보호관계가 사실상 침해·배제된 경우 형법상 미성년자약취죄가 성립하지 않는다.

해설

① [×] 미성년의 자녀를 부모가 함께 동거하면서 보호 · 양육하여 오던 중 부모의 일방이 상대방 부모나 그 자녀에게 어떠한 폭행, 협박이나 불법적인 사실상의 힘을 행사함이 없이 그 자녀를 데리고 종전의 거소를 벗어나 다른 곳으로 옮겨 자녀에 대한 보호 · 양육을 계속하였다면, **그 행위가 보호 · 양육권의 남용에 해당한다는 등 특별한 사정이 없는 한** 설령 이에 관하여 법원의 결정이나 상대방 부모의 동의를 얻지 아니하였다고 하더라도 그러한 행위에 대하여 곧바로 **형법상 미성년자에 대한 약취죄의 성립을 인정할 수는 없다.**(대법원 2013. 6. 20. 2010도14328 순승 **아이와 함께 베트남으로 사건**)

② [○] 형법 제287조의 미성년자유인죄란 기망 또는 유혹을 수단으로 하여 미성년자를 꾀어 그 하자 있는 의사에 따라 미성년자를 자유로운 생활관계 또는 보호관계로부터 이탈하게 하여 **자기 또는 제3자의 사실적 지배하에 옮기는 행위를 말하고, 여기서 사실적 지배라고 함은 미성년자에 대한 물리적 · 실력적인 지배관계를 의미한다.**(대법원 1998. 5. 15. 98도690 **캐스팅 기획실장 사건**)

③ [○] **미성년자를 보호감독하는 자**라 하더라도 다른 보호감독자의 감호권을 침해하거나 자신의 감호권을 남용하여 미성년자 본인의 이익을 침해하는 경우에는 **미성년자 약취 · 유인죄의 주체가 될 수 있다.**(대법원 2008. 1. 31. 2007도8011 **내가 딸을 키우겠다 사건**)

④ [○] 피고인이 미성년자 혼자 머무는 주거에 침입하여 강도 범행을 하는 과정에서 미성년자와 그 부모에게 폭행 · 협박을 가하여 일시적으로 부모와의 보호관계가 사실상 침해 · 배제되었더라도 미성년자가 기존의 생활관계로부터 완전히 이탈되었다거나 새로운 생활관계가 형성되었다고 볼 수 없고 범인의 의도도 위와 같은 생활관계의 이탈이 아니라 단지 금품 강취를 위한 반항 억압에 있는 것이므로 **미성년자약취죄는 성립하지 아니한다.**(대법원 2008. 1. 17. 2007도8485 **광주 인질강도사건**)

057 약취와 유인의 죄에 대한 설명 중 옳지 않은 것은 모두 몇 개인가? (다툼이 있으면 판례에 의함)
□□□

21 경찰간부 [Superlative ★★★]

> ㉠ 형법은 추행·간음·영리목적의 약취·유인과 결혼목적 약취·유인의 법정형을 상이하게 규정하고 있다.
> ㉡ 형법상 약취·유인의 죄는 모두 일정한 목적이 있는 경우에만 성립하는 목적범의 형태로 규정되어 있다.
> ㉢ 미성년자를 약취·유인한 자가 그 미성년자를 안전한 장소로 풀어준 때에는 그 형을 감경하거나 면제할 수 있다.
> ㉣ 미성년자약취·유인죄를 범할 목적으로 예비·음모한 경우, 세계주의 원칙에 따라 대한민국 영역 밖에서 이 죄를 범한 외국인에게도 대한민국 형법을 적용한다.

① 1개 ② 2개 ③ 3개 ④ 4개

해설

④ 모든 항목이 옳지 않다.

㉠ [×] 추행, 간음, 결혼 또는 영리의 목적으로 사람을 약취 또는 유인한 사람은 **모두 1년 이상 10년 이하의 징역에 처한다.**(제288조 제1항)

㉡ [×] 제288조의 추행 등 목적 약취·유인죄는 추행 등 일정한 목적이 있는 경우에만 성립하지만, 제287조의 **미성년자약취·유인죄는 특별한 목적이 없어도 성립한다.**

㉢ [×] 미성년자를 약취·유인한 자가 그 미성년자를 안전한 장소로 풀어준 때에는 **그 형을 감경할 수 있다.**(제287조, 제295조의2)

㉣ [×] 외국인이 외국에서 미성년자약취·유인죄나 그 미수범을 범한 경우 대한민국 형법이 적용된다.(제287조, 제296조의2) 외국인이 미성년자약취·유인의 **예비·음모죄를 범한 경우에는 대한민국 형법이 적용되지 아니한다.**

정답 | 056 ① 057 ④

제5절 | 강간과 추행의 죄

058 다음 중 가장 옳지 않은 것은? (다툼이 있으면 판례에 의함) 20 법원9급 [Essential ★]

□□□

① 혼인관계가 파탄된 경우뿐만 아니라 혼인관계가 실질적으로 유지되고 있는 법률상의 처도 강간죄의 객체가 된다.

② 강간죄에서의 폭행·협박과 간음 사이에는 인과관계가 있어야 하므로 폭행·협박이 반드시 간음행위보다 선행되어야 한다.

③ 피고인이 강간할 목적으로 피해자의 집에 침입하였다 하더라도 안방에 들어가 누워 자고 있는 피해자의 가슴과 엉덩이를 만지면서 간음을 기도하였다는 사실만으로는 강간의 수단으로 피해자에게 폭행이나 협박을 개시하였다고 볼 수 없다.

④ 협박과 간음 또는 추행 사이에 시간적 간격이 있더라도 협박에 의하여 간음 또는 추행이 이루어진 것으로 인정될 수 있다면 강간죄 또는 강제추행죄가 성립한다.

해설

② [×] (1) 강간죄에서의 폭행·협박과 간음 사이에는 인과관계가 있어야 하나, **폭행·협박이 반드시 간음행위보다 선행되어야 하는 것은 아니다.**
(2) 비록 간음행위를 시작할 때 폭행·협박이 없었다고 하더라도 간음행위와 거의 동시 또는 그 직후에 피해자를 폭행하여 간음한 것으로 볼 수 있다면 강간죄를 구성한다.(대법원 2017. 10. 12. 2016도16948 **기습 삽입사건**)

① [○] 혼인관계가 파탄된 경우뿐만 아니라 혼인관계가 실질적으로 유지되고 있는 경우에도 남편이 반항을 불가능하게 하거나 현저히 곤란하게 할 정도의 폭행이나 협박을 가하여 **아내를 간음한 경우에는 강간죄가 성립한다.**(대법원 2013. 5. 16. 2012도14788 전원합의체 **안산 와이프 강간사건**)

③ [○] 피고인이 강간할 목적으로 피해자의 집에 침입하였다 하더라도 안방에 들어가 누워 자고 있는 피해자의 **가슴과 엉덩이**를 만지면서 간음을 기도하였다는 사실만으로는 **강간의 수단으로 피해자에게 폭행이나 협박을 개시하였다고 하기는 어렵다.**(대법원 1990. 5. 25. 90도607 **가슴·엉덩이 애무사건**)

④ [○] 가해자가 폭행을 수반함이 없이 오직 협박만을 수단으로 피해자를 간음 또는 추행한 경우에도 그 협박의 정도가 피해자의 항거를 불가능하게 하거나 현저히 곤란하게 할 정도의 것(강간죄)이거나 또는 피해자의 항거를 곤란하게 할 정도의 것(강제추행죄)이면 강간죄 또는 강제추행죄가 성립하고, **협박과 간음 또는 추행 사이에 시간적 간격이 있더라도 협박에 의하여 간음 또는 추행이 이루어진 것으로 인정될 수 있다면 달리 볼 것은 아니다.**(대법원 2007. 1. 25. 2006도5979 **1인 2역 강간사건**)

059 강간과 추행에 관한 죄에 대한 설명 중 옳고 그름의 표시 (○, ×)가 바르게 된 것은? (다툼이 있으면 판례에 의함)
□□□
23 경찰승진 [Core ★★]

㉠ 강간죄에서의 폭행·협박과 간음 사이에는 인과관계가 있어야 하나, 폭행·협박이 반드시 간음행위보다 선행되어야 하는 것은 아니다.
㉡ 피고인은 피해자가 심신상실 또는 항거불능의 상태에 있다고 인식하고 그러한 상태를 이용하여 간음할 의사로 피해자를 간음하였으나 실제로는 피해자가 심신상실 또는 항거불능의 상태에 있지 않은 경우에는 준강간죄의 장애미수가 성립한다.
㉢ 강제추행에 관한 간접정범의 의사를 실현하는 도구로서의 타인에는 피해자도 포함될 수 있으므로 피해자를 도구로 삼아 피해자의 신체를 이용하여 추행행위를 한 경우에도 강제추행죄의 간접정범에 해당할 수 있다.
㉣ 피고인이 놀이터 의자에 앉아서 통화 중이던 피해자의 뒤로 몰래 접근하여 성기를 드러내고 피해자의 등 쪽에 소변을 본 경우 행위 당시에 피해자가 이를 인식하지 못하였더라도 추행에 해당할 수 있다.

① ㉠ ○ ㉡ ○ ㉢ × ㉣ ×
② ㉠ ○ ㉡ × ㉢ ○ ㉣ ○
③ ㉠ ○ ㉡ × ㉢ ○ ㉣ ×
④ ㉠ × ㉡ × ㉢ × ㉣ ○

해설

② 이 지문이 옳은 연결이다.

㉠ [○] (1) 강간죄에서의 폭행 · 협박과 간음 사이에는 **인과관계가 있어야 하나, 폭행 · 협박이 반드시 간음행위보다 선행되어야 하는 것은 아니다.**
(2) 비록 간음행위를 시작할 때 폭행 · 협박이 없었다고 하더라도 간음행위와 거의 동시 또는 그 직후에 피해자를 폭행하여 간음한 것으로 볼 수 있다면 강간죄를 구성한다.(대법원 2017. 10. 12. 2016도16948 **기습삽입 사건**)

㉡ [×] 피고인이 **피해자가 심신상실 또는 항거불능의 상태에 있다고 인식하고 그러한 상태를 이용하여 간음하였으나 피해자가 실제로는 심신상실 또는 항거불능의 상태에 있지 않았다면** 이는 실행의 수단 또는 대상의 착오로 인하여 구성요건적 결과의 발생이 처음부터 불가능하였고 실제로 그러한 결과가 발생하였다고 할 수 없으나, 피고인이 행위 당시에 인식한 사정을 놓고 일반인이 객관적으로 판단하여 보았을 때 **준강간의 결과가 발생할 위험성이 있었으므로 준강간죄의 불능미수가 성립한다.**(대법원 2019. 3. 28. 2018도16002 **술에 만취한 것으로 오해 사건**)

㉢ [○] 강제추행죄는 사람의 성적 자유 내지 성적 자기결정의 자유를 보호하기 위한 죄로서 정범 자신이 직접 범죄를 실행하여야 성립하는 자수범이라고 볼 수 없으므로 처벌되지 아니하는 타인을 도구로 삼아 피해자를 강제로 추행하는 간접정범의 형태로도 범할 수 있다. 여기서 강제추행에 관한 간접정범의 의사를 실현하는 도구로서의 타인에는 **피해자도 포함될 수 있다**고 봄이 타당하므로, **피해자를 도구로 삼아 피해자의 신체를 이용하여 추행행위를 한 경우에도 강제추행죄의 간접정범에 해당할 수 있다.**(대법원 2018. 2. 8. 2016도17733 **셀프추행 강요 사건**)

㉣ [○] 피고인은 처음 보는 여성인 피해자(女, 18세)의 뒤로 몰래 접근하여 성기를 드러내고 피해자를 향한 자세에서 피해자의 등 쪽에 소변을 보았는바, 그 행위는 객관적으로 일반인에게 성적 수치심이나 혐오감을 일으키

정답 | 058 ② 059 ②

게 하고 선량한 성적 도덕관념에 반하는 행위로서 피해자의 성적 자기결정권을 침해하는 추행행위에 해당한다고 볼 여지가 있다. 피고인의 행위가 객관적으로 추행행위에 해당한다면 그로써 행위의 대상이 된 피해자의 성적 자기결정권은 침해되었다고 보아야 할 것이고, **행위 당시에 피해자가 이를 인식하지 못하였다고 하여 추행에 해당하지 않는다고 볼 것은 아니다.**(대법원 2021. 10. 28. 2021도7538 **여학생 등에다 소변 사건**)

060 다음 사안에서 甲의 형사책임에 대한 설명으로 가장 적절한 것은? (다툼이 있으면 판례에 의함)

□□□

18 경찰채용 [*Core* ★★]

甲은 피해자 A를 강간하려다 미수에 그치고 의도치 않게 동 행위로 인하여 A에게 상해를 입혔다. 甲은 자신의 범행으로 인해 의식을 잃고 쓰러진 A를 구호하지 아니하고 그 자리를 떠났다. A는 의식불명인 상태로 범행현장에 방치되어 있다가 몇 시간 뒤 행인에게 구조되었다.

① 甲의 강간 범행이 미수에 그치고 그로 인해 상해의 결과가 발생하였으므로 甲은 강간치상 죄의 미수범으로 처벌된다.

② 甲이 의식불명이 된 피해자 A를 구호하지 아니하고 방치한 행위에 대해서는 별도로 유기죄가 성립한다.

③ 만일 A가 집에 돌아가서 수치심과 절망감에 휩싸여 몇 주 뒤 자살을 하기에 이르렀다면 甲을 강간치사죄로 처벌할 수 있다.

④ 사안을 달리하여, A가 입은 상해가 사람의 반항을 억압할 만한 폭행 또는 협박이 없어도 일상생활 중 발생할 수 있는 것이거나 합의에 따른 성교행위에서도 통상 발생할 수 있는 상해와 같은 정도의 것이라고 가정한다면, 이는 강간치상죄의 상해에 해당되지 아니한다고 할 수 있다.

해설

④ [○] 강간행위에 수반하여 생긴 상해가 극히 경미한 것으로서 굳이 치료할 필요가 없어서 자연적으로 치유되며 **일상생활을 하는 데 아무런 지장이 없는 경우에는 강간치상죄의 상해에 해당되지 않지만**, 그러한 논거는 피해자의 반항을 억압할 만한 폭행 또는 협박이 없어도 일상생활 중 발생할 수 있는 것이거나 합의에 따른 성교행위에서도 통상 발생할 수 있는 상해와 같은 정도임을 전제로 하는 것이므로 그러한 정도를 넘는 상해가 그 폭행 또는 협박에 의하여 생긴 경우라면 상해에 해당된다.(대법원 2005. 5. 26. 2005도1039 **군인 여중생 강간사건**)

① [×] 강간이 미수에 그친 경우라도 그로 인하여 피해자가 상해를 입었으면 **강간치상죄가 성립한다.**(대법원 2003. 5. 30. 2003도1256 **아빠야 사건** 참고)

② [×] 피고인의 강간미수행위로 인하여 상해를 입고 의식불명이 된 피해자를 그곳에 그대로 방치한 피고인의 소위는 **강간치상죄만이 성립하고 별도로 유기죄는 성립하지 아니한다.**(대법원 1980. 6. 24. 80도726 **강간 피해자 떡실신 사건**)

③ [×] 강간을 당한 피해자가 집에 돌아가 음독자살하기에 이른 원인이 강간을 당함으로 인하여 생긴 수치심과 장래에 대한 절망감 등에 있었다 하더라도 **강간치사죄는 성립하지 아니한다.**(대법원 1982. 11. 23. 82도 1446 **강간피해자 자살사건**)

061 강간과 추행의 죄에 관한 설명 중 옳은 것은 모두 몇 개인가? (다툼이 있으면 판례에 의함)

□□□

19 해경간부 [Superlative ★★★]

㉠ 2012.12.18. 형법 개정으로 강간죄와 강제추행 죄의 객체가 부녀에서 사람으로 바뀌었다.
㉡ 형법은 일정한 성범죄에 대하여 공소시효 적용을 배제하는 규정을 두고 있다.
㉢ 36세 남성인 피고인이 고등학교 2학년 행세를 하면서 14세 미성년자인 피해자와 사귀고 자신을 스토킹하는 여성 때문에 힘들다고 거짓말하며 자신의 선배인 피고인과 성관계하라고 하자 헤어질 것이 두려운 피해자가 피고인과 성관계를 했다 하여도 간음행위 자체에 대한 오인, 착각, 부지가 아니므로 위계에 의한 간음죄가 성립하지 않는다.
㉣ 강도범인이 상해행위를 하였다면 강취행위와 상해행위 사이에 다소의 시간적·공간적 간격이 있었다는 것만으로는 강도상해죄의 성립에 영향이 없으나, 상해의 결과는 강도범행의 수단으로 한 폭행에 의하여 발생해야 하므로 상해행위는 강도가 기수에 이르기 전에 행하여져야 한다.
㉤ 강간범이 강간행위 후에 강도의 범의를 일으켜 그 부녀의 재물을 강취하는 경우 강도강간죄가 성립한다.

① 0개　② 1개　③ 2개　④ 3개

해설

① 모든 항목이 옳지 않다.
㉠ [×] 2012. 12. 18. 법률 제11574호로 형법이 일부 개정되어 강간죄의 객체가 '부녀'에서 '사람'으로 바뀌었으나, **강제추행죄의 객체는 바뀌지 않았다.** 강제추행죄의 객체는 형법 제정시부터 '사람'이었다.
㉡ [×] 성폭법과 아청법은 일정한 성폭력범죄에 대하여 공소시효를 배제하는 규정을 두고 있지만(성폭법 제21조 제3항, 아청법 제20조 제3항), **형법은 공소시효를 배제하는 규정을 두고 있지 않다.**
㉢ [×] [1] '위계'라 함은 행위자의 행위목적을 달성하기 위하여 피해자에게 오인, 착각, 부지를 일으키게 하여 이를 이용하는 것을 말한다. 이러한 위계의 개념 및 앞서 본 바와 같이 성폭력범행에 특히 취약한 사람을 보호하고 행위자를 강력하게 처벌하려는 입법태도, 피해자의 인지적 · 심리적 · 관계적 특성으로 온전한 성적 자기결정권 행사를 기대하기 어려운 사정 등을 종합하면, 행위자가 간음의 목적으로 피해자에게 오인, 착각, 부지를 일으키고 피해자의 **그러한 심적 상태를 이용하여 간음의 목적을 달성하였다면 위계와 간음행위 사이의 인과관계를 인정할 수 있고, 따라서 위계에 의한 간음죄가 성립한다.**
[2] 이와 달리 위계에 의한 간음죄에서 행위자가 간음의 목적으로 상대방에게 일으킨 오인, 착각, 부지는 **간음**

정답 | 060 ④　061 ①

행위 자체에 대한 오인, 착각, 부지를 말하는 것이지 간음행위와 불가분적 관련성이 인정되지 않는 다른 조건에 관한 오인, 착각, 부지를 가리키는 것은 아니라는 취지의 종전 판례는 변경한다.(대법원 2020. 8. 27. 2015도9436 숲합)

㉣ [×] 강도상해죄는 강도범인이 그 강도의 기회에 상해행위를 함으로써 성립하는 것이므로 강도범행의 실행 중이거나 그 실행 직후 또는 실행의 범의를 포기한 직후로서 사회통념상 범죄행위가 완료되지 아니하였다고 볼 수 있는 단계에서 상해가 행하여짐을 요건으로 한다. 그러나 반드시 강도범행의 수단으로 한 폭행에 의하여 상해를 입힐 것을 요하는 것은 아니고 **상해행위가 강도가 기수에 이르기 전에 행하여져야만 하는 것은 아니므로**, 강도범행 이후에도 피해자를 계속 끌고 다니거나 차량에 태우고 함께 이동하는 등으로 강도범행으로 인한 피해자의 심리적 저항불능 상태가 해소되지 않은 상태에서 강도범인의 상해행위가 있었다면 강취행위와 상해행위 사이에 다소의 시간적·공간적 간격이 있었다는 것만으로는 강도상해죄의 성립에 영향이 없다.(대법원 2014. 9. 26. 2014도9567 강릉 택시강도사건)

㉤ [×] 강간범이 강간행위 후에 강도의 범의를 일으켜 그 부녀의 재물을 강취하는 경우에는 **강도강간죄가 아니라 강간죄와 강도죄의 경합범이 성립될 수 있을 뿐이다.**(대법원 2010. 12. 9. 2010도9630 강간 → 강도 → 강간 사건)

핵심정리 위계에 의한 간음죄 판례변경(대법원 2020. 8. 27. 2015도9436 숲합)

[1] 성적 자기결정권은 스스로 선택한 인생관 등을 바탕으로 사회공동체 안에서 각자가 독자적으로 성적관념을 확립하고 이에 따라 사생활의 영역에서 자기 스스로 내린 성적 결정에 따라 자기책임 하에 상대방을 선택하고 성관계를 가질 권리로 이해된다. 여기에는 자신이 하고자 하는 성행위를 결정할 권리라는 적극적 측면과 함께 원치 않는 성행위를 거부할 권리라는 소극적 측면이 함께 존재하는데, **위계에 의한 간음죄를 비롯한 강간과 추행의 죄는 소극적 성적 자기결정권을 침해하는 것을 내용으로 한다.**

[2] **행위자가 간음의 목적으로 피해자에게 오인, 착각, 부지를 일으키고 피해자의 그러한 심적 상태를 이용하여 간음의 목적을 달성하였다면 위계와 간음행위 사이의 인과관계를 인정**할 수 있고, 따라서 위계에 의한 간음죄가 성립한다.

[3] 다만 행위자의 위계적 언동이 존재하였다는 사정만으로 위계에 의한 간음죄가 성립하는 것은 아니므로 위계적 언동의 내용 중에 **피해자가 성행위를 결심하게 된 중요한 동기를 이룰 만한 사정이 포함되어 있어 피해자의 자발적인 성적자기결정권의 행사가 없었다고 평가할 수 있어야 한다.** 이와 같은 인과관계를 판단함에 있어서는 피해자의 연령 및 행위자와의 관계, 범행에 이르게 된 경위, 범행 당시와 전후의 상황 등 여러 사정을 종합적으로 고려하여야 한다.

[4] 한편 위계에 의한 간음죄가 보호대상으로 삼는 아동·청소년, 미성년자, 심신미약자, 피보호자·피감독자, 장애인 등의 성적 자기결정 능력은 그 나이, 성장과정, 환경, 지능 내지 정신기능 장애의 정도 등에 따라 개인별로 차이가 있으므로 간음행위와 인과관계가 있는 위계에 해당하는지 여부를 판단함에 있어서는 구체적인 범행 상황에 놓인 피해자의 입장과 관점이 충분히 고려되어야 하고, 일반적·평균적 판단능력을 갖춘 성인 또는 충분한 보호와 교육을 받은 또래의 시각에서 인과관계를 쉽사리 부정하여서는 안 된다.

[5] 이와 달리 위계에 의한 간음죄에서 행위자가 간음의 목적으로 상대방에게 일으킨 오인, 착각, 부지는 간음행위 자체에 대한 오인, 착각, 부지를 말하는 것이지 **간음행위와 불가분적 관련성이 인정되지 않는 다른 조건에 관한 오인, 착각, 부지를 가리키는 것은 아니라는 취지의 종전 판례**인 대법원 2001. 12. 24. 선고 2001도5074 판결, 대법원 2002. 7. 12. 선고 2002도2029 판결, 대법원 2007. 9. 21. 선고 2007도6190 판결, 대법원 2012. 9. 27. 선고 2012도9119 판결, 대법원 2014. 9. 4. 선고 2014도8423, 2014전도151 판결 등은 이 판결과 배치되는 부분이 있으므로 그 범위에서 **이를 변경하기로 한다.**(대판 2020. 8. 27. 2015도9436 전합)

(주의 ① 위계에 의한 간음죄에서 행위자가 간음의 목적으로 상대방에게 일으킨 오인, 착각, 부지는 간음행위 자체에 대한 오인, 착각, 부지를 말하는 것이지 간음행위와 불가분적 관련성이 인정되지 않는 다른 조건에 관한 오인, 착각, 부지를 가리키는 것은 아니다. × ② 위계에 의한 간음죄를 비롯한 강간과 추행의 죄는 적극적 성적 자기결정권을 침해하는 것을 내용으로 한다 ×)

062 강간과 추행의 죄에 관한 다음 설명 중 옳은 것은 모두 몇 개인가? (다툼이 있으면 판례에 의함)

□□□

24 법원행시 [Superlative ★★★]

㉠ 미성년자의제강간·강제추행죄를 규정한 형법 제305조가 강간죄와 강제추행죄의 미수범 처벌에 관한 형법 제300조를 명시적으로 인용하고 있지 않으므로 미성년자의제강간·강제추행의 미수범은 처벌할 수 없다.

㉡ A는 인터넷 채팅사이트를 통해 성매매를 하려고 만난 甲으로부터 졸피뎀과 트리아졸람이 섞인 커피를 받아마신 후 정신을 잃고 깊이 잠들었다가 약 3시간 뒤에 깨어났고, 甲은 A를 항거불능 상태에 빠뜨린 후 강간하려고 시도하였으나 미수에 그쳤으며, A는 커피를 마신 다음에 자신이 잠들기 전까지 무슨 행동을 하였는지를 기억하지 못하였으나 A가 의식을 회복한 다음에는 일상생활에 특별한 지장이 없었고 치료도 받지 않았다면 甲을 강간치상죄로 처벌할 수는 없다.

㉢ 乙이 방안에서 丙의 숙제를 도와주던 중 丙의 왼손을 잡아 자신의 성기 쪽으로 끌어당겼고, 이를 거부하고 자리를 이탈하려는 丙의 의사에 반하여 丙을 끌어안은 다음 침대로 넘어져 丙의 위에 올라탄 후 丙의 가슴을 만졌으며, 방문을 나가려는 丙을 뒤따라가 끌어안은 행위를 한 경우 설령 乙의 행위가 丙의 항거를 곤란하게 할 정도의 폭행 또는 협박에 해당하지 않는다고 하더라도 丙을 강제추행한 것에 해당한다고 볼 수 있다.

㉣ 업무상 위력 등에 의한 추행에 관한 처벌 규정인 성폭력범죄의 처벌 등에 관한 특례법 제10조 제1항에서 정한 '업무, 고용이나 그 밖의 관계로 인하여 자기의 보호, 감독을 받는 사람'에는 직장 안에서 보호 또는 감독을 받거나 사실상 보호 또는 감독을 받는 상황에 있는 사람만이 포함되는 것이고, 채용 절차에서 영향력의 범위 안에 있는 사람도 포함된다고 해석할 수는 없다.

㉤ 의붓아버지와 의붓딸의 관계가 성폭력범죄의 처벌 등에 관한 특례법 제5조 제4항에서 규정한 친족관계에 해당한다고 해석하는 것은 형벌법규의 명확성의 원칙에 반하는 것이거나 죄형법정주의에 의하여 금지되는 확장해석이나 유추해석에 해당하는 것으로 보아야 한다.

① 1개 ② 2개 ③ 3개
④ 4개 ⑤ 5개

해설

① ㉢ 항목만 옳다.

㉠ [×] 미성년자의제강간·강제추행죄를 규정한 형법 제305조[24년 현재 제305조 제1항]에서 규정한 형법 제297조와 제298조의 '예에 의한다'는 의미는 미성년자의제강간·강제추행죄의 처벌에 있어 그 법정형뿐만 아니라 미수범에 관하여도 강간죄와 강제추행죄의 예에 따른다는 취지로 해석된다.(대법원 2007. 3. 15. 2006도9453 의제강간 미수사건)

정답 | 062 ①

㉡ [×] 피해자 A는 당시에 약물 투약으로 정보나 경험을 기억하는 신체의 기능에 일시적으로 장애가 생긴 것으로 보이고 여기에 의식이 저하된 정도나 수면시간 등을 종합하여 A의 상태를 살펴보면, 약물의 투약으로 A의 항거가 불가능하거나 현저히 곤란해진 데에서 나아가 **A의 건강상태가 나쁘게 변경되고 생활기능에 장애가 초래되는 결과가 발생하였다고 할 것이므로 이는 강간치상죄에서 말하는 상해에 해당한다.** A가 의식을 회복한 후에 일상생활에 지장이 없거나 치료를 받지 않았다고 하여 달리 볼 것은 아니다.(대법원 2017. 7. 11. 2015도3939 **졸피뎀 수면제 사건Ⅱ**)

㉢ [○] 피고인은 방안에서 피해자의 숙제를 도와주던 중 피해자의 왼손을 잡아 자신의 성기 쪽으로 끌어당겼고, 이를 거부하고 자리를 이탈하려는 피해자의 의사에 반하여 피해자를 끌어안은 다음 침대로 넘어져 피해자의 위에 올라탄 후 피해자의 가슴을 만졌으며, 방문을 나가려는 **피해자를 뒤따라가 끌어안았는바, 이러한 피고인의 행위는 피해자의 신체에 대하여 불법한 유형력을 행사하여 피해자를 강제 추행한 것에 해당한다고 볼 여지가 충분하다.**(대법원 2023. 9. 21. 2018도13877 全合 **사촌여동생 강제추행 사건**)

㉣ [×] 성폭법 제10조의 '업무, 고용이나 그 밖의 관계로 인하여 자기의 보호, 감독을 받는 사람'에는 직장 안에서 보호 또는 감독을 받거나 사실상 보호 또는 감독을 받는 상황에 있는 사람뿐만 아니라 **채용 절차에서 영향력의 범위 안에 있는 사람도 포함된다.**(대법원 2020. 7. 9. 2020도5646 **편의점 알바 지원자 추행사건**)

㉤ [×] 민법 제767조는 "배우자, 혈족 및 인척을 친족으로 한다."라고 규정하고 있고, 같은 법 제769조는 "혈족의 배우자, 배우자의 혈족, 배우자의 혈족의 배우자를 인척으로 한다."라고 규정하고 있으며, 같은 법 제771조는 "인척은 배우자의 혈족에 대하여는 배우자의 그 혈족에 대한 촌수에 따르고, 혈족의 배우자에 대하여는 그 혈족에 대한 촌수에 따른다."라고 규정하고 있다. 따라서 **의붓아버지와 의붓딸의 관계는 성폭력처벌법 제5조 제4항이 규정한 4촌 이내의 인척으로서 친족관계에 해당한다.**(대법원 2020. 11. 5. 2020도10806 **의붓딸 준간음 사건**)

063 □□□ 강간과 추행의 죄에 대한 아래 ㉠부터 ㉣까지의 설명 중 옳고 그름의 표시(○, ×)가 모두 바르게 된 것은? (다툼이 있으면 판례에 의함)

21 경찰채용 [Superlative ★★★]

㉠ 강간과 추행의 죄에서 말하는 '성적 자유'는 적극적으로 성행위를 할 수 있는 자유가 아니라 소극적으로 원치 않는 성행위를 하지 않을 자유를 말하고, '성적 자기결정권'은 성행위를 할 것인가 여부, 성행위를 할 때 그 상대방을 누구로 할 것인가 여부, 성행위의 방법 등을 스스로 결정할 수 있는 권리를 의미한다.

㉡ 강제추행죄는 자수범이라고 볼 수 없으므로 처벌되지 아니하는 타인을 도구로 삼아 피해자를 강제로 추행하는 간접정범의 형태로도 범할 수 있으나, 여기에서의 강제추행에 관한 간접정범의 의사를 실현하는 도구로서의 타인에는 피해자가 포함되지 않는다.

㉢ 위계에 의한 간음죄에서 행위자의 위계적 언동이 존재하였다는 사정만으로 위계에 의한 간음죄가 성립하는 것은 아니고, 위계적 언동의 내용 중에 피해자가 성행위를 결심하게 된 중요한 동기를 이룰 만한 사정이 포함되어 있어 피해자의 자발적인 성적 자기결정권의 행사가 없었다고 평가할 수 있어야 한다.

㉣ '미성년자 또는 심신미약자에 대하여 위계 또는 위력으로써 간음 또는 추행'한 자를 처벌하는 「형법」 제302조는, 미성년자나 심신미약자와 같이 판단능력이나 대처능력이 일반인에 비하여 낮은 사람은 낮은 정도의 유·무형력의 행사에 의해서도 저항을 제대로 하지 못하고 피해를 입을 가능성이 있기 때문에 그 범죄의 성립요건을 강간죄나 강제추행죄보다 완화된 형태로 규정한 것이다.

① ㉠ ○ ㉡ × ㉢ ○ ㉣ ○
② ㉠ ○ ㉡ × ㉢ ○ ㉣ ×
③ ㉠ ○ ㉡ ○ ㉢ × ㉣ ○
④ ㉠ × ㉡ ○ ㉢ × ㉣ ×

해설

① 이 지문이 옳은 연결이다.

㉠ [○] 형법 제2편 제32장의 '강간과 추행의 죄'는 모두 개인의 성적 자유 또는 성적 자기결정권을 침해하는 것을 내용으로 하는데, 여기에서 '성적 자유'는 적극적으로 성행위를 할 수 있는 자유가 아니라 **소극적으로 원치 않는 성행위를 하지 않을 자유를 말하고,** '성적 자기결정권'은 성행위를 할 것인가 여부, 성행위를할 때 그 상대방을 누구로할 것인가 여부, 성행위의 방법 등을 스스로 결정할 수 있는 권리를 의미한다.(대법원 2019. 6. 13. 2019도3341)

㉡ [×] 강제추행죄는 사람의 성적 자유 내지 성적 자기결정의 자유를 보호하기 위한 죄로서 정범 자신이 직접 범죄를 실행하여야 성립하는 자수범이라고 볼 수 없으므로 처벌되지 아니하는 타인을 도구로 삼아 피해자를 강제로 추행하는 간접정범의 형태로도 범할 수 있다. 여기서 **강제추행에 관한 간접정범의 의사를 실현하는 도구로서의 타인에는 피해자도 포함될 수 있다고 봄이 타당하므로,** 피해자를 도구로 삼아 피해자의 신체를 이용하여 추행행위를 한 경우에도 강제추행죄의 간접정범에 해당할 수 있다.(대법원 2018. 2. 8. 2016도17733 **셀프추행 강요 사건**)

㉢ [○] (1) 행위자의 위계적 언동이 존재하였다는 사정만으로 위계에 의한 간음죄가 성립하는 것은 아니므로 위계적 언동의 내용 중에 **피해자가 성행위를 결심하게 된 중요한 동기를 이룰 만한 사정이 포함되어 있어 피해자의 자발적인 성적 자기결정권의 행사가 없었다고 평가할 수 있어야 한다.** 이와 같은 인과관계를 판단함에 있어서는 피해자의 연령 및 행위자와의 관계, 범행에 이르게 된 경위, 범행 당시와 전후의 상황 등 여러 사정을 종합적으로 고려하여야 한다.
(2) 위계에 의한 간음죄가 보호대상으로 삼는 아동 · 청소년, 미성년자, 심신미약자, 피보호자 · 피감독자, 장애인 등의 성적 자기결정 능력은 그 나이, 성장과정, 환경, 지능 내지 정신기능 장애의 정도 등에 따라 **개인별로 차이가 있으므로 간음행위와 인과관계가 있는 위계에 해당하는지 여부를 판단함에 있어서는 구체적인 범행 상황에 놓인 피해자의 입장과 관점이 충분히 고려되어야 하고, 일반적 · 평균적 판단능력을 갖춘 성인 또는 충분한 보호와 교육을 받은 또래의 시각에서 인과관계를 쉽사리 부정하여서는 안 된다.**(대법원 2020. 8. 27. 2015도9436 순합 **선배랑 한번 해라 사건**)

㉣ [○] 형법 제32장의 죄의 기본적 구성요건은 강간죄(제297조)나 강제추행죄(제298조)인데, 이 죄는 **미성년자나 심신미약자와 같이 판단능력이나 대처능력이 일반인에 비하여 낮은 사람은 낮은 정도의 유 · 무형력의 행사에 의해서도 저항을 제대로 하지 못하고 피해를 입을 가능성이 있기 때문에 범죄의 성립요건을 보다 완화된 형태로 규정한 것이다.**(대법원 2019. 6. 13. 2019도3341 **여고생 항문삽입 시도사건**)

정답 | 063 ①

064 강간과 추행의 죄에 관한 다음 설명 중 옳지 않은 것끼리 묶인 것은? (다툼이 있으면 판례에 의함)

□□□

12 경찰채용 [Core ★★]

㉠ 야간에 강간을 목적으로 피해자의 집에 담을 넘어 침입한 후, 안방에서 자고 있던 피해자의 가슴과 엉덩이를 만지면서 강간하려고 하였으나 피해자가 '야' 하고 비명을 지르는 바람에 도망한 경우라면 강간죄의 장애미수에 해당한다.
㉡ 여종업원들이 거부의사를 밝혔음에도 사장과의 친분관계를 내세워 함께 술을 마시지 않을 경우 신분상 불이익을 가할 것처럼 협박하여 이른바 '러브샷'의 방법으로 술을 마시게 한 것은 강제추행죄에 해당한다.
㉢ 당사자 사이에 혼인관계가 파탄되었을 뿐만 아니라 더 이상 혼인관계를 지속할 의사가 없고 이혼의사의 합치가 있어 실질적인 부부관계가 인정될 수 없는 상태에 이르렀다 하더라도 법률상의 배우자인 처는 강간죄의 객체가 되지 않는다.
㉣ 형법 제305조에 규정된 13세 미만 부녀에 대한 의제강간·추행죄는 그 성립에 있어 위계 또는 위력이나 폭행 또는 협박의 방법에 의함을 요하지 아니하며 피해자의 동의가 있었다고 하여도 성립하는 것이다.
㉤ 13세 미만 부녀에 대한 의제강간·추행죄의 성립에 필요한 주관적 구성요건요소는 고의만으로 충분하고, 그 외에 성욕을 자극·흥분·만족시키려는 주관적 동기나 목적까지 있어야 하는 것은 아니다.

① ㉠㉡㉢　　② ㉠㉢　　③ ㉡㉢㉣　　④ ㉢㉤

해설

② ㉠㉢ 2 항목이 옳지 않다.

㉠ [×] 피고인이 강간할 목적으로 피해자의 집에 침입하였다 하더라도 안방에 들어가 누워 자고 있는 피해자의 가슴과 엉덩이를 만지면서 간음을 기도하였다는 사실만으로는 강간의 수단으로 피해자에게 **폭행이나 협박을 개시하였다고 하기는 어렵다**.(대법원 1990. 5. 25. 90도607 가슴 · 엉덩이 애무사건)

㉡ [○] 피고인이 컨트리클럽 내 식당에서 식사를 하면서 여종업원인 피해자들에게 함께 술을 마실 것을 요구하였다가 거절당하였음에도 불구하고, 컨트리클럽의 회장과의 친분관계를 내세워 피해자들에게 신분상의 불이익을 가할 것처럼 협박하여 피해자들로 하여금 목 뒤로 팔을 감아 돌림으로써 얼굴이나 상체가 밀착되어 서로 포옹하는 것과 같은 신체접촉이 있게 되는 이른바 **러브샷**의 방법으로 술을 마시게 한 경우, **강제추행에 해당**하고 이 때 피해자들의 유효한 승낙이 있었다고 볼 수 없다.(대법원 2008. 3. 13. 2007도10050 러브샷 사건)

㉢ [×] 혼인관계가 파탄된 경우뿐만 아니라 혼인관계가 실질적으로 유지되고 있는 경우에도 남편이 반항을 불가능하게 하거나 현저히 곤란하게 할 정도의 폭행이나 협박을 가하여 아내를 간음한 경우에는 **강간죄가 성립한다**.(대법원 2013. 5. 16. 2012도14788 全合 안산 와이프 강간사건)

㉣ [○] 형법 제305조에 규정된 **13세미만 부녀에 대한 의제강간 · 추행죄는** 그 성립에 있어 위계 또는 위력이나 폭행 또는 협박의 방법에 의함을 요하지 아니하며 피해자의 **동의가 있었다고 하여도 성립하는 것이다**.(대법원 1982. 10. 12. 82도2183)

㉤ [○] 미성년자의제강제추행죄의 성립에 필요한 주관적 구성요건요소는 고의만으로 충분하고, 그 외에 **성욕을 자극 · 흥분 · 만족시키려는 주관적 동기나 목적까지 있어야 하는 것은 아니다**.(대법원 2006. 1. 13. 2005도6791 남학생 추행사건)

065 「성폭력범죄의 처벌 등에 관한 특례법」에 대한 설명으로 옳지 않은 것은? (다툼이 있으면 판례에 의함)

□□□

24 경대편입 [Superlative ★★★]

① 「성폭력범죄의 처벌 등에 관한 특례법」은 신체적·정신적 장애로 항거불능 상태에 있음을 이용하여 사람을 간음한 경우를 처벌하고 있는데, 행위자가 피해자의 항거불능 상태를 인식하지 못한 경우에는 그러한 상태를 '이용'하였다고 볼 수 없다.

② 「성폭력범죄의 처벌 등에 관한 특례법」은 성적 욕망을 유발하거나 만족시킬 목적으로 통신매체를 통하여 성적 수치심이나 혐오감을 일으키는 말 등을 상대방에게 도달하게 하는 것을 처벌하고 있는데, 여기에서의 '성적 수치심'의 유발 여부는 피해자와 같은 성별과 연령대의 일반적이고 평균적인 사람들을 기준으로 하여 판단되어야 한다.

③ 「성폭력범죄의 처벌 등에 관한 특례법」은 정신적인 장애가 있는 사람에 대한 강간·강제추행 등을 처벌하고 있는데, 여기에서 '정신적인 장애가 있는 사람'에는 「장애인복지법」에 따른 장애인 등록을 하지 않았거나 그 등록 기준을 충족하지 못하는 사람도 해당할 수 있다.

④ 「성폭력범죄의 처벌 등에 관한 특례법」은 신체적인 장애가 있는 사람에 대한 강간·강제추행 등을 처벌하고 있는데, 본죄가 성립하려면 행위자가 범행 당시 피해자에게 신체적인 장애가 있음을 인식하여야 한다.

⑤ 「성폭력범죄의 처벌 등에 관한 특례법」은 업무상 위력 등에 의한 추행을 처벌하고 있는데, 여기에서의 '위력'이란 피해자의 자유의사를 제압하기에 충분한 힘을 말하고, 그 죄가 성립하려면 현실적으로 피해자의 자유의사가 제압되어야 한다.

해설

⑤ [×] 성폭법위반(업무상위력등에의한추행)죄에서 위력이라 함은 피해자의 자유의사를 제압하기에 충분한 세력을 말하고, 유형적이든 무형적이든 묻지 않으므로 폭행·협박뿐 아니라 사회적·경제적·정치적인 지위나 권세를 이용하는 것도 가능하며, 위력행위 자체가 추행행위라고 인정되는 경우도 포함되고, 이때의 위력은 **현실적으로 피해자의 자유의사가 제압될 것임을 요하는 것은 아니다.**(대법원 2020. 5. 14. 2019도9872 신입직원 성희롱 사건)

① [○] 성폭력범죄의 처벌 등에 관한 특례법 제6조 제4항의 죄는 피해자의 항거불능 또는 항거곤란 상태를 '이용하여' 간음한 경우를 처벌하고 있는데, 여기서 '이용하여'는 피고인이 **피해자의 항거불능 또는 항거곤란 상태를 인식하고 이에 편승하여 간음행위에 나아가는 것을 의미한다.**(대법원 2022. 11. 10. 2020도13672 IQ57 아줌마 사건)

② [○] 성적 수치심 또는 혐오감의 유발 여부는 일반적이고 평균적인 사람들을 기준으로 하여 판단함이 타당하고, 특히 성적 수치심의 경우 피해자와 같은 성별과 연령대의 **일반적이고 평균적인 사람들을 기준으로 하여 그 유발 여부를 판단하여야 한다.**(대법원 2022. 9. 29. 2020도11185 여성 군무원들 추행사건)

③ [○] 성폭력범죄의 처벌 등에 관한 특례법 제6조에서 정하는 '정신적인 장애가 있는 사람'이란 '정신적인 기능이나 손상 등의 문제로 일상생활이나 사회생활에서 상당한 제약을 받는 사람'을 가리킨다. **장애인복지법에 따**

정답 | 064 ② 065 ⑤

른 장애인 등록을 하지 않았다거나 그 등록기준을 충족하지 못하더라도 여기에 해당할 수 있다.(대법원 2021. 10. 28. 2021도9051 미등록 장애인 간음사건)

④ [○] 장애와 관련된 피해자의 상태는 개인별로 그 모습과 정도에 차이가 있는데 그러한 모습과 정도가 성폭력범죄의 처벌 등에 관한 특례법 제6조에서 정한 신체적인 장애를 판단하는 본질적인 요소가 되므로 신체적인 장애를 판단함에 있어서는 해당 피해자의 상태가 충분히 고려되어야 하고 비장애인의 시각과 기준에서 피해자의 상태를 판단하여 장애가 없다고 쉽게 단정해서는 안 된다. 아울러 본 죄가 성립하려면 행위자도 범행 당시 피해자에게 이러한 신체적인 장애가 있음을 인식하여야 한다.(대법원 2021. 2. 25. 2016도4404, 2016전도49 소아마비 강간 · 추행 사건)

066 다음 설명 중 옳지 않은 것은 모두 몇 개인가? (다툼이 있으면 판례에 의함)

□□□

21 법원행시 [Superlative ★★★]

㉠ 피해자를 위협하여 항거불능케 한 후 1회 간음하고 2백미터쯤 오다가 다시 1회 간음한 경우, 두번째의 간음행위는 처음 한 행위의 계속으로 볼 수 있으므로 단순일죄가 성립한다.

㉡ 甲이 술에 취하여 안방에서 잠을 자고 있던 피해자를 발견하고 갑자기 욕정을 일으켜 피해자의 옆에 누워 피해자의 몸을 더듬다가 피해자의 바지를 벗기려는 순간 피해자가 어렴풋이 잠에서 깨어났으나 피해자는 잠결에 자신의 바지를 벗기려는 甲을 자신의 애인으로 착각하여 반항하지 않고 응함에 따라 피해자를 1회 간음한 경우 피해자의 위와 같은 의식상태를 심신상실의 상태에 이르렀다고 보기는 어렵다.

㉢ 甲이 스마트폰 채팅 애플리케이션을 통하여 알게 된 14세의 피해자에게 자신을 '고등학교 2학년인 乙'이라고 거짓으로 소개하고 채팅을 통해 교제하던 중 자신을 스토킹하는 여성 때문에 힘들다며 그 여성을 떼어내려면 자신의 선배와 성관계를 하여야 한다는 취지로 피해자에게 이야기하고, 甲과 헤어지는 것이 두려워 甲의 제안을 승낙한 피해자를 마치 자신이 乙의 선배인 것처럼 행세하여 간음한 경우 피해자가 간음행위 자체에 대한 착오에 빠졌다거나 이를 알지 못하였다고 할 수는 없다고 할 것이므로 甲의 위 행위는 아동·청소년의 성보호에 관한 법률 제7조 제5항에서의 위계에 해당하지 않는다.

㉣ 강제추행죄는 사람의 성적 자유 내지 성적 자기결정의 자유를 보호하기 위한 죄로서 정범 자신이 직접 범죄를 실행하여야 성립하는 자수범이므로 처벌되지 아니하는 타인을 도구로 삼아 피해자를 강제로 추행하는 간접정범의 형태로는 범할 수 없다.

㉤ 음주 후 준강간 또는 준강제추행을 당하였음을 호소한 피해자의 경우 범행 당시 알코올이 기억형성의 실패만을 야기한 알코올 블랙아웃 상태였다면 피해자는 기억장애 외에 인지기능이나 의식 상태의 장애에 이르렀다고 인정하기 어렵다.

① 없음　② 1개　③ 2개　④ 3개　⑤ 4개

해설

③ ㉢㉣ 2 항목이 옳지 않다.

㉠ [○] 피해자를 위협하여 항거불능케 한 후 1회 간음하고 200m 쯤 오다가 다시 1회 간음한 경우 **강간죄의 단순일죄가 성립한다.**(대법원 1970. 9. 29. 70도1516 **연달아 한번더 사건**)

㉡ [○] 피고인이 술에 취하여 안방에서 잠을 자고 있던 피해자를 발견하고 피해자의 옆에 누워 몸을 더듬다가 바지를 벗기려는 순간 피해자가 어렴풋이 잠에서 깨어났으나 피해자가 잠결에 자신의 바지를 벗기려는 피고인을 자신의 애인으로 착각하여 반항하지 않고 응함에 따라 피해자를 1회 간음한 경우(피고인이 안방에 들어오자 피고인을 자신의 애인으로 잘못 알고 불을 끄라고 말하였고, 피고인이 자신을 애무할 때 누구냐고 물었으며, 피고인이 여관으로 가자고 제의하자 그냥 빨리 하라고 말하기도 하였음), **피해자의 의식상태를 심신상실의 상태에 이르렀다고 보기 어렵다.**(대법원 2000. 2. 25. 98도4355 **그냥 빨리해라 사건**)

㉢ [×] **36세의 남성인 피고인이 자신을 고등학교 2학년으로 가장하여 14세의 피해자와 온라인으로 교제하던 중**, 교제를 지속하고 스토킹하는 여자를 떼어내려면 자신의 선배와 성관계하여야 한다는 취지로 **거짓말을 하고 이에 응한 피해자를 그 선배로 가장하여 간음한 경우** 피해자가 오인한 상황은 피해자가 피고인과의 성행위를 결심하게 된 중요한 동기가 된 것으로 보이고 이를 자발적이고 진지한 성적 자기결정권의 행사에 따른 것이라고 보기 어려우므로 이러한 피고인의 **간음행위는 위계에 의한 것이라고 평가할 수 있다.**(대법원 2020. 8. 27. 2015도9436 순습 **선배랑 한번 해라 사건**)

㉣ [×] 강제추행죄는 사람의 성적 자유 내지 성적 자기결정의 자유를 보호하기 위한 죄로서 정범 자신이 직접 범죄를 실행하여야 성립하는 **자수범이라고 볼 수 없으므로 처벌되지 아니하는 타인을 도구로 삼아 피해자를 강제로 추행하는 간접정범의 형태로도 범할 수 있다.** 여기서 강제추행에 관한 간접정범의 의사를 실현하는 도구로서의 타인에는 피해자도 포함될 수 있다고 봄이 타당하므로, 피해자를 도구로 삼아 피해자의 신체를 이용하여 추행행위를 한 경우에도 강제추행죄의 간접정범에 해당할 수 있다.(대법원 2018. 2. 8. 2016도17733 **셀프추행 강요 사건**)

㉤ [○] 음주 후 준강간 또는 준강제추행을 당하였음을 호소한 피해자의 경우 범행 당시 알코올이 기억형성의 실패만을 야기한 알코올 블랙아웃(black out) 상태였다면 피해자는 기억장애 외에 인지기능이나 의식상태의 장애에 이르렀다고 인정하기 어렵지만, 이에 비하여 피해자가 술에 취해 수면상태에 빠지는 등 의식을 상실한 **패싱아웃(passing out) 상태였다면 심신상실의 상태에 있었음을 인정할 수 있다.** 또한 피해자가 의식상실 상태에 빠져 있지는 않지만 알코올의 영향으로 의사를 형성할 능력이나 성적 자기결정권 침해행위에 맞서려는 저항력이 현저하게 저하된 상태였다면 '항거불능'에 해당하여, 이러한 피해자에 대한 성적 행위 역시 **준강간죄 또는 준강제추행죄를 구성할 수 있다.**(대법원 2021. 2. 4. 2018도9781 **알코올 블랙아웃 *or* 알코올 패싱아웃 사건**)

정답 | 066 ③

067 다음 중 가장 옳지 않은 것은? (다툼이 있으면 판례에 의함)

22 해경채용 [Core ★★]

□□□

① 강제추행죄는 사람의 성적 자유 내지 성적 자기결정의 자유를 보호하기 위한 죄로서 정범 자신이 직접 범죄를 실행하여야 성립하는 자수범이므로 처벌되지 아니하는 타인을 도구로 삼아 피해자를 강제로 추행하는 간접정범의 형태로는 범할 수 없다.

② 甲이 술에 취하여 안방에서 잠을 자고 있던 피해자를 발견하고 갑자기 욕정을 일으켜 피해자의 옆에 누워 피해자의 몸을 더듬다가 피해자의 바지를 벗기려는 순간 피해자가 어렴풋이 잠에서 깨어났으나 피해자는 잠결에 자신의 바지를 벗기려는 甲을 자신의 애인으로 착각하여 반항하지 않고 응함에 따라 피해자를 1회 간음한 경우 피해자의 위와 같은 의식 상태를 심신상실의 상태에 이르렀다고 보기는 어렵다.

③ 음주 후 준강간 또는 준강제추행을 당하였음을 호소한 피해자의 경우 범행 당시 알코올이 기억 형성의 실패만을 야기한 알코올 블랙아웃 상태였다면 피해자는 기억장애 외에 인지 기능이나 의식 상태의 장애에 이르렀다고 인정하기 어렵다.

④ 피해자를 위협하여 항거불능케 한 후 1회 간음 하고 200m쯤 오다가 다시 1회 간음한 경우 두 번째의 간음행위는 처음 한 행위의 계속으로 볼 수 있으므로 단순일죄가 성립한다.

해설

① [×] 강제추행죄는 사람의 성적 자유 내지 성적 자기결정의 자유를 보호하기 위한 죄로서 정범 자신이 직접 범죄를 실행하여야 성립하는 **자수범이라고 볼 수 없으므로 처벌되지 아니하는 타인을 도구로 삼아 피해자를 강제로 추행하는 간접정범의 형태로도 범할 수 있다**. 여기서 강제추행에 관한 간접정범의 의사를 실현하는 도구로서의 타인에는 피해자도 포함될 수 있다고 봄이 타당하므로, 피해자를 도구로 삼아 피해자의 신체를 이용하여 추행행위를 한 경우에도 강제추행죄의 간접정범에 해당할 수 있다.(대법원 2018. 2. 8. 2016도17733 셀프추행 강요 사건)

② [○] 피고인이 술에 취하여 안방에서 잠을 자고 있던 피해자를 발견하고 피해자의 옆에 누워 몸을 더듬다가 바지를 벗기려는 순간 피해자가 어렴풋이 잠에서 깨어났으나 피해자가 잠결에 자신의 바지를 벗기려는 피고인을 자신의 **애인으로 착각하여 반항하지 않고 응함에 따라 피해자를 1회 간음한 경우**(피고인이 안방에 들어오자 피고인을 자신의 애인으로 잘못 알고 불을 끄라고 말하였고, 피고인이 자신을 애무할 때 누구냐고 물었으며, 피고인이 여관으로 가자고 제의하자 그냥 빨리 하라고 말하기도 하였음), 피해자의 의식상태를 **심신상실의 상태에 이르렀다고 보기 어렵다**.(대법원 2000. 2. 25. 98도4355 그냥 빨리해라 사건)

③ [○] 음주 후 준강간 또는 준강제추행을 당하였음을 호소한 피해자의 경우 범행 당시 알코올이 기억형성의 실패만을 야기한 알코올 블랙아웃(black out) 상태였다면 피해자는 기억장애 외에 인지기능이나 의식상태의 장애에 이르렀다고 인정하기 어렵지만, 이에 비하여 피해자가 술에 취해 수면상태에 빠지는 등 의식을 상실한 **패싱아웃(passing out) 상태였다면** 심신상실의 상태에 있었음을 인정할 수 있다. 또한 피해자가 의식상실 상태에 빠져 있지는 않지만 알코올의 영향으로 의사를 형성할 능력이나 성적 자기결정권 침해행위에 맞서려는 저항력이 현저하게 저하된 상태였다면 '항거불능'에 해당하여, 이러한 피해자에 대한 성적 행위 역시 **준강간죄 또는 준강제추행죄를 구성할 수 있다**.(대법원 2021. 2. 4. 2018도9781 알코올 블랙아웃 *or* 알코올 패싱아웃 사건)

④ [○] 피해자를 위협하여 항거불능케 한 후 1회 간음하고 200m 쯤 오다가 다시 1회 간음한 경우 **강간죄의 단순일죄가 성립한다**.(대법원 1970. 9. 29. 70도1516 연달아 한번더 사건)

068 강간과 추행의 죄에 대한 설명으로 옳은 것을 모두 고른 것은? (다툼이 있으면 판례에 의함)

□□□

21 경찰채용 [Superlative ★★★]

㉠ 성인 甲은 스마트폰 채팅을 통하여 알게 된 A(14세)에게 자신을 '고등학생 乙'이라고 속여 채팅을 통해 교제하던 중 스토킹하는 여성 때문에 힘들다며 그 여성을 떼어내려면 자신의 선배와 성관계를 하여야 한다는 취지로 A에게 이야기하고, 甲과 헤어지는 것이 두려워 이를 승낙한 A를 마치 자신이 乙의 선배인 것처럼 행세하여 간음한 경우, A가 간음행위와 불가분적 관련성이 인정되지 않는 다른 조건에 관하여 甲에게 속았던 것이기에 甲은 아동·청소년의 성보호에 관한 법률 위반죄(위계등간음)로 처벌되지 아니한다.
㉡ 피해자가 깊은 잠에 빠져 있거나 술·약물 등에 의해 일시적으로 의식을 잃은 상태 또는 완전히 의식을 잃지는 않았더라도 그와 같은 사유로 정상적인 판단능력과 대응·조절능력을 행사할 수 없는 상태에 있었다면 이는 준강간죄 또는 준강제추행죄에서의 심신상실 또는 항거불능 상태에 해당한다.
㉢ 성폭력범죄의 처벌 등에 관한 특례법 제10조 제1항에서 정한 '업무, 고용이나 그 밖의 관계로 인하여 자기의 보호, 감독을 받는 사람'에는 직장 안에서 보호 또는 감독을 받거나 사실상 보호 또는 감독을 받는 상황에 있는 사람뿐만 아니라 채용 절차에서 영향력의 범위 안에 있는 사람도 포함된다.
㉣ 형법 제302조의 미성년자는 '13세 이상 19세 미만의 사람'을 의미하고, 심신미약자는 '정신기능의 장애로 인하여 사물을 변별하거나 의사를 결정할 능력이 미약한 사람'을 의미한다.
㉤ 甲이 A를 강간할 목적으로 자고 있는 A의 가슴과 엉덩이를 만지다가 A가 깨어 소리치자 도망간 경우에는 강간의 실행의 착수가 인정되지 않아 甲의 행위는 현행 형법상 범죄로 처벌할 수 없다.

① ㉠㉡㉢　　② ㉡㉢㉣
③ ㉡㉣㉤　　④ ㉢㉣㉤

해설

② ㉡㉢㉣ 3 항목이 옳다.

㉠ [×] 36세의 남성인 피고인이 자신을 고등학교 2학년으로 가장하여 14세의 피해자와 온라인으로 교제하던 중, 교제를 지속하고 스토킹하는 여자를 떼어내려면 자신의 선배와 성관계하여야 한다는 취지로 거짓말을 하고 이에 응한 피해자를 그 선배로 가장하여 간음한 경우, 피해자가 오인한 상황은 피해자가 피고인과의 성행위를 결심하게 된 중요한 동기가 된 것으로 보이고 이를 자발적이고 진지한 성적 자기결정권의 행사에 따른 것이라고 보기 어려우므로 이러한 피고인의 간음행위는 위계에 의한 것이라고 평가할 수 있다.(대법원 2020. 8. 27. 2015도9436 全合 선배랑 한번 해라 사건)

㉡ [○] 피해자가 깊은 잠에 빠져 있거나 술·약물 등에 의해 일시적으로 의식을 잃은 상태 또는 완전히 의식을 잃지는 않았더라도 그와 같은 사유로 정상적인 판단능력과 대응·조절능력을 행사할 수 없는 상태에 있었다면 준강간죄 또는 준강제추행죄에서의 심신상실 또는 항거불능 상태에 해당한다.(대법원 2021. 2. 4. 2018도9781 알코올 블랙아웃 or 알코올 패싱아웃 사건)

정답 | 067 ① 068 ②

ⓒ [O] 성폭법 제10조의 '업무, 고용이나 그 밖의 관계로 인하여 자기의 보호, 감독을 받는 사람'에는 직장 안에서 보호 또는 감독을 받거나 사실상 보호 또는 감독을 받는 상황에 있는 사람뿐만 아니라 **채용 절차에서 영향력의 범위 안에 있는 사람도 포함된다.**(대법원 2020. 7. 9. 2020도5646 **편의점 알바 지원자 추행사건**)

ⓓ [O] 형법 제302조의 위계 · 위력 간음 · 추행죄에서 '미성년자'는 형법 제305조 및 성폭법 제7조 제5항의 관계를 살펴볼 때 '13세 이상 19세 미만의 사람'을 가리키는 것으로 보아야 하고, **'심신미약자'라 함은 정신기능의 장애로 인하여 사물을 변별하거나 의사를 결정할 능력이 미약한 사람을 말한다.**(대법원 2019. 6. 13. 2019도3341)

ⓔ [×] 강간죄를 범할 목적으로 예비 또는 음모한 사람은 3년 이하의 징역에 처한다.(제297조, 제305조의3) 2020. 5. 19. 형법 개정으로 강간예비 · 음모도 처벌된다는 점을 주의하여야 한다. '현행' 형법상 **甲은 강간예비죄의 죄책을 진다.** 또한 **甲은 준강간미수죄가 성립할 여지도 있다.**

069 성폭력범죄에 관한 설명 중 옳지 않은 것은? (다툼이 있으면 판례에 의하고 성폭력범죄 이외의 범죄 성립 여부는 논외로 함)

□□□

12 사법시험 [Superlative ★★★]

① 골프장 여종업원들이 거부의사를 밝혔음에도, 골프장 사장과의 친분관계를 내세워 함께 술을 마시지 않을 경우 신분상의 불이익을 가할 것처럼 협박하여 이른바 '러브샷'의 방법으로 술을 마시게 한 것은 강제추행죄에 해당한다.

② 다른 특별한 사정이 없는 한 특수강간범이 강간행위 종료 전에 특수강도의 행위를 하고 계속하여 그 자리에서 강간행위를 하는 경우 특수강도가 부녀를 강간한 때에 해당하여 성폭력범죄의 처벌 등에 관한 특례법 위반(특수강도강간등)죄가 성립한다.

③ 甲이 같은 시간에 같은 장소에서 부녀자들인 A와 B를 강제로 추행함에 있어 A의 반항을 억압하는 과정에서 깨어진 병조각을 휴대하고 있었다면 비록 B의 반항을 억압하는 과정에서는 이를 휴대하지 아니하고 있었다 하더라도 B에 대한 범행 역시 성폭력범죄의 처벌 등에 관한 특례법 위반(특수강제추행)죄에 해당한다.

④ 甲이 에스컬레이터에서 카메라폰으로 A의 치마 속 신체 부위를 일정한 시간 동안 동영상 촬영하여 영상정보가 주기억장치 등에 입력되었으나 카메라폰의 저장버튼을 누르지 않은 상태에서 경찰관에게 발각되었다면 성폭력범죄의 처벌 등에 관한 특례법 위반(카메라등이용 촬영)죄의 미수범이 성립한다.

⑤ 甲이 엘리베이터라는 폐쇄된 공간에서 여자인 A를 칼로 위협하는 등으로 꼼짝하지 못하도록 한 다음 자위행위 모습을 보여주고 A로 하여금 이를 외면하거나 피할 수 없게 한 행위는 성폭력범죄의 처벌 등에 관한 특례법 위반(특수강제추행)죄에 해당한다.

해설

④ [×] 피고인이 휴대폰을 이용하여 동영상 촬영을 시작하여 일정한 시간이 경과하였다면 설령 촬영 중 경찰관에게 발각되어 저장버튼을 누르지 않고 촬영을 종료하였더라도 **카메라등이용촬영 범행은 이미 '기수'에 이르렀다고 볼 여지가 매우 크다.**(대법원 2011. 6. 9. 2010도10677 치마속 촬영사건)

① [○] 피고인이 골프를 친 후 컨트리클럽 내 식당에서 식사를 하면서 여종업원인 피해자들에게 함께 술을 마실 것을 요구하였다가 거절당하였음에도 불구하고, 컨트리클럽의 회장과의 친분관계를 내세워 피해자들에게 어떠한 신분상의 불이익을 가할 것처럼 협박하여 피해자들로 하여금 목 뒤로 팔을 감아 돌림으로써 얼굴이나 상체가 밀착되어 서로 포옹하는 것과 같은 신체접촉이 있게 되는 이른바 **러브샷**의 방법으로 술을 마시게 한 경우, **강제추행에 해당하고** 이 때 피해자들의 유효한 승낙이 있었다고 볼 수 없다.(대법원 2008. 3. 13. 2007도10050 러브샷 사건)

② [○] 다른 특별한 사정이 없는 한 특수강간범이 강간행위 종료 전에 특수강도의 행위를 한 이후에 그 자리에서 강간행위를 계속하는 때에도 **특수강도가 부녀를 강간한 때에 해당**하여 성폭법 제5조 제2항[개정법 제3조 제2항]에 정한 특수강도강간죄로 의율할 수 있다.(대법원 2010. 12. 9. 2010도9630 강간 → 강도 → 강간 사건)

③ [○] 피고인이 같은 시간에 같은 장소에서 피해자 2명을 강제로 추행하여 상해를 입게 함에 있어 그 중 한 피해자의 반항을 억압하는 과정에서 위험한 물건인 **깨어진 병조각을 휴대**하고 있었다면 비록 다른 피해자의 반항을 억압하는 과정에서는 이를 휴대하지 아니하고 있었다 하더라도 그 범행 역시 특가법 제5조의7 제6항, 제2항, 제1항 소정의 범죄[개정법 성폭법 제8조 제1항의 **특수강제추행치상죄]를 구성한다.**(대법원 1992. 3. 31. 92도265)

⑤ [○] **엘리베이터**라는 폐쇄된 공간에서 피해자들을 **칼로 위협**하는 등으로 꼼짝하지 못하도록 자신의 실력적인 지배하에 둔 다음 성적 수치심과 혐오감을 일으키는 **자위행위 모습을 보여 주고** 피해자들로 하여금 이를 외면하거나 피할 수 없게 한 행위는 **강제추행죄의 추행에 해당한다.**(대법원 2010. 2. 25. 2009도13716 엘리베이터 자위사건 I)

정답 | 069 ④

070 강간과 추행의 죄에 관한 설명으로 가장 적절한 것은? (다툼이 있으면 판례에 의함)

□□□

23 경찰채용 [Core ★★]

① 형법 제299조의 준강제추행죄는 정신적·신체적 사정으로 인하여 성적인 자기방어를 할 수 없는 사람의 성적 자기결정권을 보호해주는 것을 보호법익으로 하며, 그 성적 자기결정권은 원치 않는 성적 관계를 거부할 권리라는 소극적 측면을 말한다.

② 범인이 피해자를 촬영하기 위하여 육안 또는 캠코더의 줌 기능을 이용하여 피해자가 있는지 여부를 탐색하다가 피해자를 발견하지 못하고 촬영을 포기하였더라도 이는 촬영을 위한 준비행위를 한 것으로 성폭력범죄의 처벌 등에 관한 특례법 위반(카메라등이용촬영)죄의 실행에 착수한 것이다.

③ 「성폭력범죄의 처벌 등에 관한 특례법」 제14조 제2항에서 유포행위의 한 유형으로 열거하고 있는 '공공연한 전시'란 불특정 또는 다수인이 촬영물 등을 인식할 수 있는 상태에 두는 것을 의미하고, 따라서 촬영물 등의 '공공연한 전시'로 인한 범죄는 불특정 또는 다수인이 전시된 촬영물 등을 실제 인식하지 못하였다면 성립하지 않는다.

④ '강제추행'이란 객관적으로 일반인에게 성적 불쾌감이나 혐오감을 일으키게 하고 선량한 성적 도덕관념에 반하는 행위로서 피해자의 성적 자유를 침해하는 것이므로 강제추행죄의 성립에 필요한 주관적 구성요건으로는 성욕을 자극, 흥분, 만족시키려는 주관적 동기나 목적이 있어야 한다.

해설

① [○] 형법 제299조의 준강제추행죄는 정신적 · 신체적 사정으로 인하여 성적인 자기방어를 할 수 없는 사람의 성적 자기결정권을 보호해 주는 것을 보호법익으로 하며, 그 **성적 자기결정권은 원치 않는 성적 관계를 거부할 권리라는 소극적 측면을 말한다.**(대법원 2021. 2. 4. 2018도9781 알코올 블랙아웃 & 알코올 배싱아웃 사건)

② [×] 범인이 피해자를 촬영하기 위하여 육안 또는 캠코더의 줌 기능을 이용하여 피해자가 있는지 여부를 탐색하다가 피해자를 발견하지 못하고 촬영을 포기한 경우에는 **촬영을 위한 준비행위에 불과하여 카메라 등 이용촬영죄의 실행에 착수한 것으로 볼 수 없다.** 이에 반하여 범인이 카메라 기능이 설치된 휴대전화를 피해자의 치마 밑으로 들이밀거나 피해자가 용변을 보고 있는 화장실 칸 밑 공간 사이로 집어넣는 등 카메라 등 이용촬영 범행에 밀접한 행위를 개시한 경우에는 카메라 등 이용촬영죄의 실행에 착수하였다고 볼 수 있다.(대법원 2021. 8. 12. 2021도7035 편의점 몰카 미수사건)

③ [×] 성폭법 제14조 제2항에서 유포 행위의 한 유형으로 열거하고 있는 '공공연한 전시'란 불특정 또는 다수인이 촬영물 등을 인식할 수 있는 상태에 두는 것을 의미하고, 촬영물 등의 '공공연한 전시'로 인한 범죄는 불특정 또는 다수인이 전시된 촬영물 등을 실제 인식하지 못했다고 하더라도 촬영을 등을 위와 같은 상태에 둠으로써 성립한다.대법원 2022. 6. 9. 2022도1683 네이버 밴드 음란물 공개사건)

④ [×] 강제추행죄의 성립에 필요한 주관적 구성요건으로 성욕을 자극, 흥분, 만족시키려는 주관적 동기나 목적이 있어야 하는 것은 아니다.(대법원 2013. 9. 26. 2013도5856 내연녀 패대기 추행사건)

071 다음 설명 중 가장 옳은 것은? (다툼이 있으면 판례에 의함)

20 경찰간부 [Core ★★]

□□□

① 甲이 A와 교제하면서 촬영한 성관계 동영상, 나체사진 등의 촬영물을 A와 교제하던 다른 남성에게 A와 헤어지게 할 의도로 전송한 행위는 「성폭력범죄의 처벌 등에 관한 특례법」 제14조 제2항의 카메라 이용 촬영물의 '반포'에 해당한다.

② 甲이 A를 협박하여 겁을 먹은 A로 하여금 어쩔 수 없이 나체나 속옷만 입은 상태가 되게 하여 스스로를 촬영하게 하고, 또 성기에 이물질을 삽입하는 등의 행위를 하게 한 경우 강제추행죄의 간접정범에 해당한다.

③ 甲이 제작한 영상물이 객관적으로 아동·청소년이 등장하여 성적 행위를 하는 내용을 표현한 영상물에 해당하더라도 대상이 된 아동·청소년의 동의하에 촬영한 것이라면, 甲의 행위는 「아동·청소년의 성보호에 관한 법률」상 아동·청소년 이용음란물을 제작한 것에 해당하지 아니한다.

④ 「성폭력범죄의 처벌 등에 관한 특례법」 제13조의 통신매체이용음란죄는 성적 자기결정권 에 반하여 성적 수치심을 일으키는 그림 등을 개인의 의사에 반하여 접하지 않을 권리를 보장하기 위한 것으로 개인의 성적 자유를 보호하기 위한 것이며, 사회적 법익으로서 건전한 성풍속을 보호하기 위한 구성요건이 아니다.

해설

② [○] (1) 강제추행죄는 사람의 성적 자유 내지 성적 자기결정의 자유를 보호하기 위한 죄로서 정범 자신이 직접 범죄를 실행하여야 성립하는 자수범이라고 볼 수 없으므로 처벌되지 아니하는 타인을 도구로 삼아 피해자를 강제로 추행하는 간접정범의 형태로도 범할 수 있다. 여기서 강제추행에 관한 간접정범의 의사를 실현하는 도구로서의 타인에는 피해자도 포함될 수 있다고 봄이 타당하므로, 피해자를 도구로 삼아 피해자의 신체를 이용하여 추행행위를 한 경우에도 **강제추행죄의 간접정범에 해당할 수 있다.**
(2) 피고인이 피해자들을 협박하여 겁을 먹은 피해자들로 하여금 어쩔 수 없이 나체나 속옷만 입은 상태가 되게 하여 스스로를 촬영하게 하거나 성기에 이물질을 삽입하거나 자위를 하는 등의 행위를 하게 하였다면, 이러한 행위는 피해자들을 도구로 삼아 피해자들의 신체를 이용하여 그 성적 자유를 침해한 행위로서 일반적이고도 평균적인 사람으로 하여금 성적 수치심이나 혐오감을 일으키게 하고 선량한 성적 도덕관념에 반하는 행위라고 볼 여지가 충분하다.(대법원 2018. 2. 8. 2016도17733 셀프추행 강요 사건)

① [×] 피고인 甲이 피해자 A(女)가 乙(男)을 다시 만난 것을 알고 화가 나자 乙에게 자신과 A의 관계를 분명히 알려 乙이 더 이상 A를 만나지 못하게 할 의도로 자신과 A와의 성관계, 나체사진 등을 휴대전화로 촬영한 촬영물을 乙에게 전송한 경우, 불특정 또는 다수인에게 교부하거나 전달할 의사로 촬영물을 전송하였다고 보기는 어려워 성폭법 제14조 제2항에서 정한 **촬영물의 '제공'에 해당할 수는 있어도 촬영물의 '반포'에는 해당하지 아니한다.**(대법원 2016. 12. 27. 2016도16676 이 여자는 내 여자다 사건)

③ [×] 제작한 영상물이 객관적으로 아동 · 청소년이 등장하여 성적 행위를 하는 내용을 표현한 영상물에 해당하는 한 대상이 된 아동 · 청소년의 동의하에 촬영한 것이라거나 사적인 소지 · 보관을 1차적 목적으로 제작한 것이라고 하여 아청법 제8조 제1항의 **'아동 · 청소년이용음란물'에 해당하지 아니한다거나 이를 '제작'한 것이 아니라고 할 수 없다.**(대법원 2015. 3. 20. 2014도17346 장애여중생과 성관계 사건)

④ [×] 통신매체이용음란죄는 '성적 자기결정권에 반하여 성적 수치심을 일으키는 그림 등을 개인의 의사에 반하여 접하지 않을 권리'를 보장하기 위한 것으로 **성적 자기결정권과 일반적 인격권의 보호, 사회의 건전한 성풍속 확립을 보호법익으로 한다.**(대법원 2018. 9. 13. 2018도9775 까맣고 더러운 성기 사건)

정답 | 070 ① 071 ②

072 성범죄에 관한 설명 중 옳지 않은 것은? (다툼이 있으면 판례에 의함) 13 변호사 [Superlative ★★★]

□□□

① 특수강간범이 강간행위 계속 중에 특수강도의 행위를 한 후 강간행위를 종료한 경우 성폭력범죄의 처벌 등에 관한 특례법상의 특수강도강간죄가 성립한다.

② 甲, 乙, 丙이 사전의 모의에 따라 강간할 목적으로 심야에 인가에서 멀리 떨어져 있어 쉽게 도망할 수 없는 야산으로 피해자 A, B, C를 유인한 다음 곧바로 암묵적인 합의에 따라 각자 마음에 드는 피해자 1명씩만을 데리고 불과 100m 이내의 거리에 있는 곳으로 흩어져 동시 또는 순차적으로 피해자들을 각각 강간하였다면, 甲에게는 A, B, C 모두에 대한 성폭력범죄의 처벌 등에 관한 특례법상의 특수강간죄가 성립한다.

③ 자신이 알고 있는 사람과 다툼을 일으키고 자신의 말을 무시하고 차량이 주차된 장소로 가는 48세 부녀자인 A를 뒤따라가 '그냥 가면 가만두지 않겠다'라고 하면서 바지를 벗고 자신의 성기를 보여준 甲의 행위는 비록 사람들이 왕래하는 골목길 도로이고 직접적인 신체적 접촉이 없었으나, 주차된 차량들 사이에서 발생한 것이고, 저녁 8시경에 이루어졌으며, 객관적으로 일반인에게 성적수치심과 혐오감을 일으키는 행위이므로 강제추행죄가 성립한다.

④ 강간범이 강간행위 후에 강도의 범의를 일으켜 그 부녀의 재물을 강취하는 경우에는 강도강간죄가 아니라 강간죄와 강도죄의 경합범이 성립한다.

⑤ 성폭력범죄의 처벌 등에 관한 특례법상의 공중밀집장소에서의 추행죄에서 규정하고 있는 공중밀집장소란 공중의 이용에 상시적으로 제공, 개방된 상태에 놓여 있는 곳 일반을 의미하므로, 공중밀집장소의 일반적 특성을 이용한 행위라고 보기 어려운 특별한 사정이 있는 경우에 해당하지 않는 한 추행행위 당시의 현실적인 밀집도 내지 혼잡도에 따라 그 규정의 적용 여부를 달리한다고 볼 수 없다.

해설

③ [×] A에 대하여 어떠한 신체 접촉도 없었던 점, 행위장소가 사람 및 차량의 왕래가 빈번한 도로로서 공중에게 공개된 곳인 점, 피고인 甲이 한 욕설은 성적인 성질을 가지지 아니하는 것으로서 추행과 관련이 없는 점, A가 자신의 성적 결정의 자유를 침해당하였다고 볼 만한 사정이 없는 점 등을 고려할 때, **단순히 피고인이 바지를 벗어 성기를 보여준 것만으로는 폭행 또는 협박으로 추행을 하였다고 볼 수 없다.**(대법원 2012. 7. 26. 2011도8805 **길거리 성기노출 사건**)

① [○] 특수강간범이 강간행위 종료 전에 특수강도의 행위를 한 이후에 그 자리에서 강간행위를 계속하는 때에도 특수강도가 부녀를 강간한 때에 해당하여 성폭법상의 **특수강도강간죄로 의율할 수 있다.**(대법원 2010. 12. 9. 2010도9630 **강도 → 강간 → 강도사건**)

② [○] 피고인들이 사전의 모의에 따라 **100m 이내의 거리에 있는 곳으로** 흩어져 동시 또는 순차적으로 피해자들을 각각 강간하였다면 각 강간의 실행행위는 시간적으로나 장소적으로 협동관계에 있었다고 보아야 할 것이므로 피해자 3명 모두에 대한 **특수강간죄 등이 성립한다.**(대법원 2004. 8. 20. 2004도2870 **풍호저수지 강간사건**)

④ [○] 강간범이 강간행위 후에 강도의 범의를 일으켜 그 부녀의 재물을 강취하는 경우에는 강도강간죄가 아니라 **강간죄와 강도죄의 경합범이 성립될 수 있다.**(대법원 2010. 12. 9. 2010도9630 **강간 → 강도사건**)

⑤ [○] 성폭법상의 공중밀집장소에서의 추행죄에서 '공중이 밀집하는 장소'에는 현실적으로 사람들이 빽빽이 들어서 있어 서로간의 신체적 접촉이 이루어지고 있는 곳만을 의미하는 것이 아니라 **찜질방** 등과 같이 공중의 이용에 상시적으로 제공 · 개방된 상태에 놓여 있는 곳 일반을 의미한다 할 것이고, 그 행위 당시의 **현실적인 밀집도 내지 혼잡도에 따라 그 규정의 적용 여부를 달리한다고 할 수는 없다.**(대법원 2009. 10. 29. 2009도5704 **대구 찜질방 사건**)

073 다음 설명 중 적절하지 않은 것을 모두 고른 것은? (다툼이 있으면 판례에 의함)

□□□

20 경찰채용 [Superlative ★★★]

㉠ 혼인관계가 파탄된 경우뿐만 아니라 혼인관계가 실질적으로 유지되고 있는 법률상의 처(妻)도 강간죄의 객체가 된다.

㉡ 미용업체인 A주식회사를 운영하는 甲이 A회사의 가맹점에서 근무하는 乙을 비롯한 직원들과 노래방에서 회식을 하던 중 乙을 자신의 옆자리에 앉힌 후 귓속말로 "일하는 것 어렵지 않냐. 힘든 것 있으면 말하라"고 하면서 갑자기 乙의 볼에 입을 맞추고, 이에 乙이 "하지 마세요"라고 하였음에도 계속하여 "괜찮다. 힘든 것 있으면 말해라. 무슨 일이든 해결해 줄 수 있다"고 하면서 오른손으로 乙의 오른쪽 허벅지를 쓰다듬었다. 그럼에도 불구하고 당시 乙은 즉시 甲에게 항의하거나 반발하는 등 거부의사를 밝히지 않고 그 자리에 가만히 있었다면, 강제추행죄가 성립한다고 볼 수 없다.

㉢ 2020. 5.19. 형법 개정으로 만 18세인 자가 만 15세인 사람의 자유로운 동의를 받아 성교행위를 한 경우도 처벌이 가능해졌다.

㉣ 업무, 고용 기타 관계로 인하여 자기의 보호 또는 감독을 받는 만 20세 이상인 사람에 대하여 위계 또는 위력으로써 간음하려고 한 자가 미수에 그친 경우는 현행 형법상 처벌하지 않는다.

① ㉠㉡ ② ㉡㉢ ③ ㉢㉣ ④ ㉡㉣

해설

② ㉡㉢ 2 항목이 옳지 않다.

㉠ [○] 혼인관계가 파탄된 경우뿐만 아니라 혼인관계가 실질적으로 유지되고 있는 경우에도 남편이 반항을 불가능하게 하거나 현저히 곤란하게 할 정도의 폭행이나 협박을 가하여 **아내를 간음한 경우에는 강간죄가 성립한다.**(대법원 2013. 5. 16. 2012도14788 全合 **안산 와이프 강간사건**)

㉡ [×] 피고인이 여성인 피해자가 성적 수치심이나 혐오감을 느낄 수 있는 부위인 **허벅지를 쓰다듬은 행위는** 피해자의 의사에 반하여 이루어진 것인 한 피해자의 성적 자유를 침해하는 유형력의 행사에 해당할 뿐 아니라 일반인에게도 성적 수치심이나 혐오감을 일으키게 하는 **추행행위라고 보아야 한다.**(대법원 2020. 3. 26. 2019도15994 **허벅지 터치 사건**)

정답 | 072 ③ 073 ②

ⓒ [×] 13세 이상 16세 미만의 사람에 대하여 간음한 **19세 이상의 자는** 강간죄의 예에 의하여 처벌한다.(제305조 제2항) 지문의 경우 **18세인 자가 15세인 사람의 동의를 받아 성교행위를 했으므로 처벌당하지 아니한다.**

핵심정리 미성년자의제강간 개정·신설

> **제305조【미성년자에 대한 간음, 추행】** ① 13세 미만의 사람에 대하여 간음 또는 추행을 한 자는 제297조, 제297조의2, 제298조, 제301조 또는 제301조의2의 예에 의한다.
> ② 13세 이상 16세 미만의 사람에 대하여 간음 또는 추행을 한 19세 이상의 자는 제297조, 제297조의2, 제298조, 제301조 또는 제301조의2의 예에 의한다.

ⓔ [○] 제303조의 **업무상 위력 등에 의한 간음죄는 미수범 처벌규정이 없다.**

074 강간과 추행의 죄에 대한 설명으로 가장 적절하지 않은 것은? (다툼이 있으면 판례에 의함)

□□□

18 경찰채용 변형 [Essential ★]

① 강제추행죄의 '폭행 또는 협박'은 상대방의 항거를 곤란하게 할 정도로 강력할 것이 요구되지 아니하고, 상대방의 신체에 대하여 불법한 유형력을 행사(폭행)하거나 일반적으로 보아 상대방으로 하여금 공포심을 일으킬 수 있는 정도의 해악을 고지(협박)하는 것이라고 보아야 한다.

② 「성폭력범죄의 처벌 등에 관한 특례법」 제11조는 공중이 밀집하는 장소에서의 추행을 벌하는 바, 여기서 말하는 '공중 밀집 장소'란 현실적으로 사람들이 빽빽이 들어서 있어 서로간의 신체적 접촉이 이루어지고 있는 곳만을 의미하는 것이 아니라 공중의 이용에 상시적으로 제공·개방된 상태에 놓여 있는 곳 일반을 의미한다.

③ 강제추행죄는 정범 자신이 직접 범죄를 실행하여야 성립하는 자수범이 아니므로, 처벌되지 아니하는 타인을 도구로 삼아 피해자를 강제로 추행하는 간접정범의 형태로도 범할 수 있다.

④ 폭행 또는 협박으로 사람에 대하여 구강, 항문 등 신체(성기는 제외한다)의 내부에 손가락 등 신체(성기는 제외한다)의 일부 또는 도구를 넣는 행위를 한 경우에는 형법상 유사강간죄가 성립한다.

해설

④ [×] 폭행 또는 협박으로 사람에 대하여 ⓐ **구강, 항문 등 신체(성기는 제외한다)의 내부에 성기를 넣거나** ⓑ **성기, 항문에 손가락 등 신체(성기는 제외한다)의 일부 또는 도구를 넣는 경우**에 유사강간죄가 성립한다.(제297조의2) 따라서 구강, 항문 등 신체(성기는 제외한다)의 내부에 손가락 등 신체(성기를 제외한다)의 일부 또는 도구를 넣는 경우에는 강제추행죄 또는 폭행·협박죄 등이 성립하는 것은 별론으로 하고 유사강간죄는 성립하지 아니한다.

① [○] 강제추행죄의 폭행 또는 협박은 상대방의 항거를 곤란하게 할 정도로 강력할 것이 요구되지 아니하고 **상대방의 신체에 대하여 불법한 유형력을 행사(폭행)하거나** 일반적으로 보아 **상대방으로 하여금 공포심을 일으킬 수 있는 정도의 해악을 고지(협박)하는 것이라고 보아야 한다.**(대법원 2023. 9.21. 2018도13877 전원합의체 사촌여동생 강제추행 사건)

② [O] 공중밀집장소추행죄를 규정한 성폭법 제13조[개정법 제11조]에서 말하는 '공중이 밀집하는 장소'에는 현실적으로 사람들이 빽빽이 들어서 있어 서로간의 신체적 접촉이 이루어지고 있는 곳만을 의미하는 것이 아니라 찜질방 등과 같이 **공중의 이용에 상시적으로 제공·개방된 상태에 놓여 있는 곳 일반을 의미한다.**
또한, 공중밀집장소의 의미를 이와 같이 해석하는 한 그 장소의 성격과 이용현황, 피고인과 피해자 사이의 친분관계 등 구체적 사실관계에 비추어, 공중밀집장소의 일반적 특성을 이용한 추행행위라고 보기 어려운 특별한 사정이 있는 경우에 해당하지 않는 한, 그 행위 당시의 현실적인 밀집도 내지 혼잡도에 따라 그 규정의 적용 여부를 달리한다고 할 수는 없다.(대법원 2009. 10. 29. 2009도5704 대구 찜질방 사건)

③ [O] 강제추행죄는 사람의 성적 자유 내지 성적 자기결정의 자유를 보호하기 위한 죄로서 정범 자신이 직접 범죄를 실행하여야 성립하는 자수범이라고 볼 수 없으므로 처벌되지 아니하는 **타인을 도구로 삼아 피해자를 강제로 추행하는 간접정범의 형태로도 범할 수 있다.** 여기서 강제추행에 관한 간접정범의 의사를 실현하는 도구로서의 타인에는 피해자도 포함될 수 있다고 봄이 타당하므로, 피해자를 도구로 삼아 피해자의 신체를 이용하여 추행행위를 한 경우에도 강제추행죄의 간접정범에 해당할 수 있다.(대법원 2018. 2. 8. 2016도17733 셀프추행 강요 사건)

075 성범죄에 관한 설명으로 가장 적절한 것은? (다툼이 있으면 판례에 의함) 24 경찰채용 [Essential ★]

□□□

① 준강간죄에서 피해자가 술에 취해 수면상태에 빠지는 등 의식을 상실한 패싱아웃(passing out) 상태뿐만 아니라 범행 당시 알코올이 기억형성의 실패만을 야기한 알코올 블랙아웃(black out) 상태인 경우에도 기억장애 외에 인지기능이나 의식 상태의 장애에 이르렀다고 인정된다.

② 강제추행죄의 폭행 또는 협박이 추행보다 시간적으로 앞서 그 수단으로 행해진 이른바 폭행·협박 선행형의 경우에는 상대방의 항거를 곤란하게 하는 정도의 폭행 또는 협박이어야 한다.

③ 강간치사상죄에 있어서 사상의 결과는 간음행위 그 자체로부터 발생한 경우나 강간의 수단으로 사용한 폭행으로부터 발생한 경우는 포함되지만 강간에 수반하는 행위에서 발생한 경우는 포함되지 않는다.

④ 성폭력범죄의 처벌 등에 관한 특례법위반(주거침입강간)죄는 주거침입죄를 범한 후에 사람을 강간하는 등의 행위를 하여야 하는 일종의 신분범이고, 선후가 바뀌어 강간죄 등을 범한 자가 그 피해자의 주거에 침입한 경우에는 이에 해당하지 않고 강간죄 등과 주거침입죄 등의 실체적 경합범이 된다.

정답 | 074 ④ 075 ④

해설

④ [○] 주거침입강제추행죄 및 주거침입강간죄 등은 사람의 주거 등을 침입한 자가 피해자를 간음, 강제추행 등 성폭력을 행사한 경우에 성립하는 것으로서 주거침입죄를 범한 후에 사람을 강간하는 등의 행위를 하여야 하는 일종의 신분범이고, 선후가 바뀌어 강간죄 등을 범한 자가 그 피해자의 **주거에 침입한 경우에는 이에 해당하지 않고 강간죄 등과 주거침입죄 등의 실체적 경합범이 된다.** 그 실행의 착수시기는 주거침입행위 후 강간죄 등의 실행행위에 나아간 때이다.(대법원 2021. 8. 12. 2020도17796 **주점화장실 유사강간 사건**) 甲은 피해자 A(女, 20세)의 반항을 억압한 채 A를 억지로 끌고 술집 여자화장실로 들어가게 한 뒤에 유사강간을 하려고 하였다. "주거(여자화장실) 침입 → 유사강간 시도"가 아니라 "유사강간 실행의 착수 → 주거(여자화장실) 침입 → 유사강간 시도"이므로 성립하는 범죄는 형법상 '유사강간미수죄와 주거침입죄의 실체적 경합범'이지 성폭법 제3조 제1항의 '주거침입유사강간미수죄'가 아니다.

① [×] 음주 후 준강간 또는 준강제추행을 당하였음을 호소한 피해자의 경우 범행 당시 **알코올이 기억형성의 실패만을 야기한 알코올 블랙아웃(black out) 상태였다면 피해자는 기억장애 외에 인지기능이나 의식 상태의 장애에 이르렀다고 인정하기 어렵지만,** 이에 비하여 피해자가 술에 취해 수면상태에 빠지는 등 의식을 상실한 패싱아웃(passing out) 상태였다면 심신상실의 상태에 있었음을 인정할 수 있다. 또한 피해자가 의식상실 상태에 빠져 있지는 않지만 알코올의 영향으로 의사를 형성할 능력이나 성적 자기결정권 침해행위에 맞서려는 저항력이 현저하게 저하된 상태였다면 '항거불능'에 해당하여, 이러한 피해자에 대한 성적 행위 역시 준강간죄 또는 준강제추행죄를 구성할 수 있다.(대법원 2021. 2. 4. 2018도9781 **알코올 블랙아웃 *or* 알코올 패싱아웃 사건**)

② [×] **강제추행죄의 폭행 또는 협박은 상대방의 항거를 곤란하게 할 정도로 강력할 것이 요구되지 아니하고** 상대방의 신체에 대하여 불법한 유형력을 행사(폭행)하거나 일반적으로 보아 상대방으로 하여금 공포심을 일으킬 수 있는 정도의 해악을 고지(협박)하는 것이라고 보아야 한다.(대법원 2023. 9. 21. 2018도13877 전원합의체 **사촌여동생 강제추행 사건**)

③ [×] 강간이 미수에 그친 경우라도 그로 인하여 피해자가 상해를 입었으면 강간치상죄가 성립하는 것이고, 강간치상죄에 있어 상해의 결과는 강간의 수단으로 사용한 폭행으로부터 발생한 경우뿐만 아니라 간음행위 그 자체로부터 발생한 경우나 **강간에 수반하는 행위에서 발생한 경우도 포함된다.**(대법원 2003. 5. 30. 2003도1256 **아빠야 사건**)

076 성폭력범죄에 대한 설명으로 옳지 않은 것은? (다툼이 있으면 판례에 의함)

23 국가7급 [*Core* ★★]

□□□

① 골프장 여종업원이 거부의사를 밝혔음에도 골프장 사장과의 친분관계를 내세워 함께 술을 마시지 않으면 신분상의 불이익을 가할 것처럼 협박하여 이른바 '러브샷'의 방법으로 술을 마시게 한 행위는 형법 제298조의 강제추행죄에 해당한다.

② 피고인이 타인의 주거에 침입하여 피해자를 강제추행한 경우 성폭력범죄의 처벌 등에 관한 특례법 제3조 제1항에 따라 주거침입강제추행죄로 가중처벌된다.

③ 다른 특별한 사정이 없는 한 강간범이 강간의 범행 후에 특수강도의 범의를 일으켜 그 피해자의 재물을 강취한 경우에는 이를 성폭력 범죄의 처벌 등에 관한 특례법 제3조 제2항 소정의 특수강도 강간죄로 의율할 수 없다.

④ 甲이 카메라폰(촬영된 피사체의 영상정보가 기계장치 내의 RAM 등 주기억장치에 입력되어 임시저장되는 기능 탑재)을 가지고 에스컬레이터에서 A의 치마 속 신체 부위에 대한 동영상 촬영을 시작하여 일정한 시간이 경과하였다면 설령 촬영 중 경찰관에게 발각되어 저장버튼을 누르지 않고 촬영을 종료하였더라도 성폭력 범죄의 처벌 등에 관한 특례법 제14조 제1항 카메라등이용촬영죄의 기수범이 성립한다.

해설

② [×] 주거침입강제추행죄 및 주거침입준강제추행죄에 대하여 무기징역 또는 7년 이상의 징역에 처하도록 한 **성폭력범죄의 처벌 등에 관한 특례법 제3조 제1항은** 그 법정형이 형벌 본래의 목적과 기능을 달성함에 있어 필요한 정도를 일탈하였고, 각 행위의 개별성에 맞추어 그 책임에 알맞은 형을 선고할 수 없을 정도로 과중하므로 **책임과 형벌간의 비례원칙에 위배된다.**(헌법재판소 2023. 2. 23. 2021헌가9 들어가서 한번 만지면 최하 징역7년 사건)

① [○] 피고인이 컨트리클럽 내 식당에서 식사를 하면서 여종업원인 피해자들에게 함께 술을 마실 것을 요구하였다가 거절당하였음에도 불구하고, 컨트리클럽의 회장과의 친분관계를 내세워 피해자들에게 신분상의 불이익을 가할 것처럼 협박하여 피해자들로 하여금 목 뒤로 팔을 감아 돌림으로써 얼굴이나 상체가 밀착되어 서로 포옹하는 것과 같은 신체접촉이 있게 되는 이른바 **러브샷의 방법으로 술을 마시게 한 경우 강제추행에 해당하고 이 때 피해자들의 유효한 승낙이 있었다고 볼 수 없다.**(대법원 2008. 3. 13. 2007도10050 러브샷 사건)

③ [○] 강간범이 강간의 범행 후에 특수강도의 범의를 일으켜 그 부녀의 재물을 강취한 경우에는 이를 성폭력처벌법 제5조 제2항[현재 제3조 제2항] 소정의 **특수강도강간죄로 의율할 수 없다.**(대법원 2002. 2. 8. 2001도6425 손중위 사건)

④ [○] 카메라등이용촬영죄는 카메라 기타 이와 유사한 기능을 갖춘 기계장치 속에 들어 있는 필름이나 저장장치에 피사체에 대한 영상정보가 입력됨으로써 기수에 이른다고 보아야 한다. 그런데 최근 기술문명의 발달로 등장한 **디지털카메라나 동영상 기능이 탑재된 휴대전화 등의 기계장치는, 촬영된 영상정보가 사용자 등에 의해 전자파일 등의 형태로 저장되기 전이라도 일단 촬영이 시작되면 곧바로 촬영된 피사체의 영상정보가 기계장치 내 RAM(Random Access Memory) 등 주기억장치에 입력되어 임시저장되었다가 이후 저장명령이 내려지면 기계장치 내 보조기억장치 등에 저장되는 방식을 취하는 경우가 많고, 이러한 저장방식을 취하고 있는 카메라 등 기계장치를 이용하여 동영상 촬영이 이루어졌다면 범행은 촬영 후 일정한 시간이 경과하여 영상정보가 기계장치 내 주기억장치 등에 입력됨으로써 기수에 이르는 것이고, 촬영된 영상정보가 전자파일 등의 형태로 영구저장되지 않은 채 사용자에 의해 강제종료되었다고 하여 미수에 그쳤다고 볼 수는 없다.**(대법원 2011. 6. 9. 2010도10677 치마속 촬영사건)

정답 | 076 ②

077 강간과 추행의 죄에 대한 설명이다. 아래 ㉠부터 ㉣까지의 설명 중 옳고 그름의 표시(○,×)가 바르게 된 것은? (다툼이 있으면 판례에 의함)
□□□ 22 경찰승진 [Essential ★]

㉠ 강제추행죄는 자수범이 아니므로 피해자를 도구로 삼아 추행하는 간접정범의 형태로도 범할 수 있다.
㉡ 甲이 A가 심신상실 또는 항거불능의 상태에 있다고 인식하고 그러한 상태를 이용하여 간음할 의사로 A를 간음하였으나 A가 실제로는 심신상실 또는 항거불능의 상태에 있지 않은 경우에는 준강간죄의 장애미수가 성립한다.
㉢ 형법 제302조의 위계에 의한 간음죄에서의 '위계'는 간음행위 그 자체에 대한 오인, 착각, 부지를 의미하고, 간음행위에 이르게 된 동기 내지 간음행위와 결부된 금전적 대가와 같은 요소는 위계의 대상이 될 수 없다.
㉣ 강제추행죄의 '추행'이란 일반인에게 성적 수치심이나 혐오감을 일으키고 선량한 성적 도덕관념에 반하는 행위인 것으로 족하고, 반드시 그 행위의 상대방인 피해자의 성적 자기결정의 자유를 침해할 필요까지는 없다.

① ㉠ ○ ㉡ × ㉢ × ㉣ ○
② ㉠ ○ ㉡ × ㉢ × ㉣ ×
③ ㉠ ○ ㉡ × ㉢ ○ ㉣ ×
④ ㉠ × ㉡ ○ ㉢ ○ ㉣ ○

해설

② 이 지문이 옳은 연결이다.
㉠ [○] 강제추행죄는 사람의 성적 자유 내지 성적 자기결정의 자유를 보호하기 위한 죄로서 정범 자신이 직접 범죄를 실행하여야 성립하는 자수범이라고 볼 수 없으므로 처벌되지 아니하는 타인을 도구로 삼아 피해자를 강제로 추행하는 간접정범의 형태로도 범할 수 있다. 여기서 강제추행에 관한 간접정범의 의사를 실현하는 도구로서의 타인에는 피해자도 포함될 수 있다고 봄이 타당하므로, **피해자를 도구로 삼아** 피해자의 신체를 이용하여 추행행위를 한 경우에도 **강제추행죄의 간접정범에 해당할 수 있다.**(대법원 2018. 2. 8. 2016도17733 셀프추행 강요 사건)
㉡ [×] 피고인이 **피해자가 심신상실 또는 항거불능의 상태에 있다고 인식하고 그러한 상태를 이용하여 간음하였으나 피해자가 실제로는 심신상실 또는 항거불능의 상태에 있지 않았다면** 이는 실행의 수단 또는 대상의 착오로 인하여 구성요건적 결과의 발생이 처음부터 불가능하였고 실제로 그러한 결과가 발생하였다고 할 수 없으나, 피고인이 행위 당시에 인식한 사정을 놓고 일반인이 객관적으로 판단하여 보았을 때 준강간의 결과가 발생할 위험성이 있었으므로 **준강간죄의 불능미수가 성립한다.**(대법원 2019. 3. 28. 2018도16002 전원합의체 만취한 것으로 오해 사건)
㉢ [×] 행위자가 간음의 목적으로 피해자에게 오인, 착각, 부지를 일으키고 피해자의 그러한 심적 상태를 이용하여 간음의 목적을 달성하였다면 위계와 간음행위 사이의 인과관계를 인정할 수 있고 따라서 위계에 의한 간음죄가 성립한다. 이 경우 피해자가 오인, 착각, 부지에 **빠지게 되는 대상은 간음행위 자체일 수도 있고, 간음행위에 이르게 된 동기이거나 간음행위와 결부된 금전적 · 비금전적 대가와 같은 요소일 수도 있다.**(대법원 2020. 8. 27. 2015도9436 전원합의체 선배랑 한번 해라 사건) "위계에 의한 간음죄에서 행위자가 간음의 목적으로 상대방에게 일으킨 오인, 착각, 부지는 간음행위 자체에 대한 오인, 착각, 부지를 말하는 것이지 간음행위와 불가분적 관련성이 인정되지 않는 다른 조건에 관한 오인, 착각, 부지를 가리키는 것은 아니다"라고 판시한 판례들(대법원 2001. 12. 24. 2001도5074, 대법원 2002. 7. 12. 2002도2029, 대법원 2007. 9. 21. 2007도6190, 대법원 2012. 9. 27. 2012도9119, 대법원 2014. 9. 4. 2014도8423 등)은 폐기되었다.

㉣ [×] 추행이란 일반인에게 성적 수치심이나 혐오감을 일으키고 선량한 성적 도덕관념에 반하는 행위인 것만으로는 부족하고 그 행위의 상대방인 피해자의 성적 자기결정의 자유를 침해하는 것이어야 한다.(대법원 2012. 7. 26. 2011도8805 길거리 성기노출 사건)

078 □□□ **강간의 죄에 대한 설명으로 옳은 것은? (다툼이 있으면 판례에 의함)** 21 국가7급 [Core ★★]

① 형법 제305조 제2항(미성년자에 대한 간음·추행)의 피해자 연령은 16세 미만이므로 이에 따라 누구든지 16세 미만의 미성년자를 간음하게 되면 형법 제297조 강간죄로 처벌된다.

② 형법 제297조(강간), 제297조의2(유사강간), 제298조(강제추행) 및 제305조(미성년자에 대한 간음·추행)의 죄를 범할 목적으로 예비 또는 음모한 사람은 3년 이하의 징역에 처한다.

③ 위계에 의한 간음죄에 있어 피해자가 오인, 착각, 부지에 빠지게 되는 대상은 간음행위 자체일 수도 있고, 간음행위에 이르게 된 동기이거나 간음행위와 결부된 금전적·비금전적 대가와 같은 요소일 수도 있다.

④ 강간죄의 폭행·협박 여부를 판단함에 있어 피해자가 성교 이전에 범행 현장을 벗어날 수 있었다거나 피해자가 사력을 다하여 반항하지 않았다면 가해자의 폭행·협박이 피해자의 항거를 현저히 곤란하게 할 정도에 이르지 않았다고 보아야 한다.

해설

③ [○] 행위자가 간음의 목적으로 피해자에게 오인, 착각, 부지를 일으키고 피해자의 그러한 심적 상태를 이용하여 간음의 목적을 달성하였다면 위계와 간음행위 사이의 인과관계를 인정할 수 있고 따라서 위계에 의한 간음죄가 성립한다. 이 경우 피해자가 오인, 착각, 부지에 빠지게 되는 대상은 간음행위 자체일 수도 있고, **간음행위에 이르게 된 동기이거나 간음행위와 결부된 금전적 · 비금전적 대가와 같은 요소일 수도 있다.**(대법원 2020. 8. 27. 2015도9436 전합 선배랑 한번 해라 사건)

① [×] 13세 이상 16세 미만의 사람에 대하여 간음 또는 추행을 한 19세 이상의 자는 형법 제297조, 제297조의2, 제298조, 제301조 또는 제301조의2의 예에 의한다.(제305조 제2항)

② [×] 형법 제297조, 제297조의2, 제299조(준강간죄에 한정한다), 제301조(강간 등 상해죄에 한정한다) 및 제305조의 죄를 범할 목적으로 예비 또는 음모한 사람은 3년 이하의 징역에 처한다.(제305조의3) 형법 제298조의 강제추행죄는 예비 · 음모를 처벌하지 않는다.

④ [×] 강간죄가 성립하기 위한 가해자의 폭행 · 협박이 있었는지 여부는 그 폭행 · 협박의 내용과 정도는 물론 유형력을 행사하게 된 경위, 피해자와의 관계, 성교 당시와 그 후의 정황 등 모든 사정을 종합하여 피해자가 성교 당시 처하였던 구체적인 상황을 기준으로 판단하여야 하며, 사후적으로 보아 피해자가 성교 전에 범행 현장을 벗어날 수 있었다거나 피해자가 사력을 다하여 반항하지 않았다는 사정만으로 가해자의 폭행 · 협박이 피해자의 항거를 현저히 곤란하게 할 정도에 이르지 않았다고 섣불리 단정하여서는 안 된다.(대법원 2018. 10. 25. 2018도7709 조폭 친구 와이프 강간사건)

정답 | 077 ② 078 ③

079 강간과 추행의 죄에 대한 설명으로 적절하지 않은 것을 모두 고른 것은? (다툼이 있으면 판례에 의함)

□□□

21 경찰승진 [Essential ★]

> ㉠ 폭행 또는 협박으로 사람에 대하여 구강, 항문에 손가락 등 신체(성기는 제외한다)의 일부 또는 도구를 넣는 행위를 한 사람은「형법」제297조의2 유사강간죄로 처벌한다.
> ㉡ 폭행에 대한 보복의 의미에서 피해자의 입술, 귀, 유두, 가슴 등을 입으로 깨문 피고인의 행위는 강제추행죄의 '추행'에 해당한다.
> ㉢ 강간죄에서의 폭행·협박과 간음 사이에는 인과관계가 있어야 하나, 폭행·협박이 반드시 간음행위보다 선행되어야 하는 것은 아니다.
> ㉣ 강제추행죄는 사람의 성적 자유 내지 성적 자기결정의 자유를 보호하기 위한 죄로서 정범 자신이 직접 범죄를 실행하여야 성립하는 자수범이라고 볼 수는 없으나, 강제추행에 관한 간접정범의 의사를 실현하는 도구로서의 타인에 피해자 본인은 포함될 수 없다

① ㉠㉡ ② ㉠㉣

③ ㉡㉢ ④ ㉡㉣

해설

② ㉠㉣ 2 항목이 옳지 않다.

㉠ [×] 폭행 또는 협박으로 사람에 대하여 ⓐ **구강, 항문 등 신체(성기는 제외한다)의 내부에 성기를 넣거나** ⓑ **성기, 항문에 손가락 등 신체(성기는 제외한다)의 일부 또는 도구를 넣는 경우에** 유사강간죄가 성립한다.(제297조의2) 따라서 **구강에 손가락 등 신체(성기를 제외한다)의 일부 또는 도구를 넣는 경우에는** 강제추행죄 또는 폭행·협박죄 등이 성립하는 것은 별론으로 하고 **유사강간죄는 성립하지 아니한다.**

㉡ [○] 피고인이, 알고 지내던 여성인 피해자가 자신의 머리채를 잡아 폭행을 가하자 보복의 의미에서 피해자의 **입술, 귀, 유두, 가슴 등을 입으로 깨무는 등의 행위를 한 경우** 객관적으로 여성인 피해자의 입술, 귀, 유두, 가슴을 입으로 깨무는 행위는 일반적이고 평균적인 사람으로 하여금 성적 수치심이나 혐오감을 일으키게 하고 선량한 성적 도덕관념에 반하는 행위이므로 **강제추행죄의 '추행'에 해당한다.**(대법원 2013. 9. 26. 2013도5856 **내연녀 패대기 추행사건**)

㉢ [○] (1) 강간죄에서의 폭행·협박과 간음 사이에는 인과관계가 있어야 하나, **폭행·협박이 반드시 간음행위보다 선행되어야 하는 것은 아니다.**
(2) 비록 간음행위를 시작할 때 폭행·협박이 없었다고 하더라도 간음행위와 거의 동시 또는 그 직후에 피해자를 폭행하여 간음한 것으로 볼 수 있다면 강간죄를 구성한다.(대법원 2017. 10. 12. 2016도16948 **기습삽입 사건**)

㉣ [×] 강제추행죄는 사람의 성적 자유 내지 성적 자기결정의 자유를 보호하기 위한 죄로서 정범 자신이 직접 범죄를 실행하여야 성립하는 자수범이라고 볼 수 없으므로 처벌되지 아니하는 타인을 도구로 삼아 피해자를 강제로 추행하는 간접정범의 형태로도 범할 수 있다. 여기서 **강제추행에 관한 간접정범의 의사를 실현하는 도구로서의 타인에는 피해자도 포함될 수 있다고 봄이 타당하므로,** 피해자를 도구로 삼아 피해자의 신체를 이용하여 추행행위를 한 경우에도 강제추행죄의 간접정범에 해당할 수 있다.(대법원 2018. 2. 8. 2016도17733 **셀프추행 강요 사건**)

제6절 | 자유에 관한 죄 종합

080 다음 중 피해자를 안전한 장소로 풀어준 때에는 형을 감경할 수 있다는 "해방감경규정"의 적용이 없는 범죄는 모두 몇 개인가?

15 경찰간부 [Superlative ★★★]

㉠ 체포·감금죄
㉡ 인질강도죄
㉢ 인신매매죄
㉣ 인질상해죄
㉤ 미성년자약취·유인죄

① 1개 ② 2개 ③ 3개 ④ 4개

해설

② ㉠㉡ 2 범죄는 **해방감경 규정이 없으나**, ㉢㉣㉤ 3 범죄는 **해방감경 규정이 있다.**(제295조의2, 제324조의6)

081 '자유에 대한 죄'에 대한 설명으로 가장 적절하지 않은 것은? (다툼이 있으면 판례에 의함)

18 경찰승진 [Essential ★]

① 골프시설의 운영자가 골프회원에게 불리하게 변경된 내용의 회칙에 대하여 동의한다는 내용의 등록신청서를 제출하지 아니하면 회원으로 대우하지 아니하겠다고 통지한 것이 강요죄에 해당한다.

② 「형법」 제296조의2는 동법 제287조부터 제292조까지 및 제294조를 인류에 대한 공통적인 범죄로서 대한민국 영역 밖에서 죄를 범한 외국인에게도 적용될 수 있도록 세계주의를 규정하였다.

③ 피고인이 피해자와 횟집에서 술을 마시던 중 피해자가 모래 채취에 관하여 항의하는 데에 화가 나서, 횟집 주방에 있던 회칼 2자루를 들고 나와 죽어버리겠다며 자해하려고 한 경우, 이러한 피고인의 행위는 피고인의 요구에 응하지 않으면 피해자에게 어떠한 해악을 가할 듯한 위세를 보인 행위로서 협박에 해당한다고도 볼 수 있다.

④ 미성년자를 유인한 자가 계속하여 미성년자를 불법하게 감금하였을 때에는 감금죄만 성립할 뿐 미성년자유인죄는 별도로 성립하지 않는다.

정답 | 079 ② 080 ② 081 ④

해설

④ [×] 미성년자를 유인한 자가 계속하여 미성년자를 불법하게 감금하였을 때에는 **미성년자유인죄 이외에 감금죄가 별도로 성립한다.**(대법원 1998. 5. 26. 98도1036 완전한 사육 사건)

① [○] 골프시설의 운영자가 골프회원에게 불리하게 변경된 내용의 회칙에 대하여 동의한다는 내용의 **등록신청서를 제출하지 아니하면 회원으로 대우하지 아니하겠다고 통지한 것은 강요죄에 해당한다.**(대법원 2003. 9. 26. 2003도763 리베라컨트리클럽 사건)

② [○] 외국인이 외국에서 형법상 약취 · 유인죄나 인신매매죄 또는 그 미수범을 범한 경우 우리나라 형법이 적용된다.(제296조의2)

③ [○] 협박죄가 성립되려면 고지된 해악의 내용이 일반적으로 사람으로 하여금 공포심을 일으키게 하기에 충분한 것이어야 할 것이지만, 상대방이 그에 의하여 현실적으로 공포심을 일으킬 것까지 요구되는 것은 아니며, 그와 같은 정도의 **해악을 고지함으로써 상대방이 그 의미를 인식한 이상 상대방이 현실적으로 공포심을 일으켰는지 여부와 관계없이 그로써 구성요건은 충족되어 협박죄의 기수에 이른다.**(대법원 2011. 1. 27. 2010도14316 회칼 2자루 사건)

082 다음 설명 중 옳지 않은 것은? (다툼이 있으면 판례에 의함)

18 변호사 [*Core* ★★]

□□□

① 피해자의 신체에 공간적으로 근접하여 손발이나 물건을 휘두르거나 던지는 행위는 직접 피해자의 신체에 접촉하지 아니하였다 하더라도 피해자에 대한 불법한 유형력의 행사로서 폭행죄의 폭행에 해당될 수 있다.

② 강제추행죄의 '폭행 또는 협박'은 상대방의 항거를 곤란하게 할 정도로 강력할 것이 요구되지 아니하고, 상대방의 신체에 대하여 불법한 유형력을 행사(폭행)하거나 일반적으로 보아 상대방으로 하여금 공포심을 일으킬 수 있는 정도의 해악을 고지(협박)하는 것이라고 보아야 한다.

③ 강도범인이 상해행위를 하였다면 강취행위와 상해행위 사이에 다소의 시간적·공간적 간격이 있었다는 것만으로는 강도상해죄의 성립에 영향이 없으나, 상해의 결과는 강도범행의 수단으로 한 폭행에 의하여 발생해야 하므로 상해행위는 강도가 기수에 이르기 전에 행하여져야 한다.

④ 시간적 차이가 있는 독립된 상해행위나 폭행행위가 경합하여 사망의 결과가 일어나고 그 사망의 원인된 행위가 판명되지 않은 경우에는 공동정범의 예에 의하여 처벌된다.

⑤ 평소 건강에 별다른 이상이 없는 피해자에게 성인 권장용량의 2배에 해당하는 졸피뎀 성분의 수면제가 섞인 커피를 마시게 하여 피해자가 정신을 잃고 깊이 잠이 든 사이 피해자를 간음한 경우, 피해자가 4시간 뒤에 깨어나 잠이 든 이후의 상황에 대해서 제대로 기억하지 못하였다면 이는 강간치상죄의 상해에 해당한다.

해설

③ [×] 강도상해죄는 강도범인이 그 강도의 기회에 상해행위를 함으로써 성립하는 것이므로 강도범행의 실행 중이거나 그 실행 직후 또는 실행의 범의를 포기한 직후로서 사회통념상 범죄행위가 완료되지 아니하였다고 볼 수 있는 단계에서 상해가 행하여짐을 요건으로 한다. 그러나 반드시 강도범행의 수단으로 한 폭행에 의하여 상해를 입힐 것을 요하는 것은 아니고 **상해행위가 강도가 기수에 이르기 전에 행하여져야만 하는 것은 아니**므로, 강도범행 이후에도 피해자를 계속 끌고 다니거나 차량에 태우고 함께 이동하는 등으로 강도범행으로 인한 피해자의 심리적 저항불능 상태가 해소되지 않은 상태에서 강도범인의 상해행위가 있었다면 강취행위와 상해행위 사이에 다소의 시간적 · 공간적 간격이 있었다는 것만으로는 강도상해죄의 성립에 영향이 없다.(대법원 2014. 9. 26. 2014도9567 강릉 택시강도사건)

① [○] 형법 제260조에 규정된 폭행죄는 사람의 신체에 대한 유형력의 행사를 가리키며 그 유형력의 행사는 신체적 고통을 주는 물리력의 작용을 의미하므로 신체의 청각기관을 직접적으로 **자극하는 음향도 경우에 따라서는 유형력에 포함될 수 있다.**(대법원 2003. 1. 10. 2000도5716 심수봉 사건)

② [○] 강제추행죄의 폭행 또는 협박은 상대방의 항거를 곤란하게 할 정도로 강력할 것이 요구되지 아니하고 **상대방의 신체에 대하여 불법한 유형력을 행사(폭행)하거나** 일반적으로 보아 **상대방으로 하여금 공포심을 일으킬 수 있는 정도의 해악을 고지(협박)하는 것이라고 보아야 한다.**(대법원 2023. 9.21. 2018도13877 全合 사촌여동생 강제추행 사건)

④ [○] 시간적 차이가 있는 독립된 상해행위나 폭행행위가 경합하여 사망의 결과가 일어나고 그 사망의 원인된 행위가 판명되지 않은 경우에는 **공동정범의 예에 의하여 처벌할 것이다.**(대법원 2000. 7. 28. 2000도2466)

⑤ [○] 피해자가 13회에 걸쳐 피고인으로부터 **졸피뎀(Zolpidem) 성분의 수면제**가 섞인 커피를 받아 마실 때마다 잠이 든 이후의 상황에 대해서 제대로 기억하지 못하였고, 가끔 정신이 희미하게 든 경우도 있었으나 자신의 의지대로 생각하거나 행동하지 못한 채 곧바로 **기절**하다시피 다시 깊은 잠에 빠졌고, 결국 반복된 약물 투약과 그에 따른 강간 또는 강제추행 범행으로 **외상 후 스트레스 장애**까지 입은 것으로 보이는 경우, 이는 강간치상죄나 강제추행치상죄에서 말하는 **상해에 해당한다.**(대법원 2017. 6. 29. 2017도3196 졸피뎀 수면제 사건 I)

정답 | 082 ③

083 다음은 자유에 대한 죄를 설명한 것이다. 옳지 않은 것은 모두 몇 개인가? (다툼이 있으면 판례에 의함)

□□□ 14 경찰채용 [Core ★★]

㉠ 협박죄가 성립하기 위해서는 행위자가 해악의 내용을 실현할 수 있는 위치에 있어야 하고, 고지한 해악을 실제로 실현할 의도나 욕구가 필요하다.

㉡ "앞으로 수박이 없어지면 네 책임으로 한다"고 말한 것은 해악의 고지라고 보기 어렵고, 가사 다소간의 해악의 고지에 해당한다고 가정하더라도 위법성이 없다.

㉢ 투자금의 회수를 위해 피해자를 강요하여 물품대금을 횡령하였다는 자인서를 받아낸 뒤 이를 근거로 돈을 갈취한 경우, 공갈죄 외에 강요죄도 성립한다.

㉣ 감금죄는 사람의 행동의 자유를 그 보호법익으로 하여 사람이 특정한 구역에서 나가는 것을 불가능하게 하거나 또는 감히 곤란하게 하는 죄로서 이와 같이 사람이 특정한 구역에서 나가는 것을 불가능하게 하거나 감히 곤란하게 하는 그 장해는 물리적, 유형적 장해뿐만 아니라 심리적, 무형적 장해에 의하여서도 가능하다.

㉤ 미성년자를 유인한 자가 계속하여 미성년자를 불법하게 감금하였을 때에는 미성년자유인죄 외에 감금죄가 별도로 성립한다.

① 1개 ② 2개 ③ 3개 ④ 4개

해설

② ㉠㉢ 2 항목이 옳지 않다.

㉠ [×] 협박죄의 주관적 구성요건으로서의 고의는 행위자가 해악을 고지한다는 것을 인식·인용하는 것을 그 내용으로 하고 **고지한 해악을 실제로 실현할 의도나 욕구는 필요로 하지 아니하다.**(대법원 2006. 8. 25. 2006도546 **쥐도 새도 모르게 사건**)

㉡ [○] 피고인이 **"앞으로 수박이 없어지면 네 책임으로 한다"**고 말하였다고 하더라도 그것만으로는 구체적으로 어떠한 법익에 어떠한 해악을 가하겠다는 것인지를 알 수 없어 이를 해악의 고지라고 보기 어렵고, 가사 다소간의 해악의 고지에 해당한다고 가정하더라도 이는 정당한 훈계의 범위를 벗어나는 것이 아니어서 사회상규에 위배되지 아니하므로 **위법성이 없다**고 봄이 상당하다.(대법원 1995. 9. 29. 94도2187 **네 책임으로 한다 사건**)

㉢ [×] 피해자를 강요하여 물품대금을 횡령하였다는 자인서를 받아낸 뒤 이를 근거로 돈을 갈취한 경우 **포괄하여 공갈죄 일죄만을 구성한다.**(대법원 1985. 6. 25. 84도2083 **횡령 자인서 사건**)

㉣ [○] 감금죄는 사람의 행동의 자유를 그 보호법익으로 하여 사람이 특정한 구역에서 나가는 것을 불가능하게 하거나 또는 심히 곤란하게 하는 죄로서, 이와 같이 사람이 특정한 구역에서 나가는 것을 불가능하게 하거나 심히 곤란하게 하는 그 장애는 물리적·유형적 장애뿐만 아니라 심리적·무형적 장애에 의하여서도 가능하고 또 감금의 본질은 사람의 행동의 자유를 구속하는 것으로 행동의 자유를 구속하는 그 **수단과 방법에는 아무런 제한이 없으므로** 그 수단과 방법에는 **유형적인 것이거나 무형적인 것이거나를 가리지 아니하며,** 감금에 있어서의 사람의 행동의 자유의 박탈은 반드시 전면적이어야 할 필요가 없으므로 감금된 특정구역 내부에서 일정한 생활의 자유가 허용되어 있었다고 하더라도 감금죄의 성립에는 아무 소장이 없다.(대법원 2011. 9. 29. 2010도5962 **도박장 감금사건**)

㉤ [○] 미성년자를 유인한 자가 계속하여 미성년자를 불법하게 감금하였을 때에는 **미성년자유인죄 이외에 감금죄가 별도로 성립한다.**(대법원 1998. 5. 26. 98도1036 **완전한 사육 사건**)

084 다음 사례에 대한 설명 중 옳은 것만을 모두 고르면? (다툼이 있으면 판례에 의함)

□□□

20 국가7급 [Superlative ★★★]

甲은 A가 술에 만취하여 항거불능 상태에 있는 것으로 오인하고 누워 있는 A를 간음하였으나 사실은 그러한 상태가 아니었다. 또한 간음 당시 항거를 불가능하게 하거나 현저히 곤란하게 할 정도의 폭행이나 협박도 존재하지 않았다.

㉠ 준강간의 고의는 피해자가 심신상실 또는 항거불능의 상태에 있다는 것과 그러한 상태를 이용하여 간음한다는 구성요건적 결과 발생의 가능성을 인식하고 그러한 위험을 용인하는 내심의 의사를 말한다.
㉡ 甲이 의도한 준강간죄의 기수가 성립될 가능성이 처음부터 없었으므로 준강간의 결과가 발생할 위험성도 인정되지 않는다.
㉢ 甲이 실행에 착수할 당시 A가 실제로는 심신상실 또는 항거불능의 상태에 있지 않았다 하더라도 그러한 상태에 있다고 인식하고 A를 간음하였으므로 착오와 상관없이 준강간죄의 기수가 성립한다.
㉣ 준강간죄에서 행위의 대상은 '심신상실 또는 항거불능의 상태에 있는 사람'이 아니라 '사람'이고, '심신상실 또는 항거불능의 상태를 이용'하는 것은 구성요건의 특별한 행위양태에 해당한다.
㉤ 甲의 착오는 실행의 수단 또는 대상의 착오에 해당한다.

① ㉠㉤ ② ㉠㉡㉤ ③ ㉠㉣㉤ ④ ㉡㉢㉣

해설

① ㉠㉤ 2 항목이 옳다.

㉠ [○] 준강간의 고의는 피해자가 심신상실 또는 항거불능의 상태에 있다는 것과 그러한 상태를 이용하여 간음한다는 구성요건적 결과 발생의 가능성을 인식하고 **그러한 위험을 용인하는 내심의 의사를 말한다.**(대법원 2019. 3. 28. 2018도16002 순합 **만취한 것으로 오해 사건**)

㉡㉢ [×] 피고인이 피해자가 심신상실 또는 항거불능의 상태에 있다고 인식하고 그러한 상태를 이용하여 간음하였으나 피해자가 실제로는 심신상실 또는 항거불능의 상태에 있지 않았다면 이는 실행의 수단 또는 대상의 착오로 인하여 구성요건적 결과의 발생이 처음부터 불가능하였고 실제로 그러한 결과가 발생하였다고 할 수 없으나, 피고인이 행위 당시에 인식한 사정을 놓고 일반인이 객관적으로 판단하여 보았을 때 **준강간의 결과가 발생할 위험성이 있었으므로 준강간죄의 불능미수가 성립한다.**(대법원 2019. 3. 28. 2018도16002 순합 **만취한 것으로 오해 사건**)

㉣ [×] 심신상실 또는 항거불능의 상태는 피해자인 사람에게 존재하여야 하므로 **준강간죄에서 행위의 대상은 '심신상실 또는 항거불능의 상태에 있는 사람'이다.** 그리고 구성요건에 해당하는 행위는 그러한 '심신상실 또는 항거불능의 상태를 이용하여 간음'하는 것이다.(대법원 2019. 3. 28. 2018도16002 순합 **만취한 것으로 오해 사건**)

㉤ [○] 피해자가 실제로는 심신상실 또는 항거불능의 상태에 있지 않았다면 이는 실행의 **수단 또는 대상의 착오**로 인하여 구성요건적 결과의 발생이 처음부터 불가능하였고 실제로 그러한 결과가 발생하였다고 할 수 없다.(대법원 2019. 3. 28. 2018도16002 순합 **만취한 것으로 오해 사건**)

정답 | 083 ② 084 ①

제3장 명예, 신용 및 업무에 관한 죄

제1절 | 명예에 관한 죄

085 명예에 관한 죄에 대한 설명 중 가장 적절하지 않은 것은? (다툼이 있으면 판례에 의함)

□□□

15 경찰승진 [Essential ★]

① 개인 블로그의 비공개 대화방에서 일대일 비밀대화로 사실을 적시한 경우 공연성을 인정할 수 있다.

② 골프클럽 경기보조원들의 구직편의를 위해 제작된 인터넷 사이트 내 회원 게시판에 특정 골프클럽의 운영상 불합리성을 비난하는 글을 게시하면서 위 클럽담당자에 대하여 '한심하고 불쌍한 인간'이라는 경멸적 표현을 한 경우 모욕죄를 구성한다.

③ 甲운영의 산후조리원을 이용한 피고인이 인터넷 카페나 자신의 블로그 등에 자신이 직접 겪은 불편사항 등을 후기 형태로 게시한 경우 「정보통신망 이용촉진 및 정보보호 등에 관한 법률」 제70조 제1항에서 정한 명예훼손죄의 구성요건요소인 '사람을 비방할 목적'이 있었다고 보기 어렵다.

④ 중학교 교사인 甲에 대하여 그 학교법인 이사장 앞으로 '甲이 전과범으로서 악덕교사'라는 취지의 진정서를 보낸 경우 명예훼손죄는 성립하지 않는다.

해설

② [×] 골프클럽 경기보조원들의 구직편의를 위해 제작된 인터넷 사이트 내 회원 게시판에 특정 골프클럽의 운영상 불합리성을 비난하는 글을 게시하면서 클럽담당자에 대하여 '한심하고 불쌍한 인간'이라는 등 경멸적 표현을 한 경우라도 게시의 동기와 경위, 모욕적 표현의 정도와 비중 등에 비추어 **사회상규에 위배되지 않는 행위이므로 모욕죄는 성립하지 아니한다.**(대법원 2008. 7. 10. 2008도1433 다음카페 캐디세상 사건)

① [○] 피고인이 개인 **블로그의 비공개 대화방에서** 상대방으로부터 비밀을 지키겠다는 말을 듣고 일대일로 대화하였다고 하더라도 그 사정만으로 대화 상대방이 대화내용을 불특정 또는 다수에게 전파할 가능성이 없다고 할 수 없으므로 명예훼손죄의 요건인 **공연성을 인정할 여지가 있다.**(대법원 2008. 2. 14. 2007도8155 블로그 비밀대화 사건)

③ [○] 산후조리원을 이용한 피고인이 9회에 걸쳐 임신, 육아 등과 관련한 유명 인터넷 카페나 자신의 블로그 등에 **자신이 직접 겪은 불편사항 등을 후기 형태로 게시한 경우,** 피고인이 적시한 사실은 산후조리원에 대한 정보를 구하고자 하는 임산부의 의사결정에 도움이 되는 정보 및 의견 제공이라는 **공공의 이익에 관한 것이라고 봄이 타당하고,** 부수적으로 산후조리원 이용대금 환불과 같은 사익적 목적이나 동기가 내포되어 있더라도 그러한 사정만으로 **비방할 목적이 있다고 보기는 어렵다.**(대법원 2012. 11. 29. 2012도10392 산후조리원 이용후기 사건)

④ [○] 피고인이 "甲은 전과 6범으로 교사직을 팔아가며 이웃을 해치고 고발을 일삼는 악덕교사이다"라는 취지의 진정서를 甲이 교사로 근무하고 있는 동도중학교의 **학교법인 이사장 乙 앞으로 제출**하였더라도, 진정서의 내용과 甲, 乙의 관계 등에 비추어 볼 때, 乙이 진정서 내용을 타에 **전파할 가능성이 있다고 보기 어렵다.**(대법원 1983. 10. 25. 83도2190 악덕교사 사건)

086 다음 중 명예훼손죄에 관한 설명으로 가장 옳지 않은 것은? (다툼이 있으면 판례에 의함)

□□□

22 해경간부 [Essential ★]

① 집합적 명칭을 사용하여 명예훼손행위를 한 경우 그 명칭의 사용에 의하여 그 범위에 속하는 특정인을 가리키는 것이 명백하면 집합구성원 각자에 대한 명예훼손죄가 성립한다.

② 甲이 고발의 동기나 경위에 관한 언급 없이 제3자에게 "乙이 丙을 선거법위반으로 고발하였다."는 말만 하였다면 乙의 사회적 가치나 평가를 침해하기에 충분한 구체적 사실이 적시되었다고 보기 어렵다.

③ 이미 사회의 일부에 잘 알려진 공지의 사실은 명예훼손의 객체에 해당하지 않으므로 이를 적시하여 사람의 사회적 평가를 저하시킬 만한 행위를 하더라도 명예훼손죄가 성립하지 않는다.

④ 언론매체가 피해자의 명예를 현저하게 훼손할 수 있는 보도내용의 주된 부분이 허위임을 충분히 인식하면서도 이를 보도하였다면 특별한 사정이 없는 한 거기에는 사람을 비방할 목적이 있다고 볼 것이다.

해설

③ [×] 명예훼손죄가 성립하기 위하여는 반드시 숨겨진 사실을 적발하는 행위만에 한하지 아니하고 **이미 사회의 일부에 잘 알려진 사실이라고 하더라도** 이를 적시하여 사람의 사회적 평가를 저하시킬 만한 행위를 한 때에는 **명예훼손죄를 구성한다.**(대법원 1994. 4. 12. 93도3535)

① [○] 명예훼손죄는 어떤 특정한 사람 또는 인격을 보유하는 단체에 대하여 그 명예를 훼손함으로써 성립하는 것이므로 그 피해자는 특정한 것임을 요하고, 다만 서울시민 또는 경기도민이라 함과 같은 막연한 표시에 의해서는 명예훼손죄를 구성하지 아니한다 할 것이지만, **집합적 명사를 쓴 경우에도 그것에 의하여 그 범위에 속하는 특정인을 가리키는 것이 명백하면, 이를 각자의 명예를 훼손하는 행위라고 볼 수 있다.**(대법원 2000. 10. 10. 99도5407 3.19 동지회 사건)

② [○] 피고인 甲이 단지 "乙이 丙을 선거법 위반으로 고발하였다"라는 말만 하고 그 고발의 동기나 경위에 관하여는 언급을 하지 아니하였다면 그와 같이 말한 것만으로는 乙의 **사회적 가치나 평가를 침해하기에 충분한 구체적인 사실이 적시되었다고 볼 수 없다.**(대법원 2009. 9. 24. 2009도6687 선거법위반으로 고발 사건)

④ [○] 형법 제307조 제2항이나 정보통신망법 제61조 제2항[개정법 제70조 제2항] 소정의 '사람을 비방할 목적'은 공공의 이익을 위한 것과는 행위자의 주관적 의도의 방향에 있어 서로 상반되는 관계에 있다고 할 것이므로 적시한 사실이 공공의 이익에 관한 것인 경우에는 특별한 사정이 없는 한 비방할 목적은 부인된다고 봄이 상당하지만, 독자, 시청자, 청취자 등은 언론매체의 보도내용을 진실로 신뢰하는 경향이 있고, 언론매체는 이러한 신뢰를 기반으로 사회에 대한 비판 · 감시기능을 수행하는 것이라는 점 등을 고려하면, 언론매체가 피해자의 명예를 현저하게 훼손할 수 있는 **보도내용의 주된 부분이 허위임을 충분히 인식하면서도 이를 보도하였다면** 특별한 사정이 없는 한 거기에는 사람을 **비방할 목적이 있다고 볼 것이고, 이 경우에는 위법성이 조각될 여지가 없다.**(대법원 2008. 11. 27. 2007도5312)

정답 | 085 ② 086 ③

087 명예훼손의 죄에 관한 설명 중 옳지 않은 것은 모두 몇 개인가? (다툼이 있으면 판례에 의함)

□□□

23 경찰채용 [Superlative ★★★]

㉠ 형법 제307조 제1항의 '사실'은 제2항의 '허위의 사실'과 반대되는 '진실한 사실'을 말하며, 가치판단이나 평가를 내용으로 하는 '의견'에 대치되는 개념은 아니다.
㉡ 공연성의 존부는 발언자와 상대방 또는 피해자 사이의 관계나 지위, 대화를 하게 된 경위와 상황, 사실적시의 내용, 적시의 방법과 장소 등 행위 당시의 객관적 제반 사정으로부터 상대방이 불특정 또는 다수인에게 전파할 가능성이 있는지 여부를 검토하여 종합적으로 판단하여야 하며, 발언 후 실제 전파 여부라는 우연한 사정은 공연성 인정 여부를 판단함에 있어 소극적 사정으로만 고려되어야 한다.
㉢ 형법 제310조의 '공공의 이익'이라 함은 널리 국가·사회 기타 일반 다수인의 이익에 관한 것뿐만 아니라 특정한 사회집단이나 그 구성원의 관심과 이익에 관한 것도 포함한다.
㉣ 형법 제309조 제1항의 '사람을 비방할 목적'은 제310조의 '공공의 이익'을 위한 것과는 행위자의 주관적 의도의 방향에 있어 서로 상반되는 관계에 있으므로 적시한 사실이 공공의 이익에 관한 것인 경우 특별한 사정이 없는 한 비방할 목적은 부인된다.

① 1개 ② 2개 ③ 3개 ④ 4개

해설

① ㉠ 항목만 옳지 않다.

㉠ [×] **형법 제307조 제1항의 '사실'은 제2항의 '허위의 사실'과 반대되는 '진실한 사실'을 말하는 것이 아니라 가치판단이나 평가를 내용으로 하는 '의견'에 대치되는 개념이라고 보아야 한다.** 따라서 제307조 제1항의 명예훼손죄는 적시된 사실이 진실한 사실인 경우이든 허위의 사실인 경우이든 모두 성립될 수 있고, 특히 적시된 사실이 허위의 사실이라고 하더라도 행위자에게 허위성에 대한 인식이 없는 경우에는 제307조 제2항의 명예훼손죄가 아니라 제307조 제1항의 명예훼손죄가 성립될 수 있다.(대법원 2017. 4. 26. 2016도18024 **대구애락원 사건**)

㉡ [○] 공연성의 존부는 발언자와 상대방 또는 피해자 사이의 관계나 지위, 대화를 하게 된 경위와 상황, 사실적시의 내용, 적시의 방법과 장소 등 행위 당시의 객관적 제반 사정에 관하여 심리한 다음, 그로부터 상대방이 불특정 또는 다수인에게 전파할 가능성이 있는지 여부를 검토하여 종합적으로 판단하여야 한다.
발언 이후 실제 전파되었는지 여부는 전파가능성 유무를 판단하는 고려요소가 될 수 있으나 발언 후 **실제 전파 여부라는 우연한 사정은 공연성 인정 여부를 판단함에 있어 소극적 사정으로만 고려되어야 한다.**(대법원 2020. 11. 19. 2020도5813 全合 **징역 살다온 전과자다 사건**)

㉢ [○] 형법 제310조에서 '공공의 이익'에는 널리 국가 · 사회 기타 일반 다수인의 이익에 관한 것뿐만 아니라 **특정한 사회집단이나 그 구성원 전체의 관심과 이익에 관한 것도 포함된다.**(대법원 2017. 4. 26. 2016도18024 **대구애락원 사건**)

㉣ [○] 형법 제309조 제1항 소정의 '비방할 목적'이란 가해의 의사 내지 목적을 요하는 것으로서 공공의 이익을 위한 것과는 행위자의 주관적 의도의 방향에 있어 서로 상반되는 관계에 있다고 할 것이므로 **적시한 사실이 공공의 이익에 관한 것인 경우에는 특별한 사정이 없는 한 비방할 목적은 부인된다고 봄이 상당하다.**(대법원 2005. 4. 29. 2003도2137 **한국여성의전화 사건**)

088 다음 설명 중 가장 옳지 않은 것은? (다툼이 있으면 판례에 의함) 21 법원9급 [Essential ★]
□□□

① 명예훼손죄가 성립하기 위해서는 주관적 구성요소로서 타인의 명예를 훼손한다는 고의를 가지고 사람의 사회적 평가를 저하시키는 데 충분한 구체적 사실을 적시하는 행위를 할 것이 요구된다. 따라서 불미스러운 소문의 진위를 확인하고자 질문을 하는 과정에서 타인의 명예를 훼손하는 발언을 하였다면 이러한 경우에는 그 동기에 비추어 명예훼손의 고의를 인정하기 어렵다.

② 명예훼손죄의 구성요건인 공연성은 불특정 또는 다수인이 인식할 수 있는 상태를 말한다. 비록 개별적으로 한 사람에 대하여 사실을 유포하였더라도 그로부터 불특정 또는 다수인에게 전파될 고도의 가능성이 있다면 공연성의 요건을 충족한다.

③ 형법 제307조 제1항의 사실 적시에 의한 명예훼손죄, 형법 제308조의 사자(死者)명예훼손죄, 형법 제311조의 모욕죄는 모두 친고죄이고, 형법 제307조 제2항의 허위사실 적시에 의한 명예훼손죄는 반의사불벌죄이다.

④ 공연히 사실을 적시하여 사람의 명예를 훼손한 행위자의 주요한 동기 내지 목적이 공공의 이익을 위한 것이라면 부수적으로 다른 사익적 목적이나 동기가 내포되어 있더라도 형법 제310조 위법성조각사유의 적용을 배제할 수 없다.

해설

③ [×] 형법 제308조의 사자(死者)명예훼손죄와 형법 제311조의 모욕죄는 **친고죄이고**, 형법 제307조 제1항의 사실 적시에 의한 명예훼손죄와 형법 제307조 제2항의 허위사실 적시에 의한 명예훼손죄는 **반의사불벌죄이다.**(제312조 제1항 · 제2항)

① [○] 명예훼손죄가 성립하기 위해서는 주관적 구성요소로서 타인의 명예를 훼손한다는 고의를 가지고 사람의 사회적 평가를 저하시키는 데 충분한 구체적 사실을 적시하는 행위를 할 것이 요구된다. 따라서 불미스러운 **소문의 진위를 확인하고자 질문을 하는 과정에서** 타인의 명예를 훼손하는 발언을 하였다면 이러한 경우에는 **그 동기에 비추어 명예훼손의 고의를 인정하기 어렵다.**(대법원 2018. 6. 15. 2018도4200 **입점비 확인사건**)

② [○] 명예훼손죄의 구성요건인 공연성은 불특정 또는 다수인이 인식할 수 있는 상태를 말한다. 비록 개별적으로 한 사람에 대하여 사실을 유포하였다고 하더라도 그로부터 **불특정 또는 다수인에게 전파될 가능성이 있다면 공연성의 요건을 충족하지만** 이와 달리 전파될 가능성이 없다면 특정한 한 사람에 대한 사실의 유포는 공연성이 없다.(대법원 2018. 6. 15. 2018도4200 **입점비 확인 사건**)

④ [○] 형법 제310조에서 '공공의 이익'에는 널리 국가 · 사회 기타 일반 다수인의 이익에 관한 것 뿐만 아니라 특정한 사회집단이나 그 구성원 전체의 관심과 이익에 관한 것도 포함되는 것으로서, 적시된 사실이 공공의 이익에 관한 것인지 여부는 당해 적시 사실의 내용과 성질, 당해 사실의 공표가 이루어진 상대방의 범위, 그 표현의 방법 등 그 표현 자체에 관한 제반 사정을 감안함과 동시에 그 표현에 의하여 훼손되거나 훼손될 수 있는 명예의 침해 정도 등을 비교 · 고려하여 결정하여야 하고, 행위자의 주요한 동기 내지 목적이 공공의 이익을 위한 것이라면 **부수적으로 다른 사익적 목적이나 동기가 내포되어 있더라도 형법 제310조의 적용을 배제할 수 없다.**(대법원 2017. 4. 26. 2016도18024 **대구애락원 사건**)

정답 | 087 ① 088 ③

089 명예훼손죄에 관한 다음 설명 중 가장 옳지 않은 것은? (다툼이 있으면 판례에 의함)

□□□

23 법원9급 [Superlative ★★★]

① 작업장의 책임자인 피고인이 甲으로부터 작업장에서 발생한 성추행 사건에 대해 보고받은 사실이 있음에도 직원 5명이 있는 회의 자리에서 상급자로부터 경과보고를 요구받으면서 과태료 처분에 관한 책임을 추궁받자 이에 대답하는 과정에서 '甲은 성추행 사건에 대해 애초에 보고한 사실이 없다. 그런데도 이를 수사기관 등에 신고하지 않았다고 과태료 처분을 받는 것은 억울하다.'는 취지로 발언한 경우 피고인에게 명예훼손의 고의를 인정하기 어렵다.

② 동장인 피고인이 동 주민자치위원에게 전화를 걸어 '어제 열린 당산제(마을제사) 행사에 남편과 이혼한 甲도 참석을 하여, 이에 대해 행사에 참여한 사람들 사이에 안 좋게 평가하는 말이 많았다.'는 취지로 말하고, 동 주민들과 함께한 저녁식사 모임에서 '甲은 이혼했다는 사람이 왜 당산제에 왔는지 모르겠다.'는 취지로 말한 경우 피고인의 위 발언은 甲의 사회적 가치나 평가를 침해하는 구체적인 사실의 적시에 해당한다.

③ 회사에서 징계 업무를 담당하는 직원인 피고인이 피해자에 대한 징계절차 회부 사실이 기재된 문서를 근무현장 방재실, 기계실, 관리사무실의 각 게시판에 게시한 경우 위 행위는 회사 내부의 원활하고 능률적인 운영의 도모라는 공공의 이익에 관한 것으로 볼 수 없다.

④ 피고인이 피해자 집 뒷길에서 피고인의 남편 및 피해자의 친척이 듣는 가운데 피해자에게 '저것이 징역 살다온 전과자다.' 등으로 큰 소리로 말한 경우 공연성이 인정된다.

해설

② [×] 피고인의 발언은 피해자의 사회적 가치나 평가를 침해하는 구체적인 사실의 적시에 해당하지 않고 **피해자의 당산제 참여에 관한 의견표현에 지나지 않는다.**(대법원 2022. 5. 13. 2020도15642 이혼한 사람이 참석하면 부정탄다 사건)

① [○] 작업장의 책임자인 피고인이 甲으로부터 작업장에서 발생한 성추행 사건에 대해 보고받은 사실이 있음에도 직원 5명이 있는 회의 자리에서 상급자로부터 경과보고를 요구받으면서 과태료 처분에 관한 책임을 추궁받자 이에 대답하는 과정에서 '甲은 성추행 사건에 대해 애초에 보고한 사실이 없다. 그런데도 이를 수사기관 등에 신고하지 않았다고 과태료 처분을 받는 것은 억울하다.'는 취지로 발언한 경우 **피고인에게 명예훼손의 고의를 인정하기 어렵다.**(대법원 2022. 4. 14. 2021도17744 작업장 내 성추행 사건)

③ [○] 회사에서 징계 업무를 담당하는 직원인 피고인이 피해자에 대한 **징계절차 회부 사실이 기재된 문서를** 근무현장 방재실, 기계실, 관리사무실의 각 게시판에 게시함으로써 공연히 피해자의 명예를 훼손하였다는 내용으로 기소되었는바, 징계혐의 사실은 징계절차를 거친 다음 확정되는 것이므로 징계절차에 회부되었을 뿐인 단계에서 그 사실을 공개함으로써 피해자의 명예를 훼손하는 경우 이를 사회적으로 상당한 행위라고 보기는 어려운 점, 피해자에 대한 징계 의결이 있기 전에 **징계절차에 회부되었다는 사실이 공개되는 경우 피해자가 입게 되는 피해의 정도는 가볍지 않은 점 등을 종합하면 피해자에 대한 징계절차 회부 사실을 공지하는 것은 회사 내부의 원활하고 능률적인 운영의 도모라는 공공의 이익에 관한 것으로 볼 수 없다.**(대법원 2021. 8. 26. 2021도6416 징계회부 사실 공지 사건)

④ [○] 피고인이 피해자 집 뒷길에서 피고인의 남편 및 피해자의 친척이 듣는 가운데 피해자에게 '저것이 징역 살다온 전과자다.' 등으로 큰 소리로 말한 경우 **공연성이 인정된다.**(대법원 2020. 11. 19. 2020도5813 全合 징역 살다온 전과자다 사건)

090 □□□ **명예훼손죄에 관한 설명 중 옳은 것(○)과 옳지 않은 것(×)을 올바르게 조합한 것은? (다툼이 있으면 판례에 의함)**

23 변호사 [Core ★★]

㉠ 기자를 통해 사실을 적시하는 경우 기자가 취재를 한 상태에서 아직 기사화하여 보도하지 아니한 때에는 전파가능성이 없어 명예훼손죄의 요건인 공연성이 인정되지 않는다.
㉡ 개인블로그의 비공개 대화방에서 1:1로 대화하였다면 명예훼손죄의 요건인 공연성이 인정되지 않는다.
㉢ 명예훼손죄는 구체적 위험범이므로 불특정 또는 다수인이 적시된 사실을 실제 인식한 경우에 명예가 훼손된 것이다.
㉣ 정보통신망을 통하여 타인의 명예를 훼손하는 글을 게시하였으나 적시된 사실이 진실이고 공공의 이익에 관한 것이어서 비방의 목적이 인정되지 않는 경우에는 형법 제310조(위법성의 조각)가 적용된다.
㉤ 행위자의 주요한 동기 내지 목적이 공공의 이익을 위한 것이라도 부수적으로 다른 사익적 목적이나 동기가 내포되어 있는 때에는 형법 제310조(위법성의 조각)의 적용이 배제된다.

① ㉠ ○ ㉡ ○ ㉢ ○ ㉣ × ㉤ ○
② ㉠ ○ ㉡ × ㉢ ○ ㉣ × ㉤ ×
③ ㉠ ○ ㉡ × ㉢ × ㉣ ○ ㉤ ×
④ ㉠ × ㉡ × ㉢ × ㉣ ○ ㉤ ×
⑤ ㉠ × ㉡ ○ ㉢ × ㉣ ○ ㉤ ○

해설

③ 이 지문이 옳은 연결이다.

㉠ [○] 통상 기자가 아닌 보통 사람에게 사실을 적시할 경우에는 그 자체로서 적시된 사실이 외부에 공표되는 것이므로 그 때부터 곧 전파가능성을 따져 공연성 여부를 판단하여야 할 것이지만, 그와는 달리 기자를 통해 사실을 적시하는 경우에는 기사화되어 보도되어야만 적시된 사실이 외부에 공표된다고 보아야할 것이므로 기자가 취재를 한 상태에서 아직 **기사화하여 보도하지 아니한 경우에는 전파가능성이 없다고 할 것이어서 공연성이 없다.**(대법원 2000. 5. 16. 99도5622 주간지 인터뷰 사건)

㉡ [×] 피고인이 개인 블로그의 비공개 대화방에서 상대방으로부터 비밀을 지키겠다는 말을 듣고 일대일로 대화하였다고 하더라도 그 사정만으로 대화 상대방이 대화내용을 불특정 또는 다수에게 전파할 가능성이 없다고 할 수 없으므로 명예훼손죄의 요건인 공연성을 인정할 여지가 있다.(대법원 2008. 2. 14. 2007도8155 블로그 비밀대화 사건)

㉢ [×] 명예훼손죄는 추상적 위험범으로 불특정 또는 다수인이 적시된 사실을 실제 인식하지 못하였다고 하더라도 인식할 수 있는 상태에 놓인 것으로도 명예가 훼손된 것으로 보아야 한다.(대법원 2020. 12. 30. 2015도15619 캐디 명예훼손 사건)

㉣ [○] 정보통신망법 제70조 제1항의 명예훼손죄는 '사람을 비방할 목적으로' 정보통신망을 통하여 공공연하게 사실을 드러내어 다른 사람의 명예를 훼손한 경우에 성립한다.(정보통신망법 제70조 제1항) 따라서 정보통신망을 통하여 타인의 명예를 훼손하는 글을 게시하였더라도 **'비방의 목적이 인정되지 않는다면' 형법 제307조 제1항의 명예훼손 행위에 해당하고, 이에 대하여 위법성조각에 관한 형법 제310조가 적용될 수 있다.**

㉤ [×] 행위자의 주요한 동기 내지 목적이 공공의 이익을 위한 것이라면 부수적으로 다른 사익적 목적이나 동기가 내포되어 있더라도 형법 제310조의 적용을 배제할 수 없다.(대법원 2017. 4. 26. 2016도18024 대구애락원 사건)

정답 | 089 ② 090 ③

091 명예훼손죄에 대한 설명 중 가장 적절하지 않은 것은? (다툼이 있으면 판례에 의함)

□□□

18 경찰채용 [Core ★★]

① 개인 블로그의 비공개 대화방에서 상대방으로부터 비밀을 지키겠다는 말을 듣고 일대일로 대화하였다고 하더라도, 그 사정만으로 대화 상대방이 대화내용을 불특정 또는 다수에게 전파할 가능성이 없다고 할 수 없으므로 공연성을 인정할 여지가 있다.

② 전국교직원노동조합 소속 교사가 작성·배포한 보도자료가 전체적으로 그 기재 내용이 진실하고 공공의 이익을 위한 것이라도 보도자료의 일부에 사실과 다른 기재가 있으면 명예 훼손죄의 위법성이 조각되지 않는다.

③ 기자를 통해 사실을 적시하는 경우에는 기사화되어 보도되어야만 적시된 사실이 외부에 공표된다고 보아야 할 것이므로 기자가 취재를 한 상태에서 아직 기사화하여 보도하지 아니한 경우에는 공연성이 없다.

④ 명예훼손죄가 성립하기 위하여는 사실의 적시가 있어야 하는데, 여기에서 적시의 대상이 되는 사실이란 현실적으로 발생하고 증명할 수 있는 과거 또는 현재의 사실을 말하며, 장래의 일을 적시하더라도 그것이 과거 또는 현재의 사실을 기초로 하거나 이에 대한 주장을 포함하는 경우에는 명예훼손죄가 성립한다.

해설

② [×] (1) 형법 제310조에서 '진실한 사실'이란 그 내용 전체의 취지를 살펴볼 때 **중요한 부분이 객관적 사실과 합치되는 사실이라는 의미로서 세부에 있어 진실과 약간 차이가 나거나 다소 과장된 표현이 있더라도 무방하다.** (2) 피고인이 시의원들이 학교에서 교사들에게 무례한 행동을 한 것을 알리고 이에 대하여 항의함으로써 교사의 권익을 지킨다는 취지에서 '시의원이 여교사를 아가씨라고 부르며 차를 달라고 한 것, 교감책상에 앉아 있는 시의원에게 항의한 교사에게 일부 시의원이 고함을 지르는 등 무례한 행동을 한 것, 해운대교육구청이 시의원의 추궁을 받고 교사들에게 경위서를 제출하도록 한 것' 등의 내용이 들어 있는 보도자료를 만들어 배포한 경우, **전체적으로 그 기재 내용이 진실하고 공공의 이익을 위한 것이라면 명예훼손죄의 위법성이 조각된다.**(대법원 2001. 10. 9. 2001도3594 **해운대초등학교 사건**)

① [○] 피고인이 개인 **블로그의 비공개 대화방에서** 상대방으로부터 비밀을 지키겠다는 말을 듣고 일대일로 대화하였다고 하더라도 그 사정만으로 대화 상대방이 대화내용을 불특정 또는 다수에게 전파할 가능성이 없다고 할 수 없으므로 명예훼손죄의 요건인 **공연성을 인정할 여지가 있다.**(대법원 2008. 2. 14. 2007도8155 **블로그 비밀대화 사건**)

③ [○] 기자를 통해 사실을 적시하는 경우에는 기사화되어 보도되어야만 적시된 사실이 외부에 공표된다고 보아야 할 것이므로 기자가 취재를 한 상태에서 아직 **기사화하여 보도하지 아니한 경우에는 공연성이 없다.**(대법원 2000. 5. 16. 99도5622 **주간지 인터뷰 사건**)

④ [○] 명예훼손죄가 성립하기 위하여는 사실의 적시가 있어야 하는데, 여기에서 적시의 대상이 되는 사실이란 현실적으로 발생하고 증명할 수 있는 과거 또는 현재의 사실을 말하며, 장래의 일을 적시하더라도 그것이 과거 또는 현재의 사실을 기초로 하거나 이에 대한 주장을 포함하는 경우에는 명예훼손죄가 성립한다고 할 것이고, 장래의 일을 적시하는 것이 과거 또는 현재의 사실을 기초로 하거나 이에 대한 주장을 포함하는지 여부는 그 적시된 표현 자체는 물론 전체적인 취지나 내용, 적시에 이르게 된 경위 및 전후 상황, 기타 제반 사정을 **종합적으로 참작하여 판단하여야 한다.**(대법원 2003. 5. 13. 2002도7420 **구속영장이 떨어진다 사건**)

092 □□□ 명예에 관한 죄에 대한 아래 ㉠부터 ㉤까지의 설명 중 옳고 그름의 표시(○, ×)가 모두 바르게 된 것은? (다툼이 있으면 판례에 의함)

22 경찰채용 [Core ★★]

㉠ 인터넷 댓글에 의하여 모욕을 당한 피해자의 인터넷 아이디(ID)만을 알 수 있을 뿐 그 밖의 주위사정을 종합해 보더라도 그와 같은 인터넷 아이디를 가진 사람이 동 피해자임을 알아차릴 수 없는 경우라면 명예훼손죄 또는 모욕죄가 성립하지 않는다.
㉡ 어떠한 표현이 상대방의 인격적 가치에 대한 사회적 평가를 저하시킬 만한 것이 아니라면 설령 그 표현이 다소 무례한 방법으로 표시되었다 하더라도 이를 두고 모욕죄의 구성요건에 해당한다고 볼 수 없다.
㉢ 모욕죄는 피해자의 외부적 명예를 저하시킬 만한 추상적 판단이나 경멸적 감정을 공연히 표시함으로써 성립하는 것으로 피해자의 외부적 명예가 현실적으로 침해되거나 적어도 구체적 현실적으로 침해될 위험이 발생하여야 한다.
㉣ 형법 제307조 명예훼손죄에 있어서의 사실의 적시는 가치 판단이나 평가를 내용으로 하는 의견표현에 대치되는 개념으로서 시간적으로나 공간적으로 구체적인 과거 또는 현재의 사실관계에 관한 보고나 진술을 뜻한다.
㉤ 정보통신망을 이용한 명예훼손의 경우에는 게재행위의 종료만으로 범죄행위가 종료하는 것은 아니고 원래 게시물이 삭제되어 정보의 송수신이 불가능해지는 시점을 범죄의 종료시기로 보아야 한다.

① ㉠ ○ ㉡ × ㉢ ○ ㉣ × ㉤ ○
② ㉠ ○ ㉡ ○ ㉢ × ㉣ ○ ㉤ ×
③ ㉠ × ㉡ × ㉢ ○ ㉣ × ㉤ ×
④ ㉠ ○ ㉡ ○ ㉢ × ㉣ ○ ㉤ ○

해설

② 이 지문이 옳은 연결이다.

㉠ [○] 인터넷 댓글에 의하여 모욕을 당한 피해자의 인터넷 아이디(ID)만을 알 수 있을 뿐 그 밖의 주위사정을 종합해 보더라도 그와 같은 **인터넷 아이디를 가진 사람이 동 피해자임을 알아차릴 수 없는 경우라면 명예훼손죄 또는 모욕죄가 성립하지 않는다.**(헌법재판소 2008. 6. 26. 2007헌마461 **네이버 댓글 사건**)

㉡ [○] 어떠한 표현이 상대방의 인격적 가치에 대한 사회적 평가를 저하시킬 만한 것이 아니라면 설령 그 표현이 다소 무례한 방법으로 표시되었다 하더라도 이를 두고 **모욕죄의 구성요건에 해당한다고 볼 수 없다.**(대법원 2018. 11. 29. 2017도2661 **반말 사건**)

㉢ [×] **모욕죄는** 피해자의 외부적 명예를 저하시킬 만한 추상적 판단이나 경멸적 감정을 공연히 표시함으로써 성립하는 것이므로 **피해자의 외부적 명예가 현실적으로 침해되거나 구체적 · 현실적으로 침해될 위험이 발생하여야 하는 것은 아니다.**(대법원 2017. 4. 13. 2016도15264 **뭐야 개새끼야 사건**)

㉣ [○] 형법 제307조 명예훼손죄에 있어서의 사실의 적시는 가치 판단이나 평가를 내용으로 하는 의견표현에 대치되는 개념으로서 시간적으로나 공간적으로 구체적인 과거 또는 현재의 사실관계에 관한 보고나 진술을 뜻한다.(대법원 2021. 3. 25. 2016도14995 **박근혜 마약 · 보톡스 발언 사건**)

정답 | 091 ② 092 ②

ⓜ [×] 서적 · 신문 등 기존의 매체에 명예훼손적 내용의 글을 게시하는 경우에 그 게시행위로써 명예훼손의 범행은 종료하는 것이며 그 서적이나 신문을 회수하지 않는 동안 범행이 계속된다고 보지는 않는다는 점을 고려해 보면, 정보통신망을 이용한 명예훼손의 경우에 게시행위 후에도 독자의 접근가능성이 기존의 매체에 비하여 좀 더 높다고 볼 여지가 있다 하더라도 그러한 정도의 차이만으로 정보통신망을 이용한 명예훼손의 경우에 범죄의 종료시기가 달라진다고 볼 수는 없다.(대법원 2007. 10. 25. 2006도346) 정보통신망을 이용한 명예훼손의 경우에도 게시행위로써 범행이 종료하는 것으로(게시물을 삭제하는 시점에 범행이 종료하는 것이 아니다) 그때부터 공소시효가 진행한다는 취지의 판례이다.

093 명예에 관한 죄에 대한 설명으로 옳은 것은 모두 몇 개인가? (다툼이 있으면 판례에 의함)

□□□

21 경찰채용 [*Core* ★★]

㉠ 甲이 명예훼손 사실을 발설한 것이 정말이냐는 A의 질문에 대답하는 과정에서 타인의 명예를 훼손하는 사실을 발설하게 된 경우, 명예훼손의 고의가 인정되지 아니한다.

㉡ 甲이 집 뒷길에서 자신의 남편과 A의 친척이 듣는 가운데 다른 사람들이 들을 수 있을 정도의 큰 소리로 A에게 "저것이 징역 살다온 전과자다."고 말한 경우, 자신의 남편과 A의 친척에게 말한 것이라 할지라도 명예훼손죄의 구성요건요소인 '공연성'이 인정된다.

㉢ 사이버대학교 학생 甲이 학과 학생들만 가입할 수 있는 네이버 밴드 게시판에 A의 "총학생회장 출마자격에 관하여 조언을 구한다."는 글에 대한 댓글로 직전 회장 선거에 입후보하였다가 중도 사퇴한 친구 B의 실명을 거론하며, 객관적 사실에 부합하는 "B 학우가 학생회비도 내지 않고 총학생회장 선거에 출마하려 했다가 상대방 후보를 비방하고 이래저래 학과를 분열시키고 개인적인 감정을 표한 사례가 있다."고 언급한 다음 "그러한 부분은 지양했으면 한다."는 의견을 덧붙인 경우, 甲의 주요한 동기와 목적은 공공의 이익을 위한 것으로서 甲에게 B를 비방할 목적이 있다고 보기 어렵다.

㉣ 제품의 안정성에 논란이 많은 가운데 인터넷 신문사 소속 기자 A가 인터넷 포탈사이트의 '핫이슈'난에 제품을 옹호하는 기사를 게재하자 그 기사를 읽은 상당수의 독자들이 '네티즌 댓글'난에 A를 비판하는 댓글을 달고 있는 상황에서 甲이 "이런걸 기레기라고 하죠?"라는 댓글을 게시한 경우, 이는 모욕적 표현에 해당하나 사회상규에 위배되지 않는 행위로서 형법 제20조에 의하여 위법성이 조각된다.

① 1개
② 2개
③ 3개
④ 4개

해설

④ 모든 항목이 옳다.

㉠ [○] 명예훼손 사실을 발설한 것이 정말이냐는 **질문에 대답하는 과정에서 타인의 명예를 훼손하는 사실을 발설하게 된 것이라면 그 발설내용과 동기에 비추어 명예훼손의 범의를 인정할 수 없다.**(대법원 2010. 10. 28. 2010도2877 삼성아파트 자치회의 사건)

㉡ [○] 甲은 A와의 싸움 과정에서 단지 A를 모욕 내지 비방하기 위하여 **공개된 장소에서 큰 소리로 말하여 다른 마을 사람들이 들을 수 있을 정도였던 것으로** 불특정 또는 다수인이 인식할 수 있는 상태였다고 봄이 타당하므로 甲의 위 발언은 **공연성이 인정된다.**(대법원 2020. 11. 19. 2020도5813 全合 징역 살다온 전과자다 사건)

㉢ [○] 피고인 甲의 주요한 동기와 목적은 공공의 이익을 위한 것으로서 甲에게 B를 **비방할 목적이 있다고 보기 어렵다.**(대법원 2020. 3. 2. 2018도15868 총학생회장 입후보자 비방사건)

㉣ [○] **'기레기'는 '기자'와 '쓰레기'의 합성어로서** 자극적인 제목이나 내용 등으로 홍보성 기사를 작성하는 행위 등을 하는 기자들 또는 기자들의 행태를 비하한 용어이므로 기자인 피해자의 사회적 평가를 저하시킬만한 추상적 판단이나 경멸적 감정을 표현한, **모욕적 표현에 해당하기는 한다.** 그러나 피고인이 작성한 "이런걸 기레기라고 하죠?"라는 댓글은 그 전후에 게시된 다른 댓글들과 같은 견지에서 방송 내용 등을 근거로 기사의 제목과 내용, 이를 작성한 피해자의 행위나 태도를 비판하는 의견을 강조하거나 압축하여 표현한 것이라고 평가할 수 있다. 또한 '기레기'는 기사 및 기자의 행태를 비판하는 글에서 비교적 폭넓게 사용되는 단어이고, 기사에 대한 다른 댓글들의 논조 및 내용과 비교해 볼 때 댓글의 표현이 지나치게 악의적이라고 하기도 어려워 피고인의 행위는 사회상규에 위배되지 않는 행위로서 **형법 제20조에 의하여 위법성이 조각된다.**(대법원 2021. 3. 25. 2017도17643 이런걸 기레기라고 하죠 사건)

정답 | 093 ④

094 다음 중 명예훼손죄에 대한 설명으로 가장 옳지 않은 것은? (다툼이 있으면 판례에 의함)

□□□

23 해경승진 [Core ★★]

① 명예훼손죄에서 '사실의 적시'란 가치판단이나 평가를 내용으로 하는 '의견표현'에 대치되는 개념으로서 시간적으로나 공간적으로 구체적인 과거 또는 현재의 사실관계에 관한 보고나 진술을 뜻하고, 표현 내용을 증거로 증명할 수 있는 것을 말한다.

② 형법 제307조 제1항의 '사실'은 제2항의 '허위의 사실'과 반대되는 '진실한 사실'을 말하는 것이므로 적시된 사실이 허위라는 입증이 없는 경우에는 형법 제307조 제1항의 명예훼손죄가 성립하지만, 적시된 사실이 허위인 경우 행위자에게 허위성에 대한 인식이 없다는 이유만으로 형법 제307조 제1항의 명예훼손죄가 성립될 수는 없다.

③ 객관적으로 피해자의 사회적 평가를 저하시키는 사실에 관한 발언이 보도, 소문이나 제3자의 말을 인용하는 방법으로 단정적인 표현이 아닌 전문 또는 추측의 형태로 표현되었더라도 표현 전체의 취지로 보아 사실이 존재할 수 있다는 것을 암시하는 방식으로 이루어진 경우에는 사실을 적시한 것으로 보아야 한다.

④ 공론의 장에 나선 전면적 공적 인물의 경우에는 비판과 의혹의 제기를 감수해야 하고 그러한 비판과 의혹에 대해서는 해명과 재반박을 통해서 이를 극복해야 하며 공적 관심사에 대한 표현의 자유는 중요한 헌법상 권리로서 최대한 보장되어야 한다. 따라서 공적 인물과 관련된 공적 관심사에 관하여 의혹을 제기하는 형태의 표현행위에 대해서는 일반인에 대한 경우와 달리 암시에 의한 사실의 적시로 평가하는 데 신중해야 한다.

해설

② [×] **형법 제307조 제1항의 '사실'은 제2항의 '허위의 사실'과 반대되는 '진실한 사실'을 말하는 것이 아니라 가치판단이나 평가를 내용으로 하는 '의견'에 대치되는 개념이라고 보아야 한다.** 따라서 제307조 제1항의 명예훼손죄는 적시된 사실이 진실한 사실인 경우이든 허위의 사실인 경우이든 모두 성립될 수 있고, 특히 적시된 사실이 허위의 사실이라고 하더라도 행위자에게 허위성에 대한 인식이 없는 경우에는 제307조 제2항의 명예훼손죄가 아니라 제307조 제1항의 명예훼손죄가 성립될 수 있다.(대법원 2017. 4. 26. 2016도18024 **대구애락원 사건**)

① [○] 명예훼손죄에서 '사실의 적시'란 가치판단이나 평가를 내용으로 하는 '의견표현'에 대치되는 개념으로서 시간적으로나 공간적으로 구체적인 과거 또는 현재의 사실관계에 관한 보고나 진술을 뜻하고, **표현내용을 증거로 증명할 수 있는 것을 말한다.**(대법원 2021. 3. 25. 2016도14995 **박근혜 마약 · 보톡스 발언 사건**)

③ [○] 객관적으로 피해자의 사회적 평가를 저하시키는 사실에 관한 발언이 보도, 소문이나 제3자의 말을 인용하는 방법으로 단정적인 표현이 아닌 **전문 또는 추측의 형태로 표현되었더라도 표현 전체의 취지로 보아 사실이 존재할 수 있다는 것을 암시하는 방식으로 이루어진 경우에는 사실을 적시한 것으로 보아야 한다.**(대법원 2021. 3. 25. 2016도14995 **박근혜 마약 · 보톡스 발언 사건**)

④ [○] 공론의 장에 나선 전면적 공적 인물의 경우에는 비판과 의혹의 제기를 감수해야 하고 그러한 비판과 의혹에 대해서는 해명과 재반박을 통해서 이를 극복해야 하며 공적 관심사에 대한 표현의 자유는 중요한 **헌법상 권리로서 최대한 보장되어야 한다.** 따라서 공적 인물과 관련된 공적 관심사에 관하여 의혹을 제기하는 형태의 표현행위에 대해서는 **일반인에 대한 경우와 달리 암시에 의한 사실의 적시로 평가하는 데 신중해야 한다.**(대법원 2021. 3. 25. 2016도14995 **박근혜 마약 · 보톡스 발언 사건**)

095 명예에 관한 죄에 대한 설명으로 옳은 것만을 모두 고르면? (다툼이 있으면 판례에 의함)

□□□

22 국가7급 [Core ★★]

㉠ 정부의 업무수행과 관련된 사항을 주된 내용으로 하는 발언으로 그에 관여한 공직자에 대한 사회적 평가가 다소 저하될 수 있더라도 그 발언 내용이 공직자 개인에 대한 악의적이거나 심히 경솔한 공격으로서 현저히 상당성을 잃은 것으로 평가되지 않는 한 공직자 개인에 대한 명예훼손이 되지 않는다.
㉡ 이혼소송 계속 중인 아내가 남편의 친구에게 서신을 보내면서 남편의 명예를 훼손하는 문구가 기재된 서신을 동봉한 것만으로는 공연성이 인정되지 않는다.
㉢ 피해자에 대한 허위사실을 적시한 서명자료를 만들어 여러 명의 동료들에게 읽게 하고 서명을 받은 경우 그 내용이 동료들 사이에 만연한 소문이었다면 명예훼손죄를 구성하지 않는다.
㉣ 학교폭력 피해 학생의 어머니가 자신의 SNS 계정 프로필 상태메시지에 '학교폭력범은 접촉금지'라는 글과 주먹 모양의 그림말 세 개를 게시한 것은 학교폭력 가해자의 사회적 가치나 평가를 저하시키기에 충분한 구체적인 사실의 적시에 해당한다.

① ㉠㉡ ② ㉠㉣ ③ ㉡㉢ ④ ㉢㉣

해설

① ㉠㉡ 2 항목이 옳다.
㉠ [○] 정부 또는 국가기관의 업무수행과 관련된 사항은 항상 국민의 감시와 비판의 대상이 되어야 하는 것이고 정부 또는 국가기관은 형법상 명예훼손죄의 피해자가 될 수 없으므로(형법과 정보통신망법은 명예훼손죄의 피해자를 '사람'으로 명시하고 있다), 정부 또는 국가기관의 업무수행과 관련된 사항에 관한 표현으로 그 업무수행에 관여한 공직자에 대한 사회적 평가가 다소 저하될 수 있다고 하더라도 그 내용이 **공직자 개인에 대한 악의적이거나 심히 경솔한 공격으로서 현저히 상당성을 잃은 것으로 평가되지 않는 한 그로 인하여 곧바로 공직자 개인에 대한 명예훼손이 된다고 할 수 없다.**(대법원 2018. 11. 29. 2016도14678 해경 명예훼손 사건)
㉡ [○] 이혼소송 계속 중인 피고인 甲이 **남편의 친구** B에게 서신을 보내면서 남편 A의 명예를 훼손하는 문구가 기재된 서신을 동봉한 경우라도, B와 甲과의 관계에 비추어 보아 甲이 적시한 사실은 **불특정 또는 다수인에게 전파될 가능성이 있다고 볼 수는 없다.**(대법원 2000. 2. 11. 99도4579 남편 친구에게 사건)
㉢ [×] **원심은** 2013. 6. 18.경 명예훼손의 점에 대하여 피고인들이 피해자에 대한 허위사실을 적시한 서명자료를 만들어 여러 명의 동료들에게 읽게 하고 서명을 받았다면 불특정 또는 다수인이 인식할 수 있는 상태에 해당하고 설령 그 내용이 동료들 사이에 만연한 소문이었다고 하더라도 **명예훼손죄를 구성한다고 판단하였는바**, 원심의 판단에는 명예훼손죄의 공연성에 관한 **법리를 오해한 잘못이 없다.**(대법원 2020. 12. 30. 2015도15619 캐디 명예훼손 사건)
㉣ [×] 피고인이 자신의 카카오톡 계정 프로필 상태메시지에 '**학교폭력범은 접촉금지!!!**'라는 글과 주먹 모양의 그림말 세 개를 게시했다고 하더라도 그 상태메시지를 통해 피해자의 학교폭력 사건이나 그 사건으로 피해자가 받은 조치에 대해 기재함으로써 **피해자의 사회적 가치나 평가를 저하시키기에 충분한 구체적인 사실을 드러냈다고 볼 수 없다.**(대법원 2020. 5. 28. 2019도12750 학교폭력범은 접촉금지 사건)

정답 | 094 ② 095 ①

096 명예훼손죄에 관한 다음 설명 중 가장 옳지 않은 것은? (다툼이 있으면 판례에 의함)

□□□

21 법원행시 [Superlative ★★★]

① 명예훼손죄에서 '사실의 적시'란 가치판단이나 평가를 내용으로 하는 '의견표현'에 대치되는 개념으로서 시간적으로나 공간적으로 구체적인 과거 또는 현재의 사실관계에 관한 보고나 진술을 뜻하고, 표현 내용을 증거로 증명할 수 있는 것을 말한다.

② 형법 제307조 제1항의 '사실'은 제2항의 '허위의 사실'과 반대되는 '진실한 사실'을 말하는 것이므로 적시된 사실이 허위라는 입증이 없는 경우에는 형법 제307조 제1항의 명예훼손죄가 성립하지만, 적시된 사실이 허위인 경우 행위자에게 허위성에 대한 인식이 없다는 이유만으로 형법 제307조 제1항의 명예훼손죄가 성립될 수는 없다.

③ 객관적으로 피해자의 사회적 평가를 저하시키는 사실에 관한 발언이 보도, 소문이나 제3자의 말을 인용하는 방법으로 단정적인 표현이 아닌 전문 또는 추측의 형태로 표현되었더라도 표현 전체의 취지로 보아 사실이 존재할 수 있다는 것을 암시하는 방식으로 이루어진 경우에는 사실을 적시한 것으로 보아야 한다.

④ 공론의 장에 나선 전면적 공적 인물의 경우에는 비판과 의혹의 제기를 감수해야 하고 그러한 비판과 의혹에 대해서는 해명과 재반박을 통해서 이를 극복해야 하며 공적 관심사에 대한 표현의 자유는 중요한 헌법상 권리로서 최대한 보장되어야 한다. 따라서 공적 인물과 관련된 공적 관심사에 관하여 의혹을 제기하는 형태의 표현행위에 대해서는 일반인에 대한 경우와 달리 암시에 의한 사실의 적시로 평가하는 데 신중해야 한다.

⑤ 명예훼손죄가 성립하기 위해서는 주관적 구성요소로서 타인의 명예를 훼손한다는 고의를 가지고 사람의 사회적 평가를 저하시키는 데 충분한 구체적 사실을 적시하는 행위를 할 것이 요구된다. 따라서 불미스러운 소문의 진위를 확인하고자 질문을 하는 과정에서 타인의 명예를 훼손하는 발언을 하였다면 이러한 경우에는 그 동기에 비추어 명예훼손의 고의를 인정하기 어렵다.

해설

② [×] 형법 제307조 제1항의 '사실'은 제2항의 '허위의 사실'과 반대되는 '진실한 사실'을 말하는 것이 아니라 가치판단이나 평가를 내용으로 하는 '의견'에 대치되는 개념이라고 보아야 한다. 따라서 제307조 제1항의 명예훼손죄는 적시된 사실이 진실한 사실인 경우이든 허위의 사실인 경우이든 모두 성립될 수 있고, 특히 적시된 사실이 허위의 사실이라고 하더라도 행위자에게 허위성에 대한 인식이 없는 경우에는 제307조 제2항의 명예훼손죄가 아니라 제307조 제1항의 명예훼손죄가 성립될 수 있다.(대법원 2017. 4. 26. 2016도18024 대구애락원 사건)

① [○] 명예훼손죄에서 '사실의 적시'란 가치판단이나 평가를 내용으로 하는 '의견표현'에 대치되는 개념으로서 시간적으로나 공간적으로 구체적인 **과거 또는 현재의 사실관계에 관한 보고나 진술을 뜻하고, 표현 내용을 증거로 증명할 수 있는 것을 말한다.**(대법원 2021. 3. 25. 2016도14995 박근혜 마약 · 보톡스 발언 사건)

③ [○] 객관적으로 피해자의 사회적 평가를 저하시키는 사실에 관한 발언이 보도, 소문이나 제3자의 말을 인용하는 방법으로 단정적인 표현이 아닌 전문 또는 추측의 형태로 표현되었더라도 표현 전체의 취지로 보아 사실이

존재할 수 있다는 것을 암시하는 방식으로 이루어진 경우에는 **사실을 적시한 것으로 보아야 한다.**(대법원 2021. 3. 25. 2016도14995 박근혜 마약·보톡스 발언 사건)

④ [○] 공론의 장에 나선 전면적 공적 인물의 경우에는 비판과 의혹의 제기를 감수해야 하고 그러한 비판과 의혹에 대해서는 해명과 재반박을 통해서 이를 극복해야 하며 공적 관심사에 대한 표현의 자유는 중요한 헌법상 권리로서 최대한 보장되어야 한다. 따라서 공적 인물과 관련된 **공적 관심사에 관하여 의혹을 제기하는 형태의 표현행위에 대해서는 일반인에 대한 경우와 달리 암시에 의한 사실의 적시로 평가하는 데 신중해야 한다.**(대법원 2021. 3. 25. 2016도14995 박근혜 마약·보톡스 발언 사건)

⑤ [○] 명예훼손죄가 성립하기 위해서는 주관적 구성요소로서 타인의 명예를 훼손한다는 고의를 가지고 사람의 사회적 평가를 저하시키는 데 충분한 구체적 사실을 적시하는 행위를 할 것이 요구된다. 따라서 **불미스러운 소문의 진위를 확인하고자 질문을 하는 과정에서** 타인의 명예를 훼손하는 발언을 하였다면 이러한 경우에는 **그 동기에 비추어 명예훼손의 고의를 인정하기 어렵다.**(대법원 2018. 6. 15. 2018도4200 입점비확인 사건)

097 명예훼손죄에 관한 다음 설명 중 가장 옳지 않은 것은? (다툼이 있으면 판례에 의함)

□□□

15 법원9급 [*Core* ★★]

① 명예훼손죄에 있어서의 공연성은 불특정 또는 다수인이 인식할 수 있는 상태를 의미하므로, 비록 개별적으로 한 사람에 대하여 사실을 유포하더라도 이로부터 불특정 또는 다수인에게 전파될 가능성이 있다면 공연성의 요건을 충족한다.

② 기자를 통해 사실을 적시하는 경우에 기자가 취재를 한 상태에서 아직 기사화하여 보도하지 아니한 경우에도 전파가능성이 있으므로 공연성이 있다고 봄이 상당하다.

③ 서울시민 또는 경기도민 등과 같은 막연한 표시에 의해서는 명예훼손죄를 구성하지 않지만, 집합적 명사를 쓴 경우에도 그것에 의하여 그 범위에 속하는 특정인을 가리키는 것이 명백하면, 이를 각자의 명예를 훼손하는 행위라고 볼 수 있다.

④ 명예훼손죄가 성립하기 위해서는 사실의 적시가 있어야 하고 적시된 사실은 이로써 특정인의 사회적 가치 내지 평가가 침해될 가능성이 있을 정도로 구체성을 띠어야 한다.

해설

② [×] 기자를 통해 사실을 적시하는 경우에는 기사화되어 보도되어야만 적시된 사실이 외부에 공표된다고 보아야 할 것이므로 기자가 취재를 한 상태에서 아직 **기사화하여 보도하지 아니한 경우에는 공연성이 없다.**(대법원 2000. 5. 16. 99도5622 주간지 인터뷰 사건)

① [○] 명예훼손죄에 있어서 공연성은 불특정 또는 다수인이 인식할 수 있는 상태를 의미하므로 비록 개별적으로 한 사람에 대하여 사실을 유포하더라도 이로부터 불특정 또는 다수인에게 전파될 가능성이 있다면 공연성의 요건을 충족한다 할 것이지만, 이와 달리 **전파될 가능성이 없다면 특정한 한 사람에 대한 사실의 유포는 공연성을 결한다 할 것이다.**(대법원 2011. 9. 8. 2010도7497 정신병이 있었다 하더라 사건)

정답 | 096 ② 097 ②

③ [○] 명예훼손죄는 어떤 특정한 사람 또는 인격을 보유하는 단체에 대하여 그 명예를 훼손함으로써 성립하는 것이므로 그 피해자는 특정한 것임을 요하고, 다만 서울시민 또는 경기도민이라 함과 같은 막연한 표시에 의해서는 명예훼손죄를 구성하지 아니한다 할 것이지만, **집합적 명사를 쓴 경우에도 그것에 의하여 그 범위에 속하는 특정인을 가리키는 것이 명백하면, 이를 각자의 명예를 훼손하는 행위라고 볼 수 있다.**(대법원 2000. 10. 10. 99도5407 3.19 **동지회 사건**)

④ [○] 명예훼손죄가 성립하기 위하여는 사실의 적시가 있어야 하고, 적시된 사실은 이로써 특정인의 사회적 가치 내지 평가가 침해될 가능성이 있을 정도로 구체성을 띠어야 한다. 그리고 특정인의 사회적 가치나 평가를 저하시키기에 충분한 구체적인 사실의 적시가 있다고 하기 위해서는, 반드시 그러한 구체적인 사실이 직접적으로 명시되어 있을 것을 요구하는 것은 아니지만, 적어도 적시된 내용 중의 **특정 문구에 의하여 그러한 사실이 곧바로 유추될 수 있을 정도는 되어야 한다.**(대법원 2011. 8. 18. 2011도6904 **군수 보좌관 구속 사건**)

098 다음은 명예훼손죄에 대한 설명이다. 옳은 것은 모두 몇 개인가? (다툼이 있으면 판례에 의함)

□□□

15 법원9급 [*Core* ★★]

㉠ 피고인이 자신의 아들 등에게 폭행을 당하여 입원한 피해자의 병실로 찾아가 그의 모(母) 甲과 대화하던 중 甲의 이웃 乙및 피고인의 일행 丙 등이 있는 자리에서 "학교에 알아보니 피해자에게 원래 정신병이 있었다고 하더라."라고 허위사실을 말한 경우 - 공연성 부정

㉡ 피고인이 평소 乙이 자신의 일에 간섭하는 것에 기분이 나쁘다는 이유로 甲으로부터 취득한 乙의 범죄경력기록을 같은 아파트에 거주하는 丙에게 보여주면서 "전과자이고 나쁜년"이라고 사실을 적시한 경우 - 공연성 인정

㉢ 중학교 교사에 대해 "전과범으로서 교사직을 팔아가며 이웃을 해치고 고발을 일삼는 악덕교사"라는 취지의 진정서를 그가 근무하는 학교법인 이사장 앞으로 제출한 행위 - 공연성 부정

㉣ 명예훼손의 발언(피해자들이 전과가 많다는 내용)을 들은 사람들이 피해자들과는 일면식이 없거나 이미 피해자들의 전과사실을 알고 있었던 경우 - 공연성 인정

㉤ 개인 블로그의 비공개 대화방에서 상대방으로부터 비밀을 지키겠다는 말을 듣고 일대일로 대화한 경우 - 공연성 부정

㉥ 피고인이 다방에서 피해자와 동업관계로 친한 사이인 甲에게 피해자의 험담을 한 경우에 있어서 다방 내의 좌석이 다른 손님의 자리와 멀리 떨어져 있고, 그 당시 甲은 피고인에게 "왜 피해자에 관해서 그런 말을 하느냐"고 힐책까지 한 사실이 있는 경우 - 공연성 부정

① 1개 ② 2개 ③ 3개 ④ 4개

해설

④ ㉠㉢㉣㉥ 4 항목이 옳다.

㉠ [○] 피고인이 자신의 아들 등에게 폭행을 당하여 입원한 피해자의 병실로 찾아가 그의 모(母) 甲과 대화하던 중 甲의 이웃 乙및 피고인의 일행 丙 등이 있는 자리에서 "학교에 알아보니 피해자에게 원래 정신병이 있었다고 하더라."라고 허위사실을 말한 경우 불특정 또는 다수인이 인식할 수 있는 상태라고 할 수 없고 또 불특정 또는 다수인에게 전파될 가능성이 있다고 보기도 어려워 **공연성이 없다**.(대법원 2011. 9. 8. 2010도7497 **정신병이 있었다 하더라 사건**)

㉡ [×] 피고인이 평소 乙이 자신의 일에 간섭하는 것에 기분이 나쁘다는 이유로 甲으로부터 취득한 乙의 범죄경력기록을 같은 아파트에 거주하는 丙에게 보여주면서 "전과자이고 나쁜년"이라고 사실을 적시한 경우 위 유포사실은 **불특정 또는 다수인에게 전파될 가능성이 없다**.(대법원 2010. 11. 11. 2010도8265 **전과자이고 나쁜년 사건**)

㉢ [○] 피고인이 "甲은 전과 6범으로 교사직을 팔아가며 이웃을 해치고 고발을 일삼는 악덕교사이다"라는 취지의 진정서를 甲이 교사로 근무하고 있는 동도중학교의 학교법인 이사장 乙 앞으로 제출하였더라도, 진정서의 내용과 甲, 乙의 관계 등에 비추어 볼 때, **乙이 진정서 내용을 타에 전파할 가능성이 있다고 보기 어렵다**.(대법원 1983. 10. 25. 83도2190 **악덕교사 사건**)

㉣ [○] 피고인의 "A 부부는 전과가 많다"는 내용의 발언을 들은 사람들이 피해자들과는 일면식이 없다거나 또는 이미 피해자들의 전과사실을 알고 있었다고 하더라도 **공연성 즉 전파될 가능성이 없다고 볼 수 없다**.(대법원 1993. 3. 23. 92도455)

㉤ [×] 피고인이 개인 블로그의 비공개 대화방에서 상대방으로부터 비밀을 지키겠다는 말을 듣고 일대일로 대화하였다고 하더라도 그 사정만으로 대화 상대방이 대화내용을 불특정 또는 다수에게 전파할 가능성이 없다고 할 수 없으므로 명예훼손죄의 요건인 **공연성을 인정할 여지가 있다**.(대법원 2008. 2. 14. 2007도8155 **블로그 비밀대화 사건**)

㉥ [○] 피고인이 다방에서 피해자와 동업관계로 친한 사이인 甲에게 피해자의 험담을 한 경우에 있어서 다방 내의 좌석이 다른 손님의 자리와 멀리 떨어져 있고, 그 당시 甲은 피고인에게 "왜 피해자에 관해서 그런 말을 하느냐"고 힐책까지 한 사실이 있다면 **전파될 가능성이 있다고 볼 수 없다**.(대법원 1984. 2. 28. 83도891)

정답 | 098 ④

099 명예훼손죄에 관한 설명으로 옳은 것을 모두 고른 것은? (다툼이 있으면 판례에 의함)

□□□

24 경찰채용 [*Core* ★★]

㉠ 전파가능성이 있다는 이유로 공연성을 인정하는 것은 문언의 통상적 의미를 벗어나 피고인에게 불리한 확장해석으로 죄형법정주의에서 금지하는 유추해석에 해당한다.
㉡ 사실적시의 내용이 사회 일반의 일부 이익에만 관련된 사항이라도 다른 일반인과 공동생활에 관계된 사항이라면 공익성을 지니고, 나아가 개인에 관한 사항이더라도 공공의 이익과 관련되어 있고 사회적인 관심을 획득하거나 획득할 수 있는 경우라면 직접적으로 국가·사회 일반의 이익이나 특정한 사회집단에 관한 것이 아니라는 이유만으로 형법 제310조의 적용을 배제할 것은 아니다.
㉢ 객관적으로 피해자의 사회적 평가를 저하시키는 사실에 관한 발언이 보도, 소문이나 제3자의 말을 인용하는 방법으로 단정적인 표현이 아닌 전문 또는 추측의 형태로 표현된 경우 표현 전체의 취지로 보아 사실이 존재할 수 있다는 것을 '암시'하는 방식으로 이루어졌다면 사실을 적시한 것으로 볼 수 없다.
㉣ 정보통신망 이용촉진 및 정보보호 등에 관한 법률위반(명예훼손)죄의 '비방할 목적'이란 공공의 이익을 위한 것과는 행위자의 주관적 의도의 방향에서 서로 상반되는 관계에 있으므로 적시한 사실이 공공의 이익에 관한 것인 경우에는 특별한 사정이 없는 한 비방할 목적은 부인된다.
㉤ 명예훼손죄의 공연성에 관해 확립된 법리로 정착된 이른바 전파가능성 이론은 「정보통신망 이용촉진 및 정보보호 등에 관한 법률」상 정보통신망을 이용한 명예훼손뿐만 아니라 「공직선거법」상 후보자비방죄 등의 공연성 판단에도 동일하게 적용된다.

① ㉠㉢㉣　　② ㉡㉢㉤
③ ㉡㉣㉤　　④ ㉡㉢㉣㉤

해설

③ ㉡㉣㉤ 3 항목이 옳다.
㉠ [×] 명예훼손죄의 구성요건으로서 공연성은 불특정 또는 다수인이 인식할 수 있는 상태를 의미하고, 개별적으로 소수의 사람에게 사실을 적시하였더라도 **그 상대방이 불특정 또는 다수인에게 적시된 사실을 전파할 가능성이 있는 때에도 공연성이 인정된다.**(대법원 2021. 4. 8. 2020도18437 노임을 유용하였다 사건) 지문은 일부 학설의 주장내용으로 판례에 의할 때에는 옳지 않다.
㉡ [○] 사실적시의 내용이 사회 일반의 일부 이익에만 관련된 사항이라도 다른 일반인과 공동생활에 관계된 사항이라면 공익성을 지니고, 나아가 **개인에 관한 사항이더라도 공공의 이익과 관련되어 있고 사회적인 관심을 획득하거나 획득할 수 있는 경우라면 직접적으로 국가·사회 일반의 이익이나 특정한 사회집단에 관한 것이 아니라는 이유만으로 형법 제310조의 적용을 배제할 것은 아니다.** 사인이라도 그가 관계하는 사회적 활동의 성질과 사회에 미칠 영향을 헤아려 공공의 이익에 관련되는지 판단해야 한다.(대법원 2023. 2. 2. 2022도13425 농활 음주 사건)

ⓒ [×] 객관적으로 피해자의 사회적 평가를 저하시키는 사실에 관한 발언이 보도, 소문이나 제3자의 말을 인용하는 방법으로 단정적인 표현이 아닌 전문 또는 추측의 형태로 표현되었더라도 표현 전체의 취지로 보아 **사실이 존재할 수 있다는 것을 암시하는 방식으로 이루어진 경우에는 사실을 적시한 것으로 보아야 한다.**(대법원 2021. 3. 25. 2016도14995 박근혜 마약 · 보톡스 발언 사건)

ⓔ [○] 정보통신망법 제70조 제1, 2항에서 정한 '비방할 목적'은 공공의 이익을 위한 것과는 행위자의 주관적 의도라는 방향에서 상반되므로 적시한 사실이 **공공의 이익에 관한 것인 경우에는 특별한 사정이 없는 한 비방할 목적은 부정된다.**(대법원 2020. 3. 2. 2018도15868 총학생회장 입후보자 비방사건)

ⓜ [○] 대법원은 명예훼손죄의 공연성에 관하여 개별적으로 소수의 사람에게 사실을 적시하였더라도 그 상대방이 불특정 또는 다수인에게 적시된 사실을 전파할 가능성이 있는 때에는 공연성이 인정된다고 일관되게 판시하여, 이른바 전파가능성 이론은 공연성에 관한 확립된 법리로 정착되었다. 즉, 대법원 1968. 12. 24. 선고 68도1569 판결에서 '비밀이 잘 보장되어 외부에 전파될 염려가 없는 경우가 아니면 비록 개별적으로 한 사람에 대하여 사실을 유포하였더라도 연속하여 수인에게 사실을 유포하여 그 유포한 사실이 외부에 전파될 가능성이 있는 이상 공연성이 있다.'고 최초로 판시한 후 대법원 1981. 10. 27. 선고 81도1023 판결에서 **'비록 개별적으로 한 사람에 대하여 사실을 유포하였다고 하여도 이로부터 불특정 또는 다수인에게 전파될 가능성이 있다면 공연성의 요건을 충족하는 것이나, 이와 반대의 경우라면 특정한 한 사람에 대한 사실의 유포는 공연성을 결여한 것이다.'고 판시하였고,** 최근의 대법원 2018. 6. 15. 선고 2018도4200 판결에서도 위 법리가 유지되었다. 이러한 법리는 **정보통신망법상 정보통신망을 이용한 명예훼손이나 공직선거법상 후보자비방죄 등의 공연성 판단에도 동일하게 적용되어**(대법원 1996. 7. 12. 선고 96도1007 판결, 대법원 2008. 2. 14. 선고 2007도8155 판결 등 참조), 적시한 사실이 허위인지 여부나 특별법상 명예훼손 행위인지 여부에 관계없이 명예훼손 **범죄의 공연성에 관한 대법원 판례의 기본적 법리로 적용되어 왔다.**(대법원 2020. 11. 19. 2020도5813 全合 징역 살다온 전과자다 사건)

정답 | 099 ③

100 명예에 관한 죄에 대한 설명으로 옳지 않은 것은? (다툼이 있으면 판례에 의함)

□□□

22 국가9급 [Core ★★]

① 甲은 A의 집 뒷길에서 자신의 남편과 A의 친척이 듣는 가운데 다른 사람들이 들을 수 있을 정도의 큰 소리로 A에게 "저것이 징역 살다온 전과자다."라고 말한 경우 자신의 남편과 A의 친척에게 말한 것이라 할지라도 명예훼손죄의 구성요건요소인 '공연성'이 인정된다.

② 인터넷 신문사 소속 기자 A가 인터넷 포털 사이트에 제품의 안전성에 관한 논란이 되고 있는 제품을 옹호하는 기사를 게재하자, 그 기사를 읽은 상당수의 독자들이 A를 비판하는 댓글을 달고 있는 상황에서 甲이 "이런걸 기레기라고 하죠?"라는 댓글을 게시한 경우 이는 모욕적 표현에 해당하나 사회상규에 위배되지 않는 행위로서 형법 제20조에 의하여 위법성이 조각된다.

③ 글의 집필의도, 논리적 흐름, 서술체계 및 전개방식, 해당 글과 비평의 대상이 된 말 또는 글의 전체적인 내용 등을 종합하여 볼 때, 평균적인 독자의 관점에서 문제된 부분이 실제로는 비평자의 주관적 의견에 해당하고, 다만 비평자가 자신의 의견을 강조하기 위한 수단으로 그와 같은 표현을 사용한 것이라고 이해된다 하더라도 명예훼손죄에서 말하는 사실의 적시에 해당한다.

④ 공연히 사실을 적시하여 사람의 명예를 훼손한 경우 그것이 진실한 사실이고 행위자의 주요한 동기 내지 목적이 공공의 이익을 위한 것이라면 부수적으로 다른 사익적 목적이나 동기가 내포되어 있더라도 형법 제310조의 적용을 배제할 수 없다.

해설

③ [×] 다른 사람의 말이나 글을 비평하면서 사용한 표현이 겉으로 보기에 증거에 의해 입증 가능한 구체적인 사실관계를 서술하는 형태를 취하고 있다고 하더라도 **평균적인 독자의 관점에서 문제된 부분이 실제로는 비평자의 주관적 의견에 해당하고**, 다만 비평자가 자신의 의견을 강조하기 위한 수단으로 그와 같은 표현을 사용한 것이라고 이해된다면 명예훼손죄에서 말하는 **사실의 적시에 해당한다고 볼 수 없다**.(대법원 2017. 5. 11. 2016도19255 **일본 사관의 식민사학자 사건**)

① [○] 甲은 A의 집 뒷길에서 자신의 남편과 A의 친척이 듣는 가운데 **다른 사람들이 들을 수 있을 정도의 큰 소리로** A에게 "저것이 징역 살다온 전과자다."라고 말한 경우 자신의 남편과 A의 친척에게 말한 것이라 할지라도 명예훼손죄의 구성요건요소인 **'공연성'이 인정된다**.(대법원 2020. 11. 19. 2020도5813 全合 **징역 살다온 전과자다 사건**)

② [○] '기레기'는 '기자'와 '쓰레기'의 합성어로서 자극적인 제목이나 내용 등으로 홍보성 기사를 작성하는 행위 등을 하는 기자들 또는 기자들의 행태를 비하한 용어이므로 기자인 피해자의 사회적 평가를 저하시킬 만한 추상적 판단이나 경멸적 감정을 표현한, 모욕적 표현에 해당하기는 한다. 그러나 피고인이 작성한 "이런걸 기레기라고 하죠?"라는 댓글은 그 전후에 게시된 다른 댓글들과 같은 견지에서 방송 내용 등을 근거로 기사의 제목과 내용, 이를 작성한 피해자의 행위나 태도를 비판하는 의견을 강조하거나 압축하여 표현한 것이라고 평가할 수 있다. 또한 '기레기'는 기사 및 기자의 행태를 비판하는 글에서 비교적 폭넓게 사용되는 단어이고, 기사에 대한 다른 댓글들의 논조 및 내용과 비교해 볼 때 댓글의 표현이 지나치게 악의적이라고 하기도 어려워 피고인의 행위는 **사회상규에 위배되지 않는 행위로서 형법 제20조에 의하여 위법성이 조각된다**.(대법원 2021. 3. 25. 2017도17643 **이런걸 기레기라고 하죠 사건**)

④ [○] 공연히 사실을 적시하여 사람의 명예를 훼손한 경우 그것이 진실한 사실이고 행위자의 주요한 동기 내지 목적이 공공의 이익을 위한 것이라면 **부수적으로 다른 사익적 목적이나 동기가 내포되어 있더라도 형법 제310조의 적용을 배제할 수 없다**.(대법원 2017. 4. 26. 2016도18024 **대구애락원 사건**)

101 명예훼손죄에 대한 설명으로 가장 옳은 것은? (다툼이 있으면 판례에 의함) 24 해경채용 [Core ★★]

□□□

① 정부의 업무수행과 관련된 사항을 주된 내용으로 하는 발언으로 그에 관여한 공직자에 대한 사회적 평가가 다소 저하될 수 있더라도 그 발언 내용이 공직자 개인에 대한 악의적이거나 심히 경솔한 공격으로서 현저히 상당성을 잃은 것으로 평가되지 않는 한 공직자 개인에 대한 명예훼손이 되지 않는다.

② 이혼소송 계속 중인 아내가 남편의 친구에게 서신을 보내면서 남편의 명예를 훼손하는 문구가 기재된 서신을 동봉한 것만으로도 공연성이 인정된다.

③ 피해자에 대한 허위사실을 적시한 서명자료를 만들어 여러 명의 동료들에게 읽게 하고 서명을 받은 경우 그 내용이 동료들 사이에 만연한 소문이었다면 명예훼손죄를 구성하지 않는다.

④ 학교폭력 피해 학생의 어머니가 자신의 SNS 계정 프로필 상태메시지에 '학교폭력범은 접촉금지'라는 글과 주먹 모양의 그림말 세 개를 게시한 것은 학교폭력 가해자의 사회적 가치나 평가를 저하시키기에 충분한 구체적인 사실의 적시에 해당한다.

해설

① [○] 표현의 자유와 명예보호 사이의 한계를 정할 때 표현으로 명예가 훼손되는 피해자의 지위나 표현의 내용 등에 따라 심사기준에 차이를 두어야 하고, 공공적 · 사회적인 의미를 가진 사안에 관한 표현의 경우에는 표현의 자유를 가급적 넓게 보호하여야 한다. 특히 정부 또는 국가기관의 업무수행과 관련된 사항은 항상 국민의 감시와 비판의 대상이 되어야 하는 것이고 **정부 또는 국가기관은 형법상 명예훼손죄의 피해자가 될 수 없으므로**(형법과 정보통신망법은 명예훼손죄의 피해자를 '사람'으로 명시하고 있다), 정부 또는 국가기관의 업무수행과 관련된 사항에 관한 표현으로 그 업무수행에 관여한 공직자에 대한 사회적 평가가 다소 저하될 수 있다고 하더라도 그 내용이 공직자 개인에 대한 악의적이거나 심히 경솔한 공격으로서 현저히 상당성을 잃은 것으로 평가되지 않는 한 그로 인하여 곧바로 공직자 개인에 대한 명예훼손이 된다고 할 수 없다.(대법원 2018. 11. 29. 2016도14678 **해경 명예훼손 사건**)

② [×] 피고인(아내)과 피해자(남편)는 원래 법률상의 부부로서 서로 이혼소송을 제기하여 1997. 5. 9. 피고인의 청구에 기하여 이혼한다는 제1심판결이 선고된 사실, 공소외인은 피해자의 친구인 대학교수로서 위 소송과정에서 피해자에게 유리한 증거자료인 진술서를 작성하여 주었던 관계로 피고인은 1998. 1. 말경 공소외인에게 사실 관계를 알리는 내용의 편지를 보내는 기회에 피해자에게 보내는 서신도 함께 동봉하였는바, 피해자에게 보내는 위 서신에 바로 공소사실과 같은 문구가 기재되어 있었던 사실, 피해자는 친구인 공소외인으로부터 위 서신을 전달받은 다음 이 사건 공소사실과는 다른 사실로 피고인을 고소함에 있어서 위 서신을 자료로 첨부하였을 뿐인 사실을 알 수 있으며, 달리 공소외인이 위 사실을 불특정 또는 다수인에게 전파하였음을 엿볼 수 있는 자료는 기록상 이를 찾아볼 수 없는바, 이와 같은 사정하에서는 **특히 공소외인과 피고인과의 관계에 비추어 보아 피고인이 적시한 사실이 불특정 또는 다수인에게 전파될 가능성이 있다고 볼 수는 없다.**(대법원 2000. 2. 11. 99도4579 **남편 친구에게 사건**)

③ [×] **원심은** 2013. 6. 18.경 명예훼손의 점에 대하여 피고인들이 피해자에 대한 허위사실을 적시한 서명자료를 만들어 여러 명의 동료들에게 읽게 하고 서명을 받았다면 불특정 또는 다수인이 인식할 수 있는 상태에

정답 | 100 ③ 101 ①

해당하고 설령 그 내용이 동료들 사이에 만연한 소문이었다고 하더라도 **명예훼손죄를 구성한다고 판단하였는 바**, 원심의 판단에는 명예훼손죄의 공연성에 관한 법리를 오해한 잘못이 없다.(대법원 2020. 12. 30. 2015도15619 **캐디 명예훼손 사건**)

④ [×] 피고인이 자신의 카카오톡 계정 프로필 상태메시지에 '학교폭력범은 접촉금지!!!'라는 글과 주먹 모양의 그림말 세 개를 게시했다고 하더라도 그 상태메시지를 통해 피해자의 학교폭력 사건이나 그 사건으로 피해자가 받은 조치에 대해 기재함으로써 **피해자의 사회적 가치나 평가를 저하시키기에 충분한 구체적인 사실을 드러냈다고 볼 수 없다.**(대법원 2020. 5. 28. 2019도12750 **학교폭력범은 접촉금지 사건**)

102 명예훼손죄에 대한 설명 중 옳지 않은 것은? (다툼이 있으면 판례에 의함)

□□□

17 경찰간부 [Superlative ★★★]

① 피고인이 피해자를 괴롭히기 위하여 피해자가 동성애자가 아님에도 불구하고 인터넷사이트에 7회에 걸쳐 피해자가 동성애자라는 내용의 글을 게재하였다면, 그러한 행위는 피해자의 명예를 훼손하는 행위에 해당한다고 볼 수 있다.

② 통상 사람에게 사실을 적시할 경우 그 자체로서 적시된 사실이 외부에 공표되는 것이므로 그 때부터 곧 전파가능성을 따져 공연성 여부를 판단하여야 할 것이고, 이는 기자를 통해 사실을 적시하는 경우라고 하여 달리 볼 것이 아니다.

③ 'A회사가 일본 B맥주에 지분이 50%가 넘어가 일본 기업이 됐다'라는 표현만으로는 ㅇㅇ 소주를 생산하는 피해자 A회사의 대주주 내지 지배주주가 일본 회사라고 적시하는 경우 일부 소비자들이 ㅇㅇ소주의 구매에 소극적이 될 여지가 있다 하더라도 이를 사회통념상 A회사의 사회적 가치 내지 평가가 침해될 가능성이 있는 명예훼손적 표현이라고 보기는 힘들다.

④ 교장 甲이 여성 기간제교사 乙에게 차 접대 요구와 부당한 대우를 하였다는 인상을 주는 내용의 글을 게재한 교사 丙의 명예훼손행위가 공공의 이익에 관한 것으로서 위법성이 조각된다.

해설

② [×] 통상 기자가 아닌 보통 사람에게 사실을 적시할 경우에는 그 자체로서 적시된 사실이 외부에 공표되는 것이므로 그 때부터 곧 전파가능성을 따져 공연성 여부를 판단하여야 할 것이지만, **그와는 달리 기자를 통해 사실을 적시하는 경우에는 기사화되어 보도되어야만 적시된 사실이 외부에 공표된다고 보아야 할 것이므로** 기자가 취재를 한 상태에서 아직 기사화하여 보도하지 아니한 경우에는 전파가능성이 없다고 할 것이어서 공연성이 없다.(대법원 2000. 5. 16. 99도5622 **주간지 인터뷰 사건**)

① [○] 피해자가 동성애자가 아님에도 불구하고 피고인이 인터넷사이트 싸이월드에 7회에 걸쳐 피해자가 동성애자라는 내용의 글을 게재한 것은 **피해자의 명예를 훼손한 행위에 해당한다.**(대법원 2007. 10. 25. 2007도5077 **후임병이 게이였다 사건**)

③ [○] 피고인의 발언 중 "(주)진로가 일본 아사히 맥주에 지분이 50% 넘어가 **일본 기업이 됐다**"는 부분은 가치

중립적인 표현으로서, 우리나라와 일본의 특수한 역사적 배경과 소주라는 상품의 특수성 때문에 '참이슬' 소주를 생산하는 피해자 회사의 대주주 내지 지배주주가 일본 회사라고 적시하는 경우 일부 소비자들이 '참이슬' 소주의 구매에 소극적이 될 여지가 있다 하더라도 이를 피해자 회사의 사회적 가치 내지 평가가 침해될 가능성이 있는 **명예훼손적 표현이라고 볼 수 없다.**(대법원 2008. 11. 27. 2008도6728 처음처럼 홍보맨 사건)

④ [O] 글을 게재한 주요 동기 내지 목적은 공공의 이익에 관한 것이라고 볼 수 있어 피고인의 행위는 형법 제310조에 의하여 **위법성이 조각되어 죄가 되지 않는다.**(대법원 2008. 7. 10. 2007도9885 보성초등학교 기간제 교사 사건)

103 명예에 관한 죄에 관한 다음 설명 중 가장 옳지 않은 것은? (다툼이 있으면 판례에 의함)

□□□

24 법원행시 [Superlative ★★★]

① 甲이 乙에 대한 징계절차 회부 사실이 기재된 문서를 근무현장 방재실, 기계실, 관리사무실의 각 게시판에 게시한 경우 위 문서의 내용은 회사 내부의 원활하고 능률적인 운영의 도모라는 공공의 이익에 관한 것이라고 볼 수 있어 위법성이 조각되는 경우에 해당한다.

② 사자명예훼손죄는 고소가 있어야 공소를 제기할 수 있고, 출판물에 의한 명예훼손죄는 피해자의 명시한 의사에 반하여 공소를 제기할 수 없다.

③ 다른 특별한 사정이 없는 한 그 진실이 무엇인지 확인할 수 없는 과거의 역사적 사실관계 등에 대하여 민사판결을 통하여 어떠한 사실인정이 있었다는 이유만으로 이후 그와 반대되는 사실의 주장이나 견해의 개진 등을 형법상 명예훼손죄 등에 있어서 '허위의 사실 적시'라는 구성요건에 해당한다고 쉽게 단정하여서는 아니 된다.

④ 모욕의 수단과 방법에는 제한이 없으므로 언어적 수단이 아닌 비언어적·시각적 수단만을 사용하여 표현을 하더라도 그것이 사람의 사회적 평가를 저하시킬 만한 추상적 판단이나 경멸적 감정을 전달하는 것이라면 모욕죄가 성립한다.

⑤ 사실적시의 내용이 사회 일반의 일부 이익에만 관련된 사항이라도 다른 일반인과 공동생활에 관계된 사항이라면 공익성을 지니고, 나아가 개인에 관한 사항이더라도 공공의 이익과 관련되어 있고 사회적인 관심을 획득하거나 획득할 수 있는 경우라면 직접적으로 국가·사회 일반의 이익이나 특정한 사회집단에 관한 것이 아니라는 이유만으로 형법 제310조의 적용을 배제할 것은 아니다.

정답 | 102 ② 103 ①

해설

① [×] 회사에서 징계 업무를 담당하는 직원인 피고인이 피해자에 대한 징계절차 회부 사실이 기재된 문서를 근무현장 방재실, 기계실, 관리사무실의 각 게시판에 게시함으로써 공연히 피해자의 명예를 훼손하였다는 내용으로 기소되었는바, 징계혐의 사실은 징계절차를 거친 다음 확정되는 것이므로 징계절차에 회부되었을 뿐인 단계에서 그 사실을 공개함으로써 피해자의 명예를 훼손하는 경우 이를 사회적으로 상당한 행위라고 보기는 어려운 점, 피해자에 대한 징계 의결이 있기 전에 징계절차에 회부되었다는 사실이 공개되는 경우 피해자가 입게 되는 피해의 정도는 가볍지 않은 점 등을 종합하면 **피해자에 대한 징계절차 회부 사실을 공지하는 것이 회사 내부의 원활하고 능률적인 운영의 도모라는 공공의 이익에 관한 것으로 볼 수 없다.**(대법원 2021. 8. 26. 2021도6416 **징계회부 사실 공지 사건**)

② [○] 제308조(사자명예훼손죄)와 제311조(모욕죄)의 죄는 **고소가 있어야 공소를 제기할 수 있다.** 제307조(명예훼손죄)와 제309조(출판물명예훼손죄)의 죄는 **피해자의 명시한 의사에 반하여 공소를 제기할 수 없다.**(제312조 제1항 · 제2항)

③ [○] 민사판결의 사실인정이 항상 진실한 사실에 해당한다고 단정할 수는 없으므로 다른 특별한 사정이 없는 한 그 진실이 무엇인지 확인할 수 없는 과거의 역사적 사실관계 등에 대하여 **민사판결을 통하여 어떠한 사실인정이 있었다는 이유만으로 이후 그와 반대되는 사실의 주장이나 견해의 개진 등을 형법상 명예훼손죄 등에 있어서 '허위의 사실 적시'라는 구성요건에 해당한다고 쉽게 단정하여서는 아니 된다.**(대법원 2017.12. 5. 2017도15628 적통 논란 사건)

④ [○] 모욕의 수단과 방법에는 제한이 없으므로 언어적 수단이 아닌 **비언어적 · 시각적 수단만을 사용하여 표현을 하더라도 그것이 사람의 사회적 평가를 저하시킬 만한 추상적 판단이나 경멸적 감정을 전달하는 것이라면 모욕죄가 성립한다.** 최근 영상 편집 · 합성 기술이 발전함에 따라 합성 사진 등을 이용한 모욕 범행의 가능성이 높아지고 있고, 시각적 수단만을 사용한 모욕이라 하더라도 그 행위로 인하여 피해자가 입는 피해나 범행의 가벌성 정도는 언어적 수단을 사용한 경우와 비교하여 차이가 없다.(대법원 2023. 2. 2. 2022도4719 **개 얼굴 합성사건**)

⑤ [○] 사실적시의 내용이 사회 일반의 일부 이익에만 관련된 사항이라도 다른 일반인과 공동생활에 관계된 사항이라면 공익성을 지니고, 나아가 **개인에 관한 사항이더라도 공공의 이익과 관련되어 있고 사회적인 관심을 획득하거나 획득할 수 있는 경우라면 직접적으로 국가 · 사회 일반의 이익이나 특정한 사회집단에 관한 것이 아니라는 이유만으로 형법 제310조의 적용을 배제할 것은 아니다.** 사인이라도 그가 관계하는 사회적 활동의 성질과 사회에 미칠 영향을 헤아려 공공의 이익에 관련되는지 판단해야 한다.(대법원 2023. 2. 2. 2022도13425 **농활 음주 사건**)

104 다음 설명 중 옳지 않은 것은 모두 몇 개인가? (다툼이 있으면 판례에 의함)

□□□

20 법원행시 [Superlative ★★★]

㉠ 국가나 지방자치단체는 국민에 대한 관계에서 형벌의 수단을 통해 보호되는 외부적 명예의 주체가 될 수는 없고, 따라서 명예훼손죄나 모욕죄의 피해자가 될 수 없다.
㉡ 형법 제307조 제2항의 허위사실 적시에 의한 명예훼손죄에서 적시된 사실이 허위인지 여부를 판단함에 있어서는 적시된 사실의 내용 전체의 취지를 살펴볼 때 세부적인 내용에서 진실과 약간 차이가 나거나 다소 과장된 표현이 있는 정도에 불과하다면 이를 허위라고 볼 수 없으나, 중요한 부분이 객관적 사실과 합치하지 않는다면 이를 허위라고 보아야 한다.
㉢ 이른바 집단표시에 의한 모욕은, 모욕의 내용이 집단에 속한 특정인에 대한 것이라고는 해석되기 힘들고, 집단표시에 의한 비난이 개별구성원에 이르러서는 비난의 정도가 희석되어 구성원 개개인의 사회적 평가에 영향을 미칠 정도에 이르지 아니한 경우에는 구성원 개개인에 대한 모욕이 성립되지 않는다고 봄이 원칙이고, 비난의 정도가 희석되지 않아 구성원 개개인의 사회적 평가를 저하시킬 만한 것으로 평가될 경우에는 예외적으로 구성원 개개인에 대한 모욕이 성립할 수 있다.
㉣ 과거의 역사적 사실관계 등에 대하여 민사판결을 통하여 어떠한 사실인정이 있었다면, 특별한 사정이 없는 한 그와 반대되는 사실의 주장이나 견해의 개진 등은 형법상 명예훼손죄 등에 있어서 '허위의 사실 적시'에 해당한다고 봄이 원칙이다.
㉤ 형법 제311조의 모욕죄는 사람의 가치에 대한 사회적 평가를 의미하는 외부적 명예를 보호법익으로 하는 범죄로서, 모욕죄에서 말하는 모욕이란 사실을 적시하지 아니하고 사람의 사회적 평가를 저하시킬 만한 추상적 판단이나 경멸적 감정을 표현하는 것을 의미한다. 따라서 어떠한 표현이 상대방의 인격적 가치에 대한 사회적 평가를 저하시킬 만한 것이 아니라면 설령 그 표현이 다소 무례한 방법으로 표시되었다 하더라도 이를 두고 모욕죄의 구성요건에 해당한다고 볼 수 없다.

① 없음　② 1개　③ 2개
④ 3개　⑤ 4개

해설

② ㉣ 항목만 옳지 않다.
㉠ [○] 형법이 명예훼손죄 또는 모욕죄를 처벌함으로써 보호하고자 하는 사람의 가치에 대한 평가인 외부적 명예는 개인적 법익으로서, 국민의 기본권을 보호 내지 실현해야 할 책임과 의무를 지고 있는 공권력의 행사자인 **국가나 지방자치단체는** 기본권의 수범자일 뿐 기본권의 주체가 아니고, 그 정책결정이나 업무수행과 관련된 사항은 항상 국민의 광범위한 감시와 비판의 대상이 되어야 하며 이러한 감시와 비판은 그에 대한 표현의 자유가 충분히 보장될 때에 비로소 정상적으로 수행될 수 있으므로, 국가나 지방자치단체는 국민에 대한 관계에서

정답 | 104 ②

형벌의 수단을 통해 보호되는 외부적 명예의 주체가 될 수는 없고, 따라서 **명예훼손죄나 모욕죄의 피해자가 될 수 없다.**(대법원 2016. 12. 27. 2014도15290 고흥군&고흥군수 비방사건)

㉡ [○] 형법 제307조 제2항의 허위사실 적시에 의한 명예훼손죄에서 적시된 사실이 허위인지 여부를 판단함에 있어서는 적시된 사실의 내용 전체의 취지를 살펴볼 때 세부적인 내용에서 진실과 약간 차이가 나거나 **다소 과장된 표현이 있는 정도에 불과하다면 이를 허위라고 볼 수 없으나 중요한 부분이 객관적 사실과 합치하지 않는다면 이를 허위라고 보아야 하고,** 위와 같은 법리는 형법 제308조의 사자명예훼손죄의 판단에서도 마찬가지로 적용된다.(대법원 2014. 3. 13. 2013도12430 조현오 전경찰청장 사건)

㉢ [○] 이른바 집단표시에 의한 모욕은, 모욕의 내용이 그 집단에 속한 특정인에 대한 것이라고는 해석되기 힘들고, 집단표시에 의한 비난이 개별구성원에 이르러서는 비난의 정도가 희석되어 **구성원 개개인의 사회적 평가에 영향을 미칠 정도에 이르지 아니한 경우에는** 구성원 개개인에 대한 **모욕이 성립되지 않는다고 봄이 원칙**이고, 그 비난의 정도가 희석되지 않아 구성원 개개인의 사회적 평가를 저하시킬 만한 것으로 평가될 경우에는 예외적으로 구성원 개개인에 대한 모욕이 성립할 수 있다. 한편 구성원 개개인에 대한 것으로 여겨질 정도로 구성원 수가 적거나 당시의 주위 정황 등으로 보아 집단 내 개별구성원을 지칭하는 것으로 여겨질 수 있는 때에는 집단 내 개별구성원이 피해자로서 특정된다고 보아야 할 것인데, 그 구체적인 기준으로는 집단의 크기, 집단의 성격과 집단 내에서의 피해자의 지위 등을 들 수 있다.(대법원 2014. 3. 27. 2011도15631 강용석 의원 사건)

㉣ [×] 민사판결의 사실인정이 항상 진실한 사실에 해당한다고 단정할 수는 없으므로 다른 특별한 사정이 없는 한, 그 진실이 무엇인지 확인할 수 없는 **과거의 역사적 사실관계 등에 대하여 민사판결을 통하여 어떠한 사실인정이 있었다는 이유만으로,** 이후 그와 반대되는 사실의 주장이나 견해의 개진 등을 형법상 명예훼손죄 등에 있어서 **'허위의 사실 적시'라는 구성요건에 해당한다고 쉽게 단정하여서는 아니 된다.**(대법원 2017. 12. 5. 2017도15628 적통 논란 사건)

㉤ [○] 형법 제311조의 모욕죄는 사람의 가치에 대한 사회적 평가를 의미하는 외부적 명예를 보호법익으로 하는 범죄로서, 모욕죄에서 말하는 모욕이란 사실을 적시하지 아니하고 사람의 사회적 평가를 저하시킬만한 추상적 판단이나 경멸적 감정을 표현하는 것을 의미한다. 따라서 어떠한 표현이 상대방의 인격적 가치에 대한 사회적 평가를 저하시킬 만한 것이 아니라면 설령 그 표현이 다소 무례한 방법으로 표시되었다 하더라도 이를 두고 모욕죄의 구성요건에 해당한다고 볼 수 없다.(대법원 2018. 11. 29. 2017도2661 반말 사건)

105 명예에 관한 죄에 대한 설명으로 옳은 것을 모두 고른 것은? (다툼이 있으면 판례에 의함)
□□□

24 경찰승진 [Core ★★]

㉠ 정부 또는 국가기관의 정책결정이나 업무수행과 관련된 사항은 항상 국민의 감시와 비판의 대상이 되어야 하고, 이러한 감시와 비판은 표현의 자유가 충분히 보장될 때 비로소 정상적으로 이루어질 수 있으므로 정부 또는 국가기관은 형법상 명예훼손죄의 피해자가 될 수 없다.
㉡ 명예훼손죄와 모욕죄에서 전파가능성을 이유로 공연성을 인정하는 경우에 적어도 범죄구성요건의 주관적 요소로서 미필적 고의가 필요하므로 전파가능성에 대한 인식이 있음은 물론 나아가 위험을 용인하는 내심의 의사가 있어야 한다.
㉢ 형법 제310조는 "제307조 제1항의 행위가 진실한 사실로서 오로지 공공의 이익에 관한 때에는 처벌하지 아니한다."라고 규정하고 있는데, 여기서 '공공의 이익에 관한 것'에는 널리 국가·사회 기타 일반 다수인의 이익에 관한 것을 의미할 뿐 특정한 사회집단이나 그 구성원 전체의 관심과 이익에 관한 것은 포함되지 아니한다.
㉣ 피고인이 인터넷 포털사이트 뉴스 댓글난에 연예인인 피해자를 '국민호텔녀'로 지칭하는 댓글을 게시한 경우 모욕죄의 구성요건에 해당하지만 정당한 비판의 범위를 벗어나지 않은 것으로서 정당행위에 해당한다.

① ㉠㉡ ② ㉠㉢ ③ ㉡㉣ ④ ㉢㉣

해설

① ㉠㉡ 2 항목이 옳다.
㉠ [○] 정부 또는 국가기관의 정책결정이나 업무수행과 관련된 사항은 항상 국민의 감시와 비판의 대상이 되어야 하고, 이러한 감시와 비판은 표현의 자유가 충분히 보장될 때 비로소 정상적으로 이루어질 수 있으며, **정부 또는 국가기관은 형법상 명예훼손죄의 피해자가 될 수 없다.** 그러므로 정부 또는 국가기관의 정책결정 또는 업무수행과 관련된 사항을 주된 내용으로 하는 발언으로 정책결정이나 업무수행에 관여한 공직자에 대한 사회적 평가가 다소 저하될 수 있더라도 발언 내용이 공직자 개인에 대한 악의적이거나 심히 경솔한 공격으로서 현저히 상당성을 잃은 것으로 평가되지 않는 한 그 발언은 여전히 공공의 이익에 관한 것으로서 공직자 개인에 대한 명예훼손이 된다고 할 수 없다.(대법원 2021. 3. 25. 2016도14995 박근혜 마약 · 보톡스 발언 사건)
㉡ [○] 명예훼손죄와 모욕죄에서 전파가능성을 이유로 공연성을 인정하는 경우에는 적어도 범죄구성요건의 주관적 요소로서 미필적 고의가 필요하므로 **전파가능성에 대한 인식이 있음은 물론 나아가 위험을 용인하는 내심의 의사가 있어야 한다.**(대법원 2022. 7. 28. 2020도8336 누수공사 관련 막말 사건)
㉢ [×] 형법 제310조에서 공공의 이익에 관한 것에는 국가 · 사회 기타 일반 다수인의 이익에 관한 것뿐만 아니라 **특정한 사회집단이나 그 구성원 전체의 관심과 이익에 관한 것도 포함된다.**(대법원 2017. 6. 15. 2016도8557 서울향교재단 사건)
㉣ [×] 피고인은 피해자가 출연한 영화 개봉 기사에 "... 그냥 국민호텔녀"라는 댓글을 달았는바, '국민호텔녀'는 피해자의 사생활을 들추어 피해자가 종전에 대중에게 호소하던 청순한 이미지와 반대의 이미지를 암시하면서 피해자를 성적 대상화하는 방법으로 비하하는 것으로서 여성 연예인인 피해자의 사회적 평가를 저하시킬 만한 모멸적인 표현으로 평가할 수 있고, **정당한 비판의 범위를 벗어난 것으로서 정당행위로 보기도 어렵다.**(대법원 2022. 12. 15. 2017도19229 국민호텔녀 사건)

정답 | 105 ①

106 다음 설명 중 가장 옳지 않은 것은? (다툼이 있으면 판례에 의함)

14 법원행시 [Superlative ★★★]

□□□

① 허위사실 적시에 의한 명예훼손죄에 해당하는 행위에 대하여는 위법성조각에 관한 형법 제310조는 적용될 여지가 없다.

② 누구든지 범죄가 있다고 생각하는 때에는 고발할 수 있는 것이므로 어떤 사람이 범죄를 고발하였다는 사실이 주위에 알려졌다고 하여 그 고발사실 자체만으로 고발인의 사회적 가치나 평가가 침해될 가능성이 있다고 볼 수는 없다.

③ 목사가 예배 중 특정인을 가르켜 "이단 중에 이단이다"라고 설교한 것은 명예훼손죄에서 말하는 '사실의 적시'에 해당하지 않는다.

④ 개인 블로그의 비공개 대화방에서 상대방으로부터 비밀을 지키겠다는 말을 듣고 일대일로 대화하였다고 하더라도, 대화 상대방이 대화내용을 불특정 또는 다수에게 전파할 가능성이 없다고 할 수 없다.

⑤ 타인을 비방할 목적으로 허위사실인 기사의 재료를 신문기자에게 제공하여 편집인이 신문지상에 이를 게재하였더라도, 기사를 신문지상에 게재하느냐의 여부는 신문 편집인의 권한에 속하므로, 기사재료의 제공행위는 형법 제309조 제2항 소정의 출판물에 의한 명예훼손죄에 해당하지 않는다.

해설

⑤ [×] 타인을 비방할 목적으로 허위사실인 기사의 재료를 신문기자에게 제공한 경우에 기사를 신문지상에 게재하느냐의 여부는 신문 편집인의 권한에 속한다고 할 것이나 이를 편집인이 신문지상에 게재한 이상 **기사의 게재는 기사재료를 제공한 자의 행위에 기인한 것이므로 기사재료의 제공행위는 출판물에 의한 명예훼손죄의 죄책을 면할 수 없다.**(대법원 2004. 5. 14. 2003도5370 아파트동대표 기사제공 사건)

① [○] 형법 제307조 제2항의 **허위사실 적시에 의한 명예훼손죄에 해당하는 행위에 대하여는 위법성조각에 관한 형법 제310조는 적용될 여지가 없다.**(대법원 2012. 5. 9. 2010도2690 분담금인하 안내문 사건)

② [○] 누구든지 범죄가 있다고 생각하는 때에는 고발할 수 있는 것이므로 어떤 사람이 범죄를 고발하였다는 사실이 주위에 알려졌다고 하여 그 **고발사실 자체만으로 고발인의 사회적 가치나 평가가 침해될 가능성이 있다고 볼 수는 없다.**(대법원 2009. 9. 24. 2009도6687 선거법위반으로 고발 사건)

③ [○] 피고인이 **"이단 중에 이단이다"**라고 설교한 내용은 어느 교리가 정통 교리이고 어느 교리가 여기에 배치되는 교리인지 여부는 교단을 구성하는 대다수의 목회자나 신도들이 평가하는 관념에 따라 달라지는 것이므로 **'사실의 적시'로 보기 어렵다.**(대법원 2008. 10. 9. 2007도1220 이단중에 이단이다 사건)

④ [○] 개인 **블로그의 비공개 대화방**에서 상대방으로부터 비밀을 지키겠다는 말을 듣고 일대일로 대화하였다고 하더라도 대화 상대방이 대화내용을 불특정 또는 다수에게 **전파할 가능성이 없다고 할 수 없다.**(대법원 2008. 2. 14. 2007도8155 블로그 비밀대화 사건)

107 명예에 관한 죄에 관한 설명으로 옳지 않은 것은? (다툼이 있으면 판례에 의함)

□□□

25 경찰간부 [Essential ★]

① 甲이 양육비 지급 판결을 받는 등 양육비 지급의무가 있음에도 이를 지급하지 않고 있는 A, B, C에 대한 제보를 받아 그들의 이름, 얼굴 사진, 거주지, 직장명 등 신상정보를 특정 인터넷 사이트에 공개하는 글을 게시한 경우 이는 양육비 미지급으로 인한 사회적 문제를 공론화하기 위한 목적이 있었더라도 신상정보의 공개는 이러한 공익적 목적과 직접적인 관련성이 있다고 보기 어려운 점 등을 고려하면 甲에게는 A, B, C를 '비방할 목적'이 인정된다.

② 甲이 A의 집 뒷길에서 자신의 남편 B 및 A의 친척인 C가 듣는 가운데 A에게 '저것이 징역 살다온 전과자다' 등으로 큰 소리로 말한 경우 A와 C 사이의 촌수나 구체적 친밀관계가 밝혀진 바도 없으나 단지 A와 C가 친척관계에 있다는 이유만으로도 전파가능성이 부정되므로 명예훼손죄가 성립될 여지가 없다.

③ 甲이 산후조리원을 이용한 후 9회에 걸쳐 임신, 육아 등에 관한 인터넷 카페나 자신의 블로그 등에 자신이 직접 겪은 불편사항 등을 후기 형태로 게시한 경우 이는 실제 이용하면서 느낀 주관적 평가이고 다소 과장되기는 했지만 대체로 객관적 사실에 부합되는 점 등 제반 사정에 비추어 볼 때 산후조리원 정보를 구하는 다른 임산부의 의사결정에 도움을 주는 정보제공 등 공공의 이익에 관한 것이라고 봄이 타당하고, '비방할 목적'이 있었다고 보기 어렵다.

④ 적시된 사실이 허위의 사실이라고 하더라도 행위자에게 허위성에 대한 인식이 없는 경우에는 형법 제307조 제1항의 명예훼손죄가 성립될 수 있다.

해설

② [×] C와 A의 친분 정도나 적시된 사실이 A의 공개하기 꺼려지는 개인사에 관한 것으로 주변에 회자될 가능성이 큰 내용이라는 점을 고려할 때 **C가 A와 친척관계에 있다는 이유만으로 전파가능성이 부정된다고 볼 수 없고**(A와 C 사이의 촌수나 구체적 친밀관계가 밝혀진 바도 없다), 오히려 甲은 A와의 싸움 과정에서 단지 A를 모욕 내지 비방하기 위하여 공개된 장소에서 큰 소리로 말하여 다른 마을 사람들이 들을 수 있을 정도였던 것으로 불특정 또는 다수인이 인식할 수 있는 상태였다고 봄이 상당하므로 **甲의 발언은 공연성이 인정된다.** (대법원 2020. 11. 19. 2020도5813 全合 **징역 살다온 전과자다 사건**)

① [○] 피고인들이 **'Bad Fathers'라는 사이트**(이하 '사이트'라 한다)의 신상정보 공개를 통해 양육비 미지급 사실을 알린 것은 결과적으로 양육비 미지급 문제라는 공적 관심 사안에 관한 사회의 여론형성이나 공개토론에 기여하였다고 볼 수 있으나, 글 게시 취지 · 경위 · 과정 등에 비추어 그 신상정보 공개는 특정된 개별 양육비채무자를 압박하여 양육비를 신속하게 지급하도록 하는 것을 주된 목적으로 하는 사적 제재 수단의 일환에 가까운 점, 사이트에서 신상정보를 공개하면서 공개 여부 결정의 객관성을 확보할 수 있는 기준이나 양육비채무자에 대한 사전 확인절차를 두지 않고 양육비 지급 기회를 부여하지도 않은 채 일률적으로 공개한 것은 우리 법질서에서 허용되는 채무불이행자 공개 제도와 비교하여 볼 때 양육비채무자의 권리를 침해하는 정도가 커 정당화되기 어려운 점, 사이트에서 공개된 신상정보인 얼굴 사진, 구체적인 직장명, 전화번호는 그 특성상 공개

정답 | 106 ⑤ 107 ②

시 양육비채무자가 입게 되는 피해의 정도가 매우 큰 반면, 피고인들에게 양육비 미지급으로 인한 사회적 문제를 공론화하기 위한 목적이 있었더라도 얼굴 사진 등의 공개는 위와 같은 공익적인 목적과 직접적인 관련성이 있다고 보기 어렵고, 얼굴 사진 등을 공개하여 양육비를 즉시 지급하도록 강제할 필요성이나 급박한 사정도 엿보이지 않는 점 등 제반 사정을 종합하면, **피고인들에게는 신상정보가 공개된 피해자들을 비방할 목적이 인정된다.**(대법원 2024. 1. 4. 2022도699 bad fathers 사건)

③ [○] 산후조리원을 이용한 피고인이 9회에 걸쳐 임신, 육아 등과 관련한 유명 인터넷 카페나 자신의 블로그 등에 자신이 직접 겪은 불편사항 등을 후기 형태로 게시한 경우 피고인이 적시한 사실은 산후조리원에 대한 정보를 구하고자 하는 임산부의 의사결정에 도움이 되는 정보 및 의견 제공이라는 공공의 이익에 관한 것이라고 봄이 타당하고, 부수적으로 **산후조리원 이용대금 환불과 같은 사익적 목적이나 동기가 내포되어 있더라도 그러한 사정만으로 비방할 목적이 있다고 보기는 어렵다.**(대법원 2012. 11. 29. 2012도10392 산후조리원 이용후기 사건)

④ [○] 형법 제307조 제1항의 '사실'은 제2항의 '허위의 사실'과 반대되는 '진실한 사실'을 말하는 것이 아니라 가치판단이나 평가를 내용으로 하는 '의견'에 대치되는 개념이라고 보아야 한다. 따라서 제307조 제1항의 명예훼손죄는 적시된 사실이 진실한 사실인 경우이든 허위의 사실인 경우이든 모두 성립될 수 있고, 특히 적시된 사실이 허위의 사실이라고 하더라도 행위자에게 **허위성에 대한 인식이 없는 경우에는 제307조 제2항의 명예훼손죄가 아니라 제307조 제1항의 명예훼손죄가 성립될 수 있다.**(대법원 2017. 4. 26. 2016도18024 대구 애락원 사건)

108 □□□ **다음 설명 중 甲에 대하여 명예훼손죄가 성립하는 경우(○)와 성립하지 않는 경우(×)를 올바르게 표시한 것은? (다툼이 있으면 판례에 의함)**

12 경찰채용 [Essential ★]

㉠ 甲은 자신의 아들 등에게 폭행을 당하여 입원한 피해자의 병실로 찾아가 그의 모 乙과 대화하던 중 乙의 이웃 A 및 甲의 일행 B가 있는 자리에서 "학교에 알아보니 피해자에게 원래 정신병이 있었다고 하더라."라고 허위사실을 말하였다. A는 乙과 같은 건물에 나란히 있는 점포에서 영업을 하면서 5~6년간 알고 지내는 사이이며, B는 甲과 같은 가해학생의 부모로서 乙과 합의여부 등에 관하여 대화를 하기 위해 찾아간 사람이다.

㉡ 방송국 프로듀서 甲은 특정 프로그램 방송보도를 통하여 '미국산 쇠고기 수입을 위한 제2차 한미 전문가 기술협의'의 협상단 대표와 주무부처 장관이 미국산 쇠고기 실태를 제대로 파악하지 못하였다는 취지의 보도를 하였다.

㉢ 목사 甲은 예배를 인도하면서 A 교회 목사인 乙에 대해 "A 교회 목사 乙은 이단 중에 이단이다."라고 설교하였다.

㉣ 甲은 A, B와 같은 블로그의 회원인데, 개인 블로그의 비공개 대화방에서 A로부터 비밀을 지키겠다는 말을 듣고 일대일로 대화를 하면서 B의 명예를 훼손하는 내용의 사실을 말하였다.

① ㉠ ○ ㉡ × ㉢ × ㉣ ○
② ㉠ × ㉡ ○ ㉢ × ㉣ ×
③ ㉠ ○ ㉡ × ㉢ ○ ㉣ ×
④ ㉠ × ㉡ × ㉢ × ㉣ ○

해설

④ 이 지문이 옳은 연결이다.

㉠ [×] **'공연성'이 인정되지 않아** 명예훼손죄가 성립하지 않는다.(대법원 2011. 9. 8. 2010도7497 정신병이 있었다 하더라 사건)

㉡ [×] 방송국 프로듀서 등 피고인들이 특정 프로그램 방송보도를 통하여 '한미 쇠고기 수입 협상'의 협상단 대표와 주무부처 장관이 미국산 쇠고기 실태를 제대로 파악하지 못하였다는 취지의 허위사실을 적시한 경우라도, 이 방송보도의 내용은 구체적 사실을 적시한 것이 아니라 **비판 내지 의견 제시에 해당하여 명예훼손죄에서 말하는 사실의 적시에 해당하지 아니한다.**(대법원 2011. 9. 2. 2010도17237 PD수첩 광우병 보도사건)

㉢ [×] 피고인이 총신대학교 신학대학원 100주년 기념관 채플실에서 1,200여 명의 학생들이 모인 가운데 "A는 이단 중에 이단이다"라고 설교하였더라도, 어느 교리가 정통 교리이고 어느 교리가 여기에 배치되는 교리인지 여부는 교단을 구성하는 대다수의 목회자나 신도들이 평가하는 관념에 따라 달라지는 것이므로 **사실을 적시한 것으로 보기 어렵다.**(대법원 2008. 10. 9. 2007도1220 박용규 교수 이단비판 사건)

㉣ [○] 피고인이 개인 **블로그의 비공개 대화방**에서 상대방으로부터 비밀을 지키겠다는 말을 듣고 일대일로 대화하였다고 하더라도 그 사정만으로 대화 상대방이 대화내용을 불특정 또는 다수에게 전파할 가능성이 없다고 할 수 없으므로 명예훼손죄의 요건인 **공연성을 인정할 여지가 있다.**(대법원 2008. 2. 14. 2007도8155 블로그 비밀대화 사건)

109 모욕죄에 대한 설명으로 가장 적절하지 않은 것은? (다툼이 있으면 판례에 의함)

□□□

18 경찰채용 [Essential ★]

① 甲이 택시 기사와 요금 문제로 시비가 벌어져 112 신고를 한 후, 신고를 받고 출동한 경찰관에게 늦게 도착한 데 대하여 항의하는 과정에서 "아이 씨발!"이라고 말한 것은 모욕적 언사에 해당한다고 단정하기 어렵다.

② 아파트 입주자대표회의 감사가 업무처리에 항의하며 연장자인 관리소장에게 공연히 "야, 이따위로 일할래", "나이 처먹은 게 무슨 자랑이냐"라고 말한 경우는 모욕죄가 성립하지 않는다.

③ 동네사람 4명과 구청직원 2명 등이 있는 자리에서 피해자가 듣는 가운데 구청직원에게 피해자를 가리키면서 "저 망할 년 저기 오네"라고 피해자를 경멸하는 욕설 섞인 표현을 하였다고 하더라도 피해자를 모욕하였다고 볼 수 없다.

④ 골프클럽 경기보조원들의 구직편의를 위해 제작된 인터넷 사이트 내 회원 게시판에 특정 골프클럽의 운영상 불합리성을 비난하는 글을 게시하면서 위 클럽담당자에 대하여 '한심하고 불쌍한 인간'이라는 등 경멸적 표현을 한 경우는 모욕죄가 성립하지 않는다.

정답 | 108 ④ 109 ③

해설

③ [×] 피고인이 동네사람 4명과 구청직원 2명 등이 있는 자리에서 피해자 A가 듣는 가운데 구청직원에게 A를 가리키면서 "A 저 망할년 저기 오네"라고 피해자를 경멸하는 욕설 섞인 표현을 하였다면 **피해자를 모욕하였다고 볼 수 있다.**(대법원 1990. 9. 25. 90도873 **저 망할년 사건**)

① [○] 피고인 甲이 택시 기사와 요금 문제로 시비가 벌어져 112 신고를 하였는데, 경찰관인 A가 신고 장소를 빨리 찾지 못하고 늦게 도착한 데에 항의하면서 A에게 **"아이 씨발"**이라고 말한 경우, 甲의 이 발언은 구체적으로 상대방을 지칭하지 않은 채 단순히 발언자 자신의 불만이나 분노한 감정을 표출하기 위하여 흔히 쓰는 말로서 상대방을 불쾌하게 할 수 있는 무례하고 저속한 표현이기는 하지만 직접적으로 A를 특정하여 그의 인격적 가치에 대한 사회적 평가를 저하시킬 만한 경멸적 감정을 표현한 **모욕적 언사에 해당한다고 단정하기는 어렵다.**(대법원 2015. 12. 24. 2015도6622 **아이 씨발 사건**)

② [○] 아파트 입주자대표회의 감사인 피고인 甲과 아파트 관리소장 A 사이에 업무처리 방식을 두고 언쟁을 하게 되었는데, 그 과정에서 甲이 A에게 "야, 이 따위로 일할래"라고 말하자 A가 "나이가 몇 살인데 반말을 하느냐"고 말하였고, 이에 甲이 **"나이 처먹은 게 무슨 자랑이냐"**라고 말한 경우, 피고인 甲의 위 발언은 상대방을 불쾌하게 할 수 있는 무례하고 저속한 표현이기는 하지만 객관적으로 A의 인격적 가치에 대한 사회적 평가를 저하시킬 만한 **모욕적 언사에 해당한다고 보기는 어렵다.**(대법원 2015. 9. 10. 2015도2229 **나이처먹은게 자랑이냐 사건**)

④ [○] 골프클럽 경기보조원들의 구직편의를 위해 제작된 인터넷 사이트 내 회원 게시판에 특정 골프클럽의 운영상 불합리성을 비난하는 글을 게시하면서 클럽담당자에 대하여 **"한심하고 불쌍한 인간"**이라는 등 경멸적 표현을 했더라도, 게시의 동기와 경위, 모욕적 표현의 정도와 비중 등에 비추어 **사회상규에 위배되지 않는다고 봄이 상당하다.**(대법원 2008. 7. 10. 2008도1433 **다음카페 캐디세상 사건**)

110 다음 설명 중 틀린 것은 모두 몇 개인가? (다툼이 있으면 판례에 의함)

13 경찰채용 [Essential ★]

㉠ 자신의 아들 등에게 폭행을 당하여 입원한 피해자의 병실로 찾아가 피해자의 모, 이웃, 행위자 일행 등 4명이 있는 자리에서 "학교에 알아보니 피해자에게 원래 정신병이 있었다고 하더라." 라고 허위사실을 말한 경우 공연성이 인정되지 않아 명예훼손죄가 부정된다.

㉡ 피고인이 자신의 인터넷 블로그에 '듣보잡', '함량미달', '함량이 모자라도 창피한 줄 모를 정도로 멍청하게 충성할 사람', '싼 맛에 갖다 쓰는 거죠' 등이라고 한 부분은 피해자를 비하하여 사회적 평가를 저하시킬만한 추상적 판단이나 경멸적 감정을 표현한 것으로 모욕죄에 해당한다.

㉢ 甲 운영의 산후조리원을 이용한 피고인이 인터넷 카페나 자신의 블로그 등에 자신이 직접 겪은 불편사항 등을 후기 형태로 게시한 경우, 정보통신망 이용촉진 및 정보보호 등에 관한 법률 제70조 제1항에서 정한 명예훼손죄 구성요건요소인 '사람을 비방할 목적'이 인정된다.

㉣ 타인을 비방할 목적으로 허위사실인 기사의 재료를 신문기자에게 제공하여 이를 편집인이 신문지상에 게재한 경우 기사재료를 제공한 자는 출판물에 의한 명예훼손죄의 죄책을 면할 수 없다.

① 1개 ② 2개 ③ 3개 ④ 4개

해설

① ⓒ 항목만이 옳지 않다.

㉠ [O] 자신의 아들 등에게 폭행을 당하여 입원한 피해자의 병실로 찾아가 피해자의 모, 이웃, 행위자 일행 등 4명이 있는 자리에서 "학교에 알아보니 피해자에게 원래 정신병이 있었다고 하더라."라고 허위사실을 말한 경우 불특정 또는 다수인이 인식할 수 있는 상태라고 할 수 없고 또 **불특정 또는 다수인에게 전파될 가능성이 있다고 보기도 어려워 공연성이 없다.**(대법원 2011. 9. 8. 2010도7497 정신병이 있었다 하더라 사건)

㉡ [O] 피고인이 자신의 인터넷 블로그에 '**듣보잡**', '**함량미달**', '함량이 모자라도 창피한 줄 모를 정도로 멍청하게 충성할 사람', '싼 맛에 갖다 쓰는 거죠' 등이라고 한 부분은 피해자를 비하하여 사회적 평가를 저하시킬만한 추상적 판단이나 경멸적 감정을 표현한 것으로 **모욕죄에 해당한다.**(대법원 2011. 12. 22. 2010도10130 진중권 변희재 모욕사건)

㉢ [×] 피고인이 인터넷 카페 게시판 등에 올린 글은 자신이 산후조리원을 실제 이용하면서 겪은 일과 이에 대한 주관적 평가를 담은 이용 후기인 점, 위 글에 '甲의 막장 대응' 등과 같이 다소 과장된 표현이 사용되기도 하였으나, 인터넷 게시글에 적시된 주요 내용은 객관적 사실에 부합하는 점, 피고인이 게시한 글의 공표 상대방은 인터넷 카페 회원이나 산후조리원 정보를 검색하는 인터넷 사용자들에 한정되고 그렇지 않은 인터넷 사용자들에게 무분별하게 노출되는 것이라고 보기 어려운 점 등의 제반 사정에 비추어 볼 때, **피고인이 적시한 사실은 공공의 이익에 관한 것이라고 봄이 타당하고 피고인에게 비방할 목적이 있었다고 보기는 어렵다.**(대법원 2012. 11. 29. 2012도10392 산후조리원 이용후기 사건)

㉣ [O] 타인을 비방할 목적으로 허위사실인 기사의 재료를 신문기자에게 제공한 경우에 기사를 신문지상에 게재하느냐의 여부는 신문 편집인의 권한에 속한다고 할 것이나, 이를 편집인이 신문지상에 게재한 이상 기사의 게재는 기사 재료를 제공한 자의 행위에 기인한 것이므로 기사 재료의 제공행위는 형법 제309조 제2항 소정의 출판물에 의한 명예훼손죄의 죄책을 면할 수 없다.(대법원 2004. 5. 14. 2003도5370 아파트동대표 기사제공 사건)

정답 | 110 ①

111 명예에 관한 죄에 관한 설명 중 옳지 않은 것을 모두 고른 것은? (다툼이 있으면 판례에 의함)

□□□

16 변호사 [Superlative ★★★]

㉠ 개인 블로그의 비공개 대화방에서 상대방으로부터 비밀을 지키겠다는 말을 듣고 1:1로 대화하면서 타인의 명예를 훼손하는 발언을 한 경우 상대방이 대화내용을 불특정 또는 다수인에게 전파할 가능성이 있다고 할 수 없다.

㉡ 공연히 사실을 적시하여 사람의 명예를 훼손한 행위가 형법 제310조에 따라 위법성이 조각되려면 그것이 진실한 사실로서 오로지 공공의 이익에 관한 때에 해당된다는 점을 행위자가 증명하여야 하고, 그 증명을 함에 있어서 전문증거의 증거능력을 제한하는 형사소송법 제310조의2가 적용된다.

㉢ '여성 아나운서'와 같이 집단 표시에 의한 구성원 개개인에 대한 명예훼손죄는 성립되지 않는 것이 원칙이고 모욕죄의 경우도 마찬가지이다.

㉣ 甲이 경찰관 A를 상대로 진정한 직무유기 사건이 혐의가 인정되지 않아 내사종결 처리되었음에도, 甲이 도청에 찾아가 다수인이 듣고 있는 가운데 "내일부로 검찰청에서 A에 대한 구속영장이 떨어진다."라고 소리친 경우, 이는 실현가능성이 없는 장래의 일을 적시한 것에 불과하여 설령 그것이 과거 또는 현재의 사실을 기초로 하더라도 명예훼손죄는 성립되지 않는다.

① ㉠ ② ㉠㉣ ③ ㉡㉢

④ ㉠㉡㉣ ⑤ ㉡㉢㉣

해설

④ ㉠㉡㉣ 3 항목이 옳지 않다.

㉠ [×] 피고인이 **개인 블로그의 비공개 대화방에서 상대방으로부터 비밀을 지키겠다는 말을 듣고 일대일로 대화하였다고 하더라도** 그 사정만으로 대화 상대방이 대화내용을 불특정 또는 다수에게 전파할 가능성이 없다고 할 수 없으므로 명예훼손죄의 요건인 **공연성을 인정할 여지가 있다.**(대법원 2008. 2. 14. 2007도8155 **블로그 비밀대화 사건**)

㉡ [×] 공연히 사실을 적시하여 사람의 명예를 훼손한 행위가 형법 제310조의 규정에 따라서 위법성이 조각되어 처벌대상이 되지 않기 위하여는, **그것이 진실한 사실로서 오로지 공공의 이익에 관한 때에 해당된다는 점을 행위자가 증명하여야 하는 것이나,** 그 증명은 유죄의 인정에 있어 요구되는 것과 같이 법관으로 하여금 의심할 여지가 없을 정도의 확신을 가지게 하는 증명력을 가진 엄격한 증거에 의하여야 하는 것은 아니므로, **이때에는 전문증거에 대한 증거능력의 제한을 규정한 형사소송법 제310조의2는 적용될 여지가 없다.**(대법원 1996. 10. 25. 95도1473 **재건축사업 방해사건**)

㉢ [○] (1) 모욕죄는 특정한 사람 또는 인격을 보유하는 단체에 대하여 사회적 평가를 저하시킬 만한 경멸적 감정을 표현함으로써 성립하는 것이므로 그 피해자는 특정되어야 한다.

(2) 국회의원인 피고인이 학생들과 저녁회식을 하는 자리에서, 장래의 희망이 아나운서라고 한 여학생들에게 (아나운서 지위를 유지하거나 승진하기 위하여) "다 줄 생각을 해야 하는데, 그래도 아나운서 할 수 있겠느냐. 성신여대 이상은 자존심 때문에 그렇게 못하더라"라는 등의 말을 한 경우, **피고인의 발언은 여성 아나운서 일반을 대상으로 한 것으로서** 그 개별구성원인 피해자들에 이르러서는 비난의 정도가 희석되어 **피해자 개개인의 사회적 평가에 영향을 미칠 정도에까지는 이르지 아니하므로 모욕죄에 해당한다고 보기는 어렵다.**(대법원 2014. 3. 27. 2011도15631 **강용석 의원 사건**)

㉣ [×] (1) 명예훼손죄가 성립하기 위하여는 사실의 적시가 있어야 하는데, 여기에서 적시의 대상이 되는 사실이란 현실적으로 발생하고 증명할 수 있는 과거 또는 현재의 사실을 말하며, 장래의 일을 적시하더라도 그것이 과거 또는 현재의 사실을 기초로 하거나 이에 대한 주장을 포함하는 경우에는 명예훼손죄가 성립한다.
(2) 피고인 甲이 경찰관 A를 상대로 진정한 사건이 혐의인정되지 않아 내사종결 처리되었음에도 불구하고 공연히 **"사건을 조사한 경찰관이 내일부로 검찰청에서 구속영장이 떨어진다"고 말한 것은** 현재의 사실을 기초로 하거나 이에 대한 주장을 포함하여 장래의 일을 적시한 것으로 볼 수 있어 **명예훼손죄에 있어서의 사실의 적시에 해당한다.**(대법원 2003. 5. 13. 2002도7420 구속영장이 떨어진다 사건)

112 □□□ **다음 설명 중 옳은 것은 모두 몇 개인가? (다툼이 있으면 판례에 의함)** 16 경찰채용 [Core ★★]

㉠ 전국교직원노동조합 소속 교사가 작성·배포한 보도자료의 일부에 사실과 다른 기재가 있으나 전체적으로 그 기재 내용이 진실하고 공공의 이익을 위한 것이라도 명예훼손죄의 위법성이 조각되지 않는다.
㉡ 객관적으로 피해자의 사회적 평가를 저하시키는 사실에 관한 보도내용이 소문이나 제3자의 말, 보도를 인용하는 방법으로 단정적인 표현이 아닌 전문 또는 추측한 것을 기사화한 형태로 표현하였지만, 그 표현 전체의 취지로 보아 그 사실이 존재할 수 있다는 것을 암시하는 방식으로 이루어진 경우에는 사실을 적시한 것이라고 보아야 한다.
㉢ 통상 기자가 아닌 보통 사람에게 사실을 적시할 경우에는 그 자체로서 적시된 사실이 외부에 공표되는 것이므로 그 때부터 곧 전파가능성을 따져 공연성 여부를 판단하여야 할 것이고, 이는 기자를 통해 사실을 적시하는 경우라고 하여 달리 볼 것이 아니다.
㉣ 명예훼손죄가 성립하기 위하여는 사실의 적시가 있어야 하는데, 여기에서 적시의 대상이 되는 사실이란 현실적으로 발생하고 증명할 수 있는 과거 또는 현재의 사실을 말하며, 장래의 일을 적시하는 경우에는 그것이 과거 또는 현재의 사실을 기초로 하거나 이에 대한 주장을 포함하는 경우라도 명예훼손죄가 성립한다고 할 수는 없다.

① 1개 ② 2개
③ 3개 ④ 4개

정답 | 111 ④ 112 ①

해설

① ㉡ 항목만이 옳다.

㉠ [×] (1) 형법 제310조에서 '진실한 사실'이란 그 내용 전체의 취지를 살펴볼 때 **중요한 부분이 객관적 사실과 합치되는 사실이라는 의미로서 세부에 있어 진실과 약간 차이가 나거나 다소 과장된 표현이 있더라도 무방하다.**
(2) 피고인이 시의원들이 학교에서 교사들에게 무례한 행동을 한 것을 알리고 이에 대하여 항의함으로써 교사의 권익을 지킨다는 취지에서 '시의원이 여교사를 아가씨라고 부르며 차를 달라고 한 것, 교감 책상에 앉아 있는 시의원에게 항의한 교사에게 일부 시의원이 고함을 지르는 등 무례한 행동을 한 것, 해운대교육구청이 시의원의 추궁을 받고 교사들에게 경위서를 제출하도록 한 것' 등의 내용이 들어 있는 보도자료를 만들어 배포한 경우, **전체적으로 그 기재 내용이 진실하고 공공의 이익을 위한 것이라면 명예훼손죄의 위법성이 조각된다.**(대법원 2001. 10. 9. 2001도3594 **해운대초등학교 사건**)

㉡ [○] 객관적으로 피해자의 사회적 평가를 저하시키는 사실에 관한 보도내용이 소문이나 제3자의 말, 보도를 인용하는 방법으로 단정적인 표현이 아닌 전문 또는 추측한 것을 기사화한 형태로 표현되었지만, 그 표현 전체의 취지로 보아 그 사실이 존재할 수 있다는 것을 **암시하는 이상, 형법 제307조 제1항 · 제2항과 정보통신망법 제61조 제1항 · 제2항[개정법 제70조 제1항 · 제2항]에서 규정하는 '사실의 적시'가 있는 것이고,** 이러한 경우 특별한 사정이 없는 한 보도내용에 적시된 사실의 주된 부분은 암시된 사실 자체라고 보아야 하므로, 암시된 사실 자체가 허위라면 그에 관한 소문 등이 있다는 사실 자체는 진실이라 하더라도 허위의 사실을 적시한 것으로 보아야 한다. 따라서 위와 같은 보도내용으로 인한 명예훼손죄의 성립 여부나 형법 제310조의 위법성 조각사유의 존부 등을 판단함에 있어서, 객관적으로 피해자의 명예를 훼손하는 보도내용에 해당하는지, 그 내용이 진실한지, 거기에 피해자를 비방할 목적이 있는지, 보도내용이 공공의 이익에 관한 것인지 여부 등은 원칙적으로 보도내용의 주된 부분인 암시된 사실 자체를 기준으로 살펴보아야 하고, 그 보도내용에 인용된 소문 등의 내용이나 표현방식, 그 신빙성 등에 비추어 암시된 사실이 무엇이고, 그것이 진실인지 여부 등에 대해 구체적으로 심리 · 판단하지 아니한 채 그러한 소문, 제3자의 말 등의 존부에 대한 심리 · 판단만으로 바로 위 보도로 인한 명예훼손죄의 성립 여부나 위법성조각사유의 존부 등을 판단할 수는 없다.(대법원 2008. 11. 27. 2007도5312 **주성용 의원 추태사건**)

㉢ [×] 통상 기자가 아닌 보통 사람에게 사실을 적시할 경우에는 그 자체로서 적시된 사실이 외부에 공표되는 것이므로 그 때부터 곧 전파가능성을 따져 공연성 여부를 판단하여야 할 것이지만, 그와는 달리 **기자를 통해 사실을 적시하는 경우에는 기사화되어 보도되어야만 적시된 사실이 외부에 공표된다고 보아야 할 것이므로** 기자가 취재를 한 상태에서 아직 기사화하여 보도하지 아니한 경우에는 전파가능성이 없다고 할 것이어서 공연성이 없다.(대법원 2000. 5. 16. 99도5622 **주간지 인터뷰 사건**)

㉣ [×] 명예훼손죄가 성립하기 위하여는 사실의 적시가 있어야 하는데, 여기에서 적시의 대상이 되는 사실이란 현실적으로 발생하고 증명할 수 있는 과거 또는 현재의 사실을 말하며, **장래의 일을 적시하더라도 그것이 과거 또는 현재의 사실을 기초로 하거나 이에 대한 주장을 포함하는 경우에는 명예훼손죄가 성립한다.**(대법원 2003. 5. 13. 2002도7420 **구속영장이 떨어진다 사건**)

113 □□□ 모욕죄와 명예훼손죄에 관한 다음 설명 중 옳지 않은 것은 모두 몇 개인가? (다툼이 있으면 판례에 의함)

15 법원행시 [Superlative ★★★]

㉠ 장래의 희망이 아나운서라고 한 여학생들에게 '다 줄 생각을 해야 하는데, 그래도 아나운서 할 수 있겠느냐. ○○여대 이상은 자존심 때문에 그렇게 못하더라'라는 등의 말을 한 경우, 이른바 집단 표시에 의한 모욕으로서 여성 아나운서 개개인에 대한 모욕죄가 그 자체로 성립된다.
㉡ 모욕죄에서 말하는 모욕이란 사실을 적시하지 아니하고 사람의 사회적 평가를 저하시킬 만한 추상적 판단이나 경멸적 감정을 표현하는 것을 말한다.
㉢ 어떤 글이 특히 모욕적인 표현을 포함하는 판단 또는 의견의 표현을 담고 있는 경우에도 그 시대의 건전한 사회통념에 비추어 그 표현이 사회상규에 위배되지 않는 행위로 볼 수 있는 때에는 형법 제20조에 의하여 예외적으로 위법성이 조각된다.
㉣ 동네사람 4명과 구청직원 2명 등이 있는 자리에서 피해자가 듣는 가운데 구청직원에게 피해자를 가리키면서 '저 망할년 저기 오네'라고 하였다면 모욕죄가 성립한다.
㉤ '아무것도 아닌 똥꼬다리 같은 놈'이라는 구절은 모욕적인 언사일 뿐 구체적이 사실의 적시라고 할 수 없고 '잘 운영되어 가는 어촌계를 파괴하려 한다'는 구절도 구체적인 사실의 적시라고 할 수 없으므로 명예훼손죄에 있어서의 사실의 적시에 해당한다고 볼 수 없다.

① 1개 ② 2개 ③ 3개
④ 4개 ⑤ 없음

해설

① ㉠ 항목만이 옳지 않다.

㉠ [×] 피고인의 발언은 여성 아나운서 일반을 대상으로 한 것으로서 그 개별구성원인 피해자들에 이르러서는 비난의 정도가 희석되어 피해자 개개인의 사회적 평가에 영향을 미칠 정도에까지는 이르지 아니하므로 **모욕죄에 해당한다고 보기는 어렵다.**(대법원 2014. 3. 27. 2011도15631 **강용석 의원 사건**)

㉡ [○] 모욕죄에서 말하는 '모욕'이란 사실을 적시하지 아니하고 사람의 사회적 평가를 저하시킬 만한 **추상적 판단이나 경멸적 감정을 표현하는 것이다.**(대법원 2015. 9. 10. 2015도2229 **나이 처먹은게 자랑이냐 사건**)

㉢ [○] 어떤 글이 특히 모욕적인 표현을 포함하는 판단 또는 의견의 표현을 담고 있는 경우에도 그 시대의 건전한 사회통념에 비추어 그 표현이 사회상규에 위배되지 않는 행위로 볼 수 있는 때에는 형법 제20조에 의하여 **예외적으로 위법성이 조각된다.**(대법원 2008. 7. 10. 2008도1433 **다음카페 캐디세상 사건**)

㉣ [○] 동네사람 4명과 구청직원 2명 등이 있는 자리에서 피해자가 듣는 가운데 구청직원에게 피해자를 가리키면서 "저 망할년 저기 오네"라고 피해자를 경멸하는 **욕설 섞인 표현을 하였다면 피해자를 모욕하였다고 볼 수 있다.**(대법원 1990. 9. 25. 90도873 **저 망할년 사건**)

㉤ [○] "**아무것도 아닌 똥꼬다리 같은 놈**"이라는 구절은 모욕적인 언사일 뿐 구체적인 사실의 적시라고 할 수 없고 "잘 운영되어 가는 어촌계를 파괴하려 한다"는 구절도 구체적인 사실의 적시라고 할 수 없으므로 명예훼손죄에 있어서의 **사실의 적시에 해당한다고 볼 수 없다.**(대법원 1989. 3. 14. 88도1397 **똥꼬다리 사건**)

정답 | 113 ①

114 명예훼손죄 및 모욕죄에 관한 다음 설명 중 가장 옳지 않은 것은? (다툼이 있으면 판례에 의함)

□□□

22 법원9급 [*Core* ★★]

① 공연성의 존부는 발언자와 상대방 또는 피해자 사이의 관계나 지위, 대화를 하게 된 경위와 상황, 사실적시의 내용, 적시의 방법과 장소 등 행위 당시의 객관적 제반 사정에 관하여 심리한 다음, 그로부터 상대방이 불특정 또는 다수인에게 전파할 가능성이 있는지 여부를 검토하여 종합적으로 판단하여야 한다. 발언 이후 실제 전파되었는지 여부는 전파가능성 유무를 판단하는 고려요소가 될 수 있으나, 발언 후 실제 전파 여부라는 우연한 사정은 공연성 인정 여부를 판단함에 있어 소극적 사정으로만 고려되어야 한다.

② 사실적시의 내용이 사회 일반의 일부 이익에만 관련된 사항이라도 다른 일반인과의 공동생활에 관계된 사항이라면 공익성을 지닌다고 할 것이고, 이에 나아가 개인에 관한 사항이더라도 그것이 공공의 이익과 관련되어 있고 사회적인 관심을 획득한 경우라면 직접적으로 국가·사회 일반의 이익이나 특정한 사회집단에 관한 것이 아니라는 이유만으로 형법 제310조의 적용을 배제할 것은 아니다.

③ 어떤 글이 모욕적 표현을 담고 있는 경우에도 그 글이 객관적으로 타당성이 있는 사실을 전제로 하여 그 사실관계나 이를 둘러싼 문제에 관한 자신의 판단과 피해자의 태도 등이 합당한가 하는 데 대한 자신의 의견을 밝히고, 자신의 판단과 의견이 타당함을 강조하는 과정에서 부분적으로 모욕적인 표현이 사용된 것에 불과하다면 사회상규에 위배되지 않는 행위로서 형법 제20조에 의하여 위법성이 조각될 수 있다.

④ 명예훼손죄에서 '사실의 적시'란 가치판단이나 평가를 내용으로 하는 '의견표현'에 대치되는 개념으로서 시간적으로나 공간적으로 구체적인 과거 또는 현재의 사실관계에 관한 보고나 진술을 뜻하고, 표현 내용을 증거로 증명할 수 있는 것을 말한다. 따라서 객관적으로 피해자의 사회적 평가를 저하시키는 사실에 관한 발언이 보도, 소문이나 제3자의 말을 인용하는 방법으로 단정적인 표현이 아닌 전문 또는 추측의 형태로 표현되었다면 표현 전체의 취지로 보아 사실이 존재할 수 있다는 것을 암시하는 방식으로 이루어졌더라도 사실을 적시한 것으로 볼 수 없다.

해설

④ [×] 객관적으로 피해자의 사회적 평가를 저하시키는 사실에 관한 발언이 보도, 소문이나 제3자의 말을 인용하는 방법으로 단정적인 표현이 아닌 전문 또는 추측의 형태로 표현되었더라도 **표현 전체의 취지로 보아 사실이 존재할 수 있다는 것을 암시하는 방식으로 이루어진 경우에는 사실을 적시한 것으로 보아야 한다.**(대법원 2021. 3. 25. 2016도14995 박근혜 마약·보톡스 발언 사건)

① [○] 공연성의 존부는 발언자와 상대방 또는 피해자 사이의 관계나 지위, 대화를 하게 된 경위와 상황, 사실적시의 내용, 적시의 방법과 장소 등 행위 당시의 객관적 제반 사정에 관하여 심리한 다음, 그로부터 상대방이 **불특정 또는 다수인에게 전파할 가능성이 있는지 여부를 검토하여 종합적으로 판단하여야 한다. 발언 이후 실제 전파되었는지 여부는 전파가능성 유무를 판단하는 고려요소가 될 수 있으나,** 발언 후 **실제 전파 여부라는 우연한 사정은 공연성 인정 여부를 판단함에 있어 소극적 사정으로만 고려되어야 한다.**(대법원 2020. 11. 19. 2020도5813 전합 징역 살다온 전과자다 사건)

② [○] 사실적시의 내용이 사회 일반의 일부 이익에만 관련된 사항이라도 다른 일반인과의 공동생활에 관계된 사항이라면 공익성을 지닌다고 할 것이고, 이에 나아가 개인에 관한 사항이더라도 그것이 공공의 이익과 관련되어 있고 사회적인 관심을 획득한 경우라면 직접적으로 국가 · 사회 일반의 이익이나 특정한 사회집단에 관한 것이 아니라는 이유만으로 형법 제310조의 적용을 배제할 것은 아니다.(대법원 2022. 2. 11. 2021도10827 남의 재산을 탈취한 사기꾼이다 사건)

③ [○] 어떤 글이 모욕적 표현을 담고 있는 경우에도 그 글이 객관적으로 타당성이 있는 사실을 전제로 하여 그 사실관계나 이를 둘러싼 문제에 관한 자신의 판단과 피해자의 태도 등이 합당한가 하는 데 대한 자신의 의견을 밝히고, 자신의 판단과 의견이 타당함을 강조하는 과정에서 부분적으로 모욕적인 표현이 사용된 것에 불과하다면 사회상규에 위배되지 않는 행위로서 형법 제20조에 의하여 위법성이 조각될 수 있다.(대법원 2021. 3. 25. 2017도17643 이런걸 기레기라고 하죠 사건)

115 □□□ **명예훼손죄와 모욕죄에 관한 설명으로 옳지 않은 것만을 모두 고른 것은? (다툼이 있으면 판례에 의함)**

24 경찰채용 [*Core* ★★]

㉠ A대학교 총학생회장인 甲이 총학생회 주관의 농활 사전답사과정에서 B를 비롯한 학생회 임원진의 음주 및 음주운전 사실을 계기로 음주운전 및 이를 묵인하는 관행을 공론화하여 '총학생회장으로서 음주운전을 끝까지 막지 못하여 사과드립니다.' 라는 글을 페이스북 등에 게시한 경우 甲에게는 B에 대한 명예훼손죄가 성립하지 않는다.

㉡ 지역버스 노동조합 조합원인 甲이 자신의 페이스북에 집회일정을 알리면서 노동조합 집행부인 A와 B를 지칭하며 "버스노조 악의 축, A와 B를 구속수사하라!!"라는 표현을 적시한 경우 甲에게는 A와 B에 대한 모욕죄가 성립한다.

㉢ 甲이 초등학생인 딸 A의 학교폭력 피해사실을 신고하여 교장이 가해학생인 B에게 학교폭력대책자치위원회의 의결에 따라 '피해학생에 대한 접촉, 보복행위의 금지' 등의 조치를 하였는데, 그 후 甲이 자신의 카카오톡 계정 프로필 상태메시지에 "학교폭력범은 접촉금지!!!"라는 글과 주먹 모양의 그림말 세 개를 게시한 경우 甲에게는 B에 대한 명예훼손죄가 성립한다.

㉣ 甲이 골프클럽 경기보조원들의 구직편의를 위해 제작된 인터넷 사이트 내 회원 게시판에 특정 골프클럽의 운영상 불합리성을 비난하는 글을 게시하면서 위 클럽담당자 A에 대하여 '한심하고 불쌍한 인간'이라는 등 경멸적 표현을 한 경우 甲에게는 A에 대한 모욕죄가 성립한다.

① ㉠㉡ ② ㉡㉢
③ ㉠㉢㉣ ④ ㉡㉢㉣

정답 | 114 ④ 115 ④

해설

③ ⓛⓒⓔ 3 항목이 옳지 않다.

㉠ [○] 설령 그러한 의도 · 목적이 있더라도 이 사건 게시글의 중요 부분은 객관적인 사실로서 피해자의 준법의식 · 도덕성 · 윤리성과 직결되는 부분이어서 ○○대학교 사범대학 학생회장으로서의 적격 여부와 상당한 관련성이 있을 뿐만 아니라 이는 ○○대학교 사범대학 구성원 전체의 관심과 이익에 관한 사항에 해당한다. 피고인이 이 사건 게시글에 자신의 부적절한 처신(음주운전 차량 동승)까지 숨김없이 밝힌 점과 이 사건 게시글에도 불구하고 피해자가 ○○대학교 사범대학 학생회장으로 출마하여 당선된 점 역시 이 사건 게시글에 의한 피해자의 명예의 침해 정도 등을 비교 · 고려하더라도 이 사건 게시글이 전체적 · 객관적으로 공적인 취지 및 공공의 이익에 관한 것으로 읽혀지거나 받아들여졌음을 나타낸다. 나아가 농활 과정에서 관행적인 음주운전 문화의 개선을 통해 음주운전으로 인한 사고발생의 가능성을 감소시켜야 할 필요성은 ○○대학교 총학생회 전체 구성원은 물론 우리 사회 일반의 관심과 이익에도 해당하는 사항이라고 볼 여지가 크므로, 피고인이 ○○대학교 총학생회 구성원 이외의 사람까지 볼 수 있는 페이스북에 이를 게시하였다고 하여, 이 사건 게시글의 공익성을 부정할 만한 사정에 해당한다고 볼 수는 없다. 결국 공소사실에 기재된 **이 사건 게시글의 중요한 부분은 '진실한 사실'에 해당되고, 피고인의 주요한 동기 · 목적이 공공의 이익을 위한 것임이 인정되는 이상, 형법 제310조에 따라 위법성이 조각된다고 봄이 타당하다.**(대법원 2023. 2. 2. 2022도13425 농활 음주 사건)

ⓛ [×] 피고인이 조합 집행부의 공적 활동과 관련한 자신의 의견을 담은 게시글을 작성하면서 그러한 표현을 한 것은 사회상규에 위배되지 않는 정당행위로서 **형법 제20조에 따라 위법성이 조각된다고 볼 여지가 크다.**(대법원 2022. 10. 27. 2019도14421 악의 축 사건)

ⓒ [×] 피고인이 자신의 카카오톡 계정 프로필 상태메시지에 '학교폭력범은 접촉금지!!!'라는 글과 주먹 모양의 그림말 세 개를 게시했다고 하더라도 그 상태메시지를 통해 피해자의 학교폭력 사건이나 그 사건으로 피해자가 받은 조치에 대해 기재함으로써 **피해자의 사회적 가치나 평가를 저하시키기에 충분한 구체적인 사실을 드러냈다고 볼 수 없다.**(대법원 2020. 5. 28. 2019도12750 학교폭력범은 접촉금지 사건)

ⓔ [×] 골프클럽 경기보조원들의 구직편의를 위해 제작된 인터넷 사이트 내 회원 게시판에 특정 골프클럽의 운영상 불합리성을 비난하는 글을 게시하면서 클럽담당자에 대하여 "한심하고 불쌍한 인간"이라는 등 경멸적 표현을 했더라도, 게시의 동기와 경위, 모욕적 표현의 정도와 비중 등에 비추어 **사회상규에 위배되지 않는다고 봄이 상당하다.**(대법원 2008. 7. 10. 2008도1433 다음카페 캐디세상 사건)

116 명예에 관한 죄에 대한 설명으로 가장 적절하지 않은 것은? (다툼이 있으면 판례에 의함)

□□□

23 경찰채용 [Core ★★]

① 사실적시의 내용이 개인에 관한 사항이더라도 공공의 이익과 관련되어 있고 사회적인 관심을 획득한 경우라면 직접적으로 국가·사회 일반의 이익이나 특정한 사회집단에 관한 것이 아니라는 이유만으로 형법 제310조의 적용을 배제할 것은 아니다.

② 명예훼손죄와 모욕죄에서 전파가능성을 이유로 공연성을 인정하는 경우에는 적어도 범죄 구성요건의 주관적 요소로서 미필적 고의가 필요하므로 전파가능성에 대한 인식이 있음은 물론 나아가 위험을 용인하는 내심의 의사가 있어야 한다.

③ 인터넷 등 공간에서 작성된 단문의 글이라고 하더라도 그 내용이 자신의 의견을 강조하거나 압축하여 표현한 것이라고 평가할 수 있고 표현도 지나치게 모욕적이거나 악의적이지 않다면 형법 제20조에 의하여 위법성이 조각될 수 있다.

④ 甲은 자신의 인터넷 채널에 A의 방송 영상을 게시하면서 A의 얼굴에 '개' 얼굴을 합성하는 방법을 사용하였는바, 그 영상의 전체적인 내용을 살펴볼 때 A의 얼굴을 가리는 용도로 동물 그림을 사용하면서 A에 대한 부정적인 감정을 다소 해학적으로 표현하려 한 것에 불과한 경우라도 이러한 행위는 모욕적 표현에 해당한다.

해설

④ [×] 피고인 甲이 인터넷 유튜브 채널에 피해자 A의 방송 영상을 게시하면서 A의 얼굴에 '개' 얼굴을 합성하였는바, 甲이 A의 얼굴을 가리는 용도로 동물 그림을 사용하면서 A에 대한 부정적인 감정을 다소 해학적으로 표현하려 한 것에 불과하다고 볼 여지도 상당하다면 영상이 A를 불쾌하게 할 수 있는 표현이기는 하지만 객관적으로 A의 인격적 가치에 대한 사회적 평가를 저하시킬 만한 모욕적 표현을 한 경우에 해당한다고 단정하기는 어렵다.(대법원 2023. 2. 2. 2022도4719 **개 얼굴 합성사건**)

① [○] 사실적시의 내용이 사회 일반의 일부 이익에만 관련된 사항이라도 다른 일반인과의 공동생활에 관계된 사항이라면 공익성을 지닌다고 할 것이고, 이에 나아가 개인에 관한 사항이더라도 그것이 공공의 이익과 관련되어 있고 사회적인 관심을 획득한 경우라면 직접적으로 국가·사회 일반의 이익이나 특정한 사회집단에 관한 것이 아니라는 이유만으로 형법 제310조의 적용을 배제할 것은 아니다.(대법원 2022. 2. 11. 2021도10827 **남의 재산을 탈취한 사기꾼이다 사건**)

② [○] 명예훼손죄와 모욕죄에서 전파가능성을 이유로 공연성을 인정하는 경우에는 적어도 범죄구성요건의 주관적 요소로서 미필적 고의가 필요하므로 전파가능성에 대한 인식이 있음은 물론 나아가 위험을 용인하는 내심의 의사가 있어야 한다.(대법원 2022. 7.28. 2020도8336 **누수공사 관련 막말 사건**)

③ [○] 인터넷 등 공간에서 작성된 단문의 글이라고 하더라도 그 내용이 자신의 의견을 강조하거나 압축하여 표현한 것이라고 평가할 수 있고 표현도 지나치게 모욕적이거나 악의적이지 않다면 마찬가지로 위법성이 조각될 수 있다. 이때 사회상규에 위배되는지 여부는 피고인과 피해자의 지위와 그 관계, 표현행위를 하게 된 동기, 경위나 배경, 표현의 전체적인 취지와 구체적인 표현방법, 모욕적인 표현의 맥락 그리고 전체적인 내용과의 연관성 등을 종합적으로 고려하여 판단해야 한다.(대법원 2022. 8. 25. 2020도16897 **철면피 파렴치 양두구육 사건**)

정답 | 116 ④

117 모욕죄에 관한 다음 설명 중 가장 옳지 않은 것은? (다툼이 있으면 판례에 의함)

□□□

23 법원9급 [*Core* ★★]

① 형법 제311조의 모욕죄는 사람의 가치에 대한 사회적 평가를 의미하는 외부적 명예를 보호법익으로 하는 범죄로서, 모욕죄에서 말하는 모욕이란 사실을 적시하지 아니하고 사람의 사회적 평가를 저하시킬 만한 추상적 판단이나 경멸적 감정을 표현하는 것을 의미 한다. 따라서 어떠한 표현이 상대방의 인격적 가치에 대한 사회적 평가를 저하시킬 만한 것이 아니라면 설령 그 표현이 다소 무례한 방법으로 표시되었다 하더라도 이를 두고 모욕죄의 구성요건에 해당한다고 볼 수 없다.

② 언어적 수단이 아닌 비언어적·시각적 수단만을 사용하여 표현을 한 경우라면 그것이 사람의 사회적 평가를 저하시킬 만한 추상적 판단이나 경멸적 감정을 전달하는 것이라 하더라도 모욕죄가 성립할 수 없다.

③ 어떠한 표현이 모욕죄의 모욕에 해당하는지는 상대방 개인의 주관적 감정이나 정서상 어떠한 표현을 듣고 기분이 나쁜지 등 명예감정을 침해할 만한 표현인지를 기준으로 판단할 것이 아니라 당사자들의 관계, 해당 표현에 이르게 된 경위, 표현방법, 당시 상황 등 객관적인 제반사정에 비추어 상대방의 외부적 명예를 침해할 만한 표현인지를 기준으로 엄격하게 판단하여야 한다.

④ 공연성은 명예훼손죄와 모욕죄의 구성요건으로서, 명예훼손이나 모욕에 해당하는 표현을 특정 소수에게 한 경우 공연성이 부정되는 유력한 사정이 될 수 있으므로 전파될 가능성에 관해서는 검사의 엄격한 증명이 필요하다.

해설

② [×] 모욕의 수단과 방법에는 제한이 없으므로 언어적 수단이 아닌 **비언어적 · 시각적 수단만을 사용하여 표현을 하더라도 그것이 사람의 사회적 평가를 저하시킬 만한 추상적 판단이나 경멸적 감정을 전달하는 것이라면 모욕죄가 성립한다.** 최근 영상 편집 · 합성 기술이 발전함에 따라 합성 사진 등을 이용한 모욕 범행의 가능성이 높아지고 있고, 시각적 수단만을 사용한 모욕이라 하더라도 그 행위로 인하여 피해자가 입는 피해나 범행의 가벌성 정도는 언어적 수단을 사용한 경우와 비교하여 차이가 없다.(대법원 2023. 2. 2. 2022도4719 개 얼굴 합성사건)

① [○] 형법 제311조의 모욕죄는 사람의 가치에 대한 사회적 평가를 의미하는 외부적 명예를 보호법익으로 하는 범죄로서, 모욕죄에서 말하는 모욕이란 사실을 적시하지 아니하고 사람의 사회적 평가를 저하시킬 만한 추상적 판단이나 경멸적 감정을 표현하는 것을 의미한다. 따라서 어떠한 표현이 상대방의 인격적 가치에 대한 사회적 평가를 저하시킬 만한 것이 아니라면 설령 그 **표현이 다소 무례한 방법으로 표시되었다 하더라도 이를 두고 모욕죄의 구성요건에 해당한다고 볼 수 없다.**(대법원 2023. 2. 2. 2022도4719 개 얼굴 합성사건)

③ [○] 어떠한 표현이 모욕죄의 모욕에 해당하는지는 상대방 개인의 주관적 감정이나 정서상 어떠한 표현을 듣고 기분이 나쁜지 등 명예감정을 침해할 만한 표현인지를 기준으로 판단할 것이 아니라 당사자들의 관계, 해당 표현에 이르게 된 경위, 표현방법, 당시 상황 등 객관적인 제반 사정에 비추어 **상대방의 외부적 명예를 침해할 만한 표현인지를 기준으로 엄격하게 판단하여야 한다.**(대법원 2022. 8. 31. 2019도7370 정말 야비한 사람인 것 같습니다 사건)

④ [○] 공연성은 명예훼손죄와 모욕죄의 구성요건으로서 명예훼손이나 모욕에 해당하는 표현을 특정 소수에게 한 경우 공연성이 부정되는 유력한 사정이 될 수 있으므로 **전파될 가능성에 관해서는 검사의 엄격한 증명이 필요하다.**(대법원 2022. 7. 28. 2020도8336 누수공사 관련 막말 사건)

118 다음 설명 중 모욕죄 성립을 인정한 것을 모두 고른 것은? (다툼이 있으면 판례에 의함)

□□□

16 법원행시 [Superlative ★★★]

㉠ 피고인이 택시 기사와 요금 문제로 시비가 벌어져 112 신고를 한 후, 신고를 받고 출동한 경찰관 甲에게 늦게 도착한 데에 대하여 항의하는 과정에서 '아이 씨발!'이라고 말한 사안
㉡ 아파트 입주자대표회의 감사인 피고인이 관리소장 甲의 업무처리에 항의하기 위해 관리소장실을 방문한 자리에서 甲과 언쟁을 하다가 '야, 이 따위로 일할래', '나이 처먹은 게 무슨 자랑이냐'라고 말한 사안
㉢ 임대아파트의 분양전환과 관련하여 임차인인 피고인이 아파트 관리사무소의 방송시설을 이용하여 임차인대표회의의 전임회장을 비판하며 '전 회장의 개인적인 의사에 의하여 주택공사의 일방적인 견해에 놀아나고 있기 때문에'라고 한 사안
㉣ 골프클럽 경기보조원들의 구직편의를 위해 제작된 인터넷 사이트 내 회원 게시판에 특정 골프클럽의 운영상 불합리성을 비난하는 글을 게시하면서 위 클럽담당자에 대하여 '한심하고 불쌍한 인간'이라는 등의 표현을 한 사안

① ㉠ ② ㉠㉡ ③ ㉢
④ ㉢㉣ ⑤ 없음

해설

⑤ 모든 항목의 경우 모욕죄가 성립하지 아니한다.
㉠ 피고인의 발언은 구체적으로 상대방을 지칭하지 않은 채 단순히 발언자 자신의 불만이나 분노한 감정을 표출하기 위하여 흔히 쓰는 말로서 상대방을 불쾌하게 할 수 있는 무례하고 저속한 표현이기는 하지만 직접적으로 甲을 특정하여 그의 인격적 가치에 대한 사회적 평가를 저하시킬 만한 경멸적 감정을 표현한 **모욕적 언사에 해당한다고 단정하기는 어렵다.**(대법원 2015. 12. 24. 2015도6622 아이 씨발 사건)
㉡ 피고인의 발언은 상대방을 불쾌하게 할 수 있는 무례하고 저속한 표현이기는 하지만 객관적으로 甲의 인격적 가치에 대한 사회적 평가를 저하시킬 만한 **모욕적 언사에 해당한다고 보기는 어렵다.**(대법원 2015. 9. 10. 2015도2229 나이 처먹은게 자랑이냐 사건)
㉢ 피고인이 한 표현은 직접적으로 전임회장을 겨냥하여 그의 사회적 평가를 저하시킬 만한 추상적 판단이나 그에 대한 경멸적 감정을 표현한 것으로 보기 어려워 모욕죄의 **'모욕'에 해당하지 않는다.**(대법원 2008. 12. 11. 2008도8917 배들주공아파트 사건)
㉣ 골프클럽 경기보조원들의 구직편의를 위해 제작된 인터넷 사이트 내 회원 게시판에 특정 골프클럽의 운영상 불합리성을 비난하는 글을 게시하면서 클럽담당자에 대하여 "한심하고 불쌍한 인간"이라는 등 경멸적 표현을 했더라도, 게시의 동기와 경위, 모욕적 표현의 정도와 비중 등에 비추어 **사회상규에 위배되지 않는다고 봄이 상당하다.**(대법원 2008. 7. 10. 2008도1433 다음카페 캐디세상 사건)

정답 | 117 ② 118 ⑤

119 모욕죄에 관한 다음 설명 중 가장 옳지 않은 것은? (다툼이 있으면 판례에 의함)

□□□

23 법원행시 [*Core* ★★]

① 자동차 정보 관련 인터넷 신문사 소속 기자 A가 작성한 기사가 인터넷 포털 사이트의 자동차 뉴스 '핫이슈' 난에 게재되자, 甲이 "이런걸 기레기라고 하죠?"라는 댓글을 게시한 경우 '기레기'는 기자인 A의 사회적 평가를 저하시킬 만한 추상적 판단이나 경멸적 감정을 표현한 모욕적 표현에 해당한다.

② A주식회사 해고자 신분으로 노동조합 사무장직을 맡아 노조활동을 하는 甲이 노사 관계자 140여 명이 있는 가운데 큰 소리로 甲보다 15세 연장자로서 A주식회사 부사장인 B를 향해 "야 ○○아, ○○이 여기 있네, 니 이름이 ○○이잖아, ○○아 나오니까 좋지?" 등으로 여러 차례 B의 이름을 부른 것은 객관적으로 B의 인격적 가치에 대한 사회적 평가를 저하시킬만한 모욕적 언사에 해당하지 않는다.

③ 사업소 소장인 甲이 직원들에게 A가 관리하는 다른 사업소의 문제를 지적하는 내용의 카카오톡 문자메시지를 발송하면서 "A는 정말 야비한 사람인 것 같습니다."라고 표현하였더라도 이를 A의 외부적 명예를 침해할 만한 표현이라고 단정하기 어렵다.

④ 아파트 입주자대표회의 감사인 甲이 관리소장 A의 외부특별감사에 관한 업무처리에 항의하기 위해 관리소장실을 방문한 자리에서, A와 언쟁을 하다가 "야, 이따위로 일할래.", "나이 처먹은 게 무슨 자랑이냐."라고 말한 경우 甲의 발언은 객관적으로 A의 인격적 가치에 대한 사회적 평가를 저하시킬 만한 모욕적 언사에 해당하지 않는다.

⑤ 甲이 방송국 시사프로그램을 시청한 후 방송국 홈페이지의 시청자 의견란에 출연자 A에 대해 "그렇게 소중한 자식을 범법행위의 변명의 방패로 쓰시다니 정말 대단하십니다."는 등의 글을 작성·게시한 경우 甲의 표현은 그 출연자인 A의 사회적 평가를 훼손할 만한 모욕적 언사에 해당하지 않는다.

해설

⑤ [×] 피고인이 방송국 시사프로그램을 시청한 후 방송국 홈페이지의 시청자 의견란에 작성·게시한 글 중 특히, "그렇게 소중한 자식을 범법행위의 변명의 방패로 쓰시다니 정말 대단하십니다"라는 등의 표현은 **그 게시글 전체를 두고 보면 사회상규에 위배되지 않는다고 봄이 상당하다.**(대법원 2003. 11. 28. 2003도3972 시청자 의견코너 사건)

① [○] **'기레기'**는 '기자'와 '쓰레기'의 합성어로서 자극적인 제목이나 내용 등으로 홍보성 기사를 작성하는 행위 등을 하는 기자들 또는 기자들의 행태를 비하한 용어이므로 기자인 피해자의 사회적 평가를 저하시킬 만한 추상적 판단이나 경멸적 감정을 표현한, 모욕적 표현에 해당하기는 한다. 그러나 피고인이 작성한 "이런걸 기레기라고 하죠?"라는 댓글은 그 전후에 게시된 다른 댓글들과 같은 견지에서 방송 내용 등을 근거로 기사의 제목과 내용, 이를 작성한 피해자의 행위나 태도를 비판하는 의견을 강조하거나 압축하여 표현한 것이라고 평가할 수 있다. 또한 '기레기'는 기사 및 기자의 행태를 비판하는 글에서 비교적 폭넓게 사용되는 단어이고, 기사에 대한 다른 댓글들의 논조 및 내용과 비교해 볼 때 댓글의 표현이 지나치게 악의적이라고 하기도 어려워 피고인의 행위는 사회상규에 위배되지 않는 행위로서 **형법 제20조에 의하여 위법성이 조각된다.**(대법원 2021. 3. 25. 2017도17643 이런걸 기레기라고 하죠 사건)

② [O] 피고인 甲이 사용자 측의 게시물 철거행위가 금속노조의 조합 활동을 방해하고 노동운동에 대해 간섭하는 것으로 여겨 화가 나 노사 관계자 140여 명이 있는 가운데 큰 소리로 甲보다 15세 연장자인 B(A주식회사 부사장겸 공장장으로 이름은 '○○'이다)를 향해 "야 ○○아, ○○아, ○○이 여기 있네, 너 이름이 ○○이 아냐, **반말?** 니 이름이 ○○이잖아, ○○아 좋지 ○○아 나오니까 좋지?"라고 여러 차례 말한 경우 甲의 발언은 상대방을 불쾌하게 할 수 있는 무례하고 예의에 벗어난 표현이기는 하지만 객관적으로 B의 인격적 가치에 대한 사회적 평가를 저하시킬 만한 **모욕적 언사에 해당한다고 보기는 어렵다.**(대법원 2018. 11. 29. 2017도2661 **반말 사건**)

③ [O] 재단법인 우체국시설관리단에는 민주노총 소속 전국공공운수사회서비스노동조합 우체국시설관리단지부 외에도 한국노총 소속 전국우체국시설관리단 노동조합이 설립되어 있다. 피고인은 우체국시설관리단 ○○○우체국 사업소 소장으로 재직하면서 한국노총 소속 위 노동조합 부위원장을 맡고 있었고, 피해자는 우체국시설관리단 △△우편물류센터 사업소 소장으로 재직하면서 민주노총 소속 우체국시설관리단 지부장을 맡고 있었다. 우체국시설관리단 □□□우편집중국 사업소 관리소장(한국노총 소속)이 해고되었는데, 피해자는 2017. 9. 13. □□□우편집중국 사업소 직원들에게 위 관리소장의 재활용 폐지대금 횡령 등의 범죄사실을 적극 밝혀서 관련된 직원 등이 있으면 추가로 고발하겠다는 취지의 카카오톡 문자메시지를 보냈다. 피고인은 그 다음 날인 2017. 9. 14. □□□우편집중국 사업소 시설관리 직원 3명에게 피해자가 관리하는 사업소의 문제, 민주노총에 적극적이지 않은 직원에 대한 편파적인 대우, 피해자의 문자메시지 내용 등을 지적하면서 '민주노총 공소외인 지부장은 정말 **야비한 사람인 것 같습니다.**'라는 이 사건 표현이 기재된 카카오톡 문자메시지를 발송하였다. 피고인은 위 문자메시지를 발송한 경위와 관련하여, 경쟁관계에 있던 민주노총 소속 노동조합의 지부장인 피해자의 문자메시지에 대응하여 한국노총 소속 노동조합의 부위원장으로서 조합원들이 민주노총 소속 조합원으로 옮겨가는 것을 막기 위한 것이었다고 주장하였다. 위와 같은 사실과 함께 피고인과 피해자의 관계, 문자메시지의 전체적 맥락 안에서 이 사건 표현의 의미와 정도, 이 사건 표현이 이루어진 공간 및 전후의 정황, 피해자의 인격권으로서의 명예와 피고인의 표현의 자유의 조화로운 보호 등을 살펴보면, 이 사건 표현은 피고인의 피해자에 대한 부정적 · 비판적 의견이나 감정이 담긴 경미한 수준의 추상적 표현에 불과할 뿐 피해자의 **외부적 명예를 침해할 만한 표현이라고 단정하기 어렵다.**(대법원 2022. 8. 31. 2019도7370 **정말 야비한 사람인 것 같습니다 사건**)

④ [O] 아파트 입주자대표회의 감사인 피고인 甲과 아파트 관리소장 A 사이에 업무처리 방식을 두고 언쟁을 하게 되었는데, 그 과정에서 甲이 A에게 "야, 이 따위로 일할래"라고 말하자 A가 "나이가 몇 살인데 반말을 하느냐"고 말하였고, 이에 甲이 "**나이 처먹은 게 무슨 자랑이냐**"라고 말한 경우 피고인 甲의 위 발언은 상대방을 불쾌하게 할 수 있는 무례하고 저속한 표현이기는 하지만 객관적으로 A의 인격적 가치에 대한 사회적 평가를 저하시킬 만한 **모욕적 언사에 해당한다고 보기는 어렵다.**(대법원 2015. 9. 10. 2015도2229 **나이 처먹은게 자랑이냐 사건**)

정답 | 119 ⑤

120 **다음 사례 중 甲에게 모욕죄(또는 상관모욕죄)가 성립하는 것은? (다툼이 있으면 판례에 의함)**
□□□

22 경찰채용 [Essential ★]

① 甲이 소속 노동조합 위원장 A를 '어용', '앞잡이' 등으로 지칭하여 표현한 현수막, 피켓 등을 장기간 반복하여 일반인의 왕래가 잦은 도로변 등에 게시한 경우

② 부사관 교육생 甲이 동기들과 함께 사용하는 단체 채팅방에서 지도관 A가 목욕탕 청소 담당에게 과실 지적을 많이 한다는 이유로 "도라이 ㅋㅋㅋ 습기가 그렇게 많은데"라는 글을 게시한 경우

③ A주식회사 해고자 신분으로 노동조합 사무장직을 맡아 노조활동을 하는 甲이 노사 관계자 140여 명이 있는 가운데 큰 소리로 자신보다 15세 연장자인 A회사 부사장 B를 향해 "야 ○○아, ○○이 여기 있네, 니 이름이 ○○이잖아, ○○아 나오니까 좋지?" 등으로 여러 차례 B의 이름을 부른 경우

④ 甲이 인터넷 포털 사이트의 'A추진운동본부'에 접속하여 '자칭타칭 B하면 떠오르는 키워드!!!' 라는 제목의 게시글에 '공황장애 ㅋ'라는 댓글을 게시한 경우

해설

① 피고인들이 피해자를 '어용', '앞잡이' 등으로 표현한 현수막, 피켓 등을 장기간 반복하여 일반인의 왕래가 잦은 도로변 등에 게시한 행위는 **피해자에 대한 모욕적 표현으로서 사회상규에 위배되지 않는 행위라고 보기 어렵다고 본 원심의 판단은 정당한 것으로 수긍할 수 있다.**(대법원 2021. 9. 9. 2016도88 어용 · 앞잡이 사건)
② 피고인의 표현은 동기 교육생들끼리 고충을 토로하고 의견을 교환하는 사이버공간에서 상관인 피해자에 대하여 일부 부적절한 표현을 사용하게 된 것에 불과하고 이로 인하여 군의 조직질서와 정당한 지휘체계가 문란하게 되었다고 보이지 않으므로 이러한 행위는 **사회상규에 위배되지 않는다고 보는 것이 타당하다.**(대법원 2021. 8. 19. 2020도14576 도라이ㅋㅋㅋ 사건)
③ 피고인의 발언은 상대방을 불쾌하게 할 수 있는 무례하고 예의에 벗어난 표현이기는 하지만 객관적으로 A의 **인격적 가치에 대한 사회적 평가를 저하시킬 만한 모욕적 언사에 해당한다고 보기는 어렵다.**(대법원 2018. 11. 29. 2017도2661 반말 사건)
④ 피고인의 표현은 상대방을 불쾌하게 할 수 있는 무례한 표현이기는 하나 **상대방의 인격적 가치에 대한 사회적 평가를 저하시킬 만한 표현에 해당한다고 보기는 어렵다.**(대법원 2018. 5. 30. 2016도20890 공황장애 사건)

121 □□□ **다음 사례 중 모욕죄의 구성요건에 해당하지 않는 사례(A)와 모욕죄의 구성요건에 해당하지만 위법성이 조각된 사례(B)를 옳게 묶은 것은? (다툼이 있으면 판례에 의함)** 21 경찰간부 [Core ★★]

> ㉠ 택시 기사와 요금 문제로 시비가 벌어져 112 신고를 한 후, 신고를 받고 출동한 경찰관에게 늦게 도착한 데 대하여 항의 하는 과정에서 "아이 씨발!"이라고 말한 경우
> ㉡ 피고인이 방송국 시사프로그램을 시청한 후 방송국 홈페이지의 시청자 의견란에 작성·게시한 글에서 "그렇게 소중한 자식을 범법행위 변명의 방패로 쓰시다니 정말 대단하십니다."라고 말한 경우
> ㉢ 골프클럽 경기보조원들의 인터넷 구직사이트 내 회원 게시판에 특정 골프클럽의 운영상 불합리성을 비난하는 글을 게시하면서 위 클럽 담당자에 대하여 '한심하고 불쌍한 인간'이라는 표현을 한 경우
> ㉣ 아파트 입주자대표회의 감사인 피고인이 아파트 관리소장의 업무처리에 항의하기 위해 관리소장실을 방문한 자리에서 언쟁을 하다가 "야, 이따위로 일할래", "나이 처먹은 게 무슨자랑이냐"라고 말한 경우
> ㉤ 노동조합 사무장인 피고인이 노사 관계자 140여 명이 있는 가운데 피고인보다 15세 연장자인 회사 부사장에게 "야 ○○아, 니 이름이 ○○이잖아, ○○아 나오니까 좋지?" 등 반말로 여러 차례 이름을 부른 경우

	A	B		A	B
①	㉠㉢㉤	㉡㉣	②	㉠㉣㉤	㉡㉢
③	㉡㉢㉣	㉠㉤	④	㉢㉣㉤	㉠㉡

해설

② A: ㉠㉣㉤, B: ㉡㉢이 옳다.

㉠ 피고인의 발언은 구체적으로 상대방을 지칭하지 않은 채 단순히 발언자 자신의 불만이나 분노한 감정을 표출하기 위하여 흔히 쓰는 말로서 상대방을 불쾌하게 할 수 있는 무례하고 저속한 표현이기는 하지만 직접적으로 경찰관을 특정하여 그의 인격적 가치에 대한 사회적 평가를 저하시킬 만한 경멸적 감정을 표현한 **모욕적 언사에 해당한다고 단정하기는 어렵다.**(대법원 2015. 12. 24. 2015도6622 아이 씨발 사건)

㉡ 게시글 전체를 두고 보면 **사회상규에 위배되지 않는다고 봄이 상당하다.**(대법원 2003. 11. 28. 2003도3972 시청자 의견코너 사건)

㉢ 게시의 동기와 경위, 모욕적 표현의 정도와 비중 등에 비추어 **사회상규에 위배되지 않는 행위이므로 모욕죄는 성립하지 아니한다.**(대법원 2008. 7. 10. 2008도1433 다음카페 캐디세상 사건)

㉣ 피고인의 발언은 상대방을 불쾌하게 할 수 있는 무례하고 저속한 표현이기는 하지만 객관적으로 관리소장의 인격적 가치에 대한 사회적 평가를 저하시킬 만한 **모욕적 언사에 해당한다고 보기는 어렵다.**(대법원 2015. 9. 10. 2015도2229 나이 처먹은게 자랑이냐 사건)

㉤ 피고인의 발언은 상대방을 불쾌하게 할 수 있는 무례하고 예의에 벗어난 표현이기는 하지만 객관적으로 회사 부사장의 인격적 가치에 대한 사회적 평가를 저하시킬 만한 **모욕적 언사에 해당한다고 보기는 어렵다.**(대법원 2018. 11. 29. 2017도2661 반말 사건)

정답 | 120 ① 121 ②

제2절 | 신용·업무·경매에 관한 죄

122 다음 중 죄명과 행위태양의 연결이 가장 적절하지 않은 것은? 13 경찰승진 [*Core* ★★]

□□□

① 신용훼손죄: 허위사실유포, 기타 위계, 위력

② 업무방해죄: 허위사실유포, 기타 위계, 위력

③ 컴퓨터 등 업무방해죄: 손괴, 허위정보·부정명령 입력, 기타 방법

④ 경매방해죄: 위계, 위력, 기타 방법

해설

① [×] 허위의 사실을 유포하거나 기타 위계로써 사람의 신용을 훼손한 경우에 신용훼손죄가 성립한다.(제313조)

② [○] **제313조의 방법 또는 위력**으로써 사람의 업무를 방해한 자는 5년 이하의 징역 또는 1천500만원 이하의 벌금에 처한다.(제314조 제1항)

③ [○] 컴퓨터 등 정보처리장치 또는 전자기록 등 특수매체기록을 손괴하거나 정보처리장치에 **허위의 정보 또는 부정한 명령을 입력하거나 기타 방법**으로 정보처리에 장애를 발생하게 하여 사람의 업무를 방해한 자도 제1항의 형과 같다.(제314조 제2항)

④ [○] **위계 또는 위력 기타 방법**으로 경매 또는 입찰의 공정을 해한 자는 2년 이하의 징역 또는 700만원 이하의 벌금에 처한다.(제315조)

123 □□□ **신용훼손죄와 입찰방해죄에 관한 다음 설명 중 가장 옳지 않은 것은? (다툼이 있으면 판례에 의함)**

17 법원행시 [*Core* ★★]

① 퀵서비스 운영자인 피고인이 배달업무를 하면서, 손님의 불만이 예상되는 경우에는 평소 경쟁관계에 있는 피해자 운영의 퀵서비스 명의로 된 영수증을 작성·교부함으로써 손님들로 하여금 불친절하고 배달을 지연시킨 사업체가 피해자 운영의 퀵서비스인 것처럼 인식하게 하였다면 신용훼손행위에 해당한다.

② 이른바 담합행위가 입찰방해죄로 되기 위하여 반드시 입찰참가자 전원과의 사이에 담합이 이루어져야 하는 것은 아니고, 입찰참가자들 중 일부와의 사이에만 담합이 이루어진 경우라고 하더라도 그것이 입찰의 공정을 해하는 것으로 평가되는 이상 입찰방해죄는 성립한다.

③ 입찰방해죄에서 위력이란 사람의 자유의사를 제압, 혼란케 할 만한 일체의 유형적 또는 무형적 세력을 말하는 것으로서 폭행, 협박은 물론 사회적, 경제적, 정치적 지위와 권세에 의한 압력 등을 포함하는 것이다.

④ 입찰방해죄는 결과의 불공정이 현실적으로 나타나는 것을 요하지 아니한다.

⑤ 공적·사적 경제주체의 임의선택에 따른 계약체결의 과정에 공정한 경쟁을 해하는 행위가 개재되었다 하여도 입찰방해죄로 처벌할 수는 없다.

해설

① [×] 퀵서비스 운영자인 피고인 甲이 배달업무를 하면서, 손님의 불만이 예상되는 경우에는 평소 경쟁관계에 있는 A 운영의 퀵서비스 명의로 된 영수증을 작성·교부함으로써 손님들로 하여금 불친절하고 배달을 지연시킨 사업체가 A 운영의 퀵서비스인 것처럼 인식하게 한 경우, **퀵서비스의 주된 계약내용이 신속하고 친절한 배달이라 하더라도 위 행위가 A의 경제적 신용, 즉 지급능력이나 지급의사에 대한 사회적 신뢰를 저해하는 행위에 해당한다고 보기는 어렵다.**(대법원 2011. 5. 13. 2009도5549 퀵서비스 사건)

② [○] 입찰참가자들 사이의 담합행위가 입찰방해죄로 되기 위하여는 반드시 입찰참가자 전원과의 사이에 담합이 이루어져야 하는 것은 아니고, 입찰참가자들 중 **일부와의 사이에만 담합이 이루어진 경우라고 하더라도** 그것이 입찰의 공정을 해하는 것으로 평가되는 이상 **입찰방해죄는 성립한다.**(대법원 2009. 5. 14. 2008도11361 나라장터 전자입찰 사건)

③ [○] 입찰방해죄에 있어 '위력'이란 사람의 자유의사를 제압, 혼란케 할 만한 일체의 유형적 또는 무형적 세력을 말하는 것으로서 폭행, 협박은 물론 **사회적, 경제적, 정치적 지위와 권세에 의한 압력 등을 포함하는 것이다.**(대법원 2000. 7. 6. 99도4079 제주감협 조합장 사건)

④ [○] 입찰방해죄는 위태범으로서 결과의 불공정이 현실적으로 나타나는 것을 요하는 것이 아니고, 그 행위에는 가격을 결정하는 데 있어서 뿐 아니라 적법하고 **공정한 경쟁방법을 해하는 행위도 포함된다.**(대법원 2010. 10. 14. 2010도4940 음성유도기 답합사건)

⑤ [○] 입찰방해 행위가 있다고 하기 위해서는 그 방해의 대상이 되는 입찰절차가 존재하여야 할 것이므로 공정한 자유경쟁을 통한 적정한 가격형성을 목적으로 하는 입찰절차가 아니라 공적·사적 경제주체의 임의의 선택에 따른 계약체결의 과정에 공정한 경쟁을 해하는 행위가 개재되었다 하여 **입찰방해죄로 처벌할 수는 없다.**(대법원 2008. 12. 24. 2007도9287 포항 폐기물처리장부지 사건)

정답 | 122 ① 123 ①

124 신용과 업무의 죄에 관한 설명으로 가장 적절하지 않은 것은? (다툼이 있으면 판례에 의함)

□□□

24 경찰간부 [Essential ★]

① 컴퓨터등업무방해죄가 성립하기 위해서는 가해행위의 결과 정보처리장치가 그 사용목적에 부합하는 기능을 하지 못하거나 사용목적과 다른 기능을 하는 등 정보처리의 장애가 현실적으로 발생하였을 것을 요한다.

② 학칙에 따라 입학에 관한 업무가 총장 甲의 권한에 속한다고 하더라도 그 중 면접업무가 면접위원 A에게 위임되었다면 그 위임된 업무는 A의 독립된 업무에 속하므로 甲과의 관계에서도 업무방해죄의 객체인 타인의 업무에 해당한다.

③ 甲이 무자격자에 의해 개설된 의료기관에 고용된 의료인 A의 진료업무를 방해한 경우 A의 진료업무가 업무방해죄의 보호대상이 되는 업무에 해당하여 甲을 업무방해죄로 처벌하기 위해서는 의료기관의 개설·운영 형태, 해당 의료기관에서 이루어지는 진료의 내용과 방식, 甲의 행위로 인하여 방해되는 업무의 내용 등 사정을 종합적으로 고려하여 판단해야 한다.

④ 비록 다른 사람이 작성한 논문을 피고인 단독 혹은 공동으로 작성한 논문인 것처럼 학술지에 제출·발표한 논문연구실적을 부교수 승진심사 서류에 포함하여 제출하였다고 하더라도, 당해 논문을 제외한 다른 논문만으로도 부교수 승진요건을 월등히 충족하고 있었다면 위계에 의한 업무방해죄가 성립하지 않는다.

해설

④ [×] 乙이 작성한 논문을, 피고인 甲이 자신이나 乙 및 자신이 공동으로 작성한 논문인 것처럼 학술지에 제출하여 발표한 논문연구실적을 부교수 승진심사 서류에 포함하여 제출하여 이후 부교수로 승진한 경우 이는 교육자로서의 인격과 품위를 손상시키는 행위에 해당함이 명백하며 따라서 승진 임용심사 과정에서 이러한 사정이 확인되었을 경우 甲이 승진대상자에서 배제되었을 가능성이 높았을 것이므로 **(甲이 다른 논문만으로도 부교수 승진요건을 월등히 충족하고 있었다는 등의 사정이 있더라도) 승진 임용심사 업무의 적정성이나 공정성을 해할 위험이 없었다고 단정할 수는 없다.**(대법원 2009. 9. 10. 2009도4772 조선이공대 논문대작 사건)

① [○] 컴퓨터등장애업무방해죄가 성립하기 위해서는 가해행위의 결과 정보처리장치가 그 사용목적에 부합하는 기능을 하지 못하거나 사용목적과 다른 기능을 하는 등 정보처리의 **장애가 현실적으로 발생하였을 것을 요한다.**(대법원 2013. 3. 14. 2010도410 언소주 소비자불매운동 사건)

② [○] 이화여대 학칙 등에 따라 이화여대의 입학에 관한 업무가 총장인 피고인의 권한에 속한다고 하더라도 그 중 면접업무는 면접위원들에게, 신입생 모집과 사정업무는 교무위원들에게 각 위임되었고, 그 수임자들은 각자의 명의와 책임으로 수임받은 권한을 행사하여야 한다. 따라서 위와 같이 위임된 업무는 면접위원들 및 교무위원들의 독립된 업무에 속하고, **총장인 피고인과의 관계에서도 타인의 업무에 해당한다.**(대법원 2018. 5. 15. 2017도19499 정유라 이대 입시비리 사건)

③ [○] 의료인이나 의료법인이 아닌 자가 의료기관을 개설하여 운영하는 행위는 업무방해죄의 보호대상이 되는 업무에 해당하지 않는다. 그러나 무자격자에 의해 개설된 의료기관에 고용된 **의료인이 환자를 진료한다고 하여 그 진료행위 또한 당연히 반사회성을 띠는 행위라고 볼 수는 없다.** 이때 의료인의 진료업무가 업무방해죄의 보호대상이 되는 업무인지는 의료기관의 개설·운영 형태, 해당 의료기관에서 이루어지는 진료의 내용과 방식, 피고인의 행위로 인하여 방해되는 업무의 내용 등 사정을 종합적으로 고려하여 판단해야 한다.(대법원 2023. 3. 16. 2021도16482 사무장병원 의사진료 방해사건)

125 다음의 설명 중 가장 적절한 것은? (다툼이 있으면 판례에 의함) 21 경찰승진 [Essential ★]

□□□

① 「형법」 제313조 신용훼손죄의 행위태양은 허위사실유포, 위력, 기타 위계이다.

② 퀵서비스 운영자인 피고인이 허위사실을 유포하여 손님들로 하여금 불친절하고 배달을 지연시킨 사업체가 경쟁관계에 있는 피해자 운영의 퀵서비스인 것처럼 인식하게 한 행위는 신용훼손죄에 해당한다.

③ 인터넷카페의 운영진인 피고인들이 카페 회원들과 공모하여, 특정 신문들에 광고를 게재하는 광고주들에게 불매운동의 일환으로 지속적·집단적으로 항의전화를 하거나 항의글을 게시하는 등의 방법으로 광고중단을 압박한 행위는 광고주들에 대하여는 업무방해죄에 해당하지만, 신문사들에 대하여는 업무방해죄를 구성하지 않는다.

④ 공무원이 직무상 수행하는 공무를 방해하는 행위에 대해서도 업무방해죄로 의율할 수 있다.

제1편 개인적 법익에 관한 죄

해설

③ [○] 인터넷카페의 운영진인 피고인들이 카페 회원들과 공모하여, 특정 신문들에 광고를 게재하는 광고주들에게 불매운동의 일환으로 지속적 · 집단적으로 항의전화를 하거나 광고주들의 홈페이지에 항의글을 게시하는 등의 방법으로 광고중단을 압박한 경우 **피고인들의 행위는 광고주들의 자유의사를 제압할 만한 세력으로서 위력에 해당하지만,** (업무방해죄의 위력은 원칙적으로 피해자에게 행사되어야 하고 제3자를 향한 위력의 행사는 이를 피해자에 대한 직접적인 위력의 행사와 동일시할 수 있는 예외적 사정이 인정되는 경우에만 업무방해죄의 구성요건인 위력의 행사로 볼 수 있으므로) **특정 신문사들에 대한 직접적인 위력의 행사가 있었다고 보기에 부족하다.**(대법원 2013. 3. 14. 2010도410 언소주 소비자불매운동 사건) 지문의 경우 광고주들에 대해서는 업무방해죄가 성립하지만, 신문사들에 대해서는 업무방해죄가 성립하지 아니한다.

① [×] 신용훼손죄는 허위의 사실을 유포하거나 기타 위계로써 사람의 신용을 훼손하는 경우에 성립한다.(제313조)

② [×] 퀵서비스의 주된 계약내용이 신속하고 친절한 배달이라 하더라도 설문과 같은 행위가 피해자의 경제적 신용, 즉 **지급능력이나 지급의사에 대한 사회적 신뢰를 저해하는 행위에 해당한다고 보기는 어려우므로 신용훼손죄는 성립하지 아니한다.**(대법원 2011. 5. 13. 2009도5549 퀵서비스 사건) 지문의 경우는 업무방해죄가 성립한다.

④ [×] 업무방해죄와는 별도로 공무집행방해죄를 규정하고 있는 것은 사적 업무와 공무를 구별하여 공무에 관해서는 공무원에 대한 폭행, 협박 또는 위계의 방법으로 그 집행을 방해하는 경우에 한하여 처벌하겠다는 취지라고 보아야 할 것이므로 **공무원이 직무상 수행하는 공무를 방해하는 행위에 대해서는 업무방해죄로 의율할 수는 없다.**(대법원 2011. 7. 28. 2009도11104 마산시장 기자회견 방해사건)

정답 | 124 ④ 125 ③

126 다음 중 형법 제314조 제1항의 업무방해죄에서 보호되는 업무에 해당하는 것은 모두 몇 개인가? (다툼이 있으면 판례에 의함)

□□□ 16 경찰채용 [Essential ★]

> ㉠ 의료인이나 의료법인이 아닌 자가 의료기관을 개설하여 운영하는 행위
> ㉡ 초등학생들이 학교에 등교하여 교실에서 수업을 듣는 것
> ㉢ 종중 정기총회를 주재하는 종중 회장의 의사진행업무
> ㉣ 대학원 입학전형 업무
> ㉤ 주식회사의 주주가 주주총회에서 의결권을 행사하는 행위

① 1개　　② 2개
③ 3개　　④ 4개

해설

② ㉢㉣ 2 항목이 업무방해죄에서 보호되는 업무에 해당한다.

㉠ 의료법인이 아닌 자가 의료기관을 개설하여 운영하는 행위는 그 위법의 정도가 중하여 사회생활상 도저히 용인될 수 없는 정도로 반사회성을 띠고 있으므로 **업무방해죄의 보호대상이 되는 업무에 해당하지 않는다.**(대법원 2001. 11. 30. 2001도2015 김포한일의원 사건)

㉡ 초등학생들이 학교에 등교하여 교실에서 수업을 듣는 것은 학생들 본인의 권리를 행사하는 것이거나 국가 내지 부모들의 의무를 이행하는 것에 불과할 뿐 그것이 **직업 기타 사회생활상의 지위에 기하여 계속적으로 종사하는 사무 또는 사업에 해당한다고 할 수 없다.**(대법원 2013. 6. 14. 2013도3829 대흥초교 사건)

㉢ 종중 회장의 의사진행업무 자체는 1회성을 갖는 것이라고 하더라도 그것이 사회적인 지위에서 계속적으로 행하여 온 종중 업무수행의 일환으로 행하여진 것이라면 **업무방해죄에 의하여 보호되는 업무에 해당된다.**(대법원 1995. 10. 12. 95도1589 종중총회 방해사건)

㉣ 대학원 입학전형 업무를 방해함에 있어서 피고인들이 공모하여 방조한 이상 대학원 입학전형 업무는 **업무방해죄의 객체인 '업무'에 해당된다.**(대법원 1995. 12. 5. 94도1520)

㉤ 주주로서 주주총회에서 의결권 등을 행사하는 것은 주식의 보유자로서 그 자격에서 권리를 행사하는 것에 불과할 뿐 그것이 **직업 기타 사회생활상의 지위에 기하여 계속적으로 종사하는 사무 또는 사업에 해당한다고 할 수 없다.**(대법원 2004. 10. 28. 2004도1256 주주총회 개인주주 방해사건)

127 업무방해죄에 관한 설명 중 가장 적절하지 않은 것은? (다툼이 있으면 판례에 의함)

□□□

16 경찰승진 [Core ★★]

① 형법상 업무방해죄의 보호대상이 되는 '업무'라 함은 직업 또는 계속적으로 종사하는 사무나 사업을 말하는 것으로서 타인의 위법한 행위에 의한 침해로부터 보호할 가치가 있어야 하는 것이므로 그 업무의 기초가 된 계약 또는 행정행위는 적법하여야 한다.

② 초등학생들이 학교에 등교하여 교실에서 수업을 듣는 것은 형법상 업무방해죄의 보호대상이 되는 업무에 해당한다고 할 수 없다.

③ 주주로서 주주총회에서 의결권 등을 행사하는 것은 형법상 업무방해죄의 보호대상이 되는 '업무'에 해당하지 않는다.

④ 대학의 컴퓨터시스템 서버를 관리하던 직원이 전보발령을 받아 더 이상 웹서버를 관리운영할 권한이 없는 상태에서, 웹서버에 접속하여 홈페이지 관리자의 아이디와 비밀번호를 무단으로 변경한 행위는 컴퓨터 등 장애 업무방해죄에 해당한다.

해설

① [×] 업무방해죄에 있어서 그 보호대상이 되는 '업무'라 함은 직업 또는 계속적으로 종사하는 사무나 사업을 말하는 것으로서 타인의 위법한 행위에 의한 침해로부터 보호할 가치가 있는 것이면 되고, **그 업무의 기초가 된 계약 또는 행정행위 등이 반드시 적법하여야 하는 것은 아니다.**(대법원 2008. 3. 14. 2007도11181)

② [○] 초등학생들이 학교에 등교하여 교실에서 수업을 듣는 것은 학생들 본인의 권리를 행사하는 것이거나 국가 내지 부모들의 의무를 이행하는 것에 불과할 뿐 그것이 직업 기타 사회생활상의 지위에 기하여 **계속적으로 종사하는 사무 또는 사업에 해당한다고 할 수 없다.**(대법원 2013. 6. 14. 2013도3829 대흥초교 사건)

③ [○] 주주로서 주주총회에서 의결권 등을 행사하는 것은 주식의 보유자로서 그 자격에서 권리를 행사하는 것에 불과할 뿐 그것이 직업 기타 사회생활상의 지위에 기하여 **계속적으로 종사하는 사무 또는 사업에 해당한다고 할 수 없다.**(대법원 2004. 10. 28. 2004도1256 주주총회 개인주주 방해사건)

④ [○] 전보발령으로 웹서버를 관리, 운영할 권한이 없는 피고인이 웹서버에 접속하여 홈페이지 관리자의 비밀번호를 무단으로 변경한 행위는 정당한 행위라고 할 수 없고, 그로 인하여 정보처리장치에 현실적인 장애를 발생시킴으로써 대학측에 대하여 업무방해의 위험을 초래한 행위에 해당하여 **컴퓨터등장애업무방해죄를 구성한다.**(대법원 2007. 3. 16. 2006도6663 신성대학교 사건)

정답 | 126 ② 127 ①

128 다음 중 업무방해죄가 성립하는 것은 모두 몇 개인가? (다툼이 있으면 판례에 의함)

□□□

14 경찰승진 [Core ★★]

㉠ 특정회사가 제공하는 게임사이트에서 정상적인 포커게임을 하고 있는 것처럼 가장하면서 통상적인 업무처리 과정하에서 적발해 내기 어려운 사설 프로그램을 이용하여 약관상 양도가 금지되는 포커머니를 약속된 상대방에게 이전해 준 경우
㉡ 신규 직원 채용권한을 가지고 있는 지방공사 사장이 시험업무 담당자에게 지시하여 상호 공모 내지 양해하에 시험성적조작 등의 부정한 행위를 한 경우
㉢ 도급인의 공사계약해제가 적법하고 수급인이 스스로 공사를 중단한 상태에서 도급인이 공사현장에 남아 있는 수급인 소유의 공사자재 등을 다른 곳으로 옮긴 경우
㉣ 주식회사 대표이사가 직원들을 동원하여 주주총회에서 위력으로 개인주주들이 발언권·의결권을 행사하지 못하도록 방해한 경우

① 없음 ② 1개
③ 2개 ④ 3개

해설

② ㉠ 항목의 경우에만 업무방해죄가 성립한다.
㉠ 피고인이 특정 회사가 제공하는 게임사이트에서 정상적인 포커게임을 하고 있는 것처럼 가장하면서 통상적인 업무처리 과정에서 적발해 내기 어려운 사설 프로그램을 이용하여 약관상 **양도가 금지되는 포커머니를 약속된 상대방에게 이전해 준 경우**, 이는 정보통신망법 제48조 제2항에서 정한 **'악성프로그램'**이나 형법 제314조 제2항에 정한 '부정한 명령의 입력'에 해당하지는 않지만 회사의 정상적인 게임사이트 운영업무를 방해한 것이므로 **위계에 의한 업무방해죄를 구성한다.**(대법원 2009. 10. 15. 2007도9334 한도우미프로그램 사건)
㉡ 신규직원 채용권한을 갖고 있는 피고인 및 시험업무 담당자들이 모두 공모 내지 양해하에 부정한 행위를 하였다면 법인인 공사에게 신규직원 채용업무와 관련하여 오인 · 착각 또는 부지를 일으키게 하였다고 볼 수는 없다. 그렇다면 피고인의 시험업무 담당자들에 대한 부정한 지시나 이에 따른 업무 담당자들의 부정행위로 말미암아 **공사의 신규직원 채용업무와 관련하여 오인 · 착각 또는 부지를 일으킨 상대방이 있다고 할 수 없으므로**, 피고인 등의 부정행위가 곧 **위계에 의한 업무방해죄에 있어서의 '위계'에 해당한다고 할 수 없다.**(대법원 2007. 12. 27. 2005도6404 서울시농수산물공사 사건)
㉢ 피고인의 공사계약 해제가 적법하고 범행 당시 회사가 스스로 공사를 중단한 상태였다면, 피고인이 공사현장에 남아 있는 회사 소유의 공사자재 등을 수거하여 다른 곳에 옮겨 놓았다고 하여 (방해할만한 공사가 더 이상 없으므로) **회사의 공사업무를 방해한 것으로 볼 수는 없다.**(대법원 1999. 1. 29. 98도3240)
㉣ 주주로서 주주총회에서 의결권 등을 행사하는 것은 주식의 보유자로서 그 자격에서 권리를 행사하는 것에 불과할 뿐 그것이 **'직업 기타 사회생활상의 지위에 기하여 계속적으로 종사하는 사무 또는 사업'에 해당한다고 할 수 없다.**(대법원 2004. 10. 28. 2004도1256 주주총회 개인주주 방해사건)

129 업무방해죄에 관한 다음 설명 중 옳은 것은 모두 몇 개인가? (다툼이 있으면 판례에 의함)

□□□

15 경찰채용 [Essential ★]

㉠ 욕설을 하고 소란을 피우는 등 위력을 행사하여 공무원의 직무집행을 방해하였다면 업무방해죄가 성립한다.
㉡ 업무방해죄의 성립에는 업무방해의 결과가 실제로 발생함을 요하지 않고 업무방해의 결과를 초래할 위험이 발생하면 족하며, 업무수행 자체가 아니라 업무의 적정성 내지 공정성이 방해된 경우에도 업무방해죄가 성립한다.
㉢ 종중 정기총회를 주재하는 종중 회장의 의사진행업무는 업무방해죄에 의하여 보호되는 업무에 해당하지 않는다.
㉣ 甲 정당의 국회의원 비례대표 후보자 추천을 위한 당내 경선과정에서 피고인들이 선거권자들로부터 인증번호만을 전달받은 뒤 그들 명의로 특정 후보자에게 전자투표를 하였다면 업무방해죄가 성립한다.

① 1개 ② 2개 ③ 3개 ④ 4개

해설

② ㉡㉣ 2 항목이 옳다.
㉠ [×] 형법이 업무방해죄와는 별도로 공무집행방해죄를 규정하고 있는 것은 사적 업무와 공무를 구별하여 공무에 관해서는 공무원에 대한 폭행, 협박 또는 위계의 방법으로 그 집행을 방해하는 경우에 한하여 처벌하겠다는 취지라고 보아야 할 것이고, 따라서 **공무원이 직무상 수행하는 공무를 방해하는 행위에 대해서는 업무방해죄로 의율할 수는 없다.**(대법원 2009. 11. 19. 2009도4166 全合 충남청 민원실 행패사건)
㉡ [○] 업무방해죄의 성립에는 업무방해의 결과가 실제로 발생함을 요하지 않고 업무방해의 결과를 초래할 위험이 발생하면 족하며, 업무수행 자체가 아니라 업무의 **적정성 내지 공정성이 방해된 경우에도 업무방해죄가 성립한다.**(대법원 2013. 11. 28. 2013도5117 통합진보당 대리투표 사건Ⅱ)
㉢ [×] 종중정기총회를 주재하는 종중회장의 의사진행 업무 자체는 1회성을 갖는 것이라고 하더라도 그것이 종중회장으로서의 사회적인 지위에서 계속적으로 행하여 온 종중업무수행의 일환으로 행하여진 것이라면, 그와 같은 의사진행업무도 **업무방해죄에 의하여 보호되는 업무에 해당한다.**(대법원 1995. 10. 12. 95도1589 종중총회 방해사건)
㉣ [○] 통합진보당의 제19대 국회의원 비례대표 후보를 추천하기 위한 당내 경선에도 직접 · 평등 · 비밀투표의 원칙이 모두 적용되므로, 당내 경선과정에서 피고인들이 선거권자들로부터 인증번호만을 전달받은 뒤 그들 명의로 자신들이 지지하는 후보자에게 전자투표를 한 행위는 **당내 경선업무에 참여하거나 관여한 여러 통합진보당 관계자들로 하여금 비례대표 후보자의 지지율 등에 관한 사실관계를 오인, 착각하도록 하여 경선업무의 적정성이나 공정성을 방해한 경우에 해당하고, 위와 같은 범행에 컴퓨터를 이용한 것은 단지 그 범행 수단에 불과하다.**(대법원 2013. 11. 28. 2013도5117 통합진보당 대리투표 사건Ⅱ)

정답 | 128 ② 129 ②

130 업무방해죄에 관한 다음 설명 중 가장 옳은 것은? (다툼이 있으면 판례에 의함)

□□□

19 해경채용 [Superlative ★★★]

① 피고인이 그가 경영하던 공장을 甲에게 양도하면서 미수외상대금채권의 수금권을 포기하기로 약정하고도 이를 외상채무자들에게 고지하지 아니하고 외상대금을 수령한 행위는 업무방해죄가 성립한다.

② 인터넷 자유게시판 등에 실제의 객관적인 사실을 게시하였더라도 그로 인하여 피해자의 업무가 방해된 경우에는, 형법 제314조 제1항 소정의 위계에 의한 업무방해죄에 있어서의 '위계'에 해당한다.

③ 지방공사 사장이 신규직원 채용권한을 행사하는 것은 공사의 기관으로서 공사의 업무를 진행하는 것이므로, 신규직원 채용업무는 위 권한의 귀속주체인 사장 본인에 대한 관계에 서도 업무방해죄의 객체인 타인의 업무에 해당한다.

④ 근로자들이 집단적으로 근로의 제공을 거부하여 사용자의 정상적인 업무운영을 저해하고 손해를 발생하게 한 행위는 당연히 위력에 해당하고 노동관계 법령에 따른 정당한 쟁의행위로서 위법성이 조각되지 않는한 업무방해죄를 구성한다.

해설

③ [○] 서울시농수산물공사의 직원은 사장이 임면하는 것으로 규정되어 있고 또 사장이 계약직원에 대한 일체의 채용권한을 갖는다고 규정되어 있어 공사의 신규직원의 채용권한이 사장인 피고인에게 귀속되어 있다고 하더라도, 피고인이 신규직원의 채용권한을 행사하는 것은 피고인이 법인인 공사의 기관으로서의 지위에서 공사의 업무를 집행하는 것에 불과하므로, **신규직원 채용업무가 공사의 업무가 아니라고 볼 수는 없다.**(대법원 2007. 12. 27. 2005도6404 서울시농수산물공사 사건) 다만, 신규직원 채용권한을 가지고 있는 지방공사 사장이 시험업무 담당자들에게 지시하여 상호 공모 내지 양해하에 시험성적조작 등의 부정한 행위를 한 경우, 법인인 공사에게 신규직원 채용업무와 관련하여 오인·착각 또는 부지를 일으키게 한 것이 아니므로, **'위계'에 의한 업무방해죄에 해당하지 않는다.**

① [×] 피고인이 공장을 양도하면서 미수 외상대금 채권의 수금권을 포기하기로 약정하고도 이를 외상채무자들에게 고지하지 아니하고 외상대금을 수령하였다 하여 이로써 **위계로 공장경영 업무를 방해한 것이라 할 수 없다.**(대법원 1984. 5. 9. 83도2270)

② [×] 인터넷 자유게시판 등에 실제의 객관적인 사실을 게시하는 행위는, 설령 그로 인하여 피해자의 업무가 방해된다고 하더라도 **'위계'에 해당하지 않는다.**(대법원 2007. 6. 29. 2006도3839 다음카페 전국감리원모임 사건)

④ [×] **쟁의행위로서의 파업은 근로자가 사용자에게 압력을 가하여 그 주장을 관철하고자 집단적으로 노무제공을 중단하는 실력행사여서 업무방해죄에서의 위력으로 볼 만한 요소를 포함하고 있지만,** 근로자에게는 원칙적으로 헌법상 보장된 기본권으로서 근로조건 향상을 위한 자주적인 단결권·단체교섭권 및 단체행동권이 있으므로, **이러한 파업이 언제나 업무방해죄의 구성요건을 충족한다고 할 것은 아니며,** 전후 사정과 경위 등에 비추어 전격적으로 이루어져 사용자의 사업운영에 심대한 혼란 내지 막대한 손해를 초래할 위험이 있는 등의 사정으로 **사용자의 사업계속에 관한 자유의사가 제압·혼란될 수 있다고 평가할 수 있는 경우 비로소 그러한 집단적 노무제공의 거부도 위력에 해당하여 업무방해죄를 구성한다고 보는 것이 타당하다.**(대법원 2014. 11. 13. 2011도393 한국가스공사 파업사건)

131 다음은 업무방해죄에 대한 설명이다. 가장 적절하지 않은 것은? (다툼이 있으면 판례에 의함)

□□□

14 경찰채용 [Essential ★]

① 경비원이 상사의 명령에 의하여 일시적으로 수행하는 유인물의 배부행위는 설사 계속적인 직무권한에 속하지 아니한 일시적인 것이라 할지라도 업무방해죄의 업무에 해당한다.

② 공무원이 직무상 수행하는 '공무'를 방해하는 행위에 대해서는 업무방해로 의율할 수 없다.

③ 피고인이 그가 경영하던 공장을 甲에게 양도하면서 미수외상대금채권의 수금권을 포기하기로 약정하고도 이를 외상채무자들에게 고지하지 아니하고 외상대금을 수령한 행위는 업무방해죄가 성립한다.

④ 피고인을 비롯한 전국철도노동조합 집행부가 중앙노동위원회 위원장의 직권중재회부 결정에도 불구하고 파업에 돌입할 것을 지시하여, 조합원들이 사업장에 출근하지 아니한 채 업무를 거부하여 철도 운행이 중단되도록 함으로써 사용자(한국철도공사)에게 손해를 입힌 경우, 업무방해죄가 성립한다.

해설

③ [×] 피고인이 공장을 양도하면서 미수 외상대금 채권의 수금권을 포기하기로 약정하고도 이를 외상채무자들에게 고지하지 아니하고 외상대금을 수령하였다 하여 이로써 위계로 공장경영 업무를 방해한 것이라 할 수 없다.(대법원 1984. 5. 9. 83도2270)

① [○] (1) 경비원은 상사의 명령에 의하여 주로 경비업무등 노무를 제공하는 직분을 가지고 있는 것이므로 상사의 명에 의하여 그 직장의 업무를 수행한다면 설사 그 업무가 계속적인 직무권한에 속하지 아니한 일시적인 것이라 할지라도 업무방해죄의 업무에 해당한다.
(2) 피고인이 공사장 내에서 배부하기 위하여 경비원들이 가지고 있는 공장 폐쇄에 관한 **유인물 50매 가량을 탈취한 경우 업무방해죄가 성립한다.**(대법원 1971. 5. 24. 71도399)

② [○] 형법이 업무방해죄와는 별도로 공무집행방해죄를 규정하고 있는 것은 사적 업무와 공무를 구별하여 공무에 관해서는 공무원에 대한 폭행, 협박 또는 위계의 방법으로 그 집행을 방해하는 경우에 한하여 처벌하겠다는 취지라고 보아야 할 것이고, 따라서 공무원이 직무상 수행하는 공무를 방해하는 행위에 대해서는 **업무방해죄로 의율할 수는 없다.**(대법원 2009. 11. 19. 2009도4166 全合 *충남청 민원실 행패사건*)

④ [○] 피고인을 비롯한 전국철도노동조합 집행부가 중앙노동위원회 위원장의 직권중재회부결정에도 불구하고 파업에 돌입할 것을 지시하여, 조합원들이 사업장에 출근하지 아니한 채 업무를 거부하여 철도 운행이 중단되도록 함으로써 사용자(한국철도공사)에게 손해를 입힌 경우 **업무방해죄가 성립한다.**(대법원 2011. 3. 17. 2007도482 全合 *2006년 철도파업 사건*)

정답 | 130 ③ 131 ③

132 업무방해죄에 관한 다음 설명 중 가장 옳지 않은 것은? (다툼이 있으면 판례에 의함)

□□□

19 법원9급 [*Core* ★★]

① 업무방해죄의 보호대상이 되는 '업무'란 직업 또는 계속적으로 종사하는 사무나 사업으로서 타인의 위법한 행위에 의한 침해로부터 보호할 가치가 있으면 되고, 반드시 그 업무가 적법하거나 유효할 필요는 없다.

② 공무원이 직무상 수행하는 공무를 방해하는 행위에 대해서는 업무방해죄가 성립하지 않는다.

③ 업무방해죄의 성립에는 업무방해의 결과가 실제로 발생함을 요하지 않고 업무방해의 결과를 초래할 위험이 발생하는 것이면 족하다.

④ 쟁의행위로서의 파업은 근로자가 사용자에게 압력을 가하여 그 주장을 관철하고자 집단적으로 노무 제공을 중단하는 실력행사이므로 언제나 업무방해죄에서 말하는 '위력'에 해당한다.

해설

④ [×] 쟁의행위로서의 파업은 근로자가 사용자에게 압력을 가하여 그 주장을 관철하고자 집단적으로 노무제공을 중단하는 실력행사여서 업무방해죄에서의 위력으로 볼 만한 요소를 포함하고 있지만, 근로자에게는 원칙적으로 헌법상 보장된 기본권으로서 근로조건 향상을 위한 자주적인 단결권 · 단체교섭권 및 단체행동권이 있으므로, **이러한 파업이 언제나 업무방해죄의 구성요건을 충족한다고 할 것은 아니며**, 전후 사정과 경위 등에 비추어 전격적으로 이루어져 사용자의 사업운영에 심대한 혼란 내지 막대한 손해를 초래할 위험이 있는 등의 사정으로 사용자의 사업계속에 관한 자유의사가 제압 · 혼란될 수 있다고 평가할 수 있는 경우 비로소 그러한 집단적 노무제공의 거부도 위력에 해당하여 업무방해죄를 구성한다고 보는 것이 타당하다.(대법원 2014. 11. 13. 2011도393 한국가스공사 파업사건)

① [○] 업무방해죄의 보호대상이 되는 '업무'란 직업 또는 계속적으로 종사하는 사무나 사업으로서 타인의 위법한 행위에 의한 침해로부터 **보호할 가치가 있으면 되고, 반드시 그 업무가 적법하거나 유효할 필요는 없으므로** 법률상 보호할 가치가 있는 업무인지 여부는 그 사무가 사실상 평온하게 이루어져 사회적 활동의 기반이 되고 있느냐에 따라 결정되고, 그 업무의 개시나 수행과정에 실체상 또는 절차상의 하자가 있다 하더라도 그 정도가 사회생활상 도저히 용인할 수 없는 정도로 반사회성을 띠는 데까지 이르지 아니한 이상 업무방해죄의 보호대상이 된다.(대법원 2013. 11. 28. 2013도4430 통합진보당 중앙위원회 폭력사건)

② [○] 형법이 업무방해죄와는 별도로 공무집행방해죄를 규정하고 있는 것은 사적 업무와 공무를 구별하여 공무에 관해서는 공무원에 대한 폭행, 협박 또는 위계의 방법으로 그 집행을 방해하는 경우에 한하여 처벌하겠다는 취지라고 보아야 할 것이고, 따라서 공무원이 직무상 수행하는 **공무를 방해하는 행위에 대해서는 업무방해죄로 의율할 수는 없다**.(대법원 2009. 11. 19. 2009도4166 全合 충남청 민원실 행패사건)

③ [○] 위계에 의한 업무방해죄에서 '위계'란 행위자가 행위목적을 달성하기 위하여 상대방에게 오인, 착각 또는 부지를 일으키게 하여 이를 이용하는 것을 말하고, 업무방해죄의 성립에는 업무방해의 결과가 실제로 발생함을 요하지 않고 **업무방해의 결과를 초래할 위험이 발생하면 족하며**, 업무수행 자체가 아니라 업무의 적정성 내지 공정성이 방해된 경우에도 업무방해죄가 성립한다.(대법원 2013. 11. 28. 2013도5117 통합진보당 대리투표 사건Ⅱ)

133 다음 중 업무방해죄가 성립하는 것은 모두 몇 개인가? (다툼이 있으면 판례에 의함)

□□□

17 경찰간부 [Superlative ★★★]

㉠ 주식회사 대표이사가 직원 130명을 동원하여 주주총회에서 위력으로 21명의 개인주주들이 발언권·의결권을 행사하지 못하도록 방해한 경우
㉡ 시장번영회 회장이 이사회의 결의와 시장번영회의 관리규정에 따라서 관리비 체납자의 점포에 대해 실시한 단전조치
㉢ 임대인이 임차인의 물건을 임의로 철거·폐기할 수 있다는 임대차계약 조항에 따라 임대인이 임차인 점포의 간판을 철거하고 출입문을 봉쇄한 경우
㉣ 임대인 甲으로부터 건물을 임차하여 학원을 운영하던 피고인이 건물을 인도한 이후에도 자신 명의로 된 학원설립등록을 말소하지 않고 휴원신고를 연장함으로써 새로운 임차인 乙이 그 건물에서 학원설립등록을 하지 못하도록 한 경우

① 1개 ② 2개 ③ 3개 ④ 4개

해설

① ㉢ 항목의 경우에만 업무방해죄가 성립한다.

㉠ **주주로서 주주총회에서 의결권 등을 행사하는 것은** 주식의 보유자로서 그 자격에서 권리를 행사하는 것에 불과할 뿐 **그것이 '직업 기타 사회생활상의 지위에 기하여 계속적으로 종사하는 사무 또는 사업'에 해당한다고 할 수 없으므로** 회사의 대표이사인 피고인이 회사 직원 130여 명과 공모하여 회사의 주주총회에서 위력으로 개인주주들이 발언권과 의결권을 행사하지 못하도록 방해하였더라도 이는 주주로서의 권리행사를 방해한 것에 해당하는지 여부는 별론으로 하고 **주주들의 업무를 방해하였다고는 볼 수 없다.**(대법원 2004. 10. 28. 2004도1256 주주총회 개인주주 방해사건)

㉡ 피고인이 단전조치를 하게 된 경위는 오로지 시장번영회의 관리규정에 따라 체납된 관리비를 효율적으로 징수하기 위한 제재수단으로서 이사회의 결의에 따라서 적법하게 실시한 것이고 (중략) 사회통념상 허용될 만한 정도의 상당성이 있는 위법성이 결여된 행위로서 형법 제20조에 정하여진 **정당행위에 해당하는 것으로 볼 여지가 충분하다.**(대법원 2004. 8. 20. 2003도4732 삼천포종합시장 사건)

㉢ 임대인이 임차인의 물건을 임의로 철거·폐기할 수 있다는 임대차계약 조항에 따라 임대인인 피고인이 간판업자를 동원하여 임차인인 피해자가 영업 중인 식당 점포의 간판을 철거하고 출입문을 봉쇄하는 등의 행위는 위력을 사용하여 피해자의 업무를 방해한 행위에 해당한다.(대법원 2005. 3. 10. 2004도341)

㉣ 임대인 甲으로부터 건물을 임차하여 학원을 운영하던 피고인이 건물을 인도한 이후에도 자신 명의로 된 학원설립등록을 말소하지 않고 휴원신고를 연장함으로써 새로운 임차인 乙이 그 건물에서 학원설립등록을 하지 못하도록 하였다고 하더라도 **피고인의 휴원연장신고와 乙이 학원설립등록을 하지 못한 점 사이에 인과관계가 있다고 단정하기 어렵고, 피고인의 행위가 乙의 자유의사를 제압·혼란케 할 정도의 위력에 해당한다고 보기 어렵다.**(대법원 2010. 11. 25. 2010도9186 휴원기간 연장사건)

정답 | 132 ④ 133 ①

134 □□□ **다음 <보기> 중 업무방해죄의 기수시기에 관한 설명으로 옳은 것은 모두 몇 개인가? (다툼이 있으면 판례에 의함)**

24 해경승진 [Core ★★]

㉠ 업무방해죄의 성립에는 업무방해의 결과가 실제로 발생함을 요하지 않고 업무방해의 결과를 초래할 위험이 발생하는 것이면 족하며, 업무수행 자체가 아니라 업무의 적정성 내지 공정성이 방해된 경우에도 업무방해죄가 성립한다.
㉡ 업무방해죄에 있어 업무를 '방해한다' 함은 업무의 집행 자체를 방해하는 것을 의미하고, 널리 업무의 경영을 저해하는 것을 포함하지는 않는다.
㉢ 甲이 서류배달업 회사의 담당 직원 모르게 위 회사가 고객으로부터 배달을 의뢰받은 서류의 포장용지 안에 특정 종교를 비방하는 내용의 전단을 집어넣어 함께 배달하게 한 경우 업무방해죄가 성립한다.
㉣ 피해자가 농장 출입을 위하여 사용해 온 피고인 소유 토지 위의 현황도로 일부를 피고인이 막았으나 이미 오래 전부터 바로 근방에 농장으로의 차량 출입이 가능한 비포장도로가 대체도로로 개설되어 있었다 하더라도 업무방해죄가 성립한다.
㉤ 시장번영회 회장이 이사회의 결의와 시장번영회의 관리규정에 따라서 관리비 체납자의 점포에 대하여 단전조치를 실시한 경우 업무방해죄가 성립한다.

① 1개 ② 2개 ③ 3개 ④ 4개

해설

② ㉠㉢ 2 항목이 옳다.
㉠ [○] 업무방해죄의 성립에는 업무방해의 결과가 실제로 발생함을 요하지 않고 업무방해의 결과를 초래할 위험이 발생하면 족하며, 업무수행 자체가 아니라 **업무의 적정성 내지 공정성이 방해된 경우에도 업무방해죄가 성립한다.**(대법원 2021. 3. 11. 2016도14415 안전점검보고서 허위작성 사건)
㉡ [×] 업무방해죄에 있어 **업무를 '방해한다'고** 함은 업무의 집행 자체를 방해하는 것은 물론이고 **널리 업무의 경영을 저해하는 것도 포함한다.**(대법원 2013. 3. 14. 2010도410 언소주 소비자불매운동 사건)
㉢ [○] 피고인 甲이 X회사가 고객으로부터 탁송을 의뢰받아 지정된 곳으로 발송 예정인 서류의 포장 안에 X회사 직원 A에게 통상의 기독교 선교 인쇄물을 집어넣는다고 말하고 A가 모르는 사이에 타종교를 비방하는 내용의 영문종교전단을 집어넣어 함께 발송되게 하였다면, **X회사의 서류배달 업무를 방해한 것에 해당한다.**(대법원 1999. 5. 14. 98도3767 타종교비방 전단지 사건)
㉣ [×] 피해자로서는 도로부분의 폐쇄에도 불구하고 대체도로를 이용하여 종전과 같이 조경수 운반차량 등을 운행할 수 있었다고 보여 **피해자의 조경수 운반업무 등이 방해되는 결과발생의 염려가 없었다고 볼 여지가 충분하고,** 한편 피고인에게 그 조경수 운반업무 등을 방해한다는 고의가 있었다고 보기도 어렵다.(대법원 2007. 4. 27. 2006도9028 조경수 운반도로 폐쇄사건)
㉤ [×] 피고인이 단전조치를 하게 된 경위는 오로지 시장번영회의 관리규정에 따라 체납된 관리비를 효율적으로 징수하기 위한 제재수단으로서 이사회의 결의에 따라서 적법하게 실시한 것이고 (중략) 사회통념상 허용될 만한 정도의 상당성이 있는 위법성이 결여된 행위로서 형법 제20조에 정하여진 **정당행위에 해당하는 것으로 볼 여지가 충분하다.**(대법원 2004. 8. 20. 2003도4732 삼천포종합시장 사건)

135 업무방해죄에 관한 설명으로 옳지 않은 것은 모두 몇 개인가? (다툼이 있으면 판례에 의함)

□□□

25 경찰간부 [Core ★★]

㉠ 인터넷 자유게시판에 실제의 객관적인 사실을 게시하는 행위는 설령 그로 인하여 타인의 업무가 방해된다고 하더라도 형법 제314조 제1항 소정의 위계에 의한 업무방해죄에 있어서의 '위계'에 해당하지 않는다.
㉡ 업무방해죄의 성립에는 업무방해의 결과를 초래할 위험이 발생한 것만으로는 족하지 않고, 업무방해의 결과가 실제로 발생함을 요한다.
㉢ 정당의 국회의원 비례대표 후보자 추천을 위한 당내 경선 과정에서 甲이 선거권자들로부터 인증번호만을 전달받은 뒤 그들의 명의로 甲 자신이 지지하는 특정 후보자에게 전자투표를 한 경우 이는 당내 경선업무에 참여하거나 관여한 당 관계자들에 대하여 위력으로써 경선업무의 적정성이나 공정성을 방해한 경우에 해당한다.
㉣ 의료인이나 의료법인이 아닌 자가 의료기관을 개설하여 운영하는 행위는 그 위법의 정도가 중하여 사회생활상 도저히 용인될 수 없는 정도로 반사회성을 띠고 있으므로 업무방해죄의 보호대상이 되는 '업무'에 해당하지 않는다.

① 1개 ② 2개 ③ 3개 ④ 4개

해설

② ㉡㉢ 2 항목이 옳지 않다.

㉠ [○] 위계에 의한 업무방해죄에 있어서의 '위계'라 함은 행위자의 행위목적을 달성하기 위하여 상대방에게 오인·착각 또는 부지를 일으키게 하여 이를 이용하는 것을 말하므로 인터넷 자유게시판 등에 **실제의 객관적인 사실을 게시하는 행위는 설령 그로 인하여 피해자의 업무가 방해된다고 하더라도 '위계'에 해당하지 않는다.** (대법원 2007. 6. 29. 2006도3839 다음카페 전국감리원모임 사건)

㉡ [×] 업무방해죄의 성립에는 업무방해의 결과가 실제로 발생함을 요하지 않고 **업무방해의 결과를 초래할 위험이 발생하면 족하다.**(대법원 2021. 10. 28. 2016도3986 강정마을 공사방해 사건)

㉢ [×] 당내 경선과정에서 피고인들이 선거권자들로부터 인증번호만을 전달받은 뒤 그들 명의로 자신들이 지지하는 후보자에게 전자투표를 한 행위는 당내 경선업무에 참여하거나 관여한 여러 통합진보당 관계자들로 하여금 **비례대표 후보자의 지지율 등에 관한 사실관계를 오인, 착각하도록 하여 경선업무의 적정성이나 공정성을 방해한 경우에 해당하고**, 위와 같은 범행에 컴퓨터를 이용한 것은 단지 그 범행 수단에 불과하다.(대법원 2013. 11. 28. 2013도5117 통합진보당 대리투표 사건II) 위력이 아닌 위계로써 경선업무의 적정성이나 공정성을 방해한 경우에 해당한다.

㉣ [○] (1) 의료법인이 아닌 자가 의료기관을 개설하여 운영하는 행위는 그 위법의 정도가 중하여 사회생활상 도저히 용인될 수 없는 정도로 반사회성을 띠고 있으므로 **업무방해죄의 보호대상이 되는 '업무'에 해당하지 않는다.**(대법원 2001. 11. 30. 2001도2015 김포한일의원 사건) (2) 의료인이나 의료법인이 아닌 자가 의료기관을 개설하여 운영하는 행위는 업무방해죄의 보호대상이 되는 업무에 해당하지 않는다.(대법원 2023. 3. 16. 2021도16482 사무장병원 의사진료 방해사건)

정답 | 134 ② 135 ②

136 **다음 중 위계에 의한 업무방해를 인정한 경우만으로 짝지어 놓은 것은? (다툼이 있으면 판례에 의함)**

□□□

16 경찰간부 [Superlative ★★★]

㉠ 정당 국회의원 비례대표 후보자 추천을 위한 당내 경선과정에서 피고인들이 선거권들로부터 인증번호를 전달받은 뒤 그들 명의로 특정후보자에게 전자투표를 하는 행위
㉡ 대학교 시간강사 임용과 관련하여 허위의 학력이 기재된 이력서만을 제출한 경우, 임용심사업무 담당자가 불충분한 심사로 인하여 허위 학력이 기재된 이력서를 믿은 경우
㉢ 방송국 프로듀서 등 피고인들이 특정 프로그램 방송보도를 통하여 미국산 쇠고기는 광우병 위험성이 매우 높은 위험한 식품이고, 우리나라 사람들이 유전적으로 광우병에 몹시 취약하다는 취지의 보도를 한 경우
㉣ 고속도로 통행요금징수 기계화시스템의 성능에 대한 한국도로공사의 현장평가시에 각종 소형화물차 16대의 타이어 공기압을 낮추어 접지면을 증가시킨 후 톨게이트를 통과시킨 행위

① ㉠㉣ ② ㉠㉢ ③ ㉡㉣ ④ ㉢㉣

해설

① ㉠㉣ 2 항목의 경우 위계에 의한 업무방해죄가 성립한다.
㉠ 통합진보당의 제19대 국회의원 비례대표 후보를 추천하기 위한 당내 경선에도 직접 · 평등 · 비밀투표의 원칙이 모두 적용되므로, 당내 경선과정에서 피고인들이 선거권자들로부터 인증번호만을 전달받은 뒤 그들 명의로 자신들이 지지하는 후보자인에게 전자투표를 한 행위는 당내 경선업무에 참여하거나 관여한 여러 통합진보당 관계자들로 하여금 비례대표 후보자의 지지율 등에 관한 사실관계를 오인, 착각하도록 하여 경선업무의 적정성이나 공정성을 방해한 경우에 해당하고, 위와 같은 범행에 컴퓨터를 이용한 것은 단지 그 범행수단에 불과하다.(대법원 2013. 11. 28. 2013도5117 통합진보당 대리투표 사건Ⅱ)
㉡ 피고인이 **허위 학력이 기재된 이력서를 이화여자대학교에 제출하여 시간강사로 임용된 경우라도** 임용심사업무 담당자로서는 피고인에게 학력 관련 서류의 제출을 요구하여 이력서와 대조 심사하였더라면 문제를 충분히 인지할 수 있었음에도 불구하고, 불충분한 심사로 인하여 허위 학력이 기재된 이력서를 믿은 것이므로 **피고인의 위계행위에 의하여 업무방해의 위험성이 발생하였다고 할 수 없다.**(대법원 2009. 1. 30. 2008도6950 변양균 · 신정아 사건)
㉢ 방송보도의 전체적인 취지와 내용이 미국산 쇠고기의 식품 안전성 문제 및 쇠고기 수입 협상의 문제점을 지적하고 협상체결과 관련한 정부 태도를 비판한 것이므로 **피고인들에게 업무방해의 고의가 있었다고 볼 수 없다.** (대법원 2011. 9. 2. 2010도17237 PD수첩 광우병 보도사건)
㉣ 한국도로공사가 금성산전주식회사의 고속도로 통행요금징수 기계화시스템의 성능에 대한 현장평가를 함에 있어, 금성산전주식회사와는 반대의 이해관계를 가진 삼성전자주식회사의 직원들인 피고인들이 (타이어의 접지면이 통상 예정했던 경우와 달라지면 차량판별에 오차가 발생하는 등의 문제점이 있음을 알아내어) 위 설비의 차량판별에 있어서의 문제점을 부각시키기 위하여 인위적으로 소형화물차 16대의 타이어 공기압을 낮추어 접지면을 증가시킨 후 위 설비가 설치되어 있는 동서울톨게이트 하행선 우측 2번 라인을 통과하도록 하였다면, 이는 위계를 사용하여 한국도로공사의 현장시험업무에 지장을 줄 위험을 발생케 한 것으로서 실지로 업무방해의 결과가 발생하였는지 여부에 상관없이 업무방해죄가 성립한다.(대법원 1994. 6. 14. 93도288 삼성전자 성능평가 방해사건)

137 다음은 업무방해죄에 대한 설명이다. 가장 적절하지 않은 것은? (다툼이 있으면 판례에 의함)
□□□

13 경찰채용 [Essential ★]

① 초등학생들이 학교에 등교하여 교실에서 수업을 듣는 것은 형법상 업무방해죄의 보호대상이 되는 업무에 해당한다고 할 수 없다.

② 인터넷카페의 운영진인 피고인들이 카페 회원들과 공모하여, 특정 신문들에 광고를 게재하는 광고주들에게 불매운동의 일환으로 지속적·집단적으로 항의전화를 하거나 항의글을 게시하는 등의 방법으로 광고중단을 압박한 경우, 광고주들과 신문사들에 대한 업무방해죄가 성립한다.

③ 대학의 컴퓨터시스템 서버를 관리하던 직원이 전보발령을 받아 더 이상 웹서버를 관리 운영할 권한이 없는 상태에서, 웹서버에 접속하여 홈페이지 관리자의 아이디와 비밀번호를 무단으로 변경한 행위는 컴퓨터등장애업무방해죄에 해당한다.

④ 포털사이트 운영회사의 통계집계시스템 서버에 허위의 클릭정보를 전송하여 검색순위 결정 과정에서 위와 같이 전송된 허위의 클릭정보가 실제로 통계에 반영됨으로써 정보처리에 장애가 현실적으로 발생하였다면, 그로 인하여 실제로 검색순위의 변동을 초래하지는 않았다 하더라도 컴퓨터등장애업무방해죄가 성립한다.

해설

② [×] 피고인들의 행위는 **광고주들에 대하여는 업무방해죄의 위력에 해당하지만, 신문사들에 대하여는 직접적인 위력의 행사가 있었다고 보기에는 부족하다.**(대법원 2013. 3. 14. 2010도410 소비자불매운동 사건)

① [○] 초등학생들이 학교에 등교하여 교실에서 수업을 듣는 것은 학생들 본인의 권리를 행사하는 것이거나 국가 내지 부모들의 의무를 이행하는 것에 불과할 뿐 그것이 직업 기타 사회생활상의 지위에 기하여 **계속적으로 종사하는 사무 또는 사업에 해당한다고 할 수 없다.**(대법원 2013. 6. 14. 2013도3829 대흥초교 사건)

③ [○] 전보발령으로 웹서버를 관리, 운영할 권한이 없는 피고인이 웹서버에 접속하여 홈페이지 관리자의 비밀번호를 무단으로 변경한 행위는 정당한 행위라고 할 수 없고, 그로 인하여 정보처리장치에 현실적인 장애를 발생시킴으로써 대학측에 대하여 업무방해의 위험을 초래한 행위에 해당하여 **컴퓨터등장애업무 방해죄를 구성한다.**(대법원 2007. 3. 16. 2006도6663 신성대학교 사건)

④ [○] 포털사이트 운영회사의 통계집계시스템 서버에 허위의 클릭정보를 전송하여 검색순위 결정 과정에서 허위의 클릭정보가 실제로 통계에 반영됨으로써 정보처리에 장애가 현실적으로 발생하였다면, 그로 인하여 실제로 검색순위의 변동을 초래하지는 않았다 하더라도 **컴퓨터등장애업무방해죄가 성립한다.**(대법원 2009. 4. 9. 2008도11978 상위등록 프로그램 사건)

정답 | 136 ① 137 ②

138 다음 사례 중 甲에게 업무방해죄가 성립하는 경우(○)와 성립하지 않는 경우(×)를 바르게 표시한 것은? (다툼이 있으면 판례에 의함)

□□□ 17 국가7급 [Superlative ★★★]

㉠ 주식회사 대표이사 甲은 주주총회에서 위력을 행사하여 개인 주주들이 발언권과 의결권을 행사하지 못하도록 방해하였다.
㉡ 甲은 대표선출에 관한 규정에 위배하여 개최된 유림총회의 회의를 위력으로 진행하지 못하게 하고, 걸려 있는 현수막을 제거하였으며, 회의장에 들어가려는 대의원들을 회의에 참석하지 못하게 하였다. 이로 인해 총회의 무기연기가 선언되었다.
㉢ 재건축 조합장이었던 甲은 새로 선출된 재건축 조합장직무대행자가 법원의 직무집행정지 가처분결정에 의하여 그 직무집행이 정지되었음에도 불구하고 법원의 결정에 반하여 업무를 계속하자 위력을 행사하여 이를 방해하였다.
㉣ 사립대학교 대학원생 甲은 석사학위 취득을 목적으로 타인에게 전체 논문의 초안작성을 의뢰하고, 그에 따라 작성된 논문의 내용에 약간의 수정만을 가하였으면서도 자신이 직접 작성한 것처럼 속이고 지도교수에게 논문을 제출하여 심사를 통과하였다.
㉤ 대부업체 직원 甲은 대출금을 회수하기 위하여 소액의 지연이자를 문제 삼아 법적 조치를 거론하면서 소규모 간판업자인 채무자의 휴대전화로 수백 회에 이르는 전화공세를 하였다.

① ㉠ × ㉡ ○ ㉢ × ㉣ ○ ㉤ ○
② ㉠ ○ ㉡ × ㉢ ○ ㉣ × ㉤ ○
③ ㉠ ○ ㉡ ○ ㉢ × ㉣ ○ ㉤ ×
④ ㉠ × ㉡ ○ ㉢ × ㉣ × ㉤ ○

해설

① ㉡㉣㉤ 3 항목의 경우 업무방해죄가 성립한다.

㉠ [×] **주주로서 주주총회에서 의결권 등을 행사하는 것은** 주식의 보유자로서 그 자격에서 권리를 행사하는 것에 불과할 뿐 그것이 **'직업 기타 사회생활상의 지위에 기하여 계속적으로 종사하는 사무 또는 사업'에 해당한다고 할 수 없다.**(대법원 2004. 10. 28. 2004도1256 주주총회 개인주주 방해사건)

㉡ [○] 피고인들이 마이크를 빼앗으며 유림총회의 회의를 진행하지 못하게 하고 피해자를 비방하면서 걸려있는 현수막을 제거하고 회의장에 들어가려는 대의원들을 회의에 참석하지 못하게 하였다면 **위력으로 피해자의 유림총회 개최업무를 방해한 것이라고 보아야 할 것이고,** 피해자가 유림대표 선출에 관한 규정에 위배하여 위 회의를 개최하였고, 결국 총회의 무기연기가 선언되었다고 하여도 업무방해죄의 성립에 영향이 없다.(대법원 1991. 2. 12. 90도2501 유림총회 방해사건)

㉢ [×] **법원의 직무집행정지 가처분결정에 의하여 그 직무집행이 정지된 자가 법원의 결정에 반하여 직무를 수행함으로써 업무를 계속 행하고 있다면,** 비록 그 업무가 반사회성을 띠는 경우라고까지는 할 수 없다고 하더라도 **법의 보호를 받을 가치를 상실하였다고 하지 않을 수 없다.**(대법원 2002. 8. 23. 2001도5592 직무집행정지가처분 조합장 사건)

㉣ [○] 비록 논문작성자가 지도교수의 지도에 따라 논문의 제목, 주제, 목차 등을 직접 작성하였다고 하더라도 자료를 분석, 정리하여 논문의 내용을 완성하는 일의 대부분을 타인에게 의존하였다면 그 논문은 논문작성자가 주체적으로 작성한 논문이 아니라 타인에 의하여 대작된 것이라고 보아야 한다. 단순히 통계처리와 분석 또는 외국자료의 번역과 타자만을 타인에게 의뢰한 것이 아니라 **전체 논문의 초안작성을 의뢰하고, 그에 따라 작성된 논문의 내용에 약간의 수정만을 가하여 제출한 경우 업무방해죄가 성립한다.**(대법원 1996. 7. 30. 94도2708 논문대작 사건)

ⓜ [○] 대부업체 직원인 피고인이 대출금을 회수하기 위하여 소액의 지연이자를 문제삼아 법적 조치를 거론하면서 **소규모 간판업자인 채무자의 휴대전화로 수백 회에 이르는 전화공세를 한 것은** 사회통념상 허용한도를 벗어난 채권추심행위로서 채무자의 간판업 업무가 방해되는 결과를 초래할 위험이 발생하였다고 보이므로 **위력에 의한 업무방해죄를 구성한다.**(대법원 2005. 5. 27. 2004도8447 퍼스트머니 사건)

139 다음 설명 중 옳은 것은 모두 몇 개인가? (다툼이 있으면 판례에 의함)

19 경찰간부 [Core ★★]

㉠ 어장의 대표자가 후임자에게 어장에 대한 허위채권을 주장하면서 인장의 인도를 거절한 경우 위계에 의한 업무방해죄를 구성한다.

㉡ 피해자가 시장번영회를 상대로 잦은 진정을 하고 협조를 하지 않는다는 이유로 시장번영회의 총회결의에 의하여 피해자 소유점포에 대하여 정당한 권한 없이 단전조치를 한 경우 위력에 의한 업무방해죄를 구성한다.

㉢ 인터넷 카페의 운영진인 피고인들이 카페 회원들과 공모하여, 특정 신문들에 광고를 게재하는 광고주들에게 불매운동의 일환으로 지속적·집단적 항의전화를 하거나 항의글을 게시하는 등의 방법으로 광고 중단을 압박한 경우, 신문사들에 대한 위력에 의한 업무방해죄를 구성한다.

㉣ 포털사이트 운영회사의 통계집계시스템 서버에 허위의 클릭정보를 전송하여 검색순위 결정 과정에서 위와 같이 전송된 허위의 클릭정보가 실제로 통계에 반영됨으로써 정보처리에 장애가 현실적으로 발생하였다면, 그로 인하여 실제로 검색순위의 변동을 초래하지는 않았다고 하더라도 컴퓨터등장애업무방해죄가 성립한다.

① 1개 ② 2개 ③ 3개 ④ 4개

해설

② ㉡㉣ 2 항목이 옳다.

㉠ [×] 어장의 대표자였던 피고인 甲이 어장측에 대한 허위의 채권을 주장하면서 후임대표자 A에게 그 인장을 인도하기를 거절함으로써 A가 만기도래한 어장 소유의 수산업협동조합 예탁금을 인출하지 못하였고 어장 소유 선박의 검사를 받지 못한 결과를 초래하였다 하여, **피고인의 허위주장을 가리켜 허위사실을 유포하거나 기타 위계로써 타인의 업무를 방해한 경우에 해당한다고는 할 수 없다.**(대법원 1984. 7. 10. 84도638 금성어장 사건)

㉡ [○] 시장번영회 회장인 피고인 甲이 피해자 A가 번영회를 상대로 잦은 진정을 하고 협조를 하지 않는다는 이유로, 정당한 권한없이 A의 점포에 대하여 단전조치를 한 것이라면 이는 **위력에 의한 업무방해행위에 해당한다.**(대법원 1983. 11. 8. 83도1798)

정답 | 138 ① 139 ②

㉢ [×] 인터넷 카페의 운영진인 피고인들이 카페 회원들과 공모하여, 특정 신문들에 광고를 게재하는 광고주들에게 불매운동의 일환으로 지속적·집단적으로 항의전화를 하거나 광고주들의 홈페이지에 항의글을 게시하는 등의 방법으로 광고중단을 압박한 경우, (**업무방해죄의 위력은 원칙적으로 피해자에게 행사되어야 하고** 제3자를 향한 위력의 행사는 이를 피해자에 대한 직접적인 위력의 행사와 동일시할 수 있는 예외적 사정이 인정되는 경우에만 업무방해죄의 구성요건인 위력의 행사로 볼 수 있으므로) **그것만으로 특정 신문사들에 대한 직접적인 위력의 행사가 있었다고 보기에 부족하다.**(대법원 2013. 3. 14. 2010도410 언소주 소비자 불매운동 사건) **광고주들에 대해서는 업무방해죄가 성립하지만, 신문사들에 대해서는 업무방해죄가 성립하지 아니한다.**

㉣ [○] 피고인이 포털사이트 운영회사의 통계집계시스템 서버에 허위의 클릭정보를 전송하여 검색순위 결정 과정에서 위와 같이 전송된 허위의 클릭정보가 실제로 통계에 반영됨으로써 정보처리에 장애가 현실적으로 발생하였다면, 그로 인하여 실제로 검색순위의 변동을 초래하지는 않았다 하더라도 컴퓨터등장애업무방해죄가 성립한다.(대법원 2009. 4. 9. 2008도11978 상위등록 프로그램 사건)

140 다음 중 쟁의행위에 대한 설명으로 가장 옳은 것은? (다툼이 있으면 판례에 의함)

□□□

23 해경승진 [*Core* ★★]

① 쟁의행위가 추구하는 목적 중 일부가 정당하지 못한 경우에는 주된 목적 내지 진정한 목적을 기준으로 그 정당성 여부를 판단하여야 한다.

② 기업 구조조정의 실시로 근로자들의 지위나 근로 조건의 변경이 필연적으로 수반되는 경우 특별한 사정이 없더라도 이를 반대하는 쟁의행위의 정당성을 인정할 수 있다.

③ 조합원의 민주적 의사결정이 실질적으로 확보된 때에는 쟁의행위의 개시에 앞서 「노동조합 및 노동관계조정법」 제41조 제1항에 의한 투표절차를 거치지 아니한 경우에도 쟁의행위의 정당성은 상실되지 않는다.

④ 쟁위행위로서의 직장 또는 사업장시설 점거는 그 범위가 직장 또는 사업장시설 일부분에 그치고 사용자 측의 출입이나 관리지배를 배제하지 않는 병존적인 경우라도 이미 정당성의 한계를 벗어난 것이다.

해설

① [○] 쟁의행위에서 추구되는 목적이 여러 가지이고 그 중 일부가 정당하지 못한 경우에는 **주된 목적 내지 진정한 목적의 당부에 의하여 그 쟁의목적의 당부를 판단하여야 할 것**이고, 부당한 요구사항을 제외하였다면 쟁의행위를 하지 않았을 것이라고 인정되는 경우에는 그 쟁의행위 전체가 정당성을 갖지 못한다고 보아야 한다.(대법원 2014. 11. 13. 2011도393 한국가스공사 파업사건)

② [×] **정리해고나 사업조직의 통폐합 등 기업의 구조조정 실시** 여부는 경영주체의 고도의 경영상 결단에 속하는 사항으로서 원칙적으로 단체교섭의 대상이 될 수 없어, 그것이 긴박한 경영상의 필요나 합리적 이유없이 불순한 의도로 추진된다는 등의 특별한 사정이 없음에도 **노동조합이 실질적으로 그 실시 자체를 반대하기 위하여 쟁의행위로 나아간다면, 비록 그러한 구조조정의 실시가 근로자들의 지위나 근로조건의 변경을 필연적으로 수반한다 하더라도 그 쟁의행위는 목적의 정당성을 인정할 수 없다.**(대법원 2014. 11. 13. 2011도393 한국가스공사 파업사건)

③ [×] 쟁의행위를 함에 있어 **조합원의 직접 · 비밀 · 무기명투표에 의한 찬성결정이라는 절차를 거쳐야 한다**는 규정은 노동조합의 자주적이고 민주적인 운영을 도모함과 아울러 쟁의행위에 참가한 근로자들이 사후에 그 쟁의행위의 정당성 유무와 관련하여 어떠한 불이익을 당하지 않도록 그 개시에 관한 조합의사의 결정에 보다 신중을 기하기 위하여 마련된 규정이므로 **위의 절차를 위반한 쟁의행위는 그 절차를 따를 수 없는 객관적인 사정이 인정되지 아니하는 한 정당성이 상실된다.**(대법원 2007. 5. 11. 2005도8005 서울대병원지부사건)

④ [×] 직장 또는 사업장시설의 점거는 적극적인 쟁의행위의 한 형태로서 그 점거의 범위가 직장 또는 사업장시설의 일부분이고 **사용자측의 출입이나 관리지배를 배제하지 않는 병존적인 점거에 지나지 않을 때에는 정당한 쟁의행위로 볼 수 있다.**(대법원 2012. 5. 24. 2010도9963 쌍용자동차 파업현장 방문사건)

141 업무방해죄에 관한 설명 중 옳지 않은 것은? (다툼이 있으면 판례에 의함)

□□□

13 변호사 [Superlative ★★★]

① 업무방해죄의 성립에는 업무방해의 결과가 실제로 발생함을 요하지 않고, 업무방해의 결과를 초래할 위험이 발생하는 것이면 족하다.

② 시장번영회의 회장으로서 시장번영회에서 제정하여 시행 중인 관리규정을 위반하여 칸막이를 천장까지 설치한 일부 점포주들에 대하여 회원들의 동의를 얻어 시행되고 있는 관리 규정에 따라 단전조치를 한 경우 업무방해죄로 처벌할 수 없다.

③ 근로자들이 집단적으로 근로의 제공을 거부하여 사용자의 정상적인 업무 운영을 저해하고 손해를 발생하게 한 행위는 당연히 업무방해죄의 위력에 해당되고 노동관계 법령에 따른 정당한 쟁의행위로서 위법성이 조각되는 경우가 아닌 한 업무방해죄로 처벌된다.

④ 폭력조직 간부가 조직원들과 공모하여 타인이 운영하는 성매매업소 앞에 속칭 '병풍'을 치거나 차량을 주차해 놓는 등 위력으로써 성매매업을 방해한 경우 업무방해죄로 처벌할 수 없다.

⑤ 수산업협동조합의 신규직원 채용에 응시한 A와 B가 필기시험에서 합격선에 못 미치는 점수를 받게 되자, 채점업무 담당자들이 조합장인 피고인의 지시에 따라 점수조작행위를 통하여 이들을 필기시험에 합격시킴으로써 필기시험 합격자를 대상으로 하는 면접시험에 응시할 수 있도록 한 사안에서, 위 점수조작행위에 공모 또는 양해하였다고 볼 수 없는 일부 면접위원들이 조합의 신규직원 채용업무로서 수행한 면접업무는 위 점수조작행위에 의하여 방해되었다고 보아야 한다.

정답 | 140 ① 141 ③

해설

③ [×] **쟁의행위로서의 파업은** 근로자가 사용자에게 압력을 가하여 그 주장을 관철하고자 집단적으로 노무제공을 중단하는 실력행사여서 업무방해죄에서의 **위력으로 볼 만한 요소를 포함하고 있지만,** 근로자에게는 원칙적으로 헌법상 보장된 기본권으로서 근로조건 향상을 위한 자주적인 단결권 · 단체교섭권 및 단체행동권이 있으므로, **이러한 파업이 언제나 업무방해죄의 구성요건을 충족한다고 할 것은 아니며,** 전후 사정과 경위 등에 비추어 전격적으로 이루어져 사용자의 사업운영에 심대한 혼란 내지 막대한 손해를 초래할 위험이 있는 등의 사정으로 **사용자의 사업계속에 관한 자유의사가 제압 · 혼란될 수 있다고 평가할 수 있는 경우 비로소 그러한 집단적 노무제공의 거부도 위력에 해당하여 업무방해죄를 구성한다고 보는 것이 타당하다.**(대법원 2014. 11. 13. 2011도393 한국가스공사 파업사건)

① [○] 업무방해죄의 성립에 있어서는 업무방해의 결과가 실제로 발생함을 요하지 아니하며 **업무방해의 결과를 초래할 위험이 발생하면 족하다.**(대법원 2013. 3. 14. 2010도410 소비자불매운동 사건)

② [○] 피고인이 행한 단전조치는 단전 그 자체를 궁극적인 목적으로 한 것이 아니라 관리규정에 따라 상품진열 및 시설물 높이를 규제함으로써 시장기능을 확립하기 위하여 적법한 절차를 거쳐 시행한 것이고 그 수단이나 방법에 있어서도 비록 전기의 공급이 현대생활의 기본조건이기는 하나 **번영회를 운영하기 위한 효과적인 규제수단이므로 피고인의 행위는 정당행위에 해당한다.**(대법원 1994. 4. 15. 93도2899)

④ [○] 성매매알선 등 행위는 형사처벌의 대상이 되는 중대한 범죄행위일 뿐 아니라 정의관념상 용인될 수 없는 정도로 반사회성을 띠는 경우에 해당하므로 **업무방해죄의 보호대상이 되는 업무라고 볼 수 없다.**(대법원 2011. 10. 13. 2011도7081 수원역전파 사건)

⑤ [○] 면접업무가 최종합격의 가부만을 가리는 소극적 성격의 것이고 또 형식적으로 수행된 면이 있다 하더라도 이를 이 조합에 대한 관계에서 보호할 가치가 없는 업무라고 할 수 없고, 또한 점수조작행위에 의하여 면접위원이 응시무자격자를 상대로 면접에 임하게 하고 그에 상응하는 응시자격자를 면접할 수 없게 하였다는 그 자체로 면접업무의 적정성 또는 공정성이 저해되는 것이고 이러한 결과는 면접업무의 수행이 소극적 · 형식적이었는지 여부와 무관하게 발생하는 것이므로, **면접업무에 대한 방해가 없다고 할 수 없다.**(대법원 2010. 3. 25. 2009도8506 부산수협 필기점수 조작사건)

142 다음 설명 중 옳지 않은 것은? (다툼이 있으면 판례에 의함) 14 사법시험 [Superlative ★★★]

□□□

① 폭력조직 간부인 甲이 조직원들과 공모하여 피해자 A가 운영하는 성매매업소 앞에 속칭 '병풍'을 치거나 차량을 주차해 놓는 등 위력을 행사하였다고 하더라도, 성매매업소 운영업무는 업무방해죄의 보호대상인 업무라고 볼 수 없어 업무방해죄가 성립하지 않는다.

② X시의 시장 A와 Y회사 관계자 등이 'Y회사 공장 유치 확정'에 관한 기자회견을 하려고 하자, 甲이 다른 사람들과 공모하여 위력으로써 기자회견을 방해한 경우, X시의 시장 A의 기자회견은 공무원이 직무상 수행하는 공무에 해당하므로 甲의 행위는 A에 대하여는 업무방해죄가 성립하지 않는다.

③ 주택재건축조합 조합장인 甲이 자신에 대한 감사활동을 방해하기 위하여 조합사무실에 있던 조합 직원의 컴퓨터에 비밀번호를 설정하고 하드디스크를 분리·보관한 경우 甲의 행위는 컴퓨터등장애업무방해죄에 해당한다.

④ 포털사이트 운영회사의 통계집계시스템 서버에 허위의 클릭정보를 전송하여 검색순위 결정 과정에서 위와 같이 전송된 허위의 클릭정보가 실제로 통계에 반영됨으로써 정보처리에 장애가 현실적으로 발생하였다면, 그로 인하여 실제로 검색순위의 변동을 초래하지는 않았다고 하더라도 컴퓨터등장애 업무방해죄가 성립한다.

⑤ 甲이 불특정 다수의 인터넷 이용자들에게 배포한 A프로그램은, B포털사이트 서버가 이용자의 컴퓨터에 정보를 전송하는 데에는 아무런 영향을 주지 않고, 다만 이용자의 동의에 따라 위 프로그램이 설치된 컴퓨터 화면에서만 B포털사이트 화면이 전송받은 원래 모습과는 달리 甲의 광고가 대체 혹은 삽입된 형태로 나타나도록 하는 것에 불과하다고 하더라도, 정보처리장치의 작동에 직접·간접으로 영향을 주어 그 사용목적과 다른 기능을 하게 하였다고 볼 수 있어 컴퓨터등장애업무방해죄에 해당한다.

해설

⑤ [×] 피고인들이 배포한 '업링크솔루션'이라는 프로그램은, 네이버 포털사이트 서버가 이용자의 컴퓨터에 정보를 전송하는 데에는 아무런 영향을 주지 않고, 다만 이용자의 동의에 따라 프로그램이 설치된 컴퓨터 화면에서만 네이버 화면이 전송받은 원래 모습과는 달리 피고인들의 광고가 대체 혹은 삽입된 형태로 나타나도록 하는 것에 불과하므로, 이것만으로는 정보처리장치의 작동에 직접 · 간접으로 영향을 주어 그 사용목적에 부합하는 기능을 하지 못하게 하거나 사용목적과 다른 기능을 하게 하였다고 볼 수 없어 **컴퓨터 등장애업무방해죄로 의율할 수 없다.**(대법원 2010. 9. 30. 2009도12238 업링크솔루션 사건)

① [○] 성매매알선 등 행위는 법에 의하여 원천적으로 금지된 행위로서 형사처벌의 대상이 되는 중대한 범죄행위일 뿐 아니라 정의관념상 용인될 수 없는 정도로 반사회성을 띠는 경우에 해당하므로 **업무방해죄의 보호대상이 되는 업무라고 볼 수 없다.**(대법원 2011. 10. 13. 2011도7081 수원역전파 사건)

정답 | 142 ⑤

② [O] 업무방해죄와는 별도로 공무집행방해죄를 규정하고 있는 것은 사적 업무와 공무를 구별하여 공무에 관해서는 공무원에 대한 폭행, 협박 또는 위계의 방법으로 그 집행을 방해하는 경우에 한하여 처벌하겠다는 취지라고 보아야 할 것이므로 공무원이 직무상 수행하는 공무를 방해하는 행위에 대해서는 **업무방해죄로 의율할 수는 없다.**(대법원 2011. 7. 28. 2009도11104 마산시장 기자회견 방해사건)

③ [O] 피고인이 담당 직원의 정상적인 업무수행을 방해할 의도에서 컴퓨터에 비밀번호를 설정한 행위는 '허위의 정보 또는 부정한 명령의 입력'에 해당하며, 컴퓨터의 하드디스크를 분리 · 보관한 행위는 '손괴'에 해당하므로 **컴퓨터등장애업무방해죄가 성립한다.**(대법원 2012. 5. 24. 2011도7943 조합장 감사 방해사건)

④ [O] 포털사이트 운영회사의 통계집계시스템 서버에 허위의 클릭정보를 전송하여 검색순위 결정 과정에서 허위의 클릭정보가 실제로 통계에 반영됨으로써 정보처리에 장애가 현실적으로 발생하였다면, 그로 인하여 실제로 검색순위의 변동을 초래하지는 않았다 하더라도 **컴퓨터등장애업무방해죄가 성립한다.**(대법원 2009. 4. 9. 2008도11978 상위등록 프로그램 사건)

143 업무방해죄에 대한 설명이다. 아래 ㉠부터 ㉣까지의 설명 중 옳고 그름의 표시(○, ×)가 바르게 된 것은? (다툼이 있으면 판례에 의함)

□□□

19 경찰승진 [*Core* ★★]

㉠ 업무방해죄의 성립에는 업무방해의 결과가 실제로 발생함을 요하지 않고 업무방해의 결과를 초래할 위험이 발생하는 것이면 족하며, 업무수행 자체가 아니라 업무의 적정성 내지 공정성이 방해된 경우에도 업무방해죄가 성립한다.

㉡ 임대인 甲으로부터 건물을 임차하여 학원을 운영하던 피고인이 건물을 인도한 이후에도 자신 명의로 된 학원설립등록을 말소하지 않고 휴원신고를 연장함으로써 새로운 임차인 乙이 그 건물에서 학원설립등록을 하지 못하도록 한 경우, 위력에 의한 업무방해죄가 성립하지 아니한다.

㉢ 컴퓨터 등 정보처리장치에 정보를 입력하는 등의 행위가 그 입력된 정보 등을 바탕으로 업무를 담당하는 사람의 오인, 착각 또는 부지를 일으킬 목적으로 행해진 경우 그 행위가 업무를 담당하는 사람을 직접적인 대상으로 이루어진 것이 아니라면 위계에 의한 업무방해죄가 성립하지 아니한다.

㉣ 인터넷 자유게시판 등에 실제의 객관적인 사실을 게시하더라도 그로 인하여 피해자의 업무가 방해된 경우에는 「형법」 제314조 제1항 소정의 위계에 의한 업무방해죄에 있어서의 '위계'에 해당한다.

① ㉠ × ㉡ × ㉢ ○ ㉣ ○
② ㉠ ○ ㉡ × ㉢ ○ ㉣ ×
③ ㉠ ○ ㉡ ○ ㉢ × ㉣ ○
④ ㉠ ○ ㉡ ○ ㉢ × ㉣ ×

해설

④ 이 지문이 옳은 연결이다.

㉠ [○] 업무방해죄의 성립에는 업무방해의 결과가 실제로 발생함을 요하지 않고 업무방해의 결과를 초래할 위험이 발생하면 족하며, 업무수행 자체가 아니라 **업무의 적정성 내지 공정성이 방해된 경우에도 업무방해죄가 성립한다.**(대법원 2013. 11. 28. 2013도5117 통합진보당 대리투표 사건 II)

㉡ [○] 임대인 甲으로부터 건물을 임차하여 학원을 운영하던 피고인이 건물을 인도한 이후에도 자신 명의로 된 학원설립등록을 말소하지 않고 휴원신고를 연장함으로써 새로운 임차인 乙이 그 건물에서 학원설립등록을 하지 못하도록 하였다고 하더라도 피고인의 휴원연장신고와 乙이 학원설립등록을 하지 못한 점 사이에 인과관계가 있다고 단정하기 어렵고, **피고인의 행위가 乙의 자유의사를 제압·혼란케 할 정도의 위력에 해당한다고 보기 어렵다.**(대법원 2010. 11. 25. 2010도9186 휴원기간 연장사건)

㉢ [×] 컴퓨터 등 정보처리장치에 정보를 입력하는 등의 행위가 그 입력된 정보 등을 바탕으로 업무를 담당하는 사람의 오인, 착각 또는 부지를 일으킬 목적으로 행해진 경우에는 그 행위가 업무를 담당하는 사람을 직접적인 대상으로 이루어진 것이 아니라고 하여 **위계가 아니라고 할 수는 없다.**(대법원 2013. 11. 28. 2013도5117 통합진보당 대리투표 사건 II)

㉣ [×] 인터넷 자유게시판 등에 실제의 객관적인 사실을 게시하는 행위는, 설령 그로 인하여 피해자의 업무가 방해된다고 하더라도 **'위계'에 해당하지 않는다.**(대법원 2007. 6. 29. 2006도3839 다음카페 전국감리원 모임 사건)

144 경매 · 입찰방해죄에 관한 다음 설명 중 가장 적절하지 않은 것은? (다툼이 있으면 판례에 의함)

□□□

12 경찰채용 [Essential ★]

① 담합행위가 입찰방해죄로 되기 위해서는 반드시 입찰참가자 전원과의 사이에 담합이 이루어져야 하는 것은 아니고, 입찰참가자들 중 일부와의 사이에만 담합이 이루어진 경우에도 성립할 수 있다.

② 유찰방지를 위한 수단에 불과하여 이익을 해치지 않았더라도 실질적으로 단독입찰하면서 경쟁입찰인 것처럼 가장하였다면, 그 입찰 가격으로 낙찰하게 한 점에서 경쟁입찰 방법을 해한 것이므로 입찰의 공정을 해친 것이다.

③ 입찰자 일부와 담합이 있고 담합금이 수수되었다 하더라도 타입찰자와는 담합이 이루어지지 않아, 입찰시행자의 이익을 해함이 없이 자유로운 경쟁을 한 것과 동일한 결과로 되는 경우 입찰의 공정을 해할 위험성이 없다.

④ 법원경매업무를 담당하는 집행관의 구체적인 직무집행을 저지하거나 현실적으로 곤란하게 하는 데까지는 이르지 않고 입찰의 공정을 해하는 정도의 범죄행위라면 위계에 의한 공무집행방해죄에만 해당될 뿐 경매·입찰방해죄에는 해당되지 않는다.

정답 | 143 ④ 144 ④

해설

④ [×] 법원경매업무를 담당하는 집행관의 구체적인 직무집행을 저지하거나 현실적으로 곤란하게 하는 데 까지는 이르지 않고 입찰의 공정을 해하는 정도의 행위라면 **경매 · 입찰방해죄에만 해당될 뿐 위계에 의한 공무집행방해죄에는 해당되지 않는다.**(대법원 2000. 3. 24. 2000도102 신동성로파 사건)

① [○] 입찰참가자들 사이의 담합행위가 입찰방해죄로 되기 위하여는 반드시 입찰참가자 전원과의 사이에 담합이 이루어져야 하는 것은 아니고, 입찰참가자들 중 일부와의 사이에만 담합이 이루어진 경우라고 하더라도 그것이 입찰의 공정을 해하는 것으로 평가되는 이상 **입찰방해죄는 성립한다.**(대법원 2009. 5. 14. 2008도11361 나라장터 전자입찰 사건)

② [○] 설사 유찰방지를 위한 수단에 불과하여 입찰가격에 있어 입찰실시자의 이익을 해하거나 입찰자에게 부당한 이익을 얻게 하는 것이 아니었다 하더라도 실질적으로는 단독입찰을 하면서 경쟁입찰인것 같이 가장하였다면 그 입찰가격으로서 낙찰하게 한 점에서 경쟁입찰의 방법을 해한 것이 되어 **입찰의 공정을 해한 것이 된다.**(대법원 1988. 3. 8. 87도2646 대학교 졸업앨범 입찰사건)

③ [○] 담합이 있고 그에 따른 담합금이 수수되었다 하더라도 입찰시행자의 이익을 해함이 없이 자유로운 경쟁을 한 것과 동일한 결과로 되는 경우에는 입찰의 공정을 해할 위험성은 없다고 하여야 할 것인바, 피고인 甲이 담합을 제의하였으나 乙, 丙 등 실질적인 입찰참가자가 이를 받아들이지 않은 이상 그들을 형식적으로 입찰에 참가하게 하여 甲의 실질적인 단독입찰을 경쟁입찰로 가장한 것이라고 볼 수 없고 결국은 자유경쟁을 한 것과 동일한 결과로 되어 **입찰방해죄가 성립한다고 볼 수 없다.**(대법원 1983. 1.18. 81도824 국유림 매각사건)

145 경매 · 입찰방해죄에 관한 설명으로 가장 적절하지 않은 것은? (다툼이 있으면 판례에 의함)

□□□

20 경찰채용 [*Core* ★★]

① 경매·입찰방해죄는 최소한 적법하고 유효한 입찰 절차의 존재가 전제되어야 하지만, 처음부터 입찰절차가 존재하였다 할 수 없는 경우에도 입찰방해죄는 성립할 수 있다.

② 입찰자 일부와 담합이 있고 그에 따른 담합금이 수수되었다 하더라도 입찰시행자의 이익을 해함이 없이 자유로운 경쟁을 한 것과 동일한 결과로 되는 경우에는 입찰의 공정을 해할 위험이 없다.

③ 입찰방해죄는 위계 또는 위력 기타의 방법으로 입찰의 공정을 해하는 경우에 성립하는 위태범으로서, 입찰의 공정을 해할 행위를 하면 그것으로 족하고 현실적으로 입찰의 공정을 해한 결과가 발생할 필요는 없다.

④ 담합행위가 가장경쟁자를 조작하여 실시자의 이익을 해하는 것이 아니라도 실질적으로 단독입찰을 하면서 경쟁입찰인 것처럼 가장하여 그 입찰가격으로 낙찰을 받았다면 입찰방해죄가 성립한다.

해설

① [×] (1) 입찰방해 행위가 있다고 하기 위해서는 그 방해의 대상이 되는 입찰절차가 존재하여야 할 것이므로 공정한 자유경쟁을 통한 적정한 가격형성을 목적으로 하는 입찰절차가 아니라 공적·사적 경제주체의 임의의 선택에 따른 계약체결의 과정에 공정한 경쟁을 해하는 행위가 개재되었다 하여 입찰방해죄로 처벌할 수는 없다. (대법원 2008. 12. 24. 2007도9287 포항 폐기물처리장부지 사건)
(2) 입찰방해 행위가 있다고 인정하기 위하여는 그 방해의 대상인 입찰이 현실적으로 존재하여야 한다고 볼 것이므로 실제로는 수의계약을 체결하면서 입찰절차를 거쳤다는 증빙을 남기기 위하여 입찰을 전혀 시행하지 아니한 채 형식적인 입찰서류만을 작성하여 입찰이 있었던 것처럼 조작한 행위는 입찰방해 행위에 해당한다고 할 수 없다.(대법원 2001. 2. 9. 2000도4700 홍명고 체육관공사 사건) 처음부터 입찰절차가 존재하였다 할 수 없는 경우에는 '입찰'방해죄가 성립할 수 없다.

② [○] 담합이 있고 그에 따른 담합금이 수수되었다 하더라도 입찰시행자의 이익을 해함이 없이 자유로운 경쟁을 한 것과 동일한 결과로 되는 경우에는 입찰의 공정을 해할 위험성은 없다고 하여야 할 것인바, 피고인 甲이 담합을 제의하였으나 乙, 丙 등 실질적인 입찰참가자가 이를 받아들이지 않은 이상 그들을 형식적으로 입찰에 참가하게 하여 甲의 실질적인 단독입찰을 경쟁입찰로 가장한 것이라고 볼 수 없고 결국은 **자유경쟁을 한 것과 동일한 결과로 되어 입찰방해죄가 성립한다고 볼 수 없다.**(대법원 1983. 1. 18. 81도824 국유림 매각사건)

③ [○] 입찰방해죄는 위계 또는 위력 기타의 방법으로 입찰의 공정을 해하는 경우에 성립하는 위태범으로서 입찰의 공정을 해할 행위를 하면 그것으로 족한 것이지 **현실적으로 입찰의 공정을 해한 결과가 발생할 필요는 없다.**(대법원 1994. 5. 24. 94도600 바다모래개발사업자 선정사건)

④ [○] 설사 동업자 사이의 무모한 출혈경쟁을 방지하기 위한 수단에 불과하여 입찰가격에 있어 입찰실시자의 이익을 해하거나 입찰자에게 부당한 이익을 얻게 하는 것이 아니었다 하더라도 실질적으로는 **단독입찰을 하면서 경쟁입찰인 것같이 가장하였다면** 그 입찰가격으로서 낙찰하게 한 점에서 경쟁입찰의 방법을 해한 것이 되어 **입찰의 공정을 해한 것이 된다.**(대법원 2003. 9. 26. 2002도3924 경주 기림사 사건)

정답 | 145 ①

146 입찰방해죄에 관한 다음 설명 중 옳지 않은 것은? (다툼이 있으면 판례에 의함)

□□□

14 법원행시 [Superlative ★★★]

① 입찰자들 상호간에 특정업체가 낙찰받기로 하는 담합이 이루어진 상태에서 일부 입찰자가 자신이 낙찰받기 위하여 당초의 합의에 따르지 아니한 채 낙찰받기로 한 특정업체보다 저가로 입찰하였다면, 이러한 일부 입찰자의 행위는 입찰방해죄에 해당한다.

② 일부 입찰참가자들이 가격을 합의하고 낙찰이 되면 특정 업체가 모든 공사를 하기로 합의하는 등 담합하여 투찰행위를 한 경우, 입찰참가자들 중 일부 사이에만 담합이 이루어졌고 투찰에 참여한 업체의 수가 많아 실제로 가격형성에 부당한 영향을 주지 않았다고 하더라도 입찰방해죄는 성립한다.

③ 동업자들이 무모한 출혈경쟁을 방지하기 위한 수단으로 실질적으로는 단독입찰을 하면서 경쟁입찰인 것 같이 가장한 경우에 입찰방해죄가 성립한다.

④ 고속도로 휴게소 운영권 입찰에서 여러 회사가 각자 입찰에 참가하되 누구라도 낙찰될 경우 동업하여 새로운 회사를 설립하고 그 회사로 하여금 휴게소를 운영하기로 합의한 후 입찰에 참가한 경우에 입찰방해죄가 성립한다.

⑤ 입찰자들의 전부 또는 일부 사이에서 담합을 시도하는 행위가 있었을 뿐 실제로 담합이 이루어지지 못하였고, 또 위계 또는 위력 기타의 방법으로 담합이 이루어진 것과 같은 결과를 얻어내거나 다른 입찰자들의 응찰 내지 투찰행위를 저지하려는 시도가 있었지만 역시 그 위계 또는 위력 등의 정도가 담합이 이루어진 것과 같은 결과를 얻어내거나 그들의 응찰 내지 투찰행위를 저지할 정도에 이르지 못하였고 또 실제로 방해된 바도 없다면, 이로써 공정한 자유경쟁을 방해할 염려가 있는 상태를 발생시켜 그 입찰의 공정을 해하였다고 볼 수 없으므로 입찰방해죄의 기수에 이르렀다고 할 수 없어 이는 입찰방해미수죄로 처벌해야 된다.

해설

⑤ [×] 실제로 담합이 이루어지지 못하였고 위계 또는 위력 등의 정도가 담합이 이루어진 것과 같은 결과를 얻어내거나 다른 입찰자들의 응찰 내지 투찰행위를 저지할 정도에 이르지 못하였고 또 실제로 방해된 바도 없다면, 이로써 공정한 자유경쟁을 방해할 염려가 있는 상태 즉, 공정한 자유경쟁을 통한 적정한 가격형성에 부당한 영향을 주는 상태를 발생시켜 그 입찰의 공정을 해하였다고 볼 수 없어 입찰방해죄의 기수에 이르렀다고 할 수는 없고 **입찰방해미수죄는 따로 처벌규정이 없어 처벌되지 아니한다.**(대법원 2003. 9. 26. 2002도3924 문화재보수공사 사건)

① [○] 일부 입찰자가 자신이 낙찰받기 위하여 당초의 합의에 따르지 아니한 채 오히려 낙찰받기로 한 특정업체보다 저가로 입찰하였다면, 이러한 일부 입찰자의 행위는 담합을 이용하여 낙찰을 받은 것이라는 점에서 적법하고 공정한 경쟁방법을 해한 것이 되므로 **입찰방해죄에 해당한다.**(대법원 2010. 10. 14. 2010도4940 음성유도기 담합사건)

② [○] 일부 입찰참가자들이 가격을 합의하고 낙찰이 되면 특정 업체가 모든 공사를 하기로 합의하는 등 담합하여 투찰행위를 한 경우, 이는 '적법하고 공정한 경쟁방법'을 해하는 행위로서 입찰의 공정을 해하는 경우에 해당하며 결과적으로 투찰에 참여한 업체의 수가 많아서 실제로 가격형성에 부당한 영향을 주지 않았다고 하더라도 **입찰방해죄가 성립한다.**(대법원 2009. 5. 14. 2008도11361 나라장터 전자입찰 사건)

③ [O] 동종업자 사이의 무모한 출혈경쟁을 방지하기 위한 수단에 불과하여 입찰가격에 있어 입찰실시자의 이익을 해하거나 입찰자에게 부당한 이익을 얻게 하는 것이 아니었다 하더라도, 실질적으로는 단독입찰을 하면서 경쟁입찰인 것같이 가장하였다면 그 입찰가격으로써 낙찰하게 한 점에서 경쟁입찰의 방법을 해한 것이 되어 **입찰의 공정을 해하는 것이다.**(대법원 2003. 9. 26. 2002도3924 문화재보수공사 사건)
④ [O] 고속도로 휴게소 운영권 입찰에서 여러 회사가 각자 입찰에 참가하되 누구라도 낙찰될 경우 동업하여 새로운 회사를 설립하고 그 회사로 하여금 휴게소를 운영하기로 합의한 후 입찰에 참가한 경우, 이는 실질적으로는 하나의 회사가 입찰에 참가한 것이면서도 단지 낙찰확률을 높이기 위해 다수의 회사가 입찰에 참가한 것처럼 가장한 것에 불과한 것일 뿐 아니라 (중략) 적법하고 공정한 경쟁방법을 해하여 **입찰의 공정을 해한 것이다.**(대법원 2006. 12. 22. 2004도2581 천안논산고속도로 휴게소 사건)

147 업무와 경매에 관한 죄의 설명 중 가장 적절한 것은? (다툼이 있으면 판례에 의함)

□□□

22 경찰채용 [*Core* ★★]

① 甲이 서울특별시 도시철도공사가 발주한 시각장애인용 음성유도기제작설치 입찰에 관한 담합에 가담하기로 하였다가 자신이 낙찰받기 위하여 당초의 합의에 따르지 아니한 채 원래 낙찰받기로 한 특정업체보다 저가로 입찰한 경우 비록 입찰의 공정을 해할 우려가 있었으나 실제 입찰의 공정을 해하지 아니하였기에 甲에게는 입찰방해죄가 성립하지 아니한다.
② 甲이 일부 입찰참가자들과 가격을 합의하고, 낙찰이 되면 특정 업체가 모든 공사를 하기로 합의하는 등 담합하여 투찰행위를 한 경우 그 투찰에 참여한 업체의 수가 많아서 실제로 가격형성에 부당한 영향을 주지 않았다면 甲에게는 입찰방해죄가 성립하지 아니한다.
③ 한국토지공사 지역본부가 중고자동차매매단지를 분양하기 위하여 유자격 신청자들을 대상으로 무작위 공개추첨하여 1인의 수분양자를 선정하는 절차를 진행함에 있어, 신청자격이 없는 甲이 총 12인의 신청자 중 9인과 맺은 합작투자의 약정에 따라 그 신청자의 자격과 명의를 빌려 당첨확률을 약 75%까지 인위적으로 높여 분양을 신청한 경우 분양 업무의 적정성과 공정성 등을 방해하는 행위라고 볼 수 있어 甲에게는 입찰방해죄가 성립한다.
④ 甲과 乙이 공모하여, 甲은 A고등학교의 학생 丙이 약 10개월 동안 총 84시간의 봉사활동을 한 것처럼 허위로 기재된 봉사 활동확인서를 발급받아 乙에게 교부하고, 乙은 이를 丙의 담임교사를 통하여 A학교에 제출하여 丙이 학교장 명의의 봉사상을 수상하게 한 경우 甲과 乙에게는 업무방해죄가 성립한다.

정답 | 146 ⑤ 147 ④

해설

④ [○] 정의 봉사상 수상자 선정은 병 학교 업무담당자의 불충분한 심사에 기인한 것으로서 피고인들의 위계가 업무방해의 위험성을 발생시켰다고 할 수 없다고 보아 피고인들에게 **무죄를 선고한 원심의 판단에 업무방해죄의 성립에 관한 법리오해의 위법이 있다.**(대법원 2020. 9. 24. 2017도19283 허위 봉사활동확인서 사건) 위계에 의한 업무방해죄가 성립한다는 의미이다.

① [×] 입찰자들 상호간에 특정업체가 낙찰받기로 하는 담합이 이루어진 상태에서 그 특정업체를 포함한 다른 입찰자들은 당초의 합의에 따라 입찰에 참가하였으나 **일부 입찰자는 자신이 낙찰받기 위하여 당초의 합의에 따르지 아니한 채 오히려 낙찰받기로 한 특정업체보다 저가로 입찰하였다면** 이러한 일부 입찰자의 행위는 담합을 이용하여 낙찰을 받은 것이라는 점에서 적법하고 공정한 경쟁방법을 해한 것이 되고 따라서 이러한 일부 입찰자의 행위 역시 **입찰방해죄에 해당한다.**(대법원 2010. 10. 14. 2010도4940 음성유도기 담합사건)

② [×] 피고인 甲이 투찰을 함에 있어서 **다른 피고인 乙, 丙, 丁과 가격을 합의하고, 낙찰이 되면 특정 업체에서 공사를 모두 하기로 하는 등의 담합행위를 한 이상** 적법하고 공정한 경쟁방법을 해하는 행위로서 입찰의 공정을 해하는 경우에 해당하는 것이고 위와 같이 담합하여 투찰행위를 함으로써 위태범인 **입찰방해죄가 성립하는 것이며,** 결과적으로 투찰에 참여한 업체의 수가 많아서 실제로 가격형성에 부당한 영향을 주지 않았다고 하여 입찰방해죄의 성립을 방해할 수는 없다.(대법원 2009. 5. 14. 2008도11361 나라장터 전자입찰사건)

③ [×] 한국토지공사 지역본부가 중고자동차매매단지를 분양하기 위하여 유자격 신청자들을 대상으로 무작위 공개추첨하여 1인의 수분양자를 선정하는 절차를 진행하는데, 신청자격이 없는 피고인이 총 12인의 신청자 중 9인의 신청자의 자격과 명의를 빌려 그 당첨확률을 약 75%까지 인위적으로 높여 분양을 신청한 경우 **분양절차는 공정한 자유경쟁을 통한 적정한 가격형성을 목적으로 하는 입찰절차에 해당하지 않고,** 피고인이 분양절차에 참가한 것은 9인의 신청자와 맺은 합작투자의 약정에 따른 것으로서 분양업무의 주체인 **한국토지공사가 예정하고 있던 범위 내의 행위이므로** 위 추첨방식의 분양업무의 적정성과 공정성 등을 방해하는 행위라고 볼 수 없어 **입찰방해죄나 업무방해죄가 성립하지 않는다.**(대법원 2008. 5. 29. 2007도5037 중고차매매단지 분양사건)

148 □□□ 신용 · 업무와 경매에 관한 죄에 대한 설명 중 가장 적절하지 않은 것은? (다툼이 있으면 판례에 의함)

12 경찰승진 [Core ★★]

① 입찰자들 상호간에 특정업체가 낙찰받기로 하는 담합이 이루어진 상태에서 그 특정업체를 포함한 다른 입찰자들은 당초의 합의에 따라 입찰에 참가하였으나 일부 입찰자가 자신이 낙찰받기 위하여 당초의 합의에 따르지 아니한 채 오히려 낙찰받기로 한 특정업체보다 저가로 입찰한 경우 이러한 일부 입찰자의 행위는 입찰방해죄에 해당하지 않는다.

② 주한외국영사관에 비자 발급을 신청함에 있어서 허위의 사실을 기재한 신청서와 이를 입증할 다른 허위자료까지 제출하고 공범으로 하여금 비자 면접 때 그에 맞추어 허위의 답변을 하도록 연습을 시킨 경우 위계에 의한 업무방해죄가 성립된다.

③ 신용훼손죄(형법 제313조)에서 '허위사실'은 객관적으로 보아 진실과 부합하지 않는 과거 또는 현재의 사실에 국한하지 않고 증거에 의한 입증이 가능한 미래의 사실도 포함하나, 단순한 의견이나 가치판단을 표시하는 것은 이에 해당하지 않는다.

④ 신규직원 채용권한을 가지고 있는 지방공사 사장이 시험업무 담당자들에게 지시하여 상호 공모 내지 양해 하에 시험성적조작 등의 부정한 행위를 한 경우 위계에 의한 업무방해죄에 해당하지 않는다.

제1편 개인적 법익에 관한 죄

해설

① [×] (1) 입찰방해죄는 위태범으로서 결과의 불공정이 현실적으로 나타나는 것을 요하는 것이 아니고, 그 행위에는 가격을 결정하는 데 있어서 뿐 아니라, 적법하고 공정한 경쟁방법을 해하는 행위도 포함된다.
(2) 일부 입찰자는 자신이 낙찰받기 위하여 당초의 합의에 따르지 아니한 채 오히려 낙찰받기로 한 특정업체보다 저가로 입찰하였다면, 이러한 **일부 입찰자의 행위는 담합을 이용하여 낙찰을 받은 것이라는 점에서 적법하고 공정한 경쟁방법을 해한 것이 되고** 따라서 이러한 일부 입찰자의 행위 역시 **입찰방해죄에 해당한다.**(대법원 2010. 10. 14. 2010도4940 음성유도기 담합사건)

② [○] 피고인 甲이 乙의 미국방문비자를 주한미국대사관 영사부에 신청함에 있어서 허위의 사실을 기재하여 신청서를 제출한 것에 그치지 않고, 그 소명을 위하여 허위로 작성한 서류를 제출하고 乙로 하여금 비자 면접 때 그에 맞추어 허위의 답변을 하도록 연습을 시켜 그와 같이 면접을 하게 하고 乙의 회사 재직 여부를 묻는 미국대사관 직원의 문의 전화에 대하여 허위 답변을 하게 한 경우, **위계에 의한 업무방해죄가 성립한다.**(대법원 2004. 3. 26. 2003도7927 미국비자 브로커 사건)

③ [○] 신용훼손죄는 허위사실의 유포 기타 위계로써 사람의 신용을 훼손할 것을 요하고, 여기서 '허위사실의 유포'라 함은 객관적으로 보아 진실과 부합하지 않는 과거 또는 현재의 사실을 유포하는 것으로서(미래의 사실도 증거에 의한 입증이 가능할 때에는 여기의 사실에 포함된다) **단순한 의견이나 가치판단을 표시하는 것은 이에 해당하지 않는다.**(대법원 1983. 2. 8. 82도2486 계운영권 양도사건)

④ [○] 공사(公社)의 사장인 피고인 甲의 지시에 따라 신규직원 채용시험업무 담당자인 乙 등이 응시자 丙의 필기시험 성적을 조작하고 응시자 丁을 면접대상자에 포함시킬 수 있도록 응시자격 요건을 변경하였더라도, 신규직원 채용권한을 갖고 있는 피고인 甲 및 시험업무 담당자들이 모두 공모 내지 양해하에 위와 같은 부정한 행위를 한 것이므로 법인인 공사에게 신규직원 채용업무와 관련하여 오인 · 착각 또는 부지를 일으키게 하였다고 볼 수 없으므로(공사의 신규직원 채용업무와 관련하여 오인 · 착각 또는 부지를 일으킨 상대방이 있다고 할 수 없으므로) **위계에 의한 업무방해죄에 있어서의 '위계'에 해당한다고 할 수 없다.**(대법원 2007. 12. 27. 2005도6404 서울시농수산물공사 사건)

정답 | 148 ①

149 신용 · 업무 · 경매에 관한 죄에 대한 설명으로 적절한 것을 모두 고른 것은? (다툼이 있으면 판례에 의함)

□□□

22 경찰승진 [Core ★★]

㉠ 쟁의행위로서 파업이 언제나 업무방해죄에 해당하는 것으로 볼 것은 아니고, 전후 사정과 경위 등에 비추어 사용자가 예측할 수 없는 시기에 전격적으로 이루어져 사용자의 사업 운영에 심대한 혼란 내지 막대한 손해를 초래하는 등으로 사용자의 사업계속에 관한 자유의사가 제압 혼란될 수 있다고 평가할 수 있는 경우 집단적 노무제공의 거부는 위력에 해당하여 업무방해죄가 성립한다.

㉡ 공인중개사 甲이 공인중개사가 아닌 A와 동업하여 중개사무소를 운영하다가 동업관계가 종료된 후 자신의 명의로 등록되어 있는 지위를 이용하여 임의로 폐업신고를 하였다면 위력에 의한 업무방해죄가 성립한다.

㉢ 위계에 의한 업무방해죄에서 '위계'란 상대방에게 오인, 착각 또는 부지를 일으키게 하여 업무수행 자체를 방해하는 것을 말하며, 그로써 업무의 적정성 내지 공정성이 방해된 정도에 그친데 불과하다면 업무방해죄가 성립하지 않는다.

㉣ 컴퓨터등장애업무방해죄가 성립하기 위해서는 가해행위의 결과 정보처리장치가 그 사용목적에 부합하는 기능을 하지 못하거나 사용목적과 다른 기능을 하는 등 정보처리의 장애가 현실적으로 발생하였을 것을 요한다.

① ㉠㉡
② ㉠㉢
③ ㉠㉣
④ ㉡㉢㉣

해설

③ ㉠㉣ 2 항목이 옳다.

㉠ [○] 쟁의행위로서 파업이 언제나 업무방해죄에 해당하는 것으로 볼 것은 아니고, 전후 사정과 경위 등에 비추어 사용자가 예측할 수 없는 시기에 전격적으로 이루어져 사용자의 사업 운영에 심대한 혼란 내지 막대한 손해를 초래하는 등으로 사용자의 사업계속에 관한 자유의사가 제압 · 혼란될 수 있다고 평가할 수 있는 경우 **집단적 노무제공의 거부는 위력에 해당하여 업무방해죄가 성립한다.**(대법원 2014. 11. 13. 2011도393 한국가스공사 파업사건)

㉡ [×] 공인중개사인 피고인이 자신의 명의로 등록되어 있으나 실제로는 공인중개사가 아닌 피해자가 주도적으로 운영하는 형식으로 동업하여 중개사무소를 운영하다가 위 동업관계가 피해자의 귀책사유로 종료되고 피고인이 동업관계의 종료로 부동산중개업을 그만두기로 한 경우(폐업신고를 한 경우), 피해자의 중개업은 형사처벌의 대상이 되는 범죄행위에 해당하는 것으로서 업무방해죄의 보호대상이 되는 업무라고 볼 수 없다.(대법원 2007. 1. 12. 2006도6599 공인중개사무소 폐업사건)

㉢ [×] 업무방해죄의 성립에는 업무방해의 결과가 실제로 발생함을 요하지 않고 업무방해의 결과를 초래할 위험이 발생하면 족하며, 업무수행 자체가 아니라 업무의 적정성 내지 공정성이 방해된 경우에도 업무방해죄가 성립한다.(대법원 2021. 3. 11. 2016도14415 안전점검보고서 허위작성 사건)

㉣ [○] 컴퓨터등장애업무방해죄가 성립하기 위해서는 가해행위의 결과 정보처리장치가 그 사용목적에 부합하는 기능을 하지 못하거나 사용목적과 다른 기능을 하는 등 **정보처리의 장애가 현실적으로 발생하였을 것을 요한다.**(대법원 2013. 3. 14. 2010도410 언소주 소비자불매운동 사건)

제4장 사생활의 평온에 관한 죄

150 다음 중 가장 적절한 것은? (다툼이 있으면 판례에 의함) 23 경찰채용 [Superlative ★★★]

□□□

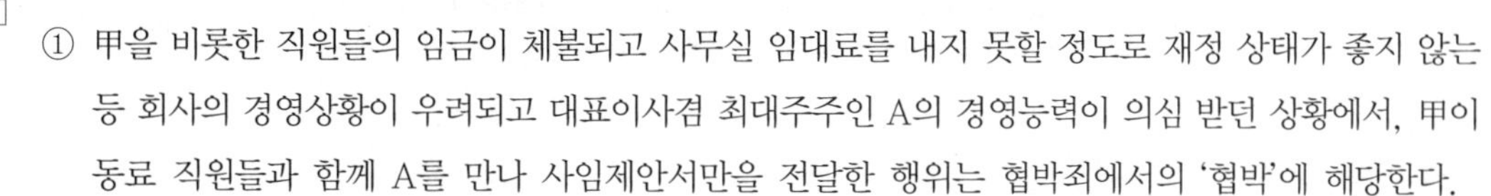

① 甲을 비롯한 직원들의 임금이 체불되고 사무실 임대료를 내지 못할 정도로 재정 상태가 좋지 않는 등 회사의 경영상황이 우려되고 대표이사겸 최대주주인 A의 경영능력이 의심 받던 상황에서, 甲이 동료 직원들과 함께 A를 만나 사임제안서만을 전달한 행위는 협박죄에서의 '협박'에 해당한다.

② 형법 제316조 제2항 소정의 전자기록 등 내용 탐지죄의 객체인 '전자기록 등 특수매체기록,이 되기 위해서는 특정인의 의사가 표시되어야 하는바, 인터넷 계정 등에 접속하는 과정에서 입력하는 아이디 및 비밀번호 등 자체는 특정인의 의사를 표시한 것으로 보기 어려워 '전자기록 등 특수매체기록'이라 할 수 없다.

③ 형법 제316조 제2항 소정의 전자기록등내용탐지죄는 봉함 기타 비밀장치한 전자기록 등 특수매체기록을 기술적 수단을 이용하여 그 내용을 알아낸 자를 처벌하는 규정인 바, 전자 기록 등 특수매체기록에 해당하더라도 봉함, 기타 비밀장치가 되어 있지 아니한 것은 이를 기술적 수단을 동원해서 알아냈더라도 전자기록등내용탐지죄가 성립하지 않는다.

④ 甲은 연인관계인 A로부터 안방에 TV를 설치하여 달라는 요청을 받고 통상적인 출입방법에 따라 A의 안방에 들어간 후 A가 있는 자리에서 TV를 설치하는 등 달리 A의 사실상 평온상태가 침해되었다고 볼 만한 사정이 없었더라도, 甲의 출입이 실제로는 CCTV 카메라와 동영상 저장장치를 부착한 TV인 사실을 숨기고 이루어졌다면 甲에게는 주거침입죄가 성립한다.

해설

③ [○] 피고인이 사무실에서 직장 동료인 피해자의 노트북 컴퓨터에 속칭 '키로그'라는 프로그램을 몰래 설치하여 피해자가 네이트온, 카카오톡, 구글 계정에 접속하는 과정에서 컴퓨터 키보드에 입력한 아이디 및 비밀번호(이하 '아이디 등')를 알아냈는바, 아이디 등 혹은 그 내용이 기록된 텍스트 파일에 봉함, 기타 비밀장치가 되어 있는 것으로 볼 수 없고 달리 이를 인정할 증거가 없으며, 오히려 피해자의 노트북 컴퓨터 그 자체에는 비밀번호나 화면보호기 등 별도의 보안장치가 설정되어 있지 않았던 것으로 보일 뿐이다. 결국 아이디 등이 형법 제316조 제2항에 규정된 전자기록 등 특수매체기록에는 해당하더라도 이에 대하여 별도의 보안장치가 설정되어 있지 않은 등 비밀장치가 된 것으로 볼 수 없는 이상, 아이디 등을 위 프로그램을 이용하여 알아냈더라도 전자기록등내용탐지죄는 성립하지 않는다.(대법원 2022 3. 31. 2021도8900 **키로그 프로그램 사건**)

① [×] 피고인들의 '사임제안서' 전달 행위를 협박죄에서의 협박으로 볼 수 없고, 설령 협박에 해당하더라도 사회통념상 용인할 수 있는 정도이거나 회사의 경영 정상화라는 정당한 목적을 위한 상당한 수단에 해당하여 사회상규에 반하지 아니한다.(대법원 2022. 12. 15. 2022도9187 **사임제안서 사건**)

② [×] 개정 형법이 전자기록 등 특수매체기록을 위 각 범죄의 행위 객체로 신설 추가한 입법 취지, 전자기록 등 내용탐지죄의 보호법익과 그 침해행위의 태양 및 가벌성 등에 비추어 볼 때. 이 사건 아이디 등은 전자방식에 의하여 피해자의 노트북 컴퓨터에 저장된 기록으로서 형법 제316조 제2항의 '전자기록 등 특수매체기록'에 해당한다.(대법원 2022. 3. 31. 2021도8900 **키로그 프로그램 사여**)

정답 | 149 ③ 150 ③

④ [×] 피고인이 연인관계에 있는 피해자로부터 안방에 TV를 설치하여 달라는 요청을 받아 통상적인 출입방법에 따라 피해자의 안방에 들어간 후 피해자가 있는 자리에서 TV를 설치한 사실. 피해자도 당시 피고인의 행위가 주거침입은 아니라고 인식하고 있었던 사실을 알 수 있고 달리 피해자의 사실상 평온상태가 침해되었다고 볼 만한 사정이 없다. 그렇다면 피고인의 출입이 비록 범죄 등의 목적을 숨기고 한 것이라도 주거침입죄가 성립한다고 단정할 수 없다.(대법원 2022. 4. 28. 2022도1717 **애인 tv설치 사건**)

151 □□□ **다음 <보기> 중 ㉠부터 ㉣까지의 설명으로 옳고 그름의 표시(○, ×)가 옳은 것은? (다툼이 있으면 판례에 의함)**

22 해경승진 [*Core* ★★]

㉠ 주거침입죄의 미수범은 처벌하지 않는다.
㉡ 공동거주자의 승낙을 받아 공동생활의 장소에 함께 들어간 외부인의 출입 및 이용행위가 전체적으로 그의 출입을 승낙한 공동거주자의 통상적인 공동생활장소의 출입 및 이용행위의 일환이자 이에 수반되는 행위로 평가할 수 있는 경우에는 그 외부인에 대하여도 역시 주거침입죄가 성립하지 않는다.
㉢ 퇴거불응죄는 실행행위의 소극적 성격으로 인해 주거침입죄에 비해 법정형이 경하게 규정되어 있다.
㉣ 주거침입죄의 실행의 착수가 인정되기 위해서는 주거자의 의사에 반하여 주거나 관리하는 건조물 등에 들어가는 행위까지 요구하는 것은 아니고, 범죄구성요건의 실현에 이르는 현실적 위험성을 포함하는 행위를 개시하는 것으로 족하다.

① ㉠ × ㉡ ○ ㉢ × ㉣ ○
② ㉠ × ㉡ × ㉢ × ㉣ ○
③ ㉠ ○ ㉡ ○ ㉢ × ㉣ ○
④ ㉠ ○ ㉡ ○ ㉢ ○ ㉣ ×

해설

① 이 지문이 옳은 연결이다.
㉠ [×] 주거침입죄는 **미수범 처벌규정이 있다.**(제322조)
㉡ [○] 공동거주자 각자가 상호 용인한 통상적인 공동생활 장소의 출입 및 이용행위의 내용과 범위는 공동주거의 형태와 성질, 공동주거를 형성하게 된 경위 등에 따라 개별적 · 구체적으로 살펴보아야 한다. 공동거주자 중 한 사람의 승낙에 따른 외부인의 공동생활 장소의 출입 및 이용행위가 외부인의 출입을 승낙한 공동거주자의 통상적인 공동생활 장소의 출입 및 이용행위의 일환이자 이에 수반되는 행위로 평가할 수있는 경우에는 이러한 외부인의 행위는 전체적으로 그 공동거주자의 행위와 동일하게 평가할 수 있다. 따라서 공동거주자 중 한 사람이 법률적인 근거 기타 정당한 이유 없이 다른 공동거주자가 공동생활의 장소에 출입하는 것을 금지하고, 이에 대항하여 다른 공동거주자가 공동생활의 장소에 들어가는 과정에서 그의 출입을 금지한 공동거주자의 사실상 평온상태를 해쳤더라도 주거침입죄가 성립하지 않는 경우로서 그 공동거주자의 승낙을 받아 공동생활의 장소에 함께 들어간 외부인의 출입 및 이용행위가 전체적으로 그의 출입을 승낙한 공동거주자의 통상적인

공동생활 장소의 출입 및 이용행위의 일환이자 이에 수반되는 행위로 평가할 수 있는 경우라면, 이를 금지하는 공동거주자의 사실상 평온상태를 해쳤음에도 불구하고 그 **외부인에 대하여도 역시 주거침입죄가 성립하지 않는다.**(대법원 2021. 9. 9. 2020도6085 全合 **공동아파트침입 사건**)

ⓒ [×] 주거침입죄와 퇴거불응죄는 그 법정형이 3년 이하의 징역 또는 500만원 이하의 벌금으로써 **동일하다.**(제319조)

ⓔ [○] 주거침입죄의 실행의 착수가 인정되기 위해서는 주거자의 의사에 반하여 주거나 관리하는 건조물 등에 들어가는 행위까지 요구하는 것은 아니고, 범죄구성요건의 실현에 이르는 **현실적 위험성을 포함하는 행위를 개시하는 것으로 족하다.**(대법원 2008. 4. 10. 2008도1464 **초인종 사건**)

152 주거침입의 죄에 대한 설명으로 옳은 것만을 모두 고른 것은? (다툼이 있으면 판례에 의함)

□□□

24 경대편입 [Core ★★]

㉠ 절도의 목적으로 출입문이 열려 있으면 안으로 들어가겠다는 의사 아래 출입문을 당겨보는 행위만으로는 주거침입죄의 실행의 착수가 있었다고 보기 어렵다.

㉡ 외부인이 공동거주자의 일부가 부재 중인 주거 내에 현재하는 거주자의 현실적인 승낙을 받아 통상적인 출입방법에 따라 공동주거에 들어간 경우라면 그것이 부재 중인 다른 거주자의 추정적 의사에 반하는 경우에도 주거침입죄가 성립하지 않는다.

㉢ 관리자에 의해 출입이 통제되는 건조물에 관리자의 승낙을 받아 통상적인 출입방법으로 들어갔다면 이러한 승낙의 의사표시에 기망이나 착오 등의 하자가 있더라도 특별한 사정이 없는 한 건조물침입죄가 성립하지 않는다.

㉣ 노동조합원 150여 명이 일반적으로 출입이 허용되어 개방된 시청사를 통상적인 출입방법으로 들어가 1층 로비 바닥에 앉아 구호를 외치면서 소란을 피운 행위는 시청 건물관리자의 의사에 반한 침입행위로서 건조물침입죄에 해당한다.

① ㉠㉡　② ㉡㉢　③ ㉢㉣　④ ㉠㉢㉣　⑤ ㉡㉢㉣

해설

② ㉡㉢ 2 항목이 옳다.

㉠ [×] 출입문이 열려 있으면 안으로 들어가겠다는 의사 아래 출입문을 당겨보는 행위는 **주거침입의 실행에 착수한 것으로 보아야 한다.**(대법원 2006. 9. 14. 2006도2824 **빌라 출입문 사건**)

㉡ [○] 외부인이 공동거주자의 일부가 부재중에 주거 내에 현재하는 **거주자의 현실적인 승낙을 받아 통상적인 출입방법에 따라 공동주거에 들어간 경우라면 그것이 부재 중인 다른 거주자의 추정적 의사에 반하는 경우에도 주거침입죄가 성립하지 않는다.**(대법원 2021. 9. 9. 2020도12630 全合 **유부녀 아파트에서 간통사건**)

정답 | 151 ① 152 ②

ⓒ [○] 관리자에 의해 출입이 통제되는 건조물에 **관리자의 승낙을 받아 건조물에 통상적인 출입방법으로 들어갔다면 이러한 승낙의 의사표시에 기망이나 착오 등의 하자가 있더라도 특별한 사정이 없는 한 형법 제319조 제1항에서 정한 건조물침입죄가 성립하지 않는다.** 이러한 경우 관리자의 현실적인 승낙이 있었으므로 가정적·추정적 의사는 고려할 필요가 없다. 단순히 승낙의 동기에 착오가 있다고 해서 승낙의 유효성에 영향을 미치지 않으므로 관리자가 행위자의 실제 출입 목적을 알았더라면 출입을 승낙하지 않았을 사정이 있더라도 건조물침입죄가 성립한다고 볼 수 없다. 나아가 관리자의 현실적인 승낙을 받아 통상적인 출입방법에 따라 건조물에 들어간 경우에는 출입 당시 객관적·외형적으로 드러난 행위태양에 비추어 사실상의 평온상태를 해치는 모습으로 건조물에 들어간 것이라고 평가할 수도 없다.(대법원 2022. 3. 31. 2018도15213 **서울구치소 잠입취재 사건**)

ⓓ [×] 일반적으로 출입이 허용되어 개방된 시청사 로비에 관리자의 출입 제한이나 제지가 없는 상태에서 통상적인 방법으로 들어간 이상 사실상의 평온상태를 해치는 행위 태양으로 김천시청 1층 로비에 들어갔다고 볼 수 없으므로 **건조물침입죄에서 규정하는 침입행위에 해당하지 않는다.** 김천시청 관리자의 명시적 출입 금지 의사는 확인되지 않고, 설령 피고인들이 김천시청에 들어간 행위가 김천시청 관리자의 추정적 의사에 반하였더라도 그러한 사정만으로는 사실상의 평온상태를 해치는 행위 태양으로 시청 로비에 출입하였다고 평가할 수 없다.(대법원 2022. 6. 16. 2021도7087 **김천시청 로비 사건**)

153 주거침입죄에 관한 설명으로 가장 적절하지 않은 것은? (다툼이 있으면 판례에 의함)

□□□

22 경찰채용 [Essential ★]

① 건조물의 이용에 기여하는 인접의 부속 토지라고 하더라도 인적 또는 물적 설비 등에 의한 구획 내지 통제가 없어 통상의 보행으로 그 경계를 쉽사리 넘을 수 있는 정도라고 한다면, 이는 다른 특별한 사정이 없는 한 주거침입죄의 객체에 속하지 아니한다.

② 공동거주자 중 주거 내에 현재하는 거주자의 현실적인 승낙을 받아 통상적인 출입방법에 따라 들어갔다면 설령 그것이 부재 중인 다른 거주자의 의사에 반하는 것으로 추정되더라도 주거침입죄의 보호법익인 사실상 주거의 평온을 깨트렸다고 볼 수 없다.

③ 공동주거의 경우 여러 사람이 하나의 생활공간에서 거주하는 성질에 비추어 공동거주자 각자는 다른 거주자와의 관계로 인하여 주거에서 누리는 사실상 주거의 평온이라는 법익이 일정 부분 제약될 수밖에 없고, 공동거주자는 공동주거관계를 형성하면서 이러한 사정을 서로 용인하였다고 보아야 한다.

④ 공동거주자 중 한 사람인 A가 정당한 이유 없이 다른 공동거주자가 공동생활의 장소에 출입하는 것을 금지한 경우 다른 공동거주자인 甲이 이에 대항하여 공동생활의 장소에 들어갔더라도 주거침입죄는 성립하지 않고, 다만 甲이 그 장소에 출입하기 위하여 출입문의 잠금장치를 손괴하는 등 다소간의 물리력을 행사한 경우에는 주거침입죄가 성립할 수 있다.

해설

④ [×] 공동거주자 중 한 사람이 법률적인 근거 기타 정당한 이유 없이 다른 공동거주자가 공동생활의 장소에 출입하는 것을 금지한 경우 다른 공동거주자가 이에 대항하여 공동생활의 장소에 들어갔더라도 이는 사전 양해된 공동주거의 취지 및 특성에 맞추어 공동생활의 장소를 이용하기 위한 방편에 불과할 뿐 그의 출입을 금지한 공동거주자의 사실상 주거의 평온이라는 법익을 침해하는 행위라고는 볼 수 없으므로 주거침입죄는 성립하지 않는다. 설령 그 공동거주자가 공동생활의 장소에 출입하기 위하여 **출입문의 잠금장치를 손괴하는 등 다소간의 물리력을 행사하여 그 출입을 금지한 공동거주자의 사실상 평온상태를 해쳤더라도** 그러한 행위 자체를 처벌하는 별도의 규정에 따라 처벌될 수 있음은 별론으로 하고 **주거침입죄가 성립하지 아니함은 마찬가지이다.**(대법원 2021. 9. 9. 2020도6085 全合 **공동아파트침입 사건**)

① [○] 건조물의 이용에 기여하는 인접의 부속 토지라고 하더라도 **인적 또는 물적 설비 등에 의한 구획 내지 통제가 없어** 통상의 보행으로 그 경계를 쉽사리 넘을 수 있는 정도라고 한다면, 이는 다른 특별한 사정이 없는 한 **주거침입죄의 객체에 속하지 아니한다.**(대법원 2010. 4. 29. 2009도14643 **과천축산 사건**)

②③ [○] (1) 주거침입죄의 보호법익은 사적 생활관계에 있어서 사실상 누리고 있는 주거의 평온, 즉 '사실상 주거의 평온'으로서 주거를 점유할 법적 권한이 없더라도 사실상의 권한이 있는 거주자가 주거에서 누리는 사실적 지배 · 관리관계가 평온하게 유지되는 상태를 말한다. 외부인이 무단으로 주거에 출입하게 되면 이러한 사실상 주거의 평온이 깨어지는 것이다. 이러한 보호법익은 주거를 점유하는 사실상태를 바탕으로 발생하는 것으로서 사실적 성질을 가진다. 한편 공동주거의 경우에는 여러 사람이 하나의 생활공간에서 거주하는 성질에 비추어 **공동거주자 각자는 다른 거주자와의 관계로 인하여 주거에서 누리는 사실상 주거의 평온이라는 법익이 일정 부분 제약될 수밖에 없고, 공동거주자는 공동주거관계를 형성하면서 이러한 사정을 서로 용인하였다고 보아야 한다.** 부재 중인 일부 공동거주자에 대하여 주거침입죄가 성립하는지를 판단할 때에도 이러한 주거침입죄의 보호법익의 내용과 성질, 공동주거관계의 특성을 고려하여야 한다. 공동거주자 개개인은 각자 사실상 주거의 평온을 누릴 수 있으므로 어느 거주자가 부재중이라고 하더라도 사실상의 평온상태를 해치는 행위태양으로 들어가거나 그 거주자가 독자적으로 사용하는 공간에 들어간 경우에는 그 거주자의 사실상 주거의 평온을 침해하는 결과를 가져올 수 있다. 그러나 공동거주자 중 주거 내에 현재하는 **거주자의 현실적인 승낙을 받아 통상적인 출입방법에 따라 들어갔다면** 설령 그것이 **부재 중인 다른 거주자의 의사에 반하는 것으로 추정된다고 하더라도 주거침입죄의 보호법익인 사실상 주거의 평온을 깨트렸다고 볼 수는 없다.** 만일 외부인의 출입에 대하여 공동거주자 중 주거 내에 현재하는 거주자의 승낙을 받아 통상적인 출입방법에 따라 들어갔음에도 불구하고 그것이 부재 중인 다른 거주자의 의사에 반하는 것으로 추정된다는 사정만으로 주거침입죄의 성립을 인정하게 되면, 주거침입죄를 의사의 자유를 침해하는 범죄의 일종으로 보는 것이 되어 주거침입죄가 보호하고자 하는 법익의 범위를 넘어서게 되고, '평온의 침해' 내용이 주관화 · 관념화되며, 출입 당시 현실적으로 존재하지 않는, 부재 중인 거주자의 추정적 의사에 따라 주거침입죄의 성립 여부가 좌우되어 범죄 성립 여부가 명확하지 않고 가벌성의 범위가 지나치게 넓어지게 되어 부당한 결과를 가져오게 된다.

(2) 주거침입죄의 구성요건적 행위인 침입은 주거침입죄의 보호법익과의 관계에서 해석하여야 한다. 따라서 침입이란 '거주자가 주거에서 누리는 사실상의 평온상태를 해치는 행위태양으로 주거에 들어가는 것'을 의미하고, 침입에 해당하는지 여부는 출입 당시 객관적 · 외형적으로 드러난 행위태양을 기준으로 판단함이 원칙이다. 사실상의 평온상태를 해치는 행위태양으로 주거에 들어가는 것이라면 대체로 거주자의 의사에 반하는 것이겠지만, 단순히 주거에 들어가는 행위 자체가 거주자의 의사에 반한다는 거주자의 주관적 사정만으로 바로 침입에 해당한다고 볼 수는 없다. 앞서 보호법익에서 살펴본 바와 같이 외부인이 공동거주자 중 주거 내에 현재하는 거주자로부터 현실적인 승낙을 받아 통상적인 출입방법에 따라 주거에 들어간 경우라면 특별한 사정이 없는 한 사실상의 평온상태를 해치는 행위태양으로 주거에 들어간 것이라고 볼 수 없으므로 주거침입죄에서 규정하고 있는 침입행위에 해당하지 않는다.(대법원 2021. 9. 9. 2020도12630 全合 **유부녀 아파트에서 간통사건**)

정답 | 153 ④

154 주거침입의 죄에 관한 설명 중 가장 적절하지 않은 것은? (다툼이 있으면 판례에 의함)

□□□

23 경찰채용 [Core ★★]

① 관리자가 일정한 토지와 외부의 경계에 인적 또는 물적 설비를 갖추고 외부인의 출입을 제한하고 있다면 그 토지에 인접하여 건조물로서의 요건을 갖춘 구조물이 존재하지 않더라도 이러한 토지는 건조물침입죄의 객체인 위요지에 해당한다.

② 다가구용 단독주택이나 다세대주택·연립주택·아파트와 같은 공동주택 내부의 엘리베이터, 공용 계단, 복도 등 공용 부분도 그 거주자들의 사실상 주거의 평온을 보호할 필요성이 있으므로 주거침입죄의 객체인 '사람의 주거'에 해당한다.

③ 범죄의 목적으로 일반인의 출입이 허용된 음식점에 영업주의 승낙을 받아 통상적인 출입 방법으로 들어간 경우 특별한 사정이 없는 한 주거침입죄의 침입행위에 해당하지 않는다.

④ 공동거주자 중 한 사람이 법률적인 근거 기타 정당한 이유 없이 다른 공동거주자가 공동생활의 장소에 출입하는 것을 금지한 경우 다른 공동거주자가 이에 대항하여 공동생활의 장소에 들어갔더라도 주거침입죄는 성립하지 않는다.

해설

① [×] 건조물침입죄에서 침입행위의 객체인 '건조물'은 건조물침입죄가 사실상 주거의 평온을 보호법익으로 하는 점에 비추어 엄격한 의미에서의 건조물 그 자체뿐만이 아니라 그에 부속하는 위요지를 포함한다고 할 것이나, 여기서 위요지라고 함은 건조물에 인접한 그 주변의 토지로서 외부와의 경계에 담 등이 설치되어 그 토지가 건조물의 이용에 제공되고 또 외부인이 함부로 출입할 수 없다는 점이 객관적으로 명확하게 드러나야 한다. 그러나 관리자가 일정한 토지와 외부의 경계에 인적 또는 물적 설비를 갖추고 외부인의 출입을 제한하고 있더라도 **그 토지에 인접하여 건조물로서의 요건을 갖춘 구조물이 존재하지 않는다면 이러한 토지는 건조물침입죄의 객체인 위요지에 해당하지 않는다.**(대법원 2017. 12. 22. 2017도690 **공장타워 점거사건**)

② [○] 다가구용 단독주택이나 다세대주택·연립주택·아파트와 같은 공동주택 내부의 **엘리베이터, 공용 계단, 복도 등 공용 부분도 그 거주자들의 사실상 주거의 평온을 보호할 필요성이 있으므로 주거침입죄의 객체인 '사람의 주거'에 해당한다.**(대법원 2022. 8. 25. 2022도3801 **아파트와 상가에서 추행사건**)

③ [○] 일반인의 출입이 허용된 음식점에 **영업주의 승낙을 받아 통상적인 출입방법으로 들어갔다면 특별한 사정이 없는 한 주거침입죄에서 규정하는 침입행위에 해당하지 않는다.** 설령 행위자가 범죄 등을 목적으로 음식점에 출입하였거나 영업주가 행위자의 실제 출입 목적을 알았더라면 출입을 승낙하지 않았을 것이라는 사정이 인정되더라도 그러한 사정만으로는 출입 당시 객관적·외형적으로 드러난 행위 태양에 비추어 사실상의 평온상태를 해치는 방법으로 음식점에 들어갔다고 평가할 수 없으므로 침입행위에 해당하지 않는다.(대법원 2022. 3. 24. 2017도18272 全合 **몰카설치 목적 식당출입 사건**)

④ [○] 공동거주자 중 한 사람이 법률적인 근거 기타 정당한 이유 없이 다른 공동거주자가 공동생활의 장소에 출입하는 것을 금지한 경우 다른 공동거주자가 이에 대항하여 공동생활의 장소에 들어갔더라도 이는 사전 양해된 공동주거의 취지 및 특성에 맞추어 공동생활의 장소를 이용하기 위한 방편에 불과할 뿐 그의 **출입을 금지한 공동거주자의 사실상 주거의 평온이라는 법익을 침해하는 행위라고는 볼 수 없으므로 주거침입죄는 성립하지 않는다.**(대법원 2021. 9. 9. 2020도6085 全合 **공동아파트침입 사건**)

155 주거침입의 죄에 대한 설명 중 옳은 것만을 모두 고른 것은? (다툼이 있으면 판례에 의함)

□□□

23 경찰간부 [Core ★★]

㉠ 甲이 A의 부재 중에 A의 아내인 B와 혼인 외 성관계를 가질 목적으로 B가 열어준 출입문을 통해서 A와 B가 공동거주하는 아파트에 들어간 경우 甲이 B의 승낙을 얻어 통상적인 출입방법에 의하여 들어갔다 하더라도 甲의 출입은 부재중인 A의 추정적 의사에 반하므로 주거침입죄가 성립한다.

㉡ 甲이 일반인의 출입이 허용된 음식점에 영업주의 승낙을 받아 통상적인 출입방법으로 들어갔다면, 설령 甲이 범죄 등의 목적으로 음식점에 출입하였거나 영업주가 甲의 실제 출입 목적을 알았더라면 출입을 승낙하지 않았을 것이라는 사정이 인정되더라도 주거침입죄가 성립하지 아니한다.

㉢ 甲이 아내 A와의 불화로 인해 A와 공동생활을 영위하던 아파트에서 짐 일부를 챙겨 나온 후 A의 외출 중 자신의 어머니 乙과 함께 그 아파트에 들어가려고 그 안에 있던 처제 B에게 출입문을 열어달라고 요구하였으나 A로부터 열어주지 말라는 말을 들은 B가 체인형 걸쇠를 걸어 잠그며 현관문을 열어주지 않자 甲이 乙과 함께 그 걸쇠를 부수고 아파트에 들어간 경우 甲과 乙에게는 주거침입죄의 공동정범이 성립한다.

㉣ 甲이 교제하다 헤어진 A가 거주하는 아파트 109동 305호에 들어가려고 아파트 지하 주차장에서 위 305호가 있는 109동으로 연결된 출입구의 공동출입문에 A나 다른 입주자의 승낙 없이 무단으로 비밀번호를 입력하여 아파트의 공용 부분에 들어가 위 305호 현관문 앞까지 출입한 경우 A와 같은 109동에 거주하는 다른 입주자들의 사실상 주거의 평온상태를 해한 것으로 볼 수 있다면 주거침입죄가 성립한다.

① ㉠㉡ ② ㉡㉢

③ ㉡㉣ ④ ㉡㉢㉣

해설

③ ㉡㉣ 2 항목이 옳다.

㉠ [×] (1) 외부인이 공동거주자의 일부가 부재중에 주거 내에 현재하는 거주자의 현실적인 승낙을 받아 통상적인 출입방법에 따라 공동주거에 들어간 경우라면 그것이 부재 중인 다른 거주자의 추정적 의사에 반하는 경우에도 주거침입죄가 성립하지 않는다.

(2) 甲(男)이 A(男)의 부재 중에 A의 처 B(女)와 혼외 성관계를 가질 목적으로 B가 열어 준 현관 출입문을 통하여 A와 B가 공동으로 생활하는 아파트에 들어간 경우 **甲은 B로부터 현실적인 승낙을 받아 통상적인 출입방법에 따라 주거에 들어갔으므로 주거의 사실상 평온상태를 해치는 행위태양으로 주거에 들어간 것이 아니어서 주거에 침입한 것으로 볼 수 없고,** 설령 甲의 주거출입이 부재 중인 A의 의사에 반하는 것으로 추정되더라도 그것이 사실상 주거의 평온을 보호법익으로 하는 주거침입죄의 성립 여부에 영향을 미치지 않는다. (대법원 2021. 9. 9. 2020도12630 全合 **유부녀 아파트에서 간통사건**)

정답 | 154 ① 155 ③

ⓛ [○] **일반인의 출입이 허용된 음식점에 영업주의 승낙을 받아 통상적인 출입방법으로 들어갔다면** 특별한 사정이 없는 한 **주거침입죄에서 규정하는 침입행위에 해당하지 않는다.** 설령 행위자가 범죄 등을 목적으로 음식점에 출입하였거나 영업주가 행위자의 실제 출입 목적을 알았더라면 출입을 승낙하지 않았을 것이라는 사정이 인정되더라도 그러한 사정만으로는 출입 당시 객관적·외형적으로 드러난 행위 태양에 비추어 사실상의 평온상태를 해치는 방법으로 음식점에 들어갔다고 평가할 수 없으므로 침입행위에 해당하지 않는다.(대법원 2022. 3. 24. 2017도18272 全合 **몰카설치 목적 식당출입 사건**) "피고인들이 조찬모임에서의 대화내용을 도청하기 위한 도청용 송신기를 설치할 목적으로 손님을 가장하여 음식점에 들어간 경우 영업자인 피해자가 출입을 허용하지 않았을 것으로 보는 것이 경험칙에 부합한다 할 것이므로 피고인들은 주거침입죄의 죄책을 면할 수 없다."라고 판시한 판례(대법원 1997. 3. 28. 95도2674 **초원복집 사건**)는 폐기되었다.

ⓒ [×] (1) 공동거주자 중 한 사람이 법률적인 근거 기타 정당한 이유 없이 다른 공동거주자가 공동생활의 장소에 출입하는 것을 금지한 경우 다른 공동거주자가 이에 대항하여 공동생활의 장소에 들어갔더라도 이는 사전 양해된 공동주거의 취지 및 특성에 맞추어 공동생활의 장소를 이용하기 위한 방편에 불과할 뿐 그의 출입을 금지한 공동거주자의 사실상 주거의 평온이라는 법익을 침해하는 행위라고는 볼 수 없으므로 주거침입죄는 성립하지 않는다. 설령 그 공동거주자가 공동생활의 장소에 출입하기 위하여 출입문의 잠금장치를 손괴하는 등 다소간의 물리력을 행사하여 그 출입을 금지한 공동거주자의 사실상 평온상태를 해쳤더라도 그러한 행위 자체를 처벌하는 별도의 규정에 따라 처벌될 수 있음은 별론으로 하고 주거침입죄가 성립하지 아니함은 마찬가지이다. (2) 공동거주자 각자가 상호 용인한 통상적인 공동생활 장소의 출입 및 이용행위의 내용과 범위는 공동주거의 형태와 성질, 공동주거를 형성하게 된 경위 등에 따라 개별적·구체적으로 살펴보아야 한다. 공동거주자 중 한 사람의 승낙에 따른 외부인의 공동생활 장소의 출입 및 이용행위가 외부인의 출입을 승낙한 공동거주자의 통상적인 공동생활 장소의 출입 및 이용행위의 일환이자 이에 수반되는 행위로 평가할 수 있는 경우에는 이러한 외부인의 행위는 전체적으로 그 공동거주자의 행위와 동일하게 평가할 수 있다. 따라서 공동거주자 중 한 사람이 법률적인 근거 기타 정당한 이유 없이 다른 공동거주자가 공동생활의 장소에 출입하는 것을 금지하고, 이에 대항하여 다른 공동거주자가 공동생활의 장소에 들어가는 과정에서 그의 출입을 금지한 공동거주자의 사실상 평온상태를 해쳤더라도 주거침입죄가 성립하지 않는 경우로서 그 공동거주자의 승낙을 받아 공동생활의 장소에 함께 들어간 외부인의 출입 및 이용행위가 전체적으로 그의 출입을 승낙한 공동거주자의 통상적인 공동생활 장소의 출입 및 이용행위의 일환이자 이에 수반되는 행위로 평가할 수 있는 경우라면, 이를 금지하는 공동거주자의 사실상 평온상태를 해쳤음에도 불구하고 그 외부인에 대하여도 역시 주거침입죄가 성립하지 않는다. (3) 아파트에 대한 공동거주자의 지위를 계속 유지하고 있던 **甲이 아파트에 출입하는 과정에서 정당한 이유 없이 이를 금지하는 B(甲의 처 A의 동생, 즉 甲의 처제)의 조치에 대항하여 아파트의 출입문에 설치된 체인형 걸쇠를 손괴하고 아파트에 들어간 경우 주거침입죄가 성립한다고 볼 수는 없다.** 乙, 丙(甲의 부모이자 A의 시부모)은 아파트의 공동거주자이자 아들인 甲의 공동주거인 아파트에 출입함에 있어 다른 공동거주자인 A(甲의 처)로부터 출입관리를 위탁받은 B(A의 동생이자 甲의 처제)의 정당한 이유 없는 출입금지 조치에 대항하여 아파트에 출입하는 데에 가담하였다. 비록 그 과정에서 甲이 출입문에 설치된 체인형 걸쇠를 손괴하는 등 물리력을 행사하였고 乙도 이에 가담함으로써 공동으로 재물손괴의 범죄를 저질렀으나, 甲의 이러한 행위는 공동생활관계에서 이탈하지 않은 상태에서 정당한 이유 없이 이루어진 출입금지조치에 대항하여 공동거주자로서 공동생활의 장소에 출입하고 이를 이용하기 위한 방편이라고 볼 수 있고, 乙의 행위는 그 실질에 있어 甲의 이러한 행위에 편승, 가담한 것에 불과하다. 그렇다면 乙, **丙이 아파트에 출입한 행위 그 자체는 전체적으로 공동거주자인 甲이 아파트에 출입하고 이를 이용하는 행위의 일환이자 이에 수반되어 이루어진 것에 해당한다고 평가할 수 있으므로 乙, 丙에 대하여는 폭처법위반(공동주거침입)죄가 성립하지 않는다.**(대법원 2021. 9. 9. 2020도6085 全合 **공동아파트침입 사건**) (1) 판시 내용은 甲에게 주거침입죄가 성립하지 않는 이유이고, (2) 판시 내용은 乙에게 주거침입죄가 성립하지 않는 이유이다.

㉣ [O] 아파트 등 공동주택의 공동현관에 출입하는 경우에도 그것이 주거로 사용하는 각 세대의 전용 부분에 필수적으로 부속하는 부분으로 거주자와 관리자에게만 부여된 비밀번호를 출입문에 입력하여야만 출입할 수 있거나 외부인의 출입을 통제 · 관리하기 위한 취지의 표시나 경비원이 존재하는 등 외형적으로 외부인의 무단 출입을 통제 · 관리하고 있는 사정이 존재하고, 외부인이 이를 인식하고서도 그 출입에 관한 거주자나 관리자의 승낙이 없음은 물론, 거주자와의 관계 기타 출입의 필요 등에 비추어 보더라도 정당한 이유 없이 비밀번호를 임의로 입력하거나 조작하는 등의 방법으로 거주자나 관리자 모르게 공동현관에 출입한 경우와 같이 그 출입 목적 및 경위, 출입의 태양과 출입한 시간 등을 종합적으로 고려할 때 **공동주택 거주자의 사실상 주거의 평온 상태를 해치는 행위태양으로 볼 수 있는 경우라면 공동주택 거주자들에 대한 주거침입에 해당한다.**(대법원 2022. 1. 27. 2021도15507 이별녀 아파트 문앞까지 사건) 피고인 甲은 2019. 9. 25. 00:55경 '과거에 2달간 잠간 사귄 피해자 A(女)'가 살고 있는 아파트 2층 주차장에서 공동현관의 비밀번호를 무단으로 입력하고 들어가 엘리베이터를 타고 A의 집이 있는 층으로 올라갔다. 이후 甲은 A의 현관문 앞에서 약 1분간 현관문 비밀번호를 누르며 A의 집에 출입하려고 하다가 A가 "누구세요"라고 묻자 그대로 아파트 지하주차장으로 다시 내려왔다. 비록 甲이 A의 집에 들어가지 않았더라도 그 위요지로 볼 수 있는 '아파트의 엘리베이터, 복도 등 공용부분'에 들어간 이상 이미 주거침입은 기수에 이른 것이다. 즉, 외부인이 부정한 목적으로 권한 없이 비밀번호를 누르고 공동현관에 출입하는 순간 이미 주거침입은 기수가 되는 것이다.

핵심정리 주거침입죄 판례변경
(대법원 2021. 9. 9. 2020도12630 全合, 대법원 2021. 9. 9. 2020도6085 全合)

대법원 2021. 9. 9. 2020도12630 주거침입 (다) 상고기각
[배우자 있는 사람과의 혼외 성관계 목적으로 다른 배우자가 부재 중인 주거에 출입하여 주거침입죄로 기소된 사건]
공동주거에 있어 그 주거에서 거주하는 사람 이외의 자(이하 '외부인'이라 한다)가 주거 내에 현재하는 공동거주자의 현실적인 승낙을 받아 통상적인 출입방법에 따라 공동주거에 들어갔으나 그것이 부재 중인 다른 거주자의 추정적 의사에 반하는 경우 주거침입죄가 성립하는지 여부(소극)

(1) 주거침입죄의 보호법익은 사적 생활관계에 있어서 사실상 누리고 있는 주거의 평온, 즉 '사실상 주거의 평온'이다.
(2) 주거침입죄의 구성요건적 행위인 침입은 주거침입죄의 보호법익과의 관계에서 해석하여야 한다. 따라서 침입이란 '거주자가 주거에서 누리는 사실상의 평온상태를 해치는 행위태양으로 주거에 들어가는 것'을 의미한다. 침입에 해당하는지 여부는 출입 당시 객관적 · 외형적으로 드러난 행위태양을 기준으로 판단함이 원칙이다. 단순히 주거에 들어가는 행위 자체가 거주자의 의사에 반한다는 거주자의 주관적 사정만으로 바로 침입에 해당한다고 볼 수는 없다.
(3) 외부인이 공동거주자의 일부가 부재 중에 주거 내에 현재하는 거주자의 현실적인 승낙을 받아 통상적인 출입방법에 따라 공동주거에 들어간 경우라면 그것이 부재 중인 다른 거주자의 추정적 의사에 반하는 경우에도 주거침입죄가 성립하지 않는다고 보아야 한다.
(4) 이와 달리 공동거주자 중 한 사람의 승낙에 따라 주거에 출입한 것이 다른 거주자의 의사에 반한다는 사정만으로 다른 거주자의 사실상 주거의 평온을 해치는 결과가 된다는 전제에서, 공동거주자 중 주거 내에 현재하는 거주자의 현실적인 승낙을 받아 통상적인 출입방법에 따라 주거에 출입하였는데도 부재 중인 다른 거주자의 추정적 의사에 반한다는 사정만으로 주거침입죄가 성립한다는 취지로 판단한 대법원 1984. 6. 26. 선고 83도685 판결을 이 판결의 견해에 배치되는 범위 내에서 모두 변경하기로 한다.

대법원 2021. 9. 9. 2020도6085 폭력행위 등 처벌에 관한 법률위반(공동주거침입) 등 (바) 일부 파기환송
[가정불화로 처와 일시 별거 중인 남편이 그의 부모와 함께 주거지에 들어가려고 하는데 처로부터 집을 돌보아 달라는 부탁을 받은 처제가 출입을 못하게 하자, 출입문에 설치된 잠금장치를 손괴하고 주거지에 출입하여 폭력행위 등 처벌에 관한 법률위반(공동주거침입)죄 등으로 기소된 사안]

공동거주자 중 한 사람이 그의 출입을 금지한 다른 공동거주자의 사실상 평온상태를 해치는 행위태양으로 공동주거에 들어간 경우 그것이 공동주거의 보편적인 이용형태에 해당한다고 평가할 수 있는 경우에도 주거침입죄가 성립하는지 여부(소극)

공동거주자 중 한 사람이 그의 공동주거 출입을 금지한 다른 공동거주자에 대항하여 물리력의 행사를 통해 공동주거에 출입함에 있어 이러한 공동거주자의 행위에 외부인이 가담하여 함께 그들의 출입을 금지하는 다른 공동거주자의 사실상 평온상태를 해치는 행위태양으로 공동주거에 들어간 경우 그것이 외부인의 출입을 승낙한 공동거주자의 통상적인 공동주거 이용행위이거나 이에 수반되는 행위에 해당한다면 그 외부인에 대하여 주거침입죄가 성립하는지 여부(소극)

(1) 공동거주자 각자는 특별한 사정이 없는 한 공동주거관계의 취지 및 특성에 맞추어 공동주거 중 공동생활의 장소로 설정한 부분에 출입하여 공동의 공간을 이용할 수 있는 것과 같은 이유로, 다른 공동거주자가 이에 출입하여 이용하는 것을 용인할 수인의무도 있다. 이처럼 공동거주자 각자가 공동생활의 장소에서 누리는 사실상 주거의 평온이라는 법익은 공동거주자 상호간의 관계로 인하여 일정 부분 제약될 수밖에 없고, 공동거주자는 이러한 사정에 대한 상호 용인 하에 공동주거관계를 형성하기로 하였다고 보아야 한다. 따라서 공동거주자 상호간에는 특별한 사정이 없는 한 다른 공동거주자가 공동생활의 장소에 자유로이 출입하고 이를 이용하는 것을 금지할 수 없다.

(2) **공동거주자 중 한 사람이 법률적인 근거 기타 정당한 이유 없이 다른 공동거주자가 공동생활의 장소에 출입하는 것을 금지한 경우, 다른 공동거주자가 이에 대항하여 공동생활의 장소에 들어갔더라도** 이는 사전 양해된 공동주거의 취지 및 특성에 맞추어 공동생활의 장소를 이용하기 위한 방편에 불과할 뿐, 그의 출입을 금지한 공동거주자의 사실상 주거의 평온이라는 법익을 침해하는 행위라고는 볼 수 없으므로 주거침입죄는 성립하지 않는다. 설령 그 공동거주자가 공동생활의 장소에 출입하기 위하여 다소간의 물리력을 행사하여 그 출입을 금지한 공동거주자의 사실상 평온상태를 해쳤더라도 **주거침입죄는 성립하지 않는다.**

(3) 외부인이 공동거주자 중 한 사람의 승낙에 따라서 공동생활의 장소에 함께 출입한 것이 다른 공동거주자의 주거의 평온을 침해하는 행위가 된다고 볼 수 있는지 여부도 이러한 측면에서 살펴볼 필요가 있다. 공동거주자 중 한 사람의 승낙에 따른 외부인의 공동생활 장소의 출입 및 이용행위가 외부인의 출입을 승낙한 공동거주자의 통상적인 공동생활 장소의 출입 및 이용행위의 일환 이자 이에 수반되는 행위로 평가할 수 있는 경우에는 이러한 외부인의 행위는 전체적으로 그 공동거주자의 행위와 동일하게 평가할 수 있다.

(4) 공동거주자 중 한 사람이 법률적인 근거 기타 정당한 이유 없이 다른 공동거주자가 공동생활의 장소에 출입하는 것을 금지하고, 이에 대항하여 다른 공동거주자가 공동생활의 장소에 들어가는 과정에서 그의 출입을 금지한 공동거주자의 사실상 평온상태를 해쳤더라도, 그 **공동거주자의 승낙을 받아 공동생활의 장소에 함께 들어간 외부인의 출입 및 이용행위가 전체적으로 그의 출입을 승낙한 공동거주자의 통상적인 공동생활 장소의 출입 및 이용행위의 일환이자 이에 수반되는 행위로 평가할 수 있는 경우에는 그 외부인에 대하여도 역시 주거침입죄가 성립하지 않는다.**

(**주의:** ① 배우자 있는 사람과의 혼외 성관계 목적으로 다른 배우자가 부재중인 주거에 출입하면 주거침입죄가 성립한다. × ② 주거에 들어가는 행위 자체가 거주자의 의사에 반한다는 거주자의 주관적 사정만으로 바로 침입에 해당한다. × ③ 공동거주자 중 한 사람이 법률적인 근거 기타 정당한 이유 없이 다른 공동거주자가 공동생활의 장소에 출입하는 것을 금지한 경우, 다른 공동거주자가 이에 대항하여 공동생활의 장소에 들어가면 주거침입죄에 해당한다. × ④ 공동거주자의 승낙을 받아 공동생활의 장소에 함께 들어간 외부인의 출입 및 이용행위가 전체적으로 그의 출입을 승낙한 공동거주자의 통상적인 공동생활 장소의 출입 및 이용행위의 일환이자 이에 수반되는 행위로 평가할 수 있는 경우에도 그 외부인에 대하여는 주거침입죄가 성립한다. ×)

156 주거침입의 죄에 대한 설명으로 옳은 것만을 모두 고르면? (다툼이 있으면 판례에 의함)

□□□

23 국가9급 [Core ★★]

㉠ 외부인이 주거 내에 현재하는 거주자의 현실적인 승낙을 받아 통상적인 출입방법에 따라 공동주거에 들어갔다 하더라도 그것이 부재 중인 다른 거주자의 의사에 반하는 것으로 추정되는 경우 주거침입죄가 성립한다.
㉡ 관리자의 현실적인 승낙을 받아 건조물에 통상적인 출입 방법으로 들어간 경우에도 관리자의 가정적·추정적 의사는 고려되어야 하며, 그 승낙의 동기에 착오가 있었던 경우 승낙의 유효성에 영향을 미쳐 건조물침입죄가 성립할 수 있다.
㉢ 일반인의 출입이 허용된 음식점에 영업주의 승낙을 받아 통상적인 출입방법으로 들어갔다면 설령 행위자가 범죄 등을 목적으로 음식점에 출입하였거나 영업주가 행위자의 실제 출입목적을 알았더라면 출입을 승낙하지 않았을 것이라는 사정이 인정되더라도 주거침입죄에서 규정하는 침입행위에 해당하지 않는다.
㉣ 주거침입죄의 실행의 착수는 구성요건의 일부를 실현하는 행위까지 요구하는 것은 아니고 범죄구성요건의 실현에 이르는 현실적 위험성을 포함하는 행위를 개시하는 것으로 족하다.

① ㉠㉡　② ㉠㉢　③ ㉡㉣　④ ㉢㉣

해설

④ ㉢㉣ 2 항목이 옳다.

㉠ [×] 외부인이 공동거주자의 일부가 부재 중에 주거 내에 현재하는 거주자의 현실적인 승낙을 받아 통상적인 출입방법에 따라 공동주거에 들어간 경우라면 **그것이 부재 중인 다른 거주자의 추정적 의사에 반하는 경우에도 주거침입죄가 성립하지 않는다.**(대법원 2021. 9. 9. 2020도12630 전원합의체 유부녀 아파트에서 간통사건)

㉡ [×] 관리자에 의해 출입이 통제되는 건조물에 관리자의 승낙을 받아 건조물에 통상적인 출입방법으로 들어갔다면 이러한 승낙의 의사표시에 기망이나 착오 등의 하자가 있더라도 특별한 사정이 없는 한 형법 제319조 제1항에서 정한 건조물침입죄가 성립하지 않는다. 이러한 경우 관리자의 현실적인 승낙이 있었으므로 **가정적·추정적 의사는 고려할 필요가 없다. 단순히 승낙의 동기에 착오가 있다고 해서 승낙의 유효성에 영향을 미치지 않으므로** 관리자가 행위자의 실제 출입 목적을 알았더라면 출입을 승낙하지 않았을 사정이 있더라도 건조물침입죄가 성립한다고 볼 수 없다. 나아가 관리자의 현실적인 승낙을 받아 통상적인 출입방법에 따라 건조물에 들어간 경우에는 출입 당시 객관적·외형적으로 드러난 행위태양에 비추어 사실상의 평온상태를 해치는 모습으로 건조물에 들어간 것이라고 평가할 수도 없다.(대법원 2022. 3. 31. 2018도15213 서울구치소 잠입취재 사건)

㉢ [○] 일반인의 출입이 허용된 음식점에 **영업주의 승낙을 받아 통상적인 출입방법으로 들어갔다면 특별한 사정이 없는 한 주거침입죄에서 규정하는 침입행위에 해당하지 않는다.** 설령 행위자가 범죄 등을 목적으로 음식점에 출입하였거나 영업주가 행위자의 실제 출입 목적을 알았더라면 출입을 승낙하지 않았을 것이라는 사정이 인정되더라도 그러한 사정만으로는 출입 당시 객관적·외형적으로 드러난 행위 태양에 비추어 사실상의 평온상태를 해치는 방법으로 음식점에 들어갔다고 평가할 수 없으므로 침입행위에 해당하지 않는다.(대법원 2022. 3. 24. 2017도18272 전원합의체 몰카설치 목적 식당출입 사건)

㉣ [○] 주거침입죄의 실행의 착수는 주거자, 관리자, 점유자 등의 의사에 반하여 주거나 관리하는 건조물 등에 들어가는 행위, 즉 **구성요건의 일부를 실현하는 행위까지 요구하는 것은 아니고 범죄구성요건의 실현에 이르는 현실적 위험성을 포함하는 행위를 개시하는 것으로 족하다.**(대법원 2008. 4. 10. 2008도1464 초인종 사건)

정답 | 156 ④

157 다음 중 옳은 것은 모두 몇 개인가? (다툼이 있으면 판례에 의함) 17 경찰간부 [Core ★★]

□□□

㉠ 다른 사람의 주택에 무단 침입한 범죄사실로 이미 유죄판결을 받은 사람이 그 판결이 확정된 후에도 퇴거하지 아니하고 계속하여 당해 주택에 거주한 경우 위 판결확정 이후의 행위는 별도로 주거침입죄를 구성한다.

㉡ 출입문이 열려 있으면 안으로 들어가겠다는 의사 아래 출입문을 당겨보는 행위는 바로 주거의 사실상의 평온을 침해할 객관적인 위험성을 포함하는 행위를 한 것으로 볼 수 있어 그것으로 주거침입의 실행에 착수가 인정된다.

㉢ 입찰방해죄는 입찰참가자들 중 일부와의 사이에만 담합이 이루어진 경우에도 성립할 수 있지만, 입찰 자체가 실시되지 않은 경우에는 성립하지 않는다.

㉣ 甲남의 노크 소리를 듣고 자기 남편으로 오인한 피해자 乙녀가 공중화장실 용변칸 문을 열어 주자 甲이 乙을 강간할 의도로 들어간 경우 乙의 명시적인 승낙이 있었으므로 주거침입죄는 성립하지 않는다.

① 1개 ② 2개

③ 3개 ④ 4개

해설

③ ㉠㉡㉢ 3 항목이 옳다.

㉠ [○] 피고인이 주택에 무단 침입한 범죄사실로 이미 유죄판결을 받고 그 판결이 확정되었음에도 퇴거하지 아니한 채 계속해서 주택에 거주한 경우 판결이 확정된 이후로도 피고인의 주거침입행위 및 그로 인한 위법상태가 계속되고 있으므로 **별도의 주거침입죄가 성립한다.**(대법원 2008. 5. 8. 2007도11322 주택 무단입주 사건)

㉡ [○] 피고인이 야간에 출입문이 열려있는 집에 들어가 재물을 절취하기로 마음먹고 다세대주택에 들어가 여러 세대의 **출입문을 손으로 당겨보았는데 문이 잠겨 있었던 경우,** 바로 주거의 사실상의 평온을 침해할 객관적인 위험성을 포함하는 행위를 한 것으로 볼 수 있어 그것으로 **주거침입의 실행에 착수가 있었고,** 단지 그 출입문이 잠겨 있었다는 외부적 장애요소로 인하여 뜻을 이루지 못한 데 불과하다.(대법원 2006. 9. 14. 2006도2824 빌라 출입문 사건)

㉢ [○] 입찰방해 행위가 있다고 인정하기 위하여는 그 방해의 대상인 입찰이 현실적으로 존재하여야 한다고 볼 것이므로 실제로 실시된 입찰절차에서 실질적으로는 단독입찰을 하면서 마치 경쟁입찰을 한 것처럼 가장하는 경우와는 달리, 실제로는 수의계약을 체결하면서 입찰절차를 거쳤다는 증빙을 남기기 위하여 입찰을 전혀 시행하지 아니한 채 **형식적인 입찰서류만을 작성하여 입찰이 있었던 것처럼 조작한 행위는 입찰방해 행위에 해당한다고 할 수 없다.**(대법원 2001. 2. 9. 2000도4700 홍명고 체육관공사 사건)

㉣ [×] 피해자는 피고인의 노크 소리를 듣고 피해자의 남편으로 오인하고 용변칸 문을 연 것이고, 피고인은 피해자를 강간할 의도로 용변칸에 들어간 것이므로 피고인이 용변칸으로 들어오는 것을 **피해자가 명시적 또는 묵시적으로 승낙하였다고 볼 수 없다(주거침입죄가 성립한다).**(대법원 2003. 5. 30. 2003도1256 아빠야 사건)

158 주거침입죄에 대한 설명으로 가장 적절하지 않은 것은? (다툼이 있으면 판례에 의함)

□□□

22 경찰간부 [Core ★★]

① 주택의 매수인이 계약금과 중도금을 지급하고서 그 주택을 명도받아 점유하고 있던 중 위 매매계약을 해제하고 중도금 반환청구소송을 제기하여 얻은 그 승소판결에 기하여 강제집행에 착수한 이후에 매도인이 매수인이 잠가 놓은 위 주택의 출입문을 열고 들어간 경우 매도인에게 주거침입죄가 성립한다.

② 乙이 사용 중인 공중화장실의 용변칸에 甲이 노크하여 남편으로 오인한 乙이 용변칸 문을 열자 강간할 의도로 甲이 용변칸에 들어간 것이라면 乙이 명시적 또는 묵시적으로 이를 승낙하였다고 볼 수 없어 甲의 행위는 주거침입죄에 해당한다.

③ 다른 사람의 주택에 무단 침입한 범죄사실로 이미 유죄판결을 받은 사람이 그 판결이 확정된 후에도 퇴거하지 않은 채 계속하여 당해 주택에 거주한 사안에서, 위 판결 확정 이후의 행위는 별도의 주거침입죄를 구성한다.

④ 주거침입죄는 정당한 사유없이 사람의 주거 또는 간수하는 저택, 건조물 등에 침입하거나 또는 요구를 받고 그 장소로부터 퇴거하지 않음으로써 성립하는 것이고 사실상의 주거의 평온을 보호법익으로 하는 것이므로 그 거주자 또는 간수자가 건조물 등에 거주 또는 간수할 권리를 가지고 있는 여부는 범죄의 성립을 좌우하는 것이 아니다.

해설

① [×] 주택의 매수인이 계약금과 중도금을 지급하고서 주택을 명도받아 점유하고 있던 중 매매계약을 해제하고 중도금반환청구소송을 제기하여 얻은 승소판결에 기하여 강제집행에 착수한 이후에, 매도인이 매수인이 잠가 놓은 주택의 출입문을 열고 들어간 경우라면 **매도인으로서는 매수인이 주택에 대한 모든 권리를 포기한 것으로 알고 주택에 들어간 것이라고 할 수 있을 뿐만 아니라 또한 주택에 대하여 보호받아야 할 피해자의 주거에 대한 평온상태는 소멸되었다고 볼 수 있으므로 매도인의 소위는 주거침입죄를 구성하지 아니한다.**(대법원 1987. 5. 12. 87도3)

② [○] 피해자는 피고인의 노크 소리를 듣고 피해자의 남편으로 오인하고 용변칸 문을 연 것이고, 피고인은 피해자를 강간할 의도로 용변칸에 들어간 것이므로 피고인이 용변칸으로 들어오는 것을 **피해자가 명시적 또는 묵시적으로 승낙하였다고 볼 수 없다**(주거침입죄가 성립한다).(대법원 2003. 5. 30. 2003도1256 아빠야 사건)

③ [○] 피고인이 주택에 무단 침입한 범죄사실로 이미 유죄판결을 받고 그 판결이 확정되었음에도 퇴거하지 아니한 채 계속해서 주택에 거주한 경우 판결이 확정된 이후로도 피고인의 주거침입행위 및 그로 인한 **위법상태가 계속되고 있으므로 별도의 주거침입죄가 성립한다.**(대법원 2008. 5. 8. 2007도11322 주택 무단입주 사건)

④ [○] 주거침입죄는 사실상의 주거의 평온을 보호법익으로 하는 것이므로 그 **거주자 또는 관리자가 건조물 등에 거주 또는 관리할 권한을 가지고 있는가 여부는 범죄의 성립을 좌우하는 것이 아니다.**(대법원 2007. 8. 23. 2007도2595 쿨하지 못한 동거남 사건)

정답 | 157 ③ 158 ①

159 주거침입의 죄에 관한 <보기> 설명 중 옳은 것은 모두 몇 개인가? (다툼이 있으면 판례에 의함)

□□□

21 해경채용 [Core ★★]

㉠ 2인 이상이 하나의 공간에서 공동생활을 하고 있는 경우에는 각자 주거의 평온을 누릴 권리가 있으므로 사용자가 제3자와 공동으로 관리·사용하는 공간을 사용자에 대한 쟁의행위를 이유로 관리자의 의사에 반하여 침입·점거한 경우, 비록 그 공간의 점거가 사용자에 대한 관계에서 정당한 쟁의행위로 평가될 여지가 있다 하여도 이를 공동으로 관리·사용하는 제3자의 명시적 또는 추정적인 승낙이 없는 이상 위 제3자에 대하여서까지 이를 정당행위라고 하여 주거침입의 위법성이 조각된다고 볼 수는 없다.

㉡ 피고인들이 건물신축 공사현장에 무단으로 들어간 뒤 타워크레인에 올라가 이를 점거한 사안에서, 타워크레인은 건설기계의 일종으로서 작업을 위하여 토지에 고정되었을 뿐이고 운전실은 기계를 운전하기 위한 작업공간 그 자체이지 건조물침입죄 객체인 건조물에 해당하지 아니한다.

㉢ 「형법」 제332조에 규정된 상습절도죄를 범한 범인이 그 범행 외에 상습적인 절도의 목적으로 주간에 주거침입을 하였다가 절도에 이르지 아니하고 주거침입에 그친 경우, 주간 주거침입 행위는 상습절도죄와 별개로 주거침입죄를 구성한다.

㉣ 사용자측의 노사간 교섭에 소극적인 태도, 노동조합의 파업이 노사간 교섭력의 균형과 사용자측 업무수행에 미치는 영향 등에 비추어 노동조합이 파업을 시작한 지 불과 4시간 만에 사용자가 바로 직장폐쇄 조치를 취한 것은 정당한 쟁의행위로 인정되지 아니하므로, 사용자측 시설을 정당하게 점거한 조합원들이 사용자로부터 퇴거요구를 받고 이에 불응하였더라도 퇴거불응죄가 성립하지 아니한다.

㉤ 출입문이 열려 있으면 안으로 들어가겠다는 의사 아래 출입문을 당겨보는 행위는 바로 주거의 사실상의 평온을 침해할 객관적인 위험성을 포함하는 행위를 한 것으로 볼 수 있어 그것으로 주거침입의 실행에 착수한 것으로 보아야 한다.

① 2개 ② 3개

③ 4개 ④ 5개

해설

④ 모든 항목이 옳다.

㉠ [○] 2인 이상이 하나의 공간에서 공동생활을 하고 있는 경우에는 각자 주거의 평온을 누릴 권리가 있으므로 사용자가 제3자와 공동으로 관리·사용하는 공간을 사용자에 대한 쟁의행위를 이유로 관리자의 의사에 반하여 침입·점거한 경우 비록 그 공간의 점거가 사용자에 대한 관계에서 정당한 쟁의행위로 평가될 여지가 있다 하여도 이를 공동으로 관리·사용하는 **제3자의 명시적 또는 추정적인 승낙이 없는 이상 제3자에 대하여서까지 이를 정당행위라고 하여 주거침입의 위법성이 조각된다고 볼 수 없다.**(대법원 2010. 3. 11. 2009도5008 **코스콤 한국거래소 로비 점거사건**)

㉡ [○] 피고인이 침입한 **타워크레인은** 건설기계의 일종으로서 작업을 위하여 토지에 고정되었을 뿐이고, 위 운전실은 기계를 운전하기 위한 **작업공간 그 자체이지 건조물침입죄의 객체인 건조물에 해당하지 아니한다**(건조물침입죄가 성립하지 아니한다).(대법원 2005. 10. 7. 2005도5351 타워크레인 점거농성사건)

㉢ [○] 형법 제332조에 규정된 상습절도죄를 범한 범인이 그 범행의 수단으로 주간에 주거침입을 한 경우 그 주간 주거침입행위는 상습절도죄와 별개로 주거침입죄를 구성한다. 또 형법 제332조에 규정된 상습절도죄를 범한 범인이 그 범행 외에 상습적인 절도의 목적으로 주간에 주거침입을 하였다가 절도에 이르지 아니하고 주거침입에 그친 경우에도 그 주간 **주거침입행위는 상습절도죄와 별개로 주거침입죄를 구성한다.**(대법원 2015. 10. 15. 2015도8169)

㉣ [○] 사용자측의 노사간 교섭에 소극적인 태도, 노동조합의 파업이 노사간 교섭력의 균형과 사용자측 업무수행에 미치는 영향 등에 비추어 노동조합이 파업을 시작한 지 불과 4시간 만에 사용자가 바로 직장폐쇄 조치를 취한 것은 **정당한 쟁의행위로 인정되지 아니하므로,** 사용자측 시설을 정당하게 점거한 조합원들이 사용자로부터 퇴거요구를 받고 이에 불응하였더라도 **퇴거불응죄는 성립하지 아니한다.**(대법원 2007. 12. 28. 2007도5204 서울시건축사회 회의실 점거사건)

㉤ [○] 피고인이 야간에 출입문이 열려있는 집에 들어가 재물을 절취하기로 마음먹고 다세대주택에 들어가 여러 세대의 출입문을 손으로 당겨보았는데 문이 잠겨 있었던 경우 바로 주거의 사실상의 평온을 침해할 객관적인 위험성을 포함하는 행위를 한 것으로 볼 수 있어 그것으로 주거침입의 실행에 착수가 있었고, 단지 그 출입문이 잠겨 있었다는 외부적 장애요소로 인하여 뜻을 이루지 못한 데 불과하다.(대법원 2006. 9. 14. 2006도2824 빌라 출입문 사건)

정답 | 159 ④

160 주거침입죄와 관련된 다음 설명 중 옳은 것은 모두 몇 개인가? (다툼이 있으면 판례에 의함)

□□□

20 경찰간부 [Core ★★]

㉠ 다른 사람의 주택에 무단 침입하여 이미 유죄판결을 받은 사람이 판결 확정 후에도 퇴거하지 않은 채 계속하여 당해 주택에 거주하였다면 퇴거불응죄가 성립할 뿐 다시 주거침입죄를 구성하는 것은 아니다.

㉡ 침입 대상인 아파트에 사람이 있는지를 확인하기 위해 그 집의 초인종을 누른 것만으로는 침입의 현실적 위험성을 포함하는 행위를 시작하였다거나 주거의 사실상의 평온을 침해할 객관적인 위험성을 포함하는 행위를 한 것으로 볼 수 없다.

㉢ 건물의 소유자라고 주장하는 사람과 그것을 점유관리하고 있는 사람 사이에 건물의 소유권에 대한 분쟁이 계속되고 있는 상황이라면 소유자라고 주장하는 사람이 그 건물에 침입하는 것에 대하여 점유자의 추정적 승낙이 있었다거나 침입행위가 사회상규에 위배되지 않는다고 볼 수 없다.

㉣ 연립주택 아래층에 사는 피해자가 위층 피고인의 집으로 통하는 상수도관의 밸브를 임의로 잠근 후 이를 피고인에게 알리지 않아 하루 동안 수돗물이 나오지 않은 고통을 겪었던 피고인이 상수도관의 밸브를 확인하고 이를 열기 위하여 부득이 피해자의 집에 들어간 것이라면 이는 정당행위에 해당한다.

① 1개　　② 2개　　③ 3개　　④ 4개

해설

③ ㉡㉢㉣ 3 항목이 옳다.

㉠ [×] 피고인이 주택에 무단 침입한 범죄사실로 이미 유죄판결을 받고 그 판결이 확정되었음에도 퇴거하지 아니한 채 계속해서 주택에 거주한 경우 판결이 확정된 이후로도 피고인의 주거침입행위 및 그로 인한 위법상태가 계속되고 있으므로 **별도의 주거침입죄가 성립한다.**(대법원 2008. 5. 8. 2007도11322 *주택 무단 입주 사건*)

㉡ [○] 침입 대상인 아파트에 사람이 있는지를 확인하기 위해 **초인종을 누른 행위만으로는 주거침입죄의 실행의 착수가 인정되지 않는다.**(대법원 2008. 4. 10. 2008도1464 *초인종 사건*)

㉢ [○] **건물의 소유자**라고 주장하는 피고인과 그것을 점유관리하고 있는 피해자 사이에 건물의 소유권에 대한 분쟁이 계속되고 있는 상황이라면 피고인이 그 건물에 침입하는 것에 대한 피해자의 추정적 승낙이 있었다거나 피고인의 범행이 **사회상규에 위배되지 않는다고 볼 수 없다.**(대법원 1989. 9. 12. 89도889)

㉣ [○] 피고인의 행위가 그 수단과 방법에 있어서 상당성이 인정된다고 보여질 뿐만 아니라 긴급하고 불가피한 수단이었다고 할 것이므로, 피고인이 피해자의 주거에 침입한 행위는 형법 제20조의 '**사회상규에 위배되지 않는 행위**'에 **해당한다.**(대법원 2004. 2. 13. 2003도7393 *상수도관 밸브 사건*)

161 주거침입죄에 관한 다음 설명 중 가장 적절하지 않은 것은? (다툼이 있으면 판례에 의함)
□□□

12 경찰채용 [Essential ★]

① 다가구용 단독주택이나 다세대주택·연립주택·아파트 등 공동주택의 내부에 있는 엘리베이터, 공용계단과 복도는 특별한 사정이 없는 한 주거침입죄의 객체인 '사람의 주거'에 해당하지 않는다.
② 형법 제330조는 야간에 이루어지는 주거침입행위의 위험성에 주목하여 그러한 행위를 수반한 절도를 야간주거침입절도죄로 중하게 처벌하고 있는 것으로 보아야 하므로 주간에 타인의 주거에 침입하여 야간에 절취행위를 한 경우에는 야간주거침입절도죄가 성립하지 않는다.
③ 건조물의 이용에 기여하는 인접의 부속 토지라고 하더라도 인적 또는 물적 설비 등에의 한 구획 내지 통제가 없어 통상의 보행으로 그 경계를 쉽사리 넘을 수 있는 정도라고 한다면 일반적으로 외부인의 출입이 제한된다는 사정이 객관적으로 명확하게 드러났다고 보기 어려우므로, 이는 다른 특별한 사정이 없는 한 주거침입죄의 객체에 속하지 않는다.
④ 출입문이 열려 있으면 안으로 들어가겠다는 의사 아래 출입문을 당겨보는 행위는 바로 주거의 사실상의 평온을 침해할 객관적인 위험성을 포함하는 행위를 한 것으로 볼 수 있어 주거침입의 실행에 착수한 것으로 보아야 한다.

해설

① [×] 다가구용 단독주택이나 다세대주택 · 연립주택 · 아파트 등 공동주택 안에서 공용으로 사용하는 엘리베이터, 계단과 복도는 주거로 사용하는 각 가구 또는 세대의 전용 부분에 필수적으로 부속하는 부분으로서 그 거주자들에 의하여 일상생활에서 감시 · 관리가 예정되어 있고 사실상의 주거의 평온을 보호할 필요성이 있는 부분이므로, **다가구용 단독주택이나 다세대주택 · 연립주택 · 아파트 등 공동주택의 내부에 있는 엘리베이터, 공용 계단과 복도는 특별한 사정이 없는 한 주거침입죄의 객체인 '사람의 주거'에 해당한다.**(대법원 2009. 9. 10. 2009도4335 엘리베이터 폭행, 계단 강간사건)

② [○] 형법은 야간에 이루어지는 주거침입행위의 위험성에 주목하여 그러한 행위를 수반한 절도를 야간주거침입절도죄로 중하게 처벌하고 있는 것으로 보아야 하고, 따라서 주거침입이 주간에 이루어진 경우에는 **야간주거침입절도죄가 성립하지 않는다고 해석하는 것이 타당하다.**(대법원 2011. 4. 14. 2011도300 장안동 모텔 절도사건)

③ [○] 위요지(圍繞地)라고 함은 건조물에 인접한 그 주변의 토지로서 외부와의 경계에 담 등이 설치되어 그 토지가 건조물의 이용에 제공되고 또 외부인이 함부로 출입할 수 없다는 점이 객관적으로 명확하게 드러나야 한다. 따라서 건조물의 이용에 기여하는 인접의 부속 토지라고 하더라도 **인적 또는 물적 설비 등에 의한 구획 내지 통제가 없어 통상의 보행으로 그 경계를 쉽사리 넘을 수 있는 정도라고 한다면 일반적으로 외부인의 출입이 제한된다는 사정이 객관적으로 명확하게 드러났다고 보기 어려우므로 이는 다른 특별한 사정이 없는 한 주거침입죄의 객체에 속하지 아니한다.**(대법원 2010. 4. 29. 2009도14643 과천축산 사건)

④ [○] 피고인이 야간에 출입문이 열려있는 집에 들어가 재물을 절취하기로 마음먹고 다세대주택에 들어가 여러 세대의 **출입문을 손으로 당겨보았는데** 문이 잠겨 있었던 경우, 바로 주거의 사실상의 평온을 침해할 객관적인 위험성을 포함하는 행위를 한 것으로 볼 수 있어 그것으로 **주거침입의 실행에 착수가 있었고,** 단지 그 출입문이 잠겨 있었다는 외부적 장애요소로 인하여 뜻을 이루지 못한 데 불과하다.(대법원 2006. 9. 14. 2006도2824 빌라 출입문 사건)

정답 | 160 ③ 161 ①

162 주거침입의 죄에 관한 다음 설명 중 옳은 것은 모두 몇 개인가? (다툼이 있으면 판례에 의함)

□□□

13 경찰승진 [Essential ★]

㉠ 다가구용 단독주택이나 다세대 주택·연립주택·아파트 등 공동주택 안에서 공용으로 사용하는 엘리베이터, 계단과 복도는 특별한 사정이 없는 한 주거침입죄의 객체인 '사람의 주거'에 해당한다.

㉡ 출입문이 열려 있으면 안으로 들어가겠다는 의사 아래 출입문을 당겨보는 행위는 바로 주거의 사실상의 평온을 침해할 객관적인 위험성을 포함하는 행위를 한 것으로 볼 수 있어 그것으로 주거침입의 실행에 착수한 것으로 보아야 한다.

㉢ 퇴거불응죄에 있어서 '건조물'이라 함은 단순히 건조물 그 자체만을 말하는 것이 아니고 위요지를 포함하고, '위요지'가 되기 위하여는 건조물에 인접한 그 주변 토지로서 관리자가 외부와의 경계에 문과 담 등을 설치하여 그 토지가 건조물의 이용을 위하여 제공되었다는 것이 명확히 드러나야 할 것인데, 화단의 설치, 수목의 식재 등으로 담장의 설치를 대체하는 경우에도 건조물에 인접한 그 주변 토지가 건물, 화단, 수목 등으로 둘러싸여 건조물의 이용에 제공되었다는 것이 명확히 드러난다면 위요지가 될 수 있다.

㉣ 형법 제321조(주거·신체수색)는 미수범을 처벌한다.

① 1개 ② 2개 ③ 3개 ④ 4개

해설

④ 모든 항목이 옳다.

㉠ [O] 다가구용 단독주택이나 다세대주택·연립주택·아파트 등 공동주택 안에서 공용으로 사용하는 엘리베이터, 계단과 복도는 주거로 사용하는 각 가구 또는 세대의 전용 부분에 필수적으로 부속하는 부분으로서 그 거주자들에 의하여 일상생활에서 감시·관리가 예정되어 있고 사실상의 주거의 평온을 보호할 필요성이 있는 부분이므로, 다가구용 단독주택이나 다세대주택·연립주택·아파트 등 **공동주택의 내부에 있는 엘리베이터, 공용계단과 복도는 특별한 사정이 없는 한 주거침입죄의 객체인 '사람의 주거'에 해당한다.**(대법원 2009. 9. 10. 2009도4335 **엘리베이터 폭행, 계단 강간사건**)

㉡ [O] 피고인이 야간에 출입문이 열려있는 집에 들어가 재물을 절취하기로 마음먹고 다세대주택에 들어가 여러 세대의 **출입문을 손으로 당겨보았는데 문이 잠겨 있었던 경우**, 바로 주거의 사실상의 평온을 침해할 객관적인 위험성을 포함하는 행위를 한 것으로 볼 수 있어 그것으로 **주거침입의 실행에 착수가 있었고**, 단지 그 출입문이 잠겨 있었다는 외부적 장애요소로 인하여 뜻을 이루지 못한 데 불과하다.(대법원 2006. 9. 14. 2006도2824 **빌라 출입문 사건**)

㉢ [O] 위요지(圍繞地)가 되기 위하여는 건조물에 인접한 그 주변 토지로서 관리자가 외부와의 경계에 문과 담 등을 설치하여 그 토지가 건조물의 이용을 위하여 제공되었다는 것이 **명확히 드러나야 할 것인데**, 화단의 설치, 수목의 식재 등으로 담장의 설치를 대체하는 경우에도 건조물에 인접한 그 주변 토지가 건물, 화단, 수목 등으로 둘러싸여 **건조물의 이용에 제공되었다는 것이 명확히 드러난다면 위요지가 될 수 있다.**(대법원 2010. 3. 11. 2009도12609 **전남대병원 시위사건**)

㉣ [O] 주거침입죄의 **미수범은 처벌한다.**(제322조)

163 다음 설명 중 옳은 것은 모두 몇 개인가? (다툼이 있으면 판례에 의함) 24 법원행시 [Superlative ★★★]

□□□

㉠ 주택의 매수인이 계약금과 중도금을 지급하고서 그 주택을 인도받아 점유하고 있던 중 위 매매계약을 해제하고 중도금반환청구소송을 제기하여 얻은 그 승소판결에 기하여 강제집행에 착수한 이후에, 매도인이 매수인이 잠가 놓은 위 주택의 출입문을 열고 들어간 경우라면 매도인으로서는 매수인이 그 주택에 대한 모든 권리를 포기한 것으로 알고 그 주택에 들어간 것이라고 할 수 있을 뿐만 아니라 그 주택에 대하여 보호받아야 할 매수인의 주거에 대한 평온상태는 소멸되었다고 볼 수 있으므로 매도인의 행위는 주거침입죄를 구성하지 아니한다.

㉡ 일반인의 출입이 허용된 상가 등 영업장소에 영업주의 승낙을 받아 통상적인 출입방법으로 들어갔다면 특별한 사정이 없는 한 건조물침입죄에서 규정하는 침입행위에 해당하지 않고, 설령 행위자가 범죄 등을 목적으로 영업장소에 출입하였거나 영업주가 행위자의 실제 출입 목적을 알았더라면 출입을 승낙하지 않았을 것이라는 사정이 인정되더라도 그러한 사정만으로는 출입 당시 객관적·외형적으로 드러난 행위태양에 비추어 사실상의 평온상태를 해치는 방법으로 영업장소에 들어갔다고 평가할 수 없으므로 침입행위에 해당하지 않는다.

㉢ 주거침입죄와 퇴거불응죄는 모두 사실상의 주거의 평온을 그 보호법익으로 하므로 퇴거요구를 받고 건물의 열쇠를 반환한 다음 건물에서 나가면서 가재도구를 남겨둔 경우에는 퇴거불응죄가 성립한다.

㉣ 형법 제331조 제2항의 특수절도에 있어서 주거침입은 그 구성요건이 아니므로 절도범인이 그 범행수단으로 주거침입을 한 경우에 그 주거침입행위는 절도죄에 흡수되지 아니하고 별개로 주거침입죄를 구성하여 절도죄와는 실체적 경합의 관계에 있게 되나, 2인 이상이 합동하여 야간이 아닌 주간에 절도의 목적으로 타인의 주거에 침입한 경우에는 아직 절취할 물건의 물색행위를 시작하기 전이라도 특수절도죄의 미수죄가 성립한다.

㉤ 피고인이 주택에 무단 침입한 범죄사실로 이미 유죄판결을 받고 그 판결이 확정되었음에도 퇴거하지 아니한 채 계속해서 위 주택에 거주함으로써 위 판결이 확정된 이후로 피고인의 주거침입행위 및 그로 인한 위법상태가 계속되고 있다고 하더라도 이미 확정판결이 있었던 이상 별도의 주거침입죄를 구성하지 않는다.

① 1개 ② 2개 ③ 3개 ④ 4개 ⑤ 5개

해설

② ㉠㉡ 2 항목이 옳다.

㉠ [○] 주택의 매수인이 계약금과 중도금을 지급하고서 그 주택을 인도받아 점유하고 있던 중 위 매매계약을 해제하고 중도금반환청구소송을 제기하여 얻은 그 **승소판결에 기하여 강제집행에 착수한 이후에, 매도인이 매수인이 잠가 놓은 위 주택의 출입문을 열고 들어간 경우라면** 매도인으로서는 매수인이 그 주택에 대한 모든 권리를 포기한 것으로 알고 그 주택에 들어간 것이라고 할 수 있을 뿐만 아니라 그 주택에 대하여 **보호받아야**

정답 | 162 ④ 163 ②

할 매수인의 주거에 대한 평온상태는 소멸되었다고 볼 수 있으므로 매도인의 행위는 **주거침입죄를 구성하지 아니한다.**(대법원 1987. 5. 12. 87도3 중도금분쟁 주거침입 사건)

ⓛ [○] 일반인의 출입이 허용된 상가 등 영업장소에 **영업주의 승낙을 받아 통상적인 출입방법으로 들어갔다면 특별한 사정이 없는 한 건조물침입죄에서 규정하는 침입행위에 해당하지 않고,** 설령 행위자가 범죄 등을 목적으로 영업장소에 출입하였거나 영업주가 행위자의 실제 출입 목적을 알았더라면 출입을 승낙하지 않았을 것이라는 사정이 인정되더라도 그러한 사정만으로는 출입 당시 객관적·외형적으로 드러난 행위태양에 비추어 사실상의 평온상태를 해치는 방법으로 영업장소에 들어갔다고 평가할 수 없으므로 침입행위에 해당하지 않는다.(대법원 2022. 8. 25. 2022도3801 아파트와 상가에서 추행사건)

ⓒ [×] 주거침입죄에서의 침입이 신체적 침해로서 행위자의 신체가 주거에 들어가야 함을 의미하는 것과 마찬가지로 퇴거불응죄의 퇴거 역시 행위자의 신체가 주거에서 나감을 의미한다. **정당한 퇴거요구를 받고 건물에서 나가면서 가재도구 등을 남겨둔 경우 퇴거불응죄를 구성하지 않는다.**(대법원 2007. 11. 15. 2007도6990 가재도구 방치사건)

ⓔ [×] (전문) 형법 제331조 제2항의 특수절도에 있어서 주거침입은 그 구성요건이 아니므로 절도범인이 그 범행수단으로 주거침입을 한 경우에 주거침입행위는 절도죄에 흡수되지 아니하고 별개로 주거침입죄를 구성하여 절도죄와는 실체적 경합의 관계에 있다.(대법원 2009. 12. 24. 2009도9667 아파트 출입문 손괴사건) (후문) 2인 이상이 합동하여 야간이 아닌 주간에 절도의 목적으로 타인의 주거에 침입하였다 하여도 **아직 절취할 물건의 물색행위를 시작하기 전이라면 특수절도죄의 실행에는 착수한 것으로 볼 수 없는 것이어서 그 미수죄가 성립하지 않는다.**(대법원 2009. 12. 24. 2009도9667 아파트 출입문 손괴사건)

ⓜ [×] 피고인이 주택에 무단 침입한 범죄사실로 이미 유죄판결을 받고 그 판결이 확정되었음에도 퇴거하지 아니한 채 계속해서 주택에 거주한 경우 **판결이 확정된 이후로도 피고인의 주거침입행위 및 그로 인한 위법상태가 계속되고 있으므로 별도의 주거침입죄가 성립한다.**(대법원 2008. 5. 8. 2007도11322 주택 무단입주 사건)

164 □□□ 주거침입죄에 관한 설명 중 옳은 것(○)과 옳지 않은 것(×)을 올바르게 조합한 것은? (다툼이 있으면 판례에 의함)

13 사법시험 [Superlative ★★★]

㉠ 주거침입죄가 계속범이라는 견해에 의하면 불법하게 주거에 침입한 자가 퇴거요구를 받고 불응한 때에는 퇴거불응죄가 별도로 성립한다.
㉡ 남편의 부재 중 처와 간통할 목적으로 처의 승낙 하에 주거에 들어간 경우에는 주거침입죄가 성립한다.
㉢ 피고인이 이웃에 있는 고종사촌인 A의 집에 놀러 가서 잠시 머무르고 있는 동안에 A에게 돈을 변제하고자 찾아온 B의 돈을 절취하였다면 주거침입죄가 성립한다.
㉣ 점유자에게 건물을 점유할 권리가 없는 경우라고 하더라도 권리자가 그 권리의 실행을 위하여 자력구제의 수단으로 건물에 침입한 경우에 주거침입죄가 성립한다.
㉤ 주거침입죄에서 침입행위의 객체인 주거는 가옥 그 자체만을 의미하며 그에 부속하는 위요지는 포함되지 않는다.

① ㉠ × ㉡ × ㉢ × ㉣ ○ ㉤ ×
② ㉠ × ㉡ × ㉢ × ㉣ ○ ㉤ ○
③ ㉠ × ㉡ ○ ㉢ ○ ㉣ ○ ㉤ ×
④ ㉠ ○ ㉡ ○ ㉢ × ㉣ ○ ㉤ ×
⑤ ㉠ ○ ㉡ × ㉢ ○ ㉣ × ㉤ ○
⑥ ㉠ × ㉡ ○ ㉢ × ㉣ × ㉤ ×

해설

① 이 지문이 옳은 연결이다.

㉠ [×] 주거침입죄가 계속범이라는 견해에 의하면 주거에 침입한 자가 퇴거요구를 받고 불응한 때에는(주거침입의 위법상태가 계속 이어지는 것이므로) **퇴거불응죄는 별도로 성립하지 않는다.**

㉡ [×] 외부인이 공동거주자의 일부가 부재 중에 주거 내에 현재하는 거주자의 현실적인 승낙을 받아 통상적인 출입방법에 따라 공동주거에 들어간 경우라면 그것이 부재 중인 다른 거주자의 추정적 의사에 반하는 경우에도 주거침입죄가 성립하지 않는다고 보아야 한다.(대법원 2021. 9. 9. 2020도12630 전합) 이 판례로 남편이 일시 부재 중 간통의 목적하에 그 처의 승낙을 얻어 주거에 들어간 경우라도 남편의 주거의 사실상의 평온은 깨어졌다 할 것이므로 주거침입죄가 성립한다.(대법원 1984. 6. 26. 83도685 **유부녀 집에서 간통사건**)는 폐기되었다.

㉢ [×] 피고인이 고모의 아들인 피해자의 집에 잠시 들어가 있는 동안에 피해자에게 돈을 갚기 위하여 찾아 온 피해자의 이질(姨姪)의 돈을 절취하였다면 피고인이 당초부터 불법목적을 가지고 피해자의 집에 들어갔거나 그의 의사에 반하여 그의 집에 들어간 것이 아니어서 **주거침입죄는 성립하지 아니한다.**(대법원 1984. 2. 14. 83도2897)

㉣ [○] 점유할 권리 없는 자의 점유라고 하더라도 그 주거의 평온은 보호되어야 할 것이므로, 권리자가 그 권리실행으로서 자력구제의 수단으로 건조물에 침입한 경우에도 **주거침입죄가 성립한다.**(대법원 2007. 3. 15. 2006도7044 **비닐하우스 침입사건**)

㉤ [×] 주거침입죄에서 '주거'란 단순히 가옥 자체만을 말하는 것이 아니라 그 정원 등 **위요지를 포함한다.**(대법원 2009. 9. 10. 2009도4335 **엘리베이터 폭행, 계단 강간사건**)

정답 | 164 ①

165 다음 중 가장 옳지 않게 설명한 사람은? (다툼이 있으면 판례에 의함) 22 법원행시 [Superlative ★★★]

□□□

영준: 약사가 아닌 사람이 이미 개설된 약국의 시설과 인력을 인수하고 그 운영을 지배·관리하는 등 종전 개설자의 약국 개설·운영행위와 단절되는 새로운 개설·운영행위를 한 것으로 볼 수 있는 경우라면 약사법에서 금지하는 약사가 아닌 사람의 약국 개설행위에 해당해!

미영: 성폭력범죄의 처벌 등에 관한 특례법 제6조에서 정하는 '정신적인 장애가 있는 사람'이란 '정신적인 기능이나 손상 등의 문제로 일상생활이나 사회생활에서 상당한 제약을 받는 사람'을 가리켜. 따라서 장애인복지법에 따른 장애인 등록을 하지 않았다거나 그 등록기준을 충족하지 못하더라도 여기에 해당할 수 있어!

수정: 피고인이 甲의 부재 중에 甲의 처 乙과 혼외 성관계를 가질 목적으로 乙이 열어 준 현관 출입문을 통하여 甲과 乙이 공동으로 거주하는 아파트에 들어갔다면 피고인이 乙로부터 현실적인 승낙을 받아 통상적인 출입방법에 따라 주거에 들어갔으므로 주거의 사실상 평온상태를 해치는 행위태양으로 주거에 들어간 것이 아니어서 주거에 침입한 것으로 볼 수 없어 주거침입죄는 성립하지 않아!

학식: 주거침입강제추행죄 및 주거침입강간죄 등은 사람의 주거 등을 침입한 자가 피해자를 간음, 강제추행 등 성폭력을 행사한 경우에 성립하는 것으로서 주거침입죄를 범한 후에 사람을 강간하는 등의 행위를 하여야 하는 일종의 신분범이야. 따라서 그 실행의 착수시기는 주거침입 행위를 한 때야!

철호: 골프시설의 운영자가 골프회원에게 불리하게 변경된 내용의 회칙에 대하여 동의한다는 내용의 등록신청서를 제출하지 아니하면 회원으로 대우하지 아니하겠다고 통지한 것은 강요죄에 해당해!

① 영준 ② 미영 ③ 수정
④ 학식 ⑤ 철호

해설

④ [×] 학식: 주거침입강제추행죄 및 주거침입강간죄 등은 사람의 주거 등을 침입한 자가 피해자를 간음, 강제추행 등 성폭력을 행사한 경우에 성립하는 것으로서 주거침입죄를 범한 후에 사람을 강간하는 등의 행위를 하여야 하는 일종의 신분범이고, 선후가 바뀌어 강간죄 등을 범한 자가 그 피해자의 주거에 침입한 경우에는 이에 해당하지 않고 강간죄 등과 주거침입죄 등의 실체적 경합범이 된다. **그 실행의 착수시기는 주거침입행위 후 강간죄 등의 실행행위에 나아간 때이다.**(대법원 2021. 8. 12. 2020도17796 **주점화장실 유사강간 사건**)

① [○] 영준: 약사 등이 아닌 사람이 이미 개설된 약국의 시설과 인력을 인수하고 그 운영을 지배·관리하는 등 **종전 개설자의 약국 개설·운영행위와 단절되는 새로운 개설·운영행위를 한 것으로 볼 수 있는 경우에도 약사법에서 금지하는 약사 등이 아닌 사람의 약국 개설행위에 해당한다.**(대법원 2021. 7. 29. 2021도6092 **돌파리 약국 양수 사건**)

② [○] 미영: 성폭력 제6조에서 정하는 '정신적인 장애가 있는 사람'이란 '정신적인 기능이나 손상 등의 문제로 일상생활이나 사회생활에서 상당한 제약을 받는 사람'을 가리킨다. **장애인복지법에 따른 장애인 등록을 하지 않았다거나 그 등록기준을 충족하지 못하더라도 여기에 해당할 수 있다.**(대법원 2021. 10. 28. 2021도9051 **미등록 장애인 간음사건**)

③ [○] 수정: 외부인이 공동거주자의 일부가 부재 중에 주거 내에 현재하는 **거주자의 현실적인 승낙을 받아 통상적인 출입방법에 따라 공동주거에 들어간 경우라면 그것이 부재 중인 다른 거주자의 추정적 의사에 반하는 경우에도 주거침입죄가 성립하지 않는다.**(대법원 2021. 9. 9. 2020도12630 全合 **유부녀 아파트에서 간통사건**)

⑤ [○] 철호: 골프시설의 운영자가 골프회원에게 불리하게 변경된 내용의 회칙에 대하여 동의한다는 내용의 등록신청서를 제출하지 아니하면 회원으로 대우하지 아니하겠다고 통지한 것은 **강요죄에 해당한다.**(대법원 2003. 9. 26. 2003도763 **리베라컨트리클럽 사건**)

정답 | 165 ④

제5장 재산에 관한 죄

제1절 | 재산죄 일반(친족상도례)

166 재물과 재산상의 이익에 관한 설명으로 가장 적절하지 않은 것은? (다툼이 있으면 판례에 의함)

□□□

22 경찰채용 [Essential ★]

① 비트코인은 경제적인 가치를 디지털로 표상하여 전자적으로 이전, 저장과 거래가 가능하도록 한 가상자산의 일종으로 사기죄의 객체인 재산상 이익에 해당한다.

② 甲이 乙의 돈을 절취한 다음 다른 금전과 섞거나 교환하지 않고 쇼핑백 등에 넣어 자신의 집에 숨겨두었는데, 丙이 乙의 지시로 甲에게 겁을 주어 쇼핑백 등에 들어 있던 절취된 돈을 교부받아 갈취하였다면 위 돈은 타인인 甲의 재물이라고 볼 수 없다.

③ 형법 제333조(강도)에서의 '재산상 이익'은 반드시 사법상 유효한 재산상의 이득만을 의미하는 것은 아니나, 단지 외견상 재산상의 이득을 얻을 것이라고 인정할 수 있는 사실관계만으로는 재산상의 이익을 인정할 수 없다.

④ 배임죄에 있어서 재산상의 손해를 가한 때라 함은 현실적인 손해를 가한 경우뿐만 아니라 재산상 실해 발생의 위험을 초래한 경우도 포함된다.

해설

③ [×] 법률상 정당하게 그 이행을 청구할 수 있는 것이 아니어도 강도죄에서의 재산상의 이익에 해당할 수 있고, 그 재산상의 이익은 반드시 사법상 유효한 재산상의 이득만을 의미하는 것이 아니며, **외견상 재산상의 이득을 얻을 것이라고 인정할 수 있는 사실관계만 있으면 여기에 해당된다.**(대법원 2020. 10. 15. 2020도7218 성매매대금 반환요구 사건)

① [○] **비트코인**은 경제적인 가치를 디지털로 표상하여 전자적으로 이전, 저장과 거래가 가능하도록 한 가상자산의 일종으로 **사기죄의 객체인 재산상 이익에 해당한다.**(대법원 2021. 11. 11. 2021도9855 비트코인 편취사건)

② [○] 공갈죄의 대상이 되는 재물은 타인의 재물을 의미하므로 사람을 공갈하여 자기의 재물을 교부받는 경우에는 공갈죄가 성립하지 아니한다. 그리고 타인의 재물인지는 민법, 상법, 기타의 실체법에 의하여 결정되는데, 금전을 도난당한 경우 절도범이 절취한 금전만 소지하고 있는 때 등과 같이 구체적으로 절취된 금전을 특정할 수 있어 객관적으로 다른 금전 등과 구분됨이 명백한 예외적인 경우에는 절도 피해자에 대한 관계에서 **그 금전이 절도범인 타인의 재물이라고 할 수 없다.**(대법원 2012. 8. 30. 2012도6157 절취당한 40억 회수사건)

④ [○] 배임죄에 있어서 재산상의 손해를 가한 때라 함은 현실적인 손해를 가한 경우뿐만 아니라 **재산상 실해 발생의 위험을 초래한 경우도 포함된다.**(대법원 2012. 2. 23. 2011도15857 국일호 금강산랜드 회장 사건)

167 재산죄에 관한 설명으로 가장 적절한 것은? (다툼이 있으면 판례에 의함)

□□□

24 경찰채용 [Superlative ★★★]

① 형법 제333조 후단의 강도죄(이른바 강제이득죄)의 요건인 재산상의 이익이란 재물을 포함한 모든 재산상의 이익을 말하는 것으로서 적극적 이익(적극적인 재산의 증가)이든 소극적 이익(소극적인 부채의 감소)이든 묻지 않는다.

② 甲이 상대방으로부터 금품이나 재산상 이익을 받을 것을 약속하고 성행위를 하는 경우 그 행위의 대가는 사기죄의 객체인 경제적 이익에 해당하지 않는다.

③ 甲이 피해자를 폭행·협박하여 매출전표에 허위 서명하게 하고 이를 교부받아 소지한 경우 甲이 신용카드회사에 매출전표를 제출하여도 신용카드회사가 신용카드 가맹점 규약 또는 약관의 규정을 들어 그 금액의 지급을 거절할 수 있으므로 甲은 '재산상 이익'을 취득하였다고 볼 수 없다.

④ 사기로 편취한 재물 또는 재산상의 이익의 가액을 구체적으로 산정할 수 없는 경우에는 편취한 재물 또는 재산상 이익의 가액이 5억원 이상 또는 50억원 이상인 것이 범죄구성요건의 일부로 되어 있고 그 가액에 따라 그 죄에 대한 형벌도 가중하는 특정경제범죄 가중처벌 등에 관한 법률위반(사기)죄로 처벌할 수 없다.

해설

④ [○] 사기로 인한 「특정경제범죄 가중처벌 등에 관한 법률」위반죄는 편취한 재물 또는 재산상 이익의 가액이 5억 원 이상 또는 50억 원 이상인 것이 범죄구성요건의 일부로 되어 있고 그 가액에 따라 그 죄에 대한 형벌도 가중되어 있으므로 이를 적용함에 있어서는 편취한 재물이나 재산상 이익의 가액을 엄격하고 신중하게 산정함으로써 죄형균형 원칙이나 책임주의 원칙이 훼손되지 않도록 유의하여야 한다. 그러므로 사기로 편취한 재물 또는 재산상의 이익의 **가액을 구체적으로 산정할 수 없는 경우에는 「특정경제범죄 가중처벌 등에 관한 법률」 위반(사기)죄로 처벌할 수 없다.**(대법원 2022. 6. 30. 2022도3771 중국산 참조기 판매사건)

① [×] 형법 제333조 후단의 강도죄(이른바 강제이득죄)의 요건이 되는 **재산상의 이익이란 재물 이외의 재산상의 이익을 말하는 것으로서** 그 재산상의 이익은 반드시 사법상 유효한 재산상의 이득만을 의미하는 것이 아니고 외견상 재산상의 이득을 얻을 것이라고 인정할 수 있는 사실관계만 있으면 여기에 해당된다.(대법원 1997. 2. 25. 96도3411 주점 <여정> 사건)

② [×] 사기죄의 객체가 되는 재산상의 이익이 반드시 사법(私法)상 보호되는 경제적 이익만을 의미하지 아니하고 **부녀가 금품 등을 받을 것을 전제로 성행위를 하는 경우 그 행위의 대가는 사기죄의 객체인 경제적 이익에 해당하므로** 부녀를 기망하여 성행위 대가의 지급을 면하는 경우 사기죄가 성립한다.(대법원 2001. 10. 23. 2001도2991 화대 편탈사건)

③ [×] 피고인들이 폭행·협박으로 피해자로 하여금 매출전표에 서명을 하게 한 다음 이를 교부받아 소지함으로써 이미 외관상 매출전표를 제출하여 신용카드회사들로부터 그 금액을 지급받을 수 있는 상태가 되었는 바, 피해자가 매출전표에 허위 서명한 탓으로 피고인들이 매출전표를 제출하여도 신용카드회사들이 신용카드 가맹점 규약 또는 약관의 규정을 들어 그 금액의 지급을 거절할 가능성이 있다 하더라도 그로 인하여 피고인들이 매출전표상의 금액을 지급받을 가능성이 완전히 없어져 버린 것이 아니고 **외견상 여전히 그 금액을 지급받을 가능성이 있는 상태이므로 결국 피고인들은 '재산상 이익'을 취득하였다고 볼 수 있다.**(대법원 1997. 2. 25. 96도3411 주점 <여정> 사건)

정답 | 166 ③ 167 ④

168 재산죄 기초이론에 관한 설명으로 가장 적절하지 않은 것은? (다툼이 있으면 판례에 의함)

□□□

24 경찰채용 [Essential ★]

① 사기죄 및 컴퓨터등사용사기죄는 재물뿐만 아니라 재산상의 이익도 객체로 하는 재물죄 겸 이득죄이다.

② 절도죄는 재물만을 객체로 하는 재물죄인 반면, 강도죄는 재물뿐만 아니라 재산상의 이익도 객체로 하는 재물죄 겸 이득죄이다.

③ 형법상 친족상도례 규정은 「특정경제범죄 가중처벌 등에 관한 법률」 제3조 제1항에 의하여 가중처벌되는 사기죄에도 적용된다.

④ 부(父)가 혼인 외의 출생자를 인지하는 경우 「민법」상 인지의 소급효는 친족상도례에 관한 규정의 적용에도 미친다고 보아야 할 것이므로 인지가 범행 후에 이루어졌다 하더라도 그 소급효에 따라 형성되는 친족관계를 기초로 하여 형법상 친족상도례규정이 적용된다.

해설

① [×] 사기죄는 사람을 기망하여 **재물의 교부를 받거나 재산상의 이익을 취득하는 경우에** 성립하고, 컴퓨터등사용사기죄는 컴퓨터등 정보처리장치에 허위의 정보 또는 부정한 명령을 입력하거나 권한 없이 정보를 입력·변경하여 정보처리를 하게 함으로써 **재산상의 이익을 취득하거나 제3자로 하여금 취득하게 하는 경우에** 성립한다.(형법 제347조 제1항, 제347조의2) 사기죄는 재물죄 겸 이득죄이지만, 컴퓨터등사용사기죄는 이득죄이다.

② [○] 형법 제329조, 제333조

③ [○] 형법상 사기죄의 성질은 **특경법 제3조 제1항에 의해 가중처벌되는 경우에도 그대로 유지되어 친족상도례에 관한 형법 제354조, 제328조가 그대로 적용된다.**(대법원 2010. 2. 11. 2009도12627 **다단계사기 사건**)

④ [○] 부(父)가 혼인 외의 출생자를 인지하는 경우에 있어서는 그 자(子)의 출생시에 소급하여 인지의 효력이 생기는 것이며, 이와 같은 **인지의 소급효는 친족상도례에 관한 규정의 적용에도 미친다.**(대법원 1997. 1. 24. 96도1731 **인지의 소급효 사건**) (다만 현재 근친에 대한 친족상도례는 헌법불합치 적용중지 상태입니다. 새로운 입법이 있을 수 있습니다)

169 친족상도례에 관한 설명 중 가장 옳지 않은 것은? (다툼이 있는 경우 판례에 의함)

□□□

18 법원9급 [Essential ★]

① 친족상도례에 관한 규정은 범인과 피해물건의 소유자 및 점유자 모두 사이에 친족관계가 있는 경우에만 적용되는 것이고 절도범인이 피해물건의 소유자나 점유자의 어느 일방과 사이에서만 친족관계가 있는 경우에는 그 적용이 없다.

② 사기죄를 범하는 자가 금원을 편취하기 위한 수단으로 피해자와 혼인신고를 한 것이어서 그 혼인이 무효인 경우라면, 그러한 피해자에 대한 사기죄에서는 친족상도례를 적용할 수 없다.

③ 친족상도례를 적용하기 위하여는 범행 당시에 친족관계에 있어야 하므로, 피고인이 피해자의 재물을 절취한 후, 피고인이 재판상 인지의 확정판결을 받아 피해자와 사이에 친족 관계가 발생하였다고 하더라도 친족상도례의 규정이 적용되지 아니한다.

④ 피고인이 위험한 물건을 휴대한 채 친족인 피해자를 공갈하여 재물을 교부받은 경우에도 친족상도례가 적용된다.

해설

②③ 지문은 친족상도례 근친에 대한 헌법불합치 적용중지 결정(헌법재판소 2024. 6. 27. 2020헌마468등)으로 법개정 전까지 출제곤란

③ [×] 부(父)가 혼인 외의 출생자를 인지하는 경우에 있어서는 그 자(子)의 출생시에 소급하여 인지의 효력이 생기는 것이며, 이와 같은 **인지의 소급효는 친족상도례에 관한 규정의 적용에도 미친다.**(대법원 1997. 1. 24. 96도1731 인지의 소급효 사건)

① [○] 형법 제344조에 의하여 준용되는 형법 제328조 제1항에 정한 친족간의 범행에 관한 규정은 범인과 피해물건의 소유자 및 점유자 쌍방간에 같은 규정에 정한 친족관계가 있는 경우에만 적용되는 것이며, 단지 절도범인과 피해물건의 소유자간에만 친족관계가 있거나 절도범인과 피해물건의 **점유자간에만 친족관계가 있는 경우에는 그 적용이 없다.** (대법원 2014. 9. 25. 2014도8984 와이프 명의 봉고차 사건)

② [○] 사기죄를 범하는 자가 금원을 편취하기 위한 수단으로 피해자와 혼인신고를 한 것이어서 그 **혼인이 무효인 경우라면, 그러한 피해자에 대한 사기죄에서는 친족상도례를 적용할 수 없다고 할 것이다.**(대법원 2015. 12. 10. 2014도11533 혼인신고 → 사기 → 잠적 사건)

④ [○] 흉기 기타 위험한 물건을 휴대하고 공갈죄를 범하여 폭처법 제3조 제1항, 제2조 제1항 제3호에 의하여 가중처벌되는 경우에도 형법상 공갈죄의 성질은 그대로 유지되어 **친족상도례에 관한 형법 제354조, 제328조가 그대로 적용된다.**(대법원 2010. 7. 29. 2010도5795 장애인 조카 공갈사건)

정답 | 168 ① 169 ③

170 친족상도례에 관한 다음 설명 중 옳은 것은 모두 몇 개인가? (다툼이 있으면 판례에 의함)

□□□

16 경찰채용 [Core ★★]

㉠ 강도죄, 손괴죄, 경계침범죄, 강제집행면탈죄에 대해서는 친족상도례가 적용되지 아니한다.
㉡ 피고인이 백화점 내 점포에 입점시켜 주겠다고 속여 피해자로부터 입점비 명목으로 돈을 편취하였다며 사기로 기소된 경우, 피고인의 딸과 피해자의 아들이 혼인하여 피고인과 피해자가 사돈지간이라고 하더라도 민법상 친족으로 볼 수 없으므로 위 범죄를 친족상도례가 적용되는 친고죄라고 할 수 없다.
㉢ 횡령죄에서 친족상도례는 횡령범인과 피해물건의 소유자 또는 보관자 중 어느 한쪽과의 사이에만 친족관계가 있더라도 적용된다.
㉣ 장물범이 피해자와 동거하지 않는 직계혈족인 경우에는 그 동거 여부를 불문하고 형을 면제한다.

① 1개
② 2개
③ 3개
④ 4개

해설

㉣ 지문은 친족상도례 근친에 대한 헌법불합치 적용중지 결정(헌법재판소 2024. 6. 27. 2020헌마468등)으로 법개정 전까지 출제곤란

③ ㉠㉡㉣ 3 항목이 옳다.

㉠ [○] 강도죄, 손괴죄, 경계침범죄, 강제집행면탈죄에 대해서는 **친족상도례가 적용되지 아니한다.**(제328조 등)

㉡ [○] (1) 민법 제767조는 '배우자, 혈족 및 인척을 친족으로 한다'고 규정하고 있고, 민법 제769조는 혈족의 배우자, 배우자의 혈족, 배우자의 혈족의 배우자만을 인척으로 규정하고 있을 뿐, 구 민법 제769조에서 인척으로 규정하였던 '혈족의 배우자의 혈족'을 인척에 포함시키지 않고 있다.
(2) **피고인의 딸과 피해자의 아들이 혼인관계에 있어 피고인과 피해자가 사돈지간이라고 하더라도 이를 민법상 친족으로 볼 수 없다.**(대법원 2011. 4. 28. 2011도2170 사돈 사기 사건)

㉢ [×] (1) 친족상도례에 관한 형법 제361조, 제328조 제2항은 **범인과 피해물건의 소유자 및 위탁자 쌍방 사이에 친족관계가 있는 경우에만 적용되는 것이고,** 단지 횡령범인과 피해물건의 소유자간에만 친족관계가 있거나 횡령범인과 피해물건의 위탁자간에만 친족관계가 있는 경우에는 그 적용이 없다.
(2) 피고인 甲이, 조카 乙로부터 "A에게 전달해 달라"는 부탁과 함께 200만원을 교부받은 B에게 "A에게 전달해 주겠다"며 위 금원을 받아 보관하던 중 횡령한 경우 친족상도례 규정은 적용되지 않는다.(대법원 2008. 7. 24. 2008도3438 소유자만 친족 사건)

㉣ [○] 전3조의 죄를 범한 자와 피해자간에 제328조 제1항, 제2항의 **신분관계가 있는 때에는 동조의 규정을 준용한다.**(제365조 제1항)

171 친족상도례에 대한 설명으로 가장 적절하지 않은 것은? (다툼이 있으면 판례에 의함)

□□□

22 경찰승진 [Core ★★]

① 甲이 자신의 친구 A 소유의 재물로 알고 이를 절취하였는데 사실은 따로 거주하고 있는 자신의 숙부 B 소유의 물건이었던 경우에는 B의 고소가 있어야 공소를 제기할 수 있다.

② 甲과 친구 乙이 합동하여 甲의 아버지 A 소유의 물건을 절취한 경우 甲에게는 친족상도례가 적용되어 형이 면제되고 乙에게는 친족상도례가 적용되지 않는다.

③ 甲의 숙부 A가 B에게 금원을 교부하면서 C에게 전달해 달라고 부탁하였는데, 甲이 'C에게 전달해 주겠다'며 B로부터 위 금원을 교부받아 임의로 사용하였다면 甲과 B 사이에 친족관계가 없더라도 친족상도례가 적용된다.

④ 甲의 아버지 A가 손님 B로부터 가공을 의뢰받아 보관하고 있던 다이아몬드를 甲이 절취 한 경우 甲과 B사이에 친족관계가 없다면 친족상도례가 적용되지 않는다.

해설

②④ 지문은 친족상도례 근친에 대한 헌법불합치 적용중지 결정(헌법재판소 2024. 6. 27. 2020헌마468등)으로 법개정 전까지 출제곤란

③ [×] (1) 친족상도례에 관한 형법 제361조, 제328조 제2항은 범인과 피해물건의 소유자 및 위탁자 쌍방 사이에 친족관계가 있는 경우에만 적용되는 것이고, 단지 **횡령범인과 피해물건의 소유자간에만 친족관계가 있거나 횡령범인과 피해물건의 위탁자간에만 친족관계가 있는 경우에는 그 적용이 없다.**
(2) 피고인 甲이, '숙부 A로부터' "C에게 전달해 달라"는 부탁과 함께 200만원을 교부받은 B에게 "C에게 전달해 주겠다"며 위 금원을 받아 보관하던 중 횡령한 경우 친족상도례 규정은 적용되지 않는다.(대법원 2008. 7. 24. 2008도3438 소유자만 친족 사건)

① [○] 친족관계가 객관적으로 존재하면 친족상도례가 적용되고 행위자가 이를 인식할 것을 요하지 않고 또한 그에 대한 착오도 고의나 범죄성립에 영향에 없다. 동거하지 않는 방계혈족, 즉 원친(遠親)인 숙부(작은아버지)(叔父)의 물건을 절취한 것이므로 **친족상도례가 적용된다.** 지문의 경우 숙부 B의 고소가 있어야 공소를 제기할 수 있다.(제328조 제2항)

② [○] 신분관계가 없는 공범에 대하여는 친족상도례를 적용하지 아니한다.(제328조 제3항) 甲과 A는 근친(近親) 관계에 있으므로 甲의 절도죄에 대하여는 형을 면제하지만, **乙과 A는 친족이 아니므로 친족상도례는 적용되지 않는다.**

④ [○] (1) 형법 제344조에 의하여 준용되는 형법 제328조 제2항 소정의 친족간의 범행에 관한 조문은 범인과 피해물건의 소유자 및 점유자 쌍방간에 친족관계가 있는 경우에만 적용되는 것이고, 단지 절도범인과 피해물건의 소유자간에만 친족관계가 있거나 절도범인과 피해물건의 점유자간에만 친족관계가 있는 경우에는 그 적용이 없다.
(2) 피고인 甲이 '아버지 A가' B로부터 가공의뢰를 받아 보관 중이던 B 소유의 다이아몬드를 절취한 경우 **친족상도례 규정은 적용되지 않는다.**(대법원 1980. 11. 11. 80도131 점유자만 친족사건)

정답 | 170 ③ 171 ③

172 친족상도례에 관한 설명으로 가장 적절한 것은? (다툼이 있으면 판례에 의함)

□□□

19 경찰채용 [*Core* ★★]

① 가출 후 오랫동안 연락없이 지내던 甲이 자신의 딸과 결혼한 사위 乙을 기망하여 백화점 입점비 명목으로 돈을 편취한 경우, 친족상도례가 적용되지 않는다.

② 장물죄에 있어서 장물범과 피해자간에 동거친족의 신분관계가 있는 때에는 형이 면제되지만, 장물범과 본범간에 동거친족의 신분관계가 있는 때에는 형을 감경 또는 면제한다.

③ 타인 소유의 물건을 자기 아버지의 소유물로 오인하여 절취한 경우, 친족관계에 대한 착오가 인정되고 형법상 절도죄의 과실범 처벌규정이 없으므로 불가벌이 된다.

④ 절도피해자인 아버지가 체포된 절도범인이 자신의 혼외자임을 알고 비로소 인지(認知)를 하더라도 친족관계는 원칙적으로 범행 당시에 존재하여야 하기 때문에 친족상도례는 적용되지 않는다.

해설

②④ 지문은 친족상도례 근친에 대한 헌법불합치 적용중지 결정(헌법재판소 2024. 6. 27. 2020헌마468등)으로 법개정 전까지 출제곤란

② [○] 전3조의 죄를 범한 자와 피해자간에 **제328조 제1항**, 제2항의 신분관계가 있는 때에는 동조의 규정을 준용한다.(제365조 제1항) 전3조의 죄를 범한 자와 본범간에 **제328조 제1항**의 신분관계가 있는 때에는 그 형을 감경 또는 면제한다.(동조 제2항)

① [×] 가출 후 오랫동안 연락이 없었더라도 甲과 그의 딸 및 사위는 **친족관계에 있으므로 형법상 친족상도례가 적용된다.** 딸은 甲의 직계혈족이고 사위는 甲의 직계혈족의 배우자이므로(즉 모두 근친이므로) 甲의 사기죄에 대하여는 형을 면제하여야 한다.(대법원 2011. 5. 13. 2011도1765)

※ (1) 형법 제354조에 의하여 준용되는 제328조 제1항에서 '직계혈족, 배우자, 동거친족, 동거가족 또는 그 배우자 간의 제323조의 죄는 그 형을 면제한다'고 규정하고 있는바, 여기서 **'그 배우자'는 동거가족의 배우자만을 의미하는 것이 아니라, 직계혈족, 동거친족, 동거가족 모두의 배우자를 의미한다.**
(2) 피고인이 피해자의 직계혈족의 배우자임을 이유로 형법 제354조, 제328조 제1항에 따라 상습사기의 점에 관한 공소사실에 대하여 형을 면제한 것은 정당하다.(대법원 2011. 5. 13. 2011도1765)

③ [×] 친족상도례와 관련하여 친족관계에 대한 착오는 고의나 범죄성립에 영향에 없다. 비록 아버지 소유물로 오인하고 절취했더라도 그것이 아버지 소유물이 아니었던 이상 (친족상도례는 적용되지 않고) **절도죄가 성립한다.**

④ [×] 부(父)가 혼인 외의 출생자를 인지하는 경우에 있어서는 그 자(子)의 출생시에 소급하여 인지의 효력이 생기는 것이며, 이와 같은 **인지의 소급효는 친족상도례에 관한 규정의 적용에도 미친다.**(대법원 1997. 1. 24. 96도1731 인지의 소급효 사건)

173 □□□ 형법상 친족상도례에 대한 설명 중 가장 적절하지 않은 것은? (다툼이 있으면 판례에 의함)

17 경찰채용 [Core ★★]

① 친족상도례 규정은 강도죄, 경계침범죄, 강제집행면탈죄에는 적용되지 않으나 특수절도죄 및 상습절도죄에는 적용된다.

② 법원을 기망하여 제3자로부터 재물을 편취한 경우 피해자인 제3자와 사기죄를 범한 자가 직계혈족 관계에 있을 때에는 그 범인에 대하여 형을 면제하여야 한다.

③ 형법 제354조에 의하여 준용되는 제328조 제1항에서 "직계혈족, 배우자, 동거친족, 동거가족 또는 그 배우자 간의 제323조의 죄는 그 형을 면제한다."고 규정하고 있는바, 여기서 '그 배우자'는 동거가족의 배우자만을 의미하는 것이 아니라, 직계혈족, 동거친족, 동거가족 모두의 배우자를 의미하는 것으로 볼 것이다.

④ 장물죄를 범한 자와 본범간에 형법 제328조 제2항의 신분관계가 있는 때에는 형을 감경 또는 면제한다. 단, 신분관계가 없는 공범에 대하여는 예외로 한다.

해설

②③ 지문은 친족상도례 근친에 대한 헌법불합치 적용중지 결정(헌법재판소 2024. 6. 27. 2020헌마468등)으로 법개정 전까지 출제곤란

④ [×] 장물죄를 범한 자와 본범 간에 **형법 제328조 제1항의** 신분관계가 있는 때에는 형을 감경 또는 면제한다. 단, 신분관계가 없는 공범에 대하여는 예외로 한다.(제365조 제2항) 형법 제328조 제1항은 근친(近親)에 관한 규정이고, 제2항은 원친(遠親)에 관한 규정이다.

① [○] **제328조의 규정은 제329조 내지 제332조의 죄 또는 미수범에 준용**한다.(제344조)

② [○] 법원을 기망하여 제3자로부터 재물을 편취한 경우에 피기망자인 법원은 피해자가 될 수 없고 재물을 편취당한 제3자가 피해자라고 할 것이므로 피해자인 제3자와 사기죄를 범한 자가 직계혈족의 관계에 있을 때에는 그 범인에 대하여는 형법 제354조에 의하여 준용되는 형법 제328조 제1항에 의하여 **형을 면제하여야 한다**.(대법원 2014. 9. 26. 2014도8076 노모 사기사건)

③ [○] (1) 형법 제354조에 의하여 준용되는 제328조 제1항에서 '직계혈족, 배우자, 동거친족, 동거가족 또는 그 배우자 간의 제323조의 죄는 그 형을 면제한다'고 규정하고 있는바, 여기서 '그 배우자'는 동거가족의 배우자만을 의미하는 것이 아니라, 직계혈족, 동거친족, 동거가족 **모두의 배우자를 의미한다**.
(2) 피고인이 피해자의 직계혈족의 배우자임을 이유로 형법 제354조, 제328조 제1항에 따라 상습사기의 점에 관한 공소사실에 대하여 형을 면제한 것은 정당하다.(대법원 2011. 5. 13. 2011도1765)

정답 | 172 ② 173 ④

174 □□□ **친족상도례에 관한 설명 중 옳지 않은 것은? (다툼이 있으면 판례에 의함)** 14 사법시험 [Superlative ★★★]

① 절취한 남편 소유의 예금통장을 현금자동지급기에 넣고 조작하여 예금잔고를 자신의 거래은행 계좌로 이체하는 방법으로 저지른 컴퓨터등사용사기죄에 대하여 친족상도례가 적용되지 않는다.

② 甲이 위탁자가 소유자를 위해 보관하고 있는 물건을 위탁자로부터 보관받아 이를 횡령하였는데, 甲과 피해물건의 소유자간에만 친족관계가 있는 경우에는 친족상도례가 적용되지 않는다.

③ 흉기 기타 위험한 물건을 휴대하고 공갈죄를 범하여 「폭력행위 등 처벌에 관한 법률」 제3조 제1항에 의해 가중처벌되는 경우에도 형법상 공갈죄의 성질은 그대로 유지되는 것이고, 특별법인 위 법률에 친족상도례에 관한 형법의 적용을 배제한다는 명시적인 규정이 없으므로 친족상도례가 적용된다.

④ 甲이 자신의 사실상의 부(父)인 A 소유의 양도성예금증서를 꺼내어가 절취한 후에, A가 甲을 친생자로 인지한 경우라도 친족상도례의 규정이 적용된다.

⑤ 남편 甲이 아내인 B의 물건을 훔친 후 이혼을 한 경우에는 이혼으로 인하여 친족관계가 소멸되기 때문에 친족상도례는 적용되지 않는다.

해설

④⑤ 지문은 친족상도례 근친에 대한 헌법불합치 적용중지 결정(헌법재판소 2024. 6. 27. 2020헌마468등)으로 법개정 전까지 출제곤란

⑤ [×] 범행 당시 친족관계에 있으면 친족상도례가 적용되므로 남편이 아내의 물건을 훔친 후 이혼하여 친족관계가 소멸하였다고 하더라도 **친족상도례가 적용된다.**

① [○] (1) 친척 소유 예금통장을 절취한 자가 그 친척 거래 금융기관에 설치된 현금자동지급기에 예금통장을 넣고 조작하는 방법으로 친척 명의 계좌의 예금 잔고를 자신이 거래하는 다른 금융기관에 개설된 자기계좌로 이체한 경우, 그 범행으로 인한 피해자는 이체된 예금 상당액의 채무를 이중으로 지급해야 할 위험에 처하게 되는 그 친척 거래 금융기관이라 할 것이고 (중략) 위와 같은 경우에는 친족 사이의 범행을 전제로 하는 친족상도례를 적용할 수 없다.
(2) 손자가 할아버지 소유 농업협동조합 예금통장을 절취하여 이를 현금자동지급기에 넣고 조작하는 방법으로 예금잔고를 자신의 거래 은행 계좌로 이체한 경우, 농업협동조합이 **컴퓨터등사용사기 범행 부분의 피해자이므로 친족상도례를 적용할 수 없다.**(대법원 2007. 3. 15. 2006도2704 계좌이체 컴사기 사건) 판례는 손자가 할아버지의 예금통장을 절취한 사건에 대한 것이지만, 이는 지문처럼 남편의 예금통장을 절취한 사건의 경우에도 그대로 적용된다.

② [○] 친족상도례에 관한 형법 제361조, 제328조 제2항은 범인과 피해물건의 소유자 및 위탁자 쌍방 사이에 친족관계가 있는 경우에만 적용되는 것이고, 단지 횡령범인과 피해물건의 소유자간에만 친족관계가있거나 **횡령범인과 피해물건의 위탁자간에만 친족관계가 있는 경우에는 그 적용이 없다.**(대법원 2008. 7. 24. 2008도3438 소유자만 친족 사건)

③ [○] 흉기 기타 위험한 물건을 휴대하고 공갈죄를 범하여 폭처법 제3조 제1항, 제2조 제1항 제3호에 의하여 가중처벌되는 경우에도 형법상 공갈죄의 성질은 그대로 유지되어 **친족상도례에 관한 형법 제354조, 제328조가 그대로 적용된다.**(대법원 2010. 7. 29. 2010도5795 장애인 조카 공갈사건)

④ [○] 형법 제344조, 제328조 제1항 소정의 친족간의 범행에 관한 규정이 적용되기 위한 친족관계는 원칙적으로 범행 당시에 존재하여야 하는 것이지만, 부(父)가 혼인 외의 출생자를 인지하는 경우에 있어서는 민법 제860조에 의하여 그 자(子)의 출생시에 소급하여 인지의 효력이 생기는 것이며, 이와 같은 **인지의 소급효는 친족상도례에 관한 규정의 적용에도 미친다고 보아야 할 것이므로,** 인지가 범행 후에 이루어진 경우라고 하더라도 그 소급효에 따라 형성되는 친족관계를 기초로 하여 친족상도례의 규정이 적용된다.(대법원 1997. 1. 24. 96도1731 인지의 소급효 사건)

제2절 | 절도의 죄

175 절도죄에 관한 설명 중 가장 적절하지 않은 것은? (다툼이 있으면 판례에 의함)

□□□

16 경찰승진 [Essential ★]

① 타인의 토지에 권원 없이 식재한 감나무에서 감을 수확한 것은 절도죄가 성립한다.

② 발행자가 회수하여 세 조각으로 찢어버림으로써 폐지로 되어 쓸모없는 것처럼 보이는 약속어음의 소지를 침해하여 가져갔다면 절도죄가 성립한다.

③ 甲이 피해자 경영의 금은방에서 마치 귀금속을 구입할 것처럼 가장하여 피해자로부터 순금목걸이 등을 건네받은 다음 화장실에 갔다 오겠다는 핑계를 대고 도주한 경우 절도죄가 성립한다.

④ 물건의 운반을 의뢰받은 짐꾼이 그 물건을 의뢰인에게 운반해 주지 않고 용달차에 싣고 가서 처분한 경우에는 절도죄를 구성한다.

해설

④ [×] 피해자가 시장 점포에서 물건을 매수하여 그 곳에 맡겨 놓은 후 약 50m 떨어져 동 점포를 살펴볼 수 없는 딴 가게로 가서 지게 짐꾼인 피고인을 불러 피고인 단독으로 위 점포에 가서 맡긴 물건을 운반해줄 것을 의뢰하였더니 **피고인이 동 점포에 가서 맡긴 물건을 찾아 피해자에게 운반해 주지 않고 용달차에 싣고 가서 처분한 것이라면**, 피고인의 운반을 위한 소지 관계는 피해자의 위탁에 의한 보관관계에 있다고 할 것이므로 이를 영득한 행위는 절도죄가 아니라 **횡령죄를 구성한다**.(대법원 1982. 11. 23. 82도2394 **평화시장 짐꾼 사건**)

① [○] 타인의 토지상에 권원 없이 식재한 수목의 소유권은 토지소유자에게 귀속하고 권원에 의하여 식재한 경우에는 그 소유권이 식재한 자에게 있으므로, 권원 없이 식재한 **감나무에서 감을 수확한 것은 절도죄에 해당한다**.(대법원 1998. 4. 24. 97도3425 **감나무 사건**)

② [○] 발행자가 회수한 약속어음을 세조각으로 찢어버림으로서 폐지로 되어 쓸모없는 것처럼 보인다 하더라도 그것이 타인에 의하여 조합되어 새로운 어음으로 이용되지 않는 것에 대하여 **소극적인 경제적 가치를 가지는 것이므로 피고인이 이를 가져갔다면 절도죄가 성립한다**.(대법원 1976. 1. 27. 74도3442 **세조각 약속어음사건**)

③ [○] 피고인이 금방에서 마치 귀금속을 구입할 것처럼 가장하여 피해자로부터 **순금목걸이 등을 건네받은 다음 화장실에 갔다 오겠다는 핑계를 대고 도주한 것이라면, 순금목걸이 등은 도주하기 전까지는 아직 피해자의 점유하에 있었다고 할 것이므로 이를 절도죄로 의율 처단한 것은 정당하다**.(대법원 1994. 8. 12. 94도1487 **금목걸이 사건**)

정답 | 174 ⑤ 175 ④

176 절도죄에 관한 설명으로 가장 적절한 것은? (다툼이 있으면 판례에 의함) 24 경찰승진 [Essential ★]

□□□

① 甲이 피해 회사의 사무실에서 피해 회사 명의의 농협 통장을 몰래 가지고 나와 예금 1,000만원을 인출한 후 다시 위 통장을 제자리에 갖다 놓은 경우 위 통장에 대한 불법영득의사는 없다고 보아야 하므로 위 통장에 대한 절도죄는 성립하지 않는다.

② 甲이 자신의 모친 A의 명의로 구입·등록하여 A에게 명의신탁한 자동차를 B에게 담보로 제공한 후 B 몰래 가져간 경우 甲에게 절도죄가 성립한다.

③ 피해자의 영업점 내에 있는 피해자 소유의 휴대전화를 허락 없이 가지고 나와 사용한 다음 약 1~2시간 후 위 영업점 정문 옆 화분에 놓아두고 간 경우 절도죄의 불법영득의사가 인정되지 않는다.

④ 어떠한 물건을 점유자의 의사에 반하여 취거하더라도 그것이 결과적으로 소유자의 이익으로 된다는 사정 또는 소유자의 추정적 승낙이 있다고 볼 만한 사정이 인정된다면 다른 특별한 사정이 없는 한 불법영득의 의사가 있다고 할 수 없다.

해설

② [○] 피고인 甲이 자신의 모(母) A 명의로 구입·등록하여 A에게 명의신탁한 자동차를 B에게 담보로 제공한 후 이를 B 몰래 가져간 경우 **B에 대한 관계에서 자동차의 소유자는 A이고 甲이 소유자가 아니므로 절도죄가 성립한다.**(대법원 2012. 4. 26. 2010도11771 **어머니 명의 그랜저 사건**)

① [×] **예금통장을 사용하여 예금을 인출하게 되면 그 인출된 예금액에 대하여는 예금통장 자체의 예금액 증명기능이 상실되고** 이에 따라 그 상실된 기능에 상응한 **경제적 가치도 소모된다고 할 수 있다.** 그렇다면 타인의 예금통장을 무단사용하여 예금을 인출한 후 바로 예금통장을 반환하였다 하더라도 그 사용으로 인한 위와 같은 경제적 가치의 소모가 무시할 수 있을 정도로 경미한 경우가 아닌 이상, 예금통장 자체가 가지는 예금액 증명기능의 경제적 가치에 대한 불법영득의 의사를 인정할 수 있으므로 **절도죄가 성립한다.**(대법원 2010. 5. 27. 2009도9008 **회사 예금통장 사건**)

③ [×] 피고인이 휴대전화를 자신의 소유물과 같이 경제적 용법에 따라 이용하다가 본래의 장소와 다른 곳에 유기한 것이므로 **불법영득의사가 있었다고 할 것이다.**(대법원 2012. 7. 12. 2012도1132 **뉴욕스포츠피부 휴대폰 사건**)

④ [×] 어떠한 물건을 점유자의 의사에 반하여 취거하는 행위가 결과적으로 소유자의 이익으로 된다는 사정 또는 소유자의 추정적 승낙이 있다고 볼 만한 사정이 있다고 하더라도 다른 특별한 사정이 없는 한 그러한 사유만으로 **불법영득의 의사가 없다고 할 수는 없다.**(대법원 2014. 2. 21. 2013도14139 **리스 BMW 사건**)

177 절도죄의 객체에 관한 설명으로 가장 적절한 것은? (다툼이 있으면 판례에 의함)

□□□

19 경찰채용 [Core ★★]

① 고속버스 운전기사가 발견한 버스 내 유실물을 타인이 가져간 경우, 절도죄가 아니라 점유이탈물횡령죄가 성립한다.

② 종전 점유자의 점유가 그의 사망으로 인한 상속에 의하여 당연히 그 상속인에게 이전된다는 민법 제193조는 절도죄의 '점유'에도 적용된다.

③ 임차인이 임대계약 종료 후 식당건물에서 퇴거하면서 종전부터 사용하던 냉장고의 전원을 켜 둔 채 그대로 두었다가 약 1개월 후 철거해 가는 바람에 그 기간 동안 전기가 소비된 경우, 타인의 점유 관리 하에 있던 전기이므로 절도죄가 성립한다.

④ 자동차등록명의자가 등록명의는 그대로 두고 자동차의 소유권은 상대방이 보유하도록 하는 약정을 체결한 이후 약정상대방이 점유하던 그 자동차를 임의로 가져간 경우, 자동차 등록명의와 관계없이 약정상대방이 소유자이므로 절도죄가 성립한다.

해설

④ [○] (1) 자동차나 중기(또는 건설기계)의 소유권의 득실변경은 등록을 함으로써 그 효력이 생기고 그와 같은 등록이 없는 한 대외적 관계에서는 물론 당사자의 대내적 관계에 있어서도 그 소유권을 취득할 수 없는 것이 원칙이지만, 당사자 사이에 그 소유권을 그 등록 명의자 아닌 자가 보유하기로 약정하였다는 등의 특별한 사정이 있는 경우에는 **그 내부관계에 있어서는 그 등록 명의자 아닌 자가 소유권을 보유하게 된다고 할 것이다.**
(2) 그런데 만약 이 사건 공소사실과 같이 이 사건 승용차는 피해자공소외 1이 구입한 것으로 위 **피해자의 실질적인 소유**이고, 다만 장애인에 대한 면세 혜택 등의 적용을 받기 위해 피고인의 어머니인 공소외 2의 명의를 빌려 등록한 것이고, 나아가 원심 판시와 같이 피고인이 이 사건 당시공소외 2로부터 위 승용차를 가져가 매도할 것을 허락받고 그녀의 인감증명 등을 교부받은 뒤에 피고인이 이 사건 승용차를 위 피해자 몰래 가져갔다면, 피고인과 공소외 2의 공모 · 가공에 의한 **절도죄의 공모공동정범이 성립된다**고 보아야 한다.(대법원 2007. 1. 11. 2006도4498)

① [×] 고속버스의 운전사는 고속버스의 관수자(管守者)로서 차내에 있는 승객의 물건을 점유하는 것이 아니고 승객이 잊고 내린 유실물은 이를 교부받을 권능을 가질 뿐이므로, **그 유실물을 현실적으로 발견하지 아니하는 한 이에 대한 점유를 개시하였다고 할 수 없고,** 그 사이에 피고인이 유실물을 발견하고 이를 가져갔다면 이는 절도에 해당하지 아니하고 점유이탈물을 횡령한 경우에 해당한다.(대법원 1993. 3. 16. 92도3170 **고속버스 유실물 사건**) 판례의 취지에 의할 때 **고속버스 운전기사가 발견한 버스 내 유실물을 가져가면 절도죄가 성립한다.**

② [×] (1) **종전 점유자의 점유가 그의 사망으로 인한 상속에 의하여 당연히 그 상속인에게 이전된다는 민법 제193조는 절도죄의 요건으로서의 '타인의 점유'와 관련하여서는 적용의 여지가 없고,** 재물을 점유하는 소유자로부터 이를 상속받아 그 소유권을 취득하였다고 하더라도 상속인이 그 재물에 관하여 사실상의 지배를 가지게 되어야만 이를 점유하는 것으로서 그때부터 비로소 상속인에 대한 절도죄가 성립할 수 있다.
(2) 피고인 甲이 가방을 들고 나온 시점에 乙의 상속인들이 아파트에 있던 가방을 사실상 지배하여 점유하였다고 볼 수 없어 피고인의 행위가 절도죄를 구성한다고 할 수 없다.(대법원 2012. 4. 26. 2010도6334 **사망동거남 가방 사건**)

③ [×] 임차인은 퇴거 후에도 냉장고에 관한 점유 · 관리를 그대로 보유하고 있었다고 보아야 하므로, 냉장고를 통하여 전기를 계속 사용하였다고 하더라도 이는 당초부터 **자기의 점유 · 관리하에 있던 전기를 사용한 것일 뿐 타인의 점유 · 관리하에 있던 전기가 아니므로 절도죄는 성립하지 않는다.**(대법원 2008. 7. 10. 2008도3252 **냉장고 사건**)

정답 | 176 ②　177 ④

178 재산죄에 관한 설명으로 가장 적절하지 않은 것은? (다툼이 있으면 판례에 의함)

□□□

20 경찰채용 [Essential ★]

① 형법상의 점유란 현실적으로 어떠한 재물을 지배하는 순수한 사실상의 관계를 말하는 것으로서 민법상의 점유와 동일하다.

② 절도죄에서의 절취는 폭행·협박에 의하지 않고 타인 점유의 재물을 점유자의 의사에 반하여 그 점유를 배제하고 자기 또는 제3자의 점유하에 옮기는 것을 말한다.

③ 동업자, 조합원, 부부 사이와 같이 수인이 대등하게 재물을 점유하는 공유물, 합유물 그리고 총유물의 경우에도 공동점유자 상호간에 점유의 타인성이 인정되므로 그 중 1인이 다른 공동점유자의 점유를 배제하고 단독점유로 옮긴 때에는 절도죄가 성립한다.

④ 절도죄의 성립에 필요한 불법영득의 의사라 함은 타인의 재물에 대해서 소유자와 유사한 지배력을 행사하여 이용·처분하려는 의사를 말하는 것으로, 영구적으로 그 물건의 경제적 이익을 보유할 의사는 필요 없고, 일시적이어도 무방하다.

해설

① [×] 절도죄란 재물에 대한 타인의 점유를 침해함으로써 성립하는 것으로 여기서의 **'점유'라고 함은 현실적으로 어떠한 재물을 지배하는 순수한 사실상의 관계를 말하는 것으로서 민법상의 점유와 반드시 일치하는 것이 아니다.** 물론 이러한 현실적 지배라고 하여도 점유자가 반드시 직접 소지하거나 항상 감수(監守)하여야 하는 것은 아니고, 재물을 사실상으로 지배하는지 여부는 재물의 크기·형상, 그 개성의 유무, 점유자와 재물과의 시간적·장소적 관계 등을 종합하여 사회통념에 비추어 결정되어야 한다.(대법원 2012. 4. 26. 2010도6334 **사망 동거남 가방 사건**)

② [○] 형법상 절취란 타인이 점유하고 있는 자기 이외의 자의 소유물을 점유자의 의사에 반하여 그 **점유를 배제하고 자기 또는 제3자의 점유로 옮기는 것을 말한다.**(대법원 2014. 9. 25. 2014도8984 **와이프 명의 봉고차사건**)

③ [○] 절도죄에서 **공동점유물이나 공동소유물은 타인의 물건으로 간주하므로 옳은 설명이다.**(대법원 1994. 11. 25. 94도2432, 대법원 1990. 9. 11. 90도1021 등)

④ [○] 절도죄의 성립에 필요한 불법영득의 의사라 함은 권리자를 배제하고 타인의 물건을 자기의 소유물과 같이 이용, 처분할 의사를 말하고 영구적으로 그 물건의 경제적 이익을 보유할 의사임은 요하지 않으며 **일시사용의 목적으로 타인의 점유를 침탈한 경우에도 이를 반환할 의사 없이 상당한 장시간 점유하고 있거나 본래의 장소와 다른 곳에 유기하는 경우에는 이를 일시 사용하는 경우라고는 볼 수 없으므로 영득의 의사가 없다고 할 수 없다.**(대법원 2002. 9. 6. 2002도3465 **중국집 배달원 사건**)

179 절도죄의 실행의 착수가 인정되는 경우로 옳은 것을 모두 고르면? (다툼이 있으면 판례에 의함)
□□□

13 국가7급 [Essential ★]

㉠ 담을 넘어 마당에 들어가 훔칠 물건을 찾기 위하여 그 담에 붙어 걸어간 경우
㉡ 노상에 세워놓은 자동차 안에 있는 물건을 훔칠 생각으로 자동차의 유리창을 통하여 그 내부를 손전등으로 비추어 본 경우
㉢ 소를 흥정하고 있는 피해자의 뒤에 접근한 다음 소지하고 있던 가방으로 돈이 들어있는 피해자의 하의(下衣) 주머니를 스치면서 지나간 경우
㉣ 소매치기가 피해자의 양복 상의(上衣) 주머니에 있는 금품을 절취하려고 그 주머니에 손을 뻗쳐 그 겉을 더듬은 경우
㉤ 평소 잘 아는 피해자에게 전화채권을 사주겠다고 하면서 골목길로 유인하여 돈을 절취하려고 기회를 엿본 경우

① ㉠㉢ ② ㉠㉣ ③ ㉡㉣ ④ ㉢㉤

해설

② ㉠㉣ 2 항목의 경우 실행의 착수가 인정된다.
㉠ 피고인 甲과 乙이 함께 담을 넘어 회사 마당에 들어가 그 중 1명이 그곳에 있는 **구리를 찾기 위하여** 담에 붙어 걸어가다가 잡힌 경우, **절취 대상품에 대한 물색행위가 없었다고 할 수 없다.**(대법원 1989. 9. 12. 89도1153)
㉡ 비록 유리창을 따기 위해 면장갑을 끼고 있었고 칼을 소지하고 있었다 하더라도 절도의 예비행위로 볼 수는 있겠으나 타인의 재물에 대한 지배를 침해하는데 밀접한 행위를 한 것이라고는 볼 수 없어 **절취행위의 착수에 이른 것이었다고 볼 수 없다.**(대법원 1985. 4. 23. 85도464 **손전등 사건**)
㉢ 피고인의 행위는 단지 피해자의 주의력을 흐뜨려 주머니 속에 들은 금원을 절취하기 위한 예비단계의 행위에 불과한 것이고 이로써 **실행의 착수에 이른 것이라고는 볼 수 없다.**(대법원 1986. 11. 11. 86도1109)
㉣ 소매치기가 피해자의 양복상의 주머니로부터 금품을 절취하려고 그 호주머니에 손을 뻗쳐 그 겉을 더듬은 때에는 절도의 범행은 예비단계를 지나 실행에 착수하였다고 봄이 상당하다.(대법원 1984. 12. 11. 84도2524)
㉤ 돈을 절취하려고 기회를 엿본 행위만으로는 절도의 예비행위는 될지언정 타인의 재물에 대한 사실상 지배를 침해하는데 **밀접한 행위가 개시되었다고 단정할 수 없다.**(대법원 1983. 3. 8. 82도2944)

정답 | 178 ① 179 ②

180 재산죄에 대한 다음 설명 중 적절한 것만을 모두 고른 것은? (다툼이 있으면 판례에 의함)

□□□

21 경찰채용 [Core ★★]

㉠ 절도죄의 성립에 필요한 '불법영득의 의사'는 그것이 물건 자체를 영득할 의사인지 물건의 가치만을 영득할 의사인지를 불문한다.

㉡ 「형법」 제332조에 규정된 상습절도죄를 범한 범인이 범행의 수단으로 주간에 주거침입을 한 경우, 주거침입행위는 다른 상습절도죄에 흡수되어 1죄만을 구성하고 상습절도죄와 별개로 주거침입죄를 구성하지 않는다.

㉢ 공갈죄의 수단인 협박에 있어서의 해악의 고지가 비록 정당한 권리의 실현 수단으로 사용된 경우라도 그 권리실현의 수단·방법이 사회통념상 허용되는 정도나 범위를 넘는다면 공갈죄의 실행에 착수한 것으로 보아야 한다.

㉣ 당사자 사이에 혼인신고가 있었다면, 그 혼인신고가 단지 다른 목적을 달성하기 위한 방편에 불과한 것으로 그들 사이에 참다운 부부관계의 설정을 바라는 효과의사가 없다 하더라도 친족상도례를 적용할 수 있다.

① ㉠㉢ ② ㉠㉣ ③ ㉡㉢ ④ ㉡㉣

해설

① ㉠㉢ 2 항목이 옳다.

㉠ [○] 절도죄의 성립에 필요한 불법영득의 의사란 타인의 물건을 그 권리자를 배제하고 자기의 소유물과 같이 그 경제적 용법에 따라 이용 · 처분하고자 하는 의사를 말하는 것으로서 단순히 타인의 점유만을 침해하였다고 하여 그로써 곧 절도죄가 성립하는 것은 아니나, 재물의 소유권 또는 이에 준하는 본권을 침해하는 의사가 있으면 되고 반드시 영구적으로 보유할 의사가 필요한 것은 아니며, 그것이 **물건 그 자체를 영득할 의사인지 물건의 가치만을 영득할 의사인지를 불문한다.**(대법원 2014. 2. 21. 2013도14139 **리스 BMW 사건**)

㉡ [×] 형법 제332조에 규정된 상습절도죄를 범한 범인이 그 범행의 수단으로 주간에 주거침입을 한 경우 그 주간 주거침입행위는 **상습절도죄와 별개로 주거침입죄를 구성한다.**(대법원 2015. 10. 15. 2015도8169)

㉢ [○] 해악의 고지가 비록 정당한 권리의 실현 수단으로 사용된 경우라 하여도 그 권리실현의 수단 · 방법이 **사회통념상 허용되는 정도나 범위를 넘는다면 공갈죄의 실행에 착수한 것으로 보아야 한다.** 여기서 어떠한 행위가 구체적으로 사회통념상 허용되는 정도나 범위를 넘는지는 그 행위의 주관적인 측면과 객관적인 측면, 즉 추구한 목적과 선택한 수단을 전체적으로 종합하여 판단한다.(대법원 2019. 2. 14. 2018도19493 **자동차 부품 공급중단 공갈사건**)

㉣ [×] 비록 당사자 사이에 혼인의 신고가 있었더라도 **그것이 단지 다른 목적을 달성하기 위한 방편에 불과한 것으로서 그들 사이에 참다운 부부관계의 설정을 바라는 효과의사가 없을 때에는 그 혼인은 무효이다.** 그리고 형법 제354조, 제328조 제1항에 의하면 배우자 사이의 사기죄는 이른바 친족상도례에 의하여 형을 면제하도록 되어 있으나, 사기죄를 범하는 자가 금원을 편취하기 위한 수단으로 피해자와 혼인신고를 한 것이어서 그 혼인이 무효인 경우라면, 그러한 피해자에 대한 사기죄에서는 **친족상도례를 적용할 수 없다.**(대법원 2015. 12. 10. 2014도11533 **혼인신고 → 사기 → 잠적 사건**)

181 □□□ 절도의 죄에 관한 다음 설명 중 가장 적절하지 않은 것은? (다툼이 있으면 판례에 의함)

16 경찰채용 [Core ★★]

① 타인의 명의를 모용하여 발급받은 신용카드를 사용하여 현금자동지급기에서 현금대출을 받는 행위는 카드회사에 의하여 미리 포괄적으로 허용된 행위가 아니라, 현금자동지급기의 관리자의 의사에 반하여 그의 지배를 배제한 채 그 현금을 자기의 지배하에 옮겨 놓는 행위로서 절도죄에 해당한다.

② 타인의 연구소에 식재된 영산홍을 절취하기 위하여 땅에서 캐낸 것만으로 절도죄는 기수에 이르는 것이 아니라, 이를 피고인의 승용차에 운반하거나 반출하는 등의 행위를 함으로써 절도죄가 기수에 이른다.

③ 피고인 甲이 자신의 모(母) 乙명의로 구입·등록하여 乙에게 명의신탁한 자동차를 丙에게 담보로 제공한 후, 丙 몰래 가져가 절취하였다는 내용으로 기소된 사안에서, 丙에 대한 관계에서 자동차의 소유자는 乙이고 피고인 甲은 소유자가 아니므로 丙이 점유하고 있는 자동차를 임의로 가져간 이상 절도죄가 성립한다.

④ 타인의 예금통장을 무단 사용하여 예금을 인출한 후 바로 예금통장을 반환하였다 하더라도 그 사용으로 인한 위와 같은 경제적 가치의 소모가 무시할 수 있을 정도로 경미한 경우가 아닌 이상, 예금통장 자체가 가지는 예금액 증명기능의 경제적 가치에 대한 불법영득의 의사를 인정할 수 있으므로 절도죄가 성립한다.

해설

② [×] **입목을 절취하기 위하여 이를 캐낸 때에는 그 시점에서** 이미 소유자의 입목에 대한 점유가 침해되어 범인의 사실적 지배하에 놓이게 됨으로써 범인이 그 점유를 취득하게 되는 것이므로 **이때 절도죄는 기수에 이르렀다고 할 것이고**, 이를 운반하거나 반출하는 등의 행위는 필요로 하지 않는다.(대법원 2008. 10. 23. 2008도6080 **영산홍 사건**)

① [○] 피고인이 타인의 명의를 모용하여 발급받은 신용카드를 사용하여 현금자동지급기에서 현금대출을 받는 행위는 카드회사에 의하여 미리 포괄적으로 허용된 행위가 아니라, 현금자동지급기의 관리자의 의사에 반하여 그의 지배를 배제한 채 그 현금을 자기의 지배하에 옮겨 놓는 행위로서 **절도죄에 해당한다**.(대법원 2006. 7. 27. 2006도3126 **전처명의 신용카드 사건**)

③ [○] 피고인 甲이 자신의 모(母) 乙명의로 구입 · 등록하여 乙에게 명의신탁한 자동차를 丙에게 담보로 제공한 후, 丙 몰래 가져가 절취하였다는 내용으로 기소된 사안에서, 丙에 대한 관계에서 자동차의 소유자는 乙이고 피고인 甲은 소유자가 아니므로 丙이 점유하고 있는 자동차를 임의로 가져간 이상 **절도죄가 성립한다**.(대법원 2012. 4. 26. 2010도11771 **어머니 명의 그랜저 사건**)

④ [○] 타인의 예금통장을 무단사용하여 예금을 인출한 후 바로 예금통장을 반환하였다 하더라도 그 사용으로 인한 경제적 가치의 소모가 무시할 수 있을 정도로 경미한 경우가 아닌 이상, 예금통장 자체가 가지는 예금액 증명기능의 경제적 가치에 대한 불법영득의 의사를 인정할 수 있으므로 **절도죄가 성립한다**.(대법원 2010. 5. 27. 2009도9008 **회사 예금통장 사건**)

정답 | 180 ① 181 ②

182 다음 중 절도죄의 실행의 착수가 인정되지 않는 것은 모두 몇 개인가? (다툼이 있으면 판례에 의함)

□□□

16 경찰간부 [*Core* ★★]

㉠ 소를 흥정하고 있는 피해자의 뒤에 접근한 다음 소지하고 있던 가방으로 돈이 들어 있는 피해자의 하의 주머니를 스치면서 지나간 경우
㉡ 평소 잘 아는 피해자에게 전화채권을 사주겠다고 하면서 골목길에 유인하여 돈을 절취하려고 기회를 엿본 경우
㉢ 두 사람이 공모 합동하여 야간에 타인의 재물을 절취하려고 한 사람은 망을 보고 다른 한 사람은 도구를 가지고 출입문의 자물쇠를 떼어낸 경우
㉣ 야간에 아파트에 침입하여 물건을 훔칠 의도하에 아파트의 베란다 철제 난간까지 올라가 유리창문을 열려고 시도한 경우
㉤ 공장에서 물건을 훔치기 위하여 공장의 담을 넘어 그곳에 있는 구리를 찾기 위하여 담벽에 붙어 걷다가 발각된 경우

① 1개 ② 2개
③ 3개 ④ 4개

해설

② ㉠㉡ 2 항목의 경우 절도죄의 실행의 착수를 인정할 수 없다.
㉠ 피고인이 소를 흥정하고 있는 피해자의 뒤에 접근하여 가방으로 돈이 들어 있는 피해자의 하의 왼쪽 주머니를 스치면서 지나간 행위는 단지 피해자의 주의력을 흐트려 주머니 속에 들은 금원을 절취하기 위한 예비단계의 행위에 불과한 것이고 이로써 **실행의 착수에 이른 것이라고는 볼 수 없다.**(대법원 1986. 11. 11. 86도1109)
㉡ 피고인이 평소 잘 아는 피해자에게 전화채권을 사주겠다고 하면서 골목길로 유인하여 돈을 절취하려고 기회를 엿본 행위만으로는 절도의 예비행위는 될지언정 **타인의 재물에 대한 사실상 지배를 침해하는데 밀접한 행위가 개시되었다고 단정할 수 없다.**(대법원 1983. 3. 8. 82도2944)
㉢ 피고인 甲과 乙이 공모 합동하여 야간에 인쇄소에서 피고인 甲은 망을 보고 피고인 乙이 드라이바로 출입문 자물쇠를 떼어낸 다음 침입하려고 하다가 피해자에게 발각되어 미수에 그쳤다면 **특수절도죄의 실행에 착수한 것이다.**(대법원 1986. 7. 8. 86도843)
㉣ 피고인이 야간에 아파트 202호에 침입하여 물건을 훔칠 의도하에 아파트 202호의 베란다 철제난간까지 올라가 유리창문을 열려고 시도하였다면 주거의 사실상의 평온을 침해할 객관적 위험성을 포함하는 **구체적인 행위를 한 것으로 볼 수 있다.**(대법원 2003. 10. 24. 2003도4417 **202호 유리창문 사건**)
㉤ 피고인 甲과 乙이 함께 담을 넘어 회사 마당에 들어가 그 중 1명이 그곳에 있는 **구리를 찾기 위하여 담에 붙어 걸어가다가 잡힌 경우, 절취 대상품에 대한 물색행위가 없었다고 할 수 없다.**(대법원 1989. 9. 12. 89도1153)

183 절도죄에 대한 다음 설명 중 옳지 않은 것은 몇 개인가? (다툼이 있으면 판례에 의함)

□□□

19 경찰간부 [Superlative ★★★]

㉠ 피고인이 자신의 어머니 甲 명의로 구입 등록하여 甲에게 명의신탁한 자동차를 乙에게 담보로 제공한 후 乙 몰래 가져간 경우 절도죄가 성립한다.

㉡ 종전 점유자의 점유가 그의 사망으로 인한 상속에 의하여 당연히 그 상속인에게 이전된다는 민법 제193조는 절도죄의 요건으로서의 '타인의 점유'와 관련하여서는 적용의 여지가 없고, 재물을 점유하는 소유자로부터 이를 상속받아 그 소유권을 취득하였다고 하더라도 상속인이 그 재물에 관하여 사실상의 지배를 가지게 되어야만 이를 점유하는 것으로서 그때부터 비로소 상속인에 대한 절도죄가 성립할 수 있다.

㉢ 결혼예식장에서 신부 측 축의금 접수인인 것처럼 행세하면서 축의금을 교부받아 가로챈 것은 사기죄가 아니라 절도죄에 해당한다.

㉣ 甲이 밍크 45마리에 관하여 자기에게 그 권리가 있다고 주장하면서 이를 가져간 데 대해 밍크 소유자인 乙의 묵시적 동의가 있었다면 그 주장이 후에 허위임이 밝혀졌더라도 위법성이 조각되어 甲은 절도죄의 죄책을 지지 않는다.

① 없음 ② 1개 ③ 2개 ④ 3개

해설

② ㉣ 항목만 옳지 않다.

㉠ [○] 피고인이 자신의 어머니 甲 명의로 구입 등록하여 甲에게 명의신탁한 자동차를 乙에게 담보로 제공한 후 乙 몰래 가져간 경우 **절도죄가 성립한다.**(대법원 2012. 4. 26. 2010도11771 어머니 명의 그랜저 사건)

㉡ [○] 종전 점유자의 점유가 그의 사망으로 인한 상속에 의하여 당연히 그 상속인에게 이전된다는 민법 제193조는 절도죄의 요건으로서의 '타인의 점유'와 관련하여서는 적용의 여지가 없고, 재물을 점유하는 소유자로부터 이를 상속받아 그 소유권을 취득하였다고 하더라도 상속인이 그 재물에 관하여 **사실상의 지배를 가지게 되어야만** 이를 점유하는 것으로서 그때부터 비로소 **상속인에 대한 절도죄가 성립할 수 있다.**(대법원 2012. 4. 26. 2010도6334 사망 동거남 가방 사건)

㉢ [○] 피해자가 결혼예식장에서 신부측 축의금 접수인인 것처럼 행세하는 피고인에게 축의금을 내어 놓자 이를 교부받아 가로챈 경우, 피해자의 교부행위의 취지는 신부측에 전달하는 것일 뿐 피고인에게 그 처분권을 주는 것이 아니므로 이를 피고인에게 교부한 것이라고 볼 수 없고 단지 신부측 접수대에 교부하는 취지에 불과하므로 피고인이 그 돈을 가져간 것은 신부측 접수처의 점유를 침탈하여 범한 **절취행위라고 보는 것이 정당하다.**(대법원 1996. 10. 15. 96도2227 결혼식 축의금 사건)

㉣ [×] 피고인이 피해자에게 밍크 45마리에 관하여. 자기에게 그 권리가 있다고 주장하면서 이를 가져간 데 대하여 피해자의 묵시적인 동의가 있었다면 피고인의 주장이 후에 허위임이 밝혀졌더라도 피고인의 행위는 **절도죄의 절취행위에는 해당하지 않는다.**(대법원 1990. 8. 10. 90도1211 밍크 45마리 사건) 위법성이 조각되는 것이 아니라 구성요건해당성 자체가 부정된다.

정답 | 182 ② 183 ②

184 **다음 절도죄에 대한 설명 중 가장 옳은 것은? (다툼이 있으면 판례에 의함)** 22 해경승진 [Essential ★]
□□□

① 피고인이 절도의 습벽으로 자동차등불법사용의 범행을 하였으나 검사가 자동차등 불법사용의 점을 제외한 나머지 범행에 대하여만 상습절도 등의 죄로 기소하였다면, 자동차등 불법사용의 범행은 상습절도 등 죄의 위법성 평가에 포함되어 있지 않다고 봄이 상당하다.

② 임차인이 임대계약 종료 후 식당 건물에서 퇴거하면서 종전부터 사용하던 냉장고의 전원을 켜 둔 채 그대로 두었다가 약 1개월 후 철거해 가는 바람에 그 기간 동안 전기가 소비된 경우 임차인에게는 전기에 대한 절도죄가 성립한다.

③ 타인의 토지상에 권원 없이 식재한 수목의 소유권은 토지 소유자에게 귀속하고 권원에 의하여 식재한 경우에는 그 소유권이 식재한 자에게 있으므로 타인이 권원 없이 자신의 토지에 식재한 감나무에서 토지 소유자가 감을 수확한 것은 절도죄에 해당한다.

④ 산지기로서 종중 소유의 분묘를 간수하고 있는 자라고 하여도 그 분묘에 설치된 석등이나 문관석 등을 점유하고 있다고는 할 수 없으므로 그가 이러한 물건 등을 반출하여 가는 행위는 절도죄를 구성한다.

해설

④ [○] **산지기**로서 종중 소유의 분묘를 간수하고 있는 자라고 하여도 그 분묘에 설치된 석등이나 문관석 등을 점유하고 있다고는 할 수 없으므로 그가 이러한 물건 등을 반출하여 가는 행위는 **절도죄를 구성한다**.(대법원 1985. 3. 26. 84도3024 산지기 사건)

① [×] 상습으로 절도, 야간주거침입절도, 특수절도 또는 그 미수 등의 범행을 저지른 자가 마찬가지로 절도습벽의 발현으로 자동차등불법사용의 범행도 함께 저지른 경우에 검사가 상습절도죄로 기소하는 때는 **자동차등불법사용의 위법성에 대한 평가는 상습절도 등 죄의 구성요건적 평가 내지 위법성 평가에 포함되어 있다고 보는 것이 타당하고**, 따라서 상습절도 등의 범행을 한 자가 추가로 자동차등불법사용의 범행을 한 경우에 그것이 절도 습벽의 발현이라고 보이는 이상 자동차등불법사용의 범행은 상습절도 등의 죄에 흡수되어 1죄만이 성립하고 이와 별개로 자동차등불법사용죄는 성립하지 않는다.(대법원 2002. 4. 26. 2002도429)

② [×] 임차인은 퇴거 후에도 냉장고에 관한 점유 · 관리를 그대로 보유하고 있었다고 보아야 하므로, 냉장고를 통하여 전기를 계속 사용하였다고 하더라도 이는 당초부터 **자기의 점유 · 관리하에 있던 전기를 사용한 것일 뿐 타인의 점유 · 관리하에 있던 전기가 아니므로 절도죄는 성립하지 않는다**.(대법원 2008. 7. 10. 2008도3252 냉장고 사건)

③ [×] **타인의 토지상에 권원 없이 식재한 수목의 소유권은 토지소유자에게 귀속하고** 권원에 의하여 식재한 경우에는 그 소유권이 식재한 자에게 있으므로 권원 없이 식재한 감나무에서 감을 수확한 것은 절도죄에 해당한다.(대법원 1998. 4. 24. 97도3425 감나무 사건) 권원 없이 식재한 자가 감을 수확하면 절도죄가 성립하지만, **토지 소유자가 감을 수확하면 절도죄가 성립하지 아니한다**.

185 절도의 죄에 대한 설명으로 가장 적절한 것은? (다툼이 있으면 판례에 의함)

□□□

22 경찰승진 [Essential ★]

① 甲이 동거 중인 A의 지갑에서 현금을 꺼내 가는 것을 A가 목격하고서도 만류하지 않은 경우에는 위법성이 조각되어 절도죄가 성립하지 않는다.

② 甲과 A의 동업자금으로 구입하여 A가 관리하고 있던 건설기계를 甲이 A의 허락 없이 乙로 하여금 운전하여 가도록 한 행위는 절도죄를 구성하지 않는다.

③ 甲과 乙이 자신들의 A에 대한 물품대금 채권을 다른 채권자들보다 우선적으로 확보할 목적으로 A가 부도를 낸 다음날 새벽에 A의 승낙을 받지 아니한 채 A의 가구점의 시정장치를 쇠톱으로 절단하고 그곳에 침입하여 A의 가구들을 화물차에 싣고 가 다른 장소에 옮겨 놓은 경우에는 甲과 乙에게 불법영득의사가 인정되지 않아 특수절도죄가 성립하지 않는다.

④ 반드시 영구적으로 보유할 의사가 아니더라도 재물의 소유권 또는 이에 준하는 본권을 침해하는 의사가 있으면 절도죄의 성립에 필요한 불법영득의 의사를 인정할 수 있고, 그것이 물건 자체를 영득할 의사인지 물건의 가치만을 영득할 의사인지는 불문한다.

해설

④ [○] 반드시 영구적으로 보유할 의사가 아니더라도 재물의 소유권 또는 이에 준하는 본권을 침해하는 의사가 있으면 절도죄의 성립에 필요한 불법영득의 의사를 인정할 수 있고, 그것이 **물건 자체를 영득할 의사인지 물건의 가치만을 영득할 의사인지는 불문한다.**(대법원 2014. 2. 21. 2013도14139 **리스 BMW 사건**)

① [×] 피고인이 동거 중인 피해자의 지갑에서 현금을 꺼내가는 것을 피해자가 현장에서 목격하고도 만류하지 아니하였다면 **피해자가 이를 허용하는 묵시적 의사가 있었다고 봄이 상당하여 이는 절도죄를 구성하지 않는다.**(대법원 1985. 11. 26. 85도1487) 절도죄의 **구성요건에 해당하지 않아** 절도죄가 성립하지 않는다.

② [×] 피고인 甲이 甲과 A의 동업자금으로 구입하여 A가 관리하고 있던 다이야포크레인 1대를 그의 허락없이 乙로 하여금 운전하여 가도록 한 행위는 **절도죄를 구성한다.**(대법원 1990. 9. 11. 90도1021) 동업자금으로 구입한 다이야포크레인은 甲과 A의 공동소유, 그 중에 합유(合有)에 해당한다.

③ [×] 피고인들이 물품대금 채권을 다른 채권자들보다 우선적으로 확보할 목적으로 피해자가 부도를 낸 다음날 새벽에 피해자의 가구점의 시정장치를 쇠톱으로 절단하고 그곳에 침입하여 시가 1,600만원 상당의 가구들을 화물차에 싣고 가 다른 장소에 옮겨 놓은 경우 **피고인들에게 불법영득의사가 있었다고 볼 수밖에 없다.**(대법원 2006. 3. 24. 2005도8081 **가구점 부도 사건**)

정답 | 184 ④ 185 ④

186 절도죄에 대한 설명으로 옳은 것은? (다툼이 있으면 판례에 의함)

□□□

21 경찰간부 [Essential ★]

① 산지기로서 종중 소유의 분묘를 간수하고 있는 자라고 하여도 그 분묘에 설치된 석등이나 문관석 등을 점유하고 있다고는 할 수 없으므로, 그가 이러한 물건 등을 반출하여 가는 행위는 절도죄를 구성한다.

② 임차인이 임대계약 종료 후 식당 건물에서 퇴거하면서 종전부터 사용하던 냉장고의 전원을 켜 둔 채 그대로 두었다가 약 1개월 후 철거해 가는 바람에 그 기간 동안 전기가 소비된 경우, 임차인에게는 전기에 대한 절도죄가 성립한다.

③ 타인의 토지상에 권원 없이 식재한 수목의 소유권은 토지 소유자에게 귀속하고 권원에 의하여 식재한 경우에는 그 소유권이 식재한 자에게 있으므로, 타인이 권원 없이 자신의 토지에 식재한 감나무에서 토지 소유자가 감을 수확한 것은 절도죄에 해당한다.

④ 피고인이 절도의 습벽으로 자동차등불법사용의 범행을 하였으나 검사가 자동차등불법사용의 점을 제외한 나머지 범행에 대하여만 상습절도 등의 죄로 기소하였다면, 자동차등불법사용의 범행은 상습절도 등 죄의 위법성 평가에 포함되어 있지 않다고 봄이 상당하다.

해설

① [○] **산지기**로서 종중 소유의 분묘를 간수하고 있는 자는 분묘에 설치된 석등이나 문관석 등을 점유하고 있다고는 할 수 없으므로 이러한 물건 등을 반출하여 가는 행위는 횡령죄가 아니고 **절도죄를 구성한다.**(대법원 1985. 3. 26. 84도3024 산지기 사건)

② [×] 임차인은 퇴거 후에도 냉장고에 관한 점유 · 관리를 그대로 보유하고 있었다고 보아야 하므로, 냉장고를 통하여 전기를 계속 사용하였다고 하더라도 이는 당초부터 **자기의 점유 · 관리하에 있던 전기를 사용한 것일 뿐 타인의 점유 · 관리하에 있던 전기가 아니므로 절도죄는 성립하지 않는다.**(대법원 2008. 7. 10. 2008도3252 냉장고 사건)

③ [×] **타인의 토지상에 권원 없이 식재한 수목의 소유권은 토지소유자에게 귀속하고** 권원에 의하여 식재한 경우에는 그 소유권이 식재한 자에게 있으므로, 권원 없이 식재한 감나무에서 감을 수확한 것은 절도죄에 해당한다.(대법원 1998. 4. 24. 97도3425 감나무 사건) 권원 없이 식재한 자가 감을 수확하면 절도죄가 성립하지만, **토지 소유자가 감을 수확하면 절도죄가 성립하지 아니한다.**

④ [×] 상습으로 절도, 야간주거침입절도, 특수절도 또는 그 미수 등의 범행을 저지른 자가 마찬가지로 절도습벽의 발현으로 자동차등불법사용의 범행도 함께 저지른 경우에 검사가 상습절도죄로 기소하는 때는 **자동차등불법사용의 위법성에 대한 평가는 상습절도 등 죄의 구성요건적 평가 내지 위법성 평가에 포함되어 있다고 보는 것이 타당하고,** 따라서 상습절도 등의 범행을 한 자가 추가로 자동차등불법사용의 범행을 한 경우에 그것이 절도 습벽의 발현이라고 보이는 이상 자동차등불법사용의 범행은 상습절도 등의 죄에 흡수되어 1죄만이 성립하고 이와 별개로 자동차등불법사용죄는 성립하지 않는다.(대법원 2002. 4. 26. 2002도429)

187 다음 설명 중 가장 옳지 않은 것은? (다툼이 있으면 판례에 의함) 21 법원9급 [Essential ★]

□□□

① 어떠한 물건을 점유자의 의사에 반하여 취거하더라도 그것이 결과적으로 소유자의 이익으로 된다는 사정 또는 소유자의 추정적 승낙이 있다고 볼 만한 사정이 인정된다면, 다른 특별한 사정이 없는 한 불법영득의 의사가 있다고 할 수 없다.

② 피고인이 자신의 모친 甲 명의로 구입·등록하여 甲에게 명의신탁한 자동차를 乙에게 담보로 제공한 후 乙 몰래 가져가 절취한 경우, 乙에 대한 관계에서 자동차의 소유자는 甲이고 피고인은 소유자가 아니므로 乙이 점유하고 있는 자동차를 임의로 가져간 이상 절도죄가 성립한다.

③ 강간을 당한 피해자가 도피하면서 현장에 놓아두고 간 손가방은 점유이탈물이 아니라 사회통념상 피해자의 지배하에 있는 물건이라고 보아야 하므로, 피고인이 그 손가방 안에 들어 있는 피해자 소유의 돈을 꺼낸 경우 절도죄에 해당한다.

④ 동업체에 제공된 물품은 동업관계가 청산되지 않는 한 동업자들의 공동점유에 속하므로 그 물품이 원래 피고인의 소유라거나 피고인이 다른 곳에서 빌려서 제공하였다는 사유만으로는 절도죄의 객체가 됨에 지장이 없다.

해설

① [×] 어떠한 물건을 점유자의 의사에 반하여 취거하는 행위가 결과적으로 소유자의 이익으로 된다는 사정 또는 소유자의 추정적 승낙이 있다고 볼 만한 사정이 있다고 하더라도, 다른 특별한 사정이 없는 한 그러한 사유만으로 **불법영득의 의사가 없다고 할 수는 없다**.(대법원 2014. 2. 21. 2013도14139 리스 BMW 사건)

② [○] 乙에 대한 관계에서 자동차의 소유자는 甲이고 **피고인은 소유자가 아니므로 乙이 점유하고 있는 자동차를 임의로 가져간 이상 절도죄가 성립한다**.(대법원 2012. 4. 26. 2010도11771 어머니 명의 그랜저 사건)

③ [○] 강간을 당한 피해자가 도피하면서 현장에 놓아두고 간 손가방은 점유이탈물이 아니라 사회통념상 **피해자의 지배하에 있는 물건이라고 보아야 할 것이므로 피고인이 손가방 안에 들어 있는 돈을 꺼낸 소위는 절도죄에 해당한다**.(대법원 1984. 2. 28. 84도38)

④ [○] 동업체에 제공된 물품은 동업관계가 청산되지 않는 한 **동업자들의 공동점유에 속하므로** 그 물품이 원래 피고인의 소유라거나 피고인이 다른 곳에서 빌려서 제공하였다는 사유만으로는 **절도죄의 객체가 됨에 지장이 없다**.(대법원 1995. 10. 12. 94도2076)

정답 | 186 ① 187 ①

188 **절도죄에 관한 설명 중 옳지 않은 것은? (다툼이 있으면 판례에 의함)** 13 변호사 [Core ★★]

□□□

① 甲이 A 소유 토지에 임대차계약 등을 체결하지 않는 등 권한 없이 식재한 감나무에서 감을 수확한 경우 그 감나무는 甲의 소유라고 볼 수 있으므로 甲은 절도죄로 처벌되지 않는다.

② A가 육지에서 멀리 떨어진 섬에서 광산을 개발하기 위하여 발전기, 경운기 엔진을 섬으로 반입하였다가 광업권 설정이 취소됨으로써 광산 개발이 불가능하게 되자 그 물건들을 창고 안에 두고 철수한 뒤 10년 동안 나타나지 않고 사망한 후, 그 섬에서 거주하는 甲이 그 물건들을 자신의 집 근처로 옮겨 놓은 경우, A의 상속인에게 그 물건에 대한 점유가 인정되지 않으므로 甲은 절도죄로 처벌되지 않는다.

③ 甲이 A의 자취방에서 재물강취의사 없이 A를 살해한 후 4시간 30분 동안 그 곁에 있다가 예금통장과 인장이 들어 있는 A의 잠바를 걸치고 나온 경우, A의 점유가 인정되므로 甲은 절도죄로 처벌된다.

④ 금은방에서 순금목걸이를 구입할 것처럼 기망하여 건네받은 다음 화장실에 다녀오겠다고 거짓말하고 도주한 甲은 절도죄로 처벌된다.

⑤ 내리막길에 주차된 자동차를 절취할 목적으로 조수석 문을 열고 시동을 걸려고 차 안의 기기를 만지다가 핸드브레이크를 풀게 되어 시동이 걸리지 않은 상태에서 약 10미터 전진 하다가 가로수를 들이받게 한 甲은 절도죄의 기수로 처벌되지 않는다.

해설

① [×] 타인의 토지상에 권원 없이 식재한 수목의 소유권은 토지소유자에게 귀속하고 권원에 의하여 식재한 경우에는 그 소유권이 식재한 자에게 있으므로, 권원 없이 식재한 감나무에서 감을 수확한 것은 절도죄에 해당한다.(대법원 1998. 4. 24. 97도3425 **감나무 사건**) 감나무는 A의 소유이므로 **甲은 절도죄로 처벌된다.**

② [○] 피고인 甲이 물건들을 옮겨 갈 당시 원소유자 A나 그 상속인이 그 물건들을 점유할 의사로 사실상 지배하고 있었다고는 볼 수 없으므로 그 물건들은 **절도죄의 객체인 타인이 점유하는 물건으로 볼 수 없다.**(대법원 1994. 10. 11. 94도1481 **내파수도 사건**)

③ [○] 피고인 甲이 A를 살해한 방에서 4시간 30분쯤 있다가 벽에 걸려 있던 피해자가 소지하는 물건들을 영득의 의사로 가지고 나온 경우 피해자가 생전에 가진 점유는 **사망 후에도 여전히 계속되는 것으로 보아야 한다.** (대법원 1993. 9. 28. 93도2143 **자취방 살인사건**) 甲은 절도죄로 처벌된다.

④ [○] 피고인 甲이 순금목걸이 등을 건네받은 다음 화장실에 갔다 오겠다는 핑계를 대고 도주한 것이라면 순금목걸이 등은 도주하기 전까지는 아직 피해자의 점유하에 있었다고 할 것이므로 **절도죄가 성립한다.**(대법원 1994. 8. 12. 94도1487 **금목걸이 사건**)

⑤ [○] 자동차를 절취할 생각으로 자동차의 조수석문을 열고 들어가 시동을 걸려고 시도하는 등 차 안의 기기를 이것저것 만지다가 핸드브레이크를 풀게 되었는데 그 장소가 내리막길인 관계로 시동이 걸리지 않은 상태에서 약 10m 전진하다가 가로수를 들이받는 바람에 멈추게 되었다면 **절도의 기수에 해당한다고 볼 수 없다.**(대법원 1994. 9. 9. 94도1522)

189 다음 중 절도죄에 관한 설명으로 가장 옳은 것은? (다툼이 있으면 판례에 의함)
□□□

13 법원행시 [Superlative ★★★]

① A가 피해 회사의 연구개발실에서 그곳 노트북 컴퓨터에 저장되어 있는 피해 회사의 직물원단고무코팅시스템의 설계도면을 A2 용지에 2장 출력하여 가지고 나온 행위는 절도죄에 해당한다.
② B가 수산업법에 의한 양식어업권이 있는 피해자의 조개양식장에서 원래 그 양식장 지역에서 자연 번식한 모시조개를 채취한 경우에는 절도죄가 성립한다.
③ C가 피해 회사의 사무실에서 피해 회사 명의의 농협 통장을 몰래 가지고 나와 예금 1,000만원을 인출한 후 다시 위 통장을 제자리에 갖다 놓은 경우 위 통장에 대한 불법영득의사는 없었다고 보아야 하므로 위 통장에 대한 절도죄는 성립하지 않는다.
④ D가 주간에 타인의 주거에 침입하여 야간에 타인의 재물을 절취한 행위는 형법 제330조 소정의 야간주거침입절도죄에 해당하지 아니한다.
⑤ E가 자신의 모친 甲 명의로 구입·등록하여 甲에게 명의신탁한 자동차를 乙에게 담보로 제공한 후 乙 몰래 가져갔더라도 위 자동차의 실질적인 소유자인 이상 절도죄로 처벌받지 않는다.

해설

④ [○] 형법은 야간에 이루어지는 주거침입행위의 위험성에 주목하여 그러한 행위를 수반한 절도를 야간주거침입절도죄로 중하게 처벌하고 있는 것으로 보아야 하고, 따라서 주거침입이 주간에 이루어진 경우에는 **야간주거침입절도죄가 성립하지 않는다.**(대법원 2011. 4. 14. 2011도300 **장안동 모텔 절도사건**)
① [×] 컴퓨터에 저장되어 있는 **'정보' 그 자체는 유체물이라고 볼 수도 없고** 물질성을 가진 동력도 아니므로 재물이 될 수 없다 할 것이며 또 이를 복사하거나 출력하였다 할지라도 그 정보 자체가 감소하거나 피해자의 점유 및 이용가능성을 감소시키는 것이 아니므로 그 복사나 출력 행위를 가지고 절도죄를 구성한다고 볼 수도 없다.(대법원 2002. 7. 12. 2002도745 **설계도면 파일 사건**)
② [×] 수산업법에 의한 양식어업권을 행사하는 구역 내에서 자연 번식하는 수산동·식물을 채취한 경우에는 **절도죄가 성립하지 않는다.**(대법원 2010. 4. 8. 2009도11827 **모시조개 사건**)
③ [×] 타인의 예금통장을 무단사용하여 예금을 인출한 후 바로 예금통장을 반환하였다 하더라도 그 사용으로 인한 경제적 가치의 소모가 무시할 수 있을 정도로 경미한 경우가 아닌 이상, **예금통장 자체가 가지는 예금액 증명기능의 경제적 가치에 대한 불법영득의 의사를 인정할 수 있으므로 절도죄가 성립한다.**(대법원 2010. 5. 27. 2009도9008 **회사 예금통장 사건**)
⑤ [×] E가 자신의 어머니 甲 명의로 구입·등록하여 甲에게 명의신탁한 자동차를 乙에게 담보로 제공한 후 乙 몰래 가져간 경우, **乙에 대한 관계에서 자동차의 소유자는 甲이고 피고인 E는 소유자가 아니므로** 乙이 점유하고 있는 자동차를 임의로 가져간 이상 **절도죄가 성립한다.**(대법원 2012. 4. 26. 2010도11771 **어머니 명의 그랜저 사건**)

핵심정리 **야간주거침입절도죄 개정(2021. 12. 9. 시행) – 객체에 항공기 신설야간주거침입절도죄 개정(2021. 12. 9. 시행) – 객체에 항공기 신설**

> **제330조【야간주거침입절도】** 야간에 사람의 주거, 관리하는 건조물, 선박, 항공기 또는 점유하는 방실(房室)에 침입하여 타인의 재물을 절취(竊取)한 자는 10년 이하의 징역에 처한다.

정답 | 188 ① 189 ④

제3절 | 강도의 죄

190 **다음 설명 중 옳지 않은 것은? (다툼이 있으면 판례에 의함)** 13 국가7급 [Superlative ★★★]

□□□

① 타인에게 상해를 가하여 혼미상태에 빠지게 한 후에 우발적으로 그의 재물을 가져간 경우에는 강도죄가 성립한다.

② 외상매매계약을 해제한 후에 매도인이 매수인의 승낙을 받지 않고 매매물품을 가져간 경우는 그 매도인에게 반환청구권이 있더라도 절도행위에 해당된다.

③ 절도미수범인이 재물의 탈환에 항거하기 위하여 폭행·협박을 가한 경우에는 준강도죄의 미수가 성립한다.

④ 절도범인이 피해자로부터 옷을 잡히자 체포를 면하기 위하여 충동적으로 저항을 시도하여 피해자에게 잡힌 손을 뿌리친 경우에는 준강도죄가 성립하지 않는다.

해설

① [×] 타인에게 상해를 가하여 혼미상태에 빠지게 한 경우에 우발적으로 그의 재물을 도취(盜取)하는 소유는 폭행을 도취의 수단으로 시용한 것이 아니므로 **강도죄가 성립하지 아니한다.**(대법원 1956. 8. 17. 56도170)

② [○] 외상 매매계약의 해제가 있고 외상매매물품의 반환청구권이 피고인 甲에게 있다고 하여도 甲이 매수인(채무자) A의 승낙을 받지 않고 위 물품들을 가져갔다면 그 물품에 대한 반환청구권이 甲에게 있었다하여도 그 행위는 **절도행위에 해당한다.**(대법원 1973. 2. 28. 72도2538)

③ [○] (1) 피해자에 대한 폭행 · 협박을 수단으로 하여 재물을 탈취하고자 하였으나 그 목적을 이루지 못한 자가 강도미수죄로 처벌되는 것과 마찬가지로, 절도미수범인이 폭행 · 협박을 가한 경우에도 강도미수에 준하여 처벌하는 것이 합리적이라 할 것이다.
(2) 준강도죄의 기수 여부는 **절도행위의 기수 여부를 기준으로 하여 판단하여야 한다.**(대법원 2004. 11. 18. 2004도5074 全合 양주절취 미수사건)

④ [○] 피고인이 피해자로부터 옷을 잡히자 체포를 면하려고 충동적으로 저항을 시도하여 잡은 손을 뿌리친 정도의 폭행을 **준강도죄로 의율할 수는 없다.**(대법원 1985. 5. 14. 85도619 충동적으로 손을 뿌리친 사건)

191 강도의 죄에 관한 설명 중 가장 적절하지 않은 것은? (다툼이 있으면 판례에 의함)
□□□

17 경찰승진 [Core ★★]

① 강도죄와 준강도죄는 그 취지와 본질을 달리한다고 보아야 하며, 준강도죄의 주체는 절도이고 여기에는 기수는 물론 형법상 처벌규정이 있는 미수도 포함되는 것이지만, 준강도죄의 기수·미수의 구별은 구성요건적 행위인 폭행 또는 협박이 종료되었는가 하는 점에 따라 결정된다.

② 강도 실행의 범의를 포기한 직후로서 사회통념상 범죄행위가 완료되지 않았다고 볼 수 있는 단계에서 살인이 행해진 경우는 강도살인죄를 구성한다.

③ 채무자가 채무를 면탈할 의사로 채권자를 살해하였더라도 채무의 존재가 명백할 뿐만 아니라 채권자의 상속인이 존재하고 그 상속인에게 채권의 존재를 확인할 방법이 확보되어 있는 경우 강도살인죄가 성립할 수 없다.

④ 절도범인이 체포를 면탈할 목적으로 체포하려는 여러 사람에게 같은 기회에 폭행을 가하여 그 중 1인에게만 상해를 가하였다면 포괄하여 하나의 강도상해죄만 성립한다.

해설

① [×] (1) 피해자에 대한 폭행·협박을 수단으로 하여 재물을 탈취하고자 하였으나 그 목적을 이루지 못한 자가 강도미수죄로 처벌되는 것과 마찬가지로, 절도미수범인이 폭행·협박을 가한 경우에도 강도미수에 준하여 처벌하는 것이 합리적이라 할 것이다.
(2) **준강도죄의 기수 여부는 절도행위의 기수 여부를 기준으로 하여 판단하여야 한다.**(대법원 2004. 11. 18. 2004도5074 全合 **양주절취 미수사건**)

② [○] 강도살인죄는 강도범인이 강도의 기회에 살인행위를 함으로써 성립하는 것이므로 강도범행의 실행 중이거나 그 실행 직후 또는 실행의 범의를 포기한 직후로서 사회통념상 **범죄행위가 완료되지 아니하였다고 볼 수 있는 단계에서 살인이 행하여짐을 요건으로 한다.**(대법원 2004. 6. 24. 2004도1098)

③ [○] 피고인의 피해자에 대한 채무의 존재가 명백할 뿐만 아니라 피해자의 상속인이 존재하고 그 상속인에게 채권의 존재를 확인할 방법이 확보되어 있다면, 비록 피고인들이 채무를 면탈할 의사로 채권자인 피해자를 살해하였다고 하더라도 일시적으로 채권자측의 추급을 면한 것에 불과하고 재산상 이익의 지배가 채권자측으로부터 피고인 앞으로 이전되었다고 볼 수 없어 **강도살인죄가 성립할 수 없다.**(대법원 2010. 9. 30. 2010도7405 **무주 채권자 살인사건**)

④ [○] 절도범이 체포를 면탈할 목적으로 체포하려는 여러 명의 피해자에게 같은 기회에 폭행을 가하여 그 중 1인에게만 상해를 가하였다면 이러한 행위는 포괄하여 하나의 **강도상해죄만 성립한다.**(대법원 2001. 8. 21. 2001도3447 **평화빌라 주차장 사건**)

정답 | 190 ① 191 ①

192 강도죄에 관한 다음의 설명으로 가장 옳은 것은? (다툼이 있으면 판례에 의함)

□□□

16 경찰간부 [*Core* ★★]

① 절도범인 甲을 체포하려고 피해자가 폭력을 가해 오자 甲이 이를 피하기 위하여 엉겁결에 솥뚜껑을 들어 그 폭력을 막아 내려다가 그 솥뚜껑에 스치어 피해자가 상처를 입게 되었다면 甲은 강도상해죄가 성립한다.

② 합동하여 절도를 한 경우 범인 중 1인이 체포를 면탈할 목적으로 폭행을 하여 상해를 가한 때에는 나머지 범인이 이를 예기할 수 있었는가를 가리지 않고 그 나머지 범인 역시 준강도상해죄의 죄책을 면할 수 없다.

③ 준강도죄는 신분범이며 목적범이다.

④ 절도범이 체포를 면탈할 목적으로 경찰관에게 폭행, 협박을 가한 때에는 준강도죄와 공무집행방해죄를 구성하고, 양죄는 실체적 경합관계에 있다.

해설

③ [○] 형법 제335조는 '절도'가 재물의 탈환을 항거하거나 체포를 면탈하거나 죄적을 인멸한 **목적**으로 폭행 또는 협박을 가한 때에 준강도가 성립한다고 규정하고 있으므로, **준강도죄의 주체는 절도범인**이고, 절도죄의 객체는 재물이다.(대법원 2014. 5. 16. 2014도2521)

① [×] 피고인을 체포하려는 피해자가 체포에 필요한 정도를 넘어서서 발로 차며 전치 3개월을 요하는 중상을 입힐 정도로 심한 폭력을 가해오자 **피고인이 이를 피하기 위하여 엉겁결에 솥뚜껑을 들어 위 폭력을 막아 내려다가 솥뚜껑에 스치어 피해자가 상처를 입게 되었다면** 피고인의 행위는 일반적, 객관적으로 피해자의 체포의사를 제압할 정도의 폭행에 해당하지 않으므로 **준강도상해죄는 성립되지 않는다.**(대법원 1990. 4. 24. 90도193 아작나는 절도범 사건)

② [×] 2인 이상이 합동하여 절도를 한 경우 범인 중의 1인이 체포를 면탈할 목적으로 폭행을 하여 상해를 가한 때에는 **나머지 범인도 이를 예기하지 못한 것으로 볼 수 없으면 강도상해죄의 죄책을 면할 수 없다.**(대법원 1988. 2. 9. 87도2460 대성서점 사건, 대법원 1984. 12. 26. 84도2552 *88생맥주집* 사건) 즉, **나머지 범인이** 다른 공범자가 폭행과 상해를 가할 것을 **전혀 예기할 수 없었다면 준강도상해죄의 죄책을 지지 아니한다.**(대법원 1984. 2. 28. 83도3321 담배가게 사건, 대법원 1982. 7. 13. 82도1352 2km 추적 사건)

④ [×] 절도범인이 체포를 면탈할 목적으로 경찰관에게 폭행 협박을 가한 때에는 **준강도죄와 공무집행방해죄를 구성하고 양죄는 상상적 경합관계에 있다.**(대법원 1992. 7. 28. 92도917 절도상경 강도실경 사건)

193 □□□ 강도죄에 관한 다음 설명 중 가장 적절한 것은? (다툼이 있으면 판례에 의함) 15 경찰채용 [Core ★★]

① 날치기 수법의 점유탈취 과정에서 이를 알아채고 재물을 뺏기지 않으려는 상대방의 반항에 부딪혔음에도 계속하여 피해자를 끌고 가면서 억지로 재물을 빼앗은 행위는 피해자의 반항을 억압하지 못한 경우이므로 강도에 해당하지 않는다.

② 준강도죄의 기수 여부는 절도행위의 기수 여부를 기준으로 하여 판단할 것이 아니라 폭행 또는 협박이 종료되었는가 하는 점에 따라 결정되어야 한다.

③ 피고인이 술집 운영자 甲으로부터 술값의 지급을 요구받자 甲을 유인·폭행하고 도주하였다면, 甲에게 지급해야 할 술값의 지급을 면하여 재산상 이익을 취득하였으므로 준강도죄가 성립한다.

④ 절도범인이 처음에는 흉기를 휴대하지 아니하였으나, 체포를 면탈할 목적으로 폭행 또는 협박을 가할 때에 비로소 흉기를 휴대 사용하게 된 경우에는 형법 제334조의 예에 의한 준강도(특수강도의 준강도)가 된다.

해설

④ [○] 절도범인이 처음에는 흉기를 휴대하지 아니하였으나 체포를 면탈할 목적으로 폭행 또는 협박을 가할 때에 비로소 흉기를 휴대 사용하게 된 경우에는 형법 제334조의 예에 의한 **준강도(특수강도의 준강도)가 된다.** (대법원 1973. 11. 13. 73도1553 全合 **특수강도의 준강도 사건**)

① [×] 날치기 수법의 점유탈취 과정에서 이를 알아채고 재물을 뺏기지 않으려는 상대방의 반항에 부딪혔음에도 계속하여 피해자를 끌고 가면서 억지로 재물을 빼앗은 행위는 피해자의 반항을 억압한 후 재물을 강취한 것으로서 **강도에 해당한다.**(대법원 2007. 12. 13. 2007도7601 **대구 날치기 사건**)

② [×] (1) 피해자에 대한 폭행 · 협박을 수단으로 하여 재물을 탈취하고자 하였으나 그 목적을 이루지 못한 자가 강도미수죄로 처벌되는 것과 마찬가지로, 절도미수범인이 폭행 · 협박을 가한 경우에도 강도미수에 준하여 처벌하는 것이 합리적이라 할 것이다.
(2) **준강도죄의 기수 여부는 절도행위의 기수 여부를 기준으로하여 판단하여야 한다고 봄이 상당하다.**(대법원 2004. 11. 18. 2004도5074 全合 **양주절취 미수사건**)

③ [×] (1) 준강도죄의 주체는 절도범인이고 절도죄의 객체는 재물이다.
(2) 피고인이 피해자에게 지급해야할 술값의 지급을 면하기 위하여 피해자를 폭행한 경우, 그 자체로 **절도의 실행에 착수하였다는 내용이 포함되어 있지 않아 준강도죄는 성립하지 아니한다.**(대법원 2014. 5. 16. 2014도2521 **술값 안내려고 폭행사건**)

정답 | 192 ③ 193 ④

194 다음 중 강도의 죄에 대한 설명으로 가장 옳지 않은 것은? (다툼이 있으면 판례에 의함)

□□□

24 해경승진 [Essential ★]

① 절도범이 체포를 면탈할 목적으로 체포하려는 여러 명의 피해자에게 같은 기회에 폭행을 가하여그 중 1인에게만 상해를 가하였다면 피해자 각자에 대한 강도죄 및 1인에 대한 강도상해죄가 성립하고 이들 죄는 상상적 경합관계에 있다.

② 재산상 이익을 취득한 후 체포를 면탈할 목적으로 피해자를 폭행하더라도 준강도죄는 성립할 수없다.

③ 감금행위가 강도죄의 수단이 된 경우에는 감금죄는 강도죄에 흡수되지 아니하고 별죄를 구성한다.

④ 강도예비·음모죄가 성립하기 위해서는 예비·음모 행위자에게 미필적으로라도 '강도'를 할 목적이 있음이 인정되어야 하고 그에 이르지 않고 단순히 '준강도'할 목적이 있음에 그치는 경우에는 강도 예비·음모죄로 처벌할 수 없다.

해설

① [×] 절도범이 체포를 면탈할 목적으로 체포하려는 여러 명의 피해자에게 같은 기회에 폭행을 가하여 그 중 1인에게만 상해를 가하였다면 이러한 행위는 **포괄하여 하나의 강도상해죄만 성립한다.**(대법원 2001. 8.21. 2001도3447 **평화빌라 주차장 사건**)

② [○] 피고인 甲이 술집 운영자 A로부터 술값의 지급을 요구받자 A를 유인 · 폭행하고 도주함으로써 술값의 지급을 면하고 A에게 상해를 가하였더라도 甲이 **절도의 실행에 착수하였다는 내용이 포함되어 있지 않은 이상 준강도죄는 성립하지 아니한다.**(대법원 2014. 5.16. 2014도2521 **술값 안내려고 폭행사건**) 재산상 이익을 취득한 자는 '절도(竊盜)'가 아니므로 체포를 면탈할 목적으로 피해자를 폭행하더라도 준강도죄는 성립할 수 없다.

③ [○] 감금행위가 강간죄나 강도죄의 수단이 된 경우에도 **감금죄는 강간죄나 강도죄에 흡수되지 아니하고 별죄를 구성한다.**(대법원 1997. 1.21. 96도2715 **강취 신용카드 술집결제사건**)

④ [○] 강도예비 · 음모죄가 성립하기 위해서는 예비 · 음모 행위자에게 미필적으로라도 '강도'를 할 목적이 있음이 인정되어야 하고 그에 이르지 않고 단순히 **'준강도'할 목적이 있음에 그치는 경우에는 강도예비 · 음모죄로 처벌할 수 없다.**(대법원 2006. 9.14. 2004도6432 **준강도 목적 사건**)

195 강도죄에 대한 다음 설명 중 옳지 않은 것은 모두 몇 개인가? (다툼이 있으면 판례에 의함)

□□□

16 경찰채용 [Core ★★]

㉠ 甲과 乙은 야간에 丙의 집에 이르러 재물을 강취할 의도로 甲은 출입문 옆의 창살을 통하여 침입하고, 乙은 부엌 방충망을 뜯고 들어가다가 丙의 시아버지의 헛기침에 발각된 것으로 알고 도주한 경우 甲과 乙의 죄책은 특수강도미수죄이다.

㉡ 甲은 강도의 범의로 야간에 칼을 휴대한 채 타인의 주거에 침입하여 동정을 살피다가 피해자 乙을 발견하고 갑자기 욕정을 일으켜 칼로 협박하고 강간하였다. 甲의 죄책은 특수강도강간죄이다.

㉢ 형법 제334조 제1항(특수강도)은 야간에 사람의 주거, 관리하는 건조물, 선박이나 항공기 또는 자동차에 침입하여 제333조(강도)의 죄를 범한 자를 처벌한다고 규정하고 있다.

㉣ 형법 제336조(인질강도)의 죄를 범한 자가 인질을 안전한 장소로 풀어준 경우 형법 각칙에 해방감경 규정이 있다.

① 1개　　② 2개

③ 3개　　④ 4개

해설

③ ㉡㉢㉣ 3 항목이 옳지 않다.

㉠ [○] (1) 형법 제334조 제1항 소정의 야간주거침입강도죄는 주거침입과 강도의 결합범으로서 시간적으로 주거침입 행위가 선행되는 것이므로 **주거침입을 한 때에 본죄의 실행에 착수한 것으로 볼 것인 바**, 같은 조 제2항 소정의 흉기휴대 합동강도죄에 있어서도 그 강도행위가 야간에 주거에 침입하여 이루어지는 경우에는 주거침입을 한 때에 실행에 착수한 것으로 보는 것이 타당하다.

(2) 피고인들이 재물을 강취할 의도로 야간에 피해자 丙의 집에 침입하였다가 丙의 시아버지의 헛기침에 발각된 것으로 알고 도주한 경우, 피고인들은 **특수강도죄의 실행에 착수한 것으로서 그 미수범으로서 처단되어야 한다.**(대법원 1992. 7. 28. 92도917 **절도상경 강도실경 사건**)

㉡ [×] 형법 제334조 제1 · 2항 소정의 **특수강도의 실행의 착수는 강도의 실행행위 즉 사람의 반항을 억압할 수 있는 정도의 폭행 또는 협박에 나아갈 때에 있다 할 것이고**, 야간에 흉기를 휴대한 채 타인의 주거에 침입하여 집안의 동정을 살피는 것만으로는 특수강도의 실행에 착수한 것이라고 할 수 없으므로 특수강도에 착수하기도 전에 저질러진 강간행위는 구 특가법 제5조의6 제1항[개정법 성폭법 제3조 제2항] 소정의 **특수강도강간죄에 해당한다고 할 수 없다.**(대법원 1991. 11. 22. 91도2296 **갑자기 욕정을 일으켜 사건**)

㉢ [×] 형법 제334조 제1항의 특수강도는 야간에 **사람의 주거, 관리하는 건조물, 선박이나 항공기 또는 '점유하는 방실에'** 침입하여 강도의 죄를 범한 때에 성립한다.(제334조 제1항)

㉣ [×] 형법 제336조의 인질강도죄에 대해서는 이른바 **해방감경 규정이 적용되지 아니한다.**

정답 | 194 ① 195 ③

196 강도죄에 관한 설명 중 옳은 것은? (다툼이 있으면 판례에 의함)

□□□ 15 경찰간부 [Core ★★]

① 강간범인이 부녀를 강간할 목적으로 폭행, 협박에 의하여 반항을 억압한 후 반항억압 상태가 계속 중임을 이용하여 재물을 탈취하는 경우에는 재물탈취를 위한 새로운 폭행, 협박이 없더라도 강도죄가 성립한다.

② 피고인이 주점 도우미인 피해자에게 화대를 지급하고 성관계를 하던 중에 피해자가 피고인의 성교행위가 너무 과격하다는 이유로 항의를 하면서 성교를 중단하는 바람에 말다툼이 벌어져 이에 화가 난 피고인이 피해자에 대한 폭행을 시작하면서 피해자가 이불을 뒤집어쓴 후에도 계속해서 주먹과 발로 피해자를 구타한 후 이불 속에 들어 있는 피해자를 두고 옷을 입고 방을 나가다가 탁자 위의 피해자 손가방 안에서 현금 20만원 등이 든 피해자의 키홀더를 가져갔다면 강도죄가 성립한다.

③ 피고인이 술집 운영자 甲으로부터 술값의 지급을 요구받자 甲을 유인·폭행하고 도주하였다면, 甲에게 지급해야 할 술값의 지급을 면하여 재산상 이익을 취득하였으므로 준강도죄가 성립한다.

④ 준강도죄의 주체는 절도이고 여기에는 기수는 물론 형법상 처벌규정이 있는 미수도 포함되는 것이지만, 준강도죄의 기수·미수의 구별은 구성요건적 행위인 폭행 또는 협박이 종료되었는가 하는 점에 따라 결정된다.

해설

① [○] 강도죄는 재물탈취의 방법으로 폭행, 협박을 사용하는 행위를 처벌하는 것이므로 폭행, 협박으로 타인의 재물을 탈취한 이상 피해자가 우연히 재물탈취 사실을 알지 못하였다고 하더라도 강도죄는 성립하고, 폭행, 협박당한 자가 탈취당한 재물의 소유자 또는 점유자일 것을 요하지도 아니하며, 강간범인이 부녀를 강간할 목적으로 폭행, 협박에 의하여 반항을 억압한 후 반항억압 상태가 계속 중임을 이용하여 **재물을 탈취하는 경우에는 재물탈취를 위한 새로운 폭행, 협박이 없더라도 강도죄가 성립한다.**(대법원 2010. 12. 9. 2010도9630 **강간→강도→강간 사건**)

② [×] 피고인의 재물 취거행위가 피해자가 이불 속에 들어가 있어 이를 전혀 인식하지 못한 가운데 이루어진데다가 그 원인이 되었던 피고인의 피해자에 대한 폭행행위도 그와는 전혀 무관한 윤락행위 도중의 시비끝에 발생하게 된 것이므로, 비록 재물의 취득이 폭행 직후에 이루어지긴 했지만 폭행이 피해자의 재물탈취를 위한 피해자의 반항억압의 수단으로 이루어졌다고 단정할 수 없어 **양자 사이에 인과관계가 존재한다고 보기 어렵다.**(대법원 2009. 1. 30. 2008도10308 **과격한 성교 사건**) 지문의 경우 강도죄는 성립하지 아니한다.

③ [×] (1) 준강도죄의 주체는 절도범인이고 절도죄의 객체는 재물이다.
(2) 피고인이 피해자에게 지급해야할 술값의 지급을 면하기 위하여 피해자를 폭행한 경우, 그 자체로 **절도의 실행에 착수하였다는 내용이 포함되어 있지 않아 준강도죄는 성립하지 아니한다.**(대법원 2014. 5. 16. 2014도2521 **술값 안내려고 폭행사건**)]

④ [×] (1) 피해자에 대한 폭행·협박을 수단으로 하여 재물을 탈취하고자 하였으나 그 목적을 이루지 못한 자가 강도미수죄로 처벌되는 것과 마찬가지로, 절도미수범인이 폭행·협박을 가한 경우에도 강도미수에 준하여 처벌하는 것이 합리적이라 할 것이다.
(2) 준강도죄의 기수 여부는 **절도행위의 기수 여부를 기준으로 하여 판단하여야 한다.**(대법원 2004. 11. 18. 2004도5074 전원합의체 판결 **양주절취 미수사건**)

197 절도와 강도의 죄에 관한 설명 중 옳은 것은 모두 몇 개인가? (다툼이 있으면 판례에 의함)
□□□

19 해경간부 [Superlative ★★★]

㉠ 甲이 자신이 소속한 중대에 소총 1정이 부족하자 이를 분실한 줄 알고 그 보충을 위하여 다른 부대의 소총 1정을 몰래 가져온 경우 절도죄가 성립한다.
㉡ 야간에 아파트에 침입하여 물건을 훔칠 의도로 아파트 베란다 철제난간까지 올라가 유리 창문을 열려고 시도하던 중 사람 소리가 들려 도주한 경우 야간주거침입절도죄의 실행의 착수가 인정되지 않는다.
㉢ 강도범이 폭행, 협박으로 타인의 재물을 탈취한 이상 피해자가 우연히 재물탈취 사실을 알지 못하였다고 하더라도 강도죄는 성립한다.
㉣ 강도가 피해자에게 상해를 입혔으나 재물의 강취에는 이르지 못하고 그 자리에서 항거 불능상태에 빠진 피해자를 간음한 경우에는 강도상해죄와 강도강간죄만 성립하고 강도미수 행위는 별개의 범죄를 구성하지 않는다.
㉤ 甲이 A를 살해한 후 A의 주머니에서 꺼낸 지갑을 살해 도구로 이용한 골프채와 옷 등 다른 증거품들과 함께 자신의 차량에 싣고 가다가 쓰레기 소각장에서 태워 버린 경우, 甲에게는 A의 지갑에 대한 불법영득의 의사가 인정될 수 없다.

① 1개 ② 2개 ③ 3개 ④ 4개

해설

③ ㉢㉣㉤ 3 항목이 옳다.
㉠ [×] 소속중대에서 총기를 분실하고 그를 보충하기 위하여 타부대 총기를 취거해 왔다고 한다면 그 행위는 자기 또는 타인을 위한 영득의사에 의한 행위라고는 할 수 없으므로 **절도죄로 처단할 수 없다.**(대법원 1977. 6. 7. 77도1069 **M16소총 분실사건**)
㉡ [×] 야간에 아파트에 침입하여 물건을 훔칠 의도하에 아파트의 베란다 철제난간까지 올라가 유리창문을 열려고 시도하였다면 **야간주거침입절도죄의 실행에 착수한 것으로 보아야 한다.**(대법원 2003. 10. 24. 2003도4417 **202호 유리창문 사건**)
㉢ [○] 강도죄는 재물탈취의 방법으로 폭행, 협박을 사용하는 행위를 처벌하는 것이므로 폭행, 협박으로 타인의 재물을 탈취한 이상 **피해자가 우연히 재물탈취 사실을 알지 못하였다고 하더라도 강도죄는 성립**하고, 폭행, 협박당한 자가 탈취당한 재물의 소유자 또는 점유자일 것을 요하지도 아니하며, 강간범인이 부녀를 강간할 목적으로 폭행, 협박에 의하여 반항을 억압한 후 반항억압 상태가 계속 중임을 이용하여 재물을 탈취하는 경우에는 재물탈취를 위한 새로운 폭행, 협박이 없더라도 강도죄가 성립한다.(대법원 2010. 12. 9. 2010도9630 **강간 → 강도 → 강간 사건**)
㉣ [○] 강도가 피해자에게 상해를 입혔으나 재물의 강취에는 이르지 못하고 그 자리에서 항거불능 상태에 빠진 피해자를 간음한 경우에는 **강도상해죄와 강도강간죄만 성립**하고, 그 실행행위의 일부인 강도미수 행위는 위 각 죄에 흡수되어 별개의 범죄를 구성하지 않는다.(대법원 2010. 4. 29. 2010도1099)
㉤ [○] 피고인이 살해된 피해자의 주머니에서 꺼낸 지갑을 살해도구로 이용한 골프채와 옷 등 다른 증거품들과 함께 자신의 차량에 싣고 가다가 쓰레기 소각장에서 태워버린 것은 살인 범행의 **증거를 인멸하기 위한 행위로서 불법영득의 의사가 있었다고 보기 어렵다.**(대법원 2000. 10. 13. 2000도3655 **지갑 소각사건**)

정답 | 196 ① 197 ③

198 절도와 강도의 죄에 관한 다음 설명 중 옳지 않은 것은 모두 몇 개인가? (다툼이 있으면 판례에 의함)
□□□

24 법원행시 [Superlative ★★★]

㉠ 회사 직원이 업무와 관련하여 다른 사람이 작성한 회사의 문서(회사 중역들에 대한 특별상여금 지급내역서 1부 및 퇴직금 지급내역서 2부)를 복사기를 이용하여 복사한 후 원본은 제자리에 갖다 놓고 그 사본만 가져간 경우 회사 소유의 문서 사본을 절취한 것으로 볼 수는 없다.

㉡ 임차인이 임대차계약 종료 후 식당 건물에서 퇴거하면서 종전부터 사용하던 냉장고의 전원을 켜 둔 채 그대로 두었다가 약 1개월 후 철거해 가는 바람에 그 기간동안 전기가 소비되었다고 하더라도 임차인에게 절도죄가 성립하지 않는다.

㉢ 甲이 마당에 심어져 있던 영산홍을 땅에서 완전히 캐낸 이후 乙이 비로소 범행장소로 와서 甲과 함께 위 영산홍을 승용차까지 운반하였다면 乙은 甲과 합동하여 영산홍 절취행위를 한 것으로 볼 수 있다.

㉣ 예금주인 현금카드 소유자를 협박하여 그 카드를 갈취하였고, 하자 있는 의사표시이기는 하지만 피해자의 승낙에 의하여 현금카드를 사용할 권한을 부여받아 이를 이용하여 현금을 인출한 경우 현금지급기에서 피해자의 예금을 취득한 행위를 현금지급기 관리자의 의사에 반하여 그가 점유하고 있는 현금을 절취한 것이라 하여 이를 현금카드 갈취행위와 분리하여 따로 절도죄로 처단할 수는 없다.

㉤ 절도범인이 체포를 면탈할 목적으로 경찰관에게 폭행 또는 협박을 가한 때에는 준강도죄와 공무집행방해죄를 구성하고 양 죄는 상상적 경합 관계에 있으나, 강도범인이 체포를 면탈할 목적으로 경찰관에게 폭행을 가한 때에는 강도죄와 공무집행방해죄는 실체적 경합 관계에 있다.

① 없음　② 1개　③ 2개
④ 3개　⑤ 4개

해설

② ㉢ 항목만 옳지 않다.

㉠ [○] 회사 직원이 업무와 관련하여 다른 사람이 작성한 회사의 문서를 복사기를 이용하여 복사를 한 후 원본은 제자리에 갖다 놓고 그 사본만 가져간 경우 그 **회사 소유의 문서의 사본을 절취한 것으로 볼 수는 없다.**(대법원 1996. 8. 23. 95도192 **대일화학공업 사건**)

㉡ [○] 임차인이 임대계약 종료 후 식당건물에서 퇴거하면서 종전부터 사용하던 냉장고의 전원을 켜 둔 채 그대로 두었다가 약 1개월 후 철거해 가는 바람에 그 기간 동안 전기가 소비된 경우 임차인이 퇴거 후에도 냉장고에 관한 점유·관리를 그대로 보유하고 있었다고 보아야 하므로 냉장고를 통하여 전기를 계속 사용하였다고 하더라도 이는 당초부터 **자기의 점유·관리하에 있던 전기를 사용한 것일 뿐 타인의 점유·관리하에 있던 전기가 아니어서 절도죄가 성립하지 않는다.**(대법원 2008. 7. 10. 2008도3252 **냉장고 사건**)

㉢ [×] (1) 입목을 절취하기 위하여 이를 캐낸 때에는 그 시점에서 이미 소유자의 입목에 대한 점유가 침해되어 범인의 사실적 지배하에 놓이게 됨으로써 범인이 그 점유를 취득하게 되는 것이므로 이때 절도죄는 기수에 이르렀다고 할 것이고, 이를 운반하거나 반출하는 등의 행위는 필요로 하지 않는다. (2) 피고인 甲이 영산홍을 땅에서 캐낸 그 시점에서 이미 절취행위는 기수에 이르렀다고 할 것이므로 그 이후에 피고인 乙이 영산홍을

甲과 함께 승용차까지 운반하였다고 하더라도 그러한 행위가 다른 죄에 해당하는지의 여부는 별론으로 하고, **乙이 甲과 합동하여 영산홍 절취행위를 하였다고 볼 수 없다.**(대법원 2008. 10. 23. 2008도6080 영산홍 사건)

ⓡ [O] 피고인이 예금주인 현금카드 소유자를 협박하여 그 카드를 갈취한 후 하자 있는 의사표시이기는 하지만 피해자의 승낙에 의하여 현금카드를 사용할 권한을 부여받아 이를 이용하여 현금을 인출한 경우 이는 모두 피해자의 예금을 갈취하고자 하는 단일하고 계속된 범의 아래에서 이루어진 일련의 행위로서 포괄하여 하나의 공갈죄를 구성한다고 볼 것이지, 현금지급기에서 피해자의 예금을 취득한 행위를 현금지급기 관리자의 의사에 반하여 그가 점유하고 있는 현금을 절취한 것이라 하여 이를 **현금카드 갈취행위와 분리하여 따로 절도죄로 처단할 수는 없다.**(대법원 1996. 9. 20. 95도1728 갈취 현금카드 사건)

ⓜ [O] 절도범인이 체포를 면탈할 목적으로 경찰관에게 폭행·협박을 가한 때에는 준강도죄와 공무집행방해죄를 구성하고 양죄는 **상상적 경합관계에 있으나,** 강도범인이 체포를 면탈할 목적으로 경찰관에게 폭행을 가한 때에는 강도죄와 공무집행방해죄는 **실체적 경합관계에 있고** 상상적 경합관계에 있는 것이 아니다.(대법원 1992. 7. 28. 92도917 절도상경 강도실경 사건)

199 절도와 강도의 죄에 관한 설명으로 옳은 것은 모두 몇 개인가? (다툼이 있으면 판례에 의함)

□□□

24 경찰간부 [Core ★★]

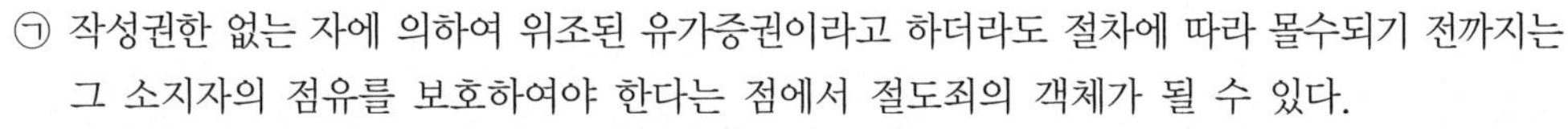

㉠ 작성권한 없는 자에 의하여 위조된 유가증권이라고 하더라도 절차에 따라 몰수되기 전까지는 그 소지자의 점유를 보호하여야 한다는 점에서 절도죄의 객체가 될 수 있다.

㉡ 강도범행 이후에도 피해자를 계속 끌고 다니거나 차량에 태우고 함께 이동하는 등으로 강도범행으로 인한 피해자의 심리적 저항불능 상태가 해소되지 않은 상태에서 강도범인의 상해행위가 있었다면 강취행위와 상해행위 사이에 다소의 시간적·공간적 간격이 있었으므로 강도상해죄가 성립하지 않는다.

㉢ 甲이 A의 방에서 A를 살해한 후 불법영득의사가 생겨 비로소 A의 물건을 가지고 나온 경우 그 물건에 대한 A의 점유가 계속되고 있어 甲의 행위는 절도죄에 해당한다.

㉣ 절도 습벽의 발현으로 절도, 야간주거침입절도, 특수절도, 자동차등불법사용의 범행을 함께 저지른 경우 자동차등불법사용의 범행은 상습절도 등의 죄에 흡수되어 1죄만이 성립하고 이와 별개로 자동차등불법사용죄가 성립하는 것은 아니다.

① 1개 ② 2개 ③ 3개 ④ 4개

정답 | 198 ② 199 ③

해설

③ ㉠㉢㉣ 3 항목이 옳다.
㉠ [○] 유가증권도 그것이 정상적으로 발행된 것은 물론 비록 작성권한 없는 자에 의하여 위조된 것이라고 하더라도 절차에 따라 몰수되기까지는 그 소지자의 점유를 보호하여야 한다는 점에서 **형법상 재물로서 절도죄의 객체가 된다.**(대법원 1998. 11. 24. 98도2967 무주리조트 사건)
㉡ [×] 강도상해죄는 강도범인이 그 강도의 기회에 상해행위를 함으로써 성립하는 것이므로 강도범행의 실행 중이거나 그 실행 직후 또는 실행의 범의를 포기한 직후로서 사회통념상 범죄행위가 완료되지 아니하였다고 볼 수 있는 단계에서 상해가 행하여짐을 요건으로 한다. 그러나 반드시 강도범행의 수단으로 한 폭행에 의하여 상해를 입힐 것을 요하는 것은 아니고 상해행위가 강도가 기수에 이르기 전에 행하여져야만 하는 것은 아니므로, 강도범행 이후에도 피해자를 계속 끌고 다니거나 차량에 태우고 함께 이동하는 등으로 **강도범행으로 인한 피해자의 심리적 저항불능 상태가 해소되지 않은 상태에서 강도범인의 상해행위가 있었다면 강취행위와 상해행위 사이에 다소의 시간적 · 공간적 간격이 있었다는 것만으로는 강도상해죄의 성립에 영향이 없다.**(대법원 2014. 9. 26. 2014도9567 강릉 택시강도사건)
㉢ [○] 피해자를 살해한 방에서 사망한 피해자 곁에 4시간 30분쯤 있다가 그곳 피해자의 자취방 벽에 걸려있던 피해자가 소지하는 물건들을 영득의 의사로 가지고 나온 경우 피해자가 생전에 가진 점유는 사망 후에도 여전히 계속되는 것으로 보아야 하므로 피고인의 행위는 **피해자의 점유를 침탈한 것으로서 절도죄에 해당한다.**(대법원 1993. 9. 28. 93도2143 자취방 살인사건)
㉣ [○] 상습절도 등의 범행을 한 자가 추가로 자동차등불법사용의 범행을 한 경우에 그것이 절도 습벽의 발현이라고 보이는 이상 자동차등불법사용의 범행은 **상습절도 등의 죄에 흡수되어 1죄만이 성립하고 이와 별개로 자동차등불법사용죄는 성립하지 않는다.**(대법원 2002. 4. 26. 2002도429 광천동 소나타 무단운전 사건)

200 다음 중 <사례>에 대한 설명으로 가장 옳지 않은 것은? (다툼이 있으면 판례에 의함)

□□□

23 해경간부 [Core ★★]

> 甲은 A와 채무 변제기의 유예 여부 등을 놓고 언쟁을 벌이다가 순간적으로 A를 살해하여 채무의 지급을 면하기로 마음먹고, 망치로 A의 뒷머리부분을 수회 때리는 등의 방법으로 살해하였다. 마침 A의 옷에 지갑이 있는 것을 발견하고, 장차 사체가 발견될 때 A의 신원이 밝혀지는 게 두려워 이를 숨기기 위하여 지갑을 꺼내 A가 타고 온 차량의 사물함에 통째로 넣어두었다. 그로부터 15시간 가량 지난 후인 그 다음 날 10:00경 범행 현장에 다시 와서 A의 사체를 인근 공사장 창고에 버리고, 지갑 속에 들어 있던 돈을 꺼내어 담뱃값으로 사용하였다.

① 채무면탈 목적으로 A를 살해하는 행위는 채무의 존재가 명백할 뿐만 아니라 채권자의 상속인이 존재하고 그 상속인에게 채권의 존재를 확인할 방법이 확보되어 있다면 강도살인죄가 성립하지 않는다.
② 지갑 속의 돈을 꺼내어 담뱃값으로 사용한 행위는 살인행위와 시간상 및 거리상 극히 근접하여 사회통념상 범죄행위가 완료되지 아니한 상태에서 이루어진 것이므로 甲에게는 강도살인죄가 성립한다.

③ A의 사체가 발견될 때 피해자의 신원이 밝혀지는 게 두려워 이를 숨기기 위하여 지갑을 꺼내 차량의 사물함에 통째로 넣어 두는 행위에 대하여 甲에게 지갑에 대한 불법영득의사를 인정하기 어렵다.

④ A의 사체를 공사장 창고에 버리는 행위는 사체유기죄에 해당하며, 사체유기죄는 살인행위 등으로 성립될 범죄와 실체적 경합관계에 있다.

해설

② [×] 강도살인죄는 강도범인이 강도의 기회에 살인행위를 함으로써 성립하는 것이므로 강도범행의 실행 중이거나 그 실행 직후 또는 실행의 범의를 포기한 직후로서 사회통념상 범죄행위가 완료되지 아니하였다고 볼 수 있는 단계에서 살인이 행하여짐을 요건으로 하는데, 피고인이 피해자 소유의 돈과 신용카드에 대하여 불법영득의 의사를 갖게 된 것은 살해 후 상당한 시간이 지난 후로서 살인의 범죄행위가 이미 완료된 후의 일로 보이므로 **살해 후 상당한 시간이 지난 후에 별도의 범의에 터잡아 이루어진 재물 취거행위를 그보다 앞선 살인행위와 합쳐서 강도살인죄로 처단할 수는 없다.**(대법원 2004. 6. 24. 2004도1098 **채권자 망치살해사건**) 강도살인죄가 성립하지 않는다.

① [○] 피고인 甲이 자신의 차용금 채무를 면탈할 목적으로 피해자 A를 살해한 것이라고 단정하기 어렵고 오히려 A가 甲의 변제기 유예 요청을 거부하면서 甲을 심히 모욕하는 바람에 격분을 일으켜 억제하지 못하고 살해의 범행에 이르렀다고 보는 것이 타당할 뿐 아니라, 甲과 A 사이에 차용증서가 작성되지는 않았지만 A의 상속인 중 한 사람인 B(A의 처)가 A로부터 전해 들어 이미 甲에 대한 **대여금 채권의 존재를 알고 있었던 것으로 보이므로, 가사 甲이 차용금 채무를 면탈할 목적으로 A를 살해하였다고 하더라도 일시적으로 피해자측의 추급을 면한 것에 불과할 것이어서 강도살인죄가 성립한다고 볼 수 없다.**(대법원 2004. 6. 24. 2004도1098 **채권자 망치살해사건**) 강도살인죄가 성립하지 않는다.

③ [○] 피고인은 살해 직후 피해자가 운전하고 온 차량의 적재함에 피해자의 시체를 싣고 보니 마침 그 상의 조끼에 지갑이 있는 것을 발견하고, 장차 시체가 발견될 때 피해자의 신원이 밝혀지는 게 두려워 이를 숨기기 위하여 지갑을 꺼내 그 차량의 사물함에 통째로 넣어두었다가(따라서 **이때까지는 피고인에게 지갑 속의 재물에 대한 불법영득의 의사를 인정하기 어렵다**), 그로부터 15시간 가량 지난 후인 그 다음날 10:00경 범행현장에 다시 왔을 때 지갑 속에 들어 있던 돈과 피해자의 바지주머니에 별도로 들어 있던 10만원 가량의 돈을 꺼냈다가, 지갑 속의 돈은 피에 젖어 사용할 수 없을 것으로 생각하여 며칠 후 월악산 계곡에다 지갑째로 버리고, 다만 바지주머니에서 꺼낸 돈을 유류대금과 담배값 등으로 사용하였음을 알 수 있다.(대법원 2004. 6. 24. 2004도1098 **채권자 망치살해사건**)

④ [○] **사람을 살해한 자가 그 사체를 다른 장소로 옮겨 유기하였을 때에는 별도로 사체유기죄가 성립하고,** 이와 같은 사체유기를 불가벌적 사후행위로 볼 수는 없다.(대법원 1997. 7. 25. 97도1142 **페스카마호 사건**) 사체유기죄는 살인행위 등으로 성립될 범죄와 실체적 경합관계에 있다.

정답 | 200 ②

201 다음 중 <사례>에 관한 설명으로 가장 옳은 것은? (다툼이 있으면 판례에 의함)

□□□

23 해경간부 [Core ★★]

> 甲과 乙은 2009. 4. 22. 13:00경 A가 거주하는 ○○아파트 C동 202호에 이르러 그곳에 들어가 금품을 절취하기 위하여 육각렌치로 출입문 시정장치를 손괴하던 중 A에게 발각되어 도주하다가 경찰에게 체포되었다.

① 甲과 乙에게 특수절도죄의 미수범이 성립한다.

② 만약 甲과 乙이 출입문 시정장치를 손괴하고 방 안까지 들어가자마자 A에게 발각되어 도주한 경우라면 특수절도죄의 미수범이 성립한다.

③ 만약 甲과 乙이 절도의 범의로 같은 날 22:00경 乙이 아파트 현관에서 망을 보고 甲이 202호 출입문 시정장치를 육각렌치로 손괴한 후 안으로 들어가려는 순간, 귀가하던 A에게 발각되어 도주한 경우라면 특수절도죄의 미수범이 성립한다.

④ 만약 甲이 1층에서 망을 보고 乙이 같은 날 23:30경 위 202호의 불이 꺼져 있는 것을 보고 금품을 절취하기 위하여 도시가스 배관을 타고 올라가다가 발은 1층 방범창을 딛고 두 손은 1층과 2층 사이에 있는 도시가스 배관을 잡고 있던 상태에서 A에게 발각되어 도주한 경우라면 특수절도죄의 미수범이 성립한다.

해설

③ [○] 야간에 주거에 침입하여 재물을 절취할 목적으로 **주거의 일부를 손괴한 것이므로 형법 제331조 제1항의 특수절도미수죄가 성립한다.**(대법원 1986. 9. 9. 86도1273)

① [×] '주간'에 아파트 출입문 시정장치를 손괴하다가 귀가하던 피해자에게 발각되어 도주하였다고 하더라도 **절취할 물건의 물색행위를 시작하기 전이므로** 형법 제331조 제2항의 **특수절도미수죄는 성립하지 아니한다.** (대법원 2009. 12. 24. 2009도9667 아파트 출입문 손괴사건)

② [×] '주간'에 절도의 목적으로 타인의 주거에 침입하였다고 하더라도 **절취할 물건의 물색행위를 시작하기 전이므로** 형법 제331조 제2항의 **특수절도미수죄는** 성립하지 아니한다.(대법원 2009. 12. 24. 2009도9667 아파트 출입문 손괴사건)

④ [×] **아직 절취할 물건의 물색행위를 시작하기 전이고 또한 건조물의 일부를 손괴한 것도 아니므로** 형법 제331조 제1항·제2항의 **특수절도미수죄는 성립하지 아니한다.** 또한 주거침입의 실행에 착수한 것도 아니어서 야간주거침입절도미수죄도 성립하지 아니한다.(대법원 2008. 3. 27. 2008도917 가스배관 잡고있다 적발사건)

202 □□□ **다음 사례와 관련된 설명 중 옳은 것은? (다툼이 있으면 판례에 의함)** 24 변호사 [Superlative ★★★]

> 甲이 절도의 고의로 이웃집에 담을 넘어 들어갔다가 훔칠 물건을 찾을 새도 없이 때마침 귀가한 A에게 곧바로 발각되었다. A가 甲을 향해 "너, 누구야?"라고 소리치며 붙잡으려 하자, 甲이 도망치기 위해 A를 폭행하였다.

① 위 사례가 주간에 발생했다면 甲에게 절도미수죄가 성립한다.
② 위 사례가 주간에 발생했고 甲이 담을 넘어 들어갈 때 범행에 사용할 의도로 칼을 소지하고 있었다고 하더라도 실제 甲이 A를 폭행할 때 칼을 사용하지 않았다면 특수주거침입죄나 특수폭행죄는 성립하지 않는다.
③ 위 사례가 야간에 발생했다면 甲에게 준강도기수죄가 성립한다.
④ 위 사례가 야간에 발생했고, 甲이 A를 폭행한 후 곧이어 뒤따라 온 B에게 붙잡히게 되자 도망치기 위해 B에게 상해를 가한 경우 甲에게는 포괄하여 하나의 강도상해죄가 성립한다.
⑤ 위 사례와는 별도로 甲이 차량 내부의 물건을 훔치려고 하다가 혹시라도 발각되었을 때 체포를 면탈하는 데 도움이 될 수 있을 것이라는 생각에서 칼을 소지하고 심야에 인적이 드문 길가에 주차된 차량들을 살피던 중 적발된 경우 甲에게 강도예비죄가 성립한다.

해설

④ [○] 절도범이 체포를 면탈할 목적으로 체포하려는 여러 명의 피해자에게 같은 기회에 폭행을 가하여 그 중 1인에게만 상해를 가하였다면 이러한 행위는 **포괄하여 하나의 강도상해죄만 성립한다.**(대법원 2001. 8. 21. 2001도3447 평화빌라 주차장 사건) 甲은 포괄하여 하나의 강도상해죄의 죄책을 진다.

① [×] 야간이 아닌 주간에 절도의 목적으로 다른 사람의 주거에 침입하여 **절취할 재물의 물색행위를 시작하는** 등 그에 대한 사실상의 지배를 침해하는 데에 밀접한 행위를 개시하면 **절도죄의 실행에 착수한 것으로 보아야 한다.**(대법원 2003. 6. 24. 2003도1985 안방 · 거실 물색 사건) 甲은 훔칠 물건을 찾을 새도 없이 발각되었으므로 절도미수죄는 성립하지 않는다.

② [×] 범행 현장에서 범행에 사용하려는 의도 아래 흉기 등 위험한 물건을 소지하거나 몸에 지닌 이상 **그 사실을 피해자가 인식하거나 실제로 범행에 사용하였을 것까지 요구되는 것은 아니다.**(대법원 2007. 3. 30. 2007도914 꽃농원 싸움사건) 甲이 범행에 사용할 의도로 칼을 소지하고 있었던 이상 실제 甲이 A를 폭행할 때 칼을 사용하지 않았더라도 특수주거침입죄와 특수폭행죄가 성립한다.

③ [×] (1) 야간에 타인의 재물을 절취할 목적으로 사람의 주거에 침입한 경우에는 주거에 침입한 단계에서 이미 야간주거침입절도죄라는 범죄행위의 실행에 착수한 것이라고 보아야 한다.(대법원 2006. 9. 14. 2006도2824 빌라 출입문 사건) (2) 폭행 · 협박을 수단으로 하여 재물을 탈취하고자 하였으나 그 목적을 이루지 못한 자가 강도미수죄로 처벌되는 것과 마찬가지로 절도미수범인이 폭행 · 협박을 가한 경우에도 강도미수에 준하여 처벌하는 것이 합리적이라 할 것이므로 **준강도죄의 기수 여부는 절도행위의 기수 여부를 기준으로 하여 판단하여야 한다.**(대법원 2004. 11. 18. 2004도5074 全合 양주절취 미수사건) 甲은 절도의 기수에 이르지 못했으므로 준강도미수죄의 죄책을 진다.

⑤ [×] 강도예비 · 음모죄가 성립하기 위해서는 예비 · 음모 행위자에게 미필적으로라도 '강도'를 할 목적이 있음이 인정되어야 하고 그에 이르지 않고 **단순히 '준강도'할 목적이 있음에 그치는 경우에는 강도예비 · 음모죄로 처벌할 수 없다.**(대법원 2006. 9. 14. 2004도6432 준강도 목적 사건) 甲은 강도예비죄의 죄책을 지지 않는다.

정답 | 201 ③ 202 ④

제4절 | 사기의 죄

203 절도와 사기의 구별에 관한 다음 설명 중 가장 옳지 않은 것은? (다툼이 있으면 판례에 의함)
□□□

23 법원9급 [Essential ★]

① 형법상 절취란 타인이 점유하고 있는 자기 이외의 자의 소유물을 점유자의 의사에 반하여 점유를 배제하고 자기 또는 제3자의 점유로 옮기는 것이므로 기망의 방법으로 타인으로 하여금 처분행위를 하도록 하여 재물 또는 재산상 이익을 취득한 경우에는 절도죄가 아니라 사기죄가 성립한다.

② 사기죄에서 처분행위는 착오에 빠진 피해자의 행위를 이용하여 재산을 취득하는 것을 본질적 특성으로 하는 사기죄와 피해자의 행위에 의하지 아니하고 행위자가 탈취의 방법으로 재물을 취득하는 절도죄를 구분하는 역할을 한다.

③ 피기망자의 의사에 기초한 어떤 행위를 통해 행위자 등이 재물 또는 재산상의 이익을 취득하였다고 평가할 수 있는 경우라면 사기죄에서 말하는 처분행위가 인정된다.

④ 사기죄가 성립되려면 피기망자가 착오에 빠져 어떠한 재산상의 처분행위를 하도록 유발하여 재산적 이득을 얻을 것을 요하나, 피기망자와 재산상의 피해자가 같은 사람이 아닌 경우에는 피기망자가 피해자를 위하여 그 재산을 처분할 수 있는 권능을 갖거나 그 지위에 있을 것을 요하지는 않는다.

해설

④ [×] 사기죄가 성립되려면 피기망자가 착오에 빠져 어떠한 재산상의 처분행위를 하도록 유발하여 재산적 이득을 얻을 것을 요하고, **피기망자와 재산상의 피해자가 같은 사람이 아닌 경우에는 피기망자가 피해자를 위하여 그 재산을 처분할 수 있는 권능을 갖거나 그 지위에 있어야 한다.**(대법원 2022. 12. 29. 2022도12494 내 지갑이 맞다 사건)

① [○] 형법상 절취란 타인이 점유하고 있는 자기 이외의 자의 소유물을 점유자의 의사에 반하여 점유를 배제하고 자기 또는 제3자의 점유로 옮기는 것을 말한다. 이에 반해 기망의 방법으로 타인으로 하여금 처분행위를 하도록 하여 재물 또는 재산상 이익을 취득한 경우에는 **절도죄가 아니라 사기죄가 성립한다.**(대법원 2022. 12. 29. 2022도12494 내 지갑이 맞다 사건)

②③ [○] 사기죄에서 처분행위는 행위자의 기망행위에 의한 피기망자의 착오와 행위자 등의 재물 또는 재산상 이익의 취득이라는 최종적 결과를 중간에서 매개 · 연결하는 한편, 착오에 빠진 피해자의 행위를 이용하여 재산을 취득하는 것을 본질적 특성으로 하는 **사기죄와 피해자의 행위에 의하지 아니하고 행위자가 탈취의 방법으로 재물을 취득하는 절도죄를 구분하는 역할을 한다.** 처분행위가 갖는 이러한 역할과 기능을 고려하면 **피기망자의 의사에 기초한 어떤 행위를 통해 행위자 등이 재물 또는 재산상의 이익을 취득하였다고 평가할 수 있는 경우라면 사기죄에서 말하는 처분행위가 인정된다.**(대법원 2022. 12. 29. 2022도12494 내 지갑이 맞다 사건) "매장 주인 B가 매장에 유실된 손님 A의 반지갑을 습득한 후 또 다른 손님인 피고인 甲에게 "이 지갑이 선생님 지갑이 맞느냐?"라고 묻자, 甲이 "내 것이 맞다"라고 대답한 후 이를 교부받아 가져갔는바, B는 반지갑을 습득하여 이를 진정한 소유자에게 돌려주어야 하는 지위에 있었으므로 A를 위하여 이를 처분할 수 있는 권능을 갖거나 그 지위에 있었고 나아가 B는 이러한 처분권능과 지위에 기초하여 반지갑의 소유자라고 주장하는 甲에게 반지갑을 교부하였고 이를 통해 甲이 반지갑을 취득하여 자유로운 처분이 가능한 상태가 되었으므로 B의 행위는 사기죄에서 말하는 처분행위에 해당하고 甲의 행위를 절취행위로 평가할 수는 없다."라는 취지의 판례이다.

204 사기죄에 관한 설명 중 가장 적절하지 않은 것은? (다툼이 있으면 판례에 의함)
□□□

15 경찰승진 [Essential ★]

① 출판사 경영자가 출고현황표를 조작하는 방법으로 실제출판부수를 속여 작가에게 인세의 일부만을 지급한 경우 사기죄가 성립하지 않는다.

② 중고자동차 매매에 있어서 매도인의 할부금융회사 또는 보증보험에 대한 할부금 채무는 매수인에게 당연히 승계되는 것이 아니므로 그 할부금 채무의 존재를 매수인에게 고지하지 아니한 것은 부작위에 의한 기망에 해당하지 아니한다.

③ 수입소고기를 사용하는 식당영업주가 한우만을 취급한다는 취지의 상호를 사용하고 식단표 등에도 한우만을 사용한다고 기재한 경우는 사기죄의 기망행위에 해당된다.

④ 주권을 교부한 자가 그것을 분실하였다고 허위로 공시최고신청을 하여 제권판결을 받아 확정된 경우에는 사기죄가 성립한다.

해설

① [×] 피고인들이 출판부수의 1/3 정도만 기재한 출고현황표를 피해자 A에게 송부함으로써 A로 하여금 출고현황표에 기재된 부수가 실제 출판부수에 해당한다고 믿게 한 다음 실제 출판부수의 1/3 정도에 해당하는 인세만을 지급하고 그 차액을 지급하지 않은 경우, 비록 A가 이미 지급받은 인세를 초과하는 부분의 나머지 인세지급청구권을 명시적으로 포기하거나 또는 출판사의 채무를 면제하지는 아니하였다 하더라도, A는 피고인들의 기망행위에 의하여 그 청구권의 존재 자체를 알지 못하는 착오에 빠진 결과 이를 행사하지 못하는 상태에 이른 만큼 이는 **부작위에 의한 처분행위에 해당하여 사기죄가 성립한다.**(대법원 2007. 7. 12. 2005도9221 **인세 사건**)

② [○] 중고 자동차 매매에 있어서 매도인의 할부금융회사 또는 보증보험에 대한 할부금 채무가 매수인에게 당연히 승계되는 것이 아니기 때문에 그 할부금 채무의 존재를 **매수인에게 고지하지 아니한 것은 부작위에 의한 기망에 해당하지 아니한다.**(대법원 1998. 4. 14. 98도231 **자동차할부금 묵비사건**)

③ [○] 식육식당을 경영하는 피고인이 사실은 수입소고기를 판매하면서, 음식점에서 한우만을 취급한다는 취지의 상호를 사용하고 광고선전판, 식단표 등에도 **한우만을 사용한다고 기재한 경우**, 이러한 광고는 그 **사술의 정도가 사회적으로 용인될 수 있는 상술의 정도를 넘는 것이다.**(대법원 1997. 9. 9. 97도1561 **고향한우마을 사건**)

④ [○] 주권을 교부한 자가 이를 분실하였다고 허위로 공시최고신청을 하여 제권판결(除權判決)을 선고받아 확정되었다면, 그 제권판결의 적극적 효력에 의해 그 자는 그 주권을 소지하지 않고도 주권을 소지한 자로서의 권리를 행사할 수 있는 지위를 취득하였다고 할 것이므로 이로써 사기죄에 있어서의 재산상 이익을 취득한 것으로 보기에 충분하다고 할 것이고, 이는 제권판결이 그 신청인에게 **주권상의 권리를 행사할 수 있는 형식적 자격을 인정하는 데 그치며, 그를 실질적 권리자로 확정하는 것이 아니라고 하여 달리 볼 것은 아니다.**(대법원 2007. 5. 31. 2006도8488)

정답 | 203 ④ 204 ①

205 사기의 죄에 대한 설명으로 가장 적절한 것은? (다툼이 있으면 판례에 의함) 21 경찰채용 [*Core* ★★]

□□□

① 「민법」 제746조의 불법원인급여에 해당하여 급여자가 수익자에 대한 반환청구권을 행사할 수 없다면, 설령 수익자가 기망을 통하여 급여자로 하여금 불법원인급여에 해당하는 재물을 제공하도록 하였더라도 사기죄는 성립하지 않는다.

② 담당 공무원을 기망하여 납부의무가 있는 농지보전부담금을 면제받아 재산상 이익을 취득하였다면, 부과권자의 직접적인 권력작용을 사기죄의 보호법익인 재산권과 동일하게 평가할 수 있어 사기죄가 성립한다.

③ 의료인으로서 자격과 면허를 보유한 사람이 「의료법」 제4조 제2항을 위반하여 다른 의료인의 명의로 의료기관을 개설·운영함으로써 요양급여비용을 지급받은 경우, 「국민건강보험법」상 요양급여비용을 적법하게 지급받을 수 있는 자격 내지 요건이 흠결되지 않더라도 국민건강보험공단을 피해자로 하는 사기죄를 구성한다.

④ 피해자 법인이나 단체의 대표자 또는 실질적으로 의사결정을 하는 최종결재권자 등 기망의 상대방이 기망행위자와 동일인이거나 기망행위자와 공모하는 등 기망행위를 알고 있었던 경우에는 기망의 상대방에게 기망행위로 인한 착오가 있다고 볼 수 없고, 기망의 상대방이 재물을 교부하는 등의 처분을 했더라도 기망행위와 인과관계가 있다고 보기 어렵다.

해설

④ [○] 사기죄의 피해자가 법인이나 단체인 경우에 기망행위로 인한 착오, 인과관계 등이 있었는지 여부는 법인이나 단체의 대표 등 최종 의사결정권자 또는 내부적인 권한 위임 등에 따라 실질적으로 법인의 의사를 결정하고 처분을 할 권한을 가지고 있는 사람을 기준으로 판단하여야 한다. 따라서 피해자 법인이나 단체의 대표자 또는 실질적으로 의사결정을 하는 **최종결재권자 등이 기망행위자와 동일인이거나 기망행위자와 공모하는 등 기망행위임을 알고 있었던 경우에는 기망행위로 인한 착오가 있다고 볼 수 없고,** 재물 교부 등의 처분행위가 있었다고 하더라도 기망행위와 인과관계가 있다고 보기 어려워, 이러한 경우에는 사안에 따라 업무상횡령죄 또는 업무상배임죄 등이 성립하는 것은 별론으로 하고 사기죄가 성립한다고 볼 수 없다. 반면에 피해자 법인이나 단체의 업무를 처리하는 실무자인 일반 직원이나 구성원 등이 기망행위임을 알고 있었다고 하더라도, 피해자 법인이나 단체의 대표자 또는 실질적으로 의사결정을 하는 최종결재권자 등이 기망행위임을 알지 못한 채 착오에 빠져 처분행위에 이른 경우라면, 피해자 법인에 대한 사기죄의 성립에 영향이 없다.(대법원 2017. 9. 26. 2017도8449 저축은행 대출사기 사건)

① [×] 민법 제746조의 불법원인급여에 해당하여 급여자가 수익자에 대한 반환청구권을 행사할 수 없다고 하더라도 **수익자가 기망을 통하여 급여자로 하여금 불법원인급여에 해당하는 재물을 제공하도록 하였다면 사기죄가 성립한다고 할 것인 바,** 피고인이 피해자로부터 도박자금으로 사용하기 위하여 금원을 차용하였더라도 사기죄의 성립에는 영향이 없다.(대법원 2006. 11. 23. 2006도6795 도박자금 편취사건)

② [×] (1) 중앙행정기관의 장, 지방자치단체의 장 등 법률에 따라 금전적 부담의 부과권한을 부여받은 자(이하 '부과권자'라 한다)가 재화 또는 용역의 제공과 관계없이 특정 공익사업과 관련하여 권력작용으로 부담금을 부과하는 것은 일반 국민의 재산권을 제한하는 침해행정에 속하고, 이러한 침해행정 영역에서 일반 국민이 담당 공무원을 기망하여 권력작용에 의한 재산권 제한을 면하는 경우에는 부과권자의 직접적인 권력작용을 사기죄의 보호법익인 재산권과 동일하게 평가할 수 없는 것이므로 행정법규에서 그러한 행위에 대한 처벌규정을 두어 처벌함은 별론으로 하고, 사기죄는 성립할 수 없다.
(2) 원심이, **피고인이 담당 공무원을 기망하여 납부의무가 있는 농지보전부담금을 면제받아 재산상 이익을 취득하였다는 공소사실에 대하여 범죄로 되지 아니하는 경우에 해당한다고 보아,** 이를 무죄로 판단한 제1심 판결을 그대로 유지한 것은 사기죄의 성립에 관한 법리를 오해한 잘못이 없다.(대법원 2019. 12. 24. 2019도2003 농지보전부담금 사건)

③ [×] 의료인으로서 자격과 면허를 보유한 사람이 의료법에 따라 의료기관을 개설하여 건강보험의 가입자 또는 피부양자에게 국민건강보험법에서 정한 요양급여를 실시하여 국민건강보험공단으로부터 요양급여 비용을 지급받았다면, 설령 그 의료기관이 다른 의료인의 명의로 개설 · 운영되어 **의료법 제4조 제2항을 위반하였다 하더라도** 그 자체만으로는 **요양급여비용을 청구할 수 있는 요양기관에서 제외되지 아니하므로** 달리 요양급여비용을 적법하게 지급받을 수 없는 자격 내지 요건이 흠결되지 않는 한 국민건강보험공단을 피해자로 하는 **사기죄를 구성한다고 할 수 없다.**(대법원 2019. 5. 30. 2019도1839)

206 □□□ 사기죄에 관한 설명 중 가장 적절한 것은? (다툼이 있으면 판례에 의함) 23 경찰채용 [Essential ★]

① 민법 제746조의 불법원인급여에 해당하여 급여자가 수익자에 대한 반환청구권을 행사할 수 없다면 수익자가 기망을 통하여 급여자로 하여금 불법원인급여에 해당하는 재물을 제공하도록 하였더라도 사기죄를 구성하지 않는다.

② 甲이 A에 대한 사기범행을 실현하는 수단으로서 사기의 고의가 없는 B를 기망하여 그를 A로부터 편취한 재물이나 재산상 이익을전달하는 도구로서만 이용한 경우 편취의 대상인 재물 또는 재산상 이익에 관하여 A에 대한 사기죄가 성립할 뿐 도구로 이용된 B에 대한 사기죄는 별도로 성립하지 않는다.

③ 사기죄가 성립하기 위해서는 적극적 기망행위가 있어야 하므로 부작위에 의한 기망은 있을 수 없다.

④ 사기죄의 '처분행위'라 함은 재산적 처분행위로서 피해자가 자유의사로 직접 재산상 손해를 초래하는 작위에 나아가는 것을 말하므로 피해자가 기망에 의하여 착오에 빠진 결과 채권의 존재를 알지 못하여 채권을 행사하지 아니한 것에 불과하다면 그와 같은 부작위는 재산의 처분행위에 해당하지 않는다.

해설

② [○] 간접정범을 통한 범행에서 피이용자는 간접정범의 의사를 실현하는 수단으로서의 지위를 가질 뿐이므로, 피해자에 대한 사기범행을 실현하는 수단으로서 타인을 기망하여 그를 피해자로부터 편취한 재물이나 재산상 이익을 전달하는 도구로서만 이용한 경우에는 편취의 대상인 재물 또는 재산상 이익에 관하여 피해자에 대한 사기죄가 성립할 뿐 **도구로 이용된 타인에 대한 사기죄가 별도로 성립한다고 할 수 없다.**(대법원 2017. 5. 31. 2017도3894 **보이스피싱 사건Ⅱ**) 피고인 甲 등이 A에게 금융감독원 직원 등을 사칭하면서 B의 계좌에 1,400만원을 입금하라고 하고, B에게도 같은 취지로 거짓말하여 B로 하여금 A가 입금한 1,400만원을 포함하여 총 1,880만원을 인출하여 전달하게 한 경우, **A가 B의 계좌에 입금한 1,400만원 부분에 대하여는** B가 甲 등의 기망에 따라 단지 A에 대한 사기범행을 실현하기 위한 도구로 이용되었을 뿐이므로 A에 대한 사기죄가 성립할 뿐 **B에 대한 사기죄는 별도로 성립하지 않는다**는 취지의 판례이다.

① [×] 민법 제746조의 불법원인급여에 해당하여 급여자가 수익자에 대한 반환청구권을 행사할 수 없다고 하더라도 **수익자가 기망을 통하여 급여자로 하여금 불법원인급여에 해당하는 재물을 제공하도록 하였다면 사기죄가 성립한다고 할 것인 바,** 피고인이 피해자로부터 도박자금으로 사용하기 위하여 금원을 차용하였더라도 사기죄의 성립에는 영향이 없다.(대법원 2006. 11. 23. 2006도6795 **도박자금 편취사건**)

정답 | 205 ④ 206 ②

③ [×] 사기죄의 요건으로서의 기망은 널리 재산상의 거래관계에 있어 서로 지켜야 할 신의와 성실의 의무를 저버리는 모든 적극적 또는 소극적 행위를 말하는 것이고, 이러한 소극적 행위로서의 **부작위에 의한 기망은 법률상 고지의무 있는 자가 일정한 사실에 관하여 상대방이 착오에 빠져 있음을 알면서도 이를 고지하지 아니함을 말한다.**(대법원 2007. 4. 12. 2007도967 신장결핵 묵비사건)

④ [×] 사기죄는 타인을 기망하여 착오를 일으키게 하고 그로 인한 처분행위를 유발하여 재물 · 재산상의 이득을 얻음으로써 성립하고, 여기서 처분행위라 함은 재산적 처분행위로서 피해자가 자유의사로 직접 재산상 손해를 초래하는 작위에 나아가거나 또는 부작위에 이른 것을 말하므로 **피해자가 착오에 빠진 결과 채권의 존재를 알지 못하여 채권을 행사하지 아니하였다면 그와 같은 부작위도 재산의 처분행위에 해당한다.**(대법원 2007. 7. 12. 2005도9221 인세 사건)

207 다음 사례에 대한 설명으로 옳지 않은 것은? (다툼이 있으면 판례에 의하며, 특별법 위반은 논외로 함)

□□□

17 국가9급 [Superlative ★★★]

> 甲의 보이스피싱에 속은 V가 자신의 현금 1,000만원을 甲이 양도받아 가지고 있던 乙명의의 통장으로 송금하였고 乙이 현금 140만원을 인출하였는데, 이 통장은 乙이 누군가의 보이스피싱에 사용될 것임을 알면서 자기 명의로 발급받아 현금카드 및 비밀번호와 함께 돈을 받고 판 것이었고, 통장 발급 금융기관에서 SMS 문자서비스로 계좌에 1,000만원이 입금되었음을 알려주자 乙이 직불카드를 이용하여 甲보다 먼저 인출하였다.

① 甲에게는 사기죄가 성립한다.

② 乙에게는 사기죄의 방조범이 성립한다.

③ 이 사례에서 사기범행으로 취득된 것은 乙의 통장에 입금된 1,000만원이라는 재산상 이익이다.

④ 乙에게는 장물취득죄가 성립하지 않는다.

해설

③ [×] (1) 사기죄의 객체는 타인이 점유하는 '타인의' 재물 또는 재산상의 이익이므로 **피해자와의 관계에서 살펴보아** 그것이 피해자 소유의 재물인지 아니면 피해자가 보유하는 재산상의 이익인지에 따라 **재물이 객체인지 아니면 재산상의 이익이 객체인지 구별하여야 한다.**
(2) 피고인 乙이 자신의 예금계좌를 甲에게 양도하고 甲이 피해자 V를 속여 V가 현금을 乙의 예금계좌로 송금한 경우, **이는 재물에 해당하는 현금을 교부받는 방법이 예금계좌로 송금하는 형식으로 이루어진 것에 불과하다.**(대법원 2010. 12. 9. 2010도6256 대포통장 현금 인출사건Ⅱ) 사기범행으로 취득된 것은 재산상 이익이 아니라 1,000만원이라는 재물로 보아야 한다.

①② [○] 甲은 사기죄, 乙은 **사기방조죄의 죄책을 진다.**(대법원 2010. 12. 9. 2010도6256 대포통장 현금 인출사건Ⅱ)

④ [○] 피고인 乙이 자신의 예금계좌에서 돈을 인출하였다 하더라도 이는 예금명의자로서 은행에 예금반환을 청구한 결과일 뿐 본범인 甲으로부터 돈에 대한 점유를 이전받아 **사실상 처분권을 획득한 것은 아니므로, 위와 같은 인출행위를 장물'취득'죄로 벌할 수는 없다.**(대법원 2010. 12. 9. 2010도6256 대포통장 현금 인출사건Ⅱ)

208 사기죄에 대한 설명으로 옳지 않은 것은? (다툼이 있으면 판례에 의함) 19 5급승진 [Core ★★]

□□□

① 재물에 대한 사기죄에 있어서 외관상 재물의 교부에 해당하는 행위가 있었다고 하더라도 재물이 범인의 사실상의 지배 아래에 들어가 그의 자유로운 처분이 가능한 상태에 놓이지 않고 여전히 피해자의 지배 아래에 있는 것으로 평가된다면, 그 재물에 대한 처분행위가 있었다고 볼 수 없다.

② 기망행위에 의하여 국가적 또는 공공적 법익을 침해한 경우라도 그와 동시에 형법상 사기죄의 보호법익인 재산권을 침해하는 것과 동일하게 평가할 수 있는 때에는 당해 행정법규에서 사기죄와 특별관계에 해당하는 처벌 규정을 별도로 두고 있지 않는 한 사기죄가 성립할 수 있다.

③ 의료기관의 장이 교통사고 환자의 치료 후 자동차보험회사에 자동차보험진료수가 지급을 청구하면서, 이 기관이 '비의료인이 「의료법」을 위반하여 개설한 의료기관'이라는 사정을 고지하지 않았다면 사기죄의 기망이 있다고 볼 수 있다.

④ 피해자에게 불행을 고지하거나 길흉화복에 관한 어떠한 결과를 약속하고 기도비 등의 명목으로 대가를 교부받은 경우에 전통적인 관습 또는 종교행위로서 허용될 수 있는 한계를 벗어났다면 사기죄에 해당한다.

⑤ 민사상 금전대차관계에서 채무자가 확실한 변제의 의사가 없거나 또는 차용시 약속한 변제기일 내에 변제할 능력이 없는데도 변제할 것처럼 가장하여 금원을 차용한 경우에는 편취의 고의를 인정할 수 있다.

해설

③ [×] 개설자격이 없는 비의료인이 의료법 제33조 제2항을 위반하여 개설한 의료기관이라고 하더라도, 면허를 갖춘 의료인을 통해 교통사고 피해자에 대한 진료가 이루어지고 보험회사 등에 자동차손해배상 보장법에 따라 자동차보험진료수가의 지급을 청구한 것이라면 보험회사 등으로서는 특별한 사정이 없는 한 그 지급을 거부할 수 없다고 보아야 하므로 **교통사고 피해자를 진료한 의료기관이 의료법 규정에 위반되어 개설된 사정을 보험회사 등에 고지하지 아니한 채 자동차보험진료수가의 지급을 청구하였다고 하여도,** 이는 교통사고 피해자나 해당 의료기관에 대한 **보험회사 등의 자동차보험진료수가 지급의무에 영향을 미칠 수 있는 사유가 아니어서 사기죄에서 말하는 기망이 있다고 볼 수는 없다.**(대법원 2018. 9. 13. 2018도10183 **의료생협 한의원 사건**)

① [○] 재물에 대한 사기죄에 있어서 처분행위란, 범인의 기망에 따라 피해자가 착오로 재물에 대한 사실상의 지배를 범인에게 이전하는 것을 의미하므로 외관상 재물의 교부에 해당하는 행위가 있었다고 하더라도 **재물이 범인의 사실상의 지배 아래에 들어가 그의 자유로운 처분이 가능한 상태에 놓이지 않고 여전히 피해자의 지배 아래에 있는 것으로 평가된다면 그 재물에 대한 처분행위가 있었다고 볼 수 없다.**(대법원 2018. 8. 1. 2018도7030 **금괴 운반 사건**)

② [○] 기망행위에 의하여 국가적 또는 공공적 법익을 침해한 경우라도 그와 동시에 형법상 사기죄의 보호법익인 재산권을 침해하는 것과 동일하게 평가할 수 있는 때에는 **당해 행정법규에서 사기죄와 특별관계에 해당하는 처벌 규정을 별도로 두고 있지 않는 한 사기죄가 성립할 수 있다.**(대법원 2019. 12. 24. 2019도2003 **농지보전부담금 사건**)

정답 | 207 ③ 208 ③

④ [○] (1) 피고인이 피해자에게 불행을 고지하거나 길흉화복에 관한 어떠한 결과를 약속하고 기도비 등의 명목으로 대가를 교부받은 경우에 전통적인 관습 또는 종교행위로서 허용될 수 있는 한계를 벗어났다면 사기죄에 해당한다. (2) 피고인이 피해자에게 "피해자의 처가 정신분열병에 걸린 것은 귀신이 들린 것이니 피고인이 기도를 하여 낫게 해줄 수 있다", "피해자의 아들에 액운이 있으니 피고인이 골프공에 피해자의 아들 이름을 적어 골프채로 쳐서 액운을 몰아내야 한다", "피해자의 딸과 가족들에게 귀신이 씌었다"는 등의 말을 하며 돈을 요구하여 기도비와 차용금 명목으로 **합계 1억 889만원을 송금받은 행위는 전통적인 관습 또는 종교행위로서 허용될 수 있는 한계를 벗어난 것으로서 사기죄가 성립한다.**(대법원 2017. 11. 9. 2016도12460 **귀신쫓는 기도비 사건**)

⑤ [○] 민사상 금전대차관계에서 채무불이행 사실을 가지고 바로 차용금 편취의 고의를 인정할 수는 없으나 피고인이 확실한 변제의 의사가 없거나 또는 차용시 약속한 **변제기일 내에 변제할 능력이 없는데도 변제할 것처럼 가장하여 금원을 차용한 경우에는 편취의 고의를 인정할 수 있다.**(대법원 2018. 8. 1. 2017도20682 **저축은행 3천 대출사건**)

209 사기죄에 대한 설명으로 가장 적절하지 않은 것은? (다툼이 있으면 판례에 의함)

□□□

20 경찰채용 [*Core* ★★]

① 피해자가 법인이나 단체의 대표자 또는 실질적으로 의사결정을 하는 최종결재권자 등 기망의 상대방이 기망행위자와 동일인이거나 기망행위자와 공모하는 등 기망행위를 알고 있었다면 사기죄가 성립되지 않는다.

② 금융기관 직원이 범죄의 목적으로 전산단말기를 이용하여 다른 공범들이 지정한 특정계좌에 무자원 송금의 방식으로 거액을 입금한 행위는 컴퓨터등사용사기죄에 해당한다.

③ 기망행위를 수단으로 한 권리행사의 경우 권리행사에 속하는 행위와 수단에 속하는 기망행위를 전체적으로 관찰하여 그 기망행위가 사회통념상 권리행사의 수단으로서 용인할 수 없는 정도라면 권리행사에 속하는 행위는 사기죄를 구성한다.

④ 피고인이 수개의 선거비용 항목을 허위기재한 하나의 선거비용 보전청구서를 제출하여 정부로부터 선거비용을 과다 보전받아 이를 편취하였다면 이는 수죄로 평가되어야 하고, 각 선거비용항목에 따라 별개의 사기죄가 성립한다.

해설

④ [×] 피고인이 수개의 선거비용 항목을 허위기재한 하나의 선거비용 보전청구서를 제출하여 대한민국으로부터 선거비용을 과다 보전받아 이를 편취하였다면 이는 **일죄로 평가되어야 하고**, 각 선거비용 항목에 따라 **별개의 사기죄가 성립하는 것은 아니다.**(대법원 2017. 5. 30. 2016도21713 **김복만 울산교육감 사건**)

① [○] 사기죄의 피해자가 법인이나 단체인 경우에 기망행위로 인한 착오, 인과관계 등이 있었는지 여부는 법인이나 단체의 대표 등 최종 의사결정권자 또는 내부적인 권한 위임 등에 따라 실질적으로 법인의 의사를 결정하고 처분을 할 권한을 가지고 있는 사람을 기준으로 판단하여야 한다. 따라서 피해자 법인이나 단체의 대표자 또는 실질적으로 의사결정을 하는 **최종결재권자 등이 기망행위자와 동일인이거나 기망행위자와 공모하는 등 기망행위임을 알고 있었던 경우에는** 기망행위로 인한 착오가 있다고 볼 수 없고, 재물 교부 등의 처분행위가

있었다고 하더라도 기망행위와 인과관계가 있다고 보기 어려워, 이러한 경우에는 사안에 따라 업무상횡령죄 또는 업무상배임죄 등이 성립하는 것은 별론으로 하고 **사기죄가 성립한다고 볼 수 없다.** 반면에 피해자 법인이나 단체의 업무를 처리하는 실무자인 일반 직원이나 구성원 등이 기망행위임을 알고 있었다고 하더라도, 피해자 법인이나 단체의 대표자 또는 실질적으로 의사결정을 하는 최종결재권자 등이 기망행위임을 알지 못한 채 착오에 빠져 처분행위에 이른 경우라면, 피해자 법인에 대한 사기죄의 성립에 영향이 없다.(대법원 2017. 9. 26. 2017도8449 **저축은행 대출사기 사건**)

② [○] 금융기관 직원이 전산단말기를 이용하여 다른 공범들이 지정한 특정계좌에 돈이 입금된 것처럼 허위의 정보를 입력하는 방법으로 위 계좌로 입금되도록 한 경우, 이러한 입금절차를 완료함으로써 장차 그 계좌에서 이를 인출하여 갈 수 있는 재산상 이익의 취득이 있게 되었다고 할 것이므로 컴퓨터등사용사기죄는 기수에 이르렀다고 할 것이고, 그 후 그러한 입금이 취소되어 현실적으로 인출되지 못하였다고 하더라도 **이미 성립한 컴퓨터등사용사기죄에 어떤 영향이 있다고 할 수는 없다.**(대법원 2006. 9. 14. 2006도4127 **봉평농협 사건**)

③ [○] 기망행위를 수단으로 한 권리행사의 경우 그 권리행사에 속하는 행위와 그 수단에 속하는 기망행위를 전체적으로 관찰하여 그와 같은 기망행위가 **사회통념상 권리행사의 수단으로서 용인할 수 없는 정도라면 그 권리행사에 속하는 행위는 사기죄를 구성한다.**(대법원 2018. 4. 12. 2017도21196 **수서고속철도 공사 비리사건**)

210 사기죄에 관한 다음 설명 중 가장 틀린 것은? (다툼이 있으면 판례에 의함)

□□□

12 법원행시 [Superlative ★★★]

① 도박이란 2인 이상의 자가 상호간에 재물을 걸고 우연한 승패에 의하여 그 재물의 득실을 결정하는 것이므로, 사기도박의 경우에는 사기죄만이 성립하고, 도박죄는 성립하지 않는다.

② 甲이 일제시대 사정(査定)받은 토지에 대하여 소유자 미복구를 원인으로 국가 명의의 소유권보존등기가 되어 있는 상태에서, 피고인이 甲의 상속인인 것처럼 조작하여 국가를 상대로 소유권보존등기 말소등기 청구소송을 제기하여 이를 인용하는 화해권고결정이 확정 되었다면 사기죄가 성립한다.

③ 인감증명서는 개인이 현재 사용하고 있는 인감을 공식적으로 증명하는 내용의 문서에 그쳐서 거기에 어떠한 재물이나 재산상 이익의 처분에 관한 사항을 포함하고 있는 것이 아니고, 인감증명서의 불법취득으로 인하여 침해될 우려가 있는 법익은 그 서면 자체가 아니라 그 서면으로 증명하고자 하는 내용일 뿐이어서 인감증명서 자체는 사기죄의 객체가 될 수 없다.

④ 피고인이 컴퓨터를 이용하여 이동통신회사들의 전산망에 접속한 다음 전산프로그램상으로 사용 정지된 휴대전화를 사용할 수 있도록 하거나 유심칩 읽기를 통해 문자메시지 발송 한도를 해제하여 광고성 문자를 대량 발송하여 그 이용대금 상당의 재산상 이득을 취득하였더라도 사람을 기망한 것으로 볼 수 없어 사기죄가 성립하지 않는다.

⑤ 피고인의 딸과 피해자의 아들이 혼인관계에 있어 피고인과 피해자가 사돈지간이라고 하더라도 이를 민법상 친족으로 볼 수 없으므로 피고인이 피해자를 속여 돈을 편취하였다면 사기죄가 성립한다.

정답 | 209 ④ 210 ③

해설

③ [×] 인감증명서는 인감과 함께 소지함으로써 인감 자체의 동일성을 증명함과 동시에 거래행위자의 동일성과 거래행위가 행위자의 의사에 의한 것임을 확인하는 자료로서 개인의 권리의무에 관계되는 일에 사용되는 등 일반인의 거래상 극히 중요한 기능을 가지므로 다른 특별한 사정이 없는 한 **재산적 가치를 가지는 것이어서 형법상의 '재물'에 해당하여 사기죄의 객체가 될 수 있다.**(대법원 2011. 11. 10. 2011도9919 **아파트분양권 사기사건**)

① [○] **사기도박**과 같이 도박당사자의 일방이 사기의 수단으로써 승패의 수를 지배하는 경우에는 도박에서의 우연성이 결여되어 **사기죄만 성립하고 도박죄는 성립하지 아니한다.**(대법원 2011. 1. 13. 2010도9330 **보령사기도박사건**)

② [○] 이미 국가 명의로 소유권보존등기가 되어 있는 상태에서 소유권보존등기의 말소청구를 하고 청구의 일부 인용 판결에 준하는 화해권고결정이 확정된 이상, 청구인용 부분에 대하여는 법원을 기망하여 유리한 결정을 받음으로써 **'대상 토지의 소유명의를 얻을 수 있는 지위'라는 재산상 이익을 취득하였다고 할 것이고, 이는 사기죄의 대상인 재산상 이익의 편취에 해당한다.**(대법원 2011. 12. 13. 2011도8873 **소홀읍 전답 편취사건**)

④ [○] 피고인이 이동통신 판매대리점의 컴퓨터를 이용하여 이동통신회사들의 전산망에 접속한 다음 전산상으로 사용정지된 휴대전화를 사용할 수 있도록 하거나 **유심칩 읽기를 통해 문자메시지 발송한도를 해제한 경우라도 '사람을 기망하여 재산상 이득을 취득한 경우'에 해당한다고 볼 수 없어 사기죄는 성립하지 않는다.**(대법원 2011. 7. 28. 2011도5299 **스팸문자의 달인 사건**)

⑤ [○] (1) 민법 제767조는 '배우자, 혈족 및 인척을 친족으로 한다'고 규정하고 있고, 민법 제769조는 혈족의 배우자, 배우자의 혈족, 배우자의 혈족의 배우자만을 인척으로 규정하고 있을 뿐, 구 민법 제769조에서 인척으로 규정하였던 '혈족의 배우자의 혈족'을 인척에 포함시키지 않고 있다.
(2) 피고인의 딸과 피해자의 아들이 혼인관계에 있어 피고인과 피해자가 사돈지간이라고 하더라도 이를 민법상 친족으로 볼 수 없다.(대법원 2011. 4. 28. 2011도2170 **사돈 사기사건**) 사기죄가 성립할 뿐더러 **사돈은 친족이 아니므로 친족상도례도 적용되지 아니한다.**

211 사기죄에 관한 설명 중 옳은 것은 모두 몇 개인가? (다툼이 있으면 판례에 의함)

□□□

12 경찰간부 [Core ★★]

㉠ 양도증서 등 특허 관련 명의변경 서류를 위조하여 일본국 특허청 공무원에게 제출함으로써 특허의 출원자를 자신의 명의로 변경한 경우 사기죄가 성립한다.
㉡ 허위채권으로 본안소송을 제기하지 아니한 채 가압류만 한 경우에는 실행의 착수가 인정되지 않는다.
㉢ 토지소유자로 등기된 자가 자신의 진정한 소유자가 아님을 알고 있었다고 할지라도 당해 토지의 수용보상금을 출금·수령한 것에 불과하다면 기망행위가 없어 사기죄는 성립하지 아니한다.
㉣ 실재하고 있지 아니한 자에 대하여 허위의 권원에 의한 소송을 제기하여 승소판결이 확정된 경우에는 사기죄가 성립한다.
㉤ 법원을 기망하여 승소판결을 받고 그 확정판결에 의하여 소유권이전등기를 경료한 경우에는 사기죄와 공정증서원본부실기재죄의 실체적 경합범이 된다.

① 1개　　② 2개
③ 3개　　④ 4개

해설

② ㉡㉤ 2 항목이 옳다.
㉠ [×] 피고인이 서류를 위조하여 일본국 특허청 공무원에게 제출함으로써 피고인 명의로 특허의 출원자 명의를 변경하였다고 하더라도 **피해자의 특허를 받을 수 있는 권리에 관한 처분행위가 있었다고 할 수 없을 뿐만 아니라** 일본국 특허청 공무원에게 **특허를 받을 수 있는 권리의 처분권한이 있다고도 볼 수 없으므로 사기죄를 구성한다고 보기 어렵다.**(대법원 2007. 11. 16. 2007도3475 **특허출원자 명의 변경사건**)
㉡ [○] 가압류는 강제집행의 보전방법에 불과한 것이어서 허위의 채권을 피보전권리로 삼아 가압류를 하였다고 하더라도 그 채권에 관하여 현실적으로 청구의 의사표시를 한 것이라고는 볼 수 없으므로, **본안소송을 제기하지 아니한 채 가압류를 한 것만으로는 사기죄의 실행에 착수하였다고 할 수 없다.**(대법원 1988. 9. 13. 88도55)
㉢ [×] 비록 토지의 소유자로 등기되어 있다고 하더라도 자신이 진정한 소유자가 아닌 사실을 알게 된 이상, 당해 토지의 수용보상금을 수령함에 있어서 당해 토지를 수용한 기업자나 공탁공무원에게 그러한 사실을 고지하여야 할 의무가 있다고 보아야 할 것이고, 이러한 사실을 고지하지 아니한 채 **수용보상금으로 공탁된 공탁금의 출급을 신청하여 이를 수령한 이상 기망행위가 없다고 할 수 없다.**(대법원 1994. 10. 14. 94도1911 **수용보상금 부당수령사건**)
㉣ [×] 실재하고 있지 아니한 자에 대하여 판결이 선고되더라도 그 판결은 피해자의 처분행위에 갈음하는 내용과 효력을 인정할 수 없고 따라서 착오에 의한 재물의 교부행위를 상정할 수 없는 것이므로 **사기죄의 성립을 시인할 수 없다.**(대법원 1992. 12. 11. 92도743 **상조회 상대 제소사건**)
㉤ [○] 법원을 기망하여 승소판결을 받고 그 확정판결에 의하여 소유권이전등기를 경료한 경우에는 **사기죄와 별도로 공정증서원본부실기재죄가 성립하고 양죄는 실체적 경합범 관계에 있다.**(대법원 1983. 4. 26. 83도188)

정답 | 211 ②

212 사기죄에 대한 설명으로 가장 적절하지 않은 것은? (다툼이 있으면 판례에 의함)

□□□

18 경찰승진 [Essential ★]

① 사기죄의 처분행위라고 하는 것은 재산적 처분행위를 의미하고, 그것은 주관적으로 피기망자에게 처분의사 즉 처분결과에 대한 인식이 있고, 객관적으로 이러한 의사에 지배된 행위가 있을 것을 요한다.

② A가 甲의 기망행위로 인하여 착오에 빠진 결과 내심의 의사와 다른 효과를 발생시키는 내용의 처분문서에 서명 또는 날인함으로써 처분문서의 내용에 따른 재산상 손해가 초래되었다면 그와 같은 처분문서에 서명 또는 날인한 A의 행위는 사기죄에서 말하는 처분행위에 해당한다.

③ 주유소 운영자가 농·어민 등에게 「조례특례제한법」에 정한 면세유를 공급한 것처럼 위조한 유류공급확인서로 정유회사를 기망하여 면세유를 공급받은 경우, 국가 또는 지방자치 단체에 대한 사기죄가 성립하지 않는다.

④ 비의료인이 개설한 의료기관이 「의료법」에 의하여 적법하게 개설된 요양기관인 것처럼 국민건강보험공단에 요양급여비용의 지급을 청구하여 지급받은 경우 사기죄가 성립한다.

해설

① [×] 비록 피기망자가 처분행위의 의미나 내용을 인식하지 못하였다고 하더라도, 피기망자의 작위 또는 부작위가 직접 재산상 손해를 초래하는 재산적 처분행위로 평가되고, 이러한 **작위 또는 부작위를 피기망자가 인식하고 한 것이라면 처분행위에 상응하는 처분의사는 인정된다.** 다시 말하면 **피기망자가 자신의 작위 또는 부작위에 따른 결과까지 인식하여야 처분의사를 인정할 수 있는 것은 아니다.**(대법원 2017. 2. 16. 2016도13362 전합 **서명사취 사건**) 이 전원합의체 판결에 의하여 판결에 의하여 사기죄에서 말하는 처분행위가 인정되려면 피기망자에게 처분결과에 대한 인식이 있어야 한다고 판시한 대법원 1987. 10. 26. 87도1042, 대법원 1999. 7. 9. 99도1326, 대법원 2011. 4. 14. 2011도769 등은 폐기되었다.

② [○] 대법원 2017. 2. 16. 2016도13362 전합 **서명사취 사건**

③ [○] 기망행위에 의하여 조세를 포탈하거나 조세의 환급·공제를 받은 경우에는 조세범처벌법 제9조(지방세법 제84조에서 준용)에서 이러한 행위를 처벌하는 규정을 별도로 두고 있을 뿐만 아니라, 조세를 강제적으로 징수하는 국가 또는 지방자치단체의 직접적인 권력작용을 사기죄의 보호법익인 재산권과 동일하게 평가할 수 없는 것이므로 **기망행위에 의하여 조세를 포탈하거나 조세의 환급·공제를 받은 경우에는 조세범처벌법 위반죄가 성립함은 별론으로 하고 형법상 사기죄는 성립할 수 없다.**(대법원 2008. 11. 27. 2008도7303 **면세유 사건 I**)

④ [○] 비의료인이 개설한 의료기관이 마치 의료법에 의하여 적법하게 개설된 요양기관인 것처럼 국민건강보험공단에 요양급여비용의 지급을 청구하는 것은 **국민건강보험공단으로 하여금 요양급여비용 지급에 관한 의사결정에 착오를 일으키게 하는 것으로서 사기죄의 기망행위에 해당하고,** 이러한 기망행위에 의하여 국민건강보험공단으로부터 요양급여비용을 지급받을 경우에는 사기죄가 성립한다. 이는 그 의료기관의 개설인인 비의료인이 자신에게 개설 명의를 빌려준 의료인으로 하여금 환자들에게 **요양급여를 제공하게 하였다하여도 마찬가지이다.**(대법원 2015. 7. 9. 2014도11843 **사무장병원 요양급여 청구사건**)

213 사기죄에 대한 설명으로 가장 적절한 것은? (다툼이 있으면 판례에 의함) 19 경찰승진 [Core ★★]

□□□

① 부동산 소유권이전등기절차 이행을 구하는 소를 제기하여 동시이행 조건 없이 이행을 명하는 승소확정판결을 받은 甲이 그 판결에 기해 이전등기를 할 수 있었음에도 그렇게 하지 않고 乙에게 위 부동산 이전등기를 경료해 주면 매매잔금을 공탁해 줄 것처럼 거짓말하여 위 부동산 소유권을 임의로 이전받고 매매잔금을 공탁하지 않은 경우 사기죄의 기망행위에 해당한다.

② 피고인 등이 피해자 甲 등에게 자동차를 매도하겠다고 거짓말하고 자동차를 양도하면서 소유권이전등록에 필요한 일체의 서류를 교부하고 매매대금을 편취한 다음, 자동차에 미리 부착해 놓은 지피에스(GPS)로 위치를 추적하여 자동차를 절취한 경우 피고인에게 사기죄와 특수절도죄가 성립한다.

③ 사무처리 목적에 비추어 정당하지 아니한 사무처리를 하게 하였다고 하더라도, 사무처리 시스템의 프로그램 자체에서 발생하는 오류를 적극적으로 이용한 것에 불과하다면 컴퓨터 등 사용사기죄가 성립하지 않는다.

④ 부동산가압류결정을 받아 부동산에 관한 가압류집행까지 마친 자가 그 가압류를 해제하면 소유자는 가압류의 부담이 없는 부동산을 소유하는 이익을 얻게 되므로, 가압류를 해제하는 것 역시 사기죄에 말하는 재산적 처분행위에 해당하나, 그 이후 가압류의 피보전채권이 존재하지 않는 것으로 밝혀진 경우 가압류의 해제로 인한 재산상의 이익은 없었다고 할 것이다.

해설

① [○] 부동산 소유권이전등기절차 이행을 구하는 소를 제기하여 동시이행 조건 없이 이행을 명하는 승소확정판결을 받은 피고인이 피해자에게 매매잔금을 공탁해 줄 것처럼 거짓말을 하여 부동산 소유권을 임의로 이전받은 경우, 피고인의 행위는 사회통념상 권리행사의 수단으로서 용인할 수 있는 범위를 벗어난 것으로 **사기죄의 기망행위에 해당한다**.(대법원 2011. 3. 10. 2010도14856 멍청한 승소자 사건)

② [×] **자동차를 인도하고 소유권이전등록에 필요한 일체의 서류를 교부함으로써 피해자인 甲 등이 언제든지 소유권이전등록을 마칠 수 있게 된 이상, 매도인인 피고인 등에게 자동차의 소유권을 이전하여 줄 의사가 없었다고 볼 수는 없고** 또한 자동차를 매도할 당시 곧바로 다시 절취할 의사를 가지고 있으면서도 이를 숨긴 것을 기망이라고 할 수도 없어 **특수절도죄만 성립할 뿐 사기죄는 성립하지 아니한다**.(대법원 2016. 3. 24. 2015도17452 자동차 매도 후 절취사건)

③ [×] 설령 '허위의 정보'를 입력한 경우가 아니라고 하더라도 당해 사무처리시스템의 프로그램을 구성하는 개개의 명령을 부정하게 변개·삭제하는 행위는 물론 **프로그램 자체에서 발생하는 오류를 적극적으로 이용하여** 그 사무처리의 목적에 비추어 정당하지 아니한 사무처리를 하게 하는 행위도 특별한 사정이 없는 한 **'부정한 명령의 입력'에 해당한다(컴퓨터등사용사기죄가 성립한다)**.(대법원 2013. 11. 14. 2011도4440 엔젤로또 사건)

④ [×] 부동산가압류결정을 받아 부동산에 관한 가압류집행까지 마친 자가 그 가압류를 해제하면 소유자는 가압류의 부담이 없는 부동산을 소유하는 이익을 얻게 되므로, 가압류를 해제하는 것 역시 사기죄에서 말하는 재산적 처분행위에 해당하고, 그 이후 **가압류의 피보전채권이 존재하지 않는 것으로 밝혀졌다고 하더라도 가압류의 해제로 인한 재산상의 이익이 없었다고 할 수 없다**.(대법원 2007. 9. 20. 2007도5507 가압류해제사건 II)

정답 | 212 ① 213 ①

214 다음 설명 중 가장 옳지 않은 것은? (다툼이 있으면 판례에 의함)

□□□ 21 해경간부 [Essential ★]

① 소송사기가 성립하기 위하여는 제소당시에 그 주장과 같은 채권이 존재하지 아니하다는 것만으로는 부족하고 그 주장의 채권이 존재하지 아니한 사실을 잘 알고 있으면서도 허위의 주장과 입증으로써 법원을 기망한다는 인식을 하고 있어야만 하고, 단순히 사실을 잘못 인식하거나 법률적인 평가를 그르침으로 인하여 존재하지 않는 채권을 존재한다고 믿고 제소하는 행위는 사기죄를 구성하지 않는다.

② 피고인이 타인과 공모하여 그 공모자를 상대로 제소하여 의제자백의 판결을 받아 이에 기하여 부동산의 소유권이전등기를 한 경우, 그 부동산의 진정한 소유자가 따로 있는 이상 소송사기가 성립한다.

③ 소송사기에서 말하는 증거의 조작이란 처분문서 등을 거짓으로 만들어 내거나 증인의 허위증언을 유도하는 등으로 객관적·제3자적 증거를 조작하는 행위를 말한다.

④ 예고등기로 인한 경매대상 부동산의 경매가격 하락 등을 목적으로 허위의 채권을 주장하며 원인무효로 인한 소유권보존등기의 말소청구소송을 제기한 경우 소송사기가 인정되지 않는다.

해설

② [×] 소송사기에 있어 피기망자인 법원의 재판은 피해자의 처분행위에 갈음하는 내용과 효력이 있는 것이어야 하므로 **피고인이 타인과 공모하여 그 공모자를 상대로 제소하여 의제자백의 판결을 받아 이에 기하여 부동산의 소유권이전등기를 하였다고 하더라도** 이는 소송 상대방의 의사에 부합하는 것으로서 착오에 의한 재산적 처분행위가 있다고 할 수 없어 **동인으로부터 부동산을 편취한 것이라고 볼 수 없고**, 또 그 부동산의 진정한 소유자가 따로 있다고 하더라도 피고인이 의제자백 판결에 기하여 진정한 소유자로부터 소유권을 이전받은 것이 아니므로 **그 소유자로부터 부동산을 편취한 것이라고 볼 여지도 없다**.(대법원 1997. 12. 23. 97도2430)

① [○] 소송사기가 성립하기 위하여는 제소 당시에 그 주장과 같은 채권이 존재하지 않는다는 것만으로는 부족하고, 그 주장의 채권이 존재하지 않은 사실을 잘 알고 있으면서도 허위의 주장과 입증으로써 법원을 기망한다는 인식을 하고 있어야만 한다고 할 것이고, **단순히 사실을 잘못 인식하거나 법률적인 평가를 그르침으로 인하여 존재하지 않는 채권을 존재한다고 믿고 제소하는 행위는 사기죄를 구성하지 않는다**.(대법원 2003. 5. 16. 2003도373)

③ [○] 소송사기에서 말하는 **증거의 조작이란** 처분문서 등을 거짓으로 만들어 내거나 증인의 허위 증언을 유도하는 등으로 **객관적 · 제3자적 증거를 조작하는 행위를 말한다**.(대법원 2007. 9. 6. 2006도3591 **위조 차용증 교부사건**)

④ [○] 피고인 등이 허위의 주장을 하여 소유권보존등기말소청구 소송 등을 제기한 것은 그로 인하여 경매절차가 진행 중인 부동산에 예고등기가 경료되도록 함으로써 경매가격 하락 등을 의도한 것으로 보일 뿐이고, 위 말소청구소송을 통하여 승소판결을 받아 재산상의 이익을 취하려고 한 것으로 보기 어렵다면, **피고인에게는 허위 주장에 기한 소송을 통하여 승소판결을 받아 재물 또는 재산상의 이익을 취득하려는 고의 내지 불법영득의 의사가 있었다고 볼 수 없다**.(대법원 2009. 4. 9. 2009도128 **예고등기를 위해 사건**)

215 소송사기에 대한 설명으로 옳지 않은 것은? (다툼이 있으면 판례에 의함) 23 국가9급 [Core ★★]

□□□

① 피고인이 허위의 채권을 피보전권리로 삼아 가압류를 하였다 하더라도 본안소송을 제기하지 아니한 채 가압류를 한 것만으로는 사기죄의 실행에 착수하였다고 할 수 없다.

② 피고인이 허위의 채권으로 법원에 지급명령을 신청하였으나 이에 대해 상대방이 이의신청을 하면 지급명령은 이의의 범위 안에서 그 효력을 잃게 되므로 사기죄의 실행의 착수는 인정되지 아니한다.

③ 피고인이 허위의 증거를 조작하는 등의 적극적인 사술을 사용하지 아니한 채 기한미도래의 채권에 대해 단지 즉시 지급을 구하는 취지의 지급명령신청을 한 경우 이는 법원에 대한 기망행위에 해당하지 아니한다.

④ 부동산등기부상 소유자로 등기된 적이 있는 자가 자기 이후 소유권이전등기를 경료한 등기명의인들을 상대로 허위 사실을 주장하면서 그들 명의의 소유권이전등기의 말소를 구하는 소송을 제기한 경우 사기죄의 실행의 착수가 인정된다.

해설

② [×] 지급명령신청에 대해 상대방이 이의를 하면 지급명령은 이의의 범위 안에서 그 효력을 잃게 되고 지급명령을 신청한 때에 소를 제기한 것으로 보게 되는 것이지만 **이로써 이미 실행에 착수한 사기의 범행자체가 없었던 것으로 되는 것은 아니다.**(대법원 2004. 6. 24. 2002도4151 **보복 지급명령 신청사건**)

① [○] 가압류는 강제집행의 보전방법에 불과한 것이어서 허위의 채권을 피보전권리로 삼아 가압류를 하였다고 하더라도 그 채권에 관하여 현실적으로 청구의 의사표시를 한 것이라고는 볼 수 없으므로 본안소송을 제기하지 아니한 채 **가압류를 한 것만으로는 사기죄의 실행에 착수하였다고 할 수 없다.**(대법원 1988. 9. 13. 88도55 **허위채권보전 가압류 사건**)

③ [○] 기한미도래의 채권을 소송에 의하여 청구함에 있어서 기한의 이익이 상실되었다는 허위의 증거를 조작하는 등의 **적극적인 사술을 사용하지 아니한 채 단지 즉시 지급을 구하는 취지의 지급명령신청은 법원을 기망하여 부당한 이득을 편취하려는 기망행위에 해당하지 아니한다.**(대법원 1982. 7. 27. 82도1160 **기한 미도래 예탁금 사건**)

④ [○] 부동산등기부상 **소유자로 등기된 적이 있는 자가 자신 이후에 소유권이전등기를 경료한 등기명의인들을 상대로 허위의 사실을 주장하면서 그들 명의의 소유권이전등기의 말소를 구하는 소송을 제기한 경우** 그 소송에서 승소한다면 등기명의인들의 등기가 말소됨으로써 그 소송을 제기한 자의 등기명의가 회복되는 것이므로 이는 법원을 기망하여 재물이나 재산상 이익을 편취한 것이라고 할 것이고 따라서 등기명의인들 전부 또는 일부를 상대로 하는 말소등기청구 소송의 제기는 **사기의 실행에 착수한 것이라고 보아야 한다.**(대법원 2003. 7. 22. 2003도1951 **7개중 5개 등기말소사건**)

정답 | 214 ② 215 ②

216 소송사기에 관한 설명 중 옳지 않은 것을 모두 고른 것은? (다툼이 있으면 판례에 의함)

□□□

23 변호사 [*Core* ★★]

㉠ 甲이 자신이 토지의 소유자라고 허위 주장을 하면서 소유권보존등기 명의자를 상대로 보존등기의 말소를 구하는 소송을 제기한 경우 그 소송에서 위 토지가 甲의 소유임을 인정하여 보존등기 말소를 명하는 내용의 승소확정판결을 받는다면 甲에게 소송사기죄가 성립하고, 이 경우 기수시기는 위 판결이 확정된 때이다.

㉡ A가 자기의 비용과 노력으로 건물을 신축하여 소유권을 원시취득한 미등기건물의 소유자임에도 A에 대한 채권담보 등을 위하여 건축허가명의만을 가진 甲과 甲에 대한 채권자 乙이 공모하여 乙이 甲을 상대로 위 건물에 관한 강제경매를 신청하여 법원의 경매개시결정이 내려지고, 그에 따라 甲 앞으로 촉탁에 의한 소유권보존등기가 된 경우 甲과 乙에게는 A에 대한 관계에서 사기죄의 공동정범이 성립한다.

㉢ 허위 채권에 기한 공정증서를 집행권원으로 하여 채무자의 소유권이전등기청구권에 대하여 압류신청을 한 것만으로는 소송사기의 실행에 착수하였다고 볼 수 없다.

㉣ 甲이 소송상의 주장이 사실과 다름이 객관적으로 명백하거나 증거가 조작되어 있다는 정을 인식하지 못하는 제3자를 이용하여 그로 하여금 소송의 당사자가 되게 하여 법원을 기망하였다면, 甲에게 간접정범의 형태에 의한 소송사기죄가 성립한다.

㉤ 甲이 법원을 기망하여 소송상대방인 직계혈족으로부터 재물을 편취하여 사기죄가 성립하는 경우 甲에게는 친족상도례가 적용되므로 그 형을 면제하여야 한다.

① ㉠ ② ㉠㉡ ③ ㉡㉢
④ ㉢㉣ ⑤ ㉢㉤

해설

③ ㉡㉢ 2 항목이 옳지 않다.

㉠ [○] 피고인 등이 자신이 토지의 소유자라고 허위의 주장을 하면서 소유권보존등기 명의자를 상대로 보존등기의 말소를 구하는 소송을 제기한 경우 그 소송에서 토지가 피고인 등의 소유임을 인정하여 보존등기말소를 명하는 내용의 승소확정판결을 받는다면, 이에 터 잡아 언제든지 단독으로 상대방의 소유권보존 등기를 말소시킨 후 위 판결을 부동산등기법 제130조 제2호 소정의 소유권을 증명하는 판결로 하여 자기 앞으로의 소유권보존등기를 신청하여 그 등기를 마칠 수 있게 되므로 이는 법원을 기망하여 유리한 판결을 얻음으로써 **'대상 토지의 소유권에 대한 방해를 제거하고 그 소유명의를 얻을 수 있는 지위'**라는 재산상 이익을 취득한 것이고, **그 경우 기수시기는 위 판결이 확정된 때이다.**(대법원 2006. 4. 7. 2005도9858 全合 **탄현면임야 편취사건**)

㉡ [×] 소송사기에 있어서도 피기망자인 법원의 재판은 피해자의 처분행위에 갈음하는 내용과 효력이 있는 것이어야 하고 그렇지 아니한 경우에는 착오에 의한 재물의 교부행위가 있다고 할 수 없다. 따라서 자기의 비용과 노력으로 건물을 신축하여 그 소유권을 원시취득한 미등기건물의 소유자가 있고 그에 대한 채권담보 등을 위하여 건축허가명의만을 가진 자가 따로 있는 상황에서, 건축허가명의자에 대한 채권자가 위 명의자와 공모하여 명의자를 상대로 건물에 관한 강제경매를 신청하여 법원의 경매개시결정이 내려지고, 그에 따라 위 명의자 앞으로 촉탁에 의한 소유권보존등기가 되고 나아가 그 경매절차에서 건물이 매각되었다고 하더라도 위와 같은 **경매신청행위 등이 진정한 소유자에 대한 관계에서 사기죄가 된다고 볼 수는 없다. 왜냐하면 경매절차에서**

한 법원의 재판이나 법원의 촉탁에 의한 소유권보존등기의 효력은 그 재판의 당사자도 아닌 진정한 소유자에게는 미치지 아니하는 것이어서 피기망자인 법원의 재판이 피해자의 처분행위에 갈음하는 내용과 효력이 있는 것이라고 보기는 어렵기 때문이다.(대법원 2013. 11. 28. 2013도459 *통정 강제집행사건*) 甲 앞으로 촉탁에 의한 소유권보존등기가 된 경우라도 A는 건물에 대한 소유권을 상실하지 않는다.

ⓒ [×] (1) 강제집행절차를 통한 소송사기는 집행절차의 개시신청을 한 때 또는 진행 중인 집행절차에 배당신청을 한 때에 실행에 착수하였다고 볼 것이다.
(2) 부동산에 관한 권리이전청구권에 대한 강제집행은 그 자체를 처분하여 그 대금으로 채권에 만족을 기하는 것이 아니고, 부동산에 관한 권리이전청구권을 압류하여 청구권의 내용을 실현시키고 부동산을 채무자의 책임재산으로 귀속시킨 다음 다시 그 부동산에 대한 경매를 실시하여 그 매각대금으로 채권에 만족을 기하는 것이다. 이러한 경우 소유권이전등기청구권에 대한 압류는 당해 부동산에 대한 경매의 실시를 위한 사전 단계로서의 의미를 가지나, 전체로서의 강제집행절차를 위한 일련의 시작행위라고 할 수 있으므로 **허위 채권에 기한 공정증서를 집행권원으로 하여 채무자의 소유권이전등기청구권에 대하여 압류신청을 한 시점에 소송사기의 실행에 착수하였다고 볼 것이다.**(대법원 2015. 2. 12. 2014도10086 *등기청구권 압류신청사건*)

ⓓ [○] 甲이 乙 명의 차용증을 가지고 있기는 하나 그 채권의 존재에 관하여 乙과 다툼이 있는 상황에서 당초에 없던 월 2푼의 약정이자에 관한 내용 등을 부가한 乙 명의 차용증을 새로 위조하여, 이를 바탕으로 자신의 처에 대한 채권자인 丙에게 차용원금 및 위조된 차용증에 기한 약정이자 2,500만 원을 양도하고, 이러한 사정을 모르는 丙으로 하여금 乙을 상대로 양수금 청구소송을 제기하도록 한 경우 적어도 위 약정이자 2,500만 원 중 법정지연손해금 상당의 돈을 제외한 나머지 돈에 관한 甲의 행위는 **丙을 도구로 이용한 간접정범 형태의 소송사기죄를 구성한다.**(대법원 2007. 9. 6. 2006도3591 *위조 차용증 교부사건*)

ⓔ [○] 사기죄의 보호법익은 재산권이라고 할 것이므로 사기죄에 있어서는 재산상의 권리를 가지는 자가 아니면 피해자가 될 수 없다. 그러므로 법원을 기망하여 제3자로부터 재물을 편취한 경우에 피기망자인 법원은 피해자가 될 수 없고 **재물을 편취당한 제3자가 피해자라고 할 것이므로 피해자인 제3자와 사기죄를 범한 자가 직계혈족의 관계에 있을 때에는 그 범인에 대하여는 형법 제354조에 의하여 준용되는 형법 제328조 제1항에 의하여 그 형을 면제하여야 한다.**(대법원 2018. 1. 25. 2016도6757 *상속재산 400억 편취실패 사건*)

정답 | 216 ③

217 사기의 죄에 대한 설명 중 가장 적절하지 않은 것은? (다툼이 있으면 판례에 의함)

□□□

17 경찰채용 [Essential ★]

① 사기죄에서 처분행위자와 피기망자는 동일인이어야 하나, 피기망자와 재산상 피해자는 동일인이 아니어도 무방하다.

② 컴퓨터 등 사용사기죄에서의 '정보처리'는 입력된 허위의 정보 등에 의하여 계산이나 데이터의 처리가 이루어짐으로써 직접적으로 재산처분의 결과를 초래하여야 하고, 행위자나 제3자의 '재산상 이익 취득'은 사람의 처분행위가 개재됨이 없이 컴퓨터 등에 의한 정보처리 과정에서 이루어져야 한다.

③ 재물을 편취한 후 현실적인 자금의 수수 없이 형식적으로 기왕에 편취한 금원을 새로이 장부상으로만 재투자하는 것으로 처리한 경우 그 재투자금액은 편취액의 합산에서 제외하여야 한다.

④ 상습사기 미수범을 처벌하는 규정은 없다.

해설

④ [×] 상습사기죄는 **미수범 처벌규정이 있다.**(제351조, 제352조)

① [○] 피기망자와 피해자가 다른 이른바 삼각사기의 경우에도 **사기죄가 성립한다는 것이 통설과 판례의 입장이다.**(대법원 1989. 7. 11. 89도346) 삼각사기의 경우 피기망자가 피해자를 위하여 그 재산을 처분할 수 있는 권능이나 지위에 있어야 한다.

② [○] 컴퓨터등사용사기죄에서 '정보처리'는 사기죄에 있어서 피해자의 처분행위에 상응하는 것이므로 입력된 허위의 정보 등에 의하여 계산이나 데이터의 처리가 이루어짐으로써 직접적으로 재산처분의 결과를 초래하여야 하고, 행위자나 제3자의 재산상 이익 취득은 사람의 처분행위가 개재됨이 없이 **컴퓨터 등에 의한 정보처리 과정에서 이루어져야 한다.**(대법원 2014. 3. 13. 2013도16099 **낙찰하한가 해킹사건**)

③ [○] 재물을 편취한 후 현실적인 자금의 수수 없이 형식적으로 기왕에 편취한 금원을 새로이 장부상으로만 재투자하는 것으로 처리한 경우, 그 **재투자금액은 이를 편취액의 합산에서 제외하여야 한다.**(대법원 2007. 1. 25. 2006도7470)

218 □□□ 사기죄에 대한 설명이다. 아래 ㉠부터 ㉣까지의 설명 중 옳고 그름의 표시(○,×)가 바르게 된 것은? (다툼이 있으면 판례에 의함)

21 경찰승진 [Core ★★]

㉠ 비록 피기망자가 처분행위의 의미나 내용을 인식하지 못하였더라도, 피기망자의 작위 또는 부작위가 직접 재산상 손해를 초래하는 재산적 처분행위로 평가되고, 이러한 작위 또는 부작위를 피기망자가 인식하고 한 것이라면 처분행위에 상응하는 처분의사는 인정된다.
㉡ 주유소 운영자가 농·어민 등에게 「조세특례제한법」에 정한 면세유를 공급한 것처럼 위조한 면세유류공급확인서로 정유회사를 기망하여 면세유를 공급받아 면세유와 정상유의 가격 차이 상당의 이득을 취득한 경우 국가 또는 지방자치단체에 대한 사기죄로 의율할 수 없다.
㉢ 비의료인이 개설한 의료기관이 마치 「의료법」에 의하여 적법하게 개설된 요양기관인 것처럼 국민건강보험공단에 요양급여비용의 지급을 청구하는 것은 국민건강보험공단으로 하여금 요양급여비용 지급에 관한 의사결정에 착오를 일으키게 하는 것으로서 사기죄의 기망행위에 해당하고, 이러한 기망행위에 의하여 국민건강보험공단에서 요양급여비용을 지급받은 경우에는 사기죄가 성립한다.
㉣ 보험계약자가 보험계약 체결시 보험금액이 목적물의 가액을 현저하게 초과하는 초과보험 상태를 의도적으로 유발한 후 보험사고가 발생하자 초과보험 사실을 알지 못하는 보험자에게 목적물의 가액을 묵비한 채 보험금을 청구하여 보험금을 교부받은 경우, 보험자가 보험금액이 목적물의 가액을 현저하게 초과한다는 것을 알았더라면 같은 조건으로 보험계약을 체결하지 않았을 뿐만 아니라 협정보험가액에 따른 보험금을 그대로 지급하지 아니하였을 관계가 인정된다면, 보험계약자가 보험금을 청구한 행위는 사기죄의 실행행위로서의 기망행위에 해당한다.

① ㉠ ○ ㉡ ○ ㉢ ○ ㉣ ○
② ㉠ × ㉡ ○ ㉢ × ㉣ ○
③ ㉠ ○ ㉡ × ㉢ ○ ㉣ ×
④ ㉠ × ㉡ × ㉢ × ㉣ ×

해설

① 이 지문이 옳은 연결이다.
㉠ [○] 비록 피기망자가 처분행위의 의미나 내용을 인식하지 못하였다고 하더라도, 피기망자의 작위 또는 부작위가 직접 재산상 손해를 초래하는 재산적 처분행위로 평가되고, 이러한 작위 또는 부작위를 **피기망자가 인식하고 한 것이라면 처분행위에 상응하는 처분의사는 인정된다.** 다시 말하면 피기망자가 자신의 작위 또는 부작위에 따른 결과까지 인식하여야 처분의사를 인정할 수 있는 것은 아니다.(대법원 2017. 2. 16. 2016도13362 全合 서명사취 사건)
㉡ [○] 주유소를 운영하는 피고인이 농·어민 등에게 면세유를 공급하지 않았으면서도 위조된 면세유류공급확인서를 작성하여 정유회사에 송부하고, 그 정을 모르는 정유회사 직원으로 하여금 위조된 면세유류공급확인서를 세무서에 제출하도록 하여 이에 속은 세무서 직원으로 하여금 국세 및 지방세를 정유회사에 환급하게 한 경우

정답 | 217 ④ 218 ①

정유회사를 기망함으로써 공급받은 면세유의 가격과 정상유의 가격 차이 상당액의 이득을 취득한 행위가 **정유회사에 대하여 사기죄를 구성하는 것은 별론으로 하고, 국가 또는 지방자치단체를 기망하여 국세 및 지방세의 환급세액 상당을 편취하였다고 볼 수는 없다.**(대법원 2008. 11. 27. 2008도7303 면세유 사건 I)

㉢ [○] **비의료인이 개설한 의료기관**이 마치 의료법에 의하여 적법하게 개설된 요양기관인 것처럼 국민건강보험공단에 요양급여비용의 지급을 청구하는 것은 국민건강보험공단으로 하여금 요양급여비용 지급에 관한 의사결정에 착오를 일으키게 하는 것으로서 **사기죄의 기망행위에 해당하고**, 이러한 기망행위에 의하여 국민건강보험공단으로부터 요양급여비용을 지급받을 경우에는 사기죄가 성립한다.(대법원 2018. 9. 13. 2018도10183 의료생협 한의원 사건)

㉣ [○] 보험계약자가 보험계약 체결 시 보험금액이 목적물의 가액을 현저하게 초과하는 초과보험 상태를 의도적으로 유발한 후 보험사고가 발생하자 초과보험 사실을 알지 못하는 보험자에게 목적물의 가액을 묵비한 채 보험금을 청구하여 보험금을 교부받은 경우 보험자가 보험금액이 목적물의 가액을 현저하게 초과한다는 것을 알았더라면 같은 조건으로 보험계약을 체결하지 않았을 뿐만 아니라 협정보험가액에 따른 보험금을 그대로 지급하지 아니하였을 관계가 인정된다면, 보험계약자가 초과보험 사실을 알지 못하는 **보험자에게 목적물의 가액을 묵비한 채 보험금을 청구한 행위는 사기죄의 실행행위로서의 기망행위에 해당한다.**(대법원 2015. 7. 23. 2015도6905 말보험 사기사건)

219 사기죄에 관한 다음 설명 중 가장 옳지 않은 것은? (다툼이 있으면 판례에 의함)

□□□

21 법원9급 [*Core* ★★]

① 소극적 행위로서의 부작위에 의한 기망은 법률상 고지의무 있는 자가 일정한 사실에 관하여 상대방이 착오에 빠져 있음을 알면서도 이를 고지하지 아니함을 말하는 것으로서, 일반거래의 경험칙상 상대방이 그 사실을 알았더라면 당해 법률행위를 하지 않았을 것이 명백한 경우에는 신의칙에 비추어 그 사실을 고지할 법률상 의무가 인정되는 것이다.

② 공사도급계약 당시 관련 영업 또는 업무를 규제하는 행정법규나 입찰 참가자격, 계약절차 등에 관한 규정을 위반한 사정이 있는 때에는 그러한 사정만으로 공사도급계약을 체결한 행위가 기망행위에 해당한다고 단정해서는 안 되고, 그 위반으로 말미암아 계약 내용대로 이행되더라도 공사의 완성이 불가능하였다고 평가할 수 있을 만큼 그 위법이 공사의 내용에 본질적인 것인지 여부를 심리·판단하여야 한다.

③ 금원 편취를 내용으로 하는 사기죄에서 그 대가가 일부 지급되거나 담보가 제공된 경우에도 편취액은 피해자로부터 교부된 금원으로부터 그 대가 또는 담보 상당액을 공제한 차액이 아니라 교부받은 금원 전부라고 보아야 한다.

④ 의료인으로서 자격과 면허를 보유한 사람이 의료법에 따라 의료기관을 개설하여 건강보험의 가입자 또는 피부양자에게 국민건강보험법에서 정한 요양급여를 실시하고 국민건강 보험공단으로부터 요양급여비용을 지급받았다고 하더라도, 그 의료기관이 다른 의료인의 명의로 개설·운영되어 의료법 제4조 제2항을 위반하였다면, 국민건강보험공단을 피해자로 하는 사기죄를 구성한다.

해설

④ [×] 의료인으로서 자격과 면허를 보유한 사람이 의료법에 따라 의료기관을 개설하여 건강보험의 가입자 또는 피부양자에게 국민건강보험법에서 정한 요양급여를 실시하여 국민건강보험공단으로부터 요양급여비용을 지급받았다면, 설령 그 의료기관이 다른 의료인의 명의로 개설 · 운영되어 **의료법 제4조 제2항을 위반하였다 하더라도** 그 자체만으로는 **요양급여비용을 청구할 수 있는 요양기관에서 제외되지 아니하므로** 달리 요양급여비용을 적법하게 지급받을 수 없는 자격 내지 요건이 흠결되지 않는 한 국민건강보험공단을 피해자로 하는 **사기죄를 구성한다고 할 수 없다.**(대법원 2019. 5. 30. 2019도1839)

① [○] 사기죄의 요건으로서의 기망은 널리 재산상의 거래관계에 있어 서로 지켜야 할 신의와 성실의 의무를 저버리는 모든 적극적 또는 소극적 행위를 말하는 것이고, 그 중 소극적 행위로서의 부작위에 의한 기망은 법률상 고지의무 있는 자가 일정한 사실에 관하여 상대방이 착오에 빠져 있음을 알면서도 그 사실을 고지하지 아니함을 말하는 것으로서, **일반거래의 경험칙상 상대방이 그 사실을 알았더라면 당해 법률행위를 하지 않았을 것이 명백한 경우에는 신의칙에 비추어 그 사실을 고지할 법률상 의무가 인정된다.**(대법원 2015. 10. 29. 2014도5939 서울시 공무원 간첩사건)

② [○] 사기죄의 보호법익은 재산권이므로 기망행위에 의하여 국가적 또는 공공적 법익이 침해되었다는 사정만으로 사기죄가 성립한다고 할 수 없다. 따라서 공사도급계약 당시 **관련 영업 또는 업무를 규제하는 행정법규나 입찰 참가자격, 계약절차 등에 관한 규정을 위반한 사정이 있는 때에는 그러한 사정만으로 공사도급계약을 체결한 행위가 기망행위에 해당한다고 단정해서는 안 되고,** 그 위반으로 말미암아 **계약 내용대로 이행되더라도 공사의 완성이 불가능하였다고 평가할 수 있을 만큼 그 위법이 공사의 내용에 본질적인 것인지 여부를 심리 · 판단하여야 한다.**(대법원 2020. 2. 6. 2015도9130 종합문화재수리업자 사건Ⅱ)

③ [○] 사기죄에 있어서 그 대가가 일부 지급되거나 담보가 제공된 경우에도 그 **편취액은** 피해자로부터 교부된 금원으로부터 그 대가 또는 담보 상당액을 공제한 차액이 아니라 **교부받은 금원 전부라고 보아야 한다.**(대법원 2017. 12. 22. 2017도12649 대우조선 분식회계 · 사기대출 사건)

정답 | 219 ④

220 **사기죄에 대한 설명이다. 아래 설명 중 옳고 그름의 표시(○, ×)가 바르게 된 것은? (다툼이 있으면 판례에 의함)**

□□□

22 경찰간부 [Superlative ★★★]

㉠ 사기죄의 피해자 법인이나 단체 대표자 또는 실질적으로 의사결정의 최종결재권자 등이 기망행위자와 동일인이거나 기망행위자와 공모하는 등 기망행위임을 알고 있었던 경우에는 기망행위로 인한 착오가 있다고 볼 수 없고, 재물 교부 등의 처분행위가 있었더라도 기망행위와 인과관계가 있다고 보기 어려워 사기죄가 성립하지 않는다.

㉡ 용도를 속여 국민주택 건설자금을 대출받을 때 기금 대출 사무를 위탁받은 은행의 일선 담당직원이 대출금이 지정된 용도에 사용되지 않을 것이라는 점을 알고 있었다 하더라도 은행장은 피기망자라고 보기 어렵기 때문에 이 행위를 사기죄로 처벌할 수 없다.

㉢ 근저당권자의 대리인인 피고인이 채무자 겸 소유자인 피해자를 대리하여 경매개시결정 정본을 받을 권한이 없음에도, 경매개시결정 정본 등 서류의 수령을 피고인에게 위임한다는 내용의 피해자 명의의 위임장을 위조하여 법원에 제출하는 방법으로 경매개시결정 정본을 교부받음으로써 경매절차가 진행되도록 하는 행위는 위 근저당권이 유효하기 때문에 사기죄에 있어서의 기망행위에 해당하지 않는다.

㉣ 甲이 A 주식회사에서 운영하는 전자복권구매시스템에서 일정한 조건하에 복권 구매명령을 입력하면 가상계좌로 복권구매요청금과 동일한 액수의 가상현금이 입금되는 프로그램오류를 이용하여 복권 구매명령을 입력하는 행위를 반복함으로써 자신의 가상계좌로 구매요청금 상당의 금액이 입금되게 한 甲의 행위는 컴퓨터등사용사기죄에서 정한 '부정한 명령의 입력'에 해당한다.

㉤ 피해자에 대한 사기범행을 실현하는 수단으로서 타인을 기망하여 그를 피해자로부터 편취한 재물이나 재산상 이익을 전달하는 도구로서만 이용한 경우에는 편취의 대상인 재물 또는 재산상 이익에 관하여 피해자에 대한 사기죄가 성립하고, 도구로 이용된 타인에 대한 사기죄도 별도로 성립한다.

① ㉠ ○ ㉡ × ㉢ × ㉣ ○ ㉤ ×
② ㉠ × ㉡ ○ ㉢ ○ ㉣ ○ ㉤ ×
③ ㉠ ○ ㉡ × ㉢ × ㉣ ○ ㉤ ○
④ ㉠ × ㉡ ○ ㉢ × ㉣ × ㉤ ○

해설

① 이 지문이 옳은 연결이다.

㉠ [○] 사기죄의 피해자가 법인이나 단체인 경우에 기망행위로 인한 착오, 인과관계 등이 있었는지 여부는 법인이나 단체의 대표 등 최종 의사결정권자 또는 내부적인 권한 위임 등에 따라 실질적으로 법인의 의사를 결정하고 처분을 할 권한을 가지고 있는 사람을 기준으로 판단하여야 한다. 따라서 **피해자 법인이나 단체의 대표자 또는 실질적으로 의사결정을 하는 최종결재권자 등이 기망행위자와 동일인이거나 기망행위자와 공모하는 등 기망행위임을 알고 있었던 경우에는 기망행위로 인한 착오가 있다고 볼 수 없고,** 재물 교부 등의 처분행위가 있었다고 하더라도 기망행위와 인과관계가 있다고 보기 어려워, 이러한 경우에는 사안에 따라 업무상횡령죄 또는 업무상배임죄 등이 성립하는 것은 별론으로 하고 사기죄가 성립한다고 볼 수 없다. 반면에 피해자 법인이나 단체의 업무를 처리하는 실무자인 일반 직원이나 구성원 등이 기망행위임을 알고 있었다고 하더라도, 피해

자 법인이나 단체의 대표자 또는 실질적으로 의사결정을 하는 최종결재권자 등이 기망행위임을 알지 못한 채 착오에 빠져 처분행위에 이른 경우라면, 피해자 법인에 대한 사기죄의 성립에 영향이 없다.(대법원 2017. 9. 26. 2017도8449 **저축은행 대출사기 사건**)

㉡ [×] 피고인이 사실은 국민주택 건설자금으로 사용할 의사가 없으면서도 **국민주택 건설자금으로 사용할 것처럼 용도를 속여 대출받은 경우에는 대출받은 자에게 반환의 의사와 능력이 있었는지 여부를 불문하고 사기죄가 성립하는 것이며** 또 기금 대출사무를 위탁받은 은행의 일선 담당 직원이 대출금이 지정된 용도에 사용되지 않을 것이라는 점을 알고 있었다거나 충분한 담보가 제공되었다고 하더라도 사기죄의 성립에는 아무런 지장이 없다.(대법원 2002. 7. 26. 2002도2620 **국민주택기금 부당대출사건**)

㉢ [×] 근저당권자의 대리인인 피고인이 채무자 겸 소유자인 피해자를 대리하여 경매개시결정 정본을 받을 권한이 없음에도, 경매개시결정 정본 등 서류의 수령을 피고인에게 위임한다는 내용의 피해자 명의의 위임장을 위조하여 법원에 제출하는 방법으로 경매개시결정 정본을 교부받음으로써 경매절차가 진행되도록 하는 행위는 **사회통념상 도저히 용인될 수 없다고 할 것이므로 비록 위 근저당권이 유효하다고 하더라도 사기죄에 있어서의 기망행위에 해당한다.**(대법원 2009. 7. 9. 2009도295 **인천 북성동 경매사건**)

㉣ [○] 피고인이 A회사에서 운영하는 전자복권구매시스템에서 은행환불명령을 입력하여 가상계좌 잔액이 1,000원 이하로 되었을 때 복권 구매명령을 입력하면 가상계좌로 복권 구매요청금과 동일한 액수의 가상현금이 입금되는 프로그램 오류를 이용하여 잔액을 1,000원 이하로 만들고 다시 복권 구매명령을 입력하는 행위를 반복함으로써 피고인의 가상계좌로 구매요청금 상당의 금액이 입금되게 한 경우 피고인의 행위는 형법 제347조의2에서 정한 '허위의 정보 입력'에 해당하지는 않더라도 프로그램 자체에서 발생하는 오류를 적극적으로 이용하여 사무처리의 목적에 비추어 정당하지 아니한 사무처리를 하게 한 행위로서 '부정한 명령의 입력'에 해당한다.(대법원 2013. 11. 14. 2011도4440 **엔젤로또 사건**)

㉤ [×] 간접정범을 통한 범행에서 피이용자는 간접정범의 의사를 실현하는 수단으로서의 지위를 가질 뿐이므로, 피해자에 대한 사기범행을 실현하는 수단으로서 타인을 기망하여 그를 피해자로부터 편취한 재물이나 재산상 이익을 전달하는 도구로서만 이용한 경우에는 편취의 대상인 재물 또는 재산상 이익에 관하여 피해자에 대한 사기죄가 성립할 뿐 **도구로 이용된 타인에 대한 사기죄가 별도로 성립한다고 할 수 없다.**(대법원 2017. 5. 31. 2017도3894 **보이스피싱 사건Ⅱ**) 피고인 甲 등이 A에게 금융감독원 직원 등을 사칭하면서 B의 계좌에 1,400만원을 입금하라고 하고, B에게도 같은 취지로 거짓말하여 B로 하여금 A가 입금한 1,400만원을 포함하여 총 1,880만원을 인출하여 전달하게 한 경우, **A가 B의 계좌에 입금한 1,400만원 부분에 대하여는** B가 甲 등의 기망에 따라 단지 A에 대한 사기범행을 실현하기 위한 도구로 이용되었을 뿐이므로 A에 대한 사기죄가 성립할 뿐 **B에 대한 사기죄는 별도로 성립하지 않는다**는 취지의 판례이다.

정답 | 220 ①

221 사기죄에 대한 다음 설명 중 옳은 것은 모두 몇 개인가? (다툼이 있으면 판례에 의함)

□□□

14 경찰간부 [Core ★★]

㉠ 재물편취를 내용으로 하는 사기죄에 있어서는 기망으로 인한 재물교부가 있으면 그 자체로써 피해자의 재산침해가 되어 이로써 곧 사기죄가 성립하는 것이고, 상당한 대가가 지급되었다거나 피해자의 전체 재산상에 손해가 없다 하여도 사기죄의 성립에는 그 영향이 없으므로 사기죄에 있어서 그 대가가 일부 지급된 경우에도 그 편취액은 피해자로부터 교부된 재물의 가치로부터 그 대가를 공제한 차액이 아니라 교부받은 재물 전부이다.

㉡ 피고인이 보험사고에 해당할 수 있는 사고로 인하여 경미한 상해를 입었다고 하더라도 이를 기화로 보험금을 편취할 의사로 그 상해를 과장하여 병원에 장기간 입원하고 이를 이유로 실제 피해에 비하여 과다한 보험금을 지급받는 경우에는 그 보험금 전체에 대해 사기죄가 성립한다.

㉢ 사기죄는 타인을 기망하여 착오에 빠뜨리고 처분행위를 유발하여 재물을 교부받거나 재산상 이익을 얻음으로써 성립하는 것으로서, 기망-착오-재산적 처분행위 사이에 인과관계가 있어야 한다.

㉣ 민법 제746조의 불법원인급여에 해당하여 급여자가 수익자에 대한 반환청구권을 행사할 수 없다고 하더라도, 수익자가 기망을 통하여 급여자로 하여금 불법원인급여에 해당하는 재물을 제공하도록 하였다면 사기죄가 성립한다.

① 1개 ② 2개

③ 3개 ④ 4개

해설

④ 모든 항목이 옳다.

㉠ [○] 재물편취를 내용으로 하는 사기죄에 있어서는 기망으로 인한 재물교부가 있으면 그 자체로써 피해자의 재산침해가 되어 이로써 곧 사기죄가 성립하는 것이고, 상당한 대가가 지급되었다거나 피해자의 전체 재산상에 손해가 없다 하여도 사기죄의 성립에는 그 영향이 없으므로 사기죄에 있어서 그 대가가 일부 지급된 경우에도 그 편취액은 피해자로부터 교부된 재물의 가치로부터 그 **대가를 공제한 차액이 아니라 교부받은 재물 전부라고 할 것이다.**(대법원 2010. 2. 11. 2009도12627 **다단계사기 사건**)

㉡ [○] 피고인이 보험금을 편취할 의사로 고의적으로 사고를 유발한 경우 보험금에 관한 사기죄가 성립하고, 나아가 설령 피고인이 보험사고에 해당할 수 있는 사고로 인하여 경미한 상해를 입었다고 하더라도 이를 기화로 보험금을 편취할 의사로 그 상해를 과장하여 병원에 장기간 입원하고 이를 이유로 실제 피해에 비하여 **과다한 보험금을 지급받는 경우에는 그 보험금 전체에 대해 사기죄가 성립한다.**(대법원 2007. 5. 11. 2007도2134)

㉢ [○] 사기죄는 타인을 기망하여 착오에 빠뜨리고 그 처분행위를 유발하여 재물을 교부받거나 재산상 이익을 얻음으로써 성립하는 것으로서 기망, 착오, 재산적 처분행위 사이에 **인과관계가 있어야 한다.**(대법원 2016. 7. 14. 2015도20233)

㉣ [○] 민법 제746조의 불법원인급여에 해당하여 급여자가 수익자에 대한 반환청구권을 행사할 수 없다고 하더라도 수익자가 기망을 통하여 급여자로 하여금 **불법원인급여에 해당하는 재물을 제공하도록 하였다면 사기죄가 성립한다고 할 것인 바**, 피고인이 피해자로부터 **도박자금으로 사용하기 위하여 금원을 차용하였더라도 사기죄의 성립에는 영향이 없다.**(대법원 2006. 11. 23. 2006도6795 **도박자금 편취사건**)

222 사기죄에 대한 설명으로 옳지 않은 것은? (다툼이 있으면 판례에 의함) 16 국가7급 [Superlative ★★★]

□□□

① 사기죄에서 피해자에게 그 대가가 지급된 경우 피해자를 기망하여 그가 보유하고 있는 그 대가를 다시 편취하거나 피해자로부터 그 대가를 위탁받아 보관 중 횡령하였다면, 기존에 성립한 사기죄와는 별도의 새로운 사기죄나 횡령죄가 성립한다.

② 보험금을 지급받을 수 있는 사유가 있다 하더라도 이를 기화로 실제 지급받을 수 있는 보험금보다 다액의 보험금을 편취할 의사로 장기간의 입원 등을 통하여 과다한 보험금을 지급받은 경우에는 지급받은 보험금 전체에 대하여 사기죄가 성립한다.

③ 甲이 점포에 대한 권리금을 지급한 것처럼 허위의 사용내역서를 작성·교부하여 동업자들을 기망하고 출자금 지급을 면제 받으려 하였으나 미수에 그친 경우 동업자들이 甲에 대한 출자의무를 명시적으로 면제하지 않았더라도 착오에 빠져 이를 면제해주는 결과에 이를 수 있기 때문에 이는 부작위에 의한 처분행위에 해당한다.

④ 甲이 乙에게 이중매도한 택지분양권을 순차 매수한 丙·丁에게 이중매도 사실을 숨긴채 자신의 명의로 형식적인 매매계약서를 작성해 준 경우 甲이 직접 매매대금을 수령하지 않았다면 丙·丁에 대한 사기죄가 성립하지 않는다.

해설

④ [×] (1) 범인이 기망행위에 의해 스스로 재물을 취득하지 않고 제3자로 하여금 재물의 교부를 받게 한 경우에 사기죄가 성립하려면, 그 제3자가 범인과 사이에 정을 모르는 도구 또는 범인의 이익을 위해 행동하는 대리인의 관계에 있거나 그렇지 않다면 적어도 불법영득의사와의 관련상 범인에게 그 제3자로 하여금 재물을 취득하게 할 의사가 있어야 한다. 한편 재물편취를 내용으로 하는 **사기죄에 있어서는 기망으로 인한 재물교부가 있으면 그 자체로써 피해자의 재산침해가 되어 곧 사기죄는 성립하는 것이고, 그로 인한 이익이 결과적으로 누구에게 귀속하는지는 사기죄의 성부에 아무런 영향이 없다.**
(2) 甲이 전매금지된 택지분양권을 제3자에게 매도한 뒤 이를 다시 乙에게 매도한 다음, 이중매도한 사실을 고지하지 아니한 채 丙과 丁에게 순차로 분양권을 전매하는 매매계약에 형식적인 매도인으로 관여하면서 직접 매매대금을 수령하지 않고 乙과 丙으로 하여금 수령하게 한 경우(순차로 丙은 乙에게 매매대금을 지급하고, 丁은 丙에게 매매대금을 지급하게 한 경우), 甲에게는 매매계약에 있어 **실질적 매도인인 乙이나 丙으로 하여금 매매대금을 취득하게 할 의사가 있었다고 볼 여지가 충분하고(乙이나 丙으로 하여금 매매대금을 불법영득시킬 의사가 있었다고 볼 수 있고)**, 이는 매매대금 상당의 경제적 이익이 궁극적으로 피고인에게 연결되지 않았다 하여 달리 볼 것은 아니다.(대법원 2009. 1. 30. 2008도9985 **택지분양권 전전매도사건**)

① [○] 사기죄에 있어서 피해자에게 그 대가가 지급된 경우, 피해자를 기망하여 그가 보유하고 있는 그 대가를 다시 편취하거나 **피해자로부터 그 대가를 위탁받아 보관 중 횡령하였다면** 이는 새로운 법익의 침해가 발생한 경우라고 할 것이어서 기존에 성립한 사기죄와는 별도의 **새로운 사기죄나 횡령죄가 성립한다.**(대법원 2009. 10. 29. 2009도7052 **현대금속 게임기사건**)

② [○] 피고인이 보험금을 편취할 의사로 허위로 보험사고를 신고하거나 고의로 보험사고를 유발한 경우 보험금에 관한 사기죄가 성립하고, 나아가 설령 피고인이 보험사고에 해당할 수 있는 사고로 경미한 상해를 입었다고 하더라도 이를 기화로 보험금을 편취할 의사로 상해를 과장하여 병원에 장기간 입원하고 이를 이유로 실제 피해에 비하여 **과다한 보험금을 지급받는 경우에는 보험금 전체에 대해 사기죄가 성립한다.**(대법원 2011. 2. 24. 2010도17512 **남편에게 다친 여자 사건**)

정답 | 221 ④ 222 ④

③ [○] 피고인이 사실은 오락실 개업준비를 위하여 권리금을 지급한 사실이 없음에도 허위의 사용내역서를 작성·교부하여 마치 피고인이 권리금 6,000만원을 지급한 것처럼 피해자인 동업자들을 속여 6,000만원 출자금 지급을 면제받아 재산상의 이익을 취득하려 하였으나 피해자들이 근거자료 제시를 요구하며 이의를 제기하는 바람에 그 뜻을 이루지 못한 경우, 비록 동업자들이 피고인에 대하여 출자의무를 명시적으로 면제하지 아니하더라도 피고인의 기망행위에 의하여 피고인이 **출자금 전액에 대한 출자의무를 이행하였다는 착오에 빠진 결과 이를 면제해 주는 결과에 이를 수 있는 만큼 이는 부작위에 의한 처분행위에 해당한다.**(대법원 2009. 3. 26. 2008도6641 **오락실 권리금 사건**)

223 다음 설명 중 옳은 것은 모두 몇 개인가? (다툼이 있으면 판례에 의함) 16 경찰간부 [Superlative ★★★]

□□□

㉠ 기망행위로 인하여 부동산가압류를 해제하였으나 사후에 피보전채권이 존재하지 않는 것으로 밝혀진 경우일지라도, 그 가압류해제행위는 사기죄의 처분행위에 해당한다.
㉡ 甲이 금융기관에 피고인의 명의로 예금을 하면서 자신만이 인출할 수 있게 해달라고 요청하여 금융기관 직원이 예금관련 전산시스템에 '甲이 예금, 인출예정'이라고 입력하였고 피고인도 이의를 제기하지 않았는데, 그 후 피고인이 금융기관을 상대로 예금 지급을 구하는 소를 제기하였다가 금융기관의 변제공탁으로 패소한 경우 사기미수죄가 성립한다.
㉢ 이동통신회사들의 전산망에 접속한 다음 전산 상으로 사용정지된 휴대전화를 사용할 수 있도록 하거나 유심칩 읽기를 통해 문자메시지 발송한도를 해제하고 광고성 문자를 대량 발송하여 재산상 이득을 취한 경우 사기죄로 볼 수 없다.
㉣ 피담보채권인 공사대금 채권을 실제와 달리 허위로 크게 부풀려 유치권에 의한 경매를 신청할 경우 불능범에 해당한다고 볼 수 없고, 소송사기죄의 실행의 착수가 인정된다.

① 1개 ② 2개 ③ 3개 ④ 4개

해설

③ ㉠㉢㉣ 3 항목이 옳다.

㉠ [○] 부동산에 관한 가압류집행까지 마친 자가 가압류를 해제하면 가압류의 부담이 없는 부동산을 소유하게 되는 이익을 얻게 되는 것이므로 가압류를 해제하는 것 역시 사기죄에서 말하는 재산적 처분행위에 해당하고, 그 이후 가압류의 피보전채권이 존재하지 않는 것으로 밝혀졌다고 하더라도 **가압류 해제로 인한 재산상의 이익이 없었던 것으로 볼 수 없다.**(대법원 2007. 9. 20. 2007도5507 **가압류 해제사건Ⅱ**)

㉡ [×] (1) 예금명의자의 의사에 따라 예금명의자의 실명확인 절차가 이루어지고 예금명의자를 예금주로 하여 예금계약서를 작성하였음에도 불구하고, **예금명의자가 아닌 출연자 등을 예금계약의 당사자라고 볼 수 있으려면** 금융기관과 출연자 등과 사이에서 실명확인 절차를 거쳐 서면으로 이루어진 예금명의자와의 예금계약을 부정하여 예금명의자의 예금반환청구권을 배제하고, 출연자 등과 예금계약을 체결하여 출연자 등에게 예금반환청구권을 귀속시키겠다는 명확한 의사의 합치가 있는 **극히 예외적인 경우로 제한되어야 하고,** 이러한 의사의 합치는 실명확인 절차를 거쳐 작성된 예금계약서 등의 증명력을 번복하기에 충분할 정도의 명확한 증명력을 가진 구체적이고 객관적인 증거에 의하여 매우 엄격하게 인정하여야 한다.

(2) **甲이금융기관에 피고인 乙 명의로 예금을 하면서 자신만이 이를 인출할 수 있게 해달라고 요청하여 금융기관 직원 A가 예금관련 전산시스템에 '甲이 예금, 인출 예정'이라고 입력하였고** 피고인 乙도 이의를 제기하지 않았는 데, 그 후 **乙이 금융기관을 상대로 예금지급을 구하는 소를 제기하였다가 금융기관의 변제공탁으로 패소한 경우**, 금융기관과 甲 사이에 '실명확인 절차를 거쳐 서면으로 이루어진 乙 명의의 예금계약을 부정하여 예금명의자인 乙의 예금반환청구권을 배제하고 乙에게 이를 귀속시키겠다'는 명확한 의사의 합치가 있었다고 인정할 수 없다면 **예금주는 여전히 乙이므로 사기미수죄는 성립하지 아니한다.**(대법원 2011. 5. 13. 2009도5386 예금명의자 예금인출 사건)

ⓒ [○] 피고인이 단독으로 또는 공범들과 함께 사용이 정지되거나 사용할 수 없게 된 휴대전화를 구입한 후 이른바 '대포폰'으로 유통시켜 사용하도록 하거나 **'유심칩(USIM Chip) 읽기'**를 통하여 해당 휴대전화의 문자발송 제한을 해제하고 광고성 문자를 대량 발송하는 방법으로 이동통신회사들로부터 이용대금 상당의 재산상 이득을 취득하였더라도 피고인의 행위는 '사람을 기망하여 재산상 이득을 취득한 경우'에 해당한다고 볼 수 없으므로 **사기죄는 성립하지 아니한다.**(대법원 2011. 7. 28. 2011도5299 스팸문자의 달인 사건)

ⓓ [○] 유치권에 의한 경매를 신청한 유치권자는 일반채권자와 마찬가지로 피담보채권액에 기초하여 배당을 받게 되는 결과 피담보채권인 공사대금 채권을 실제와 달리 허위로 크게 부풀려 유치권에 의한 경매를 신청할 경우 정당한 채권액에 의하여 경매를 신청한 경우보다 더 많은 배당금을 받을 수도 있으므로, 이는 법원을 기망하여 배당이라는 법원의 처분행위에 의하여 재산상 이익을 취득하려는 행위로서 불능범에 해당한다고 볼 수 없고, **소송사기죄의 실행의 착수에 해당한다.**(대법원 2012. 11. 15. 2012도9603 유치권 경매신청사건)

224 사기의 죄에 관한 설명 중 가장 적절하지 않은 것은? (다툼이 있으면 판례에 의함)

□□□

14 경찰승진 [Essential ★]

① 의사가 전화를 이용하여 진찰한 것임에도 내원 진찰인 것처럼 가장하여 국민건강보험관리공단에 요양급여비용을 청구하여 진찰료를 수령한 경우 사기죄가 성립하지 않는다.

② 타인의 폭행으로 상해를 입고 병원에서 치료를 받으면서 상해를 입은 경위에 관하여 거짓말을 하여 국민건강보험관리공단으로부터 보험급여 처리를 받은 경우 위 상해가 '전적으로 또는 주로 피고인의 범죄행위에 기인하여 입은 상해'라고 할 수 없다면 사기죄가 성립하지 않는다.

③ 식육식당을 경영하는 자가 음식점에서 한우만을 취급한다는 취지의 상호를 사용하면서 광고선전판, 식단표 등에도 한우만을 사용한다고 기재하면서 이를 보고 찾아온 손님들에게 수입소 갈비를 판매한 경우 사기죄가 성립한다.

④ 농업협동조합의 조합원이나 검품위원이 아닌 자가 TV홈쇼핑업체에 납품한 삼이 제3자가 산삼의 종자인지 여부가 불분명한 삼의 종자를 뿌려 이식하면서 인공적으로 재배한 삼이라는 사실을 알면서도 광고방송에 출연하여 위 삼이 조합의 조합원들이 자연산삼의 종자를 심산유곡에 심고 자연방임 상태에서 성장시킨 산양산삼이며 자신이 조합의 검품위원 으로서 위 삼중 우수한 것만을 선정하여 감정인의 감정을 받은 것처럼 허위 내용의 광고를 한 경우 사기죄가 성립한다.

정답 | 223 ③ 224 ①

해설

① [×] 보건복지부장관의 고시는 내원을 전제로 한 진찰만을 요양급여의 대상으로 정하고 있고 전화 진찰이나 이에 기한 약제 등의 지급은 요양급여의 대상으로 정하고 있지 아니하므로 (중략) **전화 진찰을 내원진찰인 것으로 하여 요양급여비용을 청구한 것은 기망행위로서 사기죄를 구성한다.**(대법원 2013. 4. 26. 2011도10797 **전화진찰 사건 II**)

② [○] (1) 국민건강보험법 제48조 제1항 제1호에서는 고의 또는 중대한 과실로 인한 범죄행위에 기인하거나 고의로 보험사고를 발생시킨 경우 이에 대한 보험급여를 제한하도록 규정하고 있는데, '고의 또는 중대한 과실로 인한 범죄행위에 기인한 경우'는 '고의 또는 중대한 과실로 인한 자기의 범죄행위에 전적으로 기인하여 **보험사고가 발생하였거나 고의 또는 중대한 과실로 인한 자신의 범죄행위가 주된 원인이 되어 보험사고가 발생한 경우'를 말하는 것으로 해석함이 상당하다.**
(2) 피고인이 폭행으로 입은 상해가 전적으로 또는 주로 피고인의 범죄행위에 기인하여 입은 상해라고 할 수 없다면 (비록 국민건강보험공단 직원으로 하여금 진료비를 대신 지급하게 하였다고 하더라도) **사기죄는 성립하지 아니한다.**(대법원 2010. 6. 10. 2010도1777 **전적으로 또는 주로 사건**)

③ [○] 식육식당을 경영하는 피고인이 사실은 수입소고기를 판매하면서, 음식점에서 **한우만을 취급한다**는 취지의 상호를 사용하고 광고선전판, 식단표 등에도 한우만을 사용한다고 기재한 경우, 이러한 광고는 그 **사술의 정도가 사회적으로 용인될 수 있는 상술의 정도를 넘는 것이다.**(대법원 1997. 9. 9. 97도1561 **고향한우마을 사건**)

④ [○] 농업협동조합의 조합원이나 검품위원이 아닌 피고인이 **TV 홈쇼핑업체**에 납품한 삼(蔘)이 인공적으로 재배한 삼이라는 사실을 알면서도 광고방송에 출연하여 위 삼이 자연산삼의 종자를 심산유곡(深山幽谷)에 심고 자연방임 상태에서 성장시킨 산양산삼이라고 허위 내용의 광고를 하고 판매한 경우, 피고인의 위 광고행위는 그 사술의 정도가 사회적으로 용인될 수 있는 상술의 정도를 넘은 것이어서 **사기죄의 기망행위를 구성한다.**(대법원 2002. 2. 5. 2001도5789 **산양산삼 사건**)

225 사기의 죄에 관한 설명으로 옳은 것은 모두 몇 개인가? (다툼이 있으면 판례에 의함)

□□□

24 경찰채용 [Superlative ★★★]

㉠ 사기죄에서 피해자에게 대가가 지급된 후 피해자를 기망하여 그가 보유하고 있는 그 대가를 다시 편취한 경우 이는 새로운 법익의 침해가 발생한 것으로서 기존에 성립한 사기죄와 별도의 새로운 사기죄가 성립한다.
㉡ 적극적 소송당사자인 원고뿐만 아니라 방어적인 위치에 있는 피고라 하더라도 허위내용의 서류를 작성하여 이를 증거로 제출하거나 위증을 시키는 등의 적극적인 방법으로 법원을 기망하여 착오에 빠지게 한 결과 승소확정판결을 받음으로써 자기의 재산상의 의무이행을 면하게 된 경우 그 재산가액 상당에 대하여 사기죄가 성립한다.
㉢ 甲은 A를 기망하여 A가 소유한 B부동산(아무런 부담이 없는 상태에서 시가 10억원임)의 소유권을 이전받음으로써 B부동산을 편취하였는데 B부동산에는 근저당권설정등기가 경료되어 있었던 경우(근저당권의 채권최고액은 3억원이고, 피담보채권액은 4억원임), 「특정경제범죄 가중처벌 등에 관한 법률」 제3조의 적용을 전제로 하여 그 부동산의 가액(이득액)을 산정하면 10억원이 된다.
㉣ 금방에서 마치 귀금속을 구입할 것처럼 가장하여 금방 주인으로부터 순금목걸이 등을 건네받은 다음 화장실에 갔다 오겠다는 핑계를 대고 도주한 경우 사기죄가 성립한다.
㉤ 거래의 상대방이 일정한 사정에 관한 고지를 받았더라면 당해 거래에 임하지 아니하였을 것임이 경험칙상 명백한 경우 그 거래로 인하여 재물을 수취하는 자에게는 신의성실의 원칙상 사전에 상대방에게 그와 같은 사정을 고지할 의무가 있다고 할 것이므로 이를 고지하지 아니한 것은 고지할 사실을 묵비함으로써 상대방을 기망한 것이 되어 사기죄를 구성한다.

① 1개 ② 2개 ③ 3개 ④ 4개

해설

③ ㉠㉡㉤ 3 항목이 옳다.
㉠ [○] 사기죄에 있어서 피해자에게 그 대가가 지급된 경우 피해자를 기망하여 그가 보유하고 있는 그 대가를 다시 편취하거나 피해자로부터 그 대가를 위탁받아 보관 중 횡령하였다면 이는 새로운 법익의 침해가 발생한 경우라고 할 것이어서 기존에 성립한 사기죄와는 **별도의 새로운 사기죄나 횡령죄가 성립한다.**(대법원 2009. 10. 29. 2009도7052 현대금속 게임기사건)
㉡ [○] 적극적 소송당사자인 원고뿐만 아니라 **방어적인 위치에 있는 피고라 하더라도** 허위내용의 서류를 작성하여 이를 증거로 제출하거나 위증을 시키는 등의 적극적인 방법으로 법원을 기망하여 착오에 빠지게 한 결과 승소확정판결을 받음으로써 자기의 재산상의 의무이행을 면하게 된 경우에는 그 재산가액 상당에 대하여 **사기죄가 성립한다.** 피고측에 의한 소송사기가 성립하기 위하여는 원고 주장과 같은 채무가 존재한다는 것만으로는 부족하고 그 주장의 채무가 존재한다는 사실을 잘 알고 있으면서도 허위의 주장과 입증으로써 법원을 기망한다는 인식을 하고 있어야만 하는 것이다.(대법원 2004. 3. 12. 2003도333 위증교사 피고 승소사건)

정답 | 225 ③

ⓒ [×] 사람을 기망하여 부동산의 소유권을 이전받거나 제3자로 하여금 이전받게 함으로써 이를 편취한 경우에 특경법 제3조의 적용을 전제로 하여 부동산의 가액을 산정함에 있어서는 부동산에 아무런 부담이 없는 때에는 부동산의 시가 상당액이 곧 그 가액이라고 볼 것이지만, 부동산에 근저당권설정등기가 경료되어 있거나 압류 또는 가압류 등이 이루어져 있는 때에는 특별한 사정이 없는 한 **아무런 부담이 없는 상태에서의 부동산의 시가 상당액에서 근저당권의 채권최고액 범위 내에서의 피담보채권액**, 압류에 걸린 집행채권액, 가압류에 걸린 청구금액 범위 내에서의 피보전채권액 **등을 뺀 실제의 교환가치를 그 부동산의 가액으로 보아야 한다.**(대법원 2007. 4. 19. 2005도7288 全合 **근저당 채권액 공제사건 I**) 부동산의 가액(이득액)을 산정하면 7억원(= 부동산의 시가 10억원 - 근저당권의 채권최고액 3억원)이 된다.

ⓔ [×] 피고인이 금방에서 마치 귀금속을 구입할 것처럼 가장하여 피해자로부터 순금목걸이 등을 건네받은 다음 화장실에 갔다 오겠다는 핑계를 대고 도주한 것이라면 **순금목걸이 등은 도주하기 전까지는 아직 피해자의 점유하에 있었다고 할 것이므로 이를 절도죄로 의율 처단한 것은 정당하다.**(대법원 1994. 8. 12. 94도1487 **금목걸이 사건**)

ⓜ [○] 사기죄의 요건으로서의 기망은 널리 재산상의 거래관계에 있어 서로 지켜야 할 신의와 성실의 의무를 저버리는 모든 적극적 또는 소극적 행위를 말하는 것인 바, 거래의 상대방이 일정한 사정에 관한 고지를 받았더라면 당해 거래에 임하지 아니하였을 것임이 경험칙상 명백한 경우 **그 거래로 인하여 재물을 수취하는 자에게는 신의성실의 원칙상 사전에 상대방에게 그와 같은 사정을 고지할 의무가 있다**고 할 것이므로 이를 고지하지 아니한 것은 고지할 사실을 묵비함으로써 상대방을 기망한 것이 되어 사기죄를 구성한다.(대법원 1996. 7. 30. 96도1081 **돌핀제품 독점판매사건**)

226 다음 설명 중 옳지 않은 것은? (다툼이 있으면 판례에 의함)

□□□ 13 사법시험 [Superlative ★★★]

① 사기죄를 범한 자가 피해자에게 그 대가를 지급한 후, 그 피해자를 기망하여 그가 보유하고 있는 그 대가를 다시 편취하거나 그 피해자로부터 그 대가를 위탁받아 보관 중 횡령한 경우 기존에 성립한 사기죄와는 별도의 새로운 사기죄나 횡령죄가 성립한다.

② 사기죄가 성립하기 위해서는 기망행위와 상대방의 착오 및 재물의 교부 또는 재산상 이익의 공여와의 사이에 순차적인 인과관계가 있어야 하지만, 착오에 빠진 원인 중에 피기망자측에 과실이 있는 경우에도 사기죄가 성립한다.

③ 실제 일부 입원치료가 필요하더라도 그 범위를 넘는 장기간의 입원을 유도하여 과도한 요양급여비를 청구한 행위는 사회통념상 권리행사의 수단으로 용인할 수 없는 것이어서 요양급여비에서 실제 필요한 입원치료비를 공제한 차액에 대하여 사기죄가 성립한다.

④ 절도범이 타인으로부터 절취한 금전을 다른 금전과 섞거나 교환하지 않고 쇼핑백에 넣어 자신의 집에 숨겨두었는데, 이를 안 그 타인의 지시를 받은 자가 절도범에게 겁을 주어 위 금전을 교부받은 경우 공갈죄가 성립하지 않는다.

⑤ 아파트 건축사업이 추진되기 약 15년 전부터 사업부지 내 일부 부동산을 소유하여 온 사람이 사업자의 매도 제안을 거부하다가 인근 토지 시가의 40배가 넘는 대금을 받고 매도하였다는 사정만으로는 부당이득죄가 성립하지 않는다.

해설

③ [×] 적정한 진료행위를 하지 않은 채 입원의 필요성이 적은 환자들에게까지 입원을 권유하고 퇴원을 만류하는 등으로 장기간의 입원을 유도하여 국민건강보험공단에 과다한 요양급여비를 청구한 행위는 사회통념상 권리행사의 수단으로 용인할 수 없는 것이어서, 비록 그 중 일부 기간에 대하여 실제 입원치료가 필요하였다고 하더라도 그 부분을 포함한 **당해 입원기간의 요양급여비 전체에 대하여 사기죄가 성립한다.**(대법원 2009. 5. 28. 2008도4665 **수원중앙병원 사건**)

① [○] 사기죄에서 피해자에게 그 대가가 지급된 경우, 피해자를 기망하여 그가 보유하고 있는 그 대가를 다시 편취하거나 피해자로부터 그 대가를 위탁받아 보관 중 횡령하였다면, 이는 새로운 법익의 침해가 발생한 경우이므로 기존에 성립한 사기죄와는 별도의 **새로운 사기죄나 횡령죄가 성립한다.**(대법원 2009. 10. 29. 2009도7052 **현대금속 게임기사건**)

② [○] 사기죄가 성립하기 위해서는 기망행위와 상대방의 착오 및 재물의 교부 또는 재산상의 이익의 공여와의 사이에 순차적인 인과관계가 있어야 하지만, 착오에 빠진 원인 중에 **피기망자 측에 과실이 있는 경우에도 사기죄가 성립한다.**(대법원 2009. 6. 23. 2008도1697 **대부업자 새마을금고 기망사건**)

④ [○] **피고인 등이 되찾은 돈은** 절취 대상인 당해 금전이라고 구체적으로 특정할 수 있어 객관적으로 다른 재산과 구분됨이 명백하므로 이를 타인인 절도범의 재물이라고 볼 수 없고, 따라서 비록 피고인 등이 **공갈하여 돈을 교부받았더라도 타인의 재물을 갈취한 행위로서 공갈죄가 성립된다고 볼 수 없다.**(대법원 2012. 8. 30. 2012도6157 **절취당한 40억 회수사건**)

⑤ [○] (1) 개발사업 등이 추진되기 오래 전부터 사업부지 내의 부동산을 소유하여 온 피고인이 이를 매도하라는 피해자의 제안을 거부하다가 수용하는 과정에서 큰 이득을 취하였다는 사정만으로 함부로 부당이득죄의 성립을 인정해서는 안 된다. (2) 아파트 건축사업이 추진되기 수년 전부터 사업부지 내 일부 부동산을 소유하여 온 피고인이 사업자의 매도 제안을 거부하다가 인근 **토지 시가의 40배가 넘는 대금을 받고 매도한 경우라도 부당이득죄는 성립하지 아니한다.**(대법원 2009. 1. 15. 2008도8577 **40배 뻥튀기 사건**)

정답 | 226 ③

227 사기죄에 대한 설명으로 옳은 것은? (다툼이 있으면 판례에 의함)

19 국가7급 [Core ★★]

□□□

① 甲이 피해자 A에게 자동차를 매도하겠다고 거짓말하고 자동차를 양도하면서 소유권이전 등록에 필요한 일체의 서류를 교부하여 매매대금을 수령한 다음, 자동차에 미리 부착해 놓은 지피에스 (GPS)로 위치를 추적하여 자동차를 가져간 경우, 甲에게 사기죄가 성립한다.

② 甲이 A에게 사업자등록 명의를 빌려주면 세금이나 채무는 모두 자신이 변제하겠다고 속여 그로부터 명의를 대여받아 호텔을 운영한 경우, A가 명의를 대여하였다는 것만으로 사기죄의 처분행위가 있었다고 보기는 어렵다.

③ 甲이 피해자 A로 하여금 A의 예금을 인출하게 하고, 그 인출한 현금을 A의 집에 보관하도록 거짓말을 한 경우, A의 처분행위가 인정되어 甲에게 사기죄가 성립한다.

④ 甲이 토지의 소유자이자 매도인인 피해자 A에게 토지거래허가 등에 필요한 서류라고 속여 근저당권설정계약서 등에 서명·날인하게 하고 인감증명서를 교부받은 다음, 이를 이용하여 A 소유 토지에 甲을 채무자로 한 근저당권을 B에게 설정하여 주고 돈을 차용한 경우, A가 처분행위의 결과를 인식하지 못한 이상 A의 처분의사가 인정되지 않아 甲에게 사기죄가 성립하지 않는다.

해설

② [O] 피고인이 피해자에게 "사업자등록 명의를 빌려주면 세금이나 채무는 모두 내가 변제하겠다"라고 속여 그로부터 명의를 대여받아 호텔을 운영한 경우라도 다른 특별한 사정이 없는 한 피해자가 피고인에게 **사업자등록 명의를 대여한 행위 자체를 사기죄의 재산적 처분행위로 볼 수 없을 뿐만 아니라** 명의대여 행위로 인하여 피고인이 임대보증금반환채무, 주차부스 구매대금채무, 각종 세금 및 고용·산재보험료채무 등을 면하게 되는 것도 아니어서 피해자의 **재산적 처분행위가 있었다고 보기는 어렵다.**(대법원 2012. 6. 28. 2012도4773 화이트관광호텔 사건)

① [×] **자동차를 인도하고 소유권이전등록에 필요한 일체의 서류를 교부함으로써 피해자인 A, B가 언제든지 소유권이전등록을 마칠 수 있게 된 이상, 매도인 甲 등에게 자동차의 소유권을 이전하여 줄 의사가 없었다고 볼 수는 없고 또한 자동차를 매도할 당시 곧바로 다시 절취할 의사를 가지고 있으면서도 이를 숨긴 것을 기망이라고 할 수도 없어 특수절도죄만 성립할 뿐 사기죄는 성립하지 아니한다.**(대법원 2016. 3. 24. 2015도17452 자동차 매도 후 절취사건)

③ [×] 원심은, 피고인 甲과 공범들이 피해자 A, B에게 예금을 인출하고 인출한 현금을 집에 보관하도록 거짓말을 하였다고 하더라도, 이것을 A, B로 **하여금 현금을 타인에게 교부하거나 처분하는 행위를 하도록 한 것이라고 볼 수 없다는 사정을 들어 사기미수의 점에 대하여 무죄를 선고한 제1심판결을 그대로 유지하였는 바,** 원심의 이유 설시에 다소 부적절한 점이 있지만 **원심판결에 처분행위에 관한 법리를 오해하여 판결에 영향을 미친 잘못이 없다.**(대법원 2017. 4. 28. 2017도1544)

④ [×] (1) **피해자 A, B가 피고인 甲 등의 기망행위로 토지거래허가 등에 필요한 서류로 잘못 알고 근저당권설정계약서 등에 서명 또는 날인함으로써** 재산상 손해를 초래하는 행위를 한 경우, 피해자들의 위와 같은 행위는 사기죄에서 말하는 처분행위에 해당하고 또한 **피해자** C 역시 피고인 甲 등의 기망행위로 피고인 등이 **3,000만원을 대출받기 위하여 필요한 담보제공서류로 잘못 알고 1억원의 대출을 위한 근저당권설정계약서 등에 서명 또는 날인함으로써 재산상 손해를 초래하는 행위를 한 경우, 피해자의 위와 같은 행위 또한 사기죄에서 말하는 처분행위에 해당한다.** 아울러 피해자들이 비록 자신들이 서명 또는 날인하는 문서의 정확한

내용과 그 문서의 작성행위가 어떤 결과를 초래하는지를 미처 인식하지 못하였다고 하더라도 토지거래허가나 약정된 근저당권설정에 관한 서류로 알고 그와 다른 근저당권설정계약에 관한 내용이 기재되어 있는 문서에 스스로 서명 또는 날인함으로써 그 문서에 서명 또는 날인하는 행위에 관한 인식이 있었던 이상 처분의사도 인정된다.
(2) 그럼에도 이와 달리 원심은 피해자들에게 근저당권 등을 설정하여 줄 의사가 없었다는 이유만을 들어 피해자들의 처분행위가 있었다고 할 수 없어 공소사실을 모두 무죄로 판단한 것은 판결에 영향을 미친 잘못이 있다.(대법원 2017. 2. 16. 2016도13362 全合 서명사취 사건)

228 사기죄에 관한 다음 설명 중 가장 옳지 않은 것은? (다툼이 있으면 판례에 의함)

□□□

15 법원9급 [Superlative ★★★]

① 자기에게 유리한 판결을 얻기 위하여 소송상의 주장이 사실과 다름이 객관적으로 명백하거나 증거가 조작되어 있는 점을 인식하지 못하는 제3자를 이용하여 그로 하여금 소송의 당사자가 되게 하고 법원을 기망하여 소송 상대방의 재물 또는 재산상 이익을 취득하려고 하였다면 간접정범의 형태에 의한 소송사기죄가 성립한다.

② 허위의 내용으로 소를 제기하여 법원을 기망한다는 고의가 있는 경우 반드시 허위의 증거를 이용하지 않더라도 당사자의 주장이 법원을 기망하기에 충분한 것이면 사기죄가 성립 한다.

③ 사망한 자를 상대로 소를 제기하는 경우 사망한 자에 대한 판결은 그 내용에 따른 효력이 생기지 아니하여 상속인에게 그 효력이 미치지 아니하므로 사기죄가 성립하지 아니한다.

④ 민사소송의 피고는 허위내용의 서류를 작성하여 이를 증거로 제출하거나 위증을 시키는 등의 적극적인 방법으로 법원을 기망하여 착오에 빠지게 하더라도 적극적 소송당사자가 아니므로 사기죄의 주체가 될 수 없다.

해설

④ [×] 적극적 소송당사자인 원고뿐만 아니라 **방어적인 위치에 있는 피고라 하더라도** 허위내용의 서류를 작성하여 이를 증거로 제출하거나 위증을 시키는 등의 적극적인 방법으로 법원을 기망하여 착오에 빠지게 한 결과 승소확정판결을 받음으로써 자기의 재산상의 의무이행을 면하게 된 경우에는 그 재산가액 상당에 대하여 **사기죄가 성립한다.**(대법원 2004. 3. 12. 2003도333)

① [○] 자기에게 유리한 판결을 얻기 위하여 소송상의 주장이 사실과 다름이 객관적으로 명백하거나 증거가 조작되어 있다는 정을 인식하지 못하는 제3자를 이용하여 그로 하여금 소송의 당사자가 되게 하고 법원을 기망하여 소송 상대방의 재물 또는 재산상 이익을 취득하려 하였다면 간접정범의 형태에 의한 **소송사기죄가 성립하게 된다.**(대법원 2007. 9. 6. 2006도3591 위조 차용증 교부사건)

정답 | 227 ② 228 ④

② [○] 법원을 기망하는 것은 반드시 허위의 증거를 이용하지 않더라도 **당사자의 주장이 법원을 기망하기에 충분한 것이라면 기망수단이 된다.**(대법원 2011. 9. 8. 2011도7262 **세고엔터테인먼트 사건**)

③ [○] 소송사기에 있어서 피기망자인 법원의 재판은 피해자의 처분행위에 갈음하는 내용과 효력이 있는 것이어야 하고, 그렇지 아니하는 경우에는 착오에 의한 재물의 교부행위가 있다고 할 수 없어서 사기죄는 성립되지 아니한다고 할 것이므로, 피고인의 제소가 **사망한 자를 상대로 한 것이라면** 이와 같은 사망한 자에 대한 판결은 그 내용에 따른 효력이 생기지 아니하여 상속인에게 그 효력이 미치지 아니하고 따라서 **사기죄를 구성한다고는 할 수 없다.**(대법원 2002. 1. 11. 2000도1881 **전원사망 피고들 사건**)

229 사기죄와 관련된 다음 설명 중 옳은 것은 모두 몇 개인가? (다툼이 있으면 판례에 의함)

□□□

20 경찰간부 [Superlative ★★★]

㉠ 피기망자가 기망당한 결과 자신의 작위 또는 부작위가 갖는 의미를 제대로 인식하지 못하여 그러한 행위가 초래하는 결과를 인식하지 못하였더라도 그와 같은 착오 상태에서 재산상 손해를 초래하는 행위를 하였다면 피기망자의 처분 행위와 그에 상응하는 처분의사가 있다고 보아야 한다.

㉡ 위조된 약속어음을 진정한 약속어음인 것처럼 속여 기왕의 물품대금의 변제를 위해 채권자에게 교부한 경우에는 사기죄가 성립하지 않는다.

㉢ 통정허위표시로서 무효인 임대차계약에 기초하여 임차권등기를 마침으로써 외형상 임차인으로서 취득하게 된 권리는 사기죄에서 말하는 재산상 이익에 해당한다.

㉣ 채무자의 기망행위로 인해 채권자가 채무를 확정적으로 소멸 내지 면제시키는 특약 등 처분행위를 한 경우에는 채무의 면제라고 하는 재산상 이익에 관한 사기죄가 성립하지만 후에 그 재산상 처분행위가 사기를 이유로 민법에 따라 취소될 수 있는 경우라면 사기죄는 성립할 수 없다.

① 1개 ② 2개

③ 3개 ④ 4개

해설

③ ㉠㉡㉢ 3 항목이 옳다.

㉠ [○] 피기망자가 행위자의 기망행위로 인하여 착오에 빠진 결과 내심의 의사와 다른 효과를 발생시키는 내용의 처분문서에 서명 또는 날인함으로써 처분문서의 내용에 따른 재산상 손해가 초래되었다면 그와 같은 처분문서에 서명 또는 날인을 한 피기망자의 행위는 사기죄에서 말하는 처분행위에 해당한다. 아울러 비록 **피기망자가 처분결과,** 즉 문서의 구체적 내용과 그 법적 효과를 미처 **인식하지 못하였다고 하더라도,** 어떤 문서에 스스로 서명 또는 날인함으로써 그 처분문서에 서명 또는 날인하는 행위에 관한 인식이 있었던 이상 피기망자의 **처분의사 역시 인정된다.**(대법원 2017. 2. 16. 2016도13362 全合 **서명사취 사건**)

ⓒ [○] 위조된 약속어음을 진정한 약속어음인 것처럼 속여 기왕의 물품대금채무의 변제를 위하여 채권자에게 교부하였다고 하여도 어음이 결제되지 않는 한 **물품대금채무가 소멸되지 아니하므로 사기죄는 성립되지 않는다**.(대법원 1983. 4. 12. 82도2938)

ⓒ [○] 사기죄에서 말하는 재산상 이익 취득은 그 재산상의 이익을 법률상 유효하게 취득함을 필요로 하지 아니하고 그 이익 취득이 법률상 무효라 하여도 외형상 취득한 것이면 족한 것이다. 임차권등기의 기초가 되는 임대차계약이 **통정허위표시로서 무효라 하더라도** 장차 피신청인의 이의신청 또는 취소신청에 의한 법원의 재판을 거쳐 그 임차권등기가 말소될 때까지는 신청인은 **외형상으로 우선변제권 있는 임차인으로서 부동산 담보권에 유사한 권리를 취득하게 된다 할 것이니, 이러한 이익은 재산적 가치가 있는 구체적 이익으로서 사기죄의 객체인 재산상 이익에 해당한다**.(대법원 2012. 5. 24. 2010도12732 임차권등기명령 신청사건)

ⓔ [×] 사기죄에서의 '재산상의 이익'이란 채권을 취득하거나 담보를 제공받는 등의 적극적 이익뿐만 아니라 채무를 면제받는 등의 소극적 이익까지 포함하며, 채무자의 기망행위로 인하여 채권자가 **채무를 확정적으로 소멸 내지 면제시키는 특약 등의 처분행위를 한 경우에는** 채무의 면제라고 하는 **재산상 이익에 관한 사기죄가 성립되고**, 후에 그 재산적 처분행위가 사기를 이유로 **민법에 따라 취소될 수 있다고 하여 달리 볼 것은 아니다**.(대법원 2012. 4. 13. 2012도1101 파주시 부동산 사기사건)

230 소송사기에서 실행의 착수가 인정된 경우로 옳은 것을 모두 고르면? (다툼이 있으면 판례에 의함)

□□□

20 경찰간부 [*Core* ★★]

> ㉠ 허위의 내용을 인식한 상태에서 법원에 허위의 채권으로 지급명령을 신청한 경우
> ㉡ 본안소송을 제기하지 않은 채 허위채권을 원인으로 법원에 가압류신청을 한 경우
> ㉢ 등기부등본에 소유권자로 등기된 적이 있던 자가 허위의 사실을 주장하며 등기명의인을 상대로 소유권이전등기의 말소등기청구소송을 제기한 경우
> ㉣ 자신이 토지의 소유자라고 허위의 주장을 하면서 소유권보존 등기명의자를 상대로 보존등기의 말소를 구하는 소송을 제기한 경우
> ㉤ 부동산 경매절차에서 허위의 공사대금채권을 근거로 유치권 신고를 한 경우

① ㉠㉢㉤ ② ㉠㉢㉣
③ ㉡㉢㉣ ④ ㉢㉣㉤

해설

② ㉠㉢㉣ 3 항목의 경우 소송사기죄의 실행의 착수가 인정된다.

㉠ [○] 지급명령신청에 대해 상대방이 이의를 하면 지급명령은 이의의 범위 안에서 그 효력을 잃게 되고 지급명령을 신청한 때에 소를 제기한 것으로 보게 되는 것이지만 이로써 이미 실행에 착수한 사기의 범행 자체가

정답 | 229 ③ 230 ②

없었던 것으로 되는 것은 아니다.(대법원 2004. 6. 24. 2002도4151 보복 지급명령 신청사건) 판례의 취지에 의할 때 지문의 경우 **소송사기죄의 실행의 착수가 인정된다.**

㉡ [×] 가압류는 강제집행의 보전방법에 불과한 것이어서 허위의 채권을 피보전권리로 삼아 가압류를 하였다고 하더라도 그 채권에 관하여 현실적으로 청구의 의사표시를 한 것이라고는 볼 수 없으므로, 본안소송을 제기하지 아니한 채 가압류를 한 것만으로는 **사기죄의 실행에 착수하였다고 할 수 없다.**(대법원 1988. 9. 13. 88도55)

㉢ [○] 부동산등기부상 소유자로 등기된 적이 있는 자가 자신 이후에 소유권이전등기를 경료한 등기명의인들을 상대로 허위의 사실을 주장하면서 그들 명의의 소유권이전등기의 말소를 구하는 소송을 제기한 경우, 그 소송에서 승소한다면 등기명의인들의 등기가 말소됨으로써 그 소송을 제기한 자의 등기명의가 회복되는 것이므로 이는 법원을 기망하여 재물이나 재산상 이익을 편취한 것이라고 할 것이고 따라서 등기명의인들 전부 또는 일부를 상대로 하는 말소등기청구 소송의 제기는 **사기의 실행에 착수한 것이라고 보아야 한다.**(대법원 2003. 7. 22. 2003도1951 7개 중 5개 등기말소사건)

㉣ [○] 피고인 등이 **자신이 토지의 소유자라고 허위의 주장을 하면서 소유권보존등기 명의자를 상대로 보존등기의 말소를 구하는 소송을 제기한 경우** 그 소송에서 **토지가 피고인 등의 소유임을 인정하여 보존등기 말소를 명하는 내용의 승소확정판결을 받는다면, 이에 터 잡아 언제든지 단독으로 상대방의 소유권보존등기를 말소시킨 후 위 판결을 부동산등기법 제130조 제2호[개정법 제65조 제2호] 소정의 소유권을 증명하는 판결로 하여 자기 앞으로의 소유권보존등기를 신청하여 그 등기를 마칠 수 있게 되므로, 이는 법원을 기망하여 유리한 판결을** 얻음으로써 **'대상 토지의 소유권에 대한 방해를 제거하고 그 소유명의를 얻을 수 있는 지위'라는 재산상 이익을 취득한 것이고, 그 경우 기수시기는 위 판결이 확정된 때이다.**(대법원 2006. 4. 7. 2005도9858 전원합의체 순습탄현면 임야 편취사건) 판례의 취지에 의할 때 지문의 경우 **소송사기죄의 실행의 착수가 인정된다.**

㉤ [×] 유치권자가 경매절차에서 유치권을 신고하는 경우 법원은 이를 매각물건명세서에 기재하고 그 내용을 매각기일공고에 적시하나, 이는 경매목적물에 대하여 유치권 신고가 있음을 입찰예정자들에게 고지하는 것에 불과할 뿐 처분행위로 볼 수는 없고 또한 유치권자는 권리신고 후 이해관계인으로서 경매절차에서 이의신청권 등 몇 가지 권리를 얻게 되지만 이는 법률의 규정에 따른 것으로서 재물 또는 재산상 이득을 취득하는 것으로 볼 수 없으므로, **부동산 경매절차에서 피고인들이 허위로 유치권 신고를 하였더라도 이를 소송사기 실행의 착수가 있다고 볼 수는 없다.**(대법원 2009. 9. 24. 2009도5900 허위 유치권 신고사건)

231 □□□ 다음 사례에 관한 설명으로 가장 적절한 것은? (다툼이 있으면 판례에 의함) 14 경찰채용 [Core ★★]

> 甲은 A주식회사가 운영하는 인터넷사이트의 가상계좌에서 은행환불명령을 입력하여 가상계좌의 잔액이 1,000원 이하로 되었을 때 전자복권 구매명령을 입력하면 가상계좌로 복권구매요청금과 동일한 액수의 가상현금이 입금되는 프로그램 오류가 발생하는 사실을 알게 되었다. 甲은 이를 이용하여 그 잔액을 1,000원 이하로 만들고 다시 전자복권 구매명령을 입력하는 행위를 반복함으로써 자신의 가상계좌로 2천만원이 입금되게 하였다.

① 甲은 허위의 정보를 입력하는 방법으로 기망행위를 하고 이를 통하여 A주식회사의 계좌로부터 자신의 계좌로 돈을 입금되도록 하였는바, 사기죄로 처벌된다.

② 甲은 관리자인 A주식회사의 의사에 반하여 부당하게 2천만원에 대한 법률적 지배권한을 획득하였는바, 그에 대하여 절도죄의 책임을 부담한다.

③ 甲은 사실상의 신임관계에 기초하여 A주식회사의 재물을 관리하는 지위에 서게 되는바, 甲이 1천만원을 임의로 인출, 소비하였다면 이는 횡령죄의 구성요건을 충족시킨다.

④ 甲은 프로그램 자체에서 발생하는 오류를 적극적으로 이용하여 부정한 명령을 입력한 것이므로 컴퓨터등사용사기죄로 처벌된다.

해설

④ (1) 컴퓨터등사용사기죄에서 '부정한 명령의 입력'은 당해 사무처리시스템에 예정되어 있는 사무처리의 목적에 비추어 지시해서는 안 될 명령을 입력하는 것을 의미한다. 따라서 설령 '허위의 정보'를 입력한 경우가 아니라고 하더라도, 당해 사무처리시스템의 프로그램을 구성하는 개개의 명령을 부정하게 변개·삭제하는 행위는 물론 **프로그램 자체에서 발생하는 오류를 적극적으로 이용하여 그 사무처리의 목적에 비추어 정당하지 아니한 사무처리를 하게 하는 행위도** 특별한 사정이 없는 한 위 **'부정한 명령의 입력'에 해당한다.**

(2) 피고인의 행위는 형법 제347조의2에서 정한 '허위의 정보 입력'에 해당하지는 않더라도 프로그램 자체에서 발생하는 오류를 적극적으로 이용하여 사무처리의 목적에 비추어 정당하지 아니한 사무처리를 하게 한 행위로서 **'부정한 명령의 입력'에 해당한다.**(대법원 2013. 11. 14. 2011도4440 **엔젤로또** 사건)

정답 | 231 ④

232 다음 사례에 대한 설명으로 옳은 것만을 모두 고르면? (다툼이 있으면 판례에 의함)

□□□

23 국가9급 [Superlative ★★★]

> 甲은 ⓐ 권한 없이 A회사의 아이디와 패스워드를 입력하여 인터넷뱅킹에 접속한 다음 A회사의 예금계좌로부터 자신의 예금계좌로 합계 180,500,000원을 이체하는 내용의 정보를 입력하여 자신의 예금액을 증액시켰고, ⓑ 이후 자신의 해당 계좌에 연결된 자신의 현금카드를 사용하여 현금자동지급기에서 현금을 인출하였다.

> ㉠ 甲의 ⓐ 행위는 컴퓨터등사용사기죄를 구성한다.
> ㉡ 甲의 ⓑ 행위는 현금카드 사용권한 있는 자의 정당한 사용에 의한 것으로서 현금자동지급기 관리자의 의사에 반하거나 기망행위 및 그에 따른 처분행위가 없었으므로 별도로 절도죄나 사기죄의 구성요건에 해당하지 않는다.
> ㉢ 甲이 ⓑ 행위로 인출한 현금은 ⓐ 행위로 취득한 예금채권에 기초한 것으로서 당초의 현금과 물리적인 동일성은 상실되었지만 액수에 의하여 표시되는 금전적 가치에는 아무런 변동이 없으므로 장물로서의 성질이 그대로 유지된다.
> ㉣ 甲이 ⓑ 행위로 돈을 인출하였다면 장물을 금융기관에 예치하였다가 인출한 것으로 볼 수 있어 장물취득죄가 성립한다.

① ㉠㉡ ② ㉠㉣

③ ㉠㉡㉢ ④ ㉡㉢㉣

해설

① ㉠㉡ 2 항목이 옳다.

㉠ [○] 甲은 권한 없이 A회사의 아이디와 패스워드를 입력하여 인터넷뱅킹에 접속한 다음 A회사의 예금계좌로부터 자신의 예금계좌로 180,500,000원을 이체하는 내용의 정보를 입력하여 자신의 예금액을 증액시킴으로서 **컴퓨터등사용사기죄의 범행을 구성한다.**(대법원 2004. 4. 16. 2004도353 **컴사기 현금인출 사건**)

㉡ [○] 이와 같이 자기의 현금카드를 사용하여 현금자동지급기에서 현금을 인출한 경우에는 그것이 비록 컴퓨터등사용사기죄의 범행으로 취득한 예금채권을 인출한 것이라 할지라도 **현금카드 사용권한 있는 자의 정당한 사용에 의한 것으로서 현금자동지급기 관리자의 의사에 반하거나 기망행위 및 그에 따른 처분행위도 없었으므로 별도로 절도죄나 사기죄의 구성요건에 해당하지 않는다.**(대법원 2004. 4. 16. 2004도353 **컴사기 현금인출 사건**)

㉢ [×] **그 결과 그 인출된 현금은 재산범죄에 의하여 취득한 재물이 아니므로 장물이 될 수 없다.**(대법원 2004. 4. 16. 2004도353 **컴사기 현금인출 사건**)

㉣ [×] 또 장물인 현금 또는 수표를 금융기관에 예금의 형태로 보관하였다가 이를 반환받기 위하여 동일한 액수의 현금 또는 수표를 인출한 경우에 예금계약의 성질상 그 인출된 현금 또는 수표는 당초의 현금 또는 수표와 물리적인 동일성은 상실되었지만 액수에 의하여 표시되는 금전적 가치에는 아무런 변동이 없으므로 장물로서의 성질은 그대로 유지되지만 **甲이 컴퓨터등사용사기죄에 의하여 취득한 예금채권은 재물이 아니라 재산상 이익이므로 그가 자신의 예금구좌에서 6,000만원을 인출하였더라도 장물을 금융기관에 예치하였다가 인출한 것으로 볼 수 없다.**(대법원 2004. 4. 16. 2004도353 **컴사기 현금인출 사건**)

233 컴퓨터등 사용사기죄에 대한 설명으로 옳지 않은 것은? (다툼이 있으면 판례에 의함)

□□□

15 국가9급 [Core ★★]

① '정보처리'는 사기죄에서 피해자의 처분행위에 상응하므로 입력된 허위의 정보 등에 의하여 계산이나 데이터의 처리가 이루어짐으로써 직접적으로 재산처분의 결과가 초래되어야 한다.

② 피고인이 A회사에서 운영하는 전자복권구매시스템에서 일정한 조건하에 복권 구매명령을 입력하면 가상계좌로 복권 구매 요청금과 동일 액수의 가상현금이 입금되는 프로그램 오류를 이용하여 복권 구매명령 입력 행위를 반복함으로써 자신의 가상계좌로 구매요청금 상당의 금액이 입금되게 하였다면 '부정한 명령의 입력'에 해당한다.

③ 평상시 여·수신업무를 처리할 권한이 있는 금융기관 직원이 범죄의 목적으로 전산단말기를 이용하여 다른 공범들이 지정한 특정계좌에 무자원 송금의 방식으로 거액을 입금한 것은 '권한 없이 정보를 입력하여 정보처리를 하게 한 경우'에 해당하지 않는다.

④ 아들이 아버지 소유 A은행 예금통장을 절취하여 이를 현금자동지급기에 넣고 조작하여 예금잔고를 자신의 거래 은행계좌로 이체한 경우 컴퓨터등 사용사기죄의 피해자는 A은행이므로 친족상도례를 적용할 수 없다.

해설

③ [×] 금융기관 직원이 범죄의 목적으로 전산단말기를 이용하여 다른 공범들이 지정한 특정계좌에 무자원 송금의 방식으로 거액을 입금한 것은 컴퓨터등사용사기죄에서의 **'권한 없이 정보를 입력하여 정보처리를 하게 한 경우'에 해당한다고 할 것이고,** 이는 그 직원이 평상시 금융기관의 여 · 수신업무를 처리할 권한이 있었다고 하여도 마찬가지이다.(대법원 2006. 1. 26. 2005도8507)

① [○] 컴퓨터등사용사기죄에서 **'정보처리'는 사기죄에 있어서 피해자의 처분행위에 상응하는 것이므로** 입력된 허위의 정보 등에 의하여 계산이나 데이터의 처리가 이루어짐으로써 **직접적으로 재산처분의 결과를 초래하여야 하고,** 행위자나 제3자의 재산상 이익 취득은 사람의 처분행위가 개재됨이 없이 컴퓨터 등에 의한 정보처리 과정에서 이루어져야 한다.(대법원 2014. 3. 13. 2013도16099 **낙찰하한가 해킹사건**)

② [○] 피고인이 A회사에서 운영하는 **전자복권구매시스템에서 은행환불명령을 입력하여** 가상계좌 잔액이 1,000원 이하로 되었을 때 복권 구매명령을 입력하면 가상계좌로 복권 구매요청금과 동일한 액수의 가상현금이 입금되는 프로그램 오류를 이용하여 잔액을 1,000원 이하로 만들고 다시 복권 구매명령을 입력하는 행위를 반복함으로써 피고인의 가상계좌로 구매요청금 상당의 금액이 입금되게 한 경우, 피고인의 행위는 형법 제347조의2에서 정한 '허위의 정보 입력'에 해당하지는 않더라도 프로그램 자체에서 발생하는 오류를 적극적으로 이용하여 사무처리의 목적에 비추어 정당하지 아니한 사무처리를 하게 한 행위로서 **'부정한 명령의 입력'에 해당한다.**(대법원 2013. 11. 14. 2011도4440 **엔젤로또 사건**)

④ [○] (1) 친척 소유 예금통장을 절취한 자가 그 친척 거래 금융기관에 설치된 현금자동지급기에 예금통장을 넣고 조작하는 방법으로 친척 명의 계좌의 예금 잔고를 자신이 거래하는 다른 금융기관에 개설된 자기 계좌로 이체한 경우, 그 범행으로 인한 **피해자는** 이체된 예금 상당액의 채무를 이중으로 지급해야 할 위험에 처하게 되는 그 **친척 거래 금융기관이라 할 것이고** (중략) 위와 같은 경우에는 친족 사이의 범행을 전제로 하는 **친족상도례를 적용할 수 없다.**

(2) 손자가 할아버지 소유 농업협동조합 예금통장을 절취하여 이를 현금자동지급기에 넣고 조작하는 방법으로 예금 잔고를 자신의 거래 은행 계좌로 이체한 경우, 농업협동조합이 컴퓨터등사용사기 범행 부분의 피해자이므로 친족상도례를 적용할 수 없다.(대법원 2007. 3. 15. 2006도2704 **계좌이체 컴사기 사건**)

정답 | 232 ① 233 ③

234 신용카드 범죄에 대한 설명으로 옳지 않은 것은? (다툼이 있으면 판례에 의함)

□□□

18 국가9급 [Essential ★]

① 절취한 타인의 신용카드를 이용하여 현금자동지급기에서 자신의 예금계좌로 돈을 이체시킨 후 그 예금계좌에서 현금을 인출한 경우 현금에 대한 절도죄는 성립하지 않는다.

② 타인의 명의를 모용하여 발급받은 신용카드를 이용하여 현금자동지급기에서 현금대출을 받은 경우 현금에 대한 절도죄가 성립한다.

③ 타인의 명의를 모용하여 발급받은 신용카드 번호와 그 비밀번호를 이용하여 ARS전화서비스나 인터넷 등을 통하여 신용대출을 받는 방법으로 재산상 이익을 취득하는 경우 컴퓨터등사용사기죄가 성립한다.

④ 신용카드를 절취한 사람이 물품 대금의 결제를 위해 신용카드를 제시하고 카드회사의 승인까지 받았다면 매출전표에 서명한 사실이 없고 도난카드임이 밝혀져 최종적으로 매출취소로 거래가 종결되었다 하더라도 여신전문금융업법의 신용카드부정사용죄의 기수범이 성립한다.

해설

④ [×] 신용카드의 사용이라 함은 가맹점에 신용카드를 제시하고 매출전표에 서명하여 이를 교부하는 일련의 행위를 가리키므로, 피고인이 절취한 신용카드로 대금을 결제하기 위하여 신용카드를 제시하였으나 카드 확인과정에서 도난카드임이 밝혀져 매출표도 작성하지 못한 채 검거된 경우, 피고인의 행위가 신용카드 부정사용의 미수행위에 불과하다 할 것이고, 신용카드업법[개정법 여신전문금융업법]에서 위와 같은 미수행위를 처벌하는 규정을 두고 있지 아니한 이상 피고인을 **신용카드업법위반죄로 처벌할 수 없다.**(대법원 1993. 11. 23. 93도604 **서명 직전 검거사건**)

① [○] 피고인이 절취한 타인의 신용카드를 이용하여 현금지급기에서 계좌이체를 한 행위는 컴퓨터등사용 사기죄에서 컴퓨터 등 정보처리장치에 권한 없이 정보를 입력하여 정보처리를 하게 한 행위에 해당함은 별론으로 하고 이를 절취행위라고 볼 수는 없고, 한편 위 계좌이체 후 현금지급기에서 현금을 인출한 행위는 자신의 신용카드나 현금카드를 이용한 것이어서 이러한 현금인출이 현금지급기 관리자의 의사에 반한다고 볼 수 없어 **절취행위에 해당하지 않으므로 절도죄를 구성하지 않는다.**(대법원 2008. 6. 12. 2008도2440 **동거녀 신용카드 사건**)

② [○] 피고인이 타인의 명의를 모용하여 발급받은 신용카드를 사용하여 현금자동지급기에서 현금대출을 받는 행위는 카드회사에 의하여 미리 포괄적으로 허용된 행위가 아니라, 현금자동지급기의 관리자의 의사에 반하여 그의 지배를 배제한 채 그 현금을 자기의 지배하에 옮겨 놓는 행위로서 **절도죄에 해당한다.**(대법원 2006. 7. 27. 2006도3126 **전처명의 신용카드 사건**)

③ [○] 피고인이 타인의 명의를 모용하여 발급받은 신용카드의 번호와 그 비밀번호를 이용하여 ARS 전화서비스나 인터넷 등을 통하여 신용대출을 받는 방법으로 재산상 이익을 취득하는 행위는 카드회사에 의하여 미리 포괄적으로 허용된 행위가 아니라, 컴퓨터 등 정보처리장치에 권한 없이 정보를 입력하여 정보처리를 하게 함으로써 재산상 이익을 취득하는 행위로서 **컴퓨터등사용사기죄에 해당한다.**(대법원 2006. 7. 27. 2006도3126 **전처명의 신용카드 사건**)

235 신용카드범죄에 대한 설명으로 옳은 것은? (다툼이 있으면 판례에 의함)

□□□

16 국가7급 [Superlative ★★★]

① 분실한 신용카드를 습득한 자가 대금결제를 위하여 가맹점에 신용카드를 제시하고 매출 표에 서명하여 이를 교부하는 일련의 행위를 한 경우 신용카드부정사용죄와 사문서위조 및 동행사죄의 상상적 경합이 된다.

② 절취한 타인의 신용카드를 사용하여 여러 가맹점으로부터 물품을 구매한 경우 부정사용 행위는 절도범행의 불가벌적 사후행위가 되는 것은 아니므로 절도죄, 신용카드부정사용죄, 사기죄의 실체적 경합이 된다.

③ 절취한 타인의 신용카드를 사용하여 현금자동지급기에서 현금대출을 받은 경우 절도죄와 컴퓨터등사용사기죄의 실체적 경합이 된다.

④ 대금결제의 의사나 능력이 없으면서도 자기의 신용카드로 현금자동지급기에서 현금대출을 받은 경우 사람을 기망한 것이 아니므로 사기죄는 성립하지 않는다.

해설

② [○] 신용카드를 절취한 후 이를 사용한 경우 **신용카드의 부정사용행위는** 새로운 법익의 침해로 보아야하고 그 법익침해가 절도범행보다 큰 것이 대부분이므로 위와 같은 부정사용행위가 **절도범행의 불가벌적 사후행위가 되는 것은 아니다.**(대법원 1996. 7. 12. 96도1181 BC카드 7번결제 사건)

① [×] 신용카드 부정사용죄의 구성요건적 행위인 '신용카드의 사용'이라 함은 가맹점에 신용카드를 제시하고 매출표에 서명하여 이를 교부하는 일련의 행위를 가리키고 단순히 신용카드를 제시하는 행위만을 가리키는 것이 아니므로, **매출표의 서명 및 교부가 별도로 사문서위조 및 동행사의 죄의 구성요건을 충족한다고 하여도** 사문서위조 및 동행사의 죄는 신용카드 부정사용죄에 흡수되어 **신용카드 부정사용죄의 1죄만이 성립하고 별도로 사문서위조 및 동행사의 죄는 성립하지 않는다.**(대법원 1992. 6. 9. 92도77 세종회관 사건)

③ [×] 피고인이 **절취한 신용카드를 사용하여 현금자동인출기에서 현금을 인출한 경우**, 이는 신용카드업법 제25조 제1항[개정법 여신전문금융업법 제70조 제1항 제3호]의 **부정사용죄에 해당할 뿐 아니라** 현금자동인출기 관리자의 의사에 반하여 그의 지배를 배제하고 현금을 자기의 지배하에 옮겨 놓는 것이 되므로 별도로 **절도죄를 구성한다 할 것이고**, 양죄는 그 보호법익이나 행위태양이 전혀 달라 **실체적 경합 관계에 있다.**(대법원 1995. 7. 28. 95도997 옆집 신용카드 사건)

④ [×] 피고인이 대금결제의 의사와 능력이 없으면서도 있는 것 같이 가장하여 카드회사를 기망하고, 카드회사는 일정 한도 내에서 카드사용을 허용해 줌으로써 카드회사의 신용공여라는 하자 있는 의사표시에 편승하여 자동지급기를 통한 현금대출도 받고, 가맹점을 통한 물품구입대금 대출도 받아 카드발급회사로 하여금 같은 액수 상당의 피해를 입게 한 경우, 카드사용으로 인한 일련의 편취행위가 포괄적으로 이루어지는 것이므로 카드회사의 손해는 그것이 자동지급기에 의한 인출행위이든 가맹점을 통한 물품구입행위이든 불문하고 모두가 **피해자인 카드회사의 기망당한 의사표시에 따른 카드발급에 터잡아 이루어지는 사기의 포괄일죄라 할 것이다.**(대법원 1996. 4. 9. 95도2466 처음부터 마구잡이 카드사용사건)

정답 | 234 ④ 235 ②

236 신용카드 관련 범죄에 대한 설명으로 옳지 않은 것은? (다툼이 있으면 판례에 의함)

□□□

24 국가9급 [Core ★★]

① 타인의 명의를 모용하여 발급받은 신용카드의 번호와 그 비밀번호를 이용하여 ARS 전화서비스나 인터넷 등을 통하여 신용대출을 받는 방법으로 재산상 이익을 취득하는 행위는 컴퓨터등사용사기죄에 해당한다.

② 대금결제의 의사와 능력이 없으면서도 카드회사를 기망하여 신용카드를 발급받고 이를 사용한 경우 이는 피해자인 카드회사의 기망당한 의사표시에 따른 카드발급에 터잡아 이루어지는 사기의 포괄일죄에 해당한다.

③ 타인의 명의를 모용하여 신용카드를 발급받은 후 그 신용카드를 사용하여 현금자동지급기에서 현금대출을 받는 행위는 카드회사에 의하여 미리 포괄적으로 허용된 행위라 할 수 없고 별도의 절도죄에 해당한다.

④ 예금주인 현금카드 소유자로부터 일정한 금액의 현금을 인출해 오라는 부탁을 받으면서 건네받은 현금카드로 위임받은 금액을 초과하여 현금을 인출하고 그 차액 상당액의 현금에 대한 점유를 취득한 경우 횡령죄에 해당한다.

해설

④ [×] 현금자동지급기에 초과된 금액이 인출되도록 입력하여 그 초과된 금액의 현금을 인출한 경우에는 그 인출된 현금에 대한 점유를 취득함으로써 이 때에 그 인출한 현금 총액 중 인출을 위임받은 금액을 넘는 부분의 비율에 상당하는 재산상 이익을 취득한 것으로 볼 수 있으므로 **컴퓨터등사용사기죄에 해당된다.**(대법원 2006. 3. 24. 2005도3516 **5만원 인출사건**)

① [○] 피고인이 **타인의 명의를 모용하여 발급받은 신용카드의 번호와 그 비밀번호를 이용하여 ARS 전화서비스나 인터넷 등을 통하여 신용대출을 받는 방법으로** 재산상 이익을 취득하는 행위는 카드회사에 의하여 미리 포괄적으로 허용된 행위가 아니라 컴퓨터 등 정보처리장치에 권한 없이 정보를 입력하여 정보처리를 하게 함으로써 **재산상 이익을 취득하는 행위로서 컴퓨터등사용사기죄에 해당한다.**(대법원 2006. 7. 27. 2006도3126 **전처명의 신용카드 사건**)

② [○] 피고인이 대금결제의 의사와 능력이 없으면서도 있는 것 같이 가장하여 카드회사를 기망하고, 카드회사는 일정 한도 내에서 카드사용을 허용해 줌으로써 카드회사의 신용공여라는 하자 있는 의사표시에 편승하여 자동지급기를 통한 현금대출도 받고, 가맹점을 통한 물품구입대금 대출도 받아 카드발급회사로 하여금 같은 액수 상당의 피해를 입게 한 경우 카드사용으로 인한 일련의 편취행위가 포괄적으로 이루어지는 것이므로 카드회사의 손해는 그것이 자동지급기에 의한 인출행위이든 가맹점을 통한 물품구입행위이든 불문하고 모두가 **피해자인 카드회사의 기망당한 의사표시에 따른 카드발급에 터잡아 이루어지는 사기의 포괄일죄라 할 것이다.**(대법원 1996. 4. 9. 95도2466 **처음부터 마구잡이 카드사용사건**)

③ [○] 피고인이 타인의 명의를 모용하여 발급받은 신용카드를 사용하여 현금자동지급기에서 현금대출을 받는 행위는 카드회사에 의하여 미리 포괄적으로 허용된 행위가 아니라 현금자동지급기의 관리자의 의사에 반하여 그의 지배를 배제한 채 그 **현금을 자기의 지배하에 옮겨 놓는 행위로서 절도죄에 해당한다.**(대법원 2006. 7. 27. 2006도3126 **전처명의 신용카드 사건**)

237 카드사용 범죄에 대한 설명으로 가장 적절한 것은? (다툼이 있으면 판례에 의함)

□□□

18 경찰채용 [Core ★★]

① 타인명의의 현금카드 겸용 신용카드를 무단으로 이용하여 현금자동지급기에서 예금을 인출한 때에는 여신전문금융업법위반죄와 절도죄가 성립한다.

② 타인명의의 신용카드를 무단으로 이용하여 현금자동지급기에서 단기카드대출로 현금을 인출한 때에는 여신전문금융업법위반죄와 컴퓨터등사용사기죄가 성립한다.

③ 타인명의의 신용카드를 무단으로 이용하여 가맹점에서 물품을 구입한 때에는 여신전문금융업법위반죄와 사문서위조 및 동 행사죄, 사기죄가 성립한다.

④ 타인명의의 현금카드를 무단으로 이용하여 현금자동지급기에서 피해자의 계좌로부터 자신의 계좌로 자금을 이체한 때에는 컴퓨터등사용사기죄가 성립한다.

해설

④ [○] 피고인이 절취한 타인의 신용카드를 이용하여 현금지급기에서 **계좌이체를 한 행위는 컴퓨터등사용사기죄**에서 컴퓨터 등 정보처리장치에 권한 없이 정보를 입력하여 정보처리를 하게 한 행위에 **해당한다**.(대법원 2008. 6. 12. 2008도2440 **동거녀 신용카드 사건**)

① [×] 현금자동지급기에서 '예금을 인출'한 것은 신용카드의 본래 용도에 따른 사용이 아니므로 절도죄만 성립할 뿐 **여신전문금융업법상 신용카드부정사용죄는 성립하지 아니한다**.(대법원 2008. 6. 12. 2008도2440 **동거녀 신용카드 사건** 참고)

② [×] 피고인이 절취한 신용카드를 사용하여 현금자동인출기에서 현금을 인출한 경우, 이는 여신전문금융업법상 신용카드부정사용죄에 해당할 뿐 아니라 현금자동인출기 관리자의 의사에 반하여 그의 지배를 배제하고 현금을 자기의 지배하에 옮겨 놓는 것이 되므로 별도로 **절도죄를 구성한다**.(대법원 1995. 7. 28. 95도997 **옆집 신용카드 사건**) 실제 사건에서 판례의 '현금 인출'은 현금서비스(단기카드대출)였기 때문에 ① 지문과는 죄책이 다르다는 점을 주의하여야 한다.

③ [×] (1) 피고인이 강취한 신용카드를 가지고 자신이 신용카드의 정당한 소지인인양 가맹점의 점주를 속이고 점주로부터 주류 등을 제공받아 이를 취득한 것이라면 **신용카드부정사용죄와 별도로 사기죄가 성립한다**.(대법원 1997. 1. 21. 96도2715 **강취 신용카드 술집결제사건**)

(2) 매출표의 서명 및 교부가 별도로 사문서위조 및 동행사의 죄의 구성요건을 충족한다고 하여도 **사문서위조 및 동행사죄는 신용카드부정사용죄에 흡수되어 신용카드부정사용의 일죄만이 성립한다**.(대법원 1992. 6. 9. 92도77 **세종회관 사건**) 지문의 경우 여신전문금융업법상 신용카드부정사용죄와 사기죄가 성립하고, 이들은 실체적 경합범의 관계에 있다.

정답 | 236 ④ 237 ④

238 □□□ 현금카드 기능이 있는 신용카드 사용범죄에 관한 설명 중 옳지 않은 것을 모두 고른 것은? (다툼이 있으면 판례에 의함)

15 변호사 [Superlative ★★★]

㉠ 강취한 타인의 신용카드를 사용하여 현금자동지급기에서 예금을 인출한 행위는 그 현금을 객체로 하는 절도죄가 성립한다.
㉡ 타인의 명의를 모용하여 발급받은 신용카드를 사용하여 현금자동지급기에서 현금대출(현금서비스)을 받은 행위는 그 현금을 객체로 하는 절도죄가 성립한다.
㉢ 절취한 타인의 신용카드를 사용하여 현금자동지급기에서 현금대출(현금서비스)을 받은 행위는 그 현금을 객체로 하는 절도죄가 성립한다.
㉣ 물품을 구입하고 절취한 신용카드로 결제를 하면서 매출전표에 서명하여 이를 교부한 경우 신용카드부정사용죄 외에 사문서위조죄 및 위조사문서행사죄로 처벌된다.
㉤ 갈취한 타인의 신용카드와 그 타인으로부터 알아낸 비밀번호를 이용하여 현금자동지급기에서 예금을 인출한 행위는 그 현금을 객체로 하는 절도죄가 성립한다.

① ㉠㉡ ② ㉡㉣ ③ ㉣㉤
④ ㉠㉢㉤ ⑤ ㉡㉣㉤

해설

③ ㉣㉤ 2 항목이 옳지 않다. ㉠㉤ 2 항목은 현금카드에 대한 판례이지만, 설문 자체에 '현금카드 기능이 있는 신용카드' 사용범죄를 물어보고 있으므로 해설에서 이를 원용해도 무방하다.

㉠ [○] 강취한 현금카드를 사용하여 현금자동지급기에서 예금을 인출한 행위는 피해자의 승낙에 기한 것이라고 할 수 없으므로, 현금자동지급기 관리자의 의사에 반하여 그의 지배를 배제하고 그 현금을 자기의 지배하에 옮겨 놓는 것이 되어서 강도죄와는 **별도로 절도죄를 구성한다.**(대법원 2007. 5. 10. 2007도1375 **강취 현금카드 사건**)

㉡ [○] 타인의 명의를 모용하여 발급받은 신용카드를 사용하여 현금자동지급기에서 현금대출을 받는 행위는 카드회사에 의하여 미리 포괄적으로 허용된 행위가 아니라, 현금자동지급기의 관리자의 의사에 반하여 그의 지배를 배제한 채 그 현금을 자기의 지배하에 옮겨 놓는 행위로서 **절도죄에 해당한다.**(대법원 2006. 7. 27. 2006도3126 **전처명의 신용카드 사건**)

㉢ [○] 절취한 신용카드를 사용하여 현금자동인출기에서 현금을 인출하고 그 현금을 취득까지 한 행위는 신용카드부정사용죄에 해당할 뿐 아니라 그 현금을 취득함으로써 현금자동인출기 관리자의 의사에 반하여 그의 지배를 배제하고 그 현금을 자기의 지배하에 옮겨 놓는 것이 되므로 **별도로 절도죄를 구성한다.**(대법원 1995. 7. 28. 95도997 **옆집 신용카드 사건**)

㉣ [×] 매출표의 서명 및 교부가 별도로 사문서위조 및 동행사의 죄의 구성요건을 충족한다고 하여도 **사문서위조 및 동행사죄는 신용카드부정사용죄에 흡수되어 신용카드부정사용죄의 일죄만이 성립한다.**(대법원 1992. 6. 9. 92도77 **세종회관 사건**)

㉤ [×] 피고인이 피해자로부터 현금카드를 사용한 예금인출의 승낙을 받고 현금카드를 교부받은 행위와 이를 사용하여 현금자동지급기에서 예금을 여러 번 인출한 행위들은 모두 피해자의 예금을 갈취하고자 하는 피고인의 단일하고 계속된 범의 아래에서 이루어진 일련의 행위로서 **포괄하여 하나의 공갈죄를 구성한다고 볼 것이지,** 현금지급기에서 피해자의 예금을 취득한 행위를 현금지급기 관리자의 의사에 반하여 그가 점유하고 있는 **현금을 절취한 것이라 하여 이를 현금카드 갈취행위와 분리하여 따로 절도죄로 처단할 수는 없다.**(대법원 1996. 9. 20. 95도1728 **갈취 현금카드 사건**)

239 신용카드범죄의 사례(가~라)와 그에 대한 죄책(㉠~㉣)이 옳게 연결된 것은? (특별법 부분은 제외하며, 다툼이 있는 경우 판례에 의함)

21 경찰간부 [Superlative ★★★]

가. 강취한 타인의 신용카드를 사용하여 현금자동지급기에서 현금을 인출한 경우
나. 갈취한 타인의 신용카드를 사용하여 현금자동지급기에서 현금을 인출한 경우
다. 타인의 명의를 모용하여 신용카드를 발급받고, 이를 이용하여 현금자동지급기에서 현금을 인출한 경우
라. 대금결제의 의사와 능력이 없으면서도 신용카드 회사를 기망하여 자기 명의의 신용카드를 발급받고, 이를 이용하여 현금자동지급기에서 현금대출을 받은 경우

㉠ 절도죄　㉡ 강도죄　㉢ 사기죄　㉣ 공갈죄

	가	나	다	라
①	㉠㉡	㉣	㉠	㉠㉢
②	㉠㉡	㉣	㉠	㉢
③	㉠㉡	㉠㉣	㉠㉢	㉢
④	㉡㉢	㉠㉣	㉠㉢	㉠㉢

해설

② 이 지문이 옳은 연결이다.

가. 강취한 현금카드를 사용하여 현금자동지급기에서 예금을 인출한 행위는 피해자의 승낙에 기한 것이라고 할 수 없으므로, 현금자동지급기 관리자의 의사에 반하여 그의 지배를 배제하고 그 현금을 자기의 지배하에 옮겨 놓는 것이 되어서 **강도죄와는 별도로 절도죄를 구성한다.**(대법원 2007. 5. 10. 2007도1375 강취 현금카드 사건)

나. 피고인이 피해자로부터 현금카드를 사용한 예금인출의 승낙을 받고 현금카드를 교부받은 행위와 이를 사용하여 현금자동지급기에서 예금을 여러 번 인출한 행위들은 모두 피해자의 예금을 갈취하고자 하는 피고인의 단일하고 계속된 범의 아래에서 이루어진 일련의 행위로서 **포괄하여 하나의 공갈죄를 구성한다고 볼 것이지,** 현금지급기에서 피해자의 예금을 취득한 행위를 현금지급기 관리자의 의사에 반하여 그가 점유하고 있는 **현금을 절취한 것이라 하여 이를 현금카드 갈취행위와 분리하여 따로 절도죄로 처단할 수는 없다.**(대법원 1996. 9. 20. 95도1728 갈취 현금카드 사건)

다. 피고인이 타인의 명의를 모용하여 발급받은 신용카드를 사용하여 현금자동지급기에서 현금대출을 받는 행위는 카드회사에 의하여 미리 포괄적으로 허용된 행위가 아니라, 현금자동지급기의 관리자의 의사에 반하여 그의 지배를 배제한 채 그 현금을 자기의 지배하에 옮겨 놓는 행위로서 **절도죄에 해당한다.**(대법원 2006. 7. 27. 2006도3126 전처명의 신용카드 사건)

라. 피고인이 대금결제의 의사와 능력이 없으면서도 있는 것 같이 가장하여 카드회사를 기망하고, 카드회사는 일정 한도 내에서 카드사용을 허용해 줌으로써 카드회사의 신용공여라는 하자 있는 의사표시에 편승하여 자동지급기를 통한 현금대출도 받고, 가맹점을 통한 물품구입대금 대출도 받아 카드발급회사로 하여금 같은 액수 상당의 피해를 입게 한 경우, 카드사용으로 인한 일련의 편취행위가 포괄적으로 이루어지는 것이므로 카드회사의 손해는 그것이 자동지급기에 의한 인출행위이든 가맹점을 통한 물품구입행위이든 불문하고 모두가 **피해자인 카드회사의 기망당한 의사표시에 따른 카드발급에 터잡아 이루어지는 사기의 포괄일죄라 할 것이다.**(대법원 1996. 4. 9. 95도2466 처음부터 마구잡이 카드사용사건)

정답 | 238 ③　239 ②

240 형법 또는 특정경제범죄 가중처벌 등에 관한 법률상 사기죄에 관한 다음 설명 중 옳지 않은 것은 모두 몇 개인가? (다툼이 있으면 판례에 의함)

□□□ 24 법원행시 [Superlative ★★★]

㉠ 적법하게 개설되지 아니한 의료기관의 실질 개설·운영자가 적법하게 개설된 의료기관인 것처럼 의료급여비용 지급을 청구하여 이에 속은 국민건강보험공단으로부터 의료급여비용 명목의 금원을 지급받아 편취한 경우 국민건강보험공단을 피해자로 보아야 하고, 의료급여비용이 시·도에 설치된 의료급여기금을 재원으로 지급된다거나 의료급여비용 편취 범행으로 인한 재산상 손해가 최종적으로 국민건강보험공단에 귀속되지 않는다고 하여 달리 볼 것은 아니다.

㉡ 재물을 편취한 후 현실적인 자금의 수수 없이 형식적으로 기왕에 편취한 금원을 새로이 장부상으로만 재투자하는 것으로 처리한 경우 그 재투자금액도 편취액의 합산에 포함시켜야 한다.

㉢ 기망행위에 의하여 조세를 포탈하거나 조세의 환급·공제를 받은 경우 조세범 처벌법 위반죄와 형법상 사기죄가 별개로 성립한다.

㉣ 도급계약에서 편취에 의한 사기죄의 성립 여부는 계약 당시를 기준으로 피고인에게 일을 완성할 의사나 능력이 없음에도 피해자에게 일을 완성할 것처럼 거짓말을 하여 피해자로부터 일의 대가 등을 편취할 고의가 있었는지 여부에 의하여 판단하여야 하고, 이때 법원으로서는 도급계약의 내용, 그 체결 경위 및 계약의 이행과정이나 그 결과 등을 종합하여 판단하여야 한다.

㉤ 피고인의 제소가 사망한 자를 상대로 한 것이라면 이와 같은 사망한 자에 대한 판결은 그 내용에 따른 효력이 생기지 아니하여 상속인에게 그 효력이 미치지 아니하므로 사기죄를 구성한다고 할 수 없다.

① 없음 ② 1개 ③ 2개
④ 3개 ⑤ 4개

해설

③ ㉡㉢ 2 항목이 옳지 않다.

㉠ [○] 적법하게 개설되지 아니한 의료기관의 실질 개설 · 운영자가 적법하게 개설된 의료기관인 것처럼 의료급여비용의 지급을 청구하여 이에 속은 **국민건강보험공단으로부터 의료급여비용 명목의 금원을 지급받아 편취한 경우 국민건강보험공단을 피해자로 보아야 한다.**(대법원 2023. 10. 26. 2022도90 **사무장병원 의료급여비용 편취사건**)

㉡ [×] 재물을 편취한 후 현실적인 자금의 수수 없이 형식적으로 기왕에 편취한 금원을 새로이 장부상으로만 재투자하는 것으로 처리한 경우 **그 재투자금액은 이를 편취액의 합산에서 제외하여야 한다.**(대법원 2007. 1. 25. 2006도7470 **SR마케팅플랜 사건**)

㉢ [×] 기망행위에 의하여 조세를 포탈하거나 조세의 환급 · 공제를 받은 경우에는 조세범 처벌법에서 이러한 행위를 처벌하는 규정을 별도로 두고 있을 뿐만 아니라 조세를 강제적으로 징수하는 국가 또는 지방자치단체의 직접적인 권력작용을 사기죄의 보호법익인 재산권과 동일하게 평가할 수 없는 것이므로 **기망행위에 의하여 조세를 포탈하거나 조세의 환급 · 공제를 받은 경우에는 조세범 처벌법 위반죄가 성립함은 별론으로 하고 형법상 사기죄는 성립할 수 없다.**(대법원 2021. 11. 11. 2021도7831 **부가가치세 부당조기환급 사건**)

ⓓ [O] 사기죄의 보호법익은 재산권이므로 기망행위에 의하여 국가적 또는 공공적 법익이 침해되었다는 사정만으로 사기죄가 성립한다고 할 수 없다. 따라서 **도급계약 당시 관련 영업 또는 업무를 규제하는 행정법규나 입찰 참가자격, 계약절차 등에 관한 규정을 위반한 사정이 있더라도** 그러한 사정만으로 도급계약을 체결한 행위가 **기망행위에 해당한다고 단정해서는 안 되고,** 그 위반으로 말미암아 계약 내용대로 이행되더라도 일의 완성이 불가능하였다고 평가할 수 있을 만큼 그 위법이 일의 내용에 본질적인 것인지 여부를 심리 · 판단하여야 한다.(대법원 2022. 7.14. 2017도20911 **한국임업 사건**)

ⓔ [O] 소송사기에 있어서 피기망자인 법원의 재판은 피해자의 처분행위에 갈음하는 내용과 효력이 있는 것이어야 하고, 그렇지 아니하는 경우에는 착오에 의한 재물의 교부행위가 있다고 할 수 없어서 사기죄는 성립되지 아니한다고 할 것이므로 **피고인의 제소가 사망한 자를 상대로 한 것이라면 이와 같은 사망한 자에 대한 판결은 그 내용에 따른 효력이 생기지 아니하여 상속인에게 그 효력이 미치지 아니하고 따라서 사기죄를 구성한다고는 할 수 없다.**(대법원 2019.10.31. 2019도12140 **일부 사망 피고들 사건**)

정답 | 240 ③

제5절 | 공갈의 죄

241 공갈죄에 관한 설명 중 가장 적절하지 않은 것은? (다툼이 있으면 판례에 의함)
□□□

15 경찰승진 [Core ★★]

① 가출자의 가족에 대하여 그의 소재를 알려주는 조건으로 보험가입을 요구한 경우는 공갈죄에 있어서의 협박으로 볼 수 없다.

② 사회통념상 용인되기 어려운 정도를 넘는 협박을 수단으로 상대방을 외포케 하여 재물의 교부 또는 재산상의 이익을 받았다고 하더라도, 피고인이 피해자에 대하여 진정한 채권을 가지고 있다면 공갈죄는 성립하지 아니한다.

③ 지역신문의 발행인이 시정에 관한 비판기사 및 사설을 보도하고 관련 공무원에게 광고의뢰 및 직보배정을 타신문사와 같은 수준으로 높게 해달라고 요청한 사실만으로는 공갈죄의 수단으로서 그 상대방을 협박하였다고 볼 수 없다.

④ 피해자의 기망에 의하여 부동산을 비싸게 매수한 피고인이 그 계약을 취소함이 없이 등기를 피고인 앞으로 둔 채 피해자를 협박하여 재산상의 이득을 얻거나 돈을 받은 행위는 공갈죄를 구성한다.

해설

② [×] 피고인이 피해자에 대하여 채권이 있다고 하더라도 그 권리행사를 빙자하여 사회통념상 용인되기 어려운 정도를 넘는 협박을 수단으로 상대방을 외포케 하여 재물의 교부 또는 재산상의 이익을 받았다면 **공갈죄가 되는 것이다.**(대법원 2000. 2. 25. 99도4305)

① [○] 가출자의 가족에 대하여 가출자의 소재를 알려주는 조건으로 보험가입을 요구한 피고인의 소위는 **가출자를 찾으려고 하는 가족들의 안타까운 심정을 이용하여** 보험가입을 권유 내지 요구하는 언동으로 도의상 비난할 수 있을지언정 그로 인하여 가족들에 새로운 외포심을 일으키게 되거나 외포심이 더하여 진다고는 볼 수 없으므로 이를 공갈죄에 있어서의 **협박이라고 단정할 수 없다.**(대법원 1976. 4. 27. 75도2818 보험가입조건 사건)

③ [○] (가)지역신문의 발행인 겸 편집자인 피고인이 **시정(市政)에 관한 비판기사 및 사설을 보도하고** 시(市) 관련 공무원에게 광고의뢰 및 직보배정을 (나)지역신문이나 (다)지역신문과 같은 수준으로 높게 해달라고 요청한 사실만으로 그 상대방을 **협박하였다고 볼 수 없다.**(대법원 2002. 12. 10. 2001도7095 삼척신문 사건)

④ [○] 피해자의 기망에 의하여 부동산을 비싸게 매수한 피고인이라도 그 **계약을 취소함이 없이** 등기를 피고인 앞으로 둔 채 피해자의 **전매차익을 받아낼 셈으로 피해자를 협박하여** 재산상의 이득을 얻거나 돈을 받았다면 이는 정당한 권리행사의 범위를 넘은 것으로서 사회통념상 용인될 수 없으므로 **공갈죄를 구성한다.**(대법원 1991. 9. 24. 91도1824 전매차익 공갈사건)

242 다음 설명 중 가장 옳지 않은 것은? (다툼이 있으면 판례에 의함) 17 법원9급 [Core ★★]

□□□

① 사람을 공갈하여 자신이 아닌 제3자로 하여금 재물의 교부를 받게 하거나 재산상의 이익을 취득하게 한 경우도 공갈죄가 성립한다.

② 공갈죄에 있어 피공갈자의 하자 있는 의사에 기하여 이루어지는 재물의 교부 자체가 공갈죄에서의 재산상 손해에 해당하므로 반드시 피해자의 전체 재산의 감소가 요구되는 것도 아니다.

③ 피고인이 예금주인 현금카드 소유자를 협박하여 그 카드를 갈취한 다음 피해자의 승낙에 의하여 현금카드를 사용할 권한을 부여받아 이를 이용하여 여러 차례 현금자동지급기에서 예금을 인출한 경우 포괄하여 하나의 공갈죄를 구성하고 현금지급기에서 피해자의 예금을 취득한 행위를 따로 절도죄로 처단할 수 없다.

④ 피고인이 정당한 권리 실현의 수단으로 사회통념상 용인되기 어려운 정도를 넘는 협박을 사용하여 상대방을 외포케 하여 재물을 교부받은 경우 피고인에게는 불법영득의사가 없으므로 공갈죄가 아닌 협박죄가 성립한다.

해설

④ [×] 정당한 권리가 있다 하더라도 그 권리행사를 빙자하여 **사회통념상 용인되기 어려운 정도를 넘는 협박을** 수단으로 상대방을 외포케 하여 재물의 교부 또는 재산상의 이익을 받으려 하였다면 **공갈죄가 성립한다.**(대법원 1996. 3. 22. 95도2801)

① [○] 사람을 공갈하여 재물의 교부를 받거나 재산상의 이익을 취득한 자는 10년 이하의 징역 또는 2천만원 이하의 벌금에 처한다. 전항의 방법으로 **제3자로 하여금** 재물의 교부를 받게 하거나 재산상의 이익을 취득하게 한 때에도 전항의 형과 같다.(제350조)

② [○] 공갈죄는 다른 사람을 공갈하여 그로 인한 하자 있는 의사에 기하여 자기 또는 제3자에게 재물을 교부하게 하거나 재산상 이익을 취득하게 함으로써 성립되는 범죄로서 공갈의 상대방이 재산상의 피해자와 같아야 할 필요는 없고, 피공갈자의 하자 있는 의사에 기하여 이루어지는 **재물의 교부 자체가 공갈죄에서의 재산상 손해에 해당하므로** 반드시 피해자의 전체 재산의 감소가 요구되는 것도 아니다.(대법원 2013. 4. 11. 2010도13774 광동제약 불매운동 사건)

③ [○] 피고인이 예금주인 현금카드 소유자를 협박하여 그 카드를 갈취한 후 하자 있는 의사표시이기는 하지만 피해자의 승낙에 의하여 현금카드를 사용할 권한을 부여받아 이를 이용하여 현금을 인출한 경우, 이는 모두 피해자의 예금을 갈취하고자 하는 단일하고 계속된 범의 아래에서 이루어진 일련의 행위로서 **포괄하여 하나의 공갈죄를 구성한다**고 볼 것이지, 현금지급기에서 피해자의 예금을 취득한 행위를 현금지급기 관리자의 의사에 반하여 그가 점유하고 있는 현금을 절취한 것이라 하여 이를 현금카드 갈취행위와 분리하여 따로 절도죄로 처단할 수는 없다.(대법원 1996. 9. 20. 95도1728 갈취 현금카드 사건)

정답 | 241 ② 242 ④

243 공갈죄에 관한 다음 설명 중 가장 옳은 것은? (다툼이 있으면 판례에 의함) 12 경찰채용 [Essential ★]

□□□

① 공갈죄에 있어서 공갈의 상대방은 재산상의 피해자와 동일함을 요하지 아니하며, 공갈의 목적이 된 재물 및 기타 재산상의 이익을 처분할 수 있는 사실상 또는 법률상의 권한을 갖거나 그러한 지위에 있음을 요하는 것도 아니다.

② 토지매도인이 그 매매대금을 지급받기 위하여 매수인을 상대로 하여 당해 토지에 관한 소유권이전등기말소청구소송을 제기하고 위 대금을 변제받지 못하면 위 소송을 취하하지 아니하고 예고등기도 말소하지 않겠다는 취지를 알린 경우, 공갈행위에 해당한다고 단정할 수 있다.

③ 공갈죄는 폭행 또는 협박과 같은 공갈행위로 인하여 피공갈자가 재산상 이익을 공여하는 처분행위가 있어야 성립하며, 처분행위는 반드시 작위에 한하지 아니하고, 피공갈자가 외포심을 일으켜 묵인하고 있는 동안에 공갈자가 직접 재산상의 이익을 탈취하는 부작위로도 가능하다.

④ 부동산에 대한 공갈죄는 그 부동산의 소유권이전등기에 필요한 서류를 교부받은 때에 기수가 된다.

해설

③ [○] 재산상 이익의 취득으로 인한 공갈죄가 성립하려면 폭행 또는 협박과 같은 공갈행위로 인하여 피공갈자가 재산상 이익을 공여하는 처분행위가 있어야 한다. 물론 그러한 처분행위는 반드시 작위에 한하지 아니하고 부작위로도 족하여서 피공갈자가 외포심을 일으켜 묵인하고 있는 동안에 공갈자가 직접 재산상의 이익을 탈취한 경우에도 공갈죄가 성립할 수 있다. 그러나 폭행의 상대방이 위와 같은 의미에서의 처분행위를 한 바 없고, 단지 행위자가 법적으로 의무 있는 재산상 이익의 공여를 면하기 위하여 상대방을 폭행하고 현장에서 도주함으로써 상대방이 행위자로부터 원래라면 얻을 수 있었던 **재산상 이익의 실현에 장애가 발생한 것에 불과하다면 그 행위자에게 공갈죄의 죄책을 물을 수 없다.**(대법원 2012. 1. 27. 2011도16044 **택시기사 폭행 · 도주사건**)

① [×] 공갈죄에 있어서 공갈의 상대방은 재산상의 피해자와 동일함을 요하지는 아니하나, 공갈의 목적이 된 재물 기타 재산상의 이익을 처분할 수 있는 **사실상 또는 법률상의 권한을 갖거나 그러한 지위에 있음을 요한다.**(대법원 2005. 9. 29. 2005도4738 **랑데부 룸살롱 사건**)

② [×] 처분권주의, 변론주의의 원리를 채택하고 있는 민사소송에 있어 부당한 제소나 그 소송의 유지가 있다 하더라도 상대방은 이에 응소하여 방어권을 충분히 행사할 수 있는 것이고 소의 취하는 상대방이 이를 강제할 수 없는 것이므로, 토지매도인이 소유권이전등기말소청구소송을 제기하고 대금을 변제받지 못하면 소송을 취하하지 아니하고 예고등기도 말소하지 않겠다는 취지를 알렸다고 하여 이를 지목하여 **공갈행위라고 단정할 수는 없다.**(대법원 1989. 2. 28. 87도690)

④ [×] 부동산에 대한 공갈죄는 그 부동산에 관하여 **소유권이전등기를 경료받거나 또는 인도를 받은 때에 기수로 되는 것이고,** 소유권이전등기에 필요한 서류를 교부받은 때에 기수로 되어 그 범행이 완료되는 것은 아니다.(대법원 1992. 9. 14. 92도1506)

244 □□□ 다음 설명 중 옳지 않은 것은 모두 몇 개인가? (다툼이 있으면 판례에 의함)

14 경찰간부 [Superlative ★★★]

㉠ 교통사고로 2주일간의 치료를 요하는 상해를 당하여 그로 인한 손해배상청구권이 있음을 기화로 사고차량의 운전사가 바뀐 것을 알고서 그 운전사의 사용자에게 과다한 금원을 요구하면서 이에 응하지 않으면 수사기관에 신고할 듯한 태도를 보여 이에 겁을 먹은 동인으로부터 금 3,500,000원을 교부받은 경우 공갈죄가 성립한다.
㉡ 피해자의 기망에 의하여 부동산을 비싸게 매수한 자가 그 계약을 취소하지 않고 등기를 자신의 앞으로 둔 채 피해자를 협박하여 전매차익을 받아낸 경우 공갈죄가 성립한다.
㉢ 조상천도제를 지내지 아니하면 피해자와 그의 가족의 생명과 신체 등에 어떤 위해가 발생할 것처럼 겁을 주고 이에 외포된 피해자로부터 예금계좌로 835,000원을 송금받은 경우 공갈죄가 성립한다.
㉣ 방송기자가 건설회사 경영주에게 그 회사가 건축한 아파트의 공사하자에 관하여 방송으로 계속 보도할 것 같은 태도를 보임으로써 회사의 신용훼손을 우려한 그로부터 속보 무마비조로 돈 2,000,000원을 받은 경우 공갈죄가 성립한다.

① 없음　② 1개　③ 2개　④ 3개

해설

② ㉢ 항목만이 옳지 않다.

㉠ [○] 피고인이 교통사고로 2주일간의 치료를 요하는 상해를 당하여 그로 인한 손해배상청구권이 있음을 기화로 **사고차량의 운전사가 바뀐 것을 알고서** 그 운전사의 사용자에게 과다한 금원을 요구하면서 이에 응하지 않으면 수사기관에 신고할 듯한 태도를 보여 이에 겁을 먹은 동인으로부터 **350만원을 교부받은 것**이라면 이는 사회통념상 허용되는 범위를 넘어서 그 권리행사를 빙자하여 재물을 교부받은 경우에 해당하므로 **공갈죄가 성립한다.**(대법원 1990. 3. 27. 89도2036 합의금 350만원 사건)

㉡ [○] 피해자의 기망에 의하여 부동산을 비싸게 매수한 피고인이라도 그 **계약을 취소함이 없이** 등기를 피고인 앞으로 둔 채 피해자의 전매차익을 받아낼 셈으로 피해자를 **협박하여** 재산상의 이득을 얻거나 돈을 받았다면 이는 정당한 권리행사의 범위를 넘은 것으로서 사회통념상 용인될 수 없으므로 **공갈죄를 구성한다.**(대법원 1991. 9. 24. 91도1824 전매차익 공갈사건)

㉢ [×] 조상천도제를 지내지 아니하면 좋지 않은 일이 생긴다는 취지의 해악의 고지는 길흉화복이나 천재지변의 예고로서 행위자에 의하여 직접, 간접적으로 좌우될 수 없는 것이고 가해자가 현실적으로 특정되어 있지도 않으며 **해악의 발생가능성이 합리적으로 예견될 수 있는 것이 아니므로 협박으로 평가될 수 없다.**(대법원 2002. 2. 8. 2000도3245 조상천도제 사건)

㉣ [○] 방송기자인 피고인이 피해자에게 피해자 경영의 건설회사가 건축한 아파트의 진입도로미비 등 **공사하자에 관하여 방송으로 계속 보도할 것 같은 태도를 보임으로써** 피해자가 위 방송으로 말미암아 아파트 건축사업이 큰 타격을 받고 자신이 경영하는 회사의 신용에 커다란 손실을 입게 될 것을 우려하여 방송을 하지 말아 달라는 취지로 200만원을 피고인에게 교부한 경우 **공갈죄의 구성요건이 충족되고 또 인과관계도 인정된다.** (대법원 1991. 5. 28. 91도80 부산KBS 기자사건)

정답 | 243 ③　244 ②

245 다음 중 옳지 않은 것은 모두 몇 개인가? (다툼이 있으면 판례에 의함)

□□□

21 해경간부 [Core ★★]

㉠ 교통사고로 2주일간의 치료를 요하는 상해를 당하여 그로 인한 손해배상청구권이 있음을 기화로 사고차량의 운전사가 바뀐 것을 알고서 그 운전사의 사용자에게 과다한 금원을 요구하면서 이에 응하지 않으면 수사기관에 신고할 듯한 태도를 보여 이에 겁을 먹은 동인으로부터 금 3,500,000원을 교부받은 경우 공갈죄가 성립한다.

㉡ 피해자의 기망에 의하여 부동산을 비싸게 매수한 자가 그 계약을 취소하지 않고 등기를 자신의 앞으로 둔 채 피해자를 협박하여 전매차익을 받아낸 경우 공갈죄가 성립한다.

㉢ 조상천도제를 지내지 아니하면 피해자와 그의 가족의 생명과 신체 등에 어떤 위해가 발생할 것처럼 겁을 주고 이에 외포된 피해자로부터 예금계좌로 835,000원을 송금받은 경우 공갈죄가 성립한다.

㉣ 방송기자가 건설회사 경영주에게 그 회사가 건축한 아파트의 공사하자에 관하여 방송으로 계속 보도할 것 같은 태도를 보임으로써 회사의 신용훼손을 우려한 그로부터 속보무마비조로 돈 2,000,000원을 받은 경우 공갈죄가 성립한다.

㉤ 공무원이 직무행위 의사없이 또는 직무처리와 대가적 관계없이 타인을 공갈하여 재물을 교부하게 한 경우에는 공갈죄가 성립하고, 이러한 경우 재물의 교부자는 공갈자가 공무원이라는 사실을 알았으며 해악의 고지로 인하여 외포의 결과 금품을 제공한 것이어서 그는 공갈죄의 피해자임과 동시에 뇌물공여자가 된다.

① 1개 ② 2개 ③ 3개 ④ 4개

해설

② ㉢㉤ 2 항목이 옳지 않다.

㉠ [○] 피고인이 교통사고로 2주일간의 치료를 요하는 상해를 당하여 그로 인한 손해배상청구권이 있음을 기화로 **사고차량의 운전사가 바뀐 것을 알고서** 그 운전사의 사용자에게 과다한 금원을 요구하면서 이에 응하지 않으면 수사기관에 신고할 듯한 태도를 보여 이에 겁을 먹은 동인으로부터 350만원을 교부받은 것이라면 이는 사회통념상 허용되는 범위를 넘어서 그 권리행사를 빙자하여 재물을 교부받은 경우에 해당하므로 **공갈죄가 성립한다.**(대법원 1990. 3. 27. 89도2036 *합의금 350만원 사건*)

㉡ [○] 피해자의 기망에 의하여 부동산을 비싸게 매수한 피고인이라도 그 **계약을 취소함이 없이 등기를 피고인 앞으로 둔 채 피해자의 전매차익을 받아낼 셈으로 피해자를 협박하여 재산상의 이득을 얻거나 돈을 받았다면** 이는 정당한 권리행사의 범위를 넘은 것으로서 사회통념상 용인될 수 없으므로 **공갈죄를 구성한다.**(대법원 1991. 9. 24. 91도1824 *전매차익 공갈사건*)

㉢ [×] 피고인 甲 등이 피해자 A에게 "작은 아들이 교통사고가 나 크게 다치거나 죽거나 하게 된다. 조상천도를 하면 교통사고를 막을 수 있고 보살도 아픈 곳이 낫고 사업도 잘 되고 모든 것이 잘 풀려 나간다"라고 말하여 A로부터 795,500원을 건네받고, 피해자 B에게 "아들이 형편없이 빗나가 학교에도 다니지 못하게 되고 부부가 이별하게 되고 하는 사업이 망하고 집도 다른 사람에게 넘어가게 된다. 조상천도를 하면 모든 것이 다 잘 된다"라고 말하여 B로부터 예금계좌로 835,000원을 송금받았다고 하더라도, **이와 같은 말한 해악의 고지는 길흉화복이나 천재지변의 예고로서 피고인 甲에 의하여 직접, 간접적으로 좌우될 수 없는 것이고 가해자가 현실적으로 특정되어 있지도 않으며 해악의 발생가능성이 합리적으로 예견될 수 있는 것이 아니므로 협박으로 평가될 수 없다.**(대법원 2002. 2. 8. 2000도3245 *조상천도제 사건*)

㉣ [○] 방송기자인 피고인이 피해자에게 피해자 경영의 건설회사가 건축한 아파트의 진입도로미비 등 공사하자에 관하여 방송으로 계속 보도할 것 같은 태도를 보임으로써 피해자가 위 방송으로 말미암아 아파트 건축사업이 큰 타격을 받고 자신이 경영하는 회사의 신용에 커다란 손실을 입게될 것을 우려하여 **방송을 하지 말아**

달라는 취지로 200만원을 피고인에게 교부한 경우 공갈죄의 구성요건이 충족되고 또 인과관계도 인정된다.(대법원 1991. 5. 28. 91도80 부산KBS 기자사건)

ⓔ [×] 공무원이 직무집행의 의사 없이 또는 직무처리와 대가적 관계없이 타인을 공갈하여 재물을 교부하게 한 경우에는 공갈죄만이 성립하고, 이러한 경우 **재물의 교부자는 공갈죄의 피해자가 될 것이고 뇌물공여죄는 성립될 수 없다.**(대법원 1994. 12. 22. 94도2528 탈세묵인 세무공무원 사건)

246 공갈죄에 관한 다음 설명 중 옳은 것은 모두 몇 개인가? (다툼이 있으면 판례에 의함)

□□□

22 법원행시 [Superlative ★★★]

㉠ 공갈죄의 수단인 협박은 사람의 의사결정의 자유를 제한하거나 의사실행의 자유를 방해할 정도로 겁을 먹게 할 만한 해악을 고지하는 것을 말하는데, 해악의 고지는 반드시 명시적인 방법이 아니더라도 말이나 행동을 통해서 상대방으로 하여금 어떠한 해악에 이르게 할 것이라는 인식을 갖게 하는 것이면 족하고, 피공갈자 이외의 제3자를 통해서 간접적으로 할 수도 있다.

㉡ 공갈죄는 다른 사람을 공갈하여 그로 인한 하자 있는 의사에 기하여 자기 또는 제3자에게 재물을 교부하게 하거나 재산상 이익을 취득하게 함으로써 성립되는 범죄로서, 공갈의 상대방이 재산상의 피해자와 같아야 할 필요는 없고, 공갈의 목적이 된 재물 기타 재산상의 이익을 처분할 수 있는 권한을 갖거나 그 지위에 있을 필요도 없다.

㉢ 피공갈자의 하자 있는 의사에 기하여 이루어지는 재물의 교부 자체가 공갈죄에서의 재산상 손해에 해당하므로 반드시 피해자의 전체 재산의 감소가 요구되는 것은 아니다.

㉣ 대상 기업에 특정한 요구를 하면서 이에 응하지 않을 경우 불매운동의 실행 등 대상 기업에 불이익이 되는 조치를 취하겠다고 고지하거나 공표하는 것과 같이 소비자불매운동의 일환으로 이루어지는 것으로 볼 수 있는 표현이나 행동이라고 하더라도 정치적 표현의 자유나 일반적 행동의 자유 등의 관점에서 전체 법질서상 용인될 수 없을 정도로 사회적 상당성을 갖추지 못한 때에는 그 행위 자체가 강요죄나 공갈죄에서 말하는 협박의 개념에 포섭될 수 있다.

㉤ 공갈범행으로 인하여 취득한 이득액은 불법영득의 대상이 된 재물이나 재산상의 이익의 가액이 기준이 되어야 하고, 범죄의 기수시기를 기준으로 하여 산정할 것이며 그 후의 사정변경을 고려할 것이 아니고 그와 같은 사정변경의 가능성이 공갈행위시 예견가능한 것이라고 하여도 마찬가지이다.

① 1개 ② 2개 ③ 3개
④ 4개 ⑤ 5개

정답 | 245 ② 246 ④

해설

④ ㉠㉢㉣㉤ 4 항목이 옳다.

㉠ [○] 강요죄나 공갈죄의 수단인 협박은 사람의 의사결정의 자유를 제한하거나 의사실행의 자유를 방해할 정도로 겁을 먹게 할 만한 해악을 고지하는 것을 말하는데, 해악의 고지는 반드시 명시적인 방법이 아니더라도 말이나 행동을 통해서 상대방으로 하여금 어떠한 해악에 이르게 할 것이라는 인식을 갖게 하는 것이면 족하고, 피공갈자 이외의 **제3자를 통해서 간접적으로 할 수도 있으며**, 행위자가 그의 직업, 지위 등에 기하여 불법한 위세를 이용하여 재물의 교부나 재산상 이익을 요구하고 상대방으로 하여금 그 요구에 응하지 않을 때에는 부당한 불이익을 당할 위험이 있다는 위구심(危懼心)을 일으키게 하는 경우에도 해악의 고지가 된다.(대법원 2013. 4. 11. 2010도13774 **언소주 광동제약 불매운동 사건**)

㉡ [×] (전문) 대법원 2013. 4. 11. 2010도13774 **언소주 광동제약 불매운동 사건** (후문) 공갈죄에 있어서 공갈의 상대방은 재산상의 피해자와 동일함을 요하지는 아니하나 **공갈의 목적이 된 재물 기타 재산상의 이익을 처분할 수 있는 사실상 또는 법률상의 권한을 갖거나 그러한 지위에 있음을 요한다.**(대법원 2005. 9. 29. 2005도4738 **랑데부 룸살롱 사건**)

㉢ [○] 공갈죄는 다른 사람을 공갈하여 그로 인한 하자 있는 의사에 기하여 자기 또는 제3자에게 재물을 교부하게 하거나 재산상 이익을 취득하게 함으로써 성립되는 범죄로서 공갈의 상대방이 재산상의 피해자와 같아야 할 필요는 없고, 피공갈자의 하자 있는 의사에 기하여 이루어지는 재물의 교부 자체가 공갈죄에서의 재산상 손해에 해당하므로 반드시 피해자의 **전체 재산의 감소가 요구되는 것도 아니다.**(대법원 2013. 4. 11. 2010도13774 **언소주 광동제약 불매운동 사건**)

㉣ [○] (1) 소비자불매운동은 본래 '공정한 가격으로 양질의 상품 또는 용역을 적절한 유통구조를 통해 적절한 시기에 안전하게 구입하거나 사용할 소비자의 제반 권익을 증진할 목적'에서 행해지는 소비자보호운동의 일환으로서 헌법 제124조를 통하여 제도로서 보장되나 그와는 다른 측면에서 일반 시민들이 특정한 사회, 경제적 또는 정치적 대의나 가치를 주장·옹호하거나 이를 진작시키기 위한 수단으로 소비자불매운동을 선택하는 경우도 있을 수 있고, 이러한 소비자불매운동 역시 반드시 헌법 제124조는 아니더라도 헌법 제21조에 따라 보장되는 정치적 표현의 자유나 헌법 제10조에 내재된 일반적 행동의 자유의 관점 등에서 보호받을 가능성이 있으므로, 단순히 소비자불매운동이 헌법 제124조에 따라 보장되는 소비자보호운동의 요건을 갖추지 못하였다는 이유만으로 이에 대하여 아무런 헌법적 보호도 주어지지 아니한다고 단정하여서는 아니 된다.

(2) 다만 대상 기업에 특정한 요구를 하면서 이에 응하지 않을 경우 불매운동의 실행 등 대상 기업에 불이익이 되는 조치를 취하겠다고 고지하거나 공표하는 것과 같이 소비자불매운동의 일환으로 이루어지는 것으로 볼 수 있는 표현이나 행동이 정치적 표현의 자유나 일반적 행동의 자유 등의 관점에서도 **전체 법질서상 용인될 수 없을 정도로 사회적 상당성을 갖추지 못한 때에는 그 행위 자체가 강요죄나 공갈죄에서 말하는 협박의 개념에 포섭될 수 있으므로**, 소비자불매운동 과정에서 이루어진 어떠한 행위가 강요죄나 공갈죄의 수단인 협박에 해당하는지 여부는 해당 소비자불매운동의 목적, 불매운동에 이르게 된 경위, 대상 기업의 선정이유 및 불매운동의 목적과의 연관성, 대상 기업의 사회·경제적 지위와 거기에 비교되는 불매운동의 규모 및 영향력, 대상 기업에 고지한 요구사항과 불이익 조치의 구체적 내용, 그 불이익 조치의 심각성과 실현가능성, 고지나 공표 등의 구체적인 행위 태양, 그에 대한 상대방 내지 대상 기업의 반응이나 태도 등 제반 사정을 종합적·실질적으로 고려하여 판단하여야 한다.(대법원 2013. 4. 11. 2010도13774 **언소주 광동제약 불매운동 사건**)

㉤ [○] 공갈범행으로 인하여 **취득한 이득액은 불법영득의 대상이 된 재물이나 재산상의 이익의 가액이 기준이 되어야 하고, 범죄의 기수시기를 기준으로 하여 산정**할 것이며 그 후의 사정변경을 고려할 것이 아니고 그와 같은 사정변경의 가능성이 공갈행위 시 예견가능한 것이라고 하여도 마찬가지이다.(대법원 1990. 10. 16. 90도1815)

247 공갈의 죄에 관한 설명 중 가장 적절하지 않은 것은? (다툼이 있으면 판례에 의함)
□□□

14 경찰승진 [Core ★★]

① 예금주인 현금카드 소유자를 협박하여 그 카드를 갈취한 다음 피해자의 승낙에 의하여 현금카드를 사용할 권한을 부여받아 이를 이용하여 현금자동지급기에서 현금을 인출한 행위와 관련하여 현금자동지급기에서 피해자의 예금을 인출한 행위는 현금카드 갈취행위와 분리하여 따로 절도죄로 처단할 수는 없다.

② 공갈죄의 수단으로서 협박은 사람의 의사결정의 자유를 제한하거나 의사실행의 자유를 방해할 정도로 겁을 먹게 할 만한 해악을 고지하는 것을 말하고 해악의 고지는 반드시 명시의 방법에 의할 것을 요하지 아니한다.

③ 피고인이 甲주식회사가 특정 신문들에 광고를 편중했다는 이유로 기자회견을 열어 甲회사에 대하여 불매운동을 하겠다고 하면서 특정 신문들에 대한 광고를 중단할 것과 다른 신문들에 대해서도 동등하게 광고를 집행할 것을 요구하고 甲회사 인터넷 홈페이지에 그와 같은 내용의 팝업창을 띄우게 한 경우 강요죄나 공갈죄의 협박에 해당하지 않는다.

④ 피해자가 피고인에게 계속해서 택시요금의 지급을 요구하였으나 피고인이 이를 면하고자 피해자를 폭행하고 달아났을 뿐 피해자가 폭행을 당하여 외포심을 일으켜 수동적·소극적으로라도 피고인이 택시요금 지급을 면하는 것을 용인하여 이익을 공여하는 처분행위를 하였다고 할 수 없는 경우 공갈죄가 성립하지 아니한다.

해설

③ [×] 피고인의 행위는 甲회사의 의사결정권자로 하여금 그 요구를 수용하지 아니할 경우 불매운동이 지속되어 영업에 타격을 입게 될 것이라는 겁을 먹게 하여 의사결정 및 의사실행의 자유를 침해한 것으로 **강요죄나 공갈죄의 수단으로서의 협박에 해당한다.**(대법원 2013. 4. 11. 2010도13774 **광동제약 불매운동 사건**)

① [○] 피고인이 예금주인 현금카드 소유자를 협박하여 그 카드를 갈취한 후 하자 있는 의사표시이기는 하지만 피해자의 승낙에 의하여 현금카드를 사용할 권한을 부여받아 이를 이용하여 현금을 인출한 경우, 이는 모두 피해자의 예금을 갈취하고자 하는 단일하고 계속된 범의 아래에서 이루어진 일련의 행위로서 **포괄하여 하나의 공갈죄를 구성한다**고 볼 것이지, 현금지급기에서 피해자의 예금을 취득한 행위를 현금지급기 관리자의 의사에 반하여 그가 점유하고 있는 현금을 절취한 것이라 하여 이를 현금카드 갈취행위와 분리하여 따로 절도죄로 처단할 수는 없다.(대법원 1996. 9. 20. 95도1728 **갈취 현금카드 사건**)

② [○] 공갈죄의 수단으로서의 협박은 사람의 의사결정의 자유를 제한하거나 의사실행의 자유를 방해할 정도로 겁을 먹게 할 만한 해악을 고지하는 것을 말하고, **해악의 고지는 반드시 명시의 방법에 의할 것을 요하지 않고** 언어나 거동에 의하여 상대방으로 하여금 어떠한 해악에 이르게 할 것이라는 인식을 가지게 하는 것이면 족하다.(대법원 2013. 9. 13. 2013도6809 **게임머니 환전사업자 사건**)

④ [○] 피고인이 피해자가 운전하는 택시를 타고 간 후 목적지에 이르러 택시요금의 지급을 면할 목적으로 다른 장소에 가자고 하면서 택시에서 내린 다음 택시요금 지급을 요구하는 피해자를 때리고 달아난 경우, 피해자가 폭행을 당하여 외포심을 일으켜 수동적·소극적으로라도 **택시요금 지급을 면하는 것을 용인하여 이익을 공여하는 처분행위를 하였다고 할 수 없으므로 공갈죄는 성립하지 아니한다.**(대법원 2012. 1. 27. 2011도16044 **택시기사 폭행·도주사건**)

정답 | 247 ③

248 공갈죄에 관한 다음 기술 중 가장 옳지 않은 것은? (다툼이 있으면 판례에 의함)

□□□

13 법원행시 [Superlative ★★★]

① 폭력조직의 두목 또는 조직원이 자신들을 소재로 삼은 영화에 제작투자한 피해자들에게 영화감독 B를 통해 재물의 교부를 요구하고 피해자들로 하여금 그 요구에 응하지 아니할 때에는 부당한 불이익을 초래할 위험이 있을 수 있다는 위구심을 야기하게 하고, 피해자들이 직접적으로 해악을 고지받지는 않았지만 상대방이 영화의 소재가 된 폭력조직의 두목 또는 조직원이므로 요구에 응하지 않을 경우의 불이익을 두려워하거나 곤경에 빠진 영화감독 B를 위해서라도 돈을 지급하지 않을 수 없다고 판단하여 마지 못해 돈을 준 경우, 폭력조직의 두목 또는 조직원의 행위는 공갈죄를 구성한다.

② 예금주인 현금카드 소유자를 협박하여 그 카드를 갈취한 다음 피해자의 승낙에 의하여 현금카드를 사용할 권한을 부여받아 이를 이용하여 현금자동지급기에서 현금을 인출한 행위는 공갈죄와 별도로 절도죄를 구성하지는 않는다.

③ 흉기 기타 위험한 물건을 휴대하고 공갈죄를 범하여 폭력행위 등 처벌에 관한 법률 제3조 제1항에 의해 가중처벌되는 경우에도 친족상도례 규정이 적용된다.

④ 피고인은 甲의 지시를 받아 그 소유의 돈을 금고에 보관하고 있었는데, 乙이 이를 절취한 다음 다른 금전과 섞거나 교환하지 않고 쇼핑백 등에 넣어 자신의 집에 숨겨두었다. 피고인은 甲의 지시로 乙에게 겁을 주어 乙로부터 쇼핑백 등에 들어 있던 절취된 돈을 교부받았다. 이 경우 피고인의 행위는 공갈죄를 구성한다.

⑤ A는 乙이 운전하는 택시를 타고 간 후 최초의 장소에 이르러 택시에서 내린 다음 택시요금 14,000원의 지급을 면할 목적으로 택시를 승차할 때 다른 장소에 가자고 하였다면서 택시요금 지급을 요구하는 乙을 때리고 달아났다. 乙은 A가 말한 다른 장소까지 쫓아가 기다리다가 그곳에서 A를 발견하고 택시요금의 지급을 요구하였고, A는 다시 피해자의 얼굴 등을 주먹으로 때리고 달아났다. 이 경우 A의 행위는 공갈죄를 구성하지 않는다.

해설

④ [×] 乙이 피고인의 돈을 절취한 다음 다른 금전과 섞거나 교환하지 않고 쇼핑백 등에 넣어 자신의 집에 숨겨두었는데, 피고인이 **폭행 · 협박으로 乙에게 겁을 주어 쇼핑백 등에 넣어 둔 돈을 다시 그대로 교부받은 경우**, 피고인이 乙에게서 되찾은 돈은 절취 대상인 당해 금전이라고 구체적으로 특정할 수 있어 객관적으로 乙의 다른 재산과 구분됨이 명백하므로 이를 타인인 乙의 재물이라고 볼 수 없고, 따라서 타인의 재물을 갈취한 행위로서 **공갈죄가 성립된다고 볼 수 없다**.(대법원 2012. 8. 30. 2012도6157 **절취당한 40억 회수사건**)

① [○] 피고인들이 B를 통하여 피해자들에게 취한 일련의 행위는, 비록 그 수단이 피해자들에게 직접적으로 행하여졌거나 명시적인 해악의 내용을 고지하지는 않았다고 하더라도 B를 통하여 조직폭력배들의 불량한 성행, 경력 등을 이용하여 **재물의 교부를 요구하고** 상대방으로 하여금 그 요구에 응하지 아니할 때에는 부당한 불이익을 초래할 위험이 있을 수 있다는 위구심을 야기하게 한 것으로서 **공갈죄의 구성요건으로서의 해악의 고지에 해당한다**.(대법원 2005. 7. 15. 2004도1565 **영화 <친구> 감독 협박사건**)

② [O] 피고인이 예금주인 현금카드 소유자를 협박하여 그 카드를 갈취한 후 하자 있는 의사표시이기는 하지만 피해자의 승낙에 의하여 현금카드를 사용할 권한을 부여받아 이를 이용하여 현금을 인출한 경우, 이는 모두 피해자의 예금을 갈취하고자 하는 단일하고 계속된 범의 아래에서 이루어진 일련의 행위로서 **포괄하여 하나의 공갈죄**를 구성한다고 볼 것이지, 현금지급기에서 피해자의 예금을 취득한 행위를 현금지급기 관리자의 의사에 반하여 그가 점유하고 있는 현금을 절취한 것이라 하여 이를 현금카드 갈취행위와 분리하여 따로 절도죄로 처단할 수는 없다.(대법원 1996. 9. 20. 95도1728 ***갈취 현금카드 사건***)

③ [O] **흉기 기타 위험한 물건을 휴대하고 공갈죄**를 범하여 폭처법 제3조 제1항, 제2조 제1항 제3호에 의하여 가중처벌되는 경우에도 형법상 공갈죄의 성질은 그대로 유지되어 **친족상도례에 관한 형법 제354조, 제328조가 그대로 적용된다.**(대법원 2010. 7. 29. 2010도5795 ***장애인 조카 공갈사건***)

⑤ [O] 피해자가 피고인에게 계속해서 택시요금의 지급을 요구하였으나 피고인이 이를 면하고자 피해자를 폭행하고 달아났을 뿐 피해자가 폭행을 당하여 외포심을 일으켜 수동적 · 소극적으로라도 피고인이 **택시요금 지급을 면하는 것을 용인하여 이익을 공여하는 처분행위를 하였다고 할 수 없는 경우 공갈죄가 성립하지 아니한다.**(대법원 2012. 1. 27. 2011도16044 **택시기사 폭행 · 도주사건**)

249 사기와 공갈의 죄에 관한 설명으로 옳은 것을 모두 고른 것은? (다툼이 있으면 판례에 의함)

□□□

24 경찰승진 [*Core* ★★]

㉠ 비트코인은 경제적인 가치를 디지털로 표상하여 전자적으로 이전, 저장과 거래가 가능하도록 한 가상자산의 일종으로 사기죄의 객체인 재산상 이익에 해당한다.

㉡ 피해자 A는 드라이버를 구매하기 위해 특정 매장에 방문하였다가 지갑을 떨어뜨렸는데, 10분쯤 후 甲이 같은 매장에서 우산을 구매하고 계산을 마친 뒤, 지갑을 발견하여 습득한 매장 주인 B로부터 "이 지갑이 선생님 지갑이 맞느냐?"라는 질문을 받자 "내 것이 맞다."라고 대답한 후 이를 교부받아 가지고 간 경우 甲에게 사기죄가 아닌 절도죄가 성립한다.

㉢ 소송사기가 성립하기 위하여는 제소 당시에 그 주장과 같은 채권이 존재하지 아니한다는 것만으로는 부족하고 그 주장의 채권이 존재하지 아니하는 사실을 잘 알면서도 허위의 주장과 증명으로써 법원을 기망한다는 인식을 하고 있어야만 한다.

㉣ 재산상 이익의 취득으로 인한 공갈죄가 성립하려면 폭행 또는 협박과 같은 공갈행위로 인하여 피공갈자가 재산상 이익을 공여하는 처분행위가 있어야 하므로 피공갈자가 외포심을 일으켜 묵인하고 있는 동안에 공갈자가 직접 재산상의 이익을 탈취한 경우에는 공갈죄가 성립할 수 없다.

① ㉠㉢ ② ㉠㉣

③ ㉡㉢ ④ ㉢㉣

정답 | 248 ④ 249 ①

해설

① ㉠㉢ 2 항목이 옳다.

㉠ [○] **비트코인은** 경제적인 가치를 디지털로 표상하여 전자적으로 이전, 저장과 거래가 가능하도록 한 가상자산의 일종으로 사기죄의 객체인 **재산상 이익에 해당한다.**(대법원 2021. 11. 11. 2021도9855 **비트코인 편취사건**)

㉡ [×] 매장 주인 B가 매장에 유실된 손님 A의 반지갑을 습득한 후 또 다른 손님인 피고인 甲에게 "이 지갑이 선생님 지갑이 맞느냐?"라고 묻자, 甲이 "내 것이 맞다"라고 대답한 후 이를 교부받아 가져갔는바, B는 반지갑을 습득하여 이를 진정한 소유자에게 돌려주어야 하는 지위에 있었으므로 A를 위하여 이를 처분할 수 있는 권능을 갖거나 그 지위에 있었고 나아가 B는 이러한 처분권능과 지위에 기초하여 반지갑의 소유자라고 주장하는 甲에게 반지갑을 교부하였고 이를 통해 甲이 반지갑을 취득하여 자유로운 처분이 가능한 상태가 되었으므로 **B의 행위는 사기죄에서 말하는 처분행위에 해당하고 甲의 행위를 절취행위로 평가할 수는 없다.**(대법원 2022. 12. 29. 2022도12494 **내 지갑이 맞다 사건**)

㉢ [○] 소송사기가 성립하기 위하여는 제소 당시에 그 주장과 같은 채권이 존재하지 아니한다는 것만으로는 부족하고 그 **주장의 채권이 존재하지 아니하는 사실을 잘 알면서도 허위의 주장과 증명으로써 법원을 기망한다는 인식을 하고 있어야만 하고,** 단순히 사실을 잘못 인식하였다거나 법률적 평가를 잘못하여 존재하지 않는 권리를 존재한다고 믿고 제소한 행위는 사기죄를 구성하지 않는다.(대법원 2018. 12. 28. 2018도13305 **회사대표 퇴직금 청구사건**)

㉣ [×] 재산상 이익의 취득으로 인한 공갈죄가 성립하려면 폭행 또는 협박과 같은 공갈행위로 인하여 피공갈자가 재산상 이익을 공여하는 처분행위가 있어야 한다. 물론 그러한 처분행위는 반드시 작위에 한하지 아니하고 부작위로도 족하여서 **피공갈자가 외포심을 일으켜 묵인하고 있는 동안에 공갈자가 직접 재산상의 이익을 탈취한 경우에도 공갈죄가 성립할 수 있다.**(대법원 2012. 1. 27. 2011도16044 **택시기사 폭행 · 도주사건**)

제6절 | 횡령의 죄

250 횡령의 죄에 관한 설명으로 가장 적절하지 않은 것은? (다툼이 있으면 판례에 의함)

□□□

24 경찰채용 [Core ★★]

① 횡령죄의 본질에 관한 영득행위설에 따르면, 보관하는 재물을 위탁의 취지에 반하여 일시사용·손괴·은닉의 목적으로 처분하는 등 불법영득의 의사가 없는 경우 횡령죄가 성립하지 않는다.

② 보관자도 업무자도 아닌 甲이 위탁받은 재물의 보관자인 동시에 업무자인 乙의 업무상횡령죄를 방조한 경우 甲에게는 업무상횡령죄의 방조범이 성립한다.

③ 주주나 대표이사 또는 그에 준하여 회사 자금의 보관이나 운용에 관한 사실상의 사무를 처리하는 자가 회사 소유 재산을 제3자의 자금 조달을 위하여 담보로 제공하는 등 사적인 용도로 임의 처분한 경우 횡령죄가 성립하지만, 그 처분에 관하여 주주총회나 이사회의 결의가 있었다면 횡령죄가 성립하지 않는다.

④ 건물의 임차인 甲이 임대인 A에 대한 임대차보증금반환채권을 B에게 양도하였는데도 A에게 채권양도 통지를 하지 않고 A로부터 남아 있던 임대차보증금을 반환받아 보관하던 중 개인적인 용도로 사용한 경우 별도의 약정이나 그 밖의 특별한 사정이 인정되지 않는 한 甲에게는 횡령죄가 성립하지 않는다.

해설

③ [×] 주식회사는 주주와 독립된 별개의 권리주체로서 그 이해가 반드시 일치하는 것은 아니므로 주주나 대표이사 또는 그에 준하여 회사 자금의 보관이나 운용에 관한 사실상의 사무를 처리하는 자가 회사 소유 재산을 제3자의 자금 조달을 위하여 담보로 제공하는 등 사적인 용도로 임의 처분하였다면 **그 처분에 관하여 주주총회나 이사회의 결의가 있었는지 여부와는 관계없이 횡령죄의 죄책을 면할 수는 없다.**(대법원 2011. 3. 24. 2010도17396 **코디콤 사건**)

① [○] **영득행위설에 의할 때 옳은 설명이다.** 행위자가 영득한 것이 아무 것도 없기 때문이다.

② [○] 업무상횡령죄는 타인의 재물을 업무상 보관하는 자를 주체로 하는 신분범이므로 그와 같은 신분관계가 없는 자가 신분관계가 있는 자와 공모하여 업무상횡령죄를 저질렀다면 신분관계가 없는 자에 대하여는 형법 제33조 단서에 의하여 단순횡령죄에 정한 형으로 처단하여야 한다.(대법원 2015. 2. 26. 2014도15182 **산학협력단장 횡령 사건**) 형법 제33조 본문에 따라 **업무상횡령방조죄가 성립하지만,** 제33조 단서에 따라 **단순횡령방조죄에 정한 형으로 처단된다.**(대법원 1989. 10. 10. 87도1901 **체육대회성금 횡령사건** 참고)

④ [○] (1) 채권양도인이 채무자에게 채권양도 통지를 하는 등으로 채권양도의 대항요건을 갖추어 주지 않은 채 채무자로부터 채권을 추심하여 금전을 수령한 경우 특별한 사정이 없는 한 **금전의 소유권은 채권양수인이 아니라 채권양도인에게 귀속하고** 채권양도인이 채권양수인을 위하여 양도 채권의 보전에 관한 사무를 처리하는 신임관계가 존재한다고 볼 수 없다. 따라서 채권양도인이 양도한 채권을 추심하여 수령한 금전에 관하여 채권

정답 | 250 ③

양수인을 위해 보관하는 자의 지위에 있다고 볼 수 없으므로 채권양도인이 금전을 임의로 처분하더라도 **횡령죄는 성립하지 않는다.** (2) 임차인 甲이 A와 임대차보증금반환채권에 관한 채권양도계약을 체결하고 임대인 B에게 채권양도 통지를 하기 전에 B로부터 채권을 추심하여 남아 있던 임대차보증금을 수령하였더라도 임대차보증금으로 받은 금전의 소유권은 甲에게 귀속할 뿐이고 A에게 귀속한다고 볼 수 없다. 나아가 채권양도계약을 체결한 甲과 A는 통상의 권리이전계약에 따른 이익대립관계에 있을 뿐이고 **甲이 A를 위한 보관자 지위가 인정될 수 있는 신임관계에 있다고 볼 수도 없다.**(대법원 2022. 6. 23. 2017도3829 全合 **임차보증금 양도 사건**)

251 다음 설명 중 甲의 행위에 대하여 횡령죄가 성립하지 않는 경우는? (다툼이 있으면 판례에 의함)

□□□

16 법원9급 [Superlative ★★★]

① 甲이 자기 명의의 계좌에 착오로 송금된 돈을 다른 계좌로 이체하는 등 임의로 사용하는 행위
② 甲이 乙로부터 환전하여 달라는 부탁과 함께 교부받은 돈을 임의로 자신의 乙에 대한 채권에 상계 충당하는 행위
③ 회사에 대하여 개인적인 채권을 가지고 있는 대표이사 甲이 회사를 위하여 보관하고 있는 회사 소유의 금전으로 자신의 채권의 변제에 충당하는 행위
④ 종중으로부터 토지를 명의신탁받아 보관 중이던 甲이 개인 채무 변제에 사용할 돈을 차용하기 위해 위 토지에 근저당권을 설정한 뒤 그 토지를 乙에게 매도한 경우, 甲의 토지매도행위

해설

③ [×] **회사에 대하여 개인적인 채권을 가지고 있는 대표이사가 회사를 위하여 보관하고 있는 회사 소유의 금전으로 자신의 채권 변제에 충당하는 행위는** 회사와 이사의 이해가 충돌하는 자기거래행위에 해당하지 않는 것이므로, 대표이사가 이사회의 승인 등의 절차 없이 그와 같이 자신의 회사에 대한 채권을 변제하였더라도, 이는 대표이사의 권한 내에서 한 회사 채무의 이행행위로서 유효하고 따라서 **불법영득의 의사가 인정되지 아니하여 횡령죄의 죄책을 물을 수 없다.**(대법원 2014. 2. 27. 2013도12155 **최태원 SK그룹회장 사건**)

① [○] 어떤 예금계좌에 돈이 착오로 잘못 송금되어 입금된 경우에는 그 예금주와 송금인 사이에 신의칙상 보관관계가 성립한다고 할 것이므로, 피고인이 **송금 절차의 착오**로 인하여 피고인 명의의 은행 계좌에 입금된 돈을 임의로 인출하여 소비한 행위는 **횡령죄에 해당하고**, 이는 송금인과 피고인 사이에 별다른 거래관계가 없다고 하더라도 마찬가지이다.(대법원 2010. 12. 9. 2010도891 **300만달러 송금착오사건**)

② [○] 환전하여 달라는 부탁과 함께 교부받은 돈을 그 **목적과 용도에 사용하지 않고** 마음대로 피고인의 위탁자에 대한 채권에 상계충당함은, 상계정산하기로 하였다는 특별한 약정이 없는 한, 당초 위탁한 취지에 반하는 것으로서 **횡령죄를 구성한다.**(대법원 1997. 9. 26. 97도1520)

④ [○] 타인의 부동산을 보관 중인 자가 그 부동산에 근저당권설정등기를 경료함으로써 일단 횡령행위가 기수에 이르렀다 하더라도 그 후 **해당 부동산을 매각함으로써 기존의 근저당권과 관계없이 법익침해의 결과를 발생시켰다면**, 이는 근저당권으로 인해 당연히 예상될 수 있는 범위를 넘어 새로운 법익침해의 위험을 추가시키거나 법익침해의 결과를 발생시킨 것이므로 불가벌적 사후행위로 볼 수 없고 **별도로 횡령죄를 구성한다.**(대법원 2013. 2. 21. 2010도10500 全合 **종중회의 총무 횡령사건**)

252 횡령죄에 관한 설명 중 가장 적절하지 않은 것은? (다툼이 있으면 판례에 의함)

□□□

15 경찰승진 [Essential ★]

① 포주가 윤락녀와 사이에 윤락녀가 받은 화대를 포주가 보관하였다가 분배하기로 약정하고도 보관 중인 화대를 임의로 소비한 경우 불법원인급여이므로 횡령죄가 성립하지 않는다.

② 주상복합상가의 매수인들로부터 우수상인 유치비 명목으로 금원을 납부받아 보관하던 중 그 용도와 무관하게 일반경비로 사용한 경우 횡령죄가 성립한다.

③ 보험을 유치하면서 특별이익 제공과는 무관한 통상적인 실적급여로서의 시책비를 지급받아 그 중 일부를 개인적인 용도로 사용한 경우 횡령죄가 성립하지 않는다.

④ 사립학교에 있어서 학교교육에 직접 필요한 시설, 설비를 위한 경비 등과 같이 원래 교비회계에 속하는 자금으로 지출할 수 있는 항목에 관한 차입금을 상환하기 위하여 교비회계 자금을 지출한 경우 횡령죄가 성립하지 않는다.

해설

① [×] 포주가 윤락녀와 사이에 윤락녀가 받은 화대를 포주가 보관하였다가 절반씩 분배하기로 약정하고도 보관 중인 화대를 임의로 소비한 경우, 포주의 불법성이 윤락녀의 불법성보다 현저히 크므로 화대의 소유권이 여전히 윤락녀에게 속하므로 **횡령죄가 성립한다**.(대법원 1999. 9. 17. 98도2036 인천 학익동 포주사건)

② [○] 피고인이 주상복합상가의 매수인들로부터 받은 우수상인유치비는 상권의 조기 정착 및 영업활성화를 위한 우수상인유치라는 용도에 사용하도록 특정된 금원임에도, 피고인이 상가의 분양실적에 따라 상인협의회에 **우수상인유치비 할당 금원을 지급한 경우 횡령죄가 성립한다**.(대법원 2002. 8. 23. 2002도366 우수상인 유치비 사건)

③ [○] 보험회사가 보험계약을 유치하는 영업활동을 독려 · 지원하기 위해서 일정한 **보험상품에 관해 모집수당 이외에 추가로 시책비를 지급하였는데**, 피고인들이 소비한 금전이 모두 통상적인 실적급여로서의 성격을 가진 시책비에 해당하여 그 **목적이나 용도가 특정되어 위탁된 금전이라고 보기 어렵다면 횡령죄는 성립하지 아니한다**.(대법원 2006. 3. 9. 2003도6733 시책비 사건)

④ [○] 사립학교에 있어서 학교교육에 직접 필요한 시설, 설비를 위한 경비 등과 같이 원래 교비회계에 속하는 자금으로 지출할 수 있는 항목에 관한 차입금을 상환하기 위하여 **교비회계 자금을 지출한 경우** 이러한 차입금 상환행위에 관하여 교비회계 자금을 임의로 횡령하고자 하는 **불법영득의 의사가 있다고 보기는 어렵고**, 만일 그 행위자가 이러한 차입을 하거나 지출을 하는 과정에서 사립학교법의 관련 규정을 제대로 준수하지 아니하였다면 이에 대하여 사립학교법에 따른 형사적 제재 등이 부과될 수 있을 뿐이다.(대법원 2006. 4. 28. 2005도4085)

정답 | 251 ③ 252 ①

253 횡령의 죄에 관한 설명 중 가장 적절한 것은? (다툼이 있으면 판례에 의함) 22 경찰채용 [Core ★★]

□□□

① 횡령죄의 본질에 관한 학설 중 월권행위설에 따르면 본죄가 성립하기 위하여는 불법영득의사가 있어야 한다.

② 횡령죄에 있어서 재물의 보관이란 재물에 대한 사실상 또는 법률상 지배력이 있는 상태를 의미하며, 그것은 반드시 사용대차, 임대차, 위임 등이 계약에 의해 설정될 필요는 없고, 사무관리, 관습, 조리, 신의칙에 의해서도 성립한다.

③ 소유권의 취득에 등록이 필요한 차량에 대한 횡령죄에서는 타인의 재물을 보관하는 사람의 지위는 등록에 의하여 차량을 제3자에게 법률상 유효하게 처분할 수 있는 권능 유무에 따라 결정된다.

④ 횡령죄는 타인의 재물에 관한 소유권 등 본권을 보호법익으로 하는 범죄이므로 본권 침해의 결과가 발생하였을 때 성립하는 이른바 침해범이다.

해설

② [○] 횡령죄에 있어서 재물의 보관이란 재물에 대한 사실상 또는 법률상 지배력이 있는 상태를 의미하며, 그것은 반드시 사용대차, 임대차, 위임 등이 계약에 의해 설정될 필요는 없고, **사무관리, 관습, 조리, 신의칙에 의해서도 성립한다.**(대법원 2014. 2. 27. 2011도48)

① [×] 횡령죄의 본질에 관한 학설 중 **월권행위설은** 월권행위만 있으면 영득행위를 하지 않더라도 횡령죄가 성립하므로 **횡령죄 성립에 불법영득의사를 필요로 하지 않는다,** 이에 비하여 영득행위설은 횡령죄가 성립하기 위하여는 불법영득의사를 필요로 한다.

③ [×] (1) 소유권의 취득에 등록이 필요한 타인 소유의 차량을 인도받아 보관하고 있는 사람이 이를 사실상 처분하면 **횡령죄가 성립하며, 그 보관 위임자나 보관자가 차량의 등록명의자일 필요는 없다.**

(2) 지입회사에 소유권이 있는 차량에 대하여 지입회사로부터 운행관리권을 위임받은 지입차주가 지입회사의 승낙 없이 그 보관 중인 차량을 사실상 처분하거나 지입차주로부터 차량 보관을 위임받은 사람이 지입차주의 승낙 없이 보관 중인 **차량을 사실상 처분한 경우 횡령죄가 성립한다.**(대법원 2015. 6. 25. 2015도1944 전합)

④ [×] 횡령죄는 다른 사람의 재물에 관한 소유권 등 본권을 그 보호법익으로 하고, **본권이 침해될 위험성이 있으면 그 침해의 결과가 발생되지 아니하더라도 성립하는 이른바 위태범이다.**(대법원 2009. 2. 12. 2008도10971 **쇼트기 사건**)

254 횡령죄에 관한 설명으로 가장 적절하지 않은 것은? (다툼이 있으면 판례에 의함)

□□□

20 경찰채용 [Superlative ★★★]

① 부동산의 공유자 중 1인이 다른 공유자의 지분을 임의로 처분하거나 임대하여도 그에게는 그 처분권능이 없어 횡령죄가 성립하지 않게 되는데, 구분소유자 전원의 공유에 속하는 공용부분인 지하주차장 일부를 그 중 1인이 독점 임대하고 수령한 임차료를 임의로 소비한 경우도 마찬가지다.

② 국민연금법 제64조 등의 규정에 의하여 사용자는 매월 임금에서 국민연금보험료 중 근로자가 부담할 기여금을 원천공제하여 근로자를 위하여 보관하고, 국민연금관리공단에 위 보험료를 납부하여야 할 업무상 임무를 부담하게 되며, 사용자가 이에 위배하여 근로자의 임금에서 원천공제한 기여금을 위 공단에 납부하지 아니하고, 나아가 이를 개인적 용도로 소비하였다면 업무상횡령죄에 해당한다.

③ 보관자의 지위에 있는 공동명의 예금채권자가 피해자 조합원들이 제기한 소송으로 인하여 조합이 입게 되는 손해에 대한 구상금 채권의 집행 확보를 위하여 피해자 조합원들에 대하여 예금계좌에 초과로 입금된 개발부담금의 반환을 거부한 경우에는 불법영득의사가 인정되어 횡령죄가 성립한다.

④ 아파트 입주자대표회의 회장이 아파트 특별수선충당금을 구조진단 견적비 및 손해배상청구소송의 변호사 선임료로 사용하였으나, 당시에는 특별수선충당금의 용도외 사용이 관리규약에 의해서만 제한되고 있어서 구분소유자들 또는 입주민들로부터 포괄적인 동의를 얻어 특별수선충당금을 위탁의 취지에 부합하는 용도에 사용한 것으로 볼 수 있다면 업무상횡령죄에 해당하지 않는다.

해설

③ [×] (1) 형법 제355조 제1항에서 정하는 '반환의 거부'라고 함은 보관물에 대하여 소유자의 권리를 배제하는 의사표시를 하는 행위를 뜻하므로, 타인의 재물을 보관하는 자가 단순히 반환을 거부한 사실만으로는 횡령죄를 구성하는 것은 아니며, 반환거부의 이유 및 주관적인 의사 등을 종합하여 반환거부행위가 횡령행위와 같다고 볼 수 있을 정도이어야만 횡령죄가 성립한다.
(2) 원심은, 피고인들이 피해자 조합원들에 대하여 예금계좌에 초과로 입금된 개발부담금의 반환을 거부한 것은 피해자 조합원들이 제기한 소송으로 인하여 조합이 입게 되는 손해에 대한 **구상금채권의 집행 확보를 위한 것에 불과하고, 개발부담금을 영득하기 위한 것이라고 볼 수 없다고 판단하여** 횡령죄가 성립하지 않는다고 보아 무죄를 선고하였는 바, 원심의 위와 같은 사실인정과 판단은 정당하다.(대법원 2008. 12. 11. 2008도8279)

① [○] 부동산에 관한 횡령죄에 있어서 타인의 재물을 보관하는 자의 지위는 동산의 경우와는 달리 부동산에 대한 점유의 여부가 아니라 부동산을 제3자에게 유효하게 처분할 수 있는 권능의 유무에 따라 결정하여야 하므로, **부동산의 공유자 중 1인이 다른 공유자의 지분을 임의로 처분하거나 임대하여도 그에게는 그 처분권능이 없어 횡령죄가 성립하지 아니한다.**(대법원 2004. 5. 27. 2003도6988 주차장 무단처분 사건)

② [○] 사용자는 매월 임금에서 국민연금 보험료 중 근로자가 부담할 기여금을 원천공제하여 근로자를 위하여 보관하고, 국민연금관리공단에 보험료를 납부하여야 할 업무상 임무를 부담하게 되며, 사용자가 이에 위배하여

정답 | 253 ② 254 ③

근로자의 임금에서 원천공제한 기여금을 공단에 납부하지 아니하고, 나아가 이를 **개인적 용도로 소비하였다면 업무상횡령죄의 책임을 면할 수 없다.**(대법원 2011. 2. 10. 2010도13284 원천징수 국민연금보험료 사건)

④ [O] 피고인이 특별수선충당금을 위와 같이 지출한 것을 들어, 위탁의 취지에 반하여 **자기 또는 제3자의 이익을 위하여 자기의 소유인 것처럼 처분하였다고 단정하기는 어렵다.**(대법원 2017. 2. 15. 2013도14777 특별수선충당금 사용사건) '구분소유자들 또는 입주민들로부터 포괄적인 동의를 얻어' 특별수선충당금을 위탁의 취지에 부합하는 용도에 사용한 것으로 볼 수 있어, 즉 **불법영득의사를 인정할 수 없어 횡령죄가 성립하지 아니한다.**

255 횡령죄에 대한 설명으로 옳은 것은 모두 몇 개인가? (다툼이 있으면 판례에 의함)

□□□

21 경찰채용 [*Core* ★★]

㉠ 부동산을 공동으로 상속한 자들 중 1인이 부동산을 혼자 점유하다가 다른 공동상속인의 상속지분을 임의로 처분하여도 그에게는 그 처분권능이 없어 횡령죄가 성립하지 아니한다.
㉡ 전기통신금융사기의 공범인 계좌명의인이 개설한 예금계좌로 피해자가 송금·이체한 사기피해금을 계좌명의인이 영득할 의사로 인출하면 피해자에 대한 횡령죄가 성립한다.
㉢ 초·중등교육법에 정한 학교발전기금으로 기부한 금액은 관련 법령상 엄격히 제한된 용도 외에 학교운영에 필요한 특정한 공익적 용도로 수수한 것으로 볼 수 있는 예외적 경우가 아닌 한, 학교운영위원회에 귀속되어 법령에서 정한 사용 목적으로만 사용되어야 하고, 정해진 용도 외의 사용행위는 원칙적으로 횡령죄를 구성한다.
㉣ 익명조합의 경우에는 익명조합원이 영업을 위하여 출자한 금전 기타의 재산은 상대편인 영업자의 재산이 되므로 영업자는 타인의 재물을 보관하는 자의 지위에 있지 않아 영업자가 영업이익금 등을 임의로 소비하였더라도 횡령죄가 성립하지 아니한다.

① 1개　② 2개　③ 3개　④ 4개

해설

③ ㉠㉢㉣ 3 항목이 옳다.

㉠ [O] 부동산에 관한 횡령죄에 있어서 타인의 재물을 보관하는 자의 지위는 동산의 경우와는 달리 부동산에 대한 점유의 여부가 아니라 부동산을 제3자에게 유효하게 처분할 수 있는 권능의 유무에 따라 결정하여야 하므로, 부동산을 공동으로 상속한 자들 중 1인이 부동산을 혼자 점유하던 중 다른 공동상속인의 상속지분을 임의로 처분하여도 그에게는 그 **처분권능이 없어 횡령죄가 성립하지 아니한다.**(대법원 2000. 4. 11. 2000도565 계모 상속재산 매도사건)

㉡ [×] 전기통신금융사기(이른바 보이스피싱 범죄)의 범인이 피해자를 기망하여 피해자의 돈을 사기이용계좌로 송금·이체받은 후 그 계좌에서 현금을 인출하였다고 하더라도 이는 **사기의 피해자에 대하여 따로 횡령죄를 구성하지 아니한다.** 그리고 이러한 법리는 **사기범행에 이용되리라는 사정을 알고서도 자신 명의 계좌의 접근매체를 양도함으로써 사기범행을 방조한 종범이 사기이용계좌로 송금된 피해자의 돈을 임의로 인출한 경우에도 마찬가지로 적용된다.**(대법원 2017. 5. 31. 2017도3045 보이스피싱 사건 I)

㉢ [○] 초 · 중등교육법에 정한 학교발전기금으로 기부한 금원의 경우 법령상 엄격히 제한된 용도 외에 학교운영에 필요한 특정한 공익적 용도로 수수한 것으로 볼 수 있는 예외적 경우가 아닌 한, 학교운영위원회에 귀속되어 법령에서 정한 사용목적으로만 사용되어야 할 것이므로, 그 **정해진 용도 외의 사용행위는 원칙적으로 횡령죄를 구성한다.**(대법원 2014. 3. 13. 2012도6336 대원외고 학교발전기금 사건)

㉣ [○] **익명조합원이** 영업을 위하여 출자한 금전 기타의 재산은 상대방인 영업자의 재산으로 되는 것이므로 영업자가 그 영업의 이익금을 함부로 자기 용도에 소비하였다 하여도 **횡령죄가 되지 아니한다.**(대법원 1971. 12. 28. 71도2032 카프테리아 사건)

256 다음 사례에서 (업무상)횡령죄가 성립하는 경우는? (다툼이 있으면 판례에 의함)

□□□

21 국가9급 [Essential ★]

① 적법한 종중총회의 결의가 없는 상태에서 종중의 회장으로부터 담보 대출을 받아달라는 부탁과 함께 종중 소유의 임야를 이전받은 자가 임야를 담보로 금원을 대출받아 임의로 사용한 경우(종중에 대한 관계에서)

② 법인의 임직원이 법인의 운영에 필요한 자금을 조달하기 위하여 법인의 무자료 거래를 통해 비자금을 조성한 경우(법인에 대한 관계에서)

③ 전기통신금융사기 공범인 계좌명의인이 자신이 개설한 예금계좌에 사기 피해자가 사기 피해금을 송금·이체하자 그 돈을 영득할 의사로 인출한 경우(전기통신금융사기의 범인에 대한 관계에서)

④ 부동산의 공유자 중 1인이 구분소유자 전원의 공유에 속하는 공용부분인 지하주차장 일부를 독점 임대하고 임차료를 수령한 경우(다른 공유자에 대한 관계에서)

해설

① 피고인 甲이 종중 회장 A로부터 담보 대출을 받아달라는 부탁과 함께 종중 소유의 임야를 이전받은 다음 임야를 담보로 금원을 대출받아 임의로 사용하고 자신의 개인적인 대출금 채무를 담보하기 위하여 임야에 근저당권을 설정하였다면 비록 甲이 임야를 이전받는 과정에서 적법한 종중총회의 결의가 없었다고 하더라도 **甲은 임야나 대출금에 관하여 사실상 종중의 위탁에 따라 이를 보관하는 지위에 있다고 보아야 할 것이어서 종중에 대한 관계에서 횡령죄를 구성한다.**(대법원 2005. 6. 24. 2005도2413 종중임야 횡령사건)

② 법인의 운영자 또는 관리자가 **법인의 자금을 이용하여 비자금을 조성하였다고 하더라도** 그것이 당해 비자금의 소유자인 법인 이외의 제3자가 이를 발견하기 곤란하게 하기 위한 장부상의 분식(粉飾)에 불과하거나 **법인의 운영에 필요한 자금을 조달하는 수단으로 인정되는 경우에는 불법영득의 의사를 인정하기 어렵다.**(대법원 2015. 9. 10. 2014도12619) 횡령죄는 성립하지 아니한다.

③ (계좌명의인이 개설한 예금계좌가 전기통신금융사기 범행에 이용되어 그 계좌에 피해자가 사기피해금을 송금 · 이체한 경우) 계좌명의인은 피해자와 사이에 아무런 법률관계 없이 송금 · 이체된 사기피해금 상당의 돈을

정답 | 255 ③ 256 ①

피해자에게 반환하여야 하므로, 피해자를 위하여 사기피해금을 보관하는 지위에 있다고 보아야 하고, 만약 계좌명의인이 그 돈을 영득할 의사로 인출하면 **피해자에 대한 횡령죄가 성립한다**. 이때 계좌명의인이 사기의 공범이라면 자신이 가담한 범행의 결과 피해금을 보관하게 된 것일 뿐이어서 피해자와 사이에 위탁관계가 없고, 그가 송금 · 이체된 돈을 인출하더라도 이는 자신이 저지른 사기범행의 실행행위에 지나지 아니하여 새로운 법익을 침해한다고 볼 수 없으므로 **사기죄 외에 별도로 횡령죄를 구성하지 않는다**.(대법원 2018. 7. 19. 2017도17494 전합 **보이스피싱 사건Ⅲ**) 전기통신금융사기의 '범인'에 대한 관계에서는 횡령죄가 성립하지 아니한다.

④ 구분소유자 전원의 공유에 속하는 공용부분인 지하주차장 일부를 피고인이 독점 임대하였더라도 피고인이 그 공용부분을 다른 구분소유자들을 위하여 보관하는 지위에 있는 것은 아니므로 **공용부분을 임대하고 수령한 임차료 역시 다른 구분소유자들을 위하여 보관하는 것은 아니라고 할 것이어서** 그 돈을 임의로 소비하였어도 **횡령죄는 성립하지 아니한다**.(대법원 2004. 5. 27. 2003도6988 **주차장 무단처분 사건**)

257 다음 중 (업무상)횡령죄가 성립하지 않는 경우는? (다툼이 있으면 판례에 의함)

□□□

14 경찰채용 [Essential ★]

① 임차인이 이사하면서 그가 소유하거나 타인으로부터 위탁받아 보관 중이던 물건들을 임대인의 방해로 옮기지 못하고 그 임차공장 내에 그대로 두었는데 임대인이 그 후 이를 임의로 매각하거나 반환을 거부한 경우

② 보험을 유치하면서 특별이익 제공과는 무관한 통상적인 실적급여로서의 시책비를 지급받아 그 중 일부를 개인적인 용도로 사용한 경우

③ 채권양도인이 채권양도 통지 전에 채무자로부터 채권추심하여 수령한 금전을 채권양수인의 승낙 없이 자신의 동생에게 빌려준 경우

④ 지사에 근무하는 직원들이 본사를 위하여 보관 중이던 돈의 일부를 접대비 명목 등으로 임의로 나누어 사용하려고 비자금으로 조성한 경우

해설

② 보험회사가 보험계약을 유치하는 영업활동을 독려 · 지원하기 위해서 일정한 보험상품에 관해 모집수당 이외에 추가로 시책비를 지급하였는데, 피고인들이 소비한 금전이 모두 통상적인 실적급여로서의 성격을 가진 시책비에 해당하여 그 목적이나 용도가 특정되어 위탁된 금전이라고 보기 어렵다면 **횡령죄는 성립하지 아니한다**.(대법원 2006. 3. 9. 2003도6733 **시책비 사건**)

③ 채권양도인이 채무자에게 채권양도 통지를 하는 등으로 채권양도의 대항요건을 갖추어 주지 않은 채 채무자로부터 채권을 추심하여 금전을 수령한 경우, 특별한 사정이 없는 한 **금전의 소유권은 채권양수인이 아니라 채권양도인에게 귀속하고** 채권양도인이 채권양수인을 위하여 양도 채권의 보전에 관한 사무를 처리하는 신임관계가 존재한다고 볼 수 없다. 따라서 채권양도인이 위와 같이 양도한 채권을 추심하여 수령한 금전에 관하여 **채권양수인을 위해 보관하는 자의 지위에 있다고 볼 수 없으므로, 채권양도인이 위 금전을 임의로 처분하더라도 횡령죄는 성립하지 않는다**.(대법원 2022. 6. 23. 2017도3829 전합) 이 판례로 채권양도계약이 이루어진 후 채권양도인이 채권양도의 대항요건을 갖추어 주기 전에 채무자로부터 채권을 추심하여 금전을 수령한

경우, 그 금전은 채권양도인과 채권양수인 사이에서 채권양수인의 소유에 속하고 채권양도인은 채권양수인을 위하여 이를 보관하는 자의 지위에 있다고 보아 횡령죄의 성립을 인정해 오던 대법원 1999. 4. 15. 선고 97도666 전원합의체 판결 등 종전 판례를 변경하였다.

① 임차인이 이사하면서 그가 소유하거나 타인으로부터 **위탁받아 보관 중이던 물건들을** 임대인의 방해로 옮기지 못하고 그 임차공장 내에 그대로 두었다면, 임대인은 사무관리 또는 조리상 당연히 임차인을 위하여 위 물건들을 보관하는 지위에 있다 할 것이므로 **임대인이 이를 임의로 매각하거나 반환을 거부하였다면 횡령죄를 구성한다.**(대법원 1985. 4. 9. 84도300 **비닐공장 이전 방해사건**)

④ 감정평가법인 지사에서 근무하는 감정평가사인 피고인들이 접대비 명목 등으로 임의로 나누어 사용할 목적으로 감정평가법인을 위하여 보관 중이던 돈의 일부를 비자금으로 조성한 경우, **비자금 조성 당시 피고인들의 불법영득의사가 객관적으로 표시되었다고 할 것인 점 등에 비추어 업무상횡령죄가 성립한다.**(대법원 2010. 5. 13. 2009도1373 **감정평가사 비자금 조성사건**)

258 횡령죄에 관한 설명 중 옳지 않은 것은? (다툼이 있으면 판례에 의함)

17 경찰간부 [Core ★★]

□□□

① 소유권 취득에 등록이 필요한 다른 사람 소유 차량을 인도받아 보관받고 있는 사람이 이를 사실상 처분한 경우 보관위임자나 보관자가 차량의 등록명의자가 아니라면 횡령죄가 성립하지 않는다.

② 근로자는 운송회사로부터 일정액의 급여를 받으면서 당일 운송수입금을 전부 운송회사에 납입하고, 운송회사는 이를 월 단위로 정산하기로 한 약정이 체결된 경우, 근로자가 운송수입금을 임의로 소비하였다면 이는 횡령죄를 구성하며 근로자가 사납금을 초과하는 수입금 일부를 배분받을 권리가 있더라도 마찬가지이다.

③ 횡령죄의 객체는 자기가 보관하는 '타인의 재물'이므로 재물이 아닌 재산상의 이익은 횡령죄의 객체가 될 수 없고, 사무적으로 관리가 가능한 채권이나 그 밖의 권리 등은 재물에 포함된다고 해석할 수 없다.

④ 주식회사의 설립업무 또는 증자업무를 담당한 자와 주식인수인이 사전에 공모하여 제3자로부터 차용한 돈으로 주금을 납입하고 설립등기 또는 증자등기 후 바로 인출하여 차용금 변제에 사용하는 경우에는 업무상횡령죄가 성립하지 않는다.

해설

① [×] (1) 소유권의 취득에 등록이 필요한 타인 소유의 차량을 인도 받아 보관하고 있는 사람이 이를 사실상 처분하면 횡령죄가 성립하며, **그 보관 위임자나 보관자가 차량의 등록명의자일 필요는 없다.**
(2) 지입회사에 소유권이 있는 차량에 대하여 지입회사로부터 운행관리권을 위임받은 지입차주가 지입회사의 승낙 없이 그 보관 중인 차량을 사실상 처분하거나 지입차주로부터 차량 보관을 위임받은 사람이 지입차주의 승낙없이 보관 중인 차량을 사실상 처분한 경우 횡령죄가 성립한다.(대법원 2015. 6. 25. 2015도1944 全合)

정답 | 257 ② 258 ①

② [O] 근로자는 운송회사로부터 일정액의 급여를 받으면서 당일 운송수입금을 전부 운송회사에 납입하고, 운송회사는 이를 월 단위로 정산하기로 하는 약정이 체결된 경우, 근로자가 애초 거둔 운송수입금 전액은 운송회사의 관리와 지배 아래 있다고 봄이 상당하므로 **근로자가 운송수입금을 임의로 소비하였다면 횡령죄를 구성한다.** 이는 근로자가 운송회사에 대하여 사납금을 초과하는 운송수입금의 일부를 배분받을 권리를 가지고 있다고 하더라도 다른 특별한 사정이 없는 한 다를 바 없다.(대법원 2014. 4. 30. 2013도8799 택시기사 수입금 횡령사건)

③ [O] 횡령죄의 객체는 자기가 보관하는 '타인의 재물'이므로 재물이 아닌 재산상의 이익은 횡령죄의 객체가 될 수 없다. 횡령죄의 객체인 재물은 동산이나 부동산 등 유체물에 한정되지 아니하고 관리할 수 있는 동력도 재물로 간주되지만, 여기에서 말하는 관리란 물리적 또는 물질적 관리를 가리킨다고 볼 것이고, 재물과 재산상 이익을 구별하고 횡령과 배임을 별개의 죄로 규정한 현행 형법의 규정에 비추어 볼 때 **사무적으로 관리가 가능한 채권이나 그 밖의 권리 등은 재물에 포함된다고 해석할 수 없다.**(대법원 2014. 2. 27. 2011도832 전자외상매출채권 사건)

④ [O] 주식회사의 설립업무 또는 증자업무를 담당한 사람과 주식인수인이 사전 공모하여 주금납입취급은행 이외의 제3자로부터 납입금에 해당하는 금액을 차입하여 **주금을 납입**하고 납입취급은행으로부터 납입금보관증명서를 교부받아 회사의 설립등기절차 또는 증자등기절차를 마친 직후 이를 인출하여 차용금채무의 변제에 사용하는 경우, 위와 같은 행위는 실질적으로 회사의 자본을 증가시키는 것이 아니고 등기를 위하여 납입을 가장하는 편법에 불과하여 주금의 납입 및 인출의 전 과정에서 **회사의 자본금에는 실제 아무런 변동이 없다**고 보아야 할 것이므로 그들에게 회사의 돈을 임의로 유용한다는 불법영득의 의사가 있다고 보기 어렵다 할 것이고, 따라서 회사 자본이 실질적으로 증가함을 전제로 한 **업무상횡령죄가 성립한다고 할 수 없다.**(대법원 2013. 4. 11. 2012도15585 보흥 대표 사건)

259 횡령죄에 관한 다음 설명 중 옳은 것을 모두 고른 것은? (다툼이 있으면 판례에 의함)

□□□

15 경찰간부 [*Core* ★★]

㉠ 마을 이장이 경로당 화장실 개·보수 공사를 위하여 업무상 보관 중이던 공사비를 그 용도 외에 다른 용도로 사용하였다면, 과거에 마을을 위하여 자신의 개인 돈을 지출하였다고 하여도 횡령죄가 성립한다.

㉡ 공유물의 매각대금도 정산하기까지는 각 공유자의 공유에 귀속한다고 할 것이므로, 공유자 1인이 그 매각대금을 임의로 소비하였다면 횡령죄가 성립한다.

㉢ 주권은 유가증권으로서 재물에 해당하지 않으므로 횡령죄의 객체가 될 수 없지만, 자본의 구성단위 또는 주주권을 의미하는 주식은 재물에 해당하므로 횡령죄의 객체가 될 수 있다.

㉣ 광업권은 재물인 광물을 취득할 수 있는 권리에 불과하지, 재물 그 자체는 아니므로 횡령죄의 객체가 된다고 할 수 없다.

① ㉠㉡㉢　② ㉠㉡㉣　③ ㉠㉢㉣　④ ㉡㉢㉣

해설

② ㉠㉡㉣ 3 항목이 옳다.

㉠ [○] 피고인이 업무상 보관 중이던 **공사비를 그 용도 외에 다른 용도로 사용한 이상 횡령죄는 성립하고**, 피고인이 과거 마을을 위하여 개인 돈을 지출하였다고 하여 이에 충당할 수는 없다.(대법원 2010. 9. 30. 2010도7012 **마을이장 공사비 횡령사건**)

㉡ [○] 공유물의 매각대금도 정산하기까지는 각 공유자의 공유에 귀속한다고 할 것이므로 공유자 1인이 그 매각대금을 임의로 소비하였다면 **횡령죄가 성립한다.**(대법원 1983. 8. 23. 80도1161)

㉢ [×] **주권**은 유가증권으로서 재물에 해당되므로 **횡령죄의 객체가 될 수 있으나,** 자본의 구성단위 또는 주주권을 의미하는 주식은 재물이 아니므로 **횡령죄의 객체가 될 수 없다.**(대법원 2005. 2. 18. 2002도2822 **주식수 변조사건**)

㉣ [○] 광업권은 재물인 광물을 취득할 수 있는 권리에 불과하지 재물 그 자체는 아니므로 횡령죄의 객체가 된다고 할 수 없고, 광업법 제12조가 광업권을 물권으로 하고 광업법에서 따로 정한 경우를 제외하고는 부동산에 관한 민법 기타 법령의 규정을 준용하도록 규정하고 있다 하여 광업권이 부동산과 마찬가지로 횡령죄의 객체가 된다고 할 수는 없다.(대법원 1994. 3. 8. 93도2272 **광업권 반환거부사건**)

260 횡령죄에 대한 설명으로 가장 적절하지 않은 것을 모두 고른 것은? (다툼이 있으면 판례에 의함)

□□□

20 경찰채용 [*Core* ★★]

㉠ 전기통신금융사기 범행에 이용되는 것을 알고 예금통장을 양도한 甲이 양도된 예금계좌로 피해자가 사기피해금을 송금·이체하자 그 돈을 영득할 의사로 임의로 인출하였다면 전기통신금융사기의 범인에 대한 횡령죄가 성립한다.

㉡ 甲이 乙로부터 수표를 현금으로 교환해 주면 대가를 주겠다는 제안을 받고 위 수표가 丙 등이 사기범행을 통해 취득한 것이라는 사실을 잘 알면서도 교부받아 그 일부를 현금으로 교환한 후 丁과 공모하여 아직 교환하지 못한 수표 및 교환된 현금을 임의로 사용하였다면 횡령죄가 성립한다.

㉢ 보조금을 집행할 직책에 있는 자인 甲이 타인으로부터 용도가 엄격히 제한된 자금을 위탁받아 집행하면서 그 제한된 용도 이외의 목적으로 자금을 사용하는 것은 자기 자신의 이익을 위한 것이 아니고 경비부족을 메우기 위하여 보조금을 전용한 것이라 하더라도 업무상 횡령죄가 성립한다.

㉣ 乙로부터 금전의 수수를 수반하는 사무처리를 위임받은 甲이 상계정산하기로 하였다는 특별한 약정이 없음에도 乙을 위하여 제3자로부터 수령한 금전을 임의로 자신의 乙에 대한 채권에 상계충당하였다면 횡령죄가 성립한다.

① ㉠㉡ ② ㉠㉢ ③ ㉡㉣ ④ ㉢㉣

정답 | 259 ② 260 ①

해설

① ㉠㉡ 2 항목이 옳지 않다.

㉠ [×] 전기통신금융사기(이른바 보이스피싱 범죄)의 범인이 피해자를 기망하여 피해자의 돈을 사기이용계좌로 송금 · 이체받은 후 그 계좌에서 현금을 인출하였다고 하더라도 이는 **사기의 피해자에 대하여 따로 횡령죄를 구성하지 아니한다.** 그리고 **이러한 법리는** 사기범행에 이용되리라는 사정을 알고서도 자신 명의 계좌의 접근매체를 양도함으로써 **사기범행을 방조한 종범이 사기이용계좌로 송금된 피해자의 돈을 임의로 인출한 경우에도 마찬가지로 적용된다.**(대법원 2017. 5. 31. 2017도3045 보이스피싱 사건 I)

㉡ [×] 피고인 甲이 乙로부터 범죄수익(불법 금융다단계 유사수신행위에 의한 사기범행을 통하여 취득한 범죄수익 등)에 해당하는 19억원 가량의 수표를 현금으로 교환해 달라는 부탁을 받은 후, 그 일부를 현금으로 교환한 상태에서 아직 교환하지 않은 수표와 교환한 현금 중 18억원 가량을 임의로 사용하였더라도, **甲이 교부받은 수표는 불법의 원인으로 급여한 물건에 해당하여 그 소유권이 甲에게 귀속되므로 횡령죄가 성립하지 않는다.**(대법원 2017. 4. 26. 2016도18035 범죄수익 수표 임의소비사건)

㉢ [○] 보조금을 집행할 직책에 있는 자가 자기 자신의 이익을 위한 것이 아니고 경비부족을 메우기 위하여 보조금을 전용한 것이라 하더라도, 그 **보조금의 용도가 엄격하게 제한되어 있는 이상 불법영득의 의사를 부인할 수는 없다.**(대법원 2018. 10. 4. 2016도16388 시니어클럽 보조금 횡령 사건)

㉣ [○] 금전의 수수를 수반하는 사무처리를 위임받은 자가 그 행위에 기하여 위임자를 위하여 제3자로부터 수령한 금전도 목적이나 용도를 한정하여 위탁된 금전의 경우와 마찬가지로 그 위임의 취지대로 사용하지 않고 마음대로 피고인의 위임자에 대한 채권에 상계충당함은, **상계정산하기로 하였다는 특별한 약정이 없는 한, 당초 위임한 취지에 반하는 것으로서 횡령죄를 구성한다.**(대법원 2007. 2. 22. 2006도8939 화장품위탁판매대금 횡령사건)

261 다음은 횡령죄에 관한 설명이다. 옳지 않은 것은? (다툼이 있으면 판례에 의함)

□□□

16 경찰간부 [*Core* ★★]

① 계약명의신탁에 있어서 명의수탁자가 부동산을 담보로 잡히거나 임의로 처분하는 행위는 부동산 매도인이 명의신탁사실을 알았는지 여부와 상관없이 횡령죄로 처벌할 수 없다.

② 판공비에 대해 피고인이 그 행방이나 구체적인 사용처를 제대로 설명하지 못한다거나 사후적으로 그 사용에 관한 증빙자료를 제출하지 못하고 있는 경우 불법영득의 의사로 이를 횡령하였다고 추단하여서는 안 된다.

③ 근로자가 운송회사로부터 일정액의 급여를 받으면서 당일 운송수입금을 전부 운송회사에 납입하되 운송회사는 근로자가 납입한 운송수입금을 월 단위로 정산하기로 하는 약정이 체결되었는데 근로자가 운송수입금을 임의로 소비한 경우 횡령죄로 처벌할 수 없다.

④ 금은방을 운영하는 피고인은 甲이 맡긴 금을 시세에 따라 사고파는 방법으로 운영하여 매달 일정한 이익금을 지급하는 한편, 甲의 요청이 있으며 언제든지 보관 중인 금과 현금을 반환하기로 甲과 약정하였는데 그 후 경제사정이 악화되자 이를 자신의 개인채무 변제 등에 사용한 경우 횡령죄가 인정된다.

해설

③ [×] **근로자는 운송회사로부터 일정액의 급여를 받으면서 당일 운송수입금을 전부 운송회사에 납입하고, 운송회사는 이를 월 단위로 정산하기로 하는 약정이 체결된 경우**, 근로자가 애초 거둔 운송수입금 전액은 운송회사의 관리와 지배 아래 있다고 봄이 상당하므로 **근로자가 운송수입금을 임의로 소비하였다면 횡령죄를 구성한다**. 이는 근로자가 운송회사에 대하여 사납금을 초과하는 운송수입금의 일부를 배분받을 권리를 가지고 있다고 하더라도 다른 특별한 사정이 없는 한 다를 바 없다.(대법원 2014. 4. 30. 2013도8799 **택시기사 수입금 횡령사건**)

① [○] (1) 신탁자와 수탁자가 명의신탁 약정을 맺고 이에 따라 수탁자가 당사자가 되어 명의신탁 약정이 있다는 사실을 알지 못하는 소유자와 사이에서 부동산에 관한 매매계약을 체결한 후 그 매매계약에 기하여 당해 부동산의 소유권이전등기를 수탁자 명의로 경료한 경우에는 그 소유권이전등기에 의한 당해 부동산에 관한 물권변동은 유효하지만 신탁자와 수탁자 사이의 명의신탁약정은 무효이므로, 수탁자는 전 소유자인 매도인뿐만 아니라 신탁자에 대한 관계에서도 **유효하게 당해 부동산의 소유권을 취득한 것으로 보아야 하고** 따라서 그 수탁자는 **타인의 재물을 보관하는 자라고 할 수 없다**.(대법원 2010. 11. 11. 2008도7451 **매도인 선의 계약명의신탁 사건Ⅰ**)

(2) 명의신탁자와 명의수탁자가 이른바 계약명의신탁약정을 맺고 명의수탁자가 당사자가 되어 그러한 명의신탁약정이 있다는 사실을 알고 있는 소유자로부터 부동산을 매수하는 계약을 체결한 후 그 매매계약에 따라 명의수탁자 앞으로 당해 부동산의 소유권이전등기가 행하여졌다면 부동산실명법 제4조 제2항 본문에 의하여 명의수탁자 명의의 소유권이전등기는 무효이고 당해 부동산의 소유권은 매도인이 그대로 보유하게 된다. 나아가 명의신탁자는 부동산매매계약의 당사자가 되지 아니하고 또 **명의신탁약정은 무효이므로 그는 다른 특별한 사정이 없는 한 부동산 자체를 매도인으로부터 이전받아 취득할 수 있는 권리 기타 법적 가능성을 가지지 못한다**. 따라서 이때 명의수탁자가 명의신탁자에 대한 관계에서 **횡령죄에서의 '타인의 재물을 보관하는 자'의 지위에 있다고 볼 수 없다**.(대법원 2012. 12. 13. 2010도10515)

② [○] 임직원이 판공비 등을 불법영득의 의사로 횡령한 것으로 인정하려면 판공비 등이 업무와 관련 없이 개인적인 이익을 위하여 지출되었다거나 또는 업무와 관련되더라도 합리적인 범위를 넘어 지나치게 과다하게 지출되었다는 점이 증명되어야 할 것이고, 단지 **판공비 등을 사용한 임직원이 그 행방이나 사용처를 제대로 설명하지 못하거나 사후적으로 그 사용에 관한 증빙자료를 제출하지 못하고 있다고 하여 함부로 불법영득의 의사로 이를 횡령하였다고 추단하여서는 아니될 것이다**.(대법원 2013. 6. 13. 2011도524 **신춘호 푸르밀 회장 사건**)

④ [○] 금은방을 운영하는 피고인이, 甲이 맡긴 금을 시세에 따라 사고파는 방법으로 운용하여 매달 일정한 이익금을 지급하는 한편 甲의 요청이 있으면 언제든지 보관 중인 금과 현금을 반환하기로 甲과 약정하였음에도 그 후 경제사정이 악화되자 이를 **자신의 개인채무 변제 등에 사용한 경우**, 甲이 피고인에게 매매를 위탁하거나 피고인이 그 결과로 취득한 금이나 현금은 모두 **甲의 소유이므로 횡령죄를 구성한다**.(대법원 2013. 3. 28. 2012도16191 **금매매 위탁사건**)

정답 | 261 ③

262 **횡령의 죄에 대한 설명으로 옳지 않은 것은? (다툼이 있으면 판례에 의함)** 22 국가9급 [Core ★★]

□□□

① 회사의 대표이사 혹은 그에 준하여 회사 자금의 보관이나 운용에 관한 사실상의 사무를 처리하여 온 자가 이자나 변제기의 약정과 이사회 결의 등 적법한 절차 없이 회사를 위한 지출 이외의 용도로 거액의 회사 자금을 가지급금 등의 명목으로 인출, 사용한 행위는 횡령죄를 구성한다.

② 다른 사람의 유실물인 줄 알면서 당국에 신고하거나 피해자의 숙소에 운반하지 아니하고 자기 친구 집에 운반한 사실만으로는 점유이탈물횡령죄의 범의를 인정하기 어렵다.

③ 타인의 재물을 보관하는 자가 단순히 반환을 거부한 사실만으로는 횡령죄를 구성하는 것은 아니며, 반환거부의 이유 및 주관적인 의사 등을 종합하여 반환거부행위가 횡령행위와 같다고 볼 수 있을 정도이어야만 횡령죄가 성립한다.

④ 주식회사는 주주와 독립된 별개의 권리주체로서 이해가 반드시 일치하는 것은 아니므로 주주나 대표이사 또는 그에 준하여 회사 자금의 보관이나 운용에 관한 사실상의 사무를 처리하는 자가 회사 소유 재산을 제3자의 자금 조달을 위하여 담보로 제공하는 등 사적인 용도로 임의 처분하였고 그 처분에 관하여 주주총회나 이사회의 결의가 있었던 경우에는 횡령죄의 죄책을 면할 수 있다.

해설

④ [×] 주식회사는 주주와 독립된 별개의 권리주체로서 그 이해가 반드시 일치하는 것은 아니므로 주주나 대표이사 또는 그에 준하여 회사 자금의 보관이나 운용에 관한 사실상의 사무를 처리하는 자가 회사 소유재산을 제3자의 자금 조달을 위하여 담보로 제공하는 등 사적인 용도로 임의 처분하였다면 **그 처분에 관하여 주주총회나 이사회의 결의가 있었는지 여부와는 관계없이 횡령죄의 죄책을 면할 수는 없다.**(대법원 2011. 3. 24. 2010도17396 **코디콤 사건**)

① [○] 회사의 대표이사 혹은 그에 준하여 회사 자금의 보관이나 운용에 관한 사실상의 사무를 처리하여온 자가 이자나 변제기의 약정과 이사회 결의 등 적법한 절차 없이 **회사를 위한 지출 이외의 용도로 거액의 회사 자금을 가지급금 등의 명목으로 인출, 사용한 행위는 횡령죄를 구성한다.**(대법원 2017. 4. 13. 2017도953 **100억 원정도박 사건**)

② [○] 다른 사람의 유실물인 줄 알면서 당국에 신고하거나 피해자의 숙소에 운반하지 아니하고 자기 친구 집에 운반한 사실만으로는 **점유이탈물횡령죄의 범의를 인정하기 어렵다.**(대법원 1969. 8. 19. 69도1078)

③ [○] 타인의 재물을 보관하는 자가 단순히 반환을 거부한 사실만으로는 횡령죄를 구성하는 것은 아니며, 반환거부의 이유 및 주관적인 의사 등을 종합하여 **반환거부행위가 횡령행위와 같다고 볼 수 있을 정도이어야만 횡령죄가 성립한다.**(대법원 2013. 8. 23. 2011도7637)

263 횡령죄에 관한 다음 설명 중 가장 옳지 않은 것은? (다툼이 있는 경우 판례에 의함)
□□□

18 법원9급 [Core ★★]

① 공무원에게 뇌물로 전달하여 달라는 부탁을 받았음에도 뇌물로 전달하지 않고 소비한 경우 횡령죄가 성립하지 않는다.

② 소유권의 취득에 등록이 필요한 차량에 대한 횡령죄에서 타인의 재물을 보관하는 사람의 지위는 차량에 대한 점유 여부가 아니라 등록에 의하여 차량을 제3자에게 법률상 유효하게 처분할 수 있는 권한 유무에 따라 결정되어야 하므로 차량의 등록명의자가 아닌 사람은 타인의 재물을 보관하는 자에 해당하지 않는다.

③ 발행인으로부터 일정한 금액의 범위 내에서 액면을 보충·할인하여 달라는 의뢰를 받고 액면이 백지인 약속어음을 교부받아 보관 중이던 자가 보충권의 한도를 넘어 보충을 한 약속어음을 자신의 채무변제조로 제3자에게 교부하여 임의로 사용하였다고 하더라도 횡령죄가 성립될 수는 없다.

④ 위탁판매인과 위탁자간에 판매대금에서 각종 비용이나 수수료 등을 공제한 이익을 분배하기로 하는 등 그 대금처분에 관하여 특별한 약정이 있는 경우에는 위탁물을 판매하여 이를 소비하거나 인도를 거부하였다하여 곧바로 횡령죄가 성립한다고는 할 수 없다.

해설

② [×] (1) 소유권의 취득에 등록이 필요한 타인 소유의 차량을 인도 받아 보관하고 있는 사람이 이를 사실상 처분하면 **횡령죄가 성립하며, 그 보관 위임자나 보관자가 차량의 등록명의자일 필요는 없다.**
(2) 지입회사에 소유권이 있는 차량에 대하여 지입회사로부터 운행관리권을 위임받은 지입차주가 지입회사의 승낙 없이 그 보관 중인 차량을 사실상 처분하거나 지입차주로부터 차량 보관을 위임받은 사람이 지입차주의 승낙 없이 보관 중인 차량을 사실상 처분한 경우 횡령죄가 성립한다.(대법원 2015. 6. 25. 2015도1944 全合)

① [○] 조합장이 조합으로부터 공무원에게 뇌물로 전달하여 달라고 금원을 교부받은 것은 **불법원인으로 인하여 지급 받은 것으로서 이를 뇌물로 전달하지 않고 타에 소비하였다고 해서 타인의 물건을 보관 중 횡령하였다고 볼 수는 없다.**(대법원 1988. 9. 20. 86도628 **조합장 뇌물 임의소비 사건**)

③ [○] 발행인으로부터 일정한 금액의 범위 내에서 액면을 보충·할인하여 달라는 의뢰를 받고 액면 백지인 약속어음을 교부받아 보관 중이던 자가 발행인과의 합의에 의하여 정해진 보충권의 한도를 넘어 보충을 한 경우에는 발행인의 서명날인 있는 기존의 약속어음 용지를 이용하여 새로운 별개의 약속어음을 발행한 것에 해당하여 이러한 보충권의 남용행위로 인하여 생겨난 새로운 약속어음에 대하여는 발행인과의 관계에서 보관자의 지위에 있다 할 수 없으므로, 설사 그 약속어음을 자신의 채무변제조로 제3자에게 교부하여 임의로 사용하였다고 하더라도, 발행인으로 하여금 제3자에 대하여 어음상의 채무를 부담하는 손해를 입게 한 데에 대한 **배임죄가 성립될 수 있음은 별론으로 하고, 보관자의 지위에 있음을 전제로 횡령죄가 성립될 수는 없다.**(대법원 1995. 1. 20. 94도2760)

④ [○] 위탁판매의 경우에 위탁판매인이 위탁물을 매매하고 수령한 금원은 위탁자의 소유에 속하여 위탁판매인이 함부로 이를 소비하거나 인도를 거부하는 때에는 횡령죄가 성립한다고 할 것이나, **위탁판매인과 위탁자간에**

정답 | 262 ④ 263 ②

판매대금에서 각종 비용이나 수수료 등을 공제한 이익을 분배하기로 하는 등 그 대금처분에 관하여 특별한 약정이 있는 경우에는 이에 관한 정산관계가 밝혀지지 않는 한 위탁물을 판매하여 이를 소비하거나 인도를 거부하였다 하여 곧바로 횡령죄가 성립한다고는 할 수 없다.(대법원 1990. 3. 27. 89도813)

264 甲에게 횡령죄 또는 업무상횡령죄가 성립하는 경우는? (다툼이 있으면 판례에 의함)

□□□

16 국가7급 [Superlative ★★★]

① 골프회원권 매매중개업체를 운영하는 甲이 매수의뢰와 함께 입금받아 다른 회사자금과 함께 보관하던 금원을 일시적으로 다른 회원권의 매입대금 등으로 임의로 소비한 경우

② 법인의 이사를 상대로 한 이사직무집행정지 가처분이 결정되자 법인의 대표자 甲이 위 가처분에 대항하여 항쟁할 필요가 있기 때문에 직무집행정지 가처분 결정을 받은 이사에게 그 사건에 관한 소송비용을 법인 경비로 지급한 경우

③ 채무자 甲이 채권자에게 동산을 양도담보로 제공하고 점유개정의 방법으로 점유하고 있는 상태에서 이것을 제3자에게 처분한 경우

④ 병원에서 의약품 선정·구매 업무를 담당하는 약국장 甲이 병원을 대신하여 제약회사로부터 의약품 제공의 대가로 기부금 명목의 돈을 받아 보관 중 임의로 소비한 경우

해설

④ 피고인이 병원을 대신하여 제약회사들로부터 의약품을 공급받는 대가로 그 의약품 매출액에 비례하여 기부금 명목의 금원을 제공받은 다음 병원을 위하여 보관하여 왔던 것 뿐이라면, **다른 특별한 사정이 없는 한 이를 두고 선량한 풍속 기타 사회질서에 반하는 행위로서 불법원인급여에 해당한다고 보기는 어려우므로** 병원이 제약회사들로부터 위와 같은 금원을 제공받아 보관하고 있던 피고인에 대해 그 반환을 구하지 못한다고 할 수 없어 **피고인이 이를 병원에게 반환하지 않고 개인적인 용도로 사용하였다면 업무상 횡령죄가 성립한다.** (대법원 2008. 10. 9. 2007도2511 **제약회사 리베이트 반환거부사건**)

① 골프회원권 매매중개업체를 운영하는 자가 매수의뢰와 함께 입금받아 보관하던 금원을 일시적으로 다른 회원권의 매입대금 등으로 임의로 소비한 경우, **위 매입대금은** 그 목적과 용도를 정하여 위탁된 금전으로서 골프회원권 매입시까지 그 소유권이 위탁자에게 유보되어 있으나 **다른 회사자금과 함께 보관된 이상 그 특정성을 인정하기 어렵고, 피고인의 불법영득의사를 추단할 수 없으므로 횡령죄를 구성하지 아니한다.**(대법원 2008. 3. 14. 2007도7568)

② 법인의 이사를 상대로 한 이사직무집행정지가처분결정이 된 경우, 당해 법인의 업무를 수행하는 이사의 직무집행이 정지당함으로써 사실상 법인의 업무수행에 지장을 받게 될 것은 명백하므로 법인으로서는 이사 자격의 부존재가 객관적으로 명백하여 항쟁의 여지가 없는 경우가 아닌 한 가처분에 대항하여 항쟁할 필요가 있다고 할 것이고, 이와 같이 **필요한 한도 내에서 법인의 대표자가 법인 경비에서 당해 가처분 사건의 피신청인인 이사의 소송비용을 지급하더라도** 이는 법인의 업무수행을 위하여 필요한 비용을 지급한 것에 해당하고 **법인의 경비를 횡령한 것이라고는 볼 수 없다.**(대법원 2009. 3. 12. 2008도10826)

③ 채무자가 채권자에게 동산을 양도담보로 제공하고 점유개정의 방법으로 점유하고 있는 경우에는 **그 동산의 소유권은 여전히 채무자에게 유보되어 있는 것이어서** 채무자는 자기의 물건을 보관하고 있는 셈이 되므로, 양도담보의 목적물을 제3자에게 처분하거나 담보로 제공하였다 하더라도 **횡령죄를 구성하지 아니한다.**(대법원 2009. 2. 12. 2008도10971 **쇼트기 사건**)

265 횡령죄에 대한 설명으로 옳은 것만을 모두 고르면? (다툼이 있으면 판례에 의함)

□□□

21 국가7급 [Superlative ★★★]

㉠ 지입회사에 소유권이 있는 차량에 대하여 지입회사에서 운행관리권을 위임받은 지입차주가 지입회사의 승낙 없이 보관 중인 차량을 사실상 처분한 경우에는 횡령죄가 성립하지만, 지입차주에게서 차량 보관을 위임받은 사람이 지입차주의 승낙 없이 보관 중인 차량을 사실상 처분한 경우에는 보관을 위임받은 사람을 타인의 재물을 보관한 자로 볼 수 없으므로 횡령죄가 성립하지 않는다.
㉡ 부동산 실권리자명의 등기에 관한 법률을 위반하여 명의신탁자 甲이 그 소유인 부동산의 등기명의를 명의수탁자 乙에게 이전하는 이른바 양자간 명의신탁의 경우, 이때 乙이 신탁받은 부동산을 임의로 처분하면 甲에 대한 관계에서 횡령죄가 성립하지 않는다.
㉢ 채무자가 기존 금전채무를 담보하기 위하여 다른 금전채권을 채권자에게 양도한 후 제3채무자에게 채권양도 통지를 하지 않은 채 자신이 사용할 의도로 제3채무자로부터 변제를 받아 변제금을 수령한 후 채무자가 이를 임의로 소비한 경우 횡령죄가 성립하지 않는다.
㉣ 채권의 담보를 목적으로 부동산의 소유권이전등기를 마친 양도담보권자인 채권자 甲이 목적물을 점유하다가 임의로 그 변제기일 이전에 제3자에게 근저당권을 경료하여 준 경우 채무자 소유인 타인의 부동산을 불법영득한 것이므로 횡령죄가 성립한다.
㉤ 내적 조합의 조합원 중 한 사람이 조합재산 처분으로 얻은 대금을 임의로 소비한 경우 횡령죄는 성립하지만, 익명조합의 익명조합원이 영업을 위하여 출자한 금전기타 재산에 대하여 상대편인 영업자가 영업이익금을 임의로 소비한 경우 횡령죄는 성립하지 않는다.

① ㉠㉢　② ㉡㉣
③ ㉡㉢㉤　④ ㉡㉣㉤

정답 | 264 ④　265 ③

해설

③ ㉡㉢㉤ 3 항목이 옳다.

㉠ [×] (1) 소유권의 취득에 등록이 필요한 타인 소유의 차량을 인도 받아 보관하고 있는 사람이 이를 사실상 처분하면 횡령죄가 성립하며, 그 보관 위임자나 보관자가 차량의 등록명의자일 필요는 없다.
(2) 지입회사에 소유권이 있는 차량에 대하여 지입회사로부터 운행관리권을 위임받은 지입차주가 지입회사의 승낙 없이 그 보관 중인 차량을 사실상 처분하거나 **지입차주로부터 차량 보관을 위임받은 사람이 지입차주의 승낙 없이 보관 중인 차량을 사실상 처분한 경우 횡령죄가 성립한다.**(대법원 2015. 6. 25. 2015도1944 全合)

㉡ [○] (1) **부동산실명법에 위반하여** 명의신탁자가 그 소유인 부동산의 등기명의를 명의수탁자에게 이전하는 이른바 **양자간 명의신탁의 경우** 계약인 명의신탁약정과 그에 부수한 위임약정, 명의신탁약정을 전제로 한 명의신탁 부동산 및 그 처분대금 반환약정은 모두 무효이다. 나아가 명의신탁자와 명의수탁자 사이에 무효인 명의신탁약정 등에 기초하여 존재한다고 주장될 수 있는 사실상의 위탁관계라는 것은 부동산실명법에 반하여 범죄를 구성하는 불법적인 관계에 지나지 아니할 뿐 이를 **형법상 보호할 만한 가치 있는 신임에 의한 것이라고 할 수 없다.**
(2) 명의수탁자가 명의신탁자에 대하여 소유권이전등기말소의무를 부담하게 되나, 위 소유권이전등기는 처음부터 원인무효여서 명의수탁자는 명의신탁자가 소유권에 기한 방해배제청구로 말소를 구하는 것에 대하여 상대방으로서 응할 처지에 있음에 불과하다. 명의수탁자가 제3자와 한 처분행위가 부동산실명법 제4조 제3항에 따라 유효하게 될 가능성이 있다고 하더라도 이는 거래상대방인 제3자를 보호하기 위하여 명의신탁약정의 무효에 대한 예외를 설정한 취지일 뿐 명의신탁자와 명의수탁자 사이에 위 처분행위를 유효하게 만드는 어떠한 위탁관계가 존재함을 전제한 것이라고는 볼 수 없다. 따라서 말소 등기의무의 존재나 명의수탁자에 의한 유효한 처분가능성을 들어 명의수탁자가 명의신탁자에 대한 관계에서 **'타인의 재물을 보관하는 자'의 지위에 있다고 볼 수도 없다.**
(3) 이러한 법리는, 부동산명의신탁이 부동산실명법 시행 전에 이루어졌고 같은 법이 정한 유예기간 이내에 실명등기를 하지 아니함으로써 그 명의신탁약정 및 이에 따라 행하여진 등기에 의한 물권변동이 무효로 된 후에 처분행위가 이루어진 경우에도 마찬가지로 적용된다.(대법원 2021. 2. 18. 2016도18761 全合 **양자간 명의신탁 사건**)

㉢ [○] 채무자가 **채권 양도담보계약**에 따라 담보 목적 채권의 담보가치를 유지·보전할 의무는 계약에 따른 자신의 채무에 불과하고, 채권자와 채무자 사이에 채무자가 채권자를 위하여 담보가치의 유지·보전사무를 처리함으로써 채무자의 사무처리를 통해 채권자가 담보 목적을 달성한다는 신임관계가 존재한다고 볼 수 없다. 그러므로 채무자가 제3채무자에게 채권양도 통지를 하지 않은 채 자신이 사용할 의도로 제3채무자로부터 변제를 받아 변제금을 수령한 경우, 이는 **단순한 민사상 채무불이행에 해당할 뿐** 채무자가 채권자와의 위탁신임관계에 의하여 채권자를 위해 **위 변제금을 보관하는 지위에 있다고 볼 수 없고, 채무자가 이를 임의로 소비하더라도 횡령죄는 성립하지 않는다.**(대법원 2021. 2. 25. 2020도12927 **채권 양도담보 사건**)

㉣ [×] 채권의 담보를 목적으로 부동산의 소유권이전등기를 마친 채권자는 채무자가 변제기일까지 그 채무를 변제하면 채무자에게 그 소유명의를 환원하여 주기 위하여 그 소유권이전등기를 이행할 의무가 있으므로 **변제기일 이전에 제3자에게 근저당권을 경료하여 주었다면** 변제기일까지 채무자의 채무변제가 없었다고 하더라도 **배임죄는 성립되고,** 그와 같은 법리는 채무자에게 환매권을 주는 형식을 취하였다고 하여 다를 바가 없다.(대법원 1995. 5. 12. 95도283)

㉤ [○] (1) 조합재산은 조합원의 합유에 속하는 것이므로 조합원 중 한 사람이 조합재산의 처분으로 얻은 대금을 임의로 소비하였다면 횡령죄의 죄책을 면할 수 없고, 이러한 법리는 내부적으로는 조합관계에 있지만 대외적으로는 조합관계가 드러나지 않는 이른바 **내적 조합의 경우에도 마찬가지이다.**(대법원 2011. 11. 24. 2010도5014 **전매이익금 미정산 사건**)
(2) **익명조합원**이 영업을 위하여 출자한 금전 기타의 재산은 상대방인 영업자의 재산으로 되는 것이므로 영업자가 그 영업의 이익금을 함부로 자기 용도에 소비하였다 하여도 **횡령죄가 되지 아니한다.**(대법원 1971. 12. 28. 71도2032 **카프테리아 사건**)

266 횡령죄에 관한 다음 설명 중 가장 옳지 않은 것은? (다툼이 있으면 판례에 의함)

□□□

22 법원9급 [Core ★★]

① 건설기계등록원부에의 등록을 소유권 취득의 요건으로 하는 화물자동차에 대한 횡령죄에 있어서, 타인의 재물을 보관하는 자의 지위는 일반 동산의 경우와는 달리 화물자동차에 대한 점유의 여부가 아니라 화물자동차를 제3자에게 유효하게 처분할 수 있는 권능의 유무에 따라 결정하여야 할 것이므로 화물자동차의 지입차주로부터 그 자동차에 관한 관리·운영권만을 위임받아 이를 점유하여 온 자는 그 화물자동차를 법률상 처분할 수 있는 지위에 있다고 할 수 없으므로 타인의 재물을 보관하는 자에 해당하지 않는다고 할 것 이다.

② 부동산 실권리자명의 등기에 관한 법률을 위반한 양자간 명의신탁의 경우 명의수탁자가 신탁받은 부동산을 임의로 처분하여도 명의신탁자에 대한 관계에서 횡령죄가 성립하지 아니한다.

③ 구분소유적 공유관계에서 구분소유하고 있는 특정 구분부분별로 독립한 필지로 분할되는 경우에는 특별한 사정이 없는 한 각자의 특정 구분부분에 해당하는 필지가 아닌 나머지 각 필지에 전사된 공유자 명의의 공유지분등기는 더 이상 당해 공유자의 특정 구분부분에 해당하는 필지를 표상하는 등기라고 볼 수 없고, 각 공유자 상호간에 상호명의신탁 관계만이 존속하므로, 각 공유자는 나머지 각 필지 위에 전사된 자신 명의의 공유지분에 관하여 다른 공유자에 대한 관계에서 그 공유지분을 보관하는 자의 지위에 있다고 할 것이므로 다른 공유자의 특정 구분부분에 전사된 자신의 지분을 담보로 제공하는 경우 횡령죄가 성립한다.

④ 계좌명의인이 개설한 예금계좌가 전기통신금융사기 범행에 이용되어 그 계좌에 피해자가 사기피해금을 송금·이체한 경우 계좌명의인은 피해자와 사이에 아무런 법률관계 없이 송금·이체된 사기피해금 상당의 돈을 피해자에게 반환하여야 하므로 피해자를 위하여 사기 피해금을 보관하는 지위에 있다고 보아야 하고, 만약 계좌명의인이 그 돈을 영득할 의사로 인출하면 피해자에 대한 횡령죄가 성립한다고 할 것이나, 이때 계좌명의인이 사기의 공범이라면 자신이 가담한 범행의 결과 피해금을 보관하게 된 것일 뿐이어서 피해자와 사이에 위탁관계가 없고, 그가 송금·이체된 돈을 인출하더라도 이는 자신이 저지른 사기범행의 실행행위에 지나지 아니하여 새로운 법익을 침해한다고 볼 수 없으므로 사기죄 외에 별도로 횡령죄를 구성하지 않는다.

해설

① [×] (1) 소유권의 취득에 등록이 필요한 타인 소유의 차량을 인도받아 보관하고 있는 사람이 이를 사실상 처분하면 횡령죄가 성립하며, 그 보관 위임자나 보관자가 차량의 등록명의자일 필요는 없다.

정답 | 266 ①

제1편 개인적 법익에 관한 죄

(2) 지입회사에 소유권이 있는 차량에 대하여 지입회사로부터 운행관리권을 위임받은 지입차주가 지입회사의 승낙 없이 그 보관 중인 차량을 사실상 처분하거나 **지입차주로부터 차량 보관을 위임받은 사람이 지입차주의 승낙 없이 보관 중인 차량을 사실상 처분한 경우 횡령죄가 성립한다.**(대법원 2015. 6. 25. 2015도1944 全合)

② [○] (1) 부동산실명법에 위반하여 명의신탁자가 그 소유인 부동산의 등기명의를 명의수탁자에게 이전하는 이른바 양자간 명의신탁의 경우 계약인 명의신탁약정과 그에 부수한 위임약정, 명의신탁약정을 전제로 한 명의신탁 부동산 및 그 처분대금 반환약정은 모두 무효이다. 나아가 명의신탁자와 명의수탁자 사이에 무효인 명의신탁약정 등에 기초하여 존재한다고 주장될 수 있는 사실상의 위탁관계라는 것은 부동산실명법에 반하여 범죄를 구성하는 불법적인 관계에 지나지 아니할 뿐 이를 **형법상 보호할 만한 가치 있는 신임에 의한 것이라고 할 수 없다.**

(2) 명의수탁자가 명의신탁자에 대하여 소유권이전등기말소의무를 부담하게 되나, 위 소유권이전등기는 처음부터 원인무효여서 명의수탁자는 명의신탁자가 소유권에 기한 방해배제청구로 말소를 구하는 것에 대하여 상대방으로서 응할 처지에 있음에 불과하다. 명의수탁자가 제3자와 한 처분행위가 부동산실명법 제4조 제3항에 따라 유효하게 될 가능성이 있다고 하더라도 이는 거래상대방인 제3자를 보호하기 위하여 명의신탁약정의 무효에 대한 예외를 설정한 취지일 뿐 명의신탁자와 명의수탁자 사이에 위 처분행위를 유효하게 만드는 어떠한 위탁관계가 존재함을 전제한 것이라고는 볼 수 없다. 따라서 말소 등기의무의 존재나 명의수탁자에 의한 유효한 처분가능성을 들어 **명의수탁자가 명의신탁자에 대한 관계에서 '타인의 재물을 보관하는 자'의 지위에 있다고 볼 수도 없다.**

(3) 이러한 법리는, 부동산명의신탁이 부동산실명법 시행 전에 이루어졌고 같은 법이 정한 유예기간 이내에 실명등기를 하지 아니함으로써 그 명의신탁약정 및 이에 따라 행하여진 등기에 의한 물권변동이 무효로 된 후에 처분행위가 이루어진 경우에도 마찬가지로 적용된다.(대법원 2021. 2. 18. 2016도18761 全合 **양자간 명의신탁 사건**)

③ [○] 구분소유적 공유관계에 있어서 각 공유자 상호 간에는 각자의 특정 구분부분을 자유롭게 처분함에 서로 동의하고 있다고 볼 수 있으므로, 공유자 각자는 자신의 특정 구분부분을 단독으로 처분하고 이에 해당하는 공유지분등기를 자유로이 이전할 수 있는데, 이는 공유지분등기가 내부적으로 공유자 각자의 특정 구분부분을 표상하기 때문이다. 그러나 구분소유하고 있는 특정 구분부분별로 독립한 필지로 분할되는 경우에는 특별한 사정이 없는 한 각자의 특정 구분부분에 해당하는 필지가 아닌 나머지 각 필지에 전사(轉寫)된 공유자 명의의 공유지분등기는 더 이상 당해 공유자의 특정 구분부분에 해당하는 필지를 표상하는 등기라고 볼 수 없고, 공유자 상호간에 **상호명의신탁관계만이 존속하는 것이므로 각 공유자는 나머지 각 필지 위에 전사된 자신 명의의 공유지분에 관하여 다른 공유자에 대한 관계에서 그 공유지분을 보관하는 자의 지위에 있다.**(대법원 2014. 12. 24. 2011도11084 **상호명의신탁 임야 처분사건**) "피고인과 피해자들이 구분소유하던 분할 전 남양주시 일패동 산 60 임야 토지가 피고인의 구분소유부분인 분할 후 산 60 토지와 피해자들의 구분소유부분인 분할 후 산 60-1 토지로 분할된 것이라면 분할 후 산 60-1 토지의 피고인 지분등기는 더 이상 분할 후 산 60 토지의 피고인 소유 토지를 표상하는 등기가 될 수 없고, 분할 후 산 60-1 토지 중 피고인 명의의 지분에 관하여 피고인은 보관자의 지위에 있을 뿐이므로 위 지분에 근저당권을 설정하는 행위는 횡령죄를 구성한다"라는 취지의 판례이다.

④ [○] (계좌명의인이 개설한 예금계좌가 전기통신금융사기 범행에 이용되어 그 계좌에 피해자가 사기피해금을 송금·이체한 경우) 계좌명의인은 피해자와 사이에 아무런 법률관계 없이 송금·이체된 사기피해금 상당의 돈을 피해자에게 반환하여야 하므로, 피해자를 위하여 사기피해금을 보관하는 지위에 있다고 보아야 하고, 만약 계좌명의인이 그 돈을 영득할 의사로 인출하면 피해자에 대한 횡령죄가 성립한다. 이때 계좌명의인이 사기의 공범이라면 자신이 가담한 범행의 결과 피해금을 보관하게 된 것일 뿐이어서 피해자와 사이에 위탁관계가 없고, 그가 송금·이체된 돈을 인출하더라도 이는 자신이 저지른 사기범행의 실행행위에 지나지 아니하여 새로운 법익을 침해한다고 볼 수 없으므로 **사기죄 외에 별도로 횡령죄를 구성하지 않는다.**(대법원 2018. 7. 19. 2017도17494 全合 **보이스피싱 사건Ⅲ**)

267 횡령죄에 관한 다음 설명 중 가장 옳은 것은? (다툼이 있으면 판례에 의함)

□□□

17 법원행시 [Superlative ★★★]

① A가 B로부터 금전을 보관해 달라는 부탁과 함께 A명의로 된 은행계좌로 송금받은 경우, A는 현금이라는 실물을 점유하지 않고 은행에 대한 예금청구권만을 갖기 때문에 위 금전에 대한 보관자의 지위에 있다고 할 수 없다.

② C가 D명의 계좌에 착오로 잘못 송금한 돈의 경우, C의 위탁행위가 없기 때문에 D는 위 돈에 대한 보관자의 지위에 있다고 할 수 없다.

③ 소유권의 취득에 등록이 필요한 타인 소유의 차량을 인도받아 보관하고 있는 자가 이를 사실상 처분한 경우에 그 보관자가 차량의 등록명의자가 아니라고 하더라도 횡령죄가 성립한다.

④ 명의신탁자가 매수한 부동산에 관하여 부동산 실권리자명의 등기에 관한 법률을 위반하여 명의수탁자와 맺은 명의신탁약정에 따라 매도인에게서 바로 명의수탁자 명의로 소유권이전등기를 마친 이른바 중간생략등기형 명의신탁을 한 경우, 명의수탁자가 위 부동산을 임의로 처분하면 횡령죄가 성립한다.

⑤ 부동산을 공동으로 상속한 상속인들이 공동으로 상속등기를 경료한 후, 상속인 중 1인이 부동산을 단독으로 점유하던 중 다른 공동상속인들의 승낙없이 위 부동산 전체를 임의로 처분하였을 경우, 횡령죄가 성립한다.

해설

③ [○] (1) 소유권의 취득에 등록이 필요한 타인 소유의 차량을 인도 받아 보관하고 있는 사람이 이를 사실상 처분하면 횡령죄가 성립하며, 그 보관 위임자나 보관자가 **차량의 등록명의자일 필요는 없다.**
(2) 지입회사에 소유권이 있는 차량에 대하여 지입회사로부터 운행관리권을 위임받은 지입차주가 지입회사의 승낙 없이 그 보관 중인 차량을 사실상 처분하거나 지입차주로부터 차량 보관을 위임받은 사람이 **지입차주의 승낙 없이 보관 중인 차량을 사실상 처분한 경우 횡령죄가 성립한다.**(대법원 2015. 6. 25. 2015도1944 全合)

① [×] 횡령죄에서 보관은 반드시 사용대차, 임대차, 위임 등의 계약에 의하여 설정되어야 하는 것은 아니고, 사무관리, 관습, 조리, 신의칙에 의해서도 성립하며, 타인의 금전을 위탁받아 보관하는 자가 보관방법으로 이를 **은행 등의 금융기관에 예치한 경우에도 보관자의 지위를 가진다.**(대법원 2015. 2. 12. 2014도11244)

② [×] **어떤 예금계좌에 돈이 착오로 잘못 송금되어 입금된 경우에는 그 예금주와 송금인 사이에 신의칙상 보관관계가 성립한다고 할 것이므로,** 피고인이 송금 절차의 착오로 인하여 피고인 명의의 은행 계좌에 입금된 돈을 임의로 인출하여 소비한 행위는 횡령죄에 해당하고, 이는 송금인과 피고인 사이에 별다른 거래관계가 없다고 하더라도 마찬가지이다.(대법원 2010. 12. 9. 2010도891 ***300만달러 송금착오사건***)

④ [×] 명의신탁자가 매수한 부동산에 관하여 명의수탁자와 맺은 명의신탁약정에 따라 매도인으로부터 바로 명의수탁자 명의로 소유권이전등기를 마친 이른바 중간생략등기형 명의신탁을 한 경우, 명의신탁자는 신탁부동산의 소유권을 가지지 아니하고, 명의신탁자와 명의수탁자 사이에 위탁신임관계를 인정할 수도 없어 **명의수탁자가 명의신탁자의 재물을 보관하는 자라고 할 수 없으므로** 명의수탁자가 신탁받은 부동산을 임의로 처분하여도 **명의신탁자에 대한 관계에서 횡령죄가 성립하지 아니한다.**(대법원 2016. 5. 19. 2014도6992 全合 **중간생략명의신탁 사건Ⅰ**)

정답 | 267 ③

⑤ [×] 부동산에 관한 횡령죄에 있어서 타인의 재물을 보관하는 자의 지위는 동산의 경우와는 달리 부동산에 대한 점유의 여부가 아니라 부동산을 제3자에게 유효하게 처분할 수 있는 권능의 유무에 따라 결정하여야 하므로, 부동산을 공동으로 상속한 자들 중 1인이 부동산을 혼자 점유하던 중 **다른 공동상속인의 상속지분을 임의로 처분하여도 그에게는 그 처분권능이 없어 횡령죄가 성립하지 아니한다.**(대법원 2000. 4. 11. 2000도565 계모 상속재산 매도사건)

268 횡령의 죄에 대한 설명 중 가장 적절한 것은? (다툼이 있으면 판례에 의함)

□□□ 20 경찰승진 [*Core* ★★]

① 피고인이 근저당권설정등기를 마치는 방법으로 부동산을 횡령하여 취득한 구체적인 이득액은 부동산의 시가 상당액에서 위 범행 전에 설정된 피담보채무액을 공제한 잔액이다.

② 수의계약을 체결하는 공무원이 해당 공사업자와 적정한 금액 이상으로 계약금액을 부풀려서 계약하고, 부풀린 금액을 자신이 되돌려 받기로 사전에 약정한 다음 그에 따라 수수한 돈은 성격상 뇌물이 아니고 횡령금에 해당한다.

③ A주식회사의 대표이사인 甲이 자신의 채권자 B에게 차용금에 대한 담보로 A주식회사 명의의 정기예금에 질권을 설정하여 주었는데, 그 후 B가 甲의 동의하에 위 정기예금 계좌에 입금되어 있던 A주식회사의 자금을 전액 인출하였다면 甲의 예금인출 동의행위는 업무상횡령죄에 해당한다.

④ 제3자 명의의 사기이용계좌(이른바 대포통장)의 계좌명의인이 영득의 의사로써 전기통신 금융사기 피해금을 인출한 경우 계좌명의인이 사기 범행의 공범인지 여부와 상관없이 전기통신 금융 사기 피해자에 대한 횡령죄에 해당하지 않는다.

해설

② [○] 수의계약을 체결하는 공무원이 해당 공사업자와 적정한 금액 이상으로 계약금액을 부풀려서 계약하고 부풀린 금액을 자신이 되돌려 받기로 사전에 약정한 다음 그에 따라 수수한 돈은 성격상 **뇌물이 아니고 횡령금에 해당한다.**(대법원 2007. 10. 12. 2005도7112 부풀린 계약금 사건)

① [×] 피고인이 피해자로부터 명의신탁을 받아 보관 중인 부동산에 임의로 근저당권을 설정하였는데, 위 부동산에는 이전에 별도의 근저당권설정등기가 마쳐져 있었던 경우, 피고인이 부동산을 횡령하여 취득한 이득액은 **부동산의 시가 상당액에서 범행 전에 설정된 피담보채무액을 공제한 잔액이 아니라, 부동산을 담보로 제공한 피담보채무액 내지 그 채권최고액이라고 보아야 한다.**(대법원 2013. 5. 9. 2013도2857)

③ [×] A주식회사 대표이사인 피고인 甲이 자신의 채권자 B에게 차용금에 대한 담보로 A회사 명의 정기예금에 질권을 설정하여 주었는데 그 후 B가 차용금과 정기예금의 변제기가 모두 도래한 이후 피고인의 동의하에 정기예금 계좌에 입금되어 있던 A회사 자금을 전액 인출한 경우, **피고인의 예금인출 동의행위는 이미 배임행위로써 이루어진 질권설정행위의 사후조처에 불과하여** 새로운 법익의 침해를 수반하지 않는 불가벌적 사후행위에 해당하여 **별도의 횡령죄를 구성하지 않는다.**(대법원 2012. 11. 29. 2012도10980 예금통장 질권 사건)

④ [×] (계좌명의인이 개설한 예금계좌가 전기통신금융사기 범행에 이용되어 그 계좌에 피해자가 사기피해금을 송금·이체한 경우) **계좌명의인은** 피해자와 사이에 아무런 법률관계 없이 송금·이체된 사기피해금 상당의

돈을 피해자에게 반환하여야 하므로, 피해자를 위하여 사기피해금을 보관하는 지위에 있다고 보아야 하고, 만약 계좌명의인이 그 돈을 영득할 의사로 인출하면 피해자에 대한 횡령죄가 성립한다. 이때 계좌명의인이 사기의 공범이 라면 자신이 가담한 범행의 결과 피해금을 보관하게 된 것일 뿐이어서 피해자와 사이에 위탁관계가 없고, 그가 송금 · 이체된 돈을 인출하더라도 이는 자신이 저지른 사기범행의 실행행위에 지나지 아니하여 새로운 법익을 침해한다고 볼 수 없으므로 사기죄 외에 별도로 횡령죄를 구성하지 않는다.(대법원 2018. 7. 19. 2017도17494 全合 보이스피싱 사건Ⅲ) 계좌명의인이 사기 범행의 공범이 아니라면 사기 피해자에 대한 횡령죄가 성립하지만, 계좌명의인이 사기 범행의 공범이라면 사기 피해자에 대한 횡령죄는 별도로 성립하지 아니한다.

269 횡령죄의 불법영득의사에 관한 다음 설명 중 가장 옳지 않은 것은? (다툼이 있으면 판례에 의함)

□□□

22 법원행시 [Core ★★]

① 피고인이 자신이 위탁받아 보관하고 있던 돈이 모두 없어졌는데도 그 행방이나 사용처를 제대로 설명하지 못한다면 일응 피고인이 이를 임의소비하여 횡령한 것이라고 추단할 수 있다.

② 아파트의 입주자대표회의 회장인 피고인이 일반 관리비와 별도로 적립·관리되는 특별수선충당금을 아파트 구조진단 견적비 및 시공사에 대한 손해배상청구소송의 변호사 선임료로 사용함으로써 아파트 관리규약에 의하여 정하여진 용도 외에 사용한 경우 피고인이 특별수선충당금을 위와 같이 지출한 것이 위탁 취지에 반하여 자기 또는 제3자의 이익을 위하여 자기의 소유인 것처럼 처분하였다고 단정하기 어렵다.

③ 횡령죄가 성립하기 위해서는 우선 타인의 재물을 보관하는 자의 지위에 있어야 하고, 부동산에 대한 보관자의 지위는 부동산에 대한 점유가 아니라 부동산을 제3자에게 유효하게 처분할 수 있는 권능의 유무를 기준으로 결정해야 한다.

④ 타인 소유의 토지에 관하여 허위의 보증서와 확인서를 발급받아 부동산소유권 이전등기 등에 관한 특별조치법에 따른 소유권이전등기를 임의로 마친 사람은 그 원인무효 등기에 따라 토지에 대한 처분권능이 새로이 발생하는 것이 아니므로 토지에 대한 '보관자의 지위'에 있다고 할 수 없다.

⑤ 단체의 비용으로 지출할 수 있는 변호사 선임료는 단체 자체가 소송당사자가 된 경우에 한하므로 단체의 대표자 개인이 당사자가 된 민·형사사건의 변호사 비용은 단체의 비용으로 지출할 수 없다. 따라서 비록 분쟁에 대한 실질적인 이해관계는 단체에 있으나 법적인 이유로 그 대표자의 지위에 있는 개인이 소송 기타 법적 절차의 당사자가 된 경우에는 단체의 비용으로 변호사 선임료를 지출할 수는 없다.

정답 | 268 ② 269 ⑤

해설

⑤ [×] (1) 단체의 비용으로 지출할 수 있는 변호사 선임료는 원칙적으로 단체 자체가 소송당사자가 된 경우에 한하므로 다른 특별한 사정이 없는 한 단체의 대표자 개인이 당사자가 된 민·형사사건의 변호사 비용은 단체의 비용으로 지출할 수 없다.
(2) 그러나 예외적으로 분쟁에 대한 실질적인 이해관계는 단체에게 있으나 법적인 이유로 그 대표자의 지위에 있는 개인이 소송 기타 법적 절차의 당사자가 되었다거나 대표자로서 단체를 위하여 적법하게 행한 직무행위 또는 대표자의 지위에 있음으로 말미암아 의무적으로 행한 행위 등과 관련하여 분쟁이 발생한 경우와 같이, **당해 법적 분쟁이 단체와 업무적인 관련이 깊고** 당시의 제반 사정에 비추어 **단체의 이익을 위하여 소송을 수행하거나 고소에 대응하여야 할 특별한 필요성이 있는 경우에는 단체의 비용으로 변호사 선임료를 지출할 수 있다.**(대법원 2013. 6. 13. 2011도524 **신춘호 푸르밀 회장사건**)

① [○] 피고인이 자신이 위탁받아 보관하고 있던 돈이 모두 없어졌는데도 그 행방이나 사용처를 제대로 설명하지 못한다면 일응 피고인이 이를 **임의소비하여 횡령한 것이라고 추단할 수 있다.**(대법원 2001. 9. 4. 2000도1743 **길메리유치원 여직원 횡령사건**)

② [○] 아파트의 입주자대표회의 회장인 피고인이 일반 관리비와 별도로 적립·관리되는 특별수선충당금을 아파트 구조진단 견적비 및 시공사에 대한 손해배상청구소송의 변호사 선임료로 사용함으로써 아파트관리규약에 의하여 정하여진 용도 외에 사용한 경우 피고인이 특별수선충당금을 위와 같이 지출한 것이 위탁 취지에 반하여 **자기 또는 제3자의 이익을 위하여 자기의 소유인 것처럼 처분하였다고 단정하기 어렵다.**(대법원 2017. 2. 15. 2013도14777 **특별수선충당금 사용사건**)

③ [○] 횡령죄가 성립하기 위해서는 우선 타인의 재물을 보관하는 자의 지위에 있어야 하고, 부동산에 대한 보관자의 지위는 부동산에 대한 점유가 아니라 **부동산을 제3자에게 유효하게 처분할 수 있는 권능의 유무를 기준으로 결정해야 한다.**(대법원 2021. 6. 30. 2018도18010 **참칭소유자 수용보상금 수령사건**)

④ [○] 타인 소유의 토지에 관하여 허위의 보증서와 확인서를 발급받아 부동산소유권 이전등기 등에 관한 특별조치법에 따른 소유권이전등기를 임의로 마친 사람은 그 **원인무효 등기에 따라 토지에 대한 처분권능이 새로이 발생하는 것이 아니므로 토지에 대한 '보관자의 지위'에 있다고 할 수 없다.**(대법원 1987. 2. 10. 86도1607)

270 횡령죄에 관한 설명 중 옳은 것을 모두 고른 것은? (다툼이 있으면 판례에 의함)

□□□

13 사법시험 [Superlative ★★★]

㉠ 부동산에 대한 원인무효인 소유권이전등기의 명의자는 횡령죄의 주체인 '타인의 재물을 보관하는 자'에 해당한다고 할 수 없다.
㉡ A주식회사의 대표이사인 甲이 자신의 채권자 乙에게 차용금에 대한 담보로 A주식회사 명의의 정기예금에 질권을 설정하여 주었는데, 그 후 乙이 甲의 동의 하에 위 정기예금 계좌에 입금되어 있던 A주식회사의 자금을 전액 인출하였다면 甲의 예금인출 동의행위는 업무상배임죄의 불가벌적 사후행위가 아니라 업무상횡령죄에 해당한다.
㉢ 학교법인 이사장이, 학교법인이 설치·운영하는 대학 산학협력단이 용도를 특정하여 교부받은 국고보조금 중 3억원을 대학 교비계좌로 송금하여 교직원 급여 등으로 사용하였다면 업무상횡령죄에 해당한다.
㉣ 甲과 乙이 부동산을 공유하던 중, 甲이 乙의 지분을 임의로 처분하였다면, 타인의 재물을 보관하는 자가 신임관계에 반하여 처분한 것이므로 횡령죄에 해당한다.

① ㉠㉡　② ㉠㉢　③ ㉠㉣
④ ㉢㉣　⑤ ㉠㉡㉢

해설

② ㉠㉢ 2 항목이 옳다.
㉠ [○] **원인무효인 소유권이전등기의 등기명의자**로서 그 부동산을 법률상 유효하게 처분할 수 있는 지위에 있지 않은 자는 횡령죄의 주체인 **타인의 재물을 보관하는 자에 해당하지 않는다.**(대법원 1989. 2. 28. 88도1368)
㉡ [×] A주식회사 대표이사인 피고인 甲이 자신의 채권자 乙에게 차용금에 대한 담보로 A회사 명의 정기예금에 질권을 설정하여 주었는데 그 후 乙이 차용금과 정기예금의 변제기가 모두 도래한 이후 피고인의 동의하에 정기예금 계좌에 입금되어 있던 A회사 자금을 전액 인출한 경우, **피고인의 예금인출 동의행위는 이미 배임행위로써 이루어진 질권설정행위의 사후조처에 불과하여** 새로운 법익의 침해를 수반하지 않는 불가벌적 사후행위에 해당하여 **별도의 횡령죄를 구성하지 않는다.**(대법원 2012. 11. 29. 2012도10980 **예금통장 질권 사건**)
㉢ [○] 학교법인 이사장인 피고인이, 학교법인이 설치 · 운영하는 대학 산학협력단이 용도를 특정하여 교부받은 보조금 중 3억원을 대학 교비계좌로 송금하여 교직원 급여 등으로 사용한 경우, 이는 **국고보조금으로 교부된 산학협력단 자금을 지정된 용도 외의 용도에 사용한 것으로서 업무상횡령죄에 해당한다.**(대법원 2011. 10. 13. 2009도13751 **세림학원 이사장 사건**)
㉣ [×] 부동산의 공유자 중 1인이 다른 공유자의 지분을 임의로 처분하거나 임대하여도 그에게는 처분권능이 없어 **횡령죄가 성립하지 아니한다.**(대법원 2004. 5. 27. 2003도6988 **주차장 무단처분 사건**)

정답 | 270 ②

271 업무상 횡령죄의 불법영득의사에 대한 설명으로 옳지 않은 것은? (다툼이 있으면 판례에 의함)

□□□

17 국가7급 [Superlative ★★★]

① 근로자가 운송회사로부터 일정액의 급여를 받으면서 당일 운송수입금을 전부 운송회사에 납입하고 운송회사는 이를 월 단위로 정산하여 급여의 증감 여부를 결정하기로 하는 약정이 체결된 경우, 근로자가 운송수입금을 회사에 납입하지 않고 임의로 소비하였다면 불법 영득의사가 인정된다.

② 회사의 업무추진비가 직무수행경비를 보전해 주는 실비변상적 급여의 성질을 가지고 있고, 정관 등에서 업무와 관련하여 지출하도록 포괄적으로 정하고 그 용도나 목적에 구체적인 제한을 두고 있지 않으며, 이를 사용한 후에도 그 지출에 관한 증빙자료를 요구하고 있지 않다면, 임직원이 이 업무추진비를 업무와 관련하여 합리적인 범위를 넘어 과다하게 지출하였더라도 불법영득의사가 인정되지 아니한다.

③ 자기 또는 제3자의 이익을 꾀할 목적으로 업무상의 임무에 위반하여 보관하고 있는 타인의 재물을 자기의 소유인 것과 같이 사실상 또는 법률상 처분하였다면 사후에 이를 반환하거나 변상, 보전하는 의사가 있었다고 하더라도 불법영득의사가 인정된다.

④ 대학교 산학협력단의 운영자가 산학협력단의 자금을 이용하여 비자금을 조성하였다고 하더라도 그것이 단지 당해 비자금의 소유자인 법인 이외의 제3자가 이를 발견하기 곤란하게 하기 위한 목적으로 장부상의 분식을 한 경우라면 불법영득의사가 인정되지 아니 한다.

해설

② [×] (1) 법인이나 단체에서 임직원에게 업무를 수행하는 데에 드는 비용 명목으로 정관 기타의 규정에 의해 지급되는 이른바 판공비 또는 업무추진비가 직무수행에 드는 경비를 보전해 주는 실비변상적 급여의 성질을 가지고 있고, 정관이나 그 지급기준 등에서 업무와 관련하여 지출하도록 포괄적으로 정하고 있을 뿐 그 용도나 목적에 구체적인 제한을 두고 있지 않을 뿐만 아니라, 이를 사용한 후에도 그 지출에 관한 영수증 등 증빙자료를 요구하고 있지 않은 경우에는, 임직원에게 그 사용처나 규모, 업무와 관련된 것인지 여부 등에 대한 판단이 맡겨져 있고, 그러한 판단은 우선적으로 존중되어야 한다.
(2) 따라서 **임직원이 판공비 등을 불법영득의 의사로 횡령한 것으로 인정하려면** 판공비 등이 업무와 관련 없이 개인적인 이익을 위하여 지출되었다거나 **업무와 관련되더라도 합리적인 범위를 넘어 과다하게 지출되었다는 점이 증명되어야 할 것이고,** 단지 판공비 등을 사용한 임직원이 그 행방이나 사용처를 제대로 설명하지 못하거나 사후적으로 그 사용에 관한 증빙자료를 제출하지 못하고 있다고 하여 함부로 불법영득의 의사로 이를 횡령하였다고 추단하여서는 아니 된다.(대법원 2016. 1. 14. 2014도3112 장만채 전남교육감 사건) 임직원이 업무추진비를 업무와 관련하여 합리적인 범위를 넘어 과다하게 지출하였다면 불법영득의사가 인정된다.

① [○] 근로자는 운송회사로부터 일정액의 급여를 받으면서 당일 운송수입금을 전부 운송회사에 납입하고, 운송회사는 이를 월 단위로 정산하기로 하는 약정이 체결된 경우, 근로자가 애초 거둔 운송수입금 전액은 운송회사의 관리와 지배 아래 있다고 봄이 상당하므로 근로자가 운송수입금을 임의로 소비하였다면 횡령죄를 구성한다. 이는 근로자가 운송회사에 대하여 **사납금을 초과하는 운송수입금의 일부를 배분받을 권리를 가지고 있다고 하더라도 다른 특별한 사정이 없는 한 다를 바 없다.**(대법원 2014. 4. 30. 2013도8799 택시기사 수입금 횡령 사건)

③ [○] 횡령죄에 있어서 불법영득의 의사라 함은 **자기 또는 제3자의 이익을 꾀할 목적**으로 임무에 위배하여 보관하는 타인의 재물을 자기의 소유인 경우와 같이 처분을 하는 의사를 말하고, 사후에 이를 반환하거나 변상, 보전하는 의사가 있다 하더라도 **불법영득의 의사를 인정함에는 지장이 없다.**(대법원 2016. 7. 14. 2015도20233)
④ [○] 법인의 운영자 또는 관리자가 법인의 자금을 이용하여 **비자금을 조성하였다고 하더라도** 그것이 당해 비자금의 소유자인 법인 이외의 제3자가 이를 발견하기 곤란하게 하기 위한 **장부상의 분식(粉飾)에 불과하거나 법인의 운영에 필요한 자금을 조달하는 수단으로 인정되는 경우에는 불법영득의 의사를 인정하기 어렵다.**(대법원 2015. 9. 10. 2014도12619)

272 부동산 명의신탁에 관한 다음 설명 중 가장 옳지 않은 것은? (다툼이 있으면 판례에 의함)

□□□

23 법원9급 [*Core* ★★]

① 명의신탁자와 명의수탁자 사이에 무효인 명의신탁약정 등에 기초하여 존재한다고 주장될 수 있는 사실상의 위탁관계라는 것은 부동산실명법에 반하여 범죄를 구성하는 불법적인 관계에 지나지 아니할 뿐 이를 형법상 보호할 만한 가치 있는 신임에 의한 것이라고 할 수 없다.
② 명의신탁자가 매수한 부동산에 관하여 부동산실명법을 위반하여 명의수탁자와 맺은 명의신탁약정에 따라 매도인에게서 바로 명의수탁자 명의로 소유권이전등기를 마친 이른바 중간생략등기형 명의신탁을 한 경우 명의신탁자는 신탁부동산의 소유권을 가지지 아니하고, 명의신탁자와 명의수탁자 사이에 위탁신임관계를 인정할 수도 없다.
③ 부동산 명의신탁이 부동산실명법 시행 전에 이루어졌으나, 같은 법이 정한 유예기간 이내에 실명등기를 하지 아니함으로써 그 명의신탁약정 및 이에 따라 행하여진 등기에 의한 물권변동이 무효로 된 후에 처분행위가 이루어졌다면 명의수탁자가 명의신탁자에 대한 관계에서 여전히 '타인의 재물을 보관하는 자'의 지위에 있다고 보아야 한다.
④ 구분소유하고 있는 특정 구분부분별로 독립한 필지로 분할되는 경우에는 특별한 사정이 없는 한 각 공유자 상호간에 상호명의신탁관계만이 존속하는 것이므로 각 공유자는 나머지 각 필지 위에 전사된 자신 명의의 공유지분에 관하여 다른 공유자에 대한 관계에서 그 공유지분을 보관하는 자의 지위에 있다.

해설

③ [×] (1) 명의수탁자가 명의신탁자에 대하여 소유권이전등기말소의무를 부담하게 되나, 위 소유권이전등기는 처음부터 원인무효여서 명의수탁자는 명의신탁자가 소유권에 기한 방해배제청구로 말소를 구하는 것에 대하여

정답 | 271 ② 272 ③

상대방으로서 응할 처지에 있음에 불과하다. 명의수탁자가 제3자와 한 처분행위가 부동산실명법 제4조 제3항에 따라 유효하게 될 가능성이 있다고 하더라도 이는 거래상대방인 제3자를 보호하기 위하여 명의신탁약정의 무효에 대한 예외를 설정한 취지일 뿐 명의신탁자와 명의수탁자 사이에 위 처분행위를 유효하게 만드는 어떠한 위탁관계가 존재함을 전제한 것이라고는 볼 수 없다. **따라서 말소 등기의 무의 존재나 명의수탁자에 의한 유효한 처분가능성을 들어 명의수탁자가 명의신탁자에 대한 관계에서 '타인의 재물을 보관하는 자'의 지위에 있다고 볼 수도 없다.**

(2) **이러한 법리는 부동산 명의신탁이 부동산실명법 시행 전에 이루어졌고 같은 법이 정한 유예기간 이내에 실명등기를 하지 아니함으로써 그 명의신탁약정 및 이에 따라 행하여진 등기에 의한 물권변동이 무효로 된 후에 처분행위가 이루어진 경우에도 마찬가지로 적용된다.**(대법원 2021. 2. 18. 2016도18761 全合 양자간 명의신탁 사건)

① [○] 부동산실명법에 위반하여 명의신탁자가 그 소유인 부동산의 등기명의를 명의수탁자에게 이전하는 이른바 양자간 명의신탁의 경우 계약인 명의신탁약정과 그에 부수한 위임약정, 명의신탁약정을 전제로 한 명의신탁 부동산 및 그 처분대금 반환약정은 모두 무효이다. 나아가 명의신탁자와 명의수탁자 사이에 무효인 명의신탁약정 등에 기초하여 존재한다고 주장될 수 있는 사실상의 위탁관계라는 것은 부동산실명법에 반하여 범죄를 구성하는 불법적인 관계에 지나지 아니할 뿐 이를 **형법상 보호할 만한 가치 있는 신임에 의한 것이라고 할 수 없다.**(대법원 2021. 2. 18. 2016도18761 全合 양자간 명의신탁 사건)

② [○] (1) 부동산을 매수한 명의신탁자가 자신의 명의로 소유권이전등기를 하지 아니하고 명의수탁자와 맺은 명의신탁약정에 따라 매도인으로부터 바로 명의수탁자에게 중간생략의 소유권이전등기를 마친 경우 부동산실명법 제4조 제2항 본문에 의하여 명의수탁자 명의의 소유권이전등기는 무효이고, 신탁부동산의 소유권은 매도인이 그대로 보유하게 된다. 따라서 명의신탁자로서는 매도인에 대한 소유권이전등기청구권을 가질 뿐 신탁부동산의 소유권을 가지지 아니하고, 명의수탁자 역시 명의신탁자에 대하여 직접 신탁부동산의 소유권을 이전할 의무를 부담하지는 아니하므로, 신탁부동산의 소유자도 아닌 명의신탁자에 대한 관계에서 명의수탁자가 횡령죄에서 말하는 '타인의 재물을 보관하는 자'의 지위에 있다고 볼 수는 없다.

(2) 그리고 명의신탁자와 명의수탁자 사이에 그 위탁신임관계를 근거지우는 계약인 명의신탁약정 또는 이에 부수한 위임약정이 무효임에도 불구하고 횡령죄 성립을 위한 사무관리 · 관습 · 조리 · 신의칙에 기초한 위탁신임관계가 있다고 할 수는 없다. 또한 명의신탁자와 명의수탁자 사이에 존재한다고 주장될 수 있는 사실상의 위탁관계라는 것도 부동산실명법에 반하여 범죄를 구성하는 불법적인 관계에 지나지 아니할 뿐 이를 형법상 보호할 만한 가치 있는 신임에 의한 것이라고 할 수 없다.

(3) 그러므로 명의신탁자가 매수한 부동산에 관하여 명의수탁자와 맺은 명의신탁약정에 따라 매도인으로부터 바로 명의수탁자 명의로 소유권이전등기를 마친 이른바 중간생략등기형 명의신탁을 한 경우 명의신탁자는 신탁부동산의 소유권을 가지지 아니하고, 명의신탁자와 명의수탁자 사이에 위탁신임관계를 인정할 수도 없어 명의수탁자가 명의신탁자의 재물을 보관하는 자라고 할 수 없으므로 명의수탁자가 신탁받은 부동산을 임의로 처분하여도 명의신탁자에 대한 관계에서 횡령죄가 성립하지 아니한다.(대법원 2016. 5. 19. 2014도6992 全合 중간생략명의신탁 사건 I)

④ [○] 구분소유적 공유관계에 있어서 각 공유자 상호 간에는 각자의 특정 구분부분을 자유롭게 처분함에 서로 동의하고 있다고 볼 수 있으므로, 공유자 각자는 자신의 특정 구분부분을 단독으로 처분하고 이에 해당하는 공유지분등기를 자유로이 이전할 수 있는데, 이는 공유지분등기가 내부적으로 공유자 각자의 특정 구분부분을 표상하기 때문이다. 그러나 구분소유하고 있는 특정 구분부분별로 독립한 필지로 분할되는 경우에는 특별한 사정이 없는 한 각자의 특정 구분부분에 해당하는 필지가 아닌 나머지 각 필지에 전사(轉寫)된 공유자 명의의 공유지분등기는 더 이상 당해 공유자의 특정 구분부분에 해당하는 필지를 표상하는 등기라고 볼 수 없고, 공유자 상호간에 상호명의신탁관계만이 존속하는 것이므로 각 공유자는 나머지 각 필지 위에 전사된 자신 명의의 공유지분에 관하여 다른 공유자에 대한 관계에서 그 공유지분을 보관하는 자의 지위에 있다.(대법원 2014. 12. 24. 2011도11084 상호명의신탁 임야 처분사건)

273 다음 설명 중 가장 옳지 않은 것은? (다툼이 있으면 판례에 의함) 12 법원행시 [Superlative ★★★]

□□□

① 수의계약을 체결하는 공무원이 해당 공사업자와 적정한 금액 이상으로 계약금액을 부풀려서 계약하고 부풀린 금액을 자신이 되돌려 받기로 사전에 약정한 다음 그에 따라 수수한 돈은 성격상 뇌물이 아니고 횡령금에 해당한다.

② 자기가 점유하는 타인의 재물을 횡령하기 위하여 기망수단을 쓴 경우에는 피기망자에 의한 재산처분행위가 없으므로 일반적으로 횡령죄만 성립되고 사기죄는 성립되지 아니한다.

③ 채권자가 그 채권의 지급을 담보하기 위하여 채무자로부터 수표를 발행·교부받아 이를 소지한 경우에는, 단순히 보관의 위탁관계에 따라 수표를 소지하고 있는 경우와는 달리 그 수표상의 권리가 채권자에게 유효하게 귀속되고, 채권자와 채무자 사이의 수표 반환에 관한 약정은 원인관계상의 인적 항변사유에 불과하므로, 채권자는 횡령죄의 주체인 타인의 재물을 보관하는 자의 지위에 있다고 볼 수 없다.

④ 조합장이 조합으로부터 공무원에게 뇌물로 전달하여 달라고 금원을 교부받은 다음, 이를 뇌물로 전달하지 않고 타에 소비하였다고 하더라도 타인의 재물을 보관 중 횡령하였다고 볼 수 없다.

⑤ 횡령죄는 다른 사람의 재물에 관한 소유권 등 본권을 그 보호법익으로 하고 있으므로, 다른 사람의 재물을 보관하는 사람이 그 사람의 동의 없이 함부로 이를 담보로 제공하더라도 사법(私法)상 그 담보제공행위가 무효이거나 그 재물에 대한 소유권이 침해되는 결과가 발생하지 않는다면 횡령죄가 성립하지 않는다.

해설

⑤ [×] 횡령죄는 다른 사람의 재물에 관한 소유권 등 본권을 그 보호법익으로 하고 본권이 침해될 위험성이 있으면 그 침해의 결과가 발생되지 아니하더라도 성립하는 이른바 위태범이므로, 다른 사람의 재물을 보관하는 사람이 함부로 이를 담보로 제공하는 행위는 불법영득의 의사를 표현하는 횡령행위로서 **사법(私法)상 그 담보제공행위가 무효이거나 그 재물에 대한 소유권이 침해되는 결과가 발생하는지 여부에 관계없이 횡령죄를 구성한다.**(대법원 2009. 2. 12. 2008도10971 **쇼트기 사건**)

① [○] 수의계약을 체결하는 공무원이 해당 공사업자와 적정한 금액 이상으로 계약금액을 부풀려서 계약하고 부풀린 금액을 자신이 되돌려 받기로 사전에 약정한 다음 그에 따라 수수한 돈은 성격상 **뇌물이 아니고 횡령금에 해당한다.**(대법원 2007. 10. 12. 2005도7112 **부풀린 계약금 사건**)

② [○] 자기가 점유하는 **타인의 재물을 횡령하기 위하여 기망수단을 쓴 경우에는** 피기망자에 의한 재산처분행위가 없으므로 일반적으로 **횡령죄만 성립되고 사기죄는 성립되지 아니한다.**(대법원 1980. 12. 9. 80도1177 **횡사횡사건Ⅰ**)

③ [○] 채권자가 그 **채권의 지급을 담보하기 위하여 채무자로부터 수표를 발행·교부받아 이를 소지한 경우에**는, 단순히 보관의 위탁관계에 따라 수표를 소지하고 있는 경우와는 달리 그 수표상의 권리가 채권자에게 유효하게 귀속되므로 채권자는 횡령죄의 주체인 **타인의 재물을 보관하는 자의 지위에 있다고 볼 수 없다.**(대법원 2000. 2. 11. 99도4979 **담보 가계수표 사건**)

④ [○] 조합장이 조합으로부터 공무원에게 **뇌물로 전달하여 달라고 금원을 교부받은 것은 불법원인으로 인하여 지급 받은 것으로서** 이를 뇌물로 전달하지 않고 타에 소비하였다고 해서 타인의 재물을 보관중 **횡령하였다고 볼 수는 없다.**(대법원 1988. 9. 20. 86도628 **조합장 뇌물 임의소비 사건**)

정답 | 273 ⑤

274 횡령의 죄에 관한 설명 중 옳은 것은 모두 몇 개인가? (다툼이 있으면 판례에 의함)

□□□

23 경대편입 [Superlative ★★★]

㉠ 甲이 범죄수익 등의 은닉을 위해 乙로부터 교부받은 무기명 양도성예금증서를 현금으로 교환하여 임의로 소비하였다면 횡령죄가 성립한다.

㉡ 회사의 대표이사가 자신이 당사자일 뿐만 아니라 자신의 경영권을 방어하기 위한 목적으로 신주를 발행하는 과정에서 저지른 배임행위에 대한 소송을 수행하면서 그 변호사 비용을 회사의 자금으로 지급하여도 횡령죄가 성립하지 않는다.

㉢ 조합 또는 내적 조합과 달리 익명조합의 경우에는 익명조합원이 영업을 위하여 출자한 금전 기타의 재산은 상대편인 영업자의 재산이 되므로 영업자는 타인의 재물을 보관하는 자의 지위에 있지 않아 영업자가 영업이익금 등을 임의로 소비하였더라도 횡령죄가 성립하지 아니한다.

㉣ 횡령죄의 본질에 관한 학설 중 월권행위설은 횡령의 의미를 위탁된 보관물에 대한 신뢰관계의 배신과 그 보관물을 불법하게 영득하는 것이라고 한다.

㉤ 횡령죄에 있어서 재물의 보관이란 함은 재물에 대한 법률상의 지배력이 있는 상태를 의미하는 것으로서, 그 보관이 위탁관계에 기인하여야 할 것은 물론이고, 그것이 반드시 사용대차, 임대차, 위임 등의 계약에 의하여 설정되어야 한다.

① 1개　　② 2개　　③ 3개

④ 4개　　⑤ 5개

해설

① ㉢ 항목만 옳다.

㉠ [×] 원심은 피고인 甲이 乙로부터 범죄수익 등의 은닉을 위해 교부받은 **무기명 양도성예금증서는 불법의 원인으로 급여한 물건에 해당하여 그 소유권이 甲에게 귀속되고** 따라서 甲이 무기명 양도성예금증서를 교환한 현금을 임의로 소비하였다고 하더라도 **횡령죄가 성립하지 않는다고 판단하였는바** 원심의 위와 같은 판단은 정당하다.(대법원 2017. 10. 26. 2017도9254 **범죄수익 무기명 양도성예금증서 사건**)

㉡ [×] (1) 법인 자체가 소송당사자가 된 경우에는 원칙적으로 그 소송의 수행이 법인의 업무수행이라고 볼 수 있으므로 그 변호사 선임료를 법인의 비용으로 지출할 수 있을 것이나, **그 소송에서 법인이 형식적으로 소송당사자가 되어 있을 뿐 실질적인 당사자가 따로 있고 법인으로서는 그 소송의 결과에 있어서 별다른 이해관계가 없다고 볼 특별한 사정이 있는 경우에는** 그 소송의 수행이 법인의 업무수행이라고 볼 수 없어 **법인의 비용으로 이를 위한 변호사 선임료를 지출할 수 없다.**

(2) **원심은**, 피고인은 코리아휠의 대표이사로서 가처분결정에 대하여 이의를 제기하면서 코리아휠의 자금으로 2005. 9. 22.경 법무법인 화우, 2006. 3. 20.경 법무법인 마당에 변호사 선임료로 각 3,300만원을 지급한 사실 등을 인정한 다음, **가처분이의사건의 비용지출이 피고인 측의 경영권을 방어하기 위한 목적으로 행하여진 것인 점 등에 비추어 그것이 코리아휠의 업무수행을 위하여 이루어졌다고 볼 수 없다고 판단하였다.** 가처분결정 등은 기본적으로 피고인이 경영권 방어의 목적에서 우리사주조합에게 정당한 평가액에 미치지 못하는 액면가로 신주를 발행 · 배정하고 그 주식대금을 코리아휠의 대출금으로 대납하는 등으로 상법상 특별배임죄를 저지른 데에서 비롯된 것이라는 점 등을 고려할 때, 원심의 사실인정과 판단은 정당한 것으로 수긍이 간다.(대법원 2008. 6. 26. 2007도9679 **코리아휠 대표이사 사건**) 대표이사는 업무상횡령죄의 죄책을 진다.

㉢ [○] **익명조합원이** 영업을 위하여 출자한 금전 기타의 재산은 상대방인 **영업자의 재산으로 되는 것이므로 영업자가 그 영업의 이익금을 함부로 자기 용도에 소비하였다 하여도 횡령죄가 되지 아니한다.**(대법원 1971. 12. 28. 71도2032 **카프테리아 사건**)

㉣ [×] 월권행위설에 의할 때 횡령죄의 본질은 위탁된 보관물에 대한 권한을 초과하는 행위를 함으로써 신임관계를 깨뜨리는 것을 말한다. 이 학설에 의할 때 횡령죄의 성립에 **보관물을 불법하게 영득하려는 의사는 필요하지 않다.**

㉤ [×] 횡령죄에 있어서의 재물의 보관이라 함은 재물에 대한 사실상 또는 법률상 지배력이 있는 상태를 의미하며 그 보관이 위탁관계에 기인하여야 할 것임은 물론이나, **위탁관계는 반드시 사용대차 · 임대차 · 위임 등의 계약에 의하여 설정될 것을 요하지 아니하고 사무관리 · 관습 · 조리 · 신의칙 등에 의해서도 성립될 수 있다.**(대법원 2014. 2. 27. 2011도48)

275 다음 설명 중 가장 옳지 않은 것은? (다툼이 있으면 판례에 의함)

□□□ 16 법원행시 [Superlative ★★★]

① 타인의 금전을 위탁받아 보관하는 자가 보관방법으로 금융기관에 자신의 명의로 예치한 경우 수탁자가 이를 함부로 인출하여 소비하거나 또는 위탁자로부터 반환요구를 받았음에도 이를 영득할 의사로 반환을 거부하는 경우에는 횡령죄가 성립한다.

② 회사의 이사 등이 회사의 자금으로 뇌물을 공여하였다면 회사에 대하여 업무상횡령죄의 죄책을 면하지 못한다.

③ 명의신탁자가 매수한 부동산에 관하여 부동산실명법을 위반하여 명의수탁자와 맺은 명의신탁약정에 따라 매도인에게서 바로 명의수탁자 명의로 소유권이전등기를 마친 이른바 중간생략등기형 명의신탁을 한 경우 명의수탁자가 신탁받은 부동산을 임의로 처분하여도 명의신탁자에 대한 관계에서 횡령죄가 성립하지 아니한다.

④ 타인의 부동산을 보관 중인 자가 불법영득의사를 가지고 그 부동산에 근저당권설정등기를 경료함으로써 일단 횡령행위가 기수에 이르렀다면, 그 후 같은 부동산에 별개의 근저당권을 설정하여 새로운 법익침해의 위험을 추가하였다고 하더라도 이는 불가벌적 사후 행위로써 별도의 횡령죄를 구성하지 않는다.

⑤ 이른바 계약명의신탁 방식으로 명의수탁자가 당사자가 되어 명의신탁약정이 있다는 사실을 알고 있는 소유자로부터 부동산을 매수하는 계약을 체결한 후 명의수탁자 앞으로 소유권이전등기가 행하여진 경우 명의수탁자가 명의신탁자에 대한 관계에서 횡령죄의 '타인의 재물을 보관하는 자'에 해당하지 않는다.

정답 | 274 ① 275 ④

해설

④ [×] 타인의 부동산을 보관 중인 자가 그 부동산에 근저당권설정등기를 경료함으로써 일단 횡령행위가 기수에 이르렀다 하더라도 **그 후 같은 부동산에 별개의 근저당권을 설정하여 새로운 법익침해의 위험을 추가함으로써 법익침해의 위험을 증가시키거나 해당 부동산을 매각함으로써 기존의 근저당권과 관계없이 법익침해의 결과를 발생시켰다면**, 이는 근저당권으로 인해 당연히 예상될 수 있는 범위를 넘어 새로운 법익침해의 위험을 추가시키거나 법익침해의 결과를 발생시킨 것이므로 특별한 사정이 없는 한 불가벌적 사후행위로 볼 수 없고, **별도로 횡령죄를 구성한다.**(대법원 2015. 1. 29. 2014도12022)

① [○] 타인의 금전을 **위탁받아 보관하는 자가** 보관방법으로 금융기관에 자신의 명의로 예치한 경우 수탁자가 이를 함부로 인출하여 소비하거나 또는 위탁자로부터 반환요구를 받았음에도 이를 영득할 의사로 **반환을 거부하는 경우에는 횡령죄가 성립한다.**(대법원 2015. 2. 12. 2014도11244)

② [○] 회사의 이사 등이 업무상의 임무에 위배하여 **보관 중인 회사의 자금으로 뇌물을 공여하였다면** 이는 오로지 회사의 이익을 도모할 목적이라기보다는 뇌물공여 상대방의 이익을 도모할 목적이나 기타 다른 목적으로 행하여진 것이라고 보아야 하므로, 그 이사 등은 회사에 대하여 **업무상횡령죄의 죄책을 면하지 못한다.**(대법원 2013. 4. 25. 2011도9238 **대한통운 부산지사 사건**)

③ [○] 명의신탁자가 매수한 부동산에 관하여 명의수탁자와 맺은 명의신탁약정에 따라 매도인으로부터 바로 명의수탁자 명의로 소유권이전등기를 마친 이른바 **중간생략등기형 명의신탁**을 한 경우, 명의신탁자는 신탁부동산의 소유권을 가지지 아니하고, 명의신탁자와 명의수탁자 사이에 위탁신임관계를 인정할 수도 없어 명의수탁자가 명의신탁자의 재물을 보관하는 자라고 할 수 없으므로 명의수탁자가 신탁받은 부동산을 임의로 처분하여도 명의신탁자에 대한 관계에서 **횡령죄가 성립하지 아니한다.**(대법원 2016. 5. 19. 2014도6992 全合 **중간생략명의신탁 사건 I**)

⑤ [○] 명의신탁자와 명의수탁자가 이른바 **계약명의신탁약정**을 맺고 명의수탁자가 당사자가 되어 그러한 명의신탁약정이 있다는 사실을 알고 있는 소유자로부터 부동산을 매수하는 계약을 체결한 후 그 매매계약에 따라 명의수탁자 앞으로 당해 부동산의 소유권이전등기가 행하여졌다면 부동산실명법 제4조 제2항 본문에 의하여 명의수탁자 명의의 소유권이전등기는 무효이고 당해 부동산의 소유권은 매도인이 그대로 보유하게 된다. 나아가 명의신탁자는 부동산매매계약의 당사자가 되지 아니하고 또 명의신탁약정은 무효이므로 그는 다른 특별한 사정이 없는 한 부동산 자체를 매도인으로부터 이전받아 취득할 수 있는 권리 기타 법적 가능성을 가지지 못한다. 따라서 이때 명의수탁자가 명의신탁자에 대한 관계에서 **횡령죄에서의 '타인의 재물을 보관하는 자'의 지위에 있다고 볼 수 없다.**(대법원 2012. 12. 13. 2010도10515)

276 다음 사안에서 乙의 형사책임에 대한 설명으로 가장 적절한 것은? (다툼이 있으면 판례에 의함)
□□□

18 경찰채용 [Core ★★]

甲은 A로부터 그의 소유인 부동산을 매수하기로 계약을 체결했다. 甲은 매매계약의 당사자로서 A에게 소정의 대금을 모두 지불했다. 한편, 甲은 거래 부동산의 등기명의를 자신의 이름으로 하지 않고 A로부터 乙에게 바로 소유권이전등기를 경료하게끔 乙과 명의신탁약정을 했다. 약속대로 A는 乙에게 소유권이전등기를 경료해 주었고, 乙은 위 부동산의 소유명의자가 되었다. 얼마 후 乙은 甲 몰래 丙에게 위 부동산을 매도했다. 丙은 乙로부터 소유권이전등기를 경료받아 해당 부동산의 소유명의자가 되었다.

① 위 부동산에 관해 A로부터 乙 앞으로 이루어진 소유권이전등기는 현행법상 무효이나, 甲이 매매계약의 당사자로서 A에 대해 소유권이전등기청구권을 가지는 이상, 乙은 甲을 위해 그의 부동산을 보관하는 자의 지위에 서게 된다.
② 乙은 甲의 부동산을 보관하는 자의 지위에 있으면서 동 부동산을 임의로 처분하였으므로 횡령죄의 죄책을 지게 된다.
③ 乙이 丙에게 위 명의신탁약정의 존재를 고지하지 않고 부동산을 처분하였을 경우 乙에게 사기죄는 성립하지 않는다.
④ 사안을 달리하여, 만일 乙이 甲과 명의신탁약정을 맺고 직접 매매계약의 당사자가 되어 A로부터 부동산을 매수하였다고 가정한다면, 乙은 甲의 사무를 처리하는 자의 지위에 있게 되어 임의로 그 부동산을 처분한 행위가 배임죄에 해당한다.

해설

③ [○] 부동산의 명의수탁자가 부동산을 제3자에게 매도하고 매매를 원인으로 한 소유권이전등기까지 마쳐준 경우, **명의신탁의 법리상 대외적으로 수탁자에게 그 부동산의 처분권한이 있는 것임이 분명하고, 제3자로서도 자기 명의의 소유권이전등기가 마쳐진 이상 무슨 실질적인 재산상의 손해가 있을 리 없으므로** 그 명의신탁 사실과 관련하여 신의칙상 고지의무가 있다거나 기망행위가 있었다고 볼 수도 없어서 그 제3자에 대한 **사기죄가 성립될 여지가 없고,** 나아가 그 처분시 매도인(명의수탁자)의 소유라는 말을 하였다고 하더라도 역시 사기죄가 성립되지 않는다.(대법원 2007. 1. 11. 2006도4498 **어머니 명의 매그너스 사건**) 乙이 丙에게 명의신탁약정의 존재를 고지하지 않고 부동산을 처분했다고 하더라도 사기죄는 성립하지 않는다.

①② [×] (1) 부동산을 매수한 명의신탁자가 자신의 명의로 소유권이전등기를 하지 아니하고 명의수탁자와 맺은 명의신탁약정에 따라 매도인으로부터 바로 명의수탁자에게 **중간생략의 소유권이전등기를 마친 경우,부동산실명법 제4조 제2항 본문에 의하여 명의수탁자 명의의 소유권이전등기는 무효이고, 신탁부동산의 소유권은 매도인이 그대로 보유하게 된다.** 따라서 명의신탁자로서는 매도인에 대한 소유권이전등기청구권을 가질 뿐 신탁부동산의 소유권을 가지지 아니하고, 명의수탁자 역시 명의신탁자에 대하여 직접 신탁부동산의 소유권을 이전할 의무를 부담하지는 아니하므로, **신탁부동산의 소유자도 아닌 명의신탁자에 대한 관계에서 명의수탁자가 횡령죄에서 말하는 '타인의 재물을 보관하는 자'의 지위에 있다고 볼 수는 없다.**

정답 | 276 ③

(2) 그리고 명의신탁자와 명의수탁자 사이에 그 위탁신임관계를 근거지우는 계약인 명의신탁약정 또는 이에 부수한 위임약정이 무효임에도 불구하고 횡령죄 성립을 위한 사무관리 · 관습 · 조리 · 신의칙에 기초한 **위탁신임관계가 있다고 할 수는 없다.** 또한 명의신탁자와 명의수탁자 사이에 존재한다고 주장될 수 있는 **사실상의 위탁관계라는 것도** 부동산실명법에 반하여 범죄를 구성하는 불법적인 관계에 지나지 아니할 뿐 이를 **형법상 보호할 만한 가치 있는 신임에 의한 것이라고 할 수 없다.**
(3) 그러므로 명의신탁자가 매수한 부동산에 관하여 명의수탁자와 맺은 명의신탁약정에 따라 매도인으로부터 바로 명의수탁자 명의로 소유권이전등기를 마친 이른바 중간생략등기형 명의신탁을 한 경우, 명의신탁자는 신탁부동산의 소유권을 가지지 아니하고, 명의신탁자와 명의수탁자 사이에 위탁신임관계를 인정할 수도 없어 명의수탁자가 명의신탁자의 재물을 보관하는 자라고 할 수 없으므로 **명의수탁자가 신탁받은 부동산을 임의로 처분하여도 명의신탁자에 대한 관계에서 횡령죄가 성립하지 아니한다.**(대법원 2016. 5. 19. 2014도6992 全合 **중간생략명의신탁 사건Ⅰ**) 乙은 甲을 위해 그의 부동산을 보관하는 자의 지위에 있지 않고 따라서 乙이 부동산을 임의로 처분하였다고 하더라도 甲에 대한 관계에서 횡령죄의 죄책을 지지 아니한다.

④ [×] (1) 신탁자와 수탁자가 명의신탁약정을 맺고, 그에 따라 수탁자가 당사자가 되어 **명의신탁약정이 있다는 사실을 알지 못하는 소유자와 사이에서 부동산에 관한 매매계약을 체결한 계약명의신탁에 있어,** 수탁자는 신탁자에 대한 관계에서도 신탁 부동산의 소유권을 완전히 취득하고 단지 신탁자에 대하여 명의신탁약정의 무효로 인한 부당이득 반환의무만을 부담할 뿐인바, 그와 같은 부당이득 반환의무는 명의신탁약정의 무효로 인하여 수탁자가 신탁자에 대하여 부담하는 통상의 채무에 불과할 뿐 아니라 신탁자와 수탁자 간의 명의신탁약정이 무효인 이상, 특별한 사정이 없는 한 신탁자와 수탁자 간에 명의신탁약정과 함께 이루어진 부동산 매입의 위임약정 역시 무효라고 할 것이므로 **수탁자가** 신탁자와의 신임관계에 기하여 신탁자를 위하여 신탁 부동산을 관리한다거나 **신탁자의 허락 없이 이를 처분하여서는 아니되는 의무를 부담하는 등으로 타인의 사무를 처리하는 자의 지위에 있다고 볼 수 없다.**(대법원 2008. 3. 27. 2008도455 **매도인 선의 계약명의신탁 사건Ⅱ**)
(2) 명의신탁자와 명의수탁자가 이른바 계약명의신탁 약정을 맺고 명의수탁자가 당사자가 되어 **명의신탁 약정이 있다는 사실을 알고 있는 소유자와 부동산에 관한 매매계약을 체결한 후** 그 매매계약에 따라 당해 부동산의 소유권이전등기를 명의수탁자 명의로 마친 경우에는 부동산실명법 제4조 제2항 본문에 의하여 수탁자 명의의 소유권이전등기는 무효이고 당해 부동산의 소유권은 매도인이 그대로 보유하게 되므로, 명의수탁자는 부동산 취득을 위한 계약의 당사자도 아닌 명의신탁자에 대한 관계에서 횡령죄에서의 '타인의 재물을 보관하는 자'의 지위에 있다고 볼 수 없고, 또한 **명의수탁자가 명의신탁자에 대하여 매매대금 등을 부당이득으로서 반환할 의무를 부담한다고 하더라도** 이를 두고 **배임죄에서의 '타인의 사무를 처리하는 자'의 지위에 있다고 보기도 어렵다.**(대법원 2012. 11. 29. 2011도7361 **매도인 악의 계약명의신탁 사건**) 乙이 부동산을 임의로 처분했다고 하더라도 배임죄는 성립하지 아니한다.

277 다음은 횡령죄에 대한 설명이다. 가장 적절하지 않은 것은? (다툼이 있으면 판례에 의함)

□□□

13 경찰채용 [Essential ★]

① 명의신탁자와 명의수탁자가 이른바 계약명의신탁약정을 맺고 명의수탁자가 당사자가 되어 그러한 명의신탁약정이 있다는 사실을 알고 있는 소유자로부터 부동산을 매수하는 계약을 체결한 후 그 매매계약에 따라 명의수탁자 앞으로 당해 부동산의 소유권이전등기가 행하여졌다면 명의수탁자가 명의신탁자에 대한 관계에서 횡령죄에서의 '타인의 재물을 보관하는 자'의 지위에 있다고 볼 수 없다.

② 특정한 처분행위(이를 '선행 처분행위'라 한다)로 인하여 법익침해의 위험이 발생함으로써 횡령죄가 기수에 이른 후 종국적인 법익침해의 결과가 발생하기 전에 새로운 처분 행위(이를 '후행 처분행위'라

한다)가 이루어졌을 때, 후행 처분행위가 선행 처분행위에 의하여 발생한 위험을 현실적인 법익침해로 완성하는 수단에 불과하거나 그 과정에서 당연히 예상될 수 있는 것으로서 새로운 위험을 추가하는 것이 아니라면 후행 처분행위에 의해 발생한 위험은 선행 처분행위에 의하여 이미 성립된 횡령죄에 의해 평가된 위험에 포함되는 것이므로 후행 처분행위는 이른바 불가벌적 사후행위에 해당한다.

③ 피고인 乙이 사립학교 경영자 甲과 공모하여 학생이나 학부모가 납부한 수업료 기타 납부금을 교비회계 아닌 다른 회계에 임의로 사용한 경우 사립학교법 위반죄가 성립하는 것 외에 따로 횡령죄가 성립하지 않는다.

④ 甲주식회사 대표이사인 피고인이 자신의 채권자 乙에게 차용금에 대한 담보로 甲회사 명의 정기예금에 질권을 설정하여 주었는데 그 후 乙이 차용금과 정기예금의 변제기가 모두 도래한 이후 피고인의 동의하에 정기예금 계좌에 입금되어 있던 甲회사 자금을 전액 인출하였다면 배임죄와 별도로 횡령죄까지 성립한다.

해설

④ [×] 민법 제353조에 의하면 질권자는 질권의 목적이 된 채권을 직접 청구할 수 있으므로, 피고인의 예금인출 동의행위는 이미 배임행위로써 이루어진 질권설정행위의 사후조처에 불과하여 새로운 법익의 침해를 수반하지 않는 이른바 불가벌적 사후행위에 해당하고 **별도의 횡령죄를 구성하지 않는다.**(대법원 2012. 11. 29. 2012도10980 예금통장 질권 사건)

① [○] 명의신탁자와 명의수탁자가 이른바 **계약명의신탁**약정을 맺고 명의수탁자가 당사자가 되어 그러한 명의신탁약정이 있다는 사실을 알고 있는 소유자로부터 부동산을 매수하는 계약을 체결한 후 그 매매계약에 따라 명의수탁자 앞으로 당해 부동산의 소유권이전등기가 행하여졌다면 부동산실명법 제4조 제2항 본문에 의하여 명의수탁자 명의의 소유권이전등기는 무효이고 당해 부동산의 소유권은 매도인이 그대로 보유하게 된다. 나아가 명의신탁자는 부동산매매계약의 당사자가 되지 아니하고 또 명의신탁약정은 무효이므로 그는 다른 특별한 사정이 없는 한 부동산 자체를 매도인으로부터 이전받아 취득할 수 있는 권리 기타 법적 가능성을 가지지 못한다. 따라서 이때 명의수탁자가 명의신탁자에 대한 관계에서 횡령죄에서의 **'타인의 재물을 보관하는 자'의 지위에 있다고 볼 수 없다.**(대법원 2012. 12. 13. 2010도10515)

② [○] (1) 횡령죄는 다른 사람의 재물에 관한 소유권 등 본권을 그 보호법익으로 하고 그 법익침해의 위험이 있으면 그 침해의 결과가 발생되지 아니하더라도 성립하는 위험범이다.
(2) 그리고 일단 특정한 처분행위(선행 처분행위)로 인하여 법익침해의 위험이 발생함으로써 횡령죄가 기수에 이른 후 종국적인 법익침해의 결과가 발생하기 전에 새로운 처분행위(후행 처분행위)가 이루어졌을 때 후행 처분행위가 선행 처분행위에 의하여 발생한 위험을 현실적인 법익침해로 완성하는 수단에 불과하거나 그 과정에서 당연히 예상될 수 있는 것으로서 새로운 위험을 추가하는 것이 아니라면 후행 처분행위에 의해 발생한 위험은 **선행처분행위에 의하여 이미 성립된 횡령죄에 의해 평가된 위험에 포함되는 것이므로 후행 처분행위는 이른바 불가벌적 사후행위에 해당한다.**
(3) 그러나 후행 처분행위가 이를 넘어서서, 선행 처분행위로 예상할 수 없는 새로운 위험을 추가함으로써 법익침해에 대한 위험을 증가시키거나 선행 처분행위와는 무관한 방법으로 법익침해의 결과를 발생시키는 경우라면, 이는 선행 처분행위에 의하여 이미 성립된 횡령죄에 의해 평가된 위험의 범위를 벗어나는 것이므로 특별한 사정이 없는 한 별도로 횡령죄를 구성한다.(대법원 2013. 2. 21. 2010도10500 전원합의체 종중회의 총무 횡령사건)

③ [○] 외국인학교의 학생이나 학부모가 납부한 **수업료 등으로 조성된 교비는** 특별한 사정이 없는 한 외국인학교의 설치 · 경영자인 甲의 소유에 속하므로, 피고인 乙이 甲과 공모하여 이를 임의로 사용하였다고 하더라도 사립학교법 위반죄가 성립하는 것 외에 따로 **외국인학교 학생이나 학부모 또는 외국인학교에 대한 횡령죄가 성립한다**고 볼 수 없다.(대법원 2012. 5. 10. 2011도12408 인디안헤드 외국인학교 사건)

정답 | 277 ④

278 (업무상)횡령죄에 대한 설명으로 옳지 않은 것은? (다툼이 있으면 판례에 의함)

□□□

18 국가9급 [Essential ★]

① 부동산 입찰절차에서 甲, 乙, 丙이 대금을 분담하되 그중 1인인 甲 명의로 낙찰받기로 약정하고 낙찰을 받은 후 甲이 그 부동산을 임의로 처분한 경우 甲에게는 (업무상)횡령죄가 성립한다.

② 학교법인을 운영하는 甲이 A사립학교의 교비회계자금을 같은 학교법인에 속하는 B사립학교의 교비회계에 사용한 경우 甲에게는 (업무상)횡령죄가 성립한다.

③ 甲이 A에게 금전을 대여하면서 A로부터 그 담보로 동산을 교부받아 보관하고 있던 중 담보권의 범위를 벗어나서 그 동산 담보물을 처분한 경우 甲에게는 횡령죄가 성립한다.

④ 프랜차이즈 계약을 맺은 가맹점주 甲이 물품판매대금의 일부를 본사로 송금하지 않고 임의로 소비한 경우 甲에게는 (업무상) 횡령죄가 성립하지 않는다.

해설

① [×] 입찰절차에서 낙찰인의 지위에 서게 되는 사람은 어디까지나 명의인이므로 **입찰목적 부동산의 소유권은 경락대금을 실질적으로 부담한 자가 누구인가와 상관없이 명의인이 취득한다 할 것이므로** 그 부동산은 횡령죄의 객체인 타인의 재물이라고 볼 수 없어 명의인이 이를 임의로 처분하더라도 **횡령죄를 구성하지 않는다.**(대법원 2000. 9. 8. 2000도258 **낙찰명의인 배신사건**)

② [○] 사립학교법 제29조 및 같은 법 시행령에 의해 학교법인의 회계는 학교회계와 법인회계로 구분되고 학교회계 중 특히 교비회계에 속하는 수입은 다른 회계에 전출하거나 대여할 수 없는 등 용도가 엄격히 제한되어 있으므로 교비회계자금을 다른 용도에 사용하였다면 그 자체로서 횡령죄가 성립하고, 이는 **사립학교법상 교비회계에 속하는 금원을 같은 학교법인에 속하는 다른 학교의 교비회계에 사용한 경우에도 마찬가지이다.**(대법원 2014. 8. 28. 2014도6286)

③ [○] 채무자가 채무이행의 담보를 위하여 동산에 관한 양도담보계약을 체결하고 점유개정의 방법으로 여전히 그 동산을 점유하는 경우 그 동산의 소유권은 여전히 채무자에게 남아 있고, 채권자는 단지 양도담보물권을 취득하는 데 지나지 않으므로 그 동산을 다른 사유에 의하여 보관하게 된 채권자는 **타인 소유의 물건을 보관하는 자로서 횡령죄의 주체가 될 수 있다.**(대법원 1989. 4. 11. 88도906 **양도담보 포목 사건**)

④ [○] 이른바 '**프랜차이즈 계약**'의 기본적인 성격은 각각 독립된 상인으로서의 본사 및 가맹점주 간의 계약기간 동안의 계속적인 물품공급계약이고, 본사의 경우 실제로는 가맹점의 영업활동에 관여함이 없이 경영기술지도, 상품대여의 대가로 결과적으로 매출액의 일정비율을 보장받는 것에 지나지 아니하여 본사와 가맹점이 독립하여 공동경영하고 그 사이에서 손익분배가 공동으로 이루어진다고 할 수 없으므로 가맹점계약을 동업계약 관계로는 볼 수 없고, 따라서 가맹점주들이 판매하여 보관 중인 물품판매 대금은 그들의 소유라 할 것이어서 이를 임의 소비한 행위는 프랜차이즈 계약상의 **채무불이행에 지나지 아니하므로 횡령죄는 성립하지 아니한다.**(대법원 1998. 4. 14. 98도292 **미니스톱 사건**)

제7절 | 배임의 죄

279 배임의 죄에 관한 설명 중 가장 적절하지 않은 것은? (다툼이 있으면 판례에 의함)

□□□

16 경찰승진 [Essential ★]

① 금융기관의 임직원은 예금주와의 사이에서 그의 재산관리에 관한 사무를 처리하는 자의 지위에 있다고 할 수 없다.

② 담보권자가 변제기 경과 후 담보권을 실행하기 위하여 담보목적물을 처분함에 있어 부당하게 염가로 처분한 경우 배임죄가 성립한다.

③ 낙찰계의 계주가 계원들에게서 계불입금을 징수하지 않은 상태에서 부담하는 계금지급의무는 배임죄에서 말하는 '타인의 사무'에 해당하지 않는다.

④ 회사의 대표이사가 회사가 속한 재벌그룹의 前 회장이 부담하여야 할 원천징수소득세의 납부를 위하여 채권확보에 필요한 조치를 취하지 아니한 채 다른 회사에 회사자금을 대여한 경우에는 업무상 배임죄가 성립한다.

해설

② [×] 담보권자가 변제기 경과 후에 담보권을 실행하기 위하여 담보목적물을 처분하는 행위는 담보계약에 따라 담보권자에게 주어진 권능이어서 자기의 사무처리에 속하는 것이지 타인인 채무자의 사무처리에 속하는 것이라고 할 수 없으므로, **담보권자가 담보권을 실행하기 위하여 담보목적물을 처분함에 있어 시가에 따른 적절한 처분을 하여야 할 의무는 담보계약상의 민사채무일 뿐** 그와 같은 형법상의 의무가 있는 것은 아니므로 **그에 위반한 경우 배임죄가 성립된다고 할 수 없다.**(대법원 1997. 12. 23. 97도2430)

① [○] (1) 보통예금은 은행 등 법률이 정하는 금융기관을 수치인으로 하는 금전의 소비임치 계약으로서, 예금계좌에 입금된 금전의 소유권은 금융기관에 이전되고 예금주는 예금계좌를 통한 예금반환채권을 취득하는 것이므로 금융기관의 임직원은 예금주로부터 예금계좌를 통한 적법한 예금반환 청구가 있으면 이에 응할 의무가 있을 뿐 **예금주와 사이에서 그의 재산관리에 관한 사무를 처리하는 자의 지위에 있다고는 할 수 없다.**
(2) 은행직원인 피고인 甲이 A의 예금계좌에서 5,000만원을 임의로 인출하였다고 하더라도 **A에 대한 관계에서 업무상배임죄는 성립하지 아니한다.**(대법원 2008. 4. 24. 2008도1408 **영주신협 사건**)

③ [○] (1) 계주는 이를 낙찰 · 지급받을 계원과의 사이에서 단순한 채권관계를 넘어 신의칙상 그 계금지급을 위하여 위 계불입금을 보호 내지 관리하여야 하는 신임관계에 들어서게 되므로, 이에 기초한 계주의 계금지급의무는 배임죄에서 말하는 타인의 사무에 해당한다.
(2) 계주가 계원들로부터 **계불입금을 징수하지 아니하였다면** 그러한 상태에서 부담하는 계금지급의무는 단순한 채권관계상의 의무에 불과하여 **타인의 사무에 속하지 아니하고,** 이는 계주가 계원들과의 약정을 위반하여 계불입금을 징수하지 아니한 경우라 하여 달리 볼 수 없다.(대법원 2009. 8. 20. 2009도3143 **계주 잠적사건**)

④ [○] (가)회사가 (나)회사에 대하여 채권확보조치를 취하지 아니한 채 **변칙적인 방식으로 (나)회사에 금원을 대여한 이상 위 대여금 상당을 회수하지 못할 위험이 발생하였음은 분명하며,** 비록 (가)회사가 원천징수의무자로서 소득세를 원천징수하여 납부할 의무를 부담하고 있었다고 할지라도 그러한 사정을 들어 새로운 손해를 발생시킬 위험을 초래하지 아니한 것이라고 볼 수도 없다.(대법원 2010. 10. 28. 2009도1149 **쌍용 회장 사건**)

정답 | 278 ① 279 ②

280 배임죄에 대한 설명으로 가장 적절하지 않은 것은? (다툼이 있으면 판례에 의함)

□□□

21 경찰채용 [Essential ★]

① 회사의 이사 등이 타인에게 회사자금을 대여함에 있어 그 타인이 채무변제 능력을 상실하여 그에게 자금을 대여할 경우 회사에 손해가 발생하리라는 점을 충분히 알면서 대여했거나, 충분한 담보를 제공받는 등 상당하고도 합리적인 채권회수조치를 취하지 아니한 채 대여해 주었다면 이는 회사에 대하여 배임행위가 된다.

② 업무상배임죄가 성립하려면 주관적 요건으로서 임무위배의 인식과 그로 인하여 자기 또는 제3자가 이익을 취득하고 본인에게 손해를 가한다는 인식, 즉 배임의 고의가 있어야 하고, 이러한 인식은 미필적 인식으로도 충분하다.

③ 보통예금은 은행 등 법률이 정하는 금융기관을 수치인으로 하는 금전의 소비임치 계약으로서 그 예금계좌에 입금된 금전의 소유권은 금융기관에 이전되고 예금주는 그 예금계좌를 통한 예금반환채권을 취득하는 것이므로, 금융기관의 임직원은 예금주로부터 예금계좌를 통한 적법한 예금반환 청구가 있으면 이에 응할 의무가 있을 뿐 예금주와의 사이에서 그의 재산관리에 관한 사무를 처리하는 자의 지위에 있다고 할 수 없다.

④ 배임죄에 있어서 '타인의 사무를 처리하는 자'라 함은 양자간의 신임관계에 기초를 둔 타인의 재산보호 내지 관리의무가 있음을 그 본질적 내용으로 하는 것이므로, 배임죄의 성립에 있어서는 행위자가 대외관계에서 타인의 재산을 처분할 적법한 대리권이 있음을 요한다.

해설

④ [×] 배임죄의 주체로서 '타인의 사무를 처리하는 자'라 함은 양자간의 신임관계에 기초를 둔 타인의 재산보호 내지 관리의무가 있음을 그 본질적 내용으로 하는 것이므로 배임죄의 성립에 있어 **행위자가 대외관계에서 타인의 재산을 처분할 적법한 대리권이 있음을 요하지 아니한다.**(대법원 1999. 9. 17. 97도3219)

① [○] 회사의 이사 등이 타인에게 회사자금을 대여할 때에 그 타인이 이미 채무변제능력을 상실하여 그에게 자금을 대여할 경우 회사에 손해가 발생하리라는 정을 충분히 알면서 이에 나아갔거나, **충분한 담보를 제공받는 등 상당하고도 합리적인 채권회수조치를 취하지 아니한 채 만연히 대여해 주었다면,** 그와 같은 자금대여는 타인에게 이익을 얻게 하고 회사에 손해를 가하는 행위로서 회사에 대하여 **배임행위가 되고,** 회사의 이사 등은 단순히 그것이 경영상의 판단이라는 이유만으로 배임죄의 죄책을 면할 수는 없으며, 이러한 이치는 그 타인이 자금지원 회사의 계열회사라 하여 달라지지 않는다.(대법원 2017. 11. 9. 2015도12633 SPP그룹 사건)

② [○] 배임죄가 성립하려면 주관적 요건으로서 임무위배의 인식과 그로 인하여 자기 또는 제3자가 이익을 취득하고 본인에게 손해를 가한다는 인식, 즉 배임의 고의가 있어야 하고, 이러한 인식은 **미필적 인식으로도 족하다.**(대법원 2013. 9. 26. 2013도5214 김승현 한화 회장 사건)

③ [○] 보통예금은 은행 등 법률이 정하는 금융기관을 수치인으로 하는 금전의 소비임치 계약으로서, 예금계좌에 입금된 금전의 소유권은 금융기관에 이전되고 예금주는 예금계좌를 통한 예금반환채권을 취득하는 것이므로 금융기관의 임직원은 예금주로부터 예금계좌를 통한 적법한 예금반환 청구가 있으면 이에 응할 의무가 있을 뿐 예금주와 사이에서 그의 **재산관리에 관한 사무를 처리하는 자의 지위에 있다고는 할 수 없다.**(대법원 2008. 4. 24. 2008도1408 영주신협 사건)

281 배임의 죄에 대한 설명으로 가장 적절하지 않은 것은? (다툼이 있으면 판례에 의함)

□□□

21 경찰채용 [Essential ★]

① 채무자가 본인 소유의 동산을 채권자에게 「동산·채권 등의 담보에 관한 법률」에 따른 동산담보로 제공한 경우, 채무자가 담보물을 제3자에게 처분하는 등으로 담보가치를 감소 또는 상실시켜 채권자의 담보권 실행이나 이를 통한 채권실현에 위험을 초래하더라도 배임죄는 성립하지 않는다.

② 채무자가 금전채무를 담보하기 위한 저당권설정계약에 따라 채권자에게 본인 소유의 부동산에 관하여 저당권을 설정할 의무를 부담하게 된 경우, 이는 통상의 계약에서 이루어지는 이익대립관계를 넘어서 채권자와의 신임관계에 기초하여 채권자의 사무를 맡아 처리하는 것으로 보아야 하므로 배임죄에서의 '타인의 사무를 처리하는 자'라고 할 수 있다.

③ 서면으로 부동산 증여의 의사를 표시한 증여자가 수증자에게 증여계약에 따라 부동산의 소유권을 이전하지 아니하고 부동산을 제3자에게 처분하여 등기를 하는 행위는 수증자와의 신임관계를 저버리는 행위로서 배임죄가 성립한다.

④ 주식회사의 대표이사가 대표권을 남용하는 등 그 임무에 위배하여 약속어음을 발행하였는데 그 약속어음의 발행이 무효일 뿐만 아니라 유통되지도 않은 경우, 회사는 어음발행의 상대방에게 어음채무를 부담하지 않기 때문에 특별한 사정이 없는 한 배임죄의 기수범이 아니라 배임미수죄로 처벌하여야 한다.

해설

② [×] 채무자가 저당권설정계약에 따라 **채권자에게 저당권을 설정할 의무를 이행하는 것은 채무자 자신의 사무에 해당할 뿐이고** 채무자를 채권자에 대한 관계에서 **'타인의 사무를 처리하는 자'라고 할 수 없으므로** 채무자가 제3자에게 먼저 담보물에 관한 저당권을 설정하거나 담보물을 양도하는 등으로 담보가치를 감소 또는 상실시켜 채권자의 채권실현에 위험을 초래하더라도 배임죄가 성립한다고 할 수 없다.(대법원 2020. 6. 18. 2019도14340 全合 아파트 이중저당 사건)

① [○] 채무자가 금전채무를 담보하기 위하여 동산을 채권자에게 「동산 · 채권 등의 담보에 관한 법률」에 따른 동산담보로 제공함으로써 채권자인 동산담보권자에 대하여 담보물의 담보가치를 유지 · 보전할 의무 또는 담보물을 타에 처분하거나 멸실 · 훼손하는 등으로 담보권 실행에 지장을 초래하는 행위를 하지 않을 의무를 부담하게 되었더라도, 이를 들어 채무자가 통상의 계약에서의 이익대립관계를 넘어서 채권자와의 신임관계에 기초하여 채권자의 사무를 맡아 처리하는 것으로 볼 수 없으므로 **채무자를 배임죄의 주체인 '타인의 사무를 처리하는 자'에 해당한다고 할 수 없고,** 그가 담보물을 제3자에게 처분하는 등으로 담보가치를 감소 또는 상실시켜 채권자의 담보권 실행이나 이를 통한 채권실현에 위험을 초래하더라도 배임죄가 성립하지 아니한다.(대법원 2020. 8. 27. 2019도14770 全合 레이저가공기 동산담보 사건)

③ [○] 부동산 매매계약에서 중도금이 지급되는 등 계약이 본격적으로 이행되는 단계에 이른 때에는 계약이 취소되거나 해제되지 않는 한 매도인은 매수인에게 부동산의 소유권을 이전할 의무에서 벗어날 수 없으므로 매도인은 매수인에게 매수인의 재산보전에 협력하여 재산적 이익을 보호 · 관리할 신임관계에 있게 되고, 그때부터 배임죄에서 말하는 '타인의 사무를 처리하는 자'에 해당한다고 보아야 한다. 그러한 지위에 있는 매도인이 매수인에게 부동산의 소유권을 이전해 주기 전에 부동산을 제3자에게 처분하여 등기를 하는 행위는 매수인의 부동산 취득이나 보전에 지장을 초래하는 행위로서 배임죄가 성립하고, 이러한 법리는 **서면에 의한 부동산 증여계약에도 마찬가지로 적용된다.**(대법원 2018. 12. 13. 2016도19308 목장 증여 사건)

정답 | 280 ④ 281 ②

④ [○] 주식회사의 대표이사가 대표권을 남용하는 등 그 임무에 위배하여 약속어음을 발행한 경우 어음법상발행인은 종전의 소지인에 대한 인적 관계로 인한 항변으로써 소지인에게 대항하지 못하므로, (1) 어음발행이 무효라 하더라도 그 어음이 실제로 제3자에게 유통되었다면 회사로서는 어음채무를 부담할 위험이 구체적 · 현실적으로 발생하였다고 보아야 하고, 따라서 그 어음채무가 실제로 이행되기 전이라도 배임죄의 기수범이 된다. (2) 그러나 약속어음 발행이 무효일 뿐만 아니라 그 **어음이 유통되지도 않았다면 회사는 어음발행의 상대방에게 어음채무를 부담하지 않기 때문**에 특별한 사정이 없는 한 회사에 현실적으로 손해가 발생하였다거나 실해 발생의 위험이 발생하였다고도 볼 수 없으므로, 이때에는 배임죄의 기수범이 아니라 **배임미수죄로 처벌하여야 한다.**(대법원 2017. 7. 20. 2014도1104 全合 **29억 약속어음 사건**)

282 배임죄에 관한 설명 중 가장 적절한 것은? (다툼이 있으면 판례에 의함) 15 경찰승진 [Essential ★]

□□□

① 경영자가 적대적 M&A로부터 경영권을 유지하기 위하여 종업원의 자사주 매입에 회사자금을 지원한 경우에는 업무상 배임죄가 성립하지 않는다.

② 기업의 영업비밀을 사외로 유출하지 않을 것을 서약한 회사직원이 이익을 얻기 위하여 경쟁업체에 영업비밀을 유출하는 행위는 업무상 배임죄가 성립한다.

③ 미성년자와 친생자관계가 없으나 호적상 친모로 등재되어 있는 자가 미성년자의 상속재산 처분에 관여한 경우, 배임죄에 있어서 타인의 사무를 처리하는 자의 지위에 있다고 할 수 없다.

④ 낙찰계의 계주가 계원들에게서 계 불입금을 징수하지 않은 상태에서 부담하는 계금지급 의무는 배임죄에서 말하는 '타인의 사무'에 해당한다.

해설

② [○] **영업비밀을 사외로 유출하지 않을 것을 서약한 회사의 직원**이 경제적인 대가를 얻기 위하여 경쟁업체에 영업비밀을 유출하는 행위는 회사와의 신임관계를 저버리는 행위로서 **업무상배임죄를 구성한다.**(대법원 2006. 10. 27. 2004도6876)

① [×] 경영자의 자금지원의 주된 목적이 종업원의 재산형성을 통한 복리증진보다는 안정주주를 확보함으로써 경영자의 회사에 대한 경영권을 계속 유지하고자 하는 데 있다면, 그 자금지원은 경영자의 이익을 위하여 회사재산을 사용하는 것이 되어 회사의 이익에 반하므로 **회사에 대한 관계에서 임무위배행위가 된다.**(대법원 1999. 6. 25. 99도1141 **김선홍 기아그룹 회장 사건**)

③ [×] 업무상 배임죄에서 업무의 근거는 법령, 계약, 관습의 어느 것에 의하건 묻지 않고 사실상의 것도 포함하므로, 미성년자와 친생자관계가 없으나 호적상 친모로 등재되어 있는 자가 미성년자의 상속재산 처분에 관여한 경우 배임죄에 있어서 **타인의 사무를 처리하는 자의 지위에 있다.**(대법원 2002. 6. 14. 2001도3534 **양모 배임사건**)

④ [×] 계주가 계원들로부터 계불입금을 징수하지 아니하였다면 그러한 상태에서 부담하는 계금지급의무는 단순한 채권관계상의 의무에 불과하여 **타인의 사무에 속하지 아니하고**, 이는 계주가 계원들과의 약정을 위반하여 계불입금을 징수하지 아니한 경우라 하여 달리 볼 수 없다.(대법원 2009. 8. 20. 2009도3143 **계주잠적사건**)

283 배임죄에 대한 설명으로 가장 적절하지 않은 것은? (다툼이 있으면 판례에 의함)

□□□

21 경찰승진 [Essential ★]

① 동산매매계약에서의 매도인은 매수인에 대하여 그의 사무를 처리하는 지위에 있지 아니하므로, 매도인이 목적물을 매수인에게 인도하지 아니하고 이를 타에 처분하였다 하더라도 매도인에게 형법상 배임죄가 성립하지 않는다.

② 채무담보를 위하여 채권자에게 부동산에 관하여 근저당권을 설정해 주기로 약정한 채무자가 담보목적물을 임의로 처분한 경우 채무자에게 배임죄가 성립하지 않는다.

③ 부동산 매도인인 피고인이 매수인 甲 등과 매매계약을 체결하고 甲 등으로부터 계약금과 중도금을 지급받은 후 매매목적물인 부동산을 제3자 乙 등에게 이중으로 매도하고 소유권이전등기를 마쳐 준 것만으로는 피고인에게 배임죄가 성립하지 않는다.

④ 채무자가 금전채무를 담보하기 위하여 그 소유의 동산을 채권자에게 「동산·채권 등의 담보에 관한 법률」에 따른 동산담보로 제공함으로써 채권자인 동산담보권자에 대하여 담보물의 담보가치를 유지·보전할 의무 또는 담보물을 타에 처분하거나 멸실, 훼손하는 등으로 담보권 실행에 지장을 초래하는 행위를 하지 않을 의무를 부담하게 된 경우라도 채무자는 배임죄의 주체인 '타인의 사무를 처리하는 자'에 해당하지 않는다.

해설

③ [×] **부동산 매매계약에서 중도금이 지급되는 등 계약이 본격적으로 이행되는 단계에 이른 때에는** 계약이 취소되거나 해제되지 않는 한 매도인은 매수인에게 부동산의 소유권을 이전해 줄 의무에서 벗어날 수 없으므로 매도인은 매수인에 대하여 매수인의 재산보전에 협력하여 재산적 이익을 보호·관리할 신임관계에 있게 되어 (매도인은 배임죄에서 말하는 '타인의 사무를 처리하는 자'에 해당한다), **매도인이 그 부동산을 제3자에게 처분하고 제3자 앞으로 그 처분에 따른 등기를 마쳐준 행위는** 매수인의 부동산 취득 또는 보전에 지장을 초래하는 행위이므로 **배임죄가 성립한다.**(대법원 2018. 5. 17. 2017도4027 全合 상가 이중매매사건)

① [○] 매매의 목적물이 동산일 경우 매도인은 매수인에게 계약에 정한 바에 따라 그 목적물인 동산을 인도함으로써 계약의 이행을 완료하게 되고 그때 매수인은 매매목적물에 대한 권리를 취득하게 되는 것이므로, 매도인에게 자기의 사무인 동산인도채무 외에 별도로 매수인의 재산의 보호 내지 관리 행위에 협력할 의무가 있다고 할 수 없다. 동산매매계약에서의 매도인은 매수인에 대하여 그의 사무를 처리하는 지위에 있지 아니하므로, **매도인이 목적물을 매수인에게 인도하지 아니하고 이를 타에 처분하였다 하더라도 형법상 배임죄가 성립하는 것은 아니다.**(대법원 2011. 1. 20. 2008도10479 全合 인쇄기 이중매매 사건)

② [○] 채무자가 저당권설정계약에 따라 채권자에게 저당권을 설정할 의무를 이행하는 것은 채무자 자신의 사무에 해당할 뿐이고 채무자를 채권자에 대한 관계에서 '타인의 사무를 처리하는 자'라고 할 수 없으므로 채무자가 제3자에게 먼저 담보물에 관한 저당권을 설정하거나 담보물을 양도하는 등으로 담보가치를 감소 또는 상실시켜 **채권자의 채권실현에 위험을 초래하더라도 배임죄가 성립한다고 할 수 없다.** 위와 같은 법리는, 채무자가 금전채무에 대한 담보로 **부동산에 관하여 양도담보설정계약을 체결하고 이에 따라 채권자에게 소유권이전등기를 해 줄 의무가 있음에도 제3자에게 부동산을 처분한 경우에도 적용된다.**(대법원 2020. 6. 18. 2019도14340 全合 아파트 이중저당 사건)

④ [○] 채무자가 금전채무를 담보하기 위하여 동산을 채권자에게 「동산·채권 등의 담보에 관한 법률」에 따른 동산담보로 제공함으로써 채권자인 동산담보권자에 대하여 담보물의 담보가치를 유지·보전할 의무 또는 담보

정답 | 282 ② 283 ③

물을 타에 처분하거나 멸실 · 훼손하는 등으로 담보권 실행에 지장을 초래하는 행위를 하지 않을 의무를 부담하게 되었더라도, 이를 들어 채무자가 통상의 계약에서의 이익대립관계를 넘어서 채권자와의 신임관계에 기초하여 채권자의 사무를 맡아 처리하는 것으로 볼 수 없으므로 **채무자를 배임죄의 주체인 '타인의 사무를 처리하는 자'에 해당한다고 할 수 없고**, 그가 담보물을 제3자에게 처분하는 등으로 담보가치를 감소 또는 상실시켜 채권자의 담보권 실행이나 이를 통한 채권실현에 위험을 초래하더라도 배임죄가 성립하지 아니한다.(대법원 2020. 8. 27. 2019도14770 全合 레이저가공기 동산담보 사건)

284 다음 중 판례가 배임행위로 인정한 경우를 모두 고른 것은?

□□□

15 경찰간부 [Superlative ★★★]

㉠ 상호지급보증 관계에 있는 회사간에 보증회사가 채무변제능력이 없는 피보증회사에 대하여 합리적인 채권회수책 없이 새로 금원을 대여하거나 예금담보를 제공한 경우
㉡ 대기업의 회장 등이 경영상의 판단이라는 이유로 甲계열회사의 자금으로 재무구조가 상당히 불량한 상태에 있는 乙계열회사가 발생하는 신주를 액면가격으로 인수한 경우
㉢ 대기업 또는 대기업의 회장 등 개인이 정치적으로 난처한 상황에서 벗어나기 위하여 자회사 및 협력회사 등으로 하여금 특정 회사의 주식을 매입수량, 가격 및 매입시기를 미리 정하여 매입하게 한 경우
㉣ 재벌그룹 소속 甲회사가 골프장 건설 사업을 진행 중인 비상장회사 乙의 주식전부를 보유하고 乙회사를 위하여 수백억원의 채무보증을 한 상태에서 甲회사의 대표이사와 이사들이 乙회사의 주식 전부를 주당 1원으로 계산하여 그룹 회장인 위 대표이사와 그룹 계열사에 매도한 경우

① ㉠　　② ㉠㉡
③ ㉠㉡㉢　　④ ㉠㉡㉢㉣

해설

④ 모든 항목의 경우 배임죄가 성립한다.
㉠ [O] (가)회사와 (나)그룹 계열사들이 상호 상당한 채무액에 대해 지급보증을 한 관계에 있었다고 하더라도, (가)회사 자체의 채무구조가 악화되고 자금조달이 어렵게 되었으며 금융비용이 막대하게 늘어났음에도, 부실화가 상당히 진행되어 채무변제능력을 거의 상실한 (나)그룹 계열사들에게 사용처에 대한 통제나 **합리적인 채권회수의 대책 없이 금원을 대여하거나 그 대출금 채무에 (가)회사의 예금을 담보로 제공한 것**은 (가)회사에 대하여는 **재산상 손해를 가하는 행위이다.**(대법원 2004. 7. 9. 2004도810 거평 회장 사건)
㉡ [O] 그룹의 회장인 피고인 甲 등이 발행주식의 실질가치가 0원으로 평가되고 있고 보험금 지급여력이 없는 등 그 **재무구조가 상당히 불량한 상태**에 있는 (가)회사의 재정상태를 잘 알고 있으면서도 (가)회사의 신주를 인수할 의무가 있지도 않은 (나)회사의 자금으로 (가)회사가 발행하는 **신주를 액면가격으로 인수**한 것은 그 자체로 (가)회사에게 이익을 얻게 하고 (나)회사에게 손해를 가하는 **배임행위임이 분명하다.**(대법원 2004. 6. 24. 2004도520 동아그룹 회장 사건)
㉢ [O] 피고인들이 기업의 경영자로서 자회사 등이 처한 경제적 상황, (가)회사의 사업전망, 그 주식의 매입으로 인한 손실발생 또는 이익획득의 개연성 등을 신중하게 검토한 후 경영상의 판단에 이르게 된 것이 아니라, (나)

회사 또는 피고인들 **개인이 정치적으로 난처한 상황에서 벗어나기 위하여** 자회사 등으로 하여금 주식매도인이 요구하는 가격과 수량 그대로 주식을 매입하게 하였고, 이에 따라 자회사 등의 대표이사들도 (가)회사 주식의 적정가액과 향후 전망에 대한 신중한 검토 없이 피고인들에 의하여 매입수량과 가격이 미리 지정된 주식을 지정된 날짜에 자회사 등이 매입하게 경우, **업무상배임죄가 성립한다.**(대법원 2007. 3. 15. 2004도5742 **포스코 회장 사건**)

ⓔ [○] 재벌그룹 소속 (가)회사가 골프장 건설 사업을 진행 중인 비상장회사 (나)회사의 주식 전부를 보유하고 (나)회사를 위하여 수백억 원의 채무보증을 한 상태에서 (가)회사의 대표이사와 이사들이 (나)회사의 주식 전부를 주당 1원으로 계산하여 위 대표이사 등에게 매도한 경우, 위 주식 매도행위는 (가)회사에 **주식의 내재된 가치를 포기하면서 신용위험만을 부담**시키는 것으로서 (가)회사에 주식의 적정한 거래가격과 매도가격의 차액 상당에 해당하는 손해를 가한 **배임행위에 해당한다.**(대법원 2008. 5. 15. 2005도7911 **동부그룹 회장 사건**)

285 배임죄와 배임수재죄에 관한 설명 중 옳은 것은? (다툼이 있으면 판례에 의함)

□□□

16 사법시험 [Superlative ★★★]

① 금융기관 임직원이 대출상대방과 공모하여 임무에 위배하여 담보가치를 초과하는 금원을 대출하여 주고 대출금 중 일부를 되돌려 받기로 한 다음 그에 따라 약정된 금품을 수수하는 경우, 부실대출로 인한 업무상배임죄 외에 별도로 특정경제범죄 가중처벌 등에 관한 법률 위반(수재등)죄가 성립한다.

② 배임수재죄에서 말하는 '재산상의 이익의 취득'이라 함은 현실적인 취득만이 아니고 단순히 요구 또는 약속만을 한 경우도 이에 포함된다.

③ 배임죄에 있어서 재산상 손해는 법률적 판단에 의할 것이고, 배임행위가 법률상 무효라면 현실적인 손해가 없으므로 배임죄를 구성하지 않는다.

④ 채무자가 A로부터 투자를 받으면서 투자금 반환채무의 변제를 위하여 아울렛 의류매장에 관한 임차인 명의와 판매대금의 입금계좌 명의를 A 앞으로 변경해주었음에도 제3자에게 위 임차인의 지위 등 권리일체를 양도하였다면 배임죄가 성립한다.

⑤ 법인의 운영자가 법인과 아무런 관계없이 개인적인 용도로 착복할 목적으로 법인의 자금을 빼내어 별도로 비자금을 조성하였다면 그 조성행위 자체로써 불법영득의사가 실현된 것으로 볼 수 있다.

해설

⑤ [○] 법인의 운영자 또는 관리자가 법인을 위한 목적이 아니라 법인과는 아무런 관련이 없거나 개인적인 용도로 착복할 목적으로 법인의 자금을 빼내어 별도로 **비자금을 조성하였다면 그 조성행위 자체로써 불법영득의 의사**가 실현된 것이며, 이때 그 행위자에게 법인의 자금을 빼내어 착복할 목적이 있었는지 여부는 그 법인의 성격과 비자금의 조성 동기, 방법, 규모, 기간, 비자금의 보관방법 및 실제 사용용도 등 제반사정을 종합적으로 고려하여 판단하여야 한다.(대법원 2011. 2. 10. 2010도12920 **썬앤문 회장 사건**)

정답 | 284 ④ 285 ⑤

① [×] **금융기관의 임직원이 대출상대방과 공모하여 임무에 위배하여 대출상대방에게 담보로 제공되는 부동산의 담보가치보다 훨씬 초과하는 금원을 대출하여 주고** 대출금 중 일부를 되돌려받기로 한 다음 그에 따라 **약정된 금품을 수수하는 것은** 부실대출로 인한 업무상배임죄의 공동정범들 사이의 내부적인 이익분배에 불과한 것이고, **별도로 그러한 금품 수수행위에 관하여 특경법 위반(수재등)죄가 성립하는 것은 아니다.**(대법원 2013. 10. 24. 2013도7201 **한주저축은행 사건**)

② [×] 배임수재죄로 처벌하기 위하여는 타인의 사무를 처리하는 자가 부정한 청탁을 받아들이고 이에 대한 대가로서 재물 또는 재산상의 이익을 받은 데에 대한 범의가 있어야 할 것이고, 또 배임수재죄에서 말하는 **'재산상의 이익의 취득'이라 함은 현실적인 취득만을 의미하므로 단순한 요구 또는 약속만을 한 경우에는 이에 포함되지 아니한다.**(대법원 1999. 1. 29. 98도4182 **골프장회원권 명의변경× 사건**)

③ [×] 배임죄에 있어서 '재산상의 손해를 가한 때'라 함은 현실적인 손해를 가한 경우뿐만 아니라, 재산상실해 발생의 위험을 초래한 경우도 포함되고, 재산상 손해의 유무에 대한 판단은 본인의 전 재산 상태와의 관계에서 법률적 판단에 의하지 아니하고 경제적 관점에서 파악하여야 하며, 따라서 **법률적 판단에 의하여 당해 배임행위가 무효라 하더라도 경제적 관점에서 파악하여 배임행위로 인하여 본인에게 현실적인 손해를 가하였거나 재산상 실해 발생의 위험을 초래한 경우에는 재산상의 손해를 가한 때에 해당되어 배임죄를 구성한다.**(대법원 2014. 2. 13. 2011도16763 **고운농장 부동산 임의처분사건**)

④ [×] (1) 채무자가 투자금반환채무의 변제를 위하여 담보로 제공한 임차권 등의 권리를 그대로 유지할 계약상 의무가 있다고 하더라도, 이는 기본적으로 투자금반환채무의 변제의 방법에 관한 것이고, 그 성실한 이행에 의하여 채권자가 계약상 권리의 만족이라는 이익을 얻는다고 하여도 이를 가지고 배임죄에서 말하는 '타인의 사무'에 해당한다고 볼 수 없다.
(2) **피고인 甲이** 아울렛 의류매장의 운영과 **A로부터 투자를 받으면서 투자금반환채무의 변제를 위하여 의류매장에 관한 임차인 명의와 판매대금의 입금계좌 명의를 A 앞으로 변경해 주었음에도 乙에게 임차인의 지위 등 권리 일체를 양도한 경우,** 甲이 의류매장에 임차인 명의와 판매대금의 입금계좌 명의를 A 앞으로 그대로 유지하여야 할 의무는 단순한 민사상의 채무로서 **배임죄는 성립하지 아니한다.**(대법원 2015. 3. 26. 2015도1301 **의류매장 임차권 양도사건**)

286 배임죄에 대한 다음 설명 중 옳지 않은 것은 모두 몇 개인가? (다툼이 있으면 판례에 의함)

□□□

16 경찰채용 [*Core* ★★]

㉠ 업무상 배임죄에 있어 본인에게 재산상의 손해를 가한다 함은 현실적인 손해를 가한 경우뿐만 아니라 재산상 실해 발생의 위험을 초래한 경우도 포함되며, 재산상 손해의 유무에 대한 판단은 법률적 관점에서 파악하여야 한다.

㉡ 피해자 회사의 사업부 영업팀장인 피고인이 체인점들에 대한 전매입고 금액을 삭제하여 전산상 회사의 체인점들에 대한 외상대금채권이 줄어든 것으로 처리하는 전산조작행위를 한 경우 업무상 배임죄가 성립한다.

㉢ 대표이사 甲이 대표권을 남용하여 회사 명의의 약속어음을 발행하였다면, 비록 상대방이 그 사실을 알고 있었거나 중대한 과실로 알지 못하여 회사가 상대방에 대하여는 채무를 부담하지 아니한다 하더라도 그 약속어음이 제3자에게 유통되지 아니한다는 특별한 사정이 없는 한 배임죄가 성립한다.

㉣ 피고인이 '인쇄기'를 甲에게 양도하기로 하고 계약금 및 중도금을 수령하였음에도 이를 자신의 채권자 乙에게 기존 채무 변제에 갈음하여 양도함으로써 재산상 이익을 취득하고 甲에게 동액 상당의 손해를 입혔다면 배임죄가 성립한다.

① 1개 ② 2개

③ 3개 ④ 4개

해설

④ 모든 항목이 옳지 않다.

㉠ [×] 배임죄에 있어서 '재산상의 손해를 가한 때'라 함은 현실적인 손해를 가한 경우뿐만 아니라, 재산상실해 발생의 위험을 초래한 경우도 포함되고, **재산상 손해의 유무에 대한 판단은 본인의 전 재산 상태와의 관계에서 법률적 판단에 의하지 아니하고 경제적 관점에서 파악하여야 하며,** 따라서 법률적 판단에 의하여 당해 배임행위가 무효라 하더라도 경제적 관점에서 파악하여 배임행위로 인하여 본인에게 현실적인 손해를 가하였거나 재산상 실해 발생의 위험을 초래한 경우에는 재산상의 손해를 가한 때에 해당되어 배임죄를 구성한다.(대법원 2014. 2. 13. 2011도16763 **고운농장 부동산 임의처분사건**)

㉡ [×] 회사의 영업팀장인 피고인 甲이 (가)체인점이 상품을 (나)체인점으로 보낸 사실이 없음에도 마치 상품을 보낸 것처럼 허위로 (회사에서 상품대금을 지급하는) 전매출고, (회사에서 상품대금을 지급받는) 전매입고를 전산입력하고, 피고인 乙은 전산상 (나)체인점에 대한 전매입고만을 삭제한 경우, 피고인들의 **전산조작행위로 인하여 회사의 체인점들에 대한 외상대금채권 행사가 사실상 불가능해지거나 또는 현저히 곤란해진 것이 아니라면 해당 체인점의 점주들이 그에 상응하는 재산상 이익을 취득하였다고 보기 어렵다.**(대법원 2006. 7. 27. 2006도3145 **전매입고 삭제사건**)

㉢ [×] **주식회사의 대표이사가 대표권을 남용하는 등 그 임무에 위배하여 약속어음을 발행한 경우** 어음법상 발행인은 종전의 소지인에 대한 인적 관계로 인한 항변으로써 소지인에게 대항하지 못하므로, (1) **어음발행이 무효라 하더라도 그 어음이 실제로 제3자에게 유통되었다면** 회사로서는 어음채무를 부담할 위험이 구체적 · 현실적으로 발생하였다고 보아야 하고, 따라서 **그 어음채무가 실제로 이행되기 전이라도 배임죄의 기수범이 된다.** (2) 그러나 **약속어음 발행이 무효일 뿐만 아니라 그 어음이 유통되지도 않았다면** 회사는 어음발행의 상대방에게 어음채무를 부담하지 않기 때문에 특별한 사정이 없는 한 회사에 현실적으로 손해가 발생하였다거나 실해 발생의 위험이 발생하였다고도 볼 수 없으므로, 이때에는 배임죄의 기수범이 아니라 **배임미수죄로 처벌하여야 한다.**(대법원 2017. 7. 20. 2014도1104 순숨 **29억 약속어음 사건**) 어음발행이 유효하면 배임기수죄가 된다. 어음발행이 (상대방이 대표권 남용 사실을 알았거나 중대한 과실로 알지 못하여) 무효인 경우에도 이것이 유통되었다면 배임기수죄가 되고, 아직 유통되지 않았다면 배임미수죄가 된다는 취지의 판례이다. 어음 유통 여부를 가리지 않고 배임(기수)죄가 성립한다고 지문과 같이 판시한 판례(대법원 2013. 2. 14. 2011도10302, 대법원 2012. 12. 27. 2012도10822)는 폐기되었다. 결국 이 지문은 옳지 않다.

㉣ [×] (1) 매매의 목적물이 동산일 경우, 매도인은 매수인에게 계약에 정한 바에 따라 그 목적물인 동산을 인도함으로써 계약의 이행을 완료하게 되고 그때 매수인은 매매목적물에 대한 권리를 취득하게 되는 것이므로, 매도인에게 자기의 사무인 동산인도채무 외에 별도로 매수인의 재산의 보호 내지 관리 행위에 협력할 의무가 있다고 할 수 없다. **동산매매계약에서의 매도인은 매수인에 대하여 그의 사무를 처리하는 지위에 있지 아니하므로, 매도인이 목적물을 매수인에게 인도하지 아니하고 이를 타에 처분하였다 하더라도 형법상 배임죄가 성립하는 것은 아니다.**

(2) 피고인이 인쇄기를 甲에게 양도하기로 하여 그로부터 계약금 및 중도금 명목으로 원단을 제공받아 이를 수령하였음에도 불구하고, 인쇄기를 자신의 채권자인 乙에게 기존 채무의 변제에 갈음하여 양도하였더라도 **배임죄는 성립하지 아니한다.**(대법원 2011. 1. 20. 2008도10479 순숨 **인쇄기 이중매매 사건**)

정답 | 286 ④

287 배임죄에 관한 다음 설명 중 옳은 것은 모두 몇 개인가? (다툼이 있으면 판례에 의함)

□□□

21 법원행시 [Superlative ★★★]

㉠ 타인에 대한 채무의 담보로 제3채무자에 대한 채권에 대하여 권리질권을 설정하고, 질권설정자가 제3채무자에게 질권설정의 사실을 통지하거나 제3채무자가 이를 승낙한 상태에서 질권설정자가 질권자의 동의 없이 제3채무자에게서 질권의 목적인 채권의 변제를 받은 경우 질권자에 대한 관계에서 배임죄가 성립한다.

㉡ A은행 지점장인 甲이 A은행을 대리하여 乙이 丙에 대하여 장래 부담하게 될 물품대금 채무에 대하여 지급보증을 하였다고 하더라도 乙과 丙이 거래를 개시하지 않아 지급보증의 대상인 물품대금 지급채무가 현실적으로 발생하지 않았다면, 甲에게 배임죄가 성립하는지 여부를 검토함에 있어, A은행에게 경제적인 관점에서 손해가 발생한 것과 같은 정도의 구체적인 위험이 발생하였다고 평가하기는 어렵다고 보아야 한다.

㉢ 주식회사의 대표이사가 대표권을 남용하여 약속어음을 발행하였고 그 어음발행이 무효라고 하더라도 그 어음이 제3자에게 유통되었다면 그 어음채무가 실제로 이행되기 전이라도 배임죄의 기수범이 성립한다.

㉣ 주권발행 전 주식에 대한 양도계약에서 양도인이 양수인으로 하여금 회사 이외의 제3자에게 대항할 수 있도록 확정일자 있는 증서에 의한 양도통지 또는 승낙을 갖추어 주지 아니하고 위 주식을 다른 사람에게 처분한 경우 배임죄가 성립한다.

㉤ 업무상배임죄의 실행으로 이익을 얻게 되는 수익자는 배임죄의 공범이라고 볼 수 없는 것이 원칙이고, 실행 행위자에게 배임행위를 교사하거나 또는 배임행위의 전 과정에 관여하는 등으로 배임행위에 적극 가담한 경우에 한하여 배임의 실행행위자에 대한 공동정범으로 인정할 수 있다.

① 없음 ② 1개 ③ 2개
④ 3개 ⑤ 4개

해설

④ ㉡㉢㉤ 3 항목이 옳다.

㉠ [×] 타인에 대한 채무의 담보로 제3채무자에 대한 채권에 대하여 권리질권을 설정한 경우 질권설정자는 질권자의 동의 없이 질권의 목적된 권리를 소멸하게 하거나 질권자의 이익을 해하는 변경을 할 수 없다. 또한 질권설정자가 제3채무자에게 질권설정의 사실을 통지하거나 제3채무자가 이를 승낙한 때에는 **제3채무자가 질권자의 동의 없이 질권의 목적인 채무를 변제하더라도 이로써 질권자에게 대항할 수 없고, 질권자는 여전히 제3채무자에 대하여 직접 채무의 변제를 청구하거나 변제할 금액의 공탁을 청구할 수 있다.** 그러므로 이러한 경우 질권설정자가 질권의 목적인 채권의 변제를 받았다고 하여 질권자에 대한 관계에서 타인의 사무를 처리하는 자로서 임무에 위배하는 행위를 하여 질권자에게 손해를 가하거나 손해 발생의 위험을 초래하였다고 할 수 없고, **배임죄가 성립하지도 않는다.**(대법원 2016. 4. 29. 2015도5665 **전세보증금 질권설정 사건**)

㉡ [○] 은행 지점장인 피고인 甲이 은행을 대리하여 X회사가 Y회사에 대하여 장래 부담하게 될 물품대금채무에 대하여 지급보증을 하였다고 하더라도 Y회사가 X회사와 **거래를 개시하지도 않았고**, 이에 따라 지급보증의 대

상인 물품대금 **지급채무 자체가 현실적으로 발생하지 않은 이상**, 보증인인 은행에 경제적인 관점에서 손해가 발생한 것과 같은 정도로 구체적인 위험이 발생하였다고 평가할 수는 없으므로 피고인을 **특경법위반(배임)죄로 처벌할 수는 없다.**(대법원 2015. 9. 10. 2015도6745 은행지점장 지급보증 사건)

㉢ [○] 주식회사의 대표이사가 대표권을 남용하는 등 그 임무에 위배하여 약속어음을 발행한 경우 어음법상 발행인은 종전의 소지인에 대한 인적 관계로 인한 항변으로써 소지인에게 대항하지 못하므로, (1) 어음발행이 무효라 하더라도 그 **어음이 실제로 제3자에게 유통되었다면 회사로서는 어음채무를 부담할 위험이 구체적 · 현실적으로 발생하였다고 보아야 하고, 따라서 그 어음채무가 실제로 이행되기 전이라도 배임죄의 기수범이 된다.** (2) 그러나 약속어음 발행이 무효일 뿐만 아니라 그 어음이 유통되지도 않았다면 회사는 어음발행의 상대방에게 어음채무를 부담하지 않기 때문에 특별한 사정이 없는 한 회사에 현실적으로 손해가 발생하였다거나 실해 발생의 위험이 발생하였다고도 볼 수 없으므로, 이때에는 배임죄의 기수범이 아니라 배임미수죄로 처벌하여야 한다.(대법원 2017. 7. 20. 2014도1104 전원합의체 29억 약속어음 사건)

㉣ [×] **주권발행 전 주식의 양도는** 양도인과 양수인의 의사표시만으로 효력이 발생하고 주식양수인은 특별한 사정이 없는 한 양도인의 협력을 받을 필요 없이 단독으로 자신이 주식을 양수한 사실을 증명함으로써 회사에 대하여 그 명의개서를 청구할 수 있다. 따라서 **양도인이 양수인으로 하여금 회사 이외의 제3자에게 대항할 수 있도록 확정일자 있는 증서에 의한 양도통지 또는 승낙을 갖추어 주어야 할 채무를 부담한다 하더라도 이는 자기의 사무라고 보아야 하고**, 이를 양수인과의 신임관계에 기초하여 양수인의 사무를 맡아 처리하는 것으로 볼 수 없어 주권발행 전 주식에 대한 양도계약에서의 **양도인이 제3자에 대한 대항요건을 갖추어주지 아니하고 이를 타에 처분하였다 하더라도 배임죄가 성립하는 것은 아니다.**(대법원 2020. 6. 4. 2015도6057 주식 이중양도 사건)

㉤ [○] 거래상대방의 대향적 행위의 존재를 필요로 하는 유형의 배임죄에서 거래상대방은 기본적으로 배임행위의 실행행위자와 별개의 이해관계를 가지고 반대편에서 독자적으로 거래에 임한다는 점을 고려하면, 업무상 배임죄의 실행으로 인하여 이익을 얻게 되는 수익자는 배임죄의 공범이라고 볼 수 없는 것이 원칙이고, 실행행위자의 행위가 피해자 본인에 대한 배임행위에 해당한다는 점을 인식한 상태에서 배임의 의도가 전혀 없었던 실행행위자에게 배임행위를 교사하거나 또는 배임행위의 전 과정에 관여하는 등으로 배임행위에 **적극 가담한 경우에 한하여 배임의 실행행위자에 대한 공동정범으로 인정할 수 있다.**(대법원 2016. 10. 13. 2014도17211 명의신탁 특허권 이전등록 사건)

정답 | 287 ④

288 **배임죄의 주체인 '타인의 사무를 처리하는 자'에 대한 설명으로 옳지 않은 것은? (다툼이 있으면 판례에 의함)**

□□□

24 경대편입 [Essential ★]

① 채무자가 금전채무를 담보하기 위한 저당권설정계약에 따라 채권자에게 그 소유의 부동산에 관하여 저당권을 설정할 의무를 부담하게 되었더라도 이를 두고 채무자를 채권자에 대한 관계에서 '타인의 사무를 처리하는 자'라고 할 수는 없다.

② 담보계약을 체결한 채권자와 채무자 사이에는 피담보채권의 발생원인이 된 법률관계와는 별도의 독자적인 신임관계가 담보계약 자체로부터 발생하는 점에서 담보 목적으로 부동산에 관한 대물변제예약을 체결한 채무자는 채권자에 대하여 '타인의 사무를 처리하는 자'의 지위에 있다.

③ 채무자가 금전채무를 담보하기 위하여 그 소유의 동산을 채권자에게 양도담보로 제공함으로써 채권자인 양도담보권자에 대하여 담보물의 담보가치를 유지·보전할 의무를 부담하게 되었더라도 이로써 채무자가 배임죄의 주체인 '타인의 사무를 처리하는 자'에 해당한다고 할 수는 없다.

④ 부동산 매매계약에서 중도금이 지급되는 등 계약이 본격적으로 이행되는 단계에 이른 때에는 매도인은 배임죄에서 말하는 '타인의 사무를 처리하는 자'에 해당한다.

⑤ 채무자가 채권양도담보계약에 따라 담보 목적 채권의 담보가치를 유지·보전할 의무를 부담하게 되었더라도 이로써 채무자를 채권자에 대한 관계에서 '타인의 사무를 처리하는 자'로 볼 수는 없다.

해설

② [×] 대물변제예약의 궁극적 목적은 차용금반환채무의 이행 확보에 있고, **채무자가 대물변제예약에 따라 부동산에 관한 소유권이전등기절차를 이행할 의무는** 그 궁극적 목적을 달성하기 위해 채무자에게 요구되는 부수적 내용이어서 이를 가지고 **배임죄에서 말하는 신임관계에 기초하여 채권자의 재산을 보호 또는 관리하여야 하는 '타인의 사무'에 해당한다고 볼 수는 없다.** 그러므로 채권 담보를 위한 대물변제예약 사안에서 채무자가 대물로 변제하기로 한 부동산을 제3자에게 처분하였다고 하더라도 배임죄가 성립하는 것은 아니다.(대법원 2014. 8. 21. 2014도3363 순습 **대물변제예약 부동산 매도사건**)

① [○] 채무자가 금전채무를 담보하기 위한 저당권설정계약에 따라 채권자에게 그 소유의 부동산에 관하여 저당권을 설정할 의무를 부담하게 되었다고 하더라도 이를 들어 채무자가 통상의 계약에서 이루어지는 이익대립관계를 넘어서 채권자와의 신임관계에 기초하여 채권자의 사무를 맡아 처리하는 것으로 볼 수 없다. 채무자가 저당권설정계약에 따라 채권자에 대하여 부담하는 저당권을 설정할 의무는 계약에 따라 부담하게 된 채무자 자신의 의무이다. **채무자가 위와 같은 의무를 이행하는 것은 채무자 자신의 사무에 해당할 뿐이므로 채무자를 채권자에 대한 관계에서 '타인의 사무를 처리하는 자'라고 할 수 없다.** 따라서 채무자가 제3자에게 먼저 담보물에 관한 저당권을 설정하거나 담보물을 양도하는 등으로 담보가치를 감소 또는 상실시켜 채권자의 채권실현에 위험을 초래하더라도 배임죄가 성립한다고 할 수 없다.(대법원 2020. 6. 18. 2019도14340 순습 **아파트 이중저당 사건**)

③ [○] 채무자가 양도담보설정계약에 따라 부담하는 의무, 즉 동산을 담보로 제공할 의무, 담보물의 담보가치를 유지·보전하거나 담보물을 손상, 감소 또는 멸실시키지 않을 소극적 의무, 담보권 실행 시 채권자나 그가 지

정하는 자에게 담보물을 현실로 인도할 의무와 같이 채권자의 담보권 실행에 협조할 의무 등은 모두 양도담보설정계약에 따라 부담하게 된 채무자 자신의 급부의무이다. 또한 양도담보설정계약은 피담보채권의 발생을 위한 계약에 종된 계약으로 피담보채무가 소멸하면 양도담보설정계약상의 권리의무도 소멸하게 된다. 양도담보설정계약에 따라 채무자가 부담하는 의무는 담보목적의 달성, 즉 채무불이행 시 담보권 실행을 통한 채권의 실현을 위한 것이므로 담보설정계약의 체결이나 담보권 설정 전후를 불문하고 당사자 관계의 전형적 · 본질적 내용은 여전히 금전채권의 실현 내지 피담보채무의 변제에 있다. 따라서 **채무자가 위와 같은 급부의무를 이행하는 것은 채무자 자신의 사무에 해당할 뿐이고,** 채무자가 통상의 계약에서의 이익대립관계를 넘어서 채권자와의 신임관계에 기초하여 채권자의 사무를 맡아 처리한다고 볼 수 없으므로 채무자를 채권자에 대한 관계에서 '타인의 사무를 처리하는 자'라고 할 수 없다.(대법원 2020. 3. 27. 2018도14596 **건설기계 양도담보 사건**)

④ [○] 부동산 매매계약에서 **중도금이 지급되는 등 계약이 본격적으로 이행되는 단계에 이른 때에는 계약이 취소되거나 해제되지 않는 한 매도인은 매수인에게 부동산의 소유권을 이전해 줄 의무에서 벗어날 수 없으므로 매도인은 매수인에 대하여 매수인의 재산보전에 협력하여 재산적 이익을 보호 · 관리할 신임관계에 있게 되어** (매도인은 배임죄에서 말하는 '타인의 사무를 처리하는 자'에 해당한다), 매도인이 그 부동산을 제3자에게 처분하고 제3자 앞으로 그 처분에 따른 등기를 마쳐준 행위는 매수인의 부동산 취득 또는 보전에 지장을 초래하는 행위이므로 배임죄가 성립한다.(대법원 2018. 5. 17. 2017도4027 전원합의체 **상가 이중매매사건**)

⑤ [○] 채권양도담보계약에 따라 채무자가 부담하는 '담보 목적 채권의 담보가치를 유지 · 보전할 의무' 등은 담보목적을 달성하기 위한 것에 불과하며, 채권양도담보계약의 체결에도 불구하고 당사자 관계의 전형적 · 본질적 내용은 여전히 피담보채권인 금전채권의 실현에 있다. 따라서 채무자가 채권양도담보계약에 따라 부담하는 '담보 목적 채권의 담보가치를 유지 · 보전할 의무'를 이행하는 것은 채무자 자신의 사무에 해당할 뿐이고, **채무자가 통상의 계약에서의 이익대립관계를 넘어서 채권자와의 신임관계에 기초하여 채권자의 사무를 맡아 처리한다고 볼 수 없으므로 이 경우 채무자는 채권자에 대한 관계에서 '타인의 사무를 처리하는 자'에 해당한다고 할 수 없다.**(대법원 2021. 7. 15. 2015도5184 **요양급여채권 포괄근담보 사건**)

정답 | 288 ②

289 배임죄에 대한 설명 중 적절하지 않은 것을 모두 고른 것은? (다툼이 있는 경우 판례에 의함)

□□□

21 경찰채용 [Superlative ★★★]

㉠ 매도인이 매수인에게 매도인 소유의 토지를 양도하는 계약을 체결하고 순위 보전의 효력이 있는 가등기를 마쳐준 경우에는 매수인이 매도인의 협력 없이도 자신 명의로 소유권이전등기를 마칠 수 있으므로 매도인이 그 이후 제3자에게 처분하고 제3자 앞으로 등기가 이루어졌더라도 배임죄가 성립하지 않는다.

㉡ 거래상대방의 대향적 행위의 존재를 필요로 하는 유형의 배임죄에서 거래상대방은 실행행위자의 행위가 피해자 본인에 대한 배임행위에 해당한다는 점을 인식한 상태에서 배임의 의도가 전혀 없었던 실행행위자에게 배임행위를 교사하거나 또는 배임행위의 전 과정에 관여하는 등으로 배임행위에 적극 가담한 경우에 한하여 배임의 실행행위자에 대한 공동정범으로 인정할 수 있다.

㉢ 배임죄에서 '재산상 손해를 가한 때'에는 '재산상 손해발생의 위험을 초래한 경우'도 포함되는 것이므로, 법인의 대표이사 甲이 회사의 이익이 아닌 자기의 이익을 도모할 목적으로 권한을 남용하여 회사 명의의 금전소비대차 공정증서를 작성하여 법인 명의의 채무를 부담한 경우에는 상대방이 대표이사의 실제 의도를 알았거나 알 수 있었다고 할지라도 배임죄가 성립한다.

㉣ 양도인이 양수인에게 양도한 주권발행 전 주식에 대하여 확정일자 있는 증서에 의한 양도통지 또는 승낙을 갖추어주어야 할 의무를 부담함에도 불구하고 양수인에게 위와 같은 제3자에 대한 대항요건을 갖추어 주지 아니하고 이를 타인에게 처분한 경우 배임죄가 성립하지 않는다.

① 1개 ② 2개

③ 3개 ④ 4개

해설

② ㉠㉢ 2 항목이 옳지 않다.

㉠ [×] (1) 부동산 매매계약에서 중도금이 지급되는 등 계약이 본격적으로 이행되는 단계에 이른 때에는 매도인은 매수인에 대하여 매수인의 재산보전에 협력하여 재산적 이익을 보호 · 관리할 신임관계에 있게 되고, 그때부터 매도인은 배임죄에서 말하는 '타인의 사무를 처리하는 자'에 해당하므로 **매도인이 부동산을 제3자에게 처분하고 제3자 앞으로 등기를 마쳐 준 행위는 매수인의 부동산 취득 또는 보전에 지장을 초래하는 행위이므로 배임죄가 성립한다.**

(2) 매도인이 매수인에게 순위보전의 효력이 있는 **가등기를 마쳐 주었다고 하더라도** 이는 향후 매수인에게 손해를 회복할 수 있는 방안을 마련하여 준 것일 뿐 그 자체로 물권변동의 효력이 있는 것은 아니어서 매도인으로서는 소유권을 이전하여 줄 의무에서 벗어날 수 없으므로 **그와 같은 가등기로 인하여 매수인의 재산보전에 협력하여 재산적 이익을 보호 · 관리할 신임관계의 전형적 · 본질적 내용이 변경된다고 할 수 없다.**(대법원 2020. 5. 14. 2019도16228 **가등기 부동산 이중매매 사건**) 매도인은 배임죄의 죄책을 진다.

㉡ [○] 거래상대방의 대향적 행위의 존재를 필요로 하는 유형의 배임죄에서 거래상대방은 기본적으로 배임행위의 실행행위자와 별개의 이해관계를 가지고 반대편에서 독자적으로 거래에 임한다는 점을 고려하면, 업무상 배임죄의 실행으로 인하여 이익을 얻게 되는 수익자는 배임죄의 공범이라고 볼 수 없는 것이 원칙이고, 실행행위자의 행위가 피해자 본인에 대한 배임행위에 해당한다는 점을 인식한 상태에서 배임의 의도가 전혀 없었던

실행행위자에게 배임행위를 교사하거나 또는 배임행위의 전 과정에 관여하는 등으로 배임행위에 **적극 가담한 경우에 한하여 배임의 실행행위자에 대한 공동정범으로 인정할 수 있다.**(대법원 2016. 10. 13. 2014도17211 명의신탁 특허권 이전등록 사건)

ⓒ [×] 회사의 대표이사인 피고인이 자신의 채권자들에게 회사 명의의 금전소비대차 공정증서와 약속어음 공정증서를 작성해 준 경우 상대방들도 피고인이 자기 또는 제3자의 이익을 도모할 목적으로 그 권한을 남용하여 공정증서를 작성해 준다는 것을 알았거나 충분히 알 수 있었을 것이어서 **피고인이 한 행위는 모두 무효에 해당하므로** 회사에 재산상 손해가 발생하였다거나 재산상 실해발생의 위험이 초래되었다고 볼 수 없어 **업무상 배임죄는 성립하지 아니한다.**(대법원 2012. 5. 24. 2012도2142 동두천기독교협동조합 사건)

ⓓ [○] 주권발행 전 주식의 양도는 양도인과 양수인의 의사표시만으로 효력이 발생하고 주식양수인은 특별한 사정이 없는 한 양도인의 협력을 받을 필요 없이 단독으로 자신이 주식을 양수한 사실을 증명함으로써 회사에 대하여 그 명의개서를 청구할 수 있다. 따라서 양도인이 양수인으로 하여금 회사 이외의 제3자에게 대항할 수 있도록 확정일자 있는 증서에 의한 양도통지 또는 승낙을 갖추어 주어야 할 채무를 부담한다 하더라도 이는 자기의 사무라고 보아야 하고, 이를 양수인과의 신임관계에 기초하여 **양수인의 사무를 맡아 처리하는 것으로 볼 수 없어 주권발행 전 주식에 대한 양도계약에서의 양도인이 제3자에 대한 대항요건을 갖추어 주지 아니하고 이를 타에 처분하였다 하더라도 배임죄가 성립하는 것은 아니다.**(대법원 2020. 6. 4. 2015도6057 주식이중양도 사건)

정답 | 289 ②

290 □□□ 주식회사를 운영하는 甲이 乙은행으로부터 대출을 받으면서 대출금을 완납할 때까지 A회사 소유의 동산을 점유개정 방식으로 양도담보로 제공하기로 하는 계약을 체결하였다. 양도담보계약서에는 '담보목적물은 설정자가 채권자의 대리인으로서 점유 · 사용 · 보전 · 관리하며 그 비용을 부담한다.'는 내용이 기재되어 있었다. 하지만 甲은 담보목적물인 동산을 丙 등에게 매각하였다. 甲의 죄책에 대한 설명으로 가장 적절한 것은? (다툼이 있으면 판례에 의함)

22 경찰간부 [Core ★★]

① 채무자가 금전채무를 담보하기 위하여 그 소유의 동산을 채권자에게 양도담보로 제공함으로써 채권자인 양도담보권자에 대하여 담보물의 담보가치를 유지·보전할 의무 내지 담보물을 타에 처분하거나 멸실, 훼손하는 등으로 담보권 실행에 지장을 초래하는 행위를 하지 않을 의무를 부담하게 되었더라도 이를 들어 채무자가 통상의 계약에서의 이익대립 관계를 넘어서 채권자와의 신임관계에 기초하여 채권자의 사무를 맡아 처리하는 것으로 볼 수 없다. 따라서 채무자 甲은 배임죄의 주체인 '타인의 사무를 처리하는 자'에 해당한다고 할 수 없다.

② 원칙적으로는 채무자 甲이 '타인의 사무를 처리하는 자'에 해당하지 않는다고 하더라도 양도담보계약서에서 '담보목적물은 설정자가 채권자의 대리인으로서 점유·사용·보전·관리하며 그 비용을 부담한다.'는 등의 기재가 있으므로 채무자 甲이 양도담보권설정 후 담보물을 보관하고 담보가치를 유지할 의무는 채권자의 대리인으로서 갖는 의무이므로 전형적인 '타인의 사무'이다.

③ 동산 양도담보는 그 기능이나 경제적 목적이 채권담보이고, 그에 따라 채권자가 채권담보의 목적 범위에서만 소유권을 행사할 채권적 의무를 부담하더라도 담보목적물의 소유권은 당사자 사이에 소유권을 양도한다는 합의와 점유개정에 의한 인도에 따라 완전히 채권자에게 이전한다. 따라서 점유개정에 따라 양도담보 목적물을 직접점유하는 채무자 甲은 '타인의 재물을 보관하는 자'에 해당하고 그가 채권자의 허락 없이 제3자에게 담보목적물을 양도하는 등 처분한 경우에는 횡령죄가 성립한다.

④ 담보권설정자는 동산을 사용·수익하거나 처분할 수 있어도 동산의 담보가치, 즉 교환가치를 침해하는 행위를 해서는 안 된다. 담보권설정자가 담보물을 보관하거나 담보가치를 유지할 의무는 담보권자가 동산의 교환가치를 지배할 권리를 확보해 주는 것이기 때문에 담보권설정자는 배임죄에서 말하는 '타인의 사무를 처리하는 자'에 해당한다.

해설

① [○] (1) 채무자가 양도담보설정계약에 따라 부담하는 의무, 즉 동산을 담보로 제공할 의무, 담보물의 담보가치를 유지 · 보전하거나 담보물을 손상, 감소 또는 멸실시키지 않을 소극적 의무, 담보권 실행 시 채권자나 그가 지정하는 자에게 담보물을 현실로 인도할 의무와 같이 채권자의 담보권 실행에 협조할 의무 등은 모두 양도담보설정계약에 따라 부담하게 된 채무자 자신의 급부의무이다. 또한 양도담보설정계약은 피담보채권의 발생을 위한 계약에 종된 계약으로 피담보채무가 소멸하면 양도담보설정계약상의 권리의무도 소멸하게 된다. 양도담보설정계약에 따라 채무자가 부담하는 의무는 담보목적의 달성, 즉 채무불이행 시담보권 실행을 통한 채권의

실현을 위한 것이므로 담보설정계약의 체결이나 담보권 설정 전후를 불문하고 당사자 관계의 전형적 · 본질적 내용은 여전히 금전채권의 실현 내지 피담보채무의 변제에 있다. 따라서 채무자가 위와 같은 급부의무를 이행하는 것은 채무자 자신의 사무에 해당할 뿐이고, 채무자가 통상의 계약에서의 이익대립관계를 넘어서 채권자와의 신임관계에 기초하여 채권자의 사무를 맡아 처리한다고 볼 수 없으므로 채무자를 채권자에 대한 관계에서 **'타인의 사무를 처리하는 자'라고 할 수 없다.**

(2) 양도담보설정계약에서 당사자 관계의 전형적 · 본질적인 내용은 채무자의 채무불이행 시 처분정산의 방식이든 귀속정산의 방식이든 담보권 실행을 통한 금전채권의 실현에 있다. 채무자 등이 채무담보 목적으로 그 소유의 물건을 양도한 경우 반대의 특약이 없는 한 그 물건의 사용수익권은 양도담보설정자에게 있다. 동산을 점유개정 방식으로 양도담보에 제공한 채무자는 양도담보 설정 이후에도 여전히 남아 있는 자신의 권리에 기하여 그리고 자신의 이익을 위하여 자신의 비용 부담 하에 담보목적물을 계속하여 점유 · 사용하는 것이지, 채권자인 양도담보권자로부터 재산관리에 관한 임무를 부여받았기 때문이 아니다. 따라서 이러한 측면에서도 채무자가 양도담보권자의 재산을 보호 · 관리하는 사무를 위탁받아 처리하는 것이라고 할 수 없다.(대법원 2020. 2. 20. 2019도9756 全合 **크러셔 양도담보 사건**)

②③ [×] ① 전원합의체판결(대법원 2020. 2. 20. 2019도9756 全合 **크러셔 양도담보 사건**)의 민유숙 대법관의 반대의견(②)과 김재형, 김선수 대법관의 별개의견이다(③).

④ [×] 전원합의체판결(대법원 2020. 8. 27. 2019도14770 全合 **레이저가공기 동산담보 사건**)의 김재형 대법관의 별개의견이다.

정답 | 290 ①

291 배임죄에 관한 다음 설명 중 옳지 않은 것은 모두 몇 개인가? (다툼이 있으면 판례에 의함)

□□□

20 법원행시 [Superlative ★★★]

㉠ 금전채무를 담보하기 위하여 그 소유의 동산을 채권자에게 양도담보로 제공한 채무자는 배임죄의 주체인 '타인의 사무를 처리하는 자'에 해당한다고 할 수 없다.

㉡ A가 B 새마을금고로부터 특정 토지 위에 건물을 신축하는 데 필요한 공사자금 10억원을 대출받으면서 이를 담보하기 위하여 C신탁회사를 수탁자, B금고를 우선수익자, A를 위탁자 겸 수익자로 한 담보신탁계약 및 자금관리대리사무계약을 체결하였고 계약 내용에 따라 건물이 준공된 후 C회사에 신탁등기를 이행하여 B금고의 우선수익권을 보장할 의무가 있었음에도 임의로 D 앞으로 건물의 소유권보존등기를 마쳐준 경우라고 하더라도, A는 통상의 계약에서의 이익대립관계를 넘어서 B금고와의 신임관계에 기초하여 B금고의 우선수익권을 보호 또는 관리하는 등 그의 사무를 처리하는 자의 지위에 있다고 보기 어려우므로 A에게는 배임죄가 성립하지 않는다.

㉢ 부동산 매매계약에서 계약금 외에 중도금이 지급되는 등 계약이 본격적으로 이행되는 단계에 이른 때에는 계약이 취소되거나 해제되지 않는 한 매도인은 매수인에게 부동산의 소유권을 이전해 줄 의무에서 벗어날 수 없으므로, 이러한 단계에 이른 때에 매도인은 매수인에 대하여 매수인의 재산보전에 협력하여 재산적 이익을 보호·관리할 신임관계에 있게 된다. 그때부터 매도인은 배임죄에서 말하는 '타인의 사무를 처리하는 자'에 해당한다고 보아야 한다.

㉣ 서면으로 부동산 증여의 의사를 표시한 증여자는 계약이 취소되거나 해제되지 않는 한 수증자에게 목적부동산의 소유권을 이전할 의무에서 벗어날 수 없다. 그러한 증여자는 '타인의 사무를 처리하는 자'에 해당하고, 그가 수증자에게 증여계약에 따라 부동산의 소유권을 이전하지 않고 부동산을 제3자에게 처분하여 등기를 하는 행위는 수증자와의 신임관계를 저버리는 행위로서 배임죄가 성립한다.

㉤ 채무자가 투자금반환채무의 변제를 위하여 담보로 제공한 임차권 등의 권리를 그대로 유지할 계약상 의무가 있다고 하더라도, 이는 기본적으로 투자금반환채무의 변제의 방법에 관한 것이고, 성실한 이행에 의하여 채권자가 계약상 권리의 만족이라는 이익을 얻는다고 하여도 이를 가지고 통상의 계약에서의 이익대립관계를 넘어서 배임죄에서 말하는 신임관계에 기초하여 채권자의 재산을 보호 또는 관리하여야 하는 '타인의 사무'에 해당한다고 볼 수 없다.

① 1개 ② 2개 ③ 3개
④ 4개 ⑤ 없음

해설

⑤ 모든 항목이 옳다.

㉠ [○] 채무자가 금전채무를 담보하기 위하여 동산을 채권자에게 양도담보로 제공함으로써 채권자인 양도담보권자에 대하여 담보물의 담보가치를 유지·보전할 의무 내지 담보물을 타에 처분하거나 멸실·훼손하는 등으로 담보권 실행에 지장을 초래하는 행위를 하지 않을 의무를 부담하게 되었더라도, 이를 들어 채무자가 통상의 계약에서의 이익대립관계를 넘어서 채권자와의 신임관계에 기초하여 채권자의 사무를 맡아 처리하는 것으로 볼 수 없으므로 채무자를 배임죄의 주체인 '타인의 사무를 처리하는 자'에 해당한다고 할 수 없어, 그가 담보물을

제3자에게 처분하는 등으로 담보가치를 감소 또는 상실시켜 채권자의 담보권 실행이나 이를 통한 채권실현에 위험을 초래하더라도 배임죄가 성립한다고 할 수 없다.(대법원 2020. 2. 20. 2019도9756 전합 크레셔 양도담보 사건)

㉡ [O] 피고인 A가 통상의 계약에서의 이익대립관계를 넘어서 B금고와의 신임관계에 기초하여 B금고의 우선수익권을 보호 또는 관리하는 등 그의 사무를 처리하는 자의 지위에 있다고 보기 어려우므로 **배임죄에서의 '타인의 사무를 처리 하는 자'에 해당하지 않는다.**(대법원 2020. 4. 29. 2014도9907 담보신탁계약 사건)

㉢㉣ [O] 부동산 매매계약에서 중도금이 지급되는 등 계약이 본격적으로 이행되는 단계에 이른 때에는 계약이 취소되거나 해제되지 않는 한 매도인은 매수인에게 부동산의 소유권을 이전할 의무에서 벗어날 수 없으므로 매도인은 매수인에게 매수인의 재산보전에 협력하여 재산적 이익을 보호·관리할 신임관계에 있게 되고, 그때부터 배임죄에서 말하는 '타인의 사무를 처리하는 자'에 해당한다고 보아야 한다. 그러한 지위에 있는 매도인이 매수인에게 부동산의 소유권을 이전해 주기 전에 부동산을 제3자에게 처분하여 등기를 하는 행위는 매수인의 부동산 취득이나 보전에 지장을 초래하는 행위로서 **배임죄가 성립**하고, 이러한 법리는 **서면에 의한 부동산 증여계약에도 마찬가지로 적용된다.**(대법원 2018. 12. 13. 2016도19308 목장 증여 사건)

㉤ [O] (1) 채무자가 투자금반환채무의 변제를 위하여 담보로 제공한 임차권 등의 권리를 그대로 유지할 계약상 의무가 있다고 하더라도, 이는 기본적으로 투자금반환채무의 변제의 방법에 관한 것이고, 그 성실한 이행에 의하여 채권자가 계약상 권리의 만족이라는 이익을 얻는다고 하여도 이를 가지고 **배임죄에서 말하는 '타인의 사무'에 해당한다고 볼 수 없다.**

(2) 피고인 甲이 아울렛 의류매장의 운영과 관련하여 A로부터 투자를 받으면서 투자금반환채무의 변제를 위하여 의류매장에 관한 임차인 명의와 판매대금의 입금계좌명의를 A 앞으로 변경해 주었음에도 乙에게 임차인의 지위 등 권리 일체를 양도한 경우, 甲이 의류매장에 임차인 명의와 판매대금의 입금계좌 명의를 A 앞으로 그대로 유지하여야 할 의무는 단순한 민사상의 채무로서 배임죄는 성립하지 아니한다.(대법원 2015. 3. 26. 2015도1301 의류매장 임차권 양도사건)

핵심정리 **동산 양도담보 채무자 처분행위시 배임죄 판례변경(대법원 2020. 2. 20. 2019도9756 전합)**

[1] 배임죄는 타인의 사무를 처리하는 자가 그 임무에 위배하는 행위로써 재산상의 이익을 취득하거나 제3자로 하여금 이를 취득하게 하여 사무의 주체인 타인에게 손해를 가할 때 성립하는 것이므로 범죄의 주체는 **타인의 사무를 처리하는 지위에 있어야 한다.**

[2] **채무자가 금전채무를 담보하기 위하여 그 소유의 동산을 채권자에게 양도담보로 제공**함으로써 채권자인 양도담보권자에 대하여 담보물의 담보가치를 유지·보전할 의무 내지 담보물을 타에 처분하거나 멸실, 훼손하는 등으로 담보권 실행에 지장을 초래하는 행위를 하지 않을 의무를 부담하게 되었더라도, 이를 들어 채무자가 통상의 계약에서의 이익대립관계를 넘어서 채권자와의 신임관계에 기초하여 채권자의 사무를 맡아 처리하는 것으로 볼 수 없다. 따라서 채무자를 배임죄의 주체인 '타인의 사무를 처리하는 자'에 해당한다고 할 수 없고, 그가 담보물을 제3자에게 처분하는 등으로 담보가치를 감소 또는 상실시켜 채권자의 담보권 실행이나 이를 통한 채권실현에 위험을 초래하더라도 **배임죄가 성립한다고 할 수 없다.**

[3] 위와 같은 법리는, 채무자가 동산에 관하여 양도담보설정계약을 체결하여 이를 채권자에게 양도할 의무가 있음에도 제3자에게 처분한 경우에도 적용되고, 주식에 관하여 양도담보설정계약을 체결한 채무자가 제3자에게 해당 주식을 처분한 사안에도 마찬가지로 적용된다.

[4] **갑 주식회사를 운영하는 피고인이 을 은행으로부터 대출을 받으면서 대출금을 완납할 때까지 갑 회사 소유의 동산을 점유개정방식으로 양도담보로 제공하기로 하는 계약을 체결하였음에도 담보목적물인 동산을 병 등에게 매각**함으로써 을은행에 대출금 상당의 손해를 가하였다고 하여 배임의 공소사실로 기소된 사안에서, 위 양도담보계약에서 갑 회사와 을 은행 간 당사자 관계의 전형적·본질적 내용은 대출금 채무의 변제와 이를 위한 담보에 있고, 갑 회사를 통상의 계약에서의 이익대립관계를 넘어서 을 은행과의 신임관계에 기초하여 을 은행의 사무를 맡아 처리하는 것으로 볼 수 없는 이상 갑 회사를 운영하는 피고인을 을 은행에 대한 관계에서 **'타인의 사무를 처리하는 자'에 해당한다고 할 수 없다.**(대법원 2020. 2. 20. 2019도9756 전합)

정답 | 291 ⑤

292 **배임죄에 관한 설명 중 옳지 않은 것은? (다툼이 있으면 판례에 의함)** 13 사법시험 [Superlative ★★★]

□□□

① 새마을금고 임·직원이 동일인 대출한도 제한규정을 위반하여 초과대출행위를 하였더라도 대출채권 회수에 문제가 없는 것으로 판단되는 경우라면 업무상배임죄가 성립하지 않는다.

② 낙찰계의 계주가 계원들에게서 계불입금을 징수하지 않은 상태에서 부담하는 계금지급 의무는 배임죄에서 말하는 '타인의 사무'에 해당한다.

③ 임대인이 점포를 타인에게 매도하여 중도금까지 수령하였는데, 이러한 사실을 알고 있는 그 점포의 임차인이 점포의 임대차 계약 당시 "타인에게 점포를 매도할 경우 우선적으로 임차인에게 매도한다."라는 특약을 이유로 매매대금을 일방적으로 결정하여 공탁하고 임대인과 공모하여 임차인 명의로 소유권이전등기를 경료한 경우 배임죄의 공동정범에 해당한다.

④ 회사의 승낙 없이 임의로 지정 할인율보다 더 높은 할인율을 적용하여 회사가 지정한 가격보다 낮은 가격으로 제품을 판매하는 이른바 '덤핑판매'에서, 제3자인 거래처에 시장 거래 가격에 따라 제품을 판매한 경우라도 행위자 또는 제3자가 재산상 이익을 취득한 사실이 없다면 업무상배임죄가 성립하지 않는다.

⑤ 매도인이 매수인으로부터 중도금을 수령한 이후에 매매목적물인 '동산'을 제3자에게 양도하는 행위는 배임죄에 해당하지 않는다.

해설

② [×] 계주가 계원들로부터 계불입금을 징수하지 아니하였다면 그러한 상태에서 부담하는 계금지급의무는 단순한 채권관계상의 의무에 불과하여 **타인의 사무에 속하지 아니하고,** 이는 계주가 계원들과의 약정을 위반하여 계불입금을 징수하지 아니한 경우라 하여 달리 볼 수 없다.(대법원 2009. 8. 20. 2009도3143 **계주잠적사건**)

① [○] 동일인 대출한도를 초과하여 대출함으로써 새마을금고법을 위반하였다고 하더라도, 대출한도 제한 규정 위반으로 처벌함은 별론으로 하고 그 사실만으로 특별한 사정이 없는 한 업무상배임죄가 성립한다고 할 수 없고, 일반적으로 이러한 동일인 대출한도 초과대출이라는 임무위배의 점에 더하여 대출 당시의 대출채무자의 재무상태 등에 비추어 볼 때 채무상환능력이 부족하거나 제공된 담보의 경제적 가치가 부실해서 대출채권의 회수에 문제가 있는 것으로 판단되는 경우에 재산상 손해가 발생하였다고 보아 업무상배임죄가 성립한다.(대법원 2008. 6. 19. 2006도4876 全合 **안녕새마을금고 사건**) 새마을금고 임·직원이 초과대출행위를 하였더라도 **대출채권 회수에 문제가 없는 것으로 판단되는 경우라면 업무상배임죄가 성립하지 않는다.**

③ [○] 점포의 임차인이 임대인이 그 점포를 타에 매도한 사실을 알고 있으면서 점포의 임대차 계약 당시 '타인에게 점포를 매도할 경우 우선적으로 임차인에게 매도한다'는 특약을 구실로 임차인이 매매대금을 일방적으로 결정하여 공탁하고 임대인과 공모하여 임차인 명의로 소유권이전등기를 경료하였다면 **임대인의 배임행위에 적극가담한 것으로서 배임죄의 공동정범에 해당한다.**(대법원 1983. 7. 12. 82도180)

④ [○] (1) 본인에게 손해를 가하였다고 할지라도 행위자 또는 제3자가 재산상 이익을 취득한 사실이 없다면 배임죄가 성립할 수 없다. (2) 피고인이 회사가 정한 할인율 제한을 위반하였다 하더라도 시장에서 거래되는 가격에 따라 제품을 판매하였다면 지정 할인율에 의한 제품가격과 **실제 판매시 적용된 할인율에 의한 제품가격의 차액 상당을 거래처가 얻은 재산상의 이익이라고 볼 수는 없다.**(대법원 2009. 12. 24. 2007도2484 **과자 할인판매사건**)

⑤ [○] 매매의 목적물이 **동산**일 경우, 매도인은 매수인에게 계약에 정한 바에 따라 그 목적물인 동산을 인도함으로써 계약의 이행을 완료하게 되고 그때 매수인은 매매목적물에 대한 권리를 취득하게 되는 것이므로, 매도인에게 자기의 사무인 동산인도채무 외에 별도로 매수인의 재산의 보호 내지 관리 행위에 협력할 의무가 있다고 할 수 없다. 동산매매계약에서의 매도인은 매수인에 대하여 그의 사무를 처리하는 지위에 있지 아니하므로 매도인이 목적물을 매수인에게 인도하지 아니하고 이를 **타에 처분하였다 하더라도 배임죄가 성립하는 것은 아니다.**(대법원 2011. 1. 20. 2008도10479 슈습 **인쇄기 이중매매 사건**)

293 횡령과 배임에 관한 다음의 설명 중 가장 적절하지 않은 것은? (다툼이 있으면 판례에 의함)

□□□

12 경찰채용 [*Core* ★★]

① 형법 제357조 제1항의 배임수재죄와 같은 조 제2항의 배임증재죄는 통상 필요적 공범의 관계에 있기는 하나 이것은 반드시 수재자와 증재자가 같이 처벌받아야 하는 것을 의미하는 것은 아니고, 증재자에게는 정당한 업무에 속하는 청탁이라도 수재자에게는 부정한 청탁이 될 수도 있다.

② 업무상횡령죄에서 '업무'는 법령, 계약에 의한 것뿐만 아니라 관례를 좇거나 사실상의 것이거나를 묻지 않고 같은 행위를 반복할 지위에 따른 사무를 가리키며, 횡령죄에서 재물 보관에 관한 위탁관계는 사실상의 관계에 있으면 충분하다.

③ 동업자 사이에 손익분배 정산이 되지 아니하였다면 동업자 한 사람이 임의로 동업자들의 합유에 속하는 동업재산을 처분할 권한이 없는 것이므로, 동업자 한 사람이 동업재산을 보관 중 임의로 횡령하였다면 지분비율에 따라 횡령한 금액에 대하여 횡령죄의 죄책을 부담한다.

④ 미리 부동산을 이전받은 매수인이 이를 담보로 제공하여 매매대금 지급을 위한 자금을 마련하고 이를 매도인에게 제공함으로써 잔금을 지급하기로 당사자 사이에 약정하였다고 하더라도, 이는 기본적으로 매수인이 매매대금의 재원을 마련하는 방편에 관한 것이고, 그 성실한 이행에 의하여 매도인이 대금을 모두 받게 되는 이익을 얻는다는 것만으로 매수인이 신임관계에 기하여 매도인의 사무를 처리하는 것이 된다고 할 수 없다.

해설

③ [×] 동업자 사이에 손익분배 정산이 되지 아니하였다면 동업자 한 사람이 임의로 동업자들의 합유에 속하는 동업재산을 처분할 권한이 없는 것이므로, 동업자 한 사람이 동업재산을 보관 중 임의로 횡령하였다면 **지분비율에 관계없이 횡령한 금액 전부에 대하여 횡령죄의 죄책을 부담한다.**(대법원 2011. 6. 10. 2010도17684 **계약금 9000만원 횡령사건**)

① [○] 배임수재죄와 배임증재죄는 통상 **필요적 공범**의 관계에 있기는 하나, 이것은 반드시 수재자와 증재자가 같이 처벌받아야 하는 것을 의미하는 것은 아니고 **증재자에게는 정당한 업무에 속하는 청탁이라도 수재자에게는 부정한 청탁이 될 수도 있는 것이다.**(대법원 2011. 10. 27. 2010도7624 **가처분 취하사건**)

정답 | 292 ② 293 ③

② [O] 업무상횡령죄에서 '업무'는 **법령, 계약에 의한 것뿐만 아니라 관례를 좇거나 사실상의 것이거나를 묻지 않고 같은 행위를 반복할 지위에 따른 사무를 가리키며**, 횡령죄에서 재물 보관에 관한 위탁관계는 사실상의 관계에 있으면 충분하다.(대법원 2011. 10. 13. 2009도13751 세림학원 이사장 사건)

④ [O] (1) 미리 부동산을 이전받은 매수인이 이를 담보로 제공하여 매매대금 지급을 위한 자금을 마련하고 이를 매도인에게 제공함으로써 잔금을 지급하기로 당사자 사이에 약정하였다고 하더라도, 이는 기본적으로 매수인이 매매대금의 재원을 마련하는 방편에 관한 것이고, 그 성실한 이행에 의하여 매도인이 대금을 모두 받게 되는 이익을 얻는다는 것만으로 **매수인이 신임관계에 기하여 매도인의 사무를 처리하는 것이 된다고 할 수 없다.**
(2) 피고인 甲이 A에게서 임야를 매수하면서, 계약금을 지급하는 즉시 甲 앞으로 소유권을 이전받되 매매잔금은 甲의 책임 아래 형질변경과 건축허가를 받으면 일정기간 내에 임야를 담보로 대출을 받아 지급하고 건축허가가 나지 아니하면 계약을 해제하여 원상회복해 주기로 약정하였는데도, 임야에 관하여 소유권이전등기를 받은 당일 1건, 그 후 1건의 근저당권을 설정한 경우 배임죄가 성립하지 않는다.(대법원 2011. 4. 28. 2011도3247 소유권 먼저 대금 나중 사건)

294 횡령과 배임의 죄에 관한 다음 설명 중 옳지 않은 것은 몇 개인가? (다툼이 있으면 판례에 의함)

□□□

18 경찰간부 [Superlative ★★★]

㉠ 채무자가 그 소유의 동산에 대하여 점유개정의 방식으로 채권자들에게 이중의 양도담보설정계약을 체결한 후 양도담보 설정자가 목적물을 임의로 제3자에게 처분하였다면 양도담보권자라 할 수 없는 뒤의 채권자에 대한 관계에서는 설정자인 채무자가 타인의 사무를 처리하는 자에 해당한다고 할 수 없어 배임죄가 성립하지 않는다.
㉡ A종중으로부터 종중 소유의 토지를 명의신탁받아 보관 중이던 甲이 자신의 개인 채무 변제에 사용할 돈을 차용하기 위해 위 토지에 근저당권을 설정하였는데, 그 후 甲·乙이 공모하여 위 토지를 丙에게 매도한 행위는 선행 근저당권설정행위 이후에 이루어진 것이어서 불가벌적 사후행위에 해당한다.
㉢ 회사의 대표이사가 대표권을 남용하여 회사 명의의 약속어음을 발행한 사실을 상대방이 알았거나 알 수 있었을 때에 해당하여 약속어음 발행이 무효가 되고 그 어음이 실제로 유통되지도 않았다면, 특별한 사정이 없는 한 배임죄의 기수범이 아니라 배임미수죄로 처벌되어야 한다.
㉣ 조합재산은 조합원의 합유에 속하므로 조합원 중 한 사람이 조합재산 처분으로 얻은 대금을 임의로 소비하였다면 횡령죄의 죄책을 면할 수 없고, 이러한 법리는 내적 조합과 익명조합의 경우에도 마찬가지이다.

① 0개　　② 1개
③ 2개　　④ 3개

해설

③ ㉡㉣ 2 항목이 옳지 않다.

㉠ [○] 채무자가 그 소유의 동산에 대하여 점유개정의 방식으로 채권자들에게 이중의 양도담보 설정계약을 체결한 후 양도담보 설정자가 목적물을 임의로 제3자에게 처분하였다면 양도담보권자라 할 수 없는 뒤의 채권자에 대한 관계에서는, 설정자인 채무자가 타인의 사무를 처리하는 자에 해당한다고 할 수 없어 **배임죄가 성립하지 않는다.**(대법원 2004. 6. 25. 2004도1751 **성형사출기 사건**)

㉡ [×] 타인의 부동산을 보관 중인 자가 그 부동산에 근저당권설정등기를 경료함으로써 일단 횡령행위가 기수에 이르렀다 하더라도 그 후 **해당 부동산을 매각함으로써 기존의 근저당권과 관계없이 법익침해의 결과를 발생시켰다면,** 이는 근저당권으로 인해 당연히 예상될 수 있는 범위를 넘어 새로운 법익침해의 위험을 추가시키거나 법익침해의 결과를 발생시킨 것이므로 **불가벌적 사후행위로 볼 수 없고 별도로 횡령죄를 구성한다.**(대법원 2013. 2. 21. 2010도10500 전원합의체 **종중회의 총무 횡령사건**)

㉢ [○] 주식회사의 대표이사가 대표권을 남용하는 등 그 임무에 위배하여 약속어음을 발행한 경우 어음법상 발행인은 종전의 소지인에 대한 인적 관계로 인한 항변으로써 소지인에게 대항하지 못하므로, (1) 어음발행이 무효라 하더라도 그 어음이 실제로 제3자에게 **유통되었다면** 회사로서는 어음채무를 부담할 위험이 구체적 · 현실적으로 발생하였다고 보아야 하고, 따라서 그 어음채무가 실제로 이행되기 전이라도 **배임죄의 기수범이 된다.** (2) 그러나 약속어음 발행이 무효일 뿐만 아니라 그 어음이 **유통되지도 않았다면** 회사는 어음발행의 상대방에게 어음채무를 부담하지 않기 때문에 특별한 사정이 없는 한 회사에 현실적으로 손해가 발생하였다거나 실해 발생의 위험이 발생하였다고도 볼 수 없으므로, 이때에는 배임죄의 기수범이 아니라 **배임미수죄로 처벌하여야 한다.**(대법원 2017. 7. 20. 2014도1104 전원합의체 **29억 약속어음 사건**) 어음발행이 유효하면 배임기수죄가 된다. 어음발행이 (상대방이 대표권 남용 사실을 알았거나 중대한 과실로 알지 못하여) 무효인 경우에도 이것이 유통되었다면 배임기수죄가 되고, 아직 유통되지 않았다면 배임미수죄가 된다는 취지의 판례이다. 이 판례에 의하여 어음발행이 무효이고 아직 유통되지 않았어도 '유통되지 아니한다는 특별한 사정이 없는 한' 배임기수죄가 된다고 판시한 판례(대법원 2013. 2. 14. 2011도10302, 대법원 2012. 12. 27. 2012도10822)는 폐기되었음을 주의하여야 한다.

㉣ [×] **익명조합원이 영업을 위하여 출자한 금전 기타의 재산은 상대방인 영업자의 재산으로 되는 것이므로** 영업자가 그 영업의 이익금을 함부로 자기 용도에 소비하였다 하여도 **횡령죄가 되지 아니한다.**(대법원 1971. 12. 28. 71도2032 **카프테리아 사건**)

상법(2015. 12. 1. 법률 제13523호로 일부개정된 것)
第78조【의의】 익명조합은 당사자의 일방이 상대방의 영업을 위하여 출자하고 상대방은 그 영업으로 인한 이익을 분배할 것을 약정함으로써 그 효력이 생긴다. **第79조【익명조합원의 출자】** 익명조합원이 출자한 금전 기타의 재산은 **영업자의 재산으로 본다.**

정답 | 294 ③

295 횡령과 배임의 죄에 관한 설명으로 옳은 것은 모두 몇 개인가? (다툼이 있으면 판례에 의함)

□□□

24 경찰간부 [Core ★★]

㉠ 건물의 임차인 甲이 임대인 A에 대한 임대차 보증금반환채권을 B에게 양도하고, 이를 A에게 통지하지 않고, A로부터 남아있던 임대차보증금을 반환받아 甲이 소비한 경우 횡령죄가 성립하지 않는다.

㉡ 직무발명에 대한 권리를 사용자 등에게 승계한다는 취지를 정한 약정 또는 근무규정의 적용을 받는 종업원 등이 직무발명의 완성 사실을 사용자 등에게 통지하지 아니한 채 그에 대한 특허를 받을 수 있는 권리를 제3자에게 이중으로 양도하여 제3자가 특허권 등록까지 마치도록 하는 등으로 발명의 내용이 공개되도록 한 경우 배임죄가 성립한다.

㉢ 채무자가 본인 소유의 동산을 채권자에게 「동산·채권 등의 담보에 관한 법률」에 따른 동산담보로 제공한 경우 채무자가 담보물을 제3자에게 처분하는 등으로 담보가치를 감소 또는 상실시켜 채권자의 담보권 실행이나 이를 통한 채권실현에 위험을 초래하더라도 배임죄는 성립하지 않는다.

㉣ 甲이 범죄수익 등의 은닉을 위해 乙로부터 교부받은 무기명 양도성예금증서를 현금으로 교환하여 임의로 소비하였다면 횡령죄가 성립한다.

① 1개　　② 2개

③ 3개　　④ 4개

해설

③ ㉠㉡㉢ 3 항목이 옳다.

㉠ [○] (1) 채권양도인이 채무자에게 채권양도 통지를 하는 등으로 채권양도의 대항요건을 갖추어 주지 않은 채 채무자로부터 채권을 추심하여 금전을 수령한 경우 특별한 사정이 없는 한 금전의 소유권은 채권양수인이 아니라 **채권양도인에게 귀속하고** 채권양도인이 채권양수인을 위하여 양도 채권의 보전에 관한 사무를 처리하는 신임관계가 존재한다고 볼 수 없다. 따라서 채권양도인이 양도한 채권을 추심하여 수령한 금전에 관하여 채권양수인을 위해 보관하는 자의 지위에 있다고 볼 수 없으므로 채권양도인이 금전을 임의로 처분하더라도 횡령죄는 성립하지 않는다.

(2) 임차인 甲이 A와 임대차보증금반환채권에 관한 채권양도계약을 체결하고 임대인 B에게 채권양도 통지를 하기 전에 B로부터 채권을 추심하여 남아 있던 임대차보증금을 수령하였더라도 임대차보증금으로 받은 금전의 소유권은 甲에게 귀속할 뿐이고 A에게 귀속한다고 볼 수 없다. 나아가 채권양도계약을 체결한 甲과 A는 통상의 권리이전계약에 따른 이익대립관계에 있을 뿐이고 **甲이 A를 위한 보관자 지위가 인정될 수 있는 신임관계에 있다고 볼 수도 없다.**(대법원 2022. 6. 23. 2017도3829 全合 **임차보증금 양도사건**) 유사한 사례에서 "횡령죄가 성립한다"라고 판시한 판례(대법원 2007. 5. 11. 2006도4935 **용역보증금 양도사건**, 대법원 1999. 4. 15. 97도666 全合)는 폐기되었음을 주의하여야 한다.

㉡ [○] 직무발명에 대한 특허를 받을 수 있는 권리 등을 사용자 등에게 승계한다는 취지를 정한 약정 또는 근무규정의 적용을 받는 종업원 등이, 직무발명을 완성하고도 그 사실을 사용자 등에게 알리지 않은 채 그 발명에 대한 특허를 받을 수 있는 권리를 제3자에게 이중으로 양도하여 제3자가 특허권 등록까지 마치도록 하는 등으로 그 발명의 내용이 공개되도록 하였다면, 이는 **사용자 등에게 손해를 가하는 행위로서 배임죄를 구성한다.** (대법원 2012. 11. 15. 2012도6676 **Q22합금 특허사건**)

Ⓒ [○] 채무자가 금전채무를 담보하기 위하여 동산을 채권자에게 「**동산 · 채권 등의 담보에 관한 법률**」**에 따른 동산담보로 제공**함으로써 채권자인 동산담보권자에 대하여 담보물의 담보가치를 유지 · 보전할 의무 또는 담보물을 타에 처분하거나 멸실 · 훼손하는 등으로 담보권 실행에 지장을 초래하는 행위를 하지 않을 의무를 부담하게 되었더라도, 이를 들어 채무자가 통상의 계약에서의 이익대립관계를 넘어서 채권자와의 신임관계에 기초하여 채권자의 사무를 맡아 처리하는 것으로 볼 수 없으므로 채무자를 배임죄의 주체인 **'타인의 사무를 처리하는 자'에 해당한다고 할 수 없고,** 그가 담보물을 제3자에게 처분하는 등으로 담보가치를 감소 또는 상실시켜 채권자의 담보권 실행이나 이를 통한 채권실현에 위험을 초래하더라도 배임죄가 성립하지 아니한다.(대법원 2020. 8. 27. 2019도14770 全合 **레이저가공기 동산담보 사건**)

ⓔ [×] **원심은** 피고인 甲이 乙로부터 범죄수익 등의 은닉을 위해 교부받은 **무기명 양도성예금증서는 불법의 원인으로 급여한 물건에 해당하여** 그 소유권이 甲에게 귀속되고 따라서 甲이 무기명 양도성예금증서를 교환한 현금을 임의로 소비하였다고 하더라도 **횡령죄가 성립하지 않는다고 판단하였는바 원심의 위와 같은 판단은 정당하다.**(대법원 2017. 10. 26. 2017도9254 **범죄수익 무기명 양도성예금증서 사건**)

296 다음 설명 중 가장 옳지 않은 것은? (다툼이 있으면 판례에 의함) 19 법원행시 [*Core* ★★]

□□□

① 채권자가 그 채권의 지급을 담보하기 위하여 채무자로부터 수표를 발행·교부받아 이를 소지한 경우, 그 수표상의 권리가 채권자에게 유효하게 귀속되므로 채권자는 횡령죄의 주체인 타인의 재물을 보관하는 지위에 있다고 볼 수 없다.

② 법인의 구성원이 업무수행에 있어 관계법령을 위반함으로써 형사재판을 받게 되었다 하더라도 그의 개인적인 변호사비용을 법인자금으로 지급하는 것은 횡령죄에 해당한다.

③ 계약명의신탁의 방식으로 명의수탁자가 당사자가 되어 명의신탁 약정이 있음을 알고 있는 소유자와 부동산에 관한 매매계약을 체결하고 그 명의로 소유권이전등기를 마친 경우, 명의수탁자가 명의신탁자나 매도인에 대한 관계에서 '타인의 재물을 보관하는 자' 또는 '타인의 사무를 처리하는 자'의 지위에 있다고 볼 수 없다.

④ 조합재산은 조합원의 합유에 속하는 것이므로 조합원 중 한 사람이 조합재산의 처분으로 얻은 대금을 임의로 소비하였다면 횡령죄의 죄책을 면할 수 없고, 이러한 법리는 내부적으로는 조합관계에 있지만 대외적으로는 조합관계가 드러나지 않는 이른바 내적 조합의 경우나 익명조합의 경우에도 마찬가지이다.

⑤ 부동산을 공동으로 상속한 자들 중 1인이 부동산을 혼자 점유하다가 다른 공동상속인의 상속지분까지 임의로 처분하더라도 횡령죄는 성립하지 아니한다.

정답 | 295 ③ 296 ④

해설

④ [×] (1) 조합재산은 조합원의 합유에 속하는 것이므로 조합원 중 한 사람이 조합재산의 처분으로 얻은 대금을 임의로 소비하였다면 횡령죄의 죄책을 면할 수 없고, 이러한 법리는 내부적으로는 조합관계에 있지만 대외적으로는 조합관계가 드러나지 않는 이른바 **내적 조합의 경우에도 마찬가지이다**.(대법원 2011. 11. 24. 2010도5014 **전매이익금 미정산 사건**)

(2) **익명조합원이 영업을 위하여 출자한 금전 기타의 재산은 상대방인 영업자의 재산으로 되는 것이므로** 영업자가 그 영업의 이익금을 함부로 자기 용도에 소비하였다하여도 **횡령죄가 되지 아니한다**.(대법원 1971. 12. 28. 71도2032 **카프테리아 사건**)

① [○] 채권자가 그 채권의 **지급을 담보하기 위하여** 채무자로부터 수표를 발행 · 교부받아 이를 소지한 경우에는, 단순히 보관의 위탁관계에 따라 수표를 소지하고 있는 경우와는 달리 그 **수표상의 권리가 채권자에게 유효하게 귀속되고**, 채권자와 채무자 사이의 수표 반환에 관한 약정은 원인관계상의 인적 항변사유에 불과하므로, **채권자는 횡령죄의 주체인 타인의 재물을 보관하는 자의 지위에 있다고 볼 수 없다**.(대법원 2000. 2. 11. 99도4979 **담보 가계수표 사건**)

② [○] 법인의 구성원은 적법한 방법으로 법인을 위한 업무를 수행하여야 하므로, 법인의 구성원이 업무수행에 있어 관계 법령을 위반함으로써 형사재판을 받게 되었다면 그의 개인적인 변호사비용을 법인 자금으로 지급한다는 것은 **횡령에 해당하며**, 그 변호사비용을 법인이 부담하는 것이 관례라고 하여도 그러한 행위가 사회상규에 어긋나지 않는다고 할 만큼 사회적으로 용인되어 보편화된 관례라고 할 수 없다.(대법원 2003. 5. 30. 2002도235)

③ [○] 명의신탁자와 명의수탁자가 이른바 **계약명의신탁** 약정을 맺고 명의수탁자가 당사자가 되어 명의신탁약정이 있다는 사실을 알고 있는 소유자와 부동산에 관한 매매계약을 체결한 후 그 매매계약에 따라 당해 부동산의 소유권이전등기를 명의수탁자 명의로 마친 경우에는 (1) 부동산실명법 제4조 제2항 본문에 의하여 수탁자 명의의 소유권이전등기는 무효이고 당해 부동산의 소유권은 매도인이 그대로 보유하게 되므로, 명의수탁자는 부동산 취득을 위한 계약의 당사자도 아닌 명의신탁자에 대한 관계에서 횡령죄에서의 '타인의 재물을 보관하는 자'의 지위에 있다고 볼 수 없고, 또한 명의수탁자가 명의신탁자에 대하여 매매대금 등을 부당이득으로서 반환할 의무를 부담한다고 하더라도 이를 두고 배임죄에서의 '타인의 사무를 처리하는 자'의 지위에 있다고 보기도 어렵다.

(2) 한편 명의수탁자는 매도인에 대하여 소유권이전등기말소의무를 부담하게 되나, 위 소유권이전등기는 처음부터 원인무효여서 명의수탁자는 매도인이 소유권에 기한 방해배제청구로 그 말소를 구하는 것에 대하여 상대방으로서 응할 처지에 있음에 불과하고, 그가 제3자와 사이에 한 처분행위가 부동산실명법 제4조 제3항에 따라 유효하게 될 가능성이 있다고 하더라도 이는 거래의 상대방인 제3자를 보호하기 위하여 명의신탁 약정의 무효에 대한 예외를 설정한 취지일 뿐 매도인과 명의수탁자 사이에 위 처분행위를 유효하게 만드는 어떠한 신임관계가 존재함을 전제한 것이라고는 볼 수 없으므로, 말소등기의무의 존재나 명의수탁자에 의한 유효한 처분가능성을 들어 명의수탁자가 매도인에 대한 관계에서 횡령죄에서의 '타인의 재물을 보관하는 자' 또는 배임죄에서의 '타인의 사무를 처리하는 자'의 지위에 있다고 볼 수도 없다.(대법원 2012. 11. 29. 2011도7361 **매도인 악의 계약명의신탁 사건**)

⑤ [○] 부동산에 관한 횡령죄에 있어서 타인의 재물을 보관하는 자의 지위는 동산의 경우와는 달리 부동산에 대한 점유의 여부가 아니라 부동산을 제3자에게 유효하게 처분할 수 있는 권능의 유무에 따라 결정하여야 하므로, 부동산을 공동으로 상속한 자들 중 1인이 부동산을 혼자 점유하던 중 다른 공동상속인의 상속지분을 임의로 처분하여도 그에게는 그 처분권능이 없어 횡령죄가 성립하지 아니한다.(대법원 2000. 4. 11. 2000도565 **계모 상속재산 매도사건**)

297 횡령죄와 배임죄에 대한 설명으로 가장 적절하지 않은 것은? (다툼이 있으면 판례에 의함)

□□□

18 경찰승진 [Essential ★]

① 포주인 甲이 자신의 종업원인 A에게 윤락을 권유하여 고용한 후, A가 받은 화대를 甲이 일단 보관하다가 절반씩 분배하기로 약정하였음에도 불구하고 甲이 보관 중인 화대를 임의로 소비한 경우, 그 화대는 불법원인으로 인한 것이지만 甲의 행위는 횡령죄에 해당한다.

② 피해자는 자금만 투자하고 피고인은 공사 시공 및 일체의 거래행위를 담당하는 내용의 동업계약을 체결하였다가 위 계약이 종료되었는데, 그 정산과정에서 피고인이 임의로 제3자에 대하여 채권양도행위를 한 경우 배임죄가 성립하지 않는다.

③ 상법상 주식은 자본구성의 단위 또는 주주의 지위를 의미하므로 재물이 아니며, 횡령죄의 객체가 될 수 없다.

④ 회사직원이 영업비밀 등을 적법하게 반출하였으나 퇴사 시에 회사에 반환하거나 폐기할 의무가 있음에도 경쟁업체에 유출하거나 스스로의 이익을 위하여 이용할 목적으로 이를 반환하거나 폐기하지 아니하였다면, 반출시에 업무상배임죄의 기수가 된다.

해설

④ [×] (1) 회사직원이 재직 중에 영업비밀 또는 영업상 주요한 자산을 경쟁업체에 유출하거나 스스로의 이익을 위하여 이용할 목적으로 무단으로 반출하였다면 타인의 사무를 처리하는 자로서 그 업무상의 임무에 위배하여 유출 또는 반출한 것이어서 유출 또는 반출시에 업무상배임죄의 기수가 된다.
(2) 회사직원이 영업비밀 등을 적법하게 반출하여 그 반출행위가 업무상배임죄에 해당하지 않는 경우라도, 퇴사시에 그 영업비밀 등을 회사에 반환하거나 폐기할 의무가 있음에도 경쟁업체에 유출하거나 스스로의 이익을 위하여 이용할 목적으로 이를 반환하거나 폐기하지 아니하였다면, 이러한 행위는 **퇴사시에 업무상배임죄의 기수가 된다.**(대법원 2017. 6. 29. 2017도3808 **소스코드 기술 유출사건**)

① [○] 포주가 윤락녀와 사이에 윤락녀가 받은 화대를 포주가 보관하였다가 절반씩 분배하기로 약정하고도 보관 중인 화대를 임의로 소비한 경우, 포주의 불법성이 윤락녀의 불법성보다 현저히 크므로 화대의 소유권이 여전히 윤락녀에게 속하므로 **횡령죄가 성립한다.**(대법원 1999. 9. 17. 98도2036 **인천 학익동 포주사건**)

② [○] 동업자 갑은 자금만 투자하고 동업자 을은 노무와 설비를 투자하여 공사를 수급하여 시공하고 그 대금 등을 추심하는 등 일체의 거래행위를 담당하면서 그 이익을 나누어 갖기로 하는 내용의 동업계약이 체결되었다가 그 계약이 종료된 경우 위 공사 시공 등 일체의 행위를 담당하였던 을이 자금만을 투자한 갑에게 투자금원을 반환하고 또 이익 또는 손해를 부담시키는 내용의 정산의무나 그 정산과정에서 행하는 채권의 추심과 채무의 변제 등의 행위는 모두 을 자신의 사무이지 자금을 투자한 갑을 위하여 하는 타인의 사무라고 볼 수는 없다고 보아 을의 제3자에 대한 채권양도행위를 배임죄에 있어서 타인의 사무를 처리하는 자로서의 임무위배행위라고 할 수 없다. (대법원 1992. 4. 14. 91도2390)

③ [○] **주권**은 유가증권으로서 재물에 해당되므로 **횡령죄의 객체가 될 수 있으나**, 자본의 구성단위 또는 주주권을 의미하는 **주식**은 재물이 아니므로 **횡령죄의 객체가 될 수 없다.**(대법원 2005. 2. 18. 2002도2822 **주식수 변조사건**)

정답 | 297 ④

298 재산죄의 성립에 관한 설명 중 옳은 것을 모두 고른 것은? (다툼이 있으면 판례에 의함)

□□□

12 변호사 [Superlative ★★★]

㉠ 채권자가 양도담보로 제공된 부동산을 변제기 후에 담보권의 실행차원에서 처분한 경우, 그 목적물을 부당하게 염가로 처분하거나 청산금의 잔액을 채무자에게 지급해주지 않으면 배임죄가 성립한다.

㉡ 자기소유의 동산에 대해 매수인과 매매계약을 체결한 매도인이 중도금까지 지급받은 상태에서 그 목적물을 제3자에 대한 자기의 채무변제에 갈음하여 그 제3자에게 양도해 버린 경우에는 기존 매수인에 대한 배임죄가 성립한다.

㉢ 명의신탁 약정에 따라 수탁자가 부동산 매매계약의 매수인으로 나서서 그 정을 모르는 매도인과 매매계약을 체결하고 그 목적물을 자기 명의로 등기한 후 임의로 처분한 경우에는 횡령죄가 성립한다.

㉣ 양도담보로 제공된 동산을 채권자가 채무자와의 합의를 통해 점유보관하고 있다가 변제기가 도래하기 전에 그 목적물을 임의로 제3자에게 처분하면 횡령죄가 성립한다.

① ㉠㉡ ② ㉠㉢ ③ ㉡㉢㉣ ④ ㉡㉣ ⑤ ㉣

해설

⑤ ㉣ 항목만이 옳다.

㉠ [×] 양도담보의 경우 담보권자가 변제기 경과후에 담보권을 실행하여 그 환가대금 또는 평가액을 채권원리금과 담보권 실행비용 등의 변제에 충당하고 그 나머지가 있는 경우에 이를 담보제공자에게 돌려주어야 할 **정산의무는 자기의 사무처리에 속하는 것이라 할 것이고** 이를 타인인 채무자의 사무처리에 속하는 것이라고 볼 수 없으니 그 정산의무를 이행하지 아니한 것으로는 **배임죄를 구성하지 않는다.**(대법원 1985. 11. 26. 85도1493 全合, 대법원 1997. 12. 23. 97도2430)

㉡ [×] 매매의 목적물이 동산일 경우, 매도인은 매수인에게 계약에 정한 바에 따라 그 목적물인 동산을 인도함으로써 계약의 이행을 완료하게 되고 그때 매수인은 매매목적물에 대한 권리를 취득하게 되는 것이므로, 매도인에게 자기의 사무인 동산인도채무 외에 별도로 매수인의 재산의 보호 내지 관리 행위에 협력할 의무가 있다고 할 수 없다. **동산매매계약에서의 매도인은 매수인에 대하여 그의 사무를 처리하는 지위에 있지 아니하므로** 매도인이 목적물을 매수인에게 인도하지 아니하고 이를 타에 처분하였다 하더라도 **배임죄가 성립하는 것은 아니다.**(대법원 2011. 1. 20. 2008도10479 全合 **인쇄기 이중매매 사건**)

㉢ [×] 신탁자와 수탁자가 명의신탁 약정을 맺고, 이에 따라 수탁자가 당사자가 되어 명의신탁 약정이 있다는 사실을 알지 못하는 소유자와 사이에서 부동산에 관한 매매계약을 체결한 후 당해 부동산의 소유권이전등기를 수탁자 이름으로 경료한 경우에는, 그 소유권이전등기에 의한 당해 부동산에 관한 물권변동은 유효하고 한편 신탁자와 수탁자 사이의 명의신탁 약정은 무효이므로 결국 **수탁자는 전 소유자인 매도인뿐만 아니라 신탁자에 대한 관계에서도 유효하게 당해 부동산의 소유권을 취득한 것으로 보아야 할 것이고** 따라서 그 **수탁자는 타인의 재물을 보관하는 자라고 볼 수 없다.**(대법원 2010. 11. 11. 2008도7451 **매도인 선의 계약명의신탁 사건 I**)

㉣ [○] 채무자가 채무이행의 담보를 위하여 동산에 관한 양도담보계약을 체결하고 점유개정의 방법으로 여전히 그 동산을 점유하는 경우 그 동산의 소유권은 여전히 채무자에게 남아 있고, 채권자는 단지 양도담보물권을 취득하는 데 지나지 않으므로 그 동산을 다른 사유에 의하여 보관하게 된 채권자는 **타인 소유의 물건을 보관하는 자로서 횡령죄의 주체가 될 수 있다.**(대법원 1989. 4. 11. 88도906 **양도담보 포목 사건**)

299 횡령과 배임의 죄에 대한 설명으로 옳지 않은 것은? (다툼이 있으면 판례에 의함)

□□□

24 국가9급 [*Core* ★★]

① 타인의 재물을 보관하는 사람이 단순히 반환을 거부한 사실만으로 횡령죄가 성립하는 것은 아니며, 반환거부의 이유 및 주관적인 의사 등을 종합하여 반환거부행위가 횡령행위와 같다고 볼 수 있을 정도이어야만 횡령죄가 성립할 수 있다.

② 저당권설정계약에 따라 채권자에게 저당권설정의무를 부담하는 채무자가 제3자에게 먼저 담보물에 관한 저당권을 설정하거나 담보물을 양도하는 등으로 채권자의 채권실현에 위험을 초래하더라도 배임죄가 성립한다고 할 수 없다.

③ 건물의 임차인이 임대인에 대한 임대차보증금반환채권을 제3자에게 양도하였는데도 임대인에게 채권양도 통지를 하지 않고 임대인으로부터 남아 있던 임대차보증금을 반환받아 보관하던 중 이를 개인적인 용도로 사용하면 채권을 양수한 제3자를 피해자로 하는 횡령죄가 성립한다.

④ 주식회사의 대표이사가 대표권을 남용하는 등 그 임무에 위배하여 회사 명의로 의무를 부담하는 행위를 하더라도 상대방이 대표권 남용 사실을 알았거나 알 수 있었던 경우 그 의무부담행위로 인하여 실제로 채무의 이행이 이루어졌다거나 회사가 민법상 불법행위책임을 부담하게 되었다는 등의 사정이 없는 이상 배임죄의 기수에 이른 것은 아니다.

해설

③ [×] (1) 채권양도인이 채무자에게 채권양도 통지를 하는 등으로 채권양도의 대항요건을 갖추어 주지 않은 채 채무자로부터 채권을 추심하여 금전을 수령한 경우 특별한 사정이 없는 한 **금전의 소유권은 채권양수인이 아니라 채권양도인에게 귀속하고** 채권양도인이 채권양수인을 위하여 양도 채권의 보전에 관한 사무를 처리하는 신임관계가 존재한다고 볼 수 없다. 따라서 채권양도인이 양도한 채권을 추심하여 수령한 금전에 관하여 채권양수인을 위해 보관하는 자의 지위에 있다고 볼 수 없으므로 **채권양도인이 금전을 임의로 처분하더라도 횡령죄는 성립하지 않는다.** (2) 임차인 甲이 A와 임대차보증금반환채권에 관한 채권양도계약을 체결하고 **임대인 B에게 채권양도 통지를 하기 전에 B로부터 채권을 추심하여 남아 있던 임대차보증금을 수령하였더라도 임대차보증금으로 받은 금전의 소유권은 甲에게 귀속할 뿐이고 A에게 귀속한다고 볼 수 없다.** 나아가 채권양도계약을 체결한 甲과 A는 통상의 권리이전계약에 따른 이익대립관계에 있을 뿐이고 **甲이 A를 위한 보관자 지위가 인정될 수 있는 신임관계에 있다고 볼 수도 없다.**(대법원 2022. 6. 23. 2017도3829 全合 임차보증금 양도사건)

① [○] 형법 제355조 제1항에서 정하는 '반환의 거부'라고 함은 보관물에 대하여 소유자의 권리를 배제하는 의사표시를 하는 행위를 뜻하므로 타인의 재물을 보관하는 자가 단순히 반환을 거부한 사실만으로는 횡령죄를 구성하는 것은 아니며, **반환거부의 이유 및 주관적인 의사 등을 종합하여 반환거부행위가 횡령행위와 같다고 볼 수 있을 정도이어야만 횡령죄가 성립한다.**(대법원 2013. 8. 23. 2011도7637 캐럿이일 대표이사 사건)

② [○] 채무자가 금전채무를 담보하기 위한 저당권설정계약에 따라 채권자에게 그 소유의 부동산에 관하여 저당권을 설정할 의무를 부담하게 되었다고 하더라도 이를 들어 **채무자가 통상의 계약에서 이루어지는 이익대립관계를 넘어서 채권자와의 신임관계에 기초하여 채권자의 사무를 맡아 처리하는 것으로 볼 수 없다.** 채무자가

정답 | 298 ⑤ 299 ③

저당권설정계약에 따라 채권자에 대하여 부담하는 저당권을 설정할 의무는 계약에 따라 부담하게 된 채무자 자신의 의무이다. 채무자가 위와 같은 의무를 이행하는 것은 채무자 자신의 사무에 해당할 뿐이므로 채무자를 채권자에 대한 관계에서 '타인의 사무를 처리하는 자'라고 할 수 없다. 따라서 채무자가 제3자에게 먼저 담보물에 관한 저당권을 설정하거나 담보물을 양도하는 등으로 담보가치를 감소 또는 상실시켜 채권자의 채권실현에 위험을 초래하더라도 배임죄가 성립한다고 할 수 없다.(대법원 2020. 6. 18. 2019도14340 全合 **아파트 이중 저당 사건**)

④ [O] (1) 주식회사의 대표이사가 대표권을 남용하는 등 그 임무에 위배하여 회사 명의로 의무를 부담하는 행위를 하더라도 일단 회사의 행위로서 유효하고, 다만 그 **상대방이 대표이사의 진의를 알았거나 알 수 있었을 때에는 회사에 대하여 무효가 된다.** (2) 따라서 상대방이 대표권남용 사실을 알았거나 알 수 있었던 경우 그 의무부담 행위는 원칙적으로 회사에 대하여 효력이 없고, 경제적 관점에서 보아도 이러한 사실만으로는 회사에 현실적인 손해가 발생하였다거나 실해 발생의 위험이 초래되었다고 평가하기 어려우므로 달리 그 **의무부담행위로 인하여 실제로 채무의 이행이 이루어졌다거나 회사가 민법상 불법행위책임을 부담하게 되었다는 등의 사정이 없는 이상 배임죄의 기수에 이른 것은 아니다.** 그러나 이 경우에도 대표이사로서는 배임의 범의로 임무위배행위를 함으로써 실행에 착수한 것이므로 배임죄의 미수범이 된다. (3) 그리고 상대방이 대표권남용 사실을 알지 못하였다는 등의 사정이 있어 그 의무부담 행위가 회사에 대하여 유효한 경우에는 회사의 채무가 발생하고 회사는 그 채무를 이행할 의무를 부담하므로 이러한 채무의 발생은 그 자체로 현실적인 손해 또는 재산상 실해 발생의 위험이라고 할 것이어서 그 채무가 현실적으로 이행되기 전이라도 배임죄의 기수에 이르렀다.(대법원 2017. 7. 20. 2014도1104 全合 **29억 약속어음 사건**)

300 횡령죄 및 배임죄에 관한 설명으로써 옳지 않은 것은 모두 몇 개인가? (다툼이 있으면 판례에 의함)

□□□

18 해경간부 [Superlative ★★★]

㉠ 회사의 대표이사가 근로자의 임금에서 국민연금 보험료 중 근로자가 부담하는 기여금을 원천공제한 뒤 국민연금관리공단에 납부하지 않고 개인적 용도로 사용한 경우, 업무상횡령죄가 성립한다.

㉡ 甲이 乙과 특정 토지를 매수하여 전매한 후 전매이익금을 정산하기로 약정한 다음 乙이 조달한 돈 등을 합하여 토지를 매수하고 소유권이전등기를 甲의 명의로 마쳐 두었지만, 乙은 토지의 매수 및 전매를 甲에게 전적으로 일임하고 그 과정에 전혀 관여하지 아니하였는데, 甲이 위 토지를 제3자에게 임의로 매도한 후 乙에게 전매이익금 반환을 거부한 경우, 횡령죄가 성립하지 않는다.

㉢ 주주권을 표창하는 주권(株券)은 유가증권으로써 재물에 해당되므로 횡령죄의 객체가 될 수 있으나, 자본의 구성단위 또는 주주권을 의미하는 주식(株式)은 재물이 아니므로 횡령죄의 객체가 될 수 없다.

㉣ 업무상배임죄에 있어 본인에게 재산상의 손해를 가한다 함은 현실적인 손해를 가한 경우뿐만 아니라 재산상 실해 발생의 위험을 초래한 경우도 포함되며, 재산상 손해의 유무에 대한 판단은 법률적 관점에서 파악하여야 한다.

ⓜ 피해자 회사의 사업부 영업팀장인 피고인이 체인점들에 대한 전매입고 금액을 삭제하여 전산상 회사의 체인점들에 대한 외상대금채권이 줄어든 것으로 처리하는 전산조작행위를 한 경우 업무상배임죄가 성립한다.

① 1개 ② 2개 ③ 3개 ④ 4개

해설

② ⓔⓜ 2 항목이 옳지 않다.

㉠ [○] 사용자는 매월 임금에서 국민연금 보험료 중 근로자가 부담할 **기여금을 원천공제하여 근로자를 위하여 보관**하고, 국민연금관리공단에 보험료를 납부하여야 할 업무상 임무를 부담하게 되며, 사용자가 이에 위배하여 근로자의 임금에서 원천공제한 기여금을 공단에 납부하지 아니하고, 나아가 이를 **개인적 용도로 소비하였다면 업무상횡령죄의 책임을 면할 수 없다.**(대법원 2011. 2. 10. 2010도13284 원천징수 국민연금보험료사건)

㉡ [○] 비록 甲이 토지의 전매차익을 얻을 목적으로 일정 금원을 출자하였더라도 이후 업무감시권 등에 근거하여 업무집행에 관여한 적이 전혀 없을 뿐만 아니라 **피고인이 아무런 제한 없이 재산을 처분할 수 있었음이 분명하므로** (피고인과 甲 사이의 약정은 조합 또는 내적 조합에 해당하는 것이 아니라 익명조합과 유사한 무명계약에 해당하므로) **횡령죄는 성립하지 아니한다.**(대법원 2011. 11. 24. 2010도5014 전매이익금 미정산 사건)

㉢ [○] **주권**은 유가증권으로서 재물에 해당되므로 **횡령죄의 객체가 될 수 있으나**, 자본의 구성단위 또는 주주권을 의미하는 **주식**은 재물이 아니므로 **횡령죄의 객체가 될 수 없다.**(대법원 2005. 2. 18. 2002도2822 주식수 변조사건)

㉣ [×] 배임죄에 있어서 '재산상의 손해를 가한 때'라 함은 현실적인 손해를 가한 경우뿐만 아니라, 재산상실해 발생의 위험을 초래한 경우도 포함되고, **재산상 손해의 유무에 대한 판단**은 본인의 전 재산 상태와의 관계에서 **법률적 판단에 의하지 아니하고 경제적 관점에서 파악하여야 한다.**(대법원 2014. 2. 13. 2011도16763 고운농장 부동산 임의처분사건)

㉤ [×] 피고인의 전산조작행위로 인하여 회사의 체인점들에 대한 외상대금채권 행사가 사실상 불가능해지거나 또는 현저히 곤란해진 것이 아니라면, **해당 체인점의 점주들이 그에 상응하는 재산상 이익을 취득하였다고 보기도 어려울 것이다.** 따라서 원심이 전산상 외상대금채권이 자동 차감된다는 사정만으로 만연히 회사의 외상매출금채권이 감소될 우려가 생겼다고 판단하여 **업무상 배임의 공소사실을 유죄로 인정한 잘못이 있다.**(대법원 2006. 7. 27. 2006도3145 전매입고 삭제사건)

정답 | 300 ②

301 횡령죄와 배임죄에 관한 설명으로 가장 적절하지 않은 것은? (다툼이 있으면 판례에 의함)

□□□

19 경찰채용 [Core ★★]

① 어음의 할인을 위하여 배서양도의 형식으로 약속어음을 교부받은 자가 이를 자신의 채무 변제에 충당한 경우, 이는 위탁의 취지에 반하는 것으로 횡령죄가 성립한다.

② 질권설정자가 타인에 대한 채무의 담보로 제3채무자에 대한 채권에 대하여 권리질권을 설정하면서 제3채무자에게 질권설정의 사실을 통지한 때에는, 질권설정자가 질권자의 동의 없이 제3채무자에게서 질권의 목적인 채권의 변제를 받았다 하더라도 배임죄가 성립하지 않는다.

③ 지입회사에 소유권이 있는 차량에 대하여 지입회사에서 운행 관리권을 위임받은 지입차주가 지입회사의 승낙 없이 보관 중인 차량을 사실상 처분한 경우에는 횡령죄가 성립하지만, 그 차량의 보관을 지입차주로부터 위임받은 사람이 지입차주의 승낙 없이 보관 중인 차량을 사실상 처분한 경우에는 배임죄가 성립한다.

④ 채무자가 금전채무를 담보하기 위하여 그 소유의 동산을 채권자에게 양도담보로 제공함으로써 채권자인 양도담보권자에 대하여 담보물의 담보가치를 유지, 보전할 의무 내지 담보물을 타에 처분하거나 멸실, 훼손하는 등으로 담보권 실행에 지장을 초래하는 행위를 하지 않을 의무를 부담하게 되었더라도 채무자의 처분행위는 배임죄가 성립하지 않는다.

해설

③ [×] (1) 소유권의 취득에 등록이 필요한 **타인 소유의 차량을 인도 받아 보관하고 있는 사람이 이를 사실상 처분하면 횡령죄가 성립하며**, 그 보관 위임자나 보관자가 차량의 등록명의자일 필요는 없다.
(2) 지입회사에 소유권이 있는 차량에 대하여 지입회사로부터 운행관리권을 위임받은 지입차주가 지입회사의 승낙 없이 그 보관 중인 차량을 사실상 처분하거나 **지입차주로부터 차량 보관을 위임받은 사람이 지입차주의 승낙 없이 보관 중인 차량을 사실상 처분한 경우 횡령죄가 성립한다.**(대법원 2015. 6. 25. 2015도1944 全合)

① [○] 약속어음을 할인을 위하여 교부받은 수탁자는 위탁의 취지에 따라 보관하는 것에 불과하고 약속어음을 교부할 당시에 그 할인의 편의를 위하여 배서양도의 형식을 취하였다 하더라도 다를 바 없다 할 것이므로, 배서양도의 형식으로 위탁된 약속어음을 수탁자가 자신의 채무변제에 충당하였다면 이와 같은 **수탁자의 행위는 위탁의 취지에 반하는 것으로서 횡령죄를 구성한다.**(대법원 1983. 4. 26. 82도3079)

② [○] 질권설정자가 제3채무자에게 질권설정의 사실을 통지하거나 제3채무자가 이를 승낙한 때에는 제3채무자가 질권자의 동의 없이 질권의 목적인 채무를 변제하더라도 이로써 질권자에게 대항할 수 없고, **질권자는 여전히 제3채무자에 대하여 직접 채무의 변제를 청구하거나 변제할 금액의 공탁을 청구할 수 있다.** 그러므로 이러한 경우 질권설정자가 질권의 목적인 채권의 변제를 받았다고 하여 질권자에 대한 관계에서 타인의 사무를 처리하는 자로서 임무에 위배하는 행위를 하여 질권자에게 손해를 가하거나 손해 발생의 위험을 초래하였다고 할 수 없고, **배임죄가 성립하지도 않는다.**(대법원 2016. 4. 29. 2015도5665 **전세보증금 질권설정 사건**)

④ [○] 채무자가 금전채무를 담보하기 위하여 그 소유의 동산을 채권자에게 양도담보로 제공함으로써 채권자인 양도담보권자에 대하여 담보물의 담보가치를 유지, 보전할 의무 내지 담보물을 타에 처분하거나 멸실, 훼손하는 등으로 담보권 실행에 지장을 초래하는 행위를 하지 않을 의무를 부담하게 되었더라도, 이를 들어 채무자가 통상의 계약에서의 이익대립관계를 넘어서 채권자와의 신임관계에 기초하여 **채권자의 사무를 맡아 처리하는 것으로 볼 수 없다.** 따라서 채무자를 배임죄의 주체인 '타인의 사무를 처리하는 자'에 해당한다고 할 수 없고, 그가 담보물을 제3자에게 처분하는 등으로 담보가치를 감소 또는 상실시켜 채권자의 담보권 실행이나 이를 통한 채권실현에 위험을 초래하더라도 **배임죄가 성립한다고 할 수 없다.**(대판 2020. 2. 20. 2019도9756 全合)

302 횡령과 배임의 죄에 관한 설명 중 옳은 것을 모두 고른 것은? (다툼이 있으면 판례에 의함)

□□□

22 변호사 [Core ★★]

㉠ 甲이 성명불상자로부터 계좌를 빌려주면 대가를 주겠다는 제안을 받고 자신의 계좌에 연결된 체크카드를 양도하였는데, A가 보이스피싱 사기 범행에 속아 위 계좌로 금원을 송금하여 甲이 보관하던 중 이를 현금으로 인출하여 개인 용도로 사용한 경우 甲이 사기범행에 이용되리라는 사정을 알지 못한 채 체크카드를 양도한 것이라면 A에 대한 횡령죄가 성립한다.
㉡ 타인으로부터 용도가 엄격히 제한된 자금을 위탁받아 집행하면서 그 제한된 용도 이외의 목적으로 자금을 사용한 행위가 개인적인 목적에서 비롯된 것이 아니라 결과적으로 자금을 위탁한 본인을 위하는 면이 있는 경우에는 횡령죄가 성립하지 않는다.
㉢ 甲이 乙로부터 18억원을 차용하면서 담보로 甲 소유의 아파트에 乙 명의의 4순위 근저당권을 설정해 주기로 약정하였음에도 제3자에게 채권최고액을 12억원으로 하는 4순위 근저당권을 설정하여 준 경우 특정경제범죄 가중처벌 등에 관한 법률 위반(배임)죄가 성립한다.
㉣ 「부동산 실권리자명의 등기에 관한 법률」을 위반하여 명의신탁자가 그 소유인 부동산의 등기명의를 명의수탁자에게 이전하는 이른바 양자간 명의신탁의 경우 명의수탁자가 신탁받은 부동산을 임의로 처분하더라도 횡령죄가 성립하지 않는다.
㉤ 타인의 사무를 처리하는 자가 그 직무에 관하여 여러 사람으로부터 각각 부정한 청탁을 받고 수회에 걸쳐 금품을 수수한 경우 그 청탁이 동종의 것이면 단일하고 계속된 범의 아래 이루어진 범행으로 보아 그 전체를 포괄일죄로 볼 수 있다.

① ㉠㉣　② ㉡㉢　③ ㉠㉢㉤
④ ㉠㉣㉤　⑤ ㉡㉣㉤

해설

① ㉠㉣ 2 항목이 옳다.

㉠ [○] (계좌명의인이 개설한 예금계좌가 전기통신금융사기 범행에 이용되어 그 계좌에 피해자가 사기피해금을 송금·이체한 경우) 계좌명의인은 피해자와 사이에 아무런 법률관계 없이 송금·이체된 사기피해금 상당의 돈을 피해자에게 반환하여야 하므로, 피해자를 위하여 사기피해금을 보관하는 지위에 있다고 보아야 하고, 만약 계좌명의인이 그 돈을 영득할 의사로 인출하면 **피해자에 대한 횡령죄가 성립한다.** 이때 계좌명의인이 사기의 공범이라면 자신이 가담한 범행의 결과 피해금을 보관하게 된 것일 뿐이어서 피해자와 사이에 위탁관계가 없고, 그가 송금·이체된 돈을 인출하더라도 이는 자신이 저지른 사기범행의 실행행위에 지나지 아니하여 새로운 법익을 침해한다고 볼 수 없으므로 사기죄 외에 별도로 횡령죄를 구성하지 않는다.(대법원 2018. 7. 19. 2017도17494 全合 **보이스피싱 사건Ⅲ**)

㉡ [×] 타인으로부터 용도가 엄격히 제한된 자금을 위탁받아 집행하면서 그 제한된 용도 이외의 목적으로 자금을 사용하는 것은, 그 사용이 개인적인 목적에서 비롯된 경우는 물론 **결과적으로 자금을 위탁한 본인을 위하는 면이 있더라도 그 사용행위 자체로서 불법영득의 의사를 실현한 것이 되어 횡령죄가 성립한다.**(대법원 2018. 10. 4. 2016도16388 **시니어클럽 보조금 횡령 사건**)

정답 | 301 ③　302 ①

ⓒ [×] (1) 채무자가 저당권설정계약에 따라 채권자에게 저당권을 설정할 의무를 이행하는 것은 채무자 자신의 사무에 해당할 뿐이고 채무자를 채권자에 대한 관계에서 '타인의 사무를 처리하는 자'라고 할 수 없으므로 채무자가 제3자에게 먼저 담보물에 관한 저당권을 설정하거나 담보물을 양도하는 등으로 담보가치를 감소 또는 상실시켜 채권자의 채권실현에 위험을 초래하더라도 배임죄가 성립한다고 할 수 없다. 위와 같은 법리는, 채무자가 금전채무에 대한 담보로 부동산에 관하여 양도담보설정계약을 체결하고 이에 따라 채권자에게 소유권이전등기를 해 줄 의무가 있음에도 제3자에게 부동산을 처분한 경우에도 적용된다.
(2) 피고인이 피해자로부터 18억원을 차용하면서 아파트에 4순위 근저당권을 설정해 주기로 약정하였음에도 제3자에게 채권최고액을 12억원으로 하는 4순위 근저당권을 설정해 준 경우 **피고인을 피해자와의 신임관계에 기초하여 피해자의 사무를 맡아 처리하는 것으로 볼 수 없으므로 배임죄가 성립하지 않는다.**(대법원 2020. 6. 18. 2019도14340 全合 아파트 이중저당 사건)

ⓔ [○] (1) 부동산실명법에 위반하여 명의신탁자가 그 소유인 부동산의 등기명의를 명의수탁자에게 이전하는 이른바 **양자간 명의신탁**의 경우 계약인 명의신탁약정과 그에 부수한 위임약정, 명의신탁약정을 전제로 한 명의신탁 부동산 및 그 처분대금 반환약정은 모두 무효이다. 나아가 명의신탁자와 명의수탁자 사이에 무효인 명의신탁약정 등에 기초하여 존재한다고 주장될 수 있는 사실상의 위탁관계라는 것은 부동산실명법에 반하여 범죄를 구성하는 불법적인 관계에 지나지 아니할 뿐 이를 형법상 보호할 만한 가치 있는 신임에 의한 것이라고 할 수 없다.
(2) 명의수탁자가 명의신탁자에 대하여 소유권이전등기말소의무를 부담하게 되나, 위 소유권이전등기는 처음부터 원인무효여서 명의수탁자는 명의신탁자가 소유권에 기한 방해배제청구로 말소를 구하는 것에 대하여 상대방으로서 응할 처지에 있음에 불과하다. 명의수탁자가 제3자와 한 처분행위가 부동산실명법 제4조 제3항에 따라 유효하게 될 가능성이 있다고 하더라도 이는 거래상대방인 제3자를 보호하기 위하여 명의신탁약정의 무효에 대한 예외를 설정한 취지일 뿐 명의신탁자와 명의수탁자 사이에 위 처분행위를 유효하게 만드는 어떠한 위탁관계가 존재함을 전제한 것이라고는 볼 수 없다. 따라서 말소 등기의무의 존재나 명의수탁자에 의한 유효한 처분가능성을 들어 명의수탁자가 명의신탁자에 대한 관계에서 **'타인의 재물을 보관하는 자'의 지위에 있다고 볼 수도 없다.**(대법원 2021. 2. 18. 2016도18761 全合 양자간 명의신탁 사건)

ⓜ [×] 타인의 사무를 처리하는 자가 여러 사람으로부터 각각 부정한 청탁을 받고 그들로부터 각각 금품을 수수한 경우에는 비록 그 청탁이 동종의 것이라고 하더라도 단일하고 계속된 범의 아래 이루어진 범행으로 보기 어려워 그 전체를 포괄일죄로 볼 수 없다.(대법원 2008. 12. 11. 2008도6987 주말부킹권 부정판매사건)

303 배임죄에 관한 다음 설명 중 옳은 것은 모두 몇 개인가? (다툼이 있으면 판례에 의함)

□□□

23 법원행시 [Superlative ★★★]

㉠ 1인 회사의 주주가 자신의 개인채무를 담보하기 위하여 회사 소유의 부동산에 대하여 근저당권설정등기를 마쳐 주어 배임죄가 성립한 이후에 그 부동산에 대하여 새로운 담보권을 설정해 주는 행위는, 선순위 근저당권의 담보가치를 공제한 나머지 담보가치 상당의 재산상 이익을 침해하는 행위로서 별도의 배임죄가 성립한다.

㉡ 법률적 판단에 의하여 당해 배임행위가 무효라면 경제적 관점에서 파악하여 배임행위로 인하여 본인에게 현실적인 손해를 가하였거나 재산상 실해발생의 위험을 초래한 경우에도 재산상의 손해를 가한 때에 해당되지 아니하여 배임죄를 구성하지 아니한다.

㉢ 채권 담보를 위한 대물변제예약을 한 경우 채무자가 대물로 변제하기로 한 부동산을 제3자에게 처분하였다고 하더라도 형법상 배임죄가 성립하는 것은 아니다.

㉣ 금융기관이 금원을 대출함에 있어 대출금 중 선이자를 공제한 나머지만 교부한 경우 배임행위로 인하여 금융기관이 입는 손해는 선이자를 공제한 금액으로 보아야 하고, 이와 달리 선이자로 공제한 금원을 포함한 대출금 전액으로 볼 것은 아니다.

㉤ 타인을 위하여 도급계약을 체결할 임무가 있는 자가 부당하게 높은 가격으로 도급계약을 체결하여 타인에게 부당하게 많은 채무를 부담하게 하였다면 그로써 곧바로 업무상배임죄가 성립하고, 그 경우 배임액은 도급계약의 도급금액 전액에서 정당한 도급금액을 공제한 금액으로 보아야 한다.

① 1개 ② 2개 ③ 3개
④ 4개 ⑤ 5개

해설

③ ㉠㉢㉤ 3 항목이 옳다.

㉠ [○] 배임죄는 재산상 이익을 객체로 하는 범죄이므로 1인 회사의 주주가 자신의 개인채무를 담보하기 위하여 회사 소유의 부동산에 대하여 근저당권설정등기를 마쳐 주어 배임죄가 성립한 이후에 그 부동산에 대하여 새로운 담보권을 설정해 주는 행위는 **선순위 근저당권의 담보가치를 공제한 나머지 담보가치 상당의 재산상 이익을 침해하는 행위로서 별도의 배임죄가 성립한다.**(대법원 2005. 10. 28. 2005도4915 상속세 납부자금 마련 사건)

㉡ [×] 배임죄에 있어서 '재산상의 손해를 가한 때'라 함은 현실적인 손해를 가한 경우뿐만 아니라, 재산상실해 발생의 위험을 초래한 경우도 포함되고, 재산상 손해의 유무에 대한 판단은 본인의 전 재산 상태와의 관계에서 법률적 판단에 의하지 아니하고 경제적 관점에서 파악하여야 하며 따라서 **법률적 판단에 의하여 당해 배임행위가 무효라 하더라도 경제적 관점에서 파악하여 배임행위로 인하여 본인에게 현실적인 손해를 가하였거나 재산상 실해 발생의 위험을 초래한 경우에는** 재산상의 손해를 가한 때에 해당되어 **배임죄를 구성한다.**(대법원 2014. 2.13. 2011도16763 고운농장 부동산 임의처분사건)

㉢ [○] 채무자가 채권자에 대하여 소비대차 등으로 인한 채무를 부담하고 이를 담보하기 위하여 장래에 부동산의 소유권을 이전하기로 하는 내용의 대물변제예약에서, 그 약정의 내용에 좇은 이행을 하여야 할 채무는 특별한

정답 | 303 ③

사정이 없는 한 '자기의 사무'에 해당하는 것이 원칙이다. 대물변제예약의 궁극적 목적은 차용금반환채무의 이행 확보에 있고, 채무자가 대물변제예약에 따라 부동산에 관한 소유권이전등기절차를 이행할 의무는 그 궁극적 목적을 달성하기 위해 채무자에게 요구되는 부수적 내용이어서 이를 가지고 배임죄에서 말하는 신임관계에 기초하여 채권자의 재산을 보호 또는 관리하여야 하는 **'타인의 사무'에 해당한다고 볼 수는 없다.** 그러므로 채권 담보를 위한 대물변제예약 사안에서 채무자가 대물로 변제하기로 한 부동산을 제3자에게 처분하였다고 하더라도 **형법상 배임죄가 성립하는 것은 아니다.**(대법원 2014. 8. 21. 2014도3363 전원합의체 **대물변제예약 부동산 매도사건**)

㉣ [×] 금융기관이 금원을 대출함에 있어 대출금 중 선이자를 공제한 나머지만 교부하거나 약속어음을 할인함에 있어 만기까지의 선이자를 공제한 경우 금융기관으로서는 대출금채무의 변제기나 약속어음의 만기에 선이자로 공제한 금원을 포함한 대출금 전액이나 약속어음 액면금 상당액을 취득할 것이 기대된다 할 것이므로 배임행위로 인하여 **금융기관이 입는 손해는 선이자를 공제한 금액이 아니라 선이자로 공제한 금원을 포함한 대출금 전액이나 약속어음 액면금 상당액이다.**(대법원 2003. 10. 10. 2003도3516 **보성인터내셔널 사건**)

㉤ [○] 피고인들이 공모하여 아파트입주자 대표회의로 하여금 부당하게 높은 가격으로 공사도급계약을 체결하여 공사대금채무를 부담하게 한 경우 그 배임액은 대표회의로 하여금 체결하도록 한 도급계약의 **도급금액 전액에서 정당한 도급금액을 공제한 금액으로 보아야 한다.**(대법원 1999. 4. 27. 99도883 **아파트 하자보수 비리사건**)

304 배임의 죄에 관한 설명 중 가장 적절하지 않은 것은? (다툼이 있으면 판례에 의함)

□□□

23 경대편입 [*Core* ★★]

① 주식회사의 대표이사가 대표권을 남용하는 등 그 임무에 위배하여 약속어음을 발행하였는데 그 약속어음의 발행이 무효일 뿐만 아니라 유통되지도 않은 경우 회사는 어음발행의 상대방에게 어음채무를 부담하지 않기 때문에 특별한 사정이 없는 한 배임죄의 기수범이 아니라 배임미수죄로 처벌하여야 한다.

② 부동산 매도인 A는 매수인 甲 등과 매매계약을 체결하고 甲 등으로부터 계약금과 중도금을 지급받은 후 매매목적물인 부동산을 제3자 乙 등에게 이중으로 매도하고 소유권이전등기를 마쳐 준 경우 부동산 매도인인 A에게 배임죄가 성립한다.

③ 직무발명에 대한 권리를 사용자 등에게 승계한다는 취지를 정한 약정 또는 근무규정의 적용을 받는 종업원 등이 직무발명의 완성 사실을 사용자 등에게 통지하지 아니한 채 그에 대한 특허를 받을 수 있는 권리를 제3자에게 이중으로 양도하여 제3자가 특허권 등록까지 마치도록 하는 등으로 발명의 내용이 공개되도록 한 경우 배임죄가 성립한다.

④ 채무자가 채무담보를 위하여 채권자에게 부동산에 관하여 근저당권을 설정해 주기로 약정한 이후 그 담보목적물을 임의로 처분한 경우 채무자에게 배임죄가 성립한다.

⑤ 채무자가 본인 소유의 동산을 채권자에게 「동산·채권 등의 담보에 관한 법률」에 따른 동산담보로 제공한 경우 채무자가 담보물을 제3자에게 처분하는 등으로 담보가치를 감소 또는 상실시켜 채권자의 담보권 실행이나 이를 통한 채권실현에 위험을 초래하더라도 배임죄는 성립하지 않는다.

해설

④ [×] 채무자가 금전채무를 담보하기 위한 저당권설정계약에 따라 채권자에게 그 소유의 부동산에 관하여 저당권을 설정할 의무를 부담하게 되었다고 하더라도 이를 들어 채무자가 통상의 계약에서 이루어지는 이익대립관계를 넘어서 채권자와의 신임관계에 기초하여 채권자의 사무를 맡아 처리하는 것으로 볼 수 없다. 채무자가 저당권설정계약에 따라 채권자에 대하여 부담하는 저당권을 설정할 의무는 계약에 따라 부담하게 된 채무자 자신의 의무이다. 채무자가 위와 같은 의무를 이행하는 것은 채무자 자신의 사무에 해당할 뿐이므로 채무자를 채권자에 대한 관계에서 '타인의 사무를 처리하는 자'라고 할 수 없다. 따라서 **채무자가 제3자에게 먼저 담보물에 관한 저당권을 설정하거나 담보물을 양도하는 등으로 담보가치를 감소 또는 상실시켜 채권자의 채권실현에 위험을 초래하더라도 배임죄가 성립한다고 할 수 없다.**(대법원 2020. 6. 18. 2019도14340 全合 **아파트 이중저당 사건**)

① [○] 주식회사의 대표이사가 대표권을 남용하는 등 그 임무에 위배하여 약속어음을 발행한 경우 어음법상 발행인은 종전의 소지인에 대한 인적 관계로 인한 항변으로써 소지인에게 대항하지 못하므로, (1) 어음발행이 무효라 하더라도 그 어음이 실제로 제3자에게 유통되었다면 회사로서는 어음채무를 부담할 위험이 구체적 · 현실적으로 발생하였다고 보아야 하고, 따라서 그 어음채무가 실제로 이행되기 전이라도 배임죄의 기수범이 된다. (2) 그러나 **약속어음 발행이 무효일 뿐만 아니라 그 어음이 유통되지도 않았다면** 회사는 어음발행의 상대방에게 어음채무를 부담하지 않기 때문에 특별한 사정이 없는 한 회사에 현실적으로 손해가 발생하였다거나 실해 발생의 위험이 발생하였다고도 볼 수 없으므로, 이때에는 **배임죄의 기수범이 아니라 배임미수죄로 처벌하여야 한다.**(대법원 2017. 7. 20. 2014도1104 全合 **29억 약속어음 사건**)

② [○] **부동산 매매계약에서 중도금이 지급되는 등 계약이 본격적으로 이행되는 단계에 이른 때에는** 계약이 취소되거나 해제되지 않는 한 매도인은 매수인에게 부동산의 소유권을 이전해 줄 의무에서 벗어날 수 없으므로 매도인은 매수인에 대하여 매수인의 재산보전에 협력하여 재산적 이익을 보호 · 관리할 신임관계에 있게 되어 (매도인은 배임죄에서 말하는 **'타인의 사무를 처리하는 자'에 해당한다**), 매도인이 그 부동산을 제3자에게 처분하고 제3자 앞으로 그 처분에 따른 등기를 마쳐준 행위는 매수인의 부동산 취득 또는 보전에 지장을 초래하는 행위이므로 배임죄가 성립한다.(대법원 2018. 5. 17. 2017도4027 全合 **상가 이중매매사건**)

③ [○] 직무발명에 대한 특허를 받을 수 있는 권리 등을 사용자 등에게 승계한다는 취지를 정한 약정 또는 근무규정의 적용을 받는 종업원 등이, **직무발명을 완성하고도 그 사실을 사용자 등에게 알리지 않은 채 그 발명에 대한 특허를 받을 수 있는 권리를 제3자에게 이중으로 양도하여 제3자가 특허권 등록까지 마치도록 하는 등으로 그 발명의 내용이 공개되도록 하였다면, 이는 사용자 등에게 손해를 가하는 행위로서 배임죄를 구성한다.**(대법원 2012. 11. 15. 2012도6676 *Q22합금 특허사건*)

⑤ [○] 채무자가 금전채무를 담보하기 위하여 동산을 채권자에게 **「동산 · 채권 등의 담보에 관한 법률」에 따른 동산담보로 제공함으로써 채권자인 동산담보권자에 대하여 담보물의 담보가치를 유지 · 보전할 의무 또는 담보물을 타에 처분하거나 멸실 · 훼손하는 등으로 담보권 실행에 지장을 초래하는 행위를 하지 않을 의무를 부담하게 되었더라도**, 이를 들어 채무자가 통상의 계약에서의 이익대립관계를 넘어서 채권자와의 신임관계에 기초하여 채권자의 사무를 맡아 처리하는 것으로 볼 수 없으므로 채무자를 배임죄의 주체인 **'타인의 사무를 처리하는 자'에 해당한다고 할 수 없고**, 그가 담보물을 제3자에게 처분하는 등으로 담보가치를 감소 또는 상실시켜 채권자의 담보권 실행이나 이를 통한 채권실현에 위험을 초래하더라도 배임죄가 성립하지 아니한다.(대법원 2020. 8. 27. 2019도14770 全合 **레이저가공기 동산담보 사건**)

정답 | 304 ④

305 재산죄에 관한 설명으로 옳지 않은 것은 모두 몇 개인가? (다툼이 있으면 판례에 의함)

□□□

23 경찰채용 [Superlative★★★]

㉠ 회사직원이 퇴사한 후에는 특별한 사정이 없는 한 더 이상 업무상배임죄에서 타인의 사무를 처리하는 자의 지위에 있다고 볼 수 없어, 퇴사한 회사직원이 반환하거나 폐기하지 아니한 영업비밀 등을 경쟁업체에 유출하거나 스스로의 이익을 위하여 이용하더라도 그 유출 내지 이용행위에 대하여는 따로 업무상배임죄를 구성할 여지는 없다.

㉡ A는 드라이버를 구매하기 위해 특정 매장에 방문하였다가 자신의 지갑을 떨어뜨렸는데, 10분 쯤 후 甲이 같은 매장에서 우산을 구매하고 계산을 마친 뒤, 그 지갑을 발견하여 습득한 매장 주인 B로부터 "이 지갑이 선생님 지갑이 맞느냐?"라는 질문을 받자 "내 것이 맞다.'라고 대답한 후 이를 교부받아 가지고 갔다면 우에게는 절도죄가 아니라 사기죄가 성립한다.

㉢ 업무상배임죄에 있어 '재산상 이익 취득'과 '재산상 손해 발생'은 대등한 범죄성립요건이고, 따라서 임무위배행위로 인하여 여러 재산상 이익과 손해가 발생하더라도 재산상 이익과 손해 사이에 서로 대응하는 관계에 있는 등 일정한 관련성이 인정되어야 업무상 배임죄가 성립한다.

㉣ 주류회사 이사인 甲은 A를 상대로 주류대금 청구소송을 제기한 민사 분쟁 중에 A의 착오로 위 주류회사 명의 계좌로 송금된 4,700,000원을 보관하게 되었고, 이후 A로부터 해당 금원이 착오 송금된 것이라는 사정을 문자메시지를 통해 고지받았음에도 불구하고, 甲 본인이 주장하는 채권액인 1,108,310원을 임의로 상계 정산하여 반환을 거부하였다면 설령 나머지 금액을 반환하고 상계권 행사의 의사를 충분히 밝혔다 하더라도 甲에게는 횡령죄가 성립한다.

① 0개 ② 1개

③ 2개 ④ 3개

해설

② ㉣ 1 항목만 옳지 않다.

㉠ [○] 회사직원이 **퇴사한 후에는 특별한 사정이 없는 한 더 이상 업무상배임죄에서 타인의 사무를 처리하는 자의 지위에 있다고 볼 수 없어**, 퇴사한 회사직원이 반환하거나 폐기하지 아니한 영업비밀 등을 경쟁업체에 유출 하거나 스스로의 이익을 위하여 이용하더라도 그 유출 내지 이용행위에 대하여는 따로 업무상배임죄를 구성할 여지는 없다.(대법원 2017. 6. 29. 2017도3808 소스코드 기술 유출사건)

㉡ [○] 매장 주인 B가 매장에 유실된 손님 A의 반지갑을 습득한 후 또 다른 손님인 피고인 甲에게 "이 지갑이 선생님 지갑이 맞느냐?"라고 묻자, 甲이 **"내 것이 맞다"라고 대답한 후 이를 교부받아 가져갔는바**, B는 반지갑을 습득하여 이를 진정한 소유자에게 돌려주어야 하는 지위에 있었으므로 A를 위하여 이를 처분할 수 있는 권능을 갖거나 그지위에 있었고 나아가 B는 이러한 처분권능과 지위에 기초하여 반지갑의 소유자라고 주장하는 甲에게 반지갑을 교부하였고 이를 통해 甲이 반지갑을 취득하여 자유로운 처분이 가능한 상태가 되었으므로 B의 행위는 사기죄에서 말하는 처분행위에 해당하고 甲의 행위를 절취행위로 평가할 수는 없다.(대법원 2022. 12. 29. 2022도12494 내 지갑이 맞다 사건)

ⓒ [○] 업무상배임죄에 있어 '재산상 이익 취득'과 '재산상 손해 발생'은 대등한 범죄성립요건이고, 따라서 임무위배행위로 인하여 여러 재산상 이익과 손해가 발생하더라도 재산상 이익과 손해 사이에 서로 대응하는 관계에 있는 등 일정한 관련성이 인정되어야 업무상배임죄가 성립한다.(대법원 2022. 8. 25. 2022도3717 **김영만 문위군수 사선**)

ⓔ [×] 어떤 예금계좌에 금전이 착오로 잘못 송금되어 입금된 경우 수취인과 송금인 사이에 신의칙상 보관 관계가 성립하기는 하나 특별한 사정이 없는 한 이러한 이유만으로 송금인이 착오로 송금한 금전이 위탁자가 목적과 용도를 정하여 명시적으로 위탁한 금전과 동일하다거나 송금인이 수취인에게 금전의 수수를 수반하는 사무처리를 위임하였다고 보아 수취인의 송금인에 대한 상계권 행사가 당초 위임한 취지에 반한다고 평가할 수는 없다. 관련 민사사건의 진행경과에 비추어 주식회사 ○○가 반환거부 일시경 피해자에 대하여 반환거부 금액에 상응하는 물품대금채권을 보유하고 있었던 것으로 보인다. 당시 ○○의 물품 대금채권과 피해자의 부당이득반환채권이 서로 상계적상에 있지 않았다거나 ○○의 상계권 행사가 신의칙 위반이나 권리남용에 해당한다고 볼만한 자료나 정황도 보이지 아니한다. 피고인은 착오송금된 금전 4,700,000원 중 ○○의 물품대금채권액 1,108,310원에 상응한 금액을 제외한 나머지는 송금 다음 날 반환하였고, 1,108.310원에 대해서도 반환을 요청하는 피해자에게 ○○의 물품대금채권을 자동채권으로 하여 상계권을 행사한다는 의사를 충분히 밝힌 것으로 보인다. 이와 같이 피고인이 물품대금채권액에 상응하는 금전에 대한 반환을 거부한 이유와 주관적인 의사를 살펴보면, 피고인이 불법영득의사를 가지고 반환을 거부한 것이라고 단정하기 어렵다.(대법원 2022. 12 29. 2021도2088 **착오송금 임의상제 사건**) 횡령죄는 성립하지 않는다.

정답 | 305 ②

306 배임수재죄와 배임죄에 관한 다음 설명 중 가장 옳지 않은 것은? (다툼이 있으면 판례에 의함)

□□□

13 법원9급 [Superlative ★★★]

① 타인의 사무를 처리하는 자가 그 임무에 관하여 부정한 청탁을 받은 이상 그 후 사직으로 인하여 그 직무를 담당하지 아니하게 된 상태에서 재물을 수수하게 되었다 하더라도, 그 재물 등의 수수가 부정한 청탁과 관련하여 이루어진 것이라면 배임수재죄가 성립한다.

② 배임죄는 타인의 사무를 처리하는 자가 그 임무에 위배하는 행위가 있어야 하고 그 행위로서 본인에게 손해를 가함으로써 성립하는 것이나 부정한 청탁을 받거나 금품을 수수한 것을 그 요건으로 하지는 않는다.

③ 배임수재죄에서 말하는 '재산상의 이익의 취득' 이라 함은 현실적인 취득뿐만 아니라 단순히 요구 또는 약속만을 한 경우도 포함된다.

④ 배임수재죄와 배임죄는 일반법과 특별법관계가 아닌 별개의 독립된 범죄이다.

해설

③ [×] 배임수재죄에서 말하는 '재산상의 이익의 취득'이라 함은 현실적인 취득만을 의미하므로 **단순한 요구 또는 약속만을 한 경우에는 이에 포함되지 아니한다.**(대법원 1999. 1. 29. 98도4182 **골프장회원권 명의변경× 사건**)

① [○] 타인의 사무를 처리하는 자가 그 임무에 관하여 부정한 청탁을 받은 이상 그 후 **사직**으로 인하여 그 직무를 담당하지 아니하게 된 상태에서 재물을 수수하게 되었다 하더라도 그 **재물 등의 수수가 부정한 청탁과 관련하여 이루어진 것이라면 배임수재죄가 성립한다.**(대법원 1997. 10. 24. 97도2042)

②④ [○] **배임수재죄**는 타인의 사무를 처리하는 자가 그 임무에 관하여 부정한 청탁을 받고 재물 등을 취득함으로써 성립하는 것이고 어떠한 임무 위배행위나 본인에게 손해를 가한 것을 요건으로 하는 것이 아닌데 대하여, **배임죄**는 타인의 사무를 처리하는 자가 그 임무에 위배하는 행위가 있어야 하고 그 행위로서 본인에게 손해를 가함으로써 성립하는 것이나 부정한 청탁을 받거나 금품을 수수한 것을 그 요건으로 하지 않고 있으므로 이들 양 죄는 행위의 태양을 전연 달리하고 있어 일반법과 특별법관계가 아닌 **별개의 독립된 범죄라고 보아야 한다.**(대법원 1984. 11. 27. 84도1906 **조흥은행 금융부정사건**)

307 배임수재죄와 배임증재죄에 관한 다음 설명 중 가장 옳지 않은 것은? (다툼이 있으면 판례에 의함)
□□□

16 법원9급 [Superlative ★★★]

① 배임수재죄의 구성요건 중 '부정한 청탁'이란 반드시 업무상 배임의 내용이 되는 정도에 이를 필요는 없고, 사회상규 또는 신의성실의 원칙에 반하는 것을 내용으로 하면 족하다.

② 배임수재죄는 임무에 관하여 부정한 청탁을 받고 재물 또는 재산상 이익을 취득하면 성립되고, 어떠한 임무위배행위를 하거나 본인에게 손해를 가하는 것을 요건으로 하지 아니한다.

③ 배임수재죄와 배임증재죄는 필요적 공범의 관계에 있으므로 배임증재죄는 성립하지 않으면서 배임수재죄만이 성립할 수는 없다.

④ 학교법인의 이사장 또는 사립학교 경영자가 학교법인이 운영권을 양도하고 양수인으로부터 양수인측을 학교법인의 임원으로 선임해주는 대가로 양도대금을 받기로 하는 내용의 청탁을 받았다 하더라도 특별한 사정이 없는 한 그 청탁을 배임수재죄의 구성요건인 '부정한 청탁'에 해당한다고 할 수 없다.

해설

③ [×] (1) 배임수재죄와 배임증재죄는 통상 필요적 공범의 관계에 있기는 하나, 이것은 반드시 **수재자와 증재자가 같이 처벌받아야 하는 것을 의미하는 것은 아니고** 증재자에게는 정당한 업무에 속하는 청탁이라도 수재자에게는 부정한 청탁이 될 수도 있는 것이다.(대법원 2011. 10. 27. 2010도7624 **가처분 취하사건**)
(2) 재물을 공여하는 사람이 부정한 청탁을 하였다 하더라도 그 청탁을 받아들임이 없이 그 청탁과는 관계없이 금품을 받은 경우에는 배임수재죄는 성립하지 아니한다고 봄이 상당하고 **뇌물을 주고받는 사람이 서로 필요적 공범관계에 있다하여, 예외없이 공범자 모두가 처벌되어야 하는 것은 아니다.**(대법원 1982. 7. 13. 82도874)

① [○] 배임수재죄에 있어서 '부정한 청탁'이라 함은 반드시 업무상 배임의 내용이 되는 정도에 이를 것을 요하지 아니하고, **사회상규 또는 신의성실의 원칙에 반하는 것을 내용으로 하는 것이면 족하다.**(대법원 2016. 8. 30. 2013도658 **태광그룹회장 사건**)

② [○] 임무에 관하여 부정한 청탁을 받고 재물 또는 재산상 이익을 취득하면 배임수재죄는 성립되고, 어떠한 **임무위배 행위를 하거나 본인에게 손해를 가하는 것을 요건으로 하지 아니다.**(대법원 2013. 11. 14. 2011도11174 **아파트 재임대차 독점중개사건**)

④ [○] 학교법인의 이사장 또는 사립학교경영자가 학교법인 운영권을 양도하고 양수인으로부터 양수인측을 학교법인의 임원으로 선임해주는 대가로 양도대금을 받기로 하는 내용의 '청탁'을 받았다 하더라도, 그 **청탁의 내용이 당해 학교법인의 설립 목적과 다른 목적으로 기본재산을 매수하여 사용하려는 것으로서 학교법인의 존립에 중대한 위협을 초래할 것임이 명백하다는 등의 특별한 사정이 없는 한,** 그 청탁이 사회상규 또는 신의성실의 원칙에 반하는 것을 내용으로 하는 것이라고 할 수 없으므로 배임수재죄의 구성요건인 **'부정한 청탁'에 해당한다고 할 수 없다.**(대법원 2014. 1. 23. 2013도11735 **석정학원 양도사건**)

정답 | 306 ③ 307 ③

제8절 | 장물의 죄

308 장물의 죄에 관한 설명 중 가장 적절한 것은? (다툼이 있으면 판례에 의함) 16 경찰승진 [Essential ★]

□□□

① 장물죄는 재산범인 본범이 영득한 재물에 사후적으로 관여하는 사후종범적 성격을 가지고 있으므로 절도죄보다 법정형을 가볍게 규정하고 있다.

② 장물인 정을 모르고 보관하던 중 장물인 정을 알게 되었고, 위 장물을 반환하는 것이 불가능하지 않음에도 불구하고 계속 보관한 경우 장물보관죄에 해당하지 않는다.

③ 단순히 보수를 받고 본범을 위하여 장물을 일시 사용하거나 그와 같이 사용할 목적으로 장물을 건네받은 경우도 장물을 취득한 것에 해당된다.

④ 장물인 귀금속의 매도를 부탁받은 피고인이 그 귀금속이 장물임을 알면서도 매매를 중개하고 매수인에게 이를 전달하려다가 매수인을 만나기 전에 체포되었다면 장물알선죄가 성립한다.

해설

④ [○] (1) 장물을 취득 · 양도 · 운반 · 보관하려는 당사자 사이에 서서 서로를 연결하여 장물의 취득 등을 중개하거나 편의를 도모하였다면, 그 알선에 의하여 당사자 사이에 실제로 장물의 취득 등에 관한 계약이 성립하지 아니하였거나 장물의 점유가 현실적으로 이전되지 아니한 경우라도 장물알선죄가 성립한다.
(2) 피고인이 **귀금속이 장물임을 알면서도 매매를 중개하고 매수인에게 이를 전달하려다가 매수인을 만나기도 전에 체포되었다 하더라도 장물알선죄가 성립한다.**(대법원 2009. 4. 23. 2009도1203 장물 알선사건)

① [×] 장물죄가 사후종범적 성격을 가지고 있더라도 **장물죄의 법정형은 '7년 이하의 징역 또는 1천500만원 이하의 벌금'으로 절도죄의 법정형인 '6년 이하의 징역 또는 1천만원 이하의 벌금'보다 중하다.**(제329조, 제362조)

② [×] 장물인 정을 모르고 보관하던 중 장물인 정을 알게 되었고, 장물을 반환하는 것이 불가능하지 않음에도 불구하고 **계속 보관함으로써** 피해자의 정당한 반환청구권 행사를 어렵게 하여 위법한 재산상태를 유지시킨 경우에는 **장물보관죄에 해당한다.**(대법원 1987. 10. 13. 87도1633 도난 수표 보관사건)

③ [×] 장물취득죄에서 '취득'이라고 함은 점유를 이전받음으로써 그 장물에 대하여 사실상의 처분권을 획득하는 것을 의미하는 것이므로 **단순히 보수를 받고 본범을 위하여 장물을 일시 사용하거나 그와 같이 사용할 목적으로 장물을 건네받은 것만으로는** 장물을 취득한 것으로 볼 수 없다.(대법원 2003. 5. 13. 2003도1366 신용카드 심부름 사건)

309 장물에 대한 설명으로 옳지 않은 것은? (다툼이 있으면 판례에 의함) 13 국가7급 [Superlative ★★★]
□□□

① 장물인 현금을 금융기관에 예금의 형태로 보관하였다가 동일한 액수의 현금으로 인출한 경우에도 장물로서의 성질은 그대로 유지된다.

② 장물인 자기앞수표를 취득한 후 이를 음식대금으로 교부하고 거스름돈을 받은 경우 그 교부행위는 별도의 범죄를 구성하지 않는다.

③ 컴퓨터등사용사기죄의 범행으로 예금채권을 취득한 다음 자기의 현금카드를 사용하여 현금자동지급기에서 현금을 인출한 경우에 그 인출된 현금은 장물이 될 수 없다.

④ 단순히 보수를 받고 본범을 위하여 장물을 일시 사용하거나 그와 같이 사용할 목적으로 장물을 건네받은 경우도 장물을 취득한 것에 해당된다.

해설

④ [×] 장물취득죄에서 '취득'이라고 함은 점유를 이전받음으로써 그 장물에 대하여 사실상의 처분권을 획득하는 것을 의미하는 것이므로 단순히 보수를 받고 본범을 위하여 장물을 일시 사용하거나 그와 같이 사용할 목적으로 장물을 건네받은 것만으로는 **장물을 취득한 것으로 볼 수 없다.**(대법원 2003. 5. 13. 2003도1366 **신용카드 심부름 사건**)

① [○] **예금계약**의 성질상 **인출된 현금**은 당초의 현금과 물리적인 동일성은 상실되었지만 액수에 의하여 표시되는 금전적 가치에는 아무런 변동이 없으므로 **장물로서의 성질은 그대로 유지된다.**(대법원 2004. 3. 12. 2004도134 **천중사 사건**)

② [○] 자기앞수표는 그 액면금을 즉시 지급받을 수 있는 점에서 현금에 대신하는 기능을 가지고 있어서 장물인 자기앞수표를 취득한 후 이를 현금 대신 교부한 행위는 장물취득에 대한 가벌적 평가에 당연히 포함되는 불가벌적 사후행위로서 별도의 범죄를 구성하지 아니하므로, 절도범인으로부터 그 정을 알면서 **자기앞수표를 교부받아 이를 음식대금으로 지급하고 거스름돈을 환불받은 피고인의 소위는 사기죄가 되지 아니한다.**(대법원 1993. 11. 23. 93도213)

③ [○] 현금카드를 사용하여 현금자동지급기에서 현금을 인출한 경우에는 그것이 비록 컴퓨터등사용사기죄의 범행으로 취득한 예금채권을 인출한 것이라 할지라도 **현금카드 사용권한 있는 자의 정당한 사용에 의한 것으로서** (현금자동지급기 관리자의 의사에 반하거나 기망행위 및 그에 따른 처분행위도 없었으므로) **별도로 절도죄나 사기죄의 구성요건에 해당하지 않는다 할 것이고,** 그 결과 그 인출된 현금은 재산범죄에 의하여 취득한 재물이 아니므로 **장물이 될 수 없다.**(대법원 2004. 4. 16. 2004도353 **컴사기 현금인출 사건**)

정답 | 308 ④ 309 ④

310 장물죄에 관한 다음 설명 중 가장 옳지 않은 것은? (다툼이 있는 경우 판례에 의함)

□□□

18 법원9급 [Essential ★]

① 절도범인으로부터 장물보관 의뢰를 받은 자가 그 정을 알면서 이를 인도받아 보관하고 있다가 임의 처분하였다 하여도 장물보관죄 외에 별도로 횡령죄가 성립하지 않는다.

② 甲이 권한 없이 인터넷뱅킹을 이용하여 타인 명의의 예금계좌로부터 자신의 예금계좌로 금원을 이체한 후 자신의 현금카드를 사용하여 현금자동지급기에서 현금을 인출한 경우, 그 인출된 현금은 장물이 될 수 없으므로 乙이 이를 취득하더라도 장물취득죄가 성립할 수 없다.

③ 甲이 회사를 위하여 업무상 보관하고 있던 자금을 乙에게 주식매각 대금조로 교부한 경우 위 자금은 횡령행위에 제공된 물건 자체이므로 장물이라고 볼 수 없어 乙에 대하여는 장물취득죄가 성립할 수 없다.

④ 장물임을 알면서 장물을 매매하는 계약을 중개하였다면 실제 매매계약이 성립하지 않거나 점유가 현실적으로 이전되지 아니한 경우라도 장물알선죄가 성립한다.

해설

③ [×] 본범이 피고인에게 금원을 교부한 행위 자체가 횡령행위라고 하더라도 이러한 경우 **본범의 업무상 횡령죄가 기수에 달하는 것과 동시에 그 금원은 장물이 된다.**(대법원 2004. 12. 9. 2004도5904 **횡령과 동시에 장물 사건**) 乙은 장물취득죄의 죄책을 진다.

① [○] 절도범인으로부터 장물보관 의뢰를 받은 자가 그 정을 알면서 이를 인도받아 보관하고 있다가 임의처분하였다 하여도 **장물보관죄가 성립하는 때**에는 이미 그 소유자의 소유물 추구권을 침해하였으므로 그 후의 횡령행위는 불가벌적 사후행위에 불과하여 **별도로 횡령죄가 성립하지 않는다.**(대법원 2004. 4. 9. 2003도8219 **고려청자 사건**)

② [○] 현금카드를 사용하여 현금자동지급기에서 **현금을 인출**한 경우에는 그것이 비록 컴퓨터등사용사기죄의 범행으로 취득한 예금채권을 인출한 것이라 할지라도 현금카드 사용권한 있는 자의 정당한 사용에 의한 것으로서 (현금자동지급기 관리자의 의사에 반하거나 기망행위 및 그에 따른 처분행위도 없었으므로) 별도로 절도죄나 사기죄의 구성요건에 해당하지 않는다 할 것이고, 그 결과 그 **인출된 현금은 재산범죄에 의하여 취득한 재물이 아니므로 장물이 될 수 없다.**(대법원 2004. 4. 16. 2004도353 **컴사기 현금인출 사건**)

④ [○] (1) 장물을 취득 · 양도 · 운반 · 보관하려는 당사자 사이에 서서 서로를 연결하여 **장물의 취득 등을 중개하거나 편의를 도모하였다면**, 그 알선에 의하여 당사자 사이에 실제로 장물의 취득 등에 관한 계약이 성립하지 아니하였거나 장물의 점유가 현실적으로 이전되지 아니한 경우라도 **장물알선죄가 성립한다.** (2) 피고인이 귀금속이 장물임을 알면서도 **매매를 중개**하고 매수인에게 이를 전달하려다가 매수인을 만나기도 전에 체포되었다 하더라도 **장물알선죄가 성립한다.**(대법원 2009. 4. 23. 2009도1203 **장물 알선사건**)

311 장물죄에 관한 설명 중 가장 적절하지 않은 것은? (다툼이 있으면 판례에 의함)
□□□

15 경찰승진 [Essential ★]

① 장물취득죄에 있어서 장물의 인식은 확정적 인식임을 요하지 않으며 장물일지도 모른다는 의심을 가지는 정도의 미필적 인식으로도 충분하다.

② 장물인 현금을 금융기관에 예금의 형태로 보관하였다가 이를 반환하기 위하여 동일한 액수의 현금을 인출한 경우, 예금계약의 성질상 인출된 현금은 당초의 현금과 물리적 동일성은 상실되었지만 액수에 의하여 표시되는 금전적 가치에는 아무런 변동이 없으므로 장물로서의 성질은 그대로 유지된다.

③ 장물이라 함은 재산죄인 범죄행위에 의하여 영득된 물건을 말하는 것으로서 절도·강도·사기·공갈·횡령 등 영득죄에 의하여 취득된 물건이어야 한다.

④ 자전거를 인도받은 후 비로소 장물이 아닌가 하는 의구심을 가졌더라도 장물취득죄가 성립한다.

해설

④ [×] 장물취득죄는 취득 당시 장물인 정을 알면서 재물을 취득하여야 성립하는 것이므로 피고인이 재물을 인도받은 후에 비로소 장물이 아닌가 하는 의구심을 가졌다고 하여 **장물취득죄를 구성한다고 할 수 없다.**(대법원 2006. 10. 13. 2004도6084 **보석담보 사건**)

① [○] 장물죄에 있어서 장물의 인식은 확정적 인식임을 요하지 않으며 장물일지도 모른다는 의심을 가지는 정도의 **미필적 인식으로서도 충분하다.**(대법원 2011. 5. 13. 2009도3552)

② [○] **예금계약**의 성질상 인출된 현금은 당초의 현금과 물리적인 동일성은 상실되었지만 액수에 의하여 표시되는 금전적 가치에는 아무런 변동이 없으므로 **장물로서의 성질은 그대로 유지된다.**(대법원 2004. 3. 12. 2004도134 **천중사 사건**)

③ [○] '장물'이라 함은 재산죄인 범죄행위에 의하여 영득된 물건을 말하는 것으로서 **절도, 강도, 사기, 공갈, 횡령 등 영득죄에 의하여 취득된 물건이어야 한다.**(대법원 2004. 12. 9. 2004도5904 **횡령과 동시에 장물 사건**)

정답 | 310 ③ 311 ④

312 장물죄에 관한 다음 설명 중 가장 적절하지 않은 것은? (다툼이 있으면 판례에 의함)

□□□

15 경찰채용 [Essential ★]

① 장물죄에 있어서 본범의 행위에 관한 법적 평가는 그 행위에 대하여 우리 형법이 적용되지 아니하는 경우에도 우리 형법을 기준으로 하여야 한다.

② 장물인 귀금속의 매도를 부탁받은 피고인이 그 귀금속이 장물임을 알면서도 매매를 중개하고 매수인에게 이를 전달하려다가 매수인을 만나기 전에 체포되었다면 장물알선죄가 성립하지 아니한다.

③ 장물인 정을 모르고 장물을 보관하였다가 그 후에 장물인 정을 알게 된 경우 그 정을 알고서도 이를 계속하여 보관하는 행위는 장물죄를 구성하는 것이나, 이 경우에도 점유할 권한이 있는 때에는 이를 계속 보관하더라도 장물보관죄가 성립하지 않는다.

④ 컴퓨터등사용사기죄의 범행으로 예금채권을 취득한 다음 자기의 현금카드를 사용하여 현금자동지급기에서 현금을 인출한 경우 그 인출된 현금은 장물이 될 수 없다.

해설

② [×] (1) 장물을 취득·양도·운반·보관하려는 당사자 사이에 서서 서로를 연결하여 **장물의 취득 등을 중개하거나 편의를 도모하였다면**, 그 알선에 의하여 당사자 사이에 실제로 장물의 취득 등에 관한 계약이 성립하지 아니하였거나 장물의 점유가 현실적으로 이전되지 아니한 경우라도 **장물알선죄가 성립한다**.
(2) 피고인이 귀금속이 장물임을 알면서도 **매매를 중개**하고 매수인에게 이를 전달하려다가 매수인을 만나기도 전에 체포되었다 하더라도 **장물알선죄가 성립한다**.(대법원 2009. 4. 23. 2009도1203 **장물 알선사건**)

① [○] '장물'이라 함은 재산죄인 범죄행위에 의하여 영득된 물건을 말하는 것으로서 절도·강도·사기·공갈·횡령 등 영득죄에 의하여 취득된 물건이어야 한다. 여기에서의 범죄행위는 절도죄 등 본범의 구성요건에 해당하는 위법한 행위일 것을 요한다. 그리고 본범의 행위에 관한 법적 평가는 그 행위에 대하여 **우리 형법이 적용되지 아니하는 경우에도 우리 형법을 기준으로 하여야 하고** 또한 이로써 충분하므로, 본범의 행위가 우리 형법에 비추어 절도죄 등의 구성요건에 해당하는 위법한 행위라고 인정되는 이상 이에 의하여 **영득된 재물은 장물에 해당한다**.(대법원 2011. 4. 28. 2010도15350 **횡령 자동차 밀수사건**)

③ [○] 장물인 정을 모르고 장물을 보관하였다가 그 후에 장물인 정을 알게 된 경우 그 정을 알고서도 이를 계속하여 보관하는 행위는 장물죄를 구성하는 것이나, 이 경우에도 **점유할 권한이 있는 때에는 이를 계속하여 보관하더라도 장물보관죄가 성립한다고 할 수 없다**.(대법원 2006. 10. 13. 2004도6084 **보석담보 사건**)

④ [○] 현금카드를 사용하여 현금자동지급기에서 현금을 인출한 경우에는 그것이 비록 컴퓨터등사용사기죄의 범행으로 취득한 예금채권을 인출한 것이라 할지라도 현금카드 사용권한 있는 자의 정당한 사용에 의한 것으로서 (현금자동지급기 관리자의 의사에 반하거나 기망행위 및 그에 따른 처분행위도 없었으므로) 별도로 절도죄나 사기죄의 구성요건에 해당하지 않는다 할 것이고, 그 결과 그 **인출된 현금은** 재산범죄에 의하여 취득한 재물이 아니므로 **장물이 될 수 없다**.(대법원 2004. 4. 16. 2004도353 **컴사기 현금인출 사건**)

313 다음 중 장물죄에 관한 설명으로 가장 옳지 않은 것은? (다툼이 있으면 판례에 의함)
□□□

21 해경간부 [Essential ★]

① 전화가입권의 실체는 가입권자가 전화관서로부터 전화역무를 제공받을 하나의 채권적 권리이며, 이는 하나의 재산상 이익은 될지언정 위에 말한 장물의 범주에 속하지 아니한다.

② 장물을 팔아서 얻은 돈인 줄을 피고인이 알고 취득하였더라도 장물취득죄가 성립하는 것은 아니다.

③ 명의신탁부동산의 신탁행위에 있어서는 수탁자가 외부관계에 대하여 소유자로 간주되므로 이를 취득한 제3자는 수탁자가 신탁자의 승낙 없이 매각되는 정을 알고 있는 여부에 불구하고 장물취득죄가 성립하지 아니한다.

④ 피고인이 도난차량인 미등록 수입자동차를 취득하여 신규등록을 마친 후 위 자동차가 장물일지도 모른다고 생각하면서 이를 양도한 경우, 피고인에게 장물양도죄가 인정되지 않는다.

해설

④ [×] (1) 피고인 甲이 미등록 상태였던 수입자동차를 취득한 후 최초 등록이 마쳐진 수입자동차가 장물일지도 모른다고 생각하면서도 乙에게 양도한 경우 **장물양도죄가 성립한다.**
(2) 자동차관리법 제6조가 '자동차 소유권의 득실변경은 등록을 하여야 그 효력이 생긴다'고 규정하고 있기는 하나, 이는 도로에서의 운행에 제공될 자동차의 소유권을 공증하고 안전성을 확보하고자 하는 데 그 취지가 있는 것이므로, 장물인 수입자동차를 신규등록하였다고 하여 그 최초 등록명의인이 해당 수입자동차를 원시취득하게 된다거나 그 장물양도행위가 범죄가 되지 않는다고 볼 수는 없다.(대법원 2011. 5. 13. 2009도3552)

① [○] **전화가입권**의 실체는 가입권자가 전화관서로부터 전화역무를 제공받을 하나의 채권적 권리이며, 이는 하나의 재산상의 이익은 될지언정 **'장물'의 범주에 속하지 아니한다.**(대법원 1971. 2. 23. 70도2589 전화가입권 사건)

② [○] 장물을 처분하여 **얻어진 돈을 받았다고 하더라도 장물취득죄가 성립되지 않는다.**(대법원 1972. 2. 22. 71도2296)

③ [○] 신탁행위에 있어서는 **수탁자가 외부관계에 대하여 소유자로 간주되므로** 이를 취득한 제3자는 수탁자가 신탁자의 승낙없이 매각하는 정을 알고 있는 여부에 불구하고 **장물취득죄가 성립하지 아니한다.**(대법원 1979. 11. 27. 79도2410)

정답 | 312 ② 313 ④

314 장물죄에 관한 다음 설명 중 가장 적절하지 않은 것은? (다툼이 있으면 판례에 의함)

□□□

12 경찰채용 [Essential ★]

① 甲이 절도범 乙로부터 장물이라는 정을 알면서도 자기앞수표를 교부받아 이를 음식대금으로 지급하고 거스름돈을 환불받은 경우, 甲에게는 장물취득죄가 성립한다.

② 장물인 정을 알면서 장물을 취득·양도·운반·보관하려는 당사자 사이에 서서 서로를 연결하여 장물의 취득·양도·운반·보관행위를 중개하거나 편의를 도모하였더라도, 그 알선에 의하여 당사자 사이에 실제로 장물의 취득·양도·운반·보관에 관한 계약이 성립하지 아니하였거나 장물의 점유가 현실적으로 이전되지 아니한 경우에는 장물알선죄가 성립하지 않는다.

③ 장물은 재산범죄에 의하여 영득하게 된 재물자체를 의미하므로 이중매매로 인하여 배임죄가 성립된 대상 부동산을 매수한 경우에는 장물취득죄가 성립하지 않는다.

④ 甲이 乙(20세)에게 시계점에서 시계를 훔쳐올 것을 교사하고 乙이 훔쳐온 시계를 매수한 경우, 甲에게는 절도교사죄와 장물취득죄의 경합범이 성립한다.

해설

② [×] (1) 장물을 취득 · 양도 · 운반 · 보관하려는 당사자 사이에 서서 서로를 연결하여 **장물의 취득 등을 중개하거나 편의를 도모하였다면**, 그 알선에 의하여 당사자 사이에 실제로 장물의 취득 등에 관한 계약이 성립하지 아니하였거나 장물의 점유가 현실적으로 이전되지 아니한 경우라도 **장물알선죄가 성립한다**.
(2) 피고인이 귀금속이 장물임을 알면서도 **매매를 중개**하고 매수인에게 이를 전달하려다가 매수인을 만나기도 전에 체포되었다 하더라도 **장물알선죄가 성립한다**.(대법원 2009. 4. 23. 2009도1203 **장물 알선사건**)

① [○] 자기앞수표는 그 액면금을 즉시 지급받을 수 있는 점에서 현금에 대신하는 기능을 가지고 있어서 장물인 자기앞수표를 취득한 후 이를 현금 대신 교부한 행위는 장물취득에 대한 가벌적 평가에 당연히 포함되는 불가벌적 사후행위로서 별도의 범죄를 구성하지 아니하므로, 절도범인으로부터 그 정을 알면서 **자기앞수표를 교부받아 이를 음식대금으로 지급하고 거스름돈을 환불받은** 피고인의 소위는 **사기죄가 되지 아니한다**.(대법원 1993. 11. 23. 93도213)

③ [○] **부동산 이중매매의 배임범죄**에 제공된 대지는 범죄로 인하여 영득한 것 자체는 아니므로 그 취득자 또는 전득자에게 대하여 배임죄의 가공여부를 논함은 별문제로 하고 **장물취득죄로 처단할 수 없다**.(대법원 1975. 12. 9. 74도2804)

④ [○] 횡령 교사를 한 후 그 횡령한 물건을 취득한 때에는 **횡령교사죄와 장물취득죄의 경합범이 성립된다**.(대법원 1969. 6. 24. 69도692)

315 □□□ 장물죄에 관한 설명으로 옳지 않은 것은? (다툼이 있으면 판례에 의함) 16 사법시험 [Core ★★]

① 장물인 정을 알면서 장물을 취득·보관하려는 당사자 사이를 서로 연결하여 이를 중개하거나 편의를 제공하였다면 그 알선에 의하여 당사자 사이에 실제 취득 등의 계약이 성립하지 아니한 경우라도 장물알선죄가 성립한다.

② 甲이 권한 없이 인터넷뱅킹으로 타인의 예금계좌에서 자신의 예금계좌로 돈을 이체한 후 그 중 일부를 인출하여 그 정을 아는 乙에게 교부한 경우, 乙에 대해서는 장물취득죄가 성립하지 아니한다.

③ 甲이 사기 범행에 이용되리라는 사정을 알고서도 자신의 명의로 새마을금고 예금계좌를 개설하여 乙에게 이를 인계한 후 乙이 제3자인 A를 속여 A로 하여금 1,000만원을 위 계좌로 송금하게 한 것을 甲이 인출한 경우, 甲은 장물취득죄가 성립한다.

④ 우리 형법이 적용되지 아니하는 경우에도 우리 형법에 비추어 본범의 행위가 절도죄의 구성요건에 해당하는 위법한 행위라면 이에 의하여 영득된 재물은 장물에 해당한다.

⑤ 장물인 정을 모르고 보관하다가 장물인 정을 알게 되었고 장물의 반환이 불가능하지 않음에도 계속 보관하였다면 장물보관죄가 성립한다.

해설

③ [×] (1) 본범의 사기행위는 피고인이 예금계좌를 개설하여 본범에게 양도한 방조행위가 가공되어 본범에게 편취금이 귀속되는 과정 없이 피고인이 피해자로부터 피고인의 예금계좌로 돈을 송금받아 취득함으로써 종료되는 것이고, 그 후 피고인이 자신의 예금계좌에서 돈을 인출하였다 하더라도 이는 예금명의자로서 은행에 예금반환을 청구한 결과일 뿐 본범으로부터 돈에 대한 점유를 이전받아 사실상 처분권을 획득한 것은 아니므로, 피고인의 위와 같은 인출행위를 장물취득죄로 벌할 수는 없다.
(2) **피고인 甲이 자신의 예금계좌를 본범 乙에게 양도하고 乙이 피해자 A를 속여 A가 甲의 예금계좌로 송금한 돈을 甲이 인출하더라도 장물취득죄는 성립하지 아니한다.**(대법원 2010. 12. 9. 2010도6256 **대포통장 현금 인출사건Ⅱ**)

① [○] (1) 장물을 취득·양도·운반·보관하려는 당사자 사이에 서서 서로를 연결하여 장물의 취득 등을 중개하거나 편의를 도모하였다면, 그 알선에 의하여 당사자 사이에 **실제로 장물의 취득 등에 관한 계약이 성립하지 아니하였거나** 장물의 점유가 현실적으로 이전되지 아니한 경우라도 장물알선죄가 성립한다.
(2) 피고인이 귀금속이 장물임을 알면서도 매매를 중개하고 매수인에게 이를 전달하려다가 매수인을 만나기도 전에 체포되었다 하더라도 **장물알선죄가 성립한다.**(대법원 2009. 4. 23. 2009도1203 **장물 알선사건**)

② [○] (1) 甲이 컴퓨터등사용사기죄의 범행을 저지른 다음 자기의 현금카드를 사용하여 현금을 인출한 경우에는 그것이 비록 **컴퓨터등사용사기죄의 범행으로 취득한 예금채권을 인출**한 것이라 할지라도 현금카드 사용권한 있는 자의 정당한 사용에 의한 것으로서 현금자동지급기 관리자의 의사에 반하거나 기망행위 및 그에 따른 처분행위도 없었으므로 별도로 절도죄나 사기죄의 구성요건에 해당하지 않는다 할 것이고 그 결과 인출된 현금은 재산범죄에 의하여 취득한 **'재물'이 아니므로 장물이 될 수 없다.**
(2) 乙이 甲으로부터 교부받은 돈은 장물이 아니므로 장물취득죄는 성립하지 아니한다.(대법원 2004. 4. 16. 2004도353 **컴사기현금인출 사건**)

정답 | 314 ② 315 ③

④ [○] '장물'이라 함은 재산죄인 범죄행위에 의하여 영득된 물건을 말하는 것으로서 절도 · 강도 · 사기 · 공갈 · 횡령 등 영득죄에 의하여 취득된 물건이어야 한다. 여기에서의 범죄행위는 절도죄 등 본범의 구성요건에 해당하는 위법한 행위일 것을 요한다. 그리고 본범의 행위에 관한 법적 평가는 그 행위에 대하여 **우리 형법이 적용되지 아니하는 경우에도 우리 형법을 기준으로 하여야 하고** 또한 이로써 충분하므로, 본범의 행위가 우리 형법에 비추어 절도죄 등의 구성요건에 해당하는 위법한 행위라고 인정되는 이상 이에 의하여 **영득된 재물은 장물에 해당한다.**(대법원 2011. 4. 28. 2010도15350 횡령 자동차 밀수사건)

⑤ [○] 장물인 정을 모르고 보관하던 중 장물인 정을 알게 되었고, 장물을 반환하는 것이 불가능하지 않음에도 불구하고 계속 보관함으로써 **피해자의 정당한 반환청구권 행사를 어렵게 하여 위법한 재산상태를 유지시킨 경우에는 장물보관죄에 해당한다.**(대법원 1987. 10. 13. 87도1633 도난 수표 보관사건)

316 장물죄에 대한 설명으로 옳은 것만 모아 놓은 것은? (다툼이 있으면 판례에 의함)

□□□

14 경찰간부 [*Core* ★★]

㉠ 장물이라 함은 재산죄인 범죄행위에 의하여 영득된 물건을 말하는 것으로서, 본범의 행위에 관한 법적평가는 그 행위에 대하여 우리 형법이 적용되지 아니하는 경우에도 우리 형법을 기준으로 하여야 하고 또한 이로써 충분하다.

㉡ 甲이 乙을 기망하여 乙이 甲의 계좌로 현금 1천만원을 송금한 경우 甲이 사기죄로 취득한 것은 예금채권으로서 재물이 아니라 재산상 이익이어서 당해 현금 1천만원은 장물에 해당하지 않는다.

㉢ 장물임을 알면서 이를 인도받아 보관하고 있다가 임의처분한 경우에는 그 후의 횡령행위는 불가벌적 사후행위에 불과하여 별도로 횡령죄가 성립하지 않지만, 업무상 과실로 장물을 보관하고 있다가 임의처분한 경우에는 업무상과실장물보관죄 이외에 별도로 횡령죄가 성립한다.

㉣ 장물죄는 타인(본범)이 불법하게 영득한 재물의 처분에 관여하는 범죄이므로 자기의 범죄에 의하여 영득한 물건에 대하여는 성립되지 아니하고 이는 불가벌적 사후행위에 해당한다고 할 것이지만, 여기에서 자기의 범죄라 함은 정범자(공동정범과 합동범을 포함한다)에 한정된다.

① ㉠㉢ ② ㉡㉢
③ ㉠㉣ ④ ㉡㉣

해설

③ ㉠㉣ 2 항목이 옳다.

㉠ [○] '장물'이라 함은 재산죄인 범죄행위에 의하여 영득된 물건을 말하는 것으로서 절도 · 강도 · 사기 · 공갈 · 횡령 등 영득죄에 의하여 취득된 물건이어야 한다. 여기에서의 범죄행위는 절도죄 등 본범의 구성요건에 해당하는 위법한 행위일 것을 요한다. 그리고 본범의 행위에 관한 법적 평가는 그 행위에 대하여 **우리 형법이 적용되지 아니하는 경우에도 우리 형법을 기준으로 하여야 하고** 또한 이로써 충분하므로, 본범의 행위가 우리 형법에 비추어 절도죄 등의 구성요건에 해당하는 위법한 행위라고 인정되는 이상 이에 의하여 영득된 재물은 장물에 해당한다.(대법원 2011. 4. 28. 2010도15350 횡령 자동차 밀수사건)

㉡ [×] (1) 피해자(乙)는 본범(甲)의 기망행위에 속아 현금 1,000만원을 예금계좌로 송금하였고, **이는 재물에 해당하는 현금을 교부받는 방법이 예금계좌로 송금하는 형식으로 이루어진 것에 불과하다.**
(2) 본범이 사기범행으로 취득한 것은 재산상 이익이어서 **장물에 해당하지 않는다는** 원심의 판시는 장물의 의미 등에 관한 법리오해에서 비롯된 것으로서 **적절하지 아니하다.**(대법원 2010. 12. 9. 2010도6256 대포통장 현금 인출사건Ⅱ) 이 경우 현금 1,000만원은 장물에 해당한다.

㉢ [×] 피고인이 업무상 과실로 장물을 보관하고 있다가 처분한 행위는 업무상과실장물보관죄의 가벌적 평가에 포함되고 별도로 횡령죄를 구성하지 않는다.(대법원 2004. 4. 9. 2003도8219 고려청자 사건)

㉣ [○] 장물죄는 타인(본범)이 불법하게 영득한 재물의 처분에 관여하는 범죄이므로 자기의 범죄에 의하여 영득한 물건에 대하여는 성립하지 아니하고 이는 불가벌적 사후행위에 해당하나 여기에서 **자기의 범죄라 함은 정범자(공동정범과 합동범을 포함한다)에 한정되는 것이다.**(대법원 1986. 9. 9. 86도1273)

정답 | 316 ③

제9절 | 손괴의 죄

317 손괴죄에 대한 다음 설명 중 옳지 않은 것은? (다툼이 있으면 판례에 의함) 16 경찰간부 [*Core* ★★]
□□□

① 甲은 기존의 장부에 기재된 세입·세출명세를 새로운 장부로 이기하는 과정에서 경리직원이 누계 등을 잘못 기재하자 잘못 기재된 부분을 찢어버린 후 계속하여 종전 장부의 기재내용을 모두 이기한 경우 손괴죄가 성립한다.

② 해고노동자 등이 복직을 요구하는 집회를 개최하던 중 래커스프레이를 이용하여 회사 건물 외벽과 1층 벽면에 낙서를 한 경우 손괴죄가 성립한다.

③ 재건축사업으로 철거가 예정되어 있고 그 입주자들이 모두 이사하여 아무도 거주하지 않는 아파트라도 원칙적으로 재물손괴죄의 객체가 된다.

④ 본래의 용도에 사용할 수 없으나 다른 용도에 사용할 수 있다면 이는 재물손괴죄의 객체가 된다.

해설

① [×] 장부의 기재를 새로운 장부로 이기(移記)하는 과정에서 누계 등을 잘못 기재하다가 그 부분을 찢어버리고 계속하여 종전장부의 기재내용을 모두 이기하였다면 **새로운 경리장부는 아직 작성 중에 있어서 손괴죄의 객체가 되는 문서로서의 경리장부가 아니라 할 것이고**, 또 찢어버린 부분이 진실된 증빙내용을 기재한 것이었다는 등의 특별한 사정이 없는 한 **이기과정에서 잘못 기재되어 찢어버린 부분** 그 자체가 손괴죄의 객체가 되는 재산적 이용가치 내지 효용이 있는 **재물이라고도 볼 수 없다**.(대법원 1989. 10. 24. 88도1296)

② [○] 해고당한 피고인이 회사에서 복직 등을 요구하는 집회를 개최하던 중 **래커 스프레이**를 이용하여 회사건물 외벽과 1층 벽면, 식당 계단 천장 및 벽면에 '자본똥개, 원직복직, 결사투쟁' 등의 내용으로 낙서를 함으로써 이를 제거하는데 약 341만원 상당이 들도록 한 행위는 건물의 미관을 해치는 정도와 건물 이용자들의 불쾌감 및 원상회복의 어려움 등에 비추어 **건물의 효용을 해한 것에 해당한다**.(대법원 2007. 6. 28. 2007도2590 **스프레이 유죄 계란 무죄 사건**)

③ [○] **재건축사업으로 철거가 예정되어 있었고 입주자들이 모두 이사하여 아무도 거주하지 않은 채 비어 있는 아파트라 하더라도**, 아파트 자체의 객관적 성상이 본래 사용목적인 주거용으로 사용될 수 없는 상태가 아니었고, 더욱이 그 소유자들이 재건축조합으로의 신탁등기 및 인도를 거부하는 방법으로 계속 소유권을 행사하고 있는 상황이었다면 아파트가 재물로서의 이용가치나 효용이 없는 물건으로 되었다고 할 수 없으므로 **재물손괴죄의 객체가 된다**.(대법원 2010. 2. 25. 2009도8473 **아파트 철거사건Ⅱ**)

④ [○] 물건이 그 본래의 사용목적에 공할 수 있거나 다른 용도로라도 사용이 가능한 상태에 있다면 **재산적 이용가치 내지 효용이 있는 것으로서 재물손괴죄의 객체가 될 수 있다**.(대법원 2007. 9. 20. 2007도5207 **아파트 철거사건Ⅰ**)

318 손괴의 죄에 대한 설명으로 가장 적절하지 않은 것은? (다툼이 있으면 판례에 의함)
□□□

21 경찰승진 [Essential ★]

① 해고노동자 등이 복직을 요구하는 집회를 개최하던 중 래커 스프레이를 이용하여 회사 건물 외벽과 1층 벽면 등에 낙서한 행위는 건물의 효용을 해한 것으로 볼 수 있으나, 이와 별도로 계란 30여 개를 건물에 투척한 행위는 건물의 효용을 해하는 정도의 것에 해당하지 않는다.

② 재건축사업으로 철거예정이고 그 입주자들이 모두 이사하여 아무도 거주하지 않은 채 비어 있는 아파트라 하더라도, 그 객관적 성상이 본래 사용목적인 주거용으로 쓰일 수 없는 상태라거나 재물로서의 이용가치나 효용이 없는 물건이라고도 할 수 없다면 재물손괴죄의 객체가 된다.

③ 수확되지 아니한 쪽파의 매수인이 명인방법을 갖추지 않은 경우 그 쪽파의 소유권은 여전히 매도인에게 있고 매도인과 제3자 사이에 일정 기간 후 임의처분의 약정이 있었다면 그 기간 후에 그 제3자가 쪽파를 손괴하였더라도 재물손괴죄가 성립하지 않는다.

④ 자동문을 자동으로 작동하지 않고 수동으로만 개폐가 가능하게 하여 자동잠금장치로서 역할을 할 수 없도록 한 것만으로는 재물손괴죄가 성립하지 않는다.

해설

④ [×] 피고인 甲이 A로부터 자동문 설치공사를 도급받아 그 공사를 마쳤음에도 잔금을 지급받지 못하자 2014. 1. 10.경 추가로 자동문의 번호키 설치공사를 도급받아 시공한 후 **자동문의 자동작동중지 예약기능을 이용하여 2014. 1. 20.부터 자동문이 자동으로 여닫히지 않도록 설정한 경우**, 자동문을 자동으로 작동하지 않고 **수동으로만 개폐가 가능하게 하여 자동잠금장치로서 역할을 할 수 없도록 한 것이므로 재물손괴죄가 성립한다.**(대법원 2016. 11. 25. 2016도9219 **자동문 작동중지 사건**)

① [○] (1) 해고당한 피고인이 회사에서 복직 등을 요구하는 집회를 개최하던 중 **래커 스프레이**를 이용하여 회사 건물 외벽과 1층 **벽면, 식당 계단 천장 및 벽면에 '자본똥개, 원직복직, 결사투쟁' 등의 내용으로 낙서**를 함으로써 이를 제거하는데 약 341만원 상당이 들도록 한 행위는 건물의 미관을 해치는 정도와 건물 이용자들의 불쾌감 및 원상회복의 어려움 등에 비추어 **건물의 효용을 해한 것에 해당한다.**
(2) 해고당한 피고인이 회사에서 복직 등을 요구하는 집회를 개최하던 중 **계란 수십 개를 회사 건물에 투척한 행위는,** 비록 50만원 정도의 비용이 드는 청소가 필요한 상태가 되었고 또 유리문이나 유리창 등 건물 내부에서 외부를 관망하는 역할을 수행하는 부분 중 일부가 불쾌감을 줄 정도로 더럽혀졌다는 점을 고려해 보더라도 **건물의 효용을 해하는 정도의 것에 해당하지 않는다.**(대법원 2007. 6. 28. 2007도2590 **스프레이 유죄 계란 무죄 사건**)

② [○] **재건축사업으로 철거가 예정되어 있었고 입주자들이 모두 이사하여 아무도 거주하지 않은 채 비어 있는 아파트라 하더라도,** 아파트 자체의 객관적 성상이 본래 사용목적인 주거용으로 사용될 수 없는 상태가 아니었고, 더욱이 그 소유자들이 재건축조합으로의 신탁등기 및 인도를 거부하는 방법으로 계속 소유권을 행사하고 있는 상황이었다면 아파트가 재물로서의 이용가치나 효용이 없는 물건으로 되었다고 할 수 없으므로 **재물손괴죄의 객체가 된다.**(대법원 2010. 2. 25. 2009도8473 **아파트 철거사건Ⅱ**)

③ [○] 쪽파와 같은 수확되지 아니한 농작물에 있어서는 명인방법(明認方法)을 실시함으로써 그 소유권을 취득하므로, **쪽파의 매수인이 명인방법을 갖추지 않은 경우** 쪽파에 대한 소유권을 취득하였다고 볼 수 없어 그 소유권은 여전히 매도인에게 있고 매도인과 제3자 사이에 일정 기간 후 임의처분의 약정이 있었다면 그 기간 후에 제3자가 쪽파를 손괴하였더라도 **재물손괴죄가 성립하지 않는다.**(대법원 1996. 2. 23. 95도2754 **쪽파 사건**)

정답 | 317 ① 318 ④

319 손괴의 죄에 관한 설명 중 가장 적절하지 않은 것은? (다툼이 있으면 판례에 의함)

□□□

16 경찰승진 [Core ★★]

① 재물손괴의 범의를 인정함에 있어서는 반드시 계획적인 손괴의 의도가 있거나 물건의 손괴를 적극적으로 희망하여야 하는 것은 아니고, 소유자의 의사에 반하여 재물의 효용을 상실케 하는 데 대한 인식이 있으면 된다.

② 밭에서 재배하였으나 미처 수확되지 않은 농작물의 소유권을 이전받기 위해서는 명인 방법을 실시하여야 하므로, 그러한 농작물을 매도한 사람이 매수인의 명인방법이 실시되기 전에 농작물을 파헤쳐 훼손하였다면 재물손괴죄가 성립한다.

③ 우물에 연결하고 땅속에 묻어서 수도관적 역할을 하고 있는 고무호스 중 약 1.5m를 발굴하여 우물가에 제쳐 놓음으로써 물이 통하지 못하게 한 경우 손괴죄가 성립한다.

④ 자기 명의의 문서라 할지라도 이미 타인에 접수되어 있는 문서에 대하여 함부로 이를 무효화시켜 그 용도에 사용하지 못하게 했다면 문서손괴죄가 성립한다.

해설

② [×] 쪽파와 같은 수확되지 아니한 농작물에 있어서는 명인방법(明認方法)을 실시함으로써 그 소유권을 취득하므로, **쪽파의 매수인이 명인방법을 갖추지 않은 경우 쪽파에 대한 소유권을 취득하였다고 볼 수 없어** 그 소유권은 여전히 매도인에게 있고 매도인과 제3자 사이에 일정 기간 후 임의처분의 약정이 있었다면 그 기간 후에 **제3자가 쪽파를 손괴하였더라도 재물손괴죄가 성립하지 않는다.**(대법원 1996. 2. 23. 95도2754 쪽파 사건)

① [○] **재물손괴의 범의를 인정함에 있어서는** 반드시 계획적인 손괴의 의도가 있거나 물건의 손괴를 적극적으로 희망하여야 하는 것은 아니고, 소유자의 의사에 반하여 **재물의 효용을 상실케 하는 데 대한 인식이 있으면 된다.**(대법원 1993. 12. 7. 93도2701)

③ [○] 우물에 연결하고 땅속에 묻어서 수도관적인 역할을 하고 있는 **고무호스 중 약 1.5m를 발굴**하여 우물가에 제쳐 놓음으로써 물이 통하지 못하게 한 행위는 호스 자체를 물질적으로 손괴한 것은 아니라 할지라도 그 구체적인 역할을 하고 있는 고무호스 효용을 해한 것이라고 볼 수 있다.(대법원 1971. 1. 26. 70도2378)

④ [○] 비록 **자기 명의의 문서라 할지라도 이미 타인(타기관)에 접수되어 있는 문서**에 대하여 함부로 이를 무효화시켜 그 용도에 사용하지 못하게 하였다면 일응 **문서손괴죄를 구성한다.**(대법원 1987. 4. 14. 87도177)

320 재물손괴죄에 관한 다음 설명 중 가장 옳지 않은 것은? (다툼이 있으면 판례에 의함)

□□□

24 법원9급 [Essential ★]

① 부지의 점유 권원이 없는 건물의 소유자였던 피고인이 토지 소유자와의 철거 등 청구소송에서 패소하고 강제집행을 당한 후 무단으로 그 부지에 건물을 신축하더라도 토지의 효용을 해한 것으로 볼 수 없으므로 재물손괴죄가 성립하지 않는다.

② 포도주 원액이 부패하여 포도주 원료로서의 효용가치는 상실되었으나 그 산도에 비추어 식초의 제조 등 다른 용도에 사용할 수 있는 경우에는 재물손괴죄의 객체가 될 수 있다.

③ 손괴죄의 객체인 문서란 거기에 표시된 내용이 적어도 법률상 또는 사회생활상 중요한 사항에 관한 것이어야 하므로 이미 작성되어 있던 장부의 기재를 새로운 장부로 이기하는 과정에서 누계 등을 잘못 기재하다가 그 부분을 찢어버리고 계속하여 종전 장부의 기재내용을 모두 이기하였다면 그 당시 새로운 경리장부는 아직 작성 중에 있어서 손괴죄의 객체가 되는 문서로서의 경리장부가 아니다.

④ 피고인들이 유색 페인트와 래커 스프레이를 이용하여 피해자 소유의 도로 바닥에 직접 문구를 기재하거나 도로 위에 놓인 현수막 천에 문구를 기재하여 페인트가 바닥으로 배어 나와 도로에 배게 하는 방법으로 도로 바닥에 여러 문구를 써놓은 행위는 도로의 효용을 해하는 것으로서 재물손괴죄가 성립한다.

해설

④ [×] 피고인들이 유색 페인트와 래커 스프레이를 이용하여 회사 소유의 도로 바닥에 직접 문구를 기재하거나 도로 위에 놓인 현수막 천에 문구를 기재하여 페인트가 바닥으로 배어나와 도로에 배게하는 방법으로 **도로 바닥에 여러 문구를 써놓은 행위는 도로의 효용을 해하는 정도에 이른 것이라고 보기 어렵다.**(대법원 2020. 3. 27. 2017도20455 **도로 바닥 페인트 · 스프레이 사건**)

① [○] 피고인은 타인 소유 토지에 권원 없이 건물을 신축하였는바, 이러한 행위는 이미 대지화된 토지에 건물을 새로 지어 부지로서 사용 · 수익함으로써 그 **소유자로 하여금 효용을 누리지 못하게 한 것일 뿐 토지의 효용을 해하지 않았으므로 재물손괴죄가 성립하지 않는다.**(대법원 2022. 11. 30. 2022도1410 **타인 토지상 무단 건물 신축 사건**)

② [○] 포도주 원액이 부패하여 포도주 원료로서의 효용가치는 상실되었으나 그 산도가 1.8도 내지 6.2도에 이르고 있어 식초의 제조 등 다른 용도에 사용할 수 있다면 **포도주 원액은 재물손괴죄의 객체가 될 수 있다.**(대법원 1979. 7. 24. 78도2138 **포도주 원액 사건**)

③ [○] 장부의 기재를 새로운 장부로 이기(移記)하는 과정에서 누계 등을 잘못 기재하다가 그 부분을 찢어버리고 계속하여 종전 장부의 기재내용을 모두 이기하였다면 새로운 경리장부는 아직 작성 중에 있어서 손괴죄의 객체가 되는 문서로서의 경리장부가 아니라 할 것이고 또 찢어버린 부분이 진실된 증빙내용을 기재한 것이었다는 등의 특별한 사정이 없는 한 이기과정에서 잘못 기재되어 **찢어버린 부분 그 자체가 손괴죄의 객체가 되는 재산적 이용가치 내지 효용이 있는 재물이라고도 볼 수 없다.**(대법원 1989. 10. 24. 88도1296 **경리장부 이기 사건**)

정답 | 319 ② 320 ④

321 다음 사례 중 재물손괴죄가 성립하지 않는 것은? (다툼이 있으면 판례에 의함)

□□□

22 경찰채용 [Essential ★]

① 타인 소유의 광고용 간판을 백색페인트로 도색하여 광고문안을 지워버린 행위

② 자동문을 수동으로만 개폐가 가능하게 하여 자동잠금장치로서 역할을 할 수 없도록 한 행위

③ 甲이 A의 차량 앞에는 철근콘크리트 구조물을, 뒤에는 굴삭기크러셔를 바짝 붙여 놓아 A의 차량을 17~18시간 동안 운행할 수 없게 한 행위

④ A주식회사 직원인 甲과 乙이 유색 페인트와 래커 스프레이를 이용하여 A회사 소유의 도로 바닥에 직접 문구를 기재하거나 도로 위에 놓인 현수막 천에 문구를 기재하여 페인트가 바닥으로 배어나와 도로에 배게 한 행위

해설

④ 피고인들이 유색 페인트와 래커 스프레이를 이용하여 회사 소유의 도로 바닥에 직접 문구를 기재하거나 도로 위에 놓인 현수막 천에 문구를 기재하여 페인트가 바닥으로 배어나와 도로에 배게하는 방법으로 **도로 바닥에 여러 문구를 써놓은 행위는 도로의 효용을 해하는 정도에 이른 것이라고 보기 어렵다.**(대법원 2020. 3. 27. 2017도20455 **도로 바닥 페인트 · 스프레이 사건**)

① 타인소유의 광고용 간판을 백색페인트로 도색하여 광고문안을 지워버린 행위는 **재물손괴죄에 해당한다.**(대법원 1991. 10. 22. 91도2090)

② 피고인 甲이 A로부터 자동문 설치공사를 도급받아 그 공사를 마쳤음에도 잔금을 지급받지 못하자 2014. 1. 10.경 추가로 자동문의 번호키 설치공사를 도급받아 시공한 후 자동문의 자동작동중지 예약기능을 이용하여 2014. 1.20.부터 자동문이 자동으로 여닫히지 않도록 설정한 경우 자동문을 자동으로 작동하지 않고 **수동으로만 개폐가 가능하게 하여 자동잠금장치로서 역할을 할 수 없도록 한 것이므로 재물손괴죄가 성립한다.**(대법원 2016. 11. 25. 2016도9219 **자동문 작동중지 사건**)

③ 피고인이 평소 자신이 굴삭기를 주차하던 장소에 피해자의 차량이 주차되어 있는 것을 발견하고 피해자의 차량 앞에 철근콘크리트 구조물을, 뒤에 굴삭기 크러셔를 바짝 붙여 놓아 피해자가 17~18시간 동안 차량을 운행할 수 없게 된 경우 차량 앞뒤에 쉽게 제거하기 어려운 구조물 등을 붙여 놓은 행위는 차량에 대한 유형력 행사로 보기에 충분하고, 차량 자체에 물리적 훼손이나 기능적 효용의 멸실 내지 감소가 발생하지 않았더라도 피해자가 위 구조물로 인해 차량을 운행할 수 없게 됨으로써 일시적으로 본래의 사용목적에 이용할 수 없게 된 이상 **차량 본래의 효용을 해한 경우에 해당한다.**(대법원 2021. 5. 7. 2019도13764 **굴삭기동원 차량이용 방해사건**)

322 재물손괴죄에 관한 다음 설명 중 가장 옳지 않은 것은? (다툼이 있으면 판례에 의함)

□□□

22 법원9급 [Essential ★]

① 형법 제366조는 "타인의 재물, 문서 또는 전자기록 등 특수 매체기록을 손괴 또는 은닉 기타 방법으로 그 효용을 해한 자는 3년 이하의 징역 또는 700만원 이하의 벌금에 처한다."라고 규정하고 있다. 여기에서 '기타 방법'이란 형법 제366조의 규정 내용 및 형벌법규의 엄격해석 원칙 등에 비추어 손괴 또는 은닉에 준하는 정도의 유형력을 행사하여 재물 등의 효용을 해하는 행위를 의미하고, '재물의 효용을 해한다'고 함은 사실상으로나 감정상으로 그 재물을 본래의 사용목적에 제공할 수 없게 하는 상태로 만드는 것을 말하며, 일시적으로 그 재물을 이용할 수 없거나 구체적 역할을 할 수 없는 상태로 만드는 것도 포함한다.

② 피고인이 피해자가 홍보를 위해 설치한 광고판을 그 장소에서 제거하여 컨테이너로 된 창고로 옮겨 놓았다면 비록 물질적인 형태의 변경이나 멸실, 감손을 초래하지 않은 채 그대로 옮겼더라도 그 광고판은 본래적 역할을 할 수 없는 상태로 되었다고 보아야 하므로 재물손괴죄가 성립한다.

③ 피고인이 피해 차량의 앞뒤에 쉽게 제거하기 어려운 철근콘크리트 구조물 등을 바짝 붙여 놓아 차량을 운행할 수 없게 하였더라도 피해 차량 자체에 물리적 훼손이나 기능적 효용의 멸실 내지 감소가 발생하지 않았으므로 재물 본래의 효용을 해한 것이라고 볼 수 없다.

④ 자동문설치공사를 한 피고인이 대금을 지급받지 못하자 자동문의 자동작동중지 예약기능을 이용하여 자동문이 자동으로 여닫히지 않도록 설정하여 수동으로만 개폐가 가능하도록 한 경우 재물손괴죄가 성립한다.

해설

③ [×] 피고인이 평소 자신이 굴삭기를 주차하던 장소에 피해자의 차량이 주차되어 있는 것을 발견하고 **피해자의 차량 앞에 철근콘크리트 구조물을, 뒤에 굴삭기 크러셔를 바짝 붙여 놓아 피해자가 17~18시간 동안 차량을 운행할 수 없게 된 경우** 차량 앞뒤에 쉽게 제거하기 어려운 구조물 등을 붙여 놓은 행위는 차량에 대한 유형력 행사로 보기에 충분하고, 차량 자체에 물리적 훼손이나 기능적 효용의 멸실 내지 감소가 발생하지 않았더라도 피해자가 위 구조물로 인해 차량을 운행할 수 없게 됨으로써 일시적으로 본래의 사용목적에 이용할 수 없게 된 이상 **차량 본래의 효용을 해한 경우에 해당한다.**(대법원 2021. 5. 7. 2019도13764 **굴삭기 동원 차량이용 방해사건**)

① [○] 형법 제366조에서 '기타 방법'이란 형법 제366조의 규정 내용 및 형벌법규의 엄격해석 원칙 등에 비추어 손괴 또는 은닉에 준하는 정도의 유형력을 행사하여 재물 등의 효용을 해하는 행위를 의미하고, '재물의 효용을 해한다'고 함은 사실상으로나 감정상으로 그 재물을 본래의 사용목적에 제공할 수 없게 하는 상태로 만드는 것을 말하며, **일시적으로 그 재물을 이용할 수 없거나 구체적 역할을 할 수 없는 상태로 만드는 것도 포함한다.**(대법원 2021. 5. 7. 2019도13764 **굴삭기 동원 차량이용 방해사건**)

정답 | 321 ④ 322 ③

② [○] 피고인이 피해자가 홍보를 위해 설치한 광고판(홍보용 배너와 거치대)을 그 장소에서 제거하여 컨테이너로 된 창고로 옮겼다면 비록 물질적인 형태의 변경이나 멸실, 감손을 초래하지 않은 채 그대로 옮겼다고 하더라도 광고판은 그 본래적 역할을 할 수 없는 상태로 되었다고 보아야 하므로 **재물의 효용을 해하는 행위에 해당한다.**(대법원 2018. 7. 24. 2017도18807 **광고판 제거 사건**)

④ [○] 피고인 甲이 A로부터 자동문 설치공사를 도급받아 그 공사를 마쳤음에도 잔금을 지급받지 못하자 2014. 1. 10.경 추가로 자동문의 번호키 설치공사를 도급받아 시공한 후 자동문의 자동작동중지 예약기능을 이용하여 2014. 1. 20.부터 자동문이 자동으로 여닫히지 않도록 설정한 경우 **자동문을 자동으로 작동하지 않고 수동으로만 개폐가 가능하게 하여 자동잠금장치로서 역할을 할 수 없도록 한 것이므로 재물손괴죄가 성립한다.**(대법원 2016. 11. 25. 2016도9219 **자동문 작동중지 사건**)

제10절 | 권리행사방해의 죄

323 권리행사방해죄에 관한 다음 설명 중 옳지 않은 것은? (다툼이 있으면 판례에 의함)
□□□

16 경찰간부 [Core ★★]

① 甲이 명의신탁의 방식으로 乙에게 등기명의를 신탁하여 놓은 점포에 자물쇠를 채워 점포의 임차인을 출입하지 못하게 한 경우에는 권리행사방해죄가 성립하지 아니한다.

② 무효인 경매절차에서 경매목적물을 경락받아 이를 점유하고 있는 낙찰자의 점유는 적법한 점유로서 그 점유자는 권리행사방해죄에 있어서의 타인의 물건을 점유하고 있는 자이다.

③ 렌트카 회사의 공동대표이사 중 1인이 회사 보유 차량을 자신의 개인적인 채무담보 명목으로 피해자에게 넘겨주었는데, 다른 공동대표이사인 피고인이 위 차량을 몰래 회수하도록 한 경우, 피해자의 점유는 권리행사방해죄의 보호대상인 점유에 해당한다.

④ 피고인이 피해자에게 담보로 제공한 차량이 자동차등록원부에 타인 명의로 등록되어 있는 경우에 있어서 피고인이 피해자의 승낙없이 미리 소지하고 있던 위 차량의 보조키를 이용하여 이를 운전하여 간 경우 권리행사방해죄를 구성한다.

해설

④ [×] 피고인 甲이 피해자 A에게 교부한 약속어음이 부도나 A로부터 원금에 대한 변제독촉을 받자 BMW차량을 A에게 보관하게 함으로써 담보로 제공하였음에도 불구하고 **A의 승낙 없이 보조키를 이용하여 이를 운전하여 갔더라도**, 위 차량은 자동차등록원부에 BMW파이낸셜서비스코리아 명의로 등록되어 있어 **甲의 소유가 아니므로 권리행사방해죄는 성립하지 아니한다.**(대법원 2005. 11. 10. 2005도6604 BMW 임의취거 사건)

① [○] (1) 명의신탁자가 조세포탈 등의 목적으로 명의신탁을 함으로써 명의신탁이 무효로 되는 경우에는 말할 것도 없고, 그러한 목적이 없어서 유효한 명의신탁이 되는 경우에도 제3자인 부동산의 임차인에 대한 관계에서는 명의신탁자는 소유자가 될 수 없으므로, 어느 모로 보나 신탁한 부동산이 권리행사방해죄에서 말하는 '자기의 물건'이라 할 수 없다.
(2) 피고인 甲이 이른바 **중간생략등기형 명의신탁** 또는 **계약명의신탁**의 방식으로 자신의 처 乙에게 등기명의를 신탁하여 놓은 점포에 자물쇠를 채워 점포의 임차인 A를 출입하지 못하게 한 경우, 그 점포는 권리행사방해죄의 객체인 자기의 물건에 해당하지 않으므로 **권리행사방해죄는 성립되지 아니한다.**(대법원 2005. 9. 9. 2005도626 명의신탁 빌딩 출입방해사건)

② [○] 권리행사방해죄에 있어서의 '타인의 점유'라 함은 권원으로 인한 점유. 즉 정당한 원인에 기하여 그 물건을 점유하는 권리있는 점유를 의미하는 것으로서 본권을 갖지 아니한 절도범인의 점유는 여기에 해당하지 아니하나, 반드시 본권에 의한 점유만에 한하지 아니하고 동시이행항변권 등에 기한 점유와 같은 적법한 점유도 여기에 해당한다고 할 것이고, 한편, 쌍무계약이 무효로 되어 각 당사자가 서로 취득한 것을 반환하여야 할 경우, 그 반환의무는 동시이행 관계에 있다고 보아 민법 제536조를 준용함이 옳다고 해석되고, 이러한 법리는 경매절차가 무효로 된 경우에도 마찬가지라고 할 것이므로, **무효인 경매절차에서 경매목적물을 경락받아 이를 점유하고 있는 낙찰자**의 점유는 적법한 점유로서 그 점유자는 **권리행사방해죄에 있어서의 타인의 물건을 점유하고 있는 자라고 할 것이다.**(대법원 2003. 11. 28. 2003도4257 무효 경매절차 사건)

정답 | 323 ④

③ [○] (1) 렌트카 회사의 공동대표이사 중 1인인 乙이 A에 대한 개인적인 채무의 담보 명목으로 회사가 보유 중이던 승용차를 A에게 넘겨주었고, 회사 직원 丙의 승용차 반환요구에 대하여 A가 乙에 대한 채권 등을 이유로 거절하자, 회사 공동대표이사 중 1인인 피고인 甲이 A 사무실 부근에 주차되어 있는 승용차를 몰래 회수하도록 한 경우 A의 승용차에 대한 점유는 법정절차를 통하여 점유 권원의 존부가 밝혀짐으로써 분쟁이 해결될 때까지 **잠정적으로 보호할 가치 있는 점유에 포함된다.**
(2) 다만, 승용차가 회사가 구입하여 보유 중이나 아직 회사나 피고인 甲 명의로 신규등록 절차를 마치지 않은 미등록 상태인 경우, 아직 회사나 혹은 甲의 소유물이라고 할 수 없어 **권리행사방해죄는 성립되지 아니한다.** (대법원 2006. 3. 23. 2005도4455 **렌터카 공동대표 사건**)

324 권리행사를 방해하는 죄에 대한 설명으로 가장 적절한 것은? (다툼이 있으면 판례에 의함)

□□□

19 경찰승진 [*Core* ★★]

① 권리행사방해죄에서 '은닉'이란 타인의 점유 또는 권리의 목적이 된 자기 물건 등의 소재를 발견하기 불가능하게 하거나 또는 현저히 곤란한 상태에 두는 것을 말하고, 그로 인하여 권리행사가 방해될 우려가 있는 상태만으로는 부족하고, 현실로 권리행사가 방해되었을 것을 요한다.

② 권리행사방해죄에 있어서의 '취거'란 타인의 점유 또는 권리의 목적이 된 자기의 물건을 그 점유자의 의사에 반하여 그 점유자의 점유로부터 자기 또는 제3자의 점유로 옮기는 것을 말하므로, 점유자의 하자있는 의사에 기하여 점유가 이전된 경우에도 여기에서 말하는 취거로 볼 수 있다.

③ 타인의 재물을 보관하는 자가 보관하고 있는 재물을 영득할 의사로 은닉하였다면 횡령죄를 구성하고 채권자들의 강제집행을 면탈하는 결과를 가져온다면 별도로 강제집행면탈죄를 구성하며 양 죄는 상상적 경합 관계에 있다.

④ 권리행사방해죄에서의 보호대상인 '타인의 점유'에는 일단 적법한 권원에 기하여 점유를 개시하였으나 사후에 점유권원을 상실한 경우의 점유, 점유권원의 존부가 외관상 명백하지 아니하여 법정절차를 통하여 권원의 존부가 밝혀질 때까지의 점유, 권원에 기하여 점유를 개시한 것은 아니나 동시이행항변권 등으로 대항할 수 있는 점유 등이 포함된다.

해설

④ [○] 권리행사방해죄에서의 보호대상인 '타인의 점유'는 반드시 점유할 권원에 기한 점유만을 의미하는 것은 아니고, 일단 적법한 권원에 기하여 점유를 개시하였으나 사후에 점유권원을 상실한 경우의 점유, 점유권원의 존부가 외관상 명백하지 아니하여 법정절차를 통하여 권원의 존부가 밝혀질 때까지의 점유, 권원에 기하여 점유를 개시한 것은 아니나 **동시이행항변권 등으로 대항할 수 있는 점유 등과 같이 법정절차를 통한 분쟁해결시까지 잠정적으로 보호할 가치있는 점유는 모두 포함된다**고 볼 것이며, 다만 절도범인의 점유와 같이 점유할 권리 없는 자의 점유임이 외관상 명백한 경우는 포함되지 아니한다.(대법원 2010. 10. 14. 2008도6578 **지입차량 무단취거사건**)

① [×] 권리행사방해죄에 있어 '은닉'이란 타인의 점유 또는 권리의 목적이 된 자기 물건 등의 소재를 발견하기 불가능하게 하거나 또는 현저히 곤란한 상태에 두는 것을 말하고, 그로 인하여 **권리행사가 방해될 우려가 있는 상태에 이르면 권리행사방해죄가 성립하고 현실로 권리행사가 방해되었을 것까지 필요로 하는 것은 아니다.**(대법원 2017. 5. 17. 2017도2230 **렌트카를 대포차로 사건**)

② [×] 권리행사방해죄에 있어서의 취거라 함은 타인의 점유 또는 권리의 목적이 된 자기의 물건을 그 점유자의 의사에 반하여 그 점유자의 점유로부터 자기 또는 제3자의 점유로 옮기는 것을 말하므로 **점유자의 의사나 그의 하자있는 의사에 기하여 점유가 이전된 경우에는 여기에서 말하는 취거로 볼 수는 없다.**(대법원 1988. 2. 23. 87도1952 **맥콜 사건**)

③ [×] 타인의 재물을 보관하는 자가 보관하고 있는 재물을 영득할 의사로 은닉하였다면 이는 횡령죄를 구성하는 것이고 채권자들의 강제집행을 면탈하는 결과를 가져온다 하여 이와 **별도로 강제집행면탈죄를 구성하는 것은 아니다.**(대법원 2000. 9. 8. 2000도1447 **홍보성 해강 대표 사건**)

325 다음 중 권리행사를 방해하는 죄에 대한 설명으로 가장 옳지 않은 것은? (다툼이 있으면 판례에 의함)

□□□

21 해경승진 [Essential ★]

① 권리행사방해죄에 있어서의 타인의 점유에는 절도범인의 점유도 포함된다.

② 권리행사방해죄에는 친족상도례가 적용된다.

③ 피고인이 피해자에게 담보로 제공한 차량이 그 자동차등록원부에 타인명의로 등록되어 있는 경우, 그 차량은 피고인의 소유가 아니므로 피해자의 승낙 없이 미리 소지하고 있던 위 차량의 보조키를 이용하여 이를 운전하여 간 행위가 권리행사방해죄를 구성하지 않는다.

④ 렌트카회사의 공동대표이사 중 1인이 회사나 피고인 명의로 신규등록을 하지 않은 회사보유 차량을 자신의 개인적인 채무담보 명목으로 피해자에게 넘겨주었는데 다른 공동대표이사가 위 차량을 몰래 회수하도록 한 경우, 권리행사방해죄를 구성하지 않는다.

해설

① [×] 절도범인의 점유와 같이 점유할 권리 없는 자의 점유임이 외관상 명백한 경우는 권리행사방해죄에서의 **보호대상인 타인의 점유에 포함되지 아니한다.**(대법원 2006. 3. 23. 2005도4455 **렌터카 공동대표 사건**)

② [○] 권리행사방해죄에는 **친족상도례가 적용된다.**(제328조)

③ [○] 피고인 甲이 피해자 A에게 교부한 약속어음이 부도나 A로부터 원금에 대한 변제독촉을 받자 BMW차량을 A에게 보관하게 함으로써 담보로 제공하였음에도 불구하고 A의 승낙 없이 보조키를 이용하여 이를 운전하여 갔더라도, 위 차량은 **자동차등록원부에 BMW파이낸셜서비스코리아 명의로 등록**되어 있어 甲의 소유가 아니므로 **권리행사방해죄는 성립하지 아니한다.**(대법원 2005. 11. 10. 2005도6604 **BMW 임의취거 사건**)

④ [○] (1) 렌트카 회사의 공동대표이사 중 1인인 乙이 A에 대한 개인적인 채무의 담보 명목으로 회사가 보유 중이던 승용차를 A에게 넘겨주었고, 회사 직원 丙의 승용차 반환요구에 대하여 A가 乙에 대한 채권 등을 이유

정답 | 324 ④ 325 ①

로 거절하자, 회사 공동대표이사 중 1인인 피고인 甲이 A 사무실 부근에 주차되어 있는 승용차를 몰래 회수하도록 한 경우 A의 승용차에 대한 점유는 법정절차를 통하여 점유 권원의 존부가 밝혀짐으로써 분쟁이 해결될 때까지 잠정적으로 보호할 가치 있는 점유에 포함된다.
(2) 다만, 승용차가 회사가 구입하여 보유 중이나 아직 회사나 피고인 甲 명의로 **신규등록 절차를 마치지 않은 미등록 상태인 경우** 아직 회사나 혹은 甲의 소유물이라고 할 수 없어 **권리행사방해죄는 성립되지 아니한다.** (대법원 2006. 3. 23. 2005도4455 **렌터카 공동대표 사건**)

326 권리행사를 방해하는 죄에 관한 설명 중 가장 적절하지 않은 것은? (다툼이 있으면 판례에 의함)

□□□

14 경찰승진 [*Core* ★★]

① 피고인이 피해자에게 담보로 제공한 차량이 그 자동차등록원부에 타인명의로 등록되어 있는 경우 그 차량은 피고인의 소유가 아니므로 피고인이 피해자의 승낙 없이 미리 소지하고 있던 위 차량의 보조키를 이용하여 이를 운전하여 간 행위가 권리행사방해죄를 구성하지 않는다.

② 렌트카 회사의 공동대표이사 중 1인이 회사나 피고인 명의로 신규등록을 하지 않은 회사 보유 차량을 자신의 개인적인 채무담보 명목으로 피해자에게 넘겨주었는데 다른 공동대표 이사가 위 차량을 몰래 회수하도록 한 경우 권리행사방해죄를 구성하지 않는다.

③ 채권자에 의하여 압류된 채무자 소유의 유체동산을 채무자의 모(母)소유인 것으로 사칭하면서 모(母)의 명의로 제3자이의의 소를 제기하고 집행정지결정을 받아 그 집행을 저지하였다면 이는 재산을 은닉한 경우에 해당하여 강제집행면탈죄가 성립한다.

④ 채권자들에 의한 복수의 강제집행이 예상되는 경우 재산을 은닉 또는 허위양도함으로써 채권자들을 해하였다면 채권자별로 각각 강제집행면탈죄가 성립하고 상호 실체적 경합범의 관계에 있다.

해설

④ [×] 채권자들에 의한 복수의 강제집행이 예상되는 경우 재산을 은닉 또는 허위양도함으로써 채권자들을 해하였다면 채권자별로 각각 강제집행면탈죄가 성립하고, **상호 상상적 경합범의 관계에 있다.**(대법원 2011. 12. 8. 2010도4129 **전주 삼천동 건물 허위양도사건**)

① [○] 피고인 甲이 피해자 A에게 교부한 약속어음이 부도나 A로부터 원금에 대한 변제독촉을 받자 BMW 차량을 A에게 보관하게 함으로써 담보로 제공하였음에도 불구하고 A의 승낙 없이 보조키를 이용하여 이를 운전하여 갔더라도, 위 차량은 자동차등록원부에 **BMW파이낸셜서비스코리아 명의로 등록되어 있어 甲의 소유가 아니므로 권리행사방해죄는 성립하지 아니한다.**(대법원 2005. 11. 10. 2005도6604 **BMW 임의취거 사건**)

② [○] (1) 렌트카 회사의 공동대표이사 중 1인인 乙이 A에 대한 개인적인 채무의 담보 명목으로 회사가 보유 중이던 승용차를 A에게 넘겨주었고, 회사 직원 丙의 승용차 반환요구에 대하여 A가 乙에 대한 채권 등을 이유로 거절하자, 회사 공동대표이사 중 1인인 피고인 甲이 A 사무실 부근에 주차되어 있는 승용차를 몰래 회수하

도록 한 경우 A의 승용차에 대한 점유는 법정절차를 통하여 점유 권원의 존부가 밝혀짐으로써 분쟁이 해결될 때까지 잠정적으로 보호할 가치 있는 점유에 포함된다.
(2) 다만, 승용차가 회사가 구입하여 보유 중이나 아직 회사나 피고인 甲 명의로 신규등록 절차를 마치지 않은 **미등록 상태인 경우, 아직 회사나 혹은 甲의 소유물이라고 할 수 없어 권리행사방해죄는 성립되지 아니한다.** (대법원 2006. 3. 23. 2005도4455 렌터카 공동대표 사건)

③ [○] 피고인 甲이 A에 의하여 압류된 甲 소유의 유체동산을 그의 모(母)인 乙의 소유인 것으로 사칭하면서 乙 명의로 **제3자이의의 소를 제기하고, 집행정지결정을 받아 그 집행을 저지하였다면 이는 재산을 은닉한 경우에 해당한다.**(대법원 1992. 12. 8. 92도1653 제3자이의의 소 사건)

327 다음은 권리행사를 방해하는 죄에 관한 설명이다. 옳은 것(○)과 옳지 않은 것(×)을 올바르게 연결한 것은? (다툼이 있으면 판례에 의함)

□□□

19 해경채용 [Superlative ★★★]

> ㉠ 甲이 자동차등록원부상 A명의로 등록되어 있는 차량을 B에게 담보로 제공하였음에도 불구하고, B의 승낙 없이 미리 소지하고 있던 위 차량의 보조키를 이용하여 이를 운전하여 간 경우 권리행사방해죄가 성립하지 않는다.
> ㉡ 권리행사방해죄의 구성요건 중 타인의 '권리'란 반드시 제한물권만을 의미하는 것이 아니라 물건에 대하여 점유를 수반하지 아니하는 채권도 이에 포함된다.
> ㉢ 무효인 경매절차에서 경매목적물을 경락받아 이를 점유하고 있는 낙찰자의 점유는 동시이행항변권이 있더라도 적법한 점유가 아니므로 그 점유자는 권리행사방해죄에 있어서의 타인의 물건을 점유하고 있는 자라고 할 수 없다.
> ㉣ 甲이 이른바 중간생략등기형 명의신탁 또는 계약명의신탁의 방식으로 자신의 처에게 등기명의를 신탁하여 놓은 점포에 자물쇠를 채워 점포의 임차인을 출입하지 못하게 한 경우 권리행사방해죄가 성립한다.
> ㉤ 채권자들에 의한 복수의 강제집행이 예상되는 경우 재산을 은닉 또는 허위양도함으로써 채권자들을 해하였다면 채권자별로 각각 강제집행면탈죄가 성립하고 상호 실체적 경합범의 관계에 있다.

① ㉠ ○ ㉡ ○ ㉢ × ㉣ × ㉤ ×
② ㉠ × ㉡ ○ ㉢ × ㉣ ○ ㉤ ×
③ ㉠ × ㉡ × ㉢ ○ ㉣ ○ ㉤ ○
④ ㉠ ○ ㉡ ○ ㉢ × ㉣ ○ ㉤ ×

정답 | 326 ④ 327 ①

해설

① 이 지문이 옳은 연결이다.

㉠ [○] 피고인이 피해자에게 담보로 제공한 차량이 그 **자동차등록원부에 타인 명의로 등록**되어 있는 이상 그 차량은 피고인의 소유는 아니므로 피고인이 피해자의 승낙 없이 미리 소지하고 있던 차량의 보조키를 이용하여 이를 운전하여 간 행위는 권리행사방해죄를 구성하지 않는다.(대법원 2005. 11. 10. 2005도6604 BMW 임의 취거 사건)

㉡ [○] 권리행사방해죄의 구성요건 중 타인의 '권리'란 반드시 제한물권만을 의미하는 것이 아니라 **물건에 대하여 점유를 수반하지 아니하는 채권도 이에 포함된다.**(대법원 1991. 4. 26. 90도1958 원목 인도청구권 사건)

㉢ [×] 권리행사방해죄에 있어서의 타인의 점유라 함은 반드시 본권에 의한 점유만에 한하지 아니하고 동시이행항변권 등에 기한 점유와 같은 적법한 점유도 여기에 해당한다고 할 것이므로, 무효인 경매절차에서 경매목적물을 경락받아 이를 점유하고 있는 낙찰자의 점유는 적법한 점유로서 그 점유자는 **권리행사방해죄에 있어서의 타인의 물건을 점유하고 있는 자라고 할 것이다.**(대법원 2003. 11. 28. 2003도4257)

㉣ [×] (1) 제3자인 부동산의 임차인에 대한 관계에서는 명의신탁자는 소유자가 될 수 없으므로 어느 모로 보나 신탁한 부동산이 권리행사방해죄에서 말하는 '자기의 물건'이라 할 수 없다.
(2) 甲이 이른바 중간생략등기형 명의신탁 또는 계약명의신탁의 방식으로 자신의 처에게 등기명의를 신탁하여 놓은 점포에 자물쇠를 채워 점포의 임차인 乙을 출입하지 못하게 한 경우, **그 점포는 권리행사방해죄의 객체인 '자기의 물건'에 해당하지 않는다.**(대법원 2005. 9. 9. 2005도626 명의신탁 빌딩 출입방해사건) 지문의 경우 (업무방해죄가 성립하는 것은 별론으로 하고) 권리행사방해죄는 성립하지 아니한다.

㉤ [×] 채권자들에 의한 복수의 강제집행이 예상되는 경우 재산을 은닉 또는 허위양도함으로써 채권자들을 해하였다면 채권자별로 각각 강제집행면탈죄가 성립하고, **상호 상상적 경합범의 관계에 있다.**(대법원 2011. 12. 8. 2010도4129 전주 삼천동 건물 허위양도사건)

328 권리행사방해죄에 관한 다음 설명 중 가장 옳지 않은 것은? (다툼이 있으면 판례에 의함)

□□□

23 법원행시 [Superlative ★★★]

① 형법 제323조의 권리행사방해죄는 물건 또는 전자기록 등 특수매체기록을 취거, 은닉 또는 손괴하여 타인의 권리행사를 방해함으로써 성립한다. 여기서 '은닉'이란 타인의 점유 또는 권리의 목적이 된 자기 물건 등의 소재를 발견하기 불가능하게 하거나 또는 현저히 곤란한 상태에 두는 것을 말하고, 그로 인하여 권리행사가 방해될 우려가 있는 상태에 이르면 권리행사방해죄가 성립하고 현실로 권리행사가 방해되었을 것까지 필요로 하는 것은 아니다.

② 형법 제323조의 권리행사방해죄는 타인의 점유 또는 권리의 목적이 된 '자기의 물건'을 취거, 은닉 또는 손괴하여 타인의 권리행사를 방해함으로써 성립하는 것이므로 그 취거, 은닉 또는 손괴한 물건이 '자기의 물건'이 아니라면 권리행사방해죄가 성립할 수 없다.

③ 채권자가 동산 양도담보 목적물에 관한 반환청구권을 양도하는 방법으로 제3자에게 처분하여 그 목적물의 소유권을 취득하게 한 다음 그 제3자로 하여금 그 목적물을 취거하게 한 경우 사안에 따라 권리행사방해죄를 구성할 여지가 있음은 별론으로 하고 절도죄를 구성할 여지는 없다.

④ 권리행사방해죄에 있어서의 타인의 점유라 함은 권원으로 인한 점유, 즉 정당한 원인에 기하여 그 물건을 점유하는 권리있는 점유를 의미하는 것으로서 본권을 갖지 아니한 절도 범인의 점유는 여기에 해당하지 아니하나, 반드시 본권에 의한 점유일 것을 요하지는 않으므로 동시이행항변권 등에 기한 점유와 같은 적법한 점유도 여기에 해당한다.

⑤ 점유의 개시 당시에는 적법한 사유에 기하였으나 그 후에 그 점유물을 소유자에게 인도해야 할 사정이 발생하였음에도 불구하고 점유자가 임의로 이를 인도하지 아니하고 계속 이를 무단점유하고 있다면 그 점유자는 더 이상 권리행사방해죄에서의 '타인의 물건을 점유하고 있는 자'라 할 수 없다.

해설

⑤ [×] 권리행사방해죄에 있어서의 '타인의 점유'라 함은 권원으로 인한 점유, 즉 정당한 원유에 기하여 그 목적물을 점유하는 권리있는 자의 점유를 의미한다 할 것이나, 일단 적법한 원유에 기하여 점유한 이상 설사 그 후에 그 점유물을 소유자에게 명도해야 할 사정이 발생하였다 할지라도 점유자가 임의로 명도를 하지 아니하고 계속 이를 점유하고 있다면 **그 점유자는 의연히 권리행사방해죄에 있어서 타인의 물건을 점유하고 있는 자라 할 것이다.**(대법원 1977. 9. 13. 77도1672 **임차인 집 손괴사건**)

① [○] 형법 제323조의 권리행사방해죄는 물건 또는 전자기록 등 특수매체기록을 취거, 은닉 또는 손괴하여 타인의 권리행사를 방해함으로써 성립한다. 여기서 '은닉'이란 타인의 점유 또는 권리의 목적이 된 자기물건 등의 소재를 발견하기 불가능하게 하거나 또는 현저히 곤란한 상태에 두는 것을 말하고, 그로 인하여 권리행사가 방해될 우려가 있는 상태에 이르면 권리행사방해죄가 성립하고 **현실로 권리행사가 방해되었을 것까지 필요로 하는 것은 아니다.**(대법원 2021. 1. 14. 2020도14735 **건물철거 · 기계기구양도 사건**)

정답 | 328 ⑤

② [O] 형법 제323조의 권리행사방해죄는 타인의 점유 또는 권리의 목적이 된 '자기의 물건'을 취거, 은닉 또는 손괴하여 타인의 권리행사를 방해함으로써 성립하는 것이므로 그 **취거, 은닉 또는 손괴한 물건이 '자기의 물건'이 아니라면 권리행사방해죄가 성립할 수 없다.**(대법원 2019. 12. 27. 2019도14623 아들 명의 건물낙찰 사건)

③ [O] 양도담보권자인 채권자가 제3자에게 담보목적물을 매각한 경우 제3자는 채권자와 채무자 사이의 정산절차 종결 여부와 관계없이 양도담보 목적물을 인도받음으로써 소유권을 취득하게 되는 것이고, 양도담보의 설정자가 담보목적물을 점유하고 있는 경우 그 목적물의 인도는 채권자로부터 목적물반환청구권을 양도받는 방법으로도 가능한 것인바, 채권자가 양도담보 목적물을 위와 같은 방법으로 제3자에게 처분하여 그 목적물의 소유권을 취득하게 한 다음 그 제3자로 하여금 그 목적물을 취거하게 한 경우 그 제3자로서는 자기의 소유물을 취거한 것에 불과하므로 사안에 따라 **권리행사방해죄를 구성할 여지가 있음은 별론으로 하고, 절도죄를 구성할 여지는 없다.**(대법원 2008. 11. 27. 2006도4263 통발어구 사건)

④ [O] 권리행사방해죄에 있어서의 '타인의 점유'라 함은 권원으로 인한 점유. 즉 정당한 원인에 기하여 그 물건을 점유하는 권리있는 점유를 의미하는 것으로서 본권을 갖지 아니한 절도범인의 점유는 여기에 해당하지 아니하나, 반드시 본권에 의한 점유만에 한하지 아니하고 **동시이행항변권 등에 기한 점유와 같은 적법한 점유도 여기에 해당한다.**(대법원 2003. 11. 28. 2003도4257 무효 경매절차 사건)

329 권리행사를 방해하는 죄에 대한 설명 중 가장 적절하지 않은 것은? (다툼이 있으면 판례에 의함)

□□□

21 경찰채용 [*Core* ★★]

① 무효인 경매절차에서 경매목적물을 경락받아 이를 점유하고 있는 낙찰자의 점유는 적법한 점유로서 그 점유자는 권리행사방해죄에 있어서 타인의 물건을 점유하고 있는 자라고 보아야 한다.

② 주식회사의 대표이사가 그의 지위에 기하여 그 직무집행 행위로서 타인이 점유하는 회사의 물건을 취거한 경우에 그 행위는 회사의 대표기관으로서의 행위라고 평가되므로 그 회사의 물건은 권리행사방해죄에 있어서의 '자기의 물건'이라고 보아야 한다.

③ 개설자격이 없는 자가 의료기관을 개설하여 의료법을 위반한 병원의 요양급여비용채권은 해당 의료기관의 채권자가 이를 대상으로 하여 강제집행 또는 보전처분의 방법으로 채권의 만족을 얻을 수 있으므로 강제집행면탈죄의 객체가 된다.

④ 명의신탁자와 명의수탁자가 계약명의신탁 약정을 맺고 명의수탁자가 당사자가 되어 소유자와 부동산에 관한 매매계약을 체결한 후 그 매매계약에 따라 당해 부동산의 소유권이전등기를 명의수탁자명의로 마친 경우, 명의신탁자는 그 매매계약에 의해서 당해부동산의 소유권을 취득하지 못하게 되어, 결국 그 부동산은 명의신탁자에 대한 강제집행이나 보전 처분의 대상이 될 수 없다.

해설

③ [×] 의료법에 의하여 적법하게 개설되지 아니한 의료기관에서 요양급여가 행하여졌다면 해당 의료기관은 국민건강보험법상 요양급여비용을 청구할 수 있는 요양기관에 해당되지 아니하여 해당 요양급여비용 전부를 청구할 수 없고, 해당 의료기관의 채권자로서도 위 요양급여비용 채권을 대상으로 하여 강제집행 또는 보전처분의 방법으로 채권의 만족을 얻을 수 없는 것이므로 결국 위와 같은 **채권은 강제집행면탈죄의 객체가 되지 아니한다.**(대법원 2017. 4. 26. 2016도19982 짝퉁 요양병원 사건)

① [○] 권리행사방해죄에 있어서의 '타인의 점유'라 함은 권원으로 인한 점유, 즉 정당한 원인에 기하여 그 물건을 점유하는 권리있는 점유를 의미하는 것으로서 본권을 갖지 아니한 절도범인의 점유는 여기에 해당하지 아니하나, 반드시 본권에 의한 점유만에 한하지 아니하고 동시이행항변권 등에 기한 점유와 같은 적법한 점유도 여기에 해당한다고 할 것이고, 한편, 쌍무계약이 무효로 되어 각 당사자가 서로 취득한 것을 반환하여야 할 경우 그 반환의무는 동시이행 관계에 있다고 보아 민법 제536조를 준용함이 옳다고 해석되고, 이러한 법리는 **경매절차가 무효로 된 경우에도 마찬가지라고 할 것이므로**, 무효인 경매절차에서 경매목적물을 경락받아 이를 점유하고 있는 낙찰자의 점유는 적법한 점유로서 그 점유자는 **권리행사방해죄에 있어서의 타인의 물건을 점유하고 있는 자라고 할 것이다.**(대법원 2003. 11. 28. 2003도4257 무효 경매절차 사건)

② [○] **주식회사의 대표이사가** 대표이사의 지위에 기하여 그 직무집행 행위로서 타인이 점유하는 회사의 물건을 취거한 경우 위 행위는 회사의 대표기관으로서의 행위라고 평가되므로 회사의 물건도 **권리행사방해죄에 있어서의 '자기의 물건'이라고 보아야 한다.**(대법원 1992. 1. 21. 91도1170 관광버스회사 사장 사건)

④ [○] 명의신탁자와 명의수탁자가 이른바 계약명의신탁 약정을 맺고 명의수탁자가 당사자가 되어 명의신탁 약정이 있다는 사실을 알지 못하는 소유자와 부동산에 관한 매매계약을 체결한 후 그 매매계약에 따라 당해 부동산의 소유권이전등기를 명의수탁자 명의로 마친 경우에는, 명의신탁자와 명의수탁자 사이의 명의신탁 약정의 무효에도 불구하고 부동산실명법 제4조 제2항 단서에 의하여 명의수탁자는 당해 부동산의 완전한 소유권을 취득한다. 반면에 소유자가 계약명의신탁 약정이 있다는 사실을 안 경우에는 수탁자 명의의 소유권이전등기는 무효이고 당해 부동산의 소유권은 매도인이 그대로 보유하게 된다. 어느 경우든지 명의신탁자는 **그 매매계약에 의해서는 당해 부동산의 소유권을 취득하지 못하게 되어, 결국 그 부동산은 명의신탁자에 대한 강제집행이나 보전처분의 대상이 될 수 없다.**(대법원 2011. 12. 8. 2010도4129 계약명의신탁부동산 강제집행면탈 사건)

정답 | 329 ③

330 권리행사를 방해하는 죄에 관한 설명으로 옳지 않은 것을 모두 고른 것은? (다툼이 있으면 판례에 의함)

□□□

24 경찰승진 [*Core* ★★]

㉠ 권리행사방해죄는 타인의 점유 또는 권리의 목적이 된 자기의 물건을 취거, 은닉 또는 손괴하여 타인의 권리행사를 방해함으로써 성립하므로 물건의 소유자가 아닌 제3자가 소유자의 권리행사방해 범행에 가담한 경우에 그의 공범이 될 수 없다.

㉡ 권리행사방해죄에 있어서의 타인의 점유와 관련하여 본권을 갖지 아니하는 절도범인의 점유도 여기에 해당한다.

㉢ 물건에 대한 점유를 수반하지 아니하는 채권의 목적이 된 자기 물건은 권리행사방해죄의 구성요건 중 타인의 권리에 포함되지 아니한다.

㉣ 채무자와 제3채무자 사이에 채무자의 장래청구권이 충분하게 표시되었거나 결정된 법률관계가 존재한다면 동산·부동산뿐만 아니라 장래의 권리라도 강제집행면탈죄의 객체에 해당한다.

㉤ 강제집행면탈죄는 강제집행을 당할 구체적인 위험이 있는 상태에서 재산을 은닉, 손괴, 허위양도 또는 허위의 채무를 부담하면 바로 성립하는 것이고, 반드시 채권자를 해하는 결과가 야기되거나 이로 인하여 행위자가 어떤 이득을 취하여야 범죄가 성립하는 것은 아니다.

① ㉠㉡㉢　② ㉠㉡㉤

③ ㉠㉢㉣　④ ㉡㉣㉤

해설

① ㉠㉡㉢ 3 항목이 옳지 않다.

㉠ [×] 물건의 소유자가 아닌 사람은 형법 제33조 본문에 따라 소유자의 권리행사방해 범행에 가담한 경우에 한하여 **그의 공범이 될 수 있을 뿐이다.**(대법원 2017. 5. 30. 2017도4578 **에쿠스 담보제공 사건**)

㉡ [×] 권리행사방해죄에서의 보호대상인 '타인의 점유'는 반드시 점유할 권원에 기한 점유만을 의미하는 것은 아니고, 일단 적법한 권원에 기하여 점유를 개시하였으나 사후에 점유권원을 상실한 경우의 점유, 점유권원의 존부가 외관상 명백하지 아니하여 법정절차를 통하여 권원의 존부가 밝혀질 때까지의 점유, 권원에 기하여 점유를 개시한 것은 아니나 동시이행항변권 등으로 대항할 수 있는 점유 등과 같이 법정절차를 통한 분쟁해결시까지 잠정적으로 보호할 가치있는 점유는 모두 포함된다고 볼 것이며, 다만 **절도범인의 점유와 같이 점유할 권리없는 자의 점유임이 외관상 명백한 경우는 포함되지 아니한다.**(대법원 2010. 10. 14. 2008도6578 **지입차량 무단취거사건**)

㉢ [×] 권리행사방해죄의 구성요건 중 **타인의 '권리'란** 반드시 제한물권만을 의미하는 것이 아니라 **물건에 대하여 점유를 수반하지 아니하는 채권도 이에 포함된다.**(대법원 1991. 4. 26. 90도1958 **원목 인도청구권 사건**)

㉣ [○] 강제집행면탈죄의 객체인 재산은 채무자의 재산 중에서 채권자가 민사집행법상 강제집행 또는 보전처분의 대상으로 삼을 수 있는 것을 의미하는 바, **장래의 권리라도 채무자와 제3채무자 사이에 채무자의 장래청구권이 충분하게 표시되었거나 결정된 법률관계가 존재한다면 재산에 해당한다.**(대법원 2011. 7. 28. 2011도6115 **배당금지급채권 사건**)

㉤ [○] **강제집행면탈죄는 위태범으로서** 현실적으로 민사소송법에 의한 강제집행 또는 가압류·가처분의 집행을 받을 우려가 있는 객관적인 상태 아래, 즉 채권자가 본안 또는 보전소송을 제기하거나 제기할 태세를 보이고

있는 상태에서 주관적으로 강제집행을 면탈하려는 목적으로 재산을 은닉, 손괴, 허위양도하거나 허위의 채무를 부담하여 채권자를 해할 위험이 있으면 성립하고, **반드시 채권자를 해하는 결과가 야기되거나 행위자가 어떤 이득을 취하여야 범죄가 성립하는 것은 아니다.**(대법원 2012. 6. 28. 2012도3999 송달 · 양도 동일날짜 사건)

331 강제집행면탈죄에 관한 설명 중 옳지 않은 것은? (다툼이 있으면 판례에 의함)

□□□

13 변호사 [Superlative ★★★]

① 강제집행면탈죄는 채권자의 권리보호를 주된 보호법익으로 하는 위험범이므로 채권자의 채권이 존재하지 않더라도 강제집행면탈죄가 성립할 수 있다.

② 채무자와 제3채무자 사이에 채무자의 장래청구권이 충분하게 표시되었거나 결정된 법률관계가 존재한다면 동산·부동산뿐만 아니라 장래의 권리도 강제집행면탈죄의 객체에 해당한다.

③ 객관적 구성요건으로 강제집행을 받을 객관적 상태가 요구되며, 이는 민사소송에 의한 강제집행 또는 가압류·가처분 등의 집행을 당할 구체적 염려가 있는 상태를 말한다.

④ 약 18억원 정도의 채무초과 상태에 있는 자가 자신이 발행한 약속어음이 부도가 난 경우, 강제집행을 당할 구체적인 위험을 인정할 수 있다.

⑤ 국세징수법에 의한 체납처분은 강제집행면탈죄의 강제집행에 포함되지 않는다.

해설

① [×] 강제집행면탈죄는 채권자의 권리보호를 주된 보호법익으로 하므로 강제집행의 기본이 되는 채권자의 권리, 즉 채권의 존재는 강제집행면탈죄의 성립요건이다. 따라서 **채권의 존재가 인정되지 않을 때에는 강제집행면탈죄는 성립하지 않는다.**(대법원 2012. 8. 30. 2011도2252 보증금으로 상계 사건)

② [○] **장래의 권리라도** 채무자와 제3채무자 사이에 채무자의 장래청구권이 충분하게 표시되었거나 결정된 법률관계가 존재한다면 **강제집행면탈죄에 말하는 재산에 해당한다.**(대법원 2011. 7. 28. 2011도6115 배당금지급채권 사건)

③ [○] 강제집행면탈죄는 채무자가 현실적으로 민사소송법에 의한 강제집행 또는 가압류, 가처분의 집행을 받을 우려가 있는 객관적인 상태. 즉 적어도 채권자가 민사소송을 제기하거나 가압류, 가처분의 신청을 할 기세를 보이고 있는 상태에서 채무자가 **강제집행을 면탈할 목적으로 재산을 은닉, 손괴, 허위양도하거나 허위의 채무를 부담하여 채권자를 해할 위험이 있는 경우에 성립한다.**(대법원 1998. 9. 8. 98도1949)

④ [○] 통상 약속어음의 부도는 그 발행인의 신용상태가 파탄상태에 이른 것이 객관적으로 확인되는 의미가 있어 **18억원 정도의 채무초과 상태라면** 변제기가 도래하지 아니한 피고인의 다른 일반 채권자들도 채권확보에 나설 것이 예상되는 점 등에 비추어 보면 피고인의 **채권자들은 가압류신청 등을 제기할 기세를 보이고 있는 상태였다고 인정함이 상당하다.**(대법원 1999. 2. 9. 96도3141)

정답 | 330 ① 331 ①

⑤ [○] 강제집행면탈죄가 적용되는 강제집행은 민사집행법의 적용대상인 강제집행 또는 가압류·가처분 등의 집행을 가리키는 것이므로, **국세징수법에 의한 체납처분**을 면탈할 목적으로 재산을 은닉하는 등의 행위는 **이 죄의 규율대상에 포함되지 않는다.**(대법원 2012. 4. 26. 2010도5693 국고보조금 반환명령 사건)

332 강제집행면탈죄에 관한 다음 설명 중 판례의 태도와 일치하지 않는 것은?

□□□

16 법원9급 [Superlative ★★★]

① 강제집행면탈죄는 채권자의 권리보호를 주된 보호법익으로 하므로, 채권의 존재가 인정되지 않을 때에는 강제집행면탈죄는 성립하지 않는다.

② 채무자가 제3자 명의로 되어 있던 사업자등록증을 또 다른 제3자 명의로 변경하였다면 사업장 내 유체동산에 관한 소유관계를 종전보다 더 불명하게 하여 채권자에게 손해를 입게 할 위험성을 야기한 것이라 봄이 상당하다.

③ 채권자들에 의한 복수의 강제집행이 예상되는 경우 재산을 은닉 또는 허위양도함으로써 채권자들을 행하였다면 채권자별로 각각 강제집행면탈죄가 성립하고, 상호 상상적 경합범의 관계에 있다.

④ 형법 제327조의 강제집행면탈죄는 채권자가 본안 또는 보전소송을 제기하거나 제기할 태세를 보이고 있는 상태에서 주관적으로 강제집행을 면탈하려는 목적으로 재산을 은닉, 손괴, 허위양도하거나 허위의 채무를 부담하여 채권자를 해할 위험이 있으면 성립하는 것이고, 반드시 채권자를 해하는 결과가 야기되거나 행위자가 어떤 이득을 취하여야 범죄가 성립하는 것은 아니다.

해설

② [×] (1) 채무자가 제3자 명의로 되어 있던 사업자등록을 또 다른 제3자 명의로 변경하였다는 사정만으로는 그 변경이 채권자의 입장에서 볼 때 **사업장 내 유체동산에 관한 소유관계를 종전보다 더 불명하게 하여 채권자에게 손해를 입게 할 위험성을 야기한다고 단정할 수 없다.**
(2) 피고인 甲이 피해자 A의 강제집행을 면탈할 목적으로 편의점에 관한 사업자등록이 甲의 숙모 乙 명의로 되어 있던 것을 폐업신고를 한 후 甲의 처 丙 명의로 새로 사업자등록을 하였더라도, 사업자등록 명의를 변경한 것으로 인하여 편의점에 있던 유체동산의 소유관계가 더 불분명하게 되었다고 볼 수 없으므로 강제집행면탈죄는 성립하지 아니한다.(대법원 2014. 6. 12. 2012도2732 편의점 사업자등록명의 변경사건)

① [○] 강제집행면탈죄는 채권자의 권리보호를 주된 보호법익으로 하는 것이므로 강제집행의 기본이 되는 채권자의 권리, 즉 채권의 존재는 강제집행면탈죄의 성립요건이다. 따라서 그 **채권의 존재가 인정되지 않을 때에는 강제집행면탈죄는 성립하지 않는다.**(대법원 2012. 8. 30. 2011도2252 보증금으로 상계 사건)

③ [○] 채권자들에 의한 **복수의 강제집행이 예상되는 경우** 재산을 은닉 또는 허위양도함으로써 채권자들을 해하였다면 채권자별로 **각각 강제집행면탈죄가 성립하고**, 상호 **상상적 경합범의 관계에 있다.**(대법원 2011. 12. 8. 2010도4129 전주 삼천동 건물 허위양도사건)

④ [O] 강제집행면탈죄는 위태범으로서 현실적으로 민사소송법에 의한 강제집행 또는 가압류 · 가처분의 집행을 받을 우려가 있는 객관적인 상태 아래, 즉 채권자가 본안 또는 보전소송을 제기하거나 제기할 태세를 보이고 있는 상태에서 주관적으로 강제집행을 면탈하려는 목적으로 재산을 은닉, 손괴, 허위양도하거나 허위의 채무를 부담하여 채권자를 해할 위험이 있으면 성립하고, 반드시 **채권자를 해하는 결과가 야기되거나 행위자가 어떤 이득을 취하여야 범죄가 성립하는 것은 아니다.**(대법원 2012. 6. 28. 2012도3999 송달 · 양도 동일날짜 사건)

333 다음 중 강제집행면탈죄에 대한 설명으로 가장 옳은 것은? (다툼이 있으면 판례에 의함)

□□□

22 해경간부 [*Core* ★★]

① 강제집행면탈죄는 반드시 채권자를 해하는 결과가 야기되거나 이로 인하여 행위자가 어떤 이득을 취하여야 성립하므로 허위양도한 부동산의 시가액보다 그 부동산에 의하여 담보된 채무액이 더 많다면 허위양도로 인하여 채권자를 해할 위험이 없다.

② '보전처분 단계에서의 가압류채권자의 지위' 자체는 원칙적으로 민사집행법상 강제집행 또는 보전처분의 대상이 될 수 없어 강제집행면탈죄의 객체에 해당한다고 볼 수 없으나 가압류 채무자가 가압류해방금을 공탁한 경우에는 그렇지 아니하다.

③ 피고인이 자신의 채권담보의 목적으로 채무자 소유의 선박들에 관하여 가등기를 경료하여 두었다가 채무자와 공모하여 위 선박들을 가압류한 다른 채권자들의 강제집행을 불가능하게 할 목적으로 정확한 청산절차도 거치지 않은 채 의제자백판결을 통하여 선순위 가등기권자인 피고인 앞으로 본등기를 경료함과 동시에 가등기 이후에 경료된 가압류등기 등을 모두 직권말소하게 한 경우 '재산상 은닉'에 해당한다.

④ 이혼을 요구하는 처로부터 재산분할권에 근거한 가압류 등 강제집행을 받을 우려가 있는 상태에서 남편이 이를 면탈할 목적으로 허위의 채무를 부담하고 소유권이전청구권보전 가등기를 경료한 경우 강제집행면탈죄가 성립하지 않는다.

해설

③ [O] 피고인 甲이 자신의 **채권담보의 목적으로** 선박들에 **관하여 가등기**를 경료하여 두었다가 X회사 대표이사인 乙과 공모하여 선박들을 가압류한 다른 채권자들의 강제집행을 불가능하게 할 목적으로 정확한 청산절차도 거치지 않은 채 **의제자백판결을 통하여 선박들에 대한 선순위 가등기권자인 甲 앞으로 본등기를 경료함과 동시에 가등기 이후에 경료된 가압류등기 등을 모두 직권말소하게 한 경우 이는 소유관계를 불명하게 하는 방법에 의한 '재산의 은닉'에 해당하므로 강제집행면탈죄가 성립한다.**(대법원 2000. 7. 28. 98도4558 선박 가등기 → 본등기 사건)

정답 | 332 ② 333 ③

① [×] **강제집행면탈죄는 위태범으로서** 강제집행을 당할 구체적인 위험이 있는 상태에서 재산을 은닉, 손괴, 허위양도 또는 허위의 채무를 부담하면 바로 성립하는 것이고, **반드시 채권자를 해하는 결과가 야기되거나 이로 인하여 행위자가 어떤 이득을 취하여야 범죄가 성립하는 것은 아니며,** 허위양도한 부동산의 시가액보다 그 부동산에 의하여 담보된 채무액이 더 많다고 하여 그 허위양도로 인하여 채권자를 해할 위험이 없다고 할 수 없다.(대법원 1999. 2. 12. 98도2474)

② [×] **'보전처분 단계에서의 가압류채권자의 지위' 자체는 원칙적으로** 민사집행법상 강제집행 또는 보전처분의 대상이 될 수 없어 **강제집행면탈죄의 객체에 해당한다고 볼 수 없고,** 이는 가압류채무자가 가압류해방금을 공탁한 경우에도 마찬가지이다.(대법원 2008. 9. 11. 2006도8721 **가압류집행해제 사건**)

④ [×] 피고인 甲이 처 A로부터 이혼해달라는 요구를 받고 있는 와중에 A에 의하여 甲의 부동산에 대하여 재산분할청구권 등에 근거하여 가압류 등 강제집행조치가 취해질 것으로 예상되자, **누나 乙로부터 5,000만원을 빌린 것으로 가장하고 그 담보로 甲의 부동산에 관하여 소유권이전청구권가등기를 경료하여 준 경우 강제집행면탈죄가 성립한다.**(대법원 2008. 6. 26. 2008도3184 **누나와 공모 재산분할 회피사건**)

334 강제집행면탈죄에 대한 설명 중 가장 적절한 것은? (다툼이 있으면 판례에 의함)

□□□

17 경찰채용 [Essential ★]

① 이혼을 요구하는 처로부터 재산분할청구권에 근거한 가압류 등 강제집행을 받을 우려가 있는 상태에서 남편이 이를 면탈할 목적으로 허위의 채무를 부담하고 소유권이전청구권 보전가등기를 경료한 경우 강제집행면탈죄가 성립하지 않는다.

② 피고인이 자신의 채권담보의 목적으로 채무자 소유의 선박들에 관하여 가등기를 경료하여 두었다가 채무자와 공모하여 위 선박들을 가압류한 다른 채권자들의 강제집행을 불가능하게 할 목적으로 정확한 청산절차도 거치지 않은 채 의제자백판결을 통하여 선순위가 등기권자인 피고인 앞으로 본등기를 경료함과 동시에 가등기 이후에 경료된 가압류등기 등을 모두 직권말소하게 한 경우 '재산상 은닉'에 해당한다.

③ '보전처분 단계에서의 가압류채권자의 지위' 자체는 원칙적으로 민사집행법상 강제집행 또는 보전처분의 대상이 될 수 없어 강제집행면탈죄의 객체에 해당한다고 볼 수 없으나 가압류채무자가 가압류해방금을 공탁한 경우에는 그렇지 아니하다.

④ 강제집행면탈죄는 반드시 채권자를 해하는 결과가 야기되거나 이로 인하여 행위자가 어떤 이득을 취하여야 성립하므로 허위양도한 부동산의 시가액보다 그 부동산에 의하여 담보된 채무액이 더 많다면 그 허위양도로 인하여 채권자를 해할 위험이 없다.

해설

② [○] 피고인 甲이 자신의 채권담보의 목적으로 선박들에 관하여 가등기를 경료하여 두었다가, (가)회사 대표이사인 乙과 공모하여 선박들을 가압류한 다른 채권자들의 **강제집행을 불가능하게 할 목적으로** 정확한 청산절차도 거치지 않은 채 **의제자백판결**을 통하여 선박들에 대한 선순위 가등기권자인 甲 앞으로 본등기를 경료함과 동시에 가등기 이후에 경료된 가압류등기 등을 모두 직권말소하게 한 경우, 이는 소유관계를 불명하게 하는 방법에 의한 '재산의 은닉'에 해당하므로 **강제집행면탈죄가 성립한다.**(대법원 2000. 7. 28. 98도4558 **선박 가등기 · 본등기 사건**)

① [×] 피고인 甲이 처 A로부터 이혼해달라는 요구를 받고 있는 와중에 A에 의하여 甲의 부동산에 대하여 재산분할청구권 등에 근거하여 가압류 등 강제집행조치가 취해질 것으로 예상되자, **누나 乙로부터 5,000만원을 빌린 것으로 가장하고 그 담보로 甲의 부동산에 관하여 소유권이전청구권가등기를 경료하여 준 경우 강제집행면탈죄가 성립한다.**(대법원 2008. 6. 26. 2008도3184 **누나와 공모 재산분할 회피사건**)

③ [×] **'보전처분 단계에서의 가압류채권자의 지위' 자체는 원칙적으로** 민사집행법상 강제집행 또는 보전처분의 대상이 될 수 없어 **강제집행면탈죄의 객체에 해당한다고 볼 수 없고**, 이는 가압류채무자가 가압류해방금을 공탁한 경우에도 마찬가지이다.(대법원 2008. 9. 11. 2006도8721 **가압류집행해제 사건**)

④ [×] **강제집행면탈죄는 위태범으로서** 강제집행을 당할 구체적인 위험이 있는 상태에서 재산을 은닉, 손괴, 허위양도 또는 허위의 채무를 부담하면 바로 성립하는 것이고, **반드시 채권자를 해하는 결과가 야기되거나 이로 인하여 행위자가 어떤 이득을 취하여야 범죄가 성립하는 것은 아니며**, 허위양도한 부동산의 시가액보다 그 부동산에 의하여 담보된 채무액이 더 많다고 하여 그 허위양도로 인하여 채권자를 해할 위험이 없다고 할 수 없다.(대법원 1999. 2. 12. 98도2474)

정답 | 334 ②

335 강제집행면탈죄에 관한 다음 설명 중 가장 적절하지 않은 것은? (다툼이 있으면 판례에 의함)

□□□

13 경찰승진 [Essential ★]

① 강제집행면탈죄는 현실적으로 민사소송법에 의한 강제집행 또는 가압류·가처분의 집행을 받을 우려가 있는 객관적인 상태에서 주관적으로 강제집행을 면탈하려는 목적으로 재산을 은닉, 손괴, 허위양도하거나 허위의 채무를 부담하여 채권자를 해할 위험이 있으면 성립하고, 반드시 채권자를 해하는 결과가 야기되거나 행위자가 어떤 이득을 취하여야 성립하는 것은 아니다.

② 채무자가 채권자의 가압류집행을 면탈할 목적으로 제3채무자에 대한 채권을 타인에게 허위양도한 경우, 가압류결정 정본이 제3채무자에게 송달되기 전에 채권을 허위로 양도하였다면 강제집행면탈죄가 성립한다.

③ 계약명의신탁 방식으로 명의수탁자가 당사자가 되어 소유자와 부동산에 관한 매매계약을 체결하고 그 명의로 소유권이전등기를 마친 경우, 그 부동산은 명의신탁자에 대한 강제집행이나 보전처분의 대상이 될 수 있다.

④ 채권자의 채권이 토지 소유자로서 그 지상 건물의 소유자에 대하여 가지는 건물철거 및 토지인도청구권인 경우, 채무자인 건물 소유자가 제3자에게 허위의 금전채무를 부담하면서 이를 피담보채무로 하여 건물에 관하여 근저당권설정등기를 경료하였다는 것만으로는 강제집행면탈죄가 성립하지 않는다.

해설

③ [×] (1) 명의신탁자와 명의수탁자가 이른바 계약명의신탁 약정을 맺고 명의수탁자가 당사자가 되어 명의신탁 약정이 있다는 사실을 알지 못하는 소유자와 부동산에 관한 매매계약을 체결한 후 그 매매계약에 따라 당해 부동산의 소유권이전등기를 명의수탁자 명의로 마친 경우에는, 명의신탁자와 명의수탁자의 명의신탁 약정이 무효임에도 불구하고 부동산실명법 제4조 제2항 단서에 의하여 **명의수탁자가 당해 부동산의 완전한 소유권을 취득한다.**
(2) 반면에 소유자가 계약명의신탁 약정이 있다는 사실을 안 경우에는 수탁자 명의의 소유권이전등기는 무효이고 당해 부동산의 **소유권은 매도인이 그대로 보유하게 된다.**
(3) 어느 경우든지 명의신탁자는 그 매매계약에 의해서는 당해 부동산의 소유권을 취득하지 못하게 되어, 결국 **그 부동산은 명의신탁자에 대한 강제집행이나 보전처분의 대상이 될 수 없다.**(대법원 2011. 12. 8. 2010도4129 **계약명의신탁부동산 강제집행면탈 사건**)

① [○] 강제집행면탈죄는 위태범으로서 현실적으로 민사소송법에 의한 강제집행 또는 가압류·가처분의 집행을 받을 우려가 있는 객관적인 상태 아래, 즉 채권자가 본안 또는 보전소송을 제기하거나 제기할 태세를 보이고 있는 상태에서 주관적으로 강제집행을 면탈하려는 목적으로 재산을 은닉, 손괴, 허위양도하거나 허위의 채무를 부담하여 채권자를 해할 위험이 있으면 성립하고, **반드시 채권자를 해하는 결과가 야기되거나 행위자가 어떤 이득을 취하여야 범죄가 성립하는 것은 아니다.**(대법원 2012. 6. 28. 2012도3999 **송달·양도 동일날짜 사건**)

② [○] 채무자인 피고인 甲이 채권자 A의 가압류집행을 면탈할 목적으로 제3채무자인 乙에 대한 채권을 丙에게 허위양도한 경우, 가압류결정 정본이 제3채무자 乙에게 송달된 날짜와 甲이 채권을 양도한 날짜가 동일하더라도 **가압류결정 정본이 乙에게 송달되기 전에 채권을 허위로 양도한 것이라면 강제집행면탈죄가 성립한다.**(대법원 2012. 6. 28. 2012도3999 **송달·양도 동일날짜 사건**)

④ [○] 채권자의 채권이 **금전채권이 아니라 토지 소유자로서 그 지상 건물의 소유자에 대하여 가지는 건물철거 및 토지인도청구권인 경우라면** 채무자인 건물 소유자가 제3자에게 허위의 금전채무를 부담하면서 이를 피담보채무로 하여 건물에 관하여 근저당권설정등기를 경료하였다는 것만으로는 직접적으로 토지 소유자의 건물철거 및 토지인도청구권에 기한 강제집행을 불능케 하는 사유에 해당한다고 할 수 없으므로 건물소유자에게 **강제집행면탈죄가 성립한다고 할 수 없고**, 이는 건물 소유자가 토지 임차인으로서 임대인인 토지소유자에 대하여 건물매수청구권을 행사함으로써 건물 소유자와 토지 소유자 사이에 건물에 관한 매매관계가 성립되어 토지 소유자가 건물 소유자에 대하여 건물에 관한 소유권이전등기 및 명도청구권을 가지게 된 이후에 건물 소유자가 제3자에게 허위의 금전채무를 부담하면서 이를 피담보채무로 하여 건물에 관하여 근저당권설정등기를 경료한 경우에도 마찬가지이다.(대법원 2008. 6. 12. 2008도2279 **건물철거 및 토지인도청구권 사건**)

336 다음 설명 중 옳지 않은 것은? (다툼이 있으면 판례에 의함)

12 법원9급 [Essential ★]

□□□

① 형법 제370조에서 말하는 경계는 반드시 법률상의 정당한 경계를 말하는 것이 아니고 비록 법률상의 정당한 경계에 부합되지 아니하는 경계라고 하더라도 이해관계인들의 명시적 또는 묵시적 합의에 의하여 정하여진 것이라면 이는 이 법조에서 말하는 경계라고 할 것이다.

② 가압류 후에 목적물의 소유권을 취득한 제3취득자가 다른 사람에 대한 허위의 채무에 기하여 근저당권설정등기 등을 경료한 경우 강제집행면탈죄가 성립한다.

③ 형법 제327조의 강제집행면탈죄는 위태범으로서 채권자가 본안 또는 보전소송을 제기하거나 제기할 태세를 보이고 있는 상태에서 주관적으로 강제집행을 면탈하려는 목적으로 재산을 은닉, 손괴, 허위양도하거나 허위의 채무를 부담하여 채권자를 해할 위험이 있으면 성립하는 것이다.

④ 강제집행면탈죄의 객체는 채무자의 재산 중에서 채권자가 민사집행법상 강제집행 또는 보전처분의 대상으로 삼을 수 있는 것이어야 한다.

해설

② [×] 가압류에는 처분금지적 효력이 있으므로 가압류 후에 **목적물의 소유권을 취득한 제3취득자 또는 그 제3취득자에 대한 채권자는 그 소유권 또는 채권으로써 가압류권자에게 대항할 수 없다.** 따라서 가압류 후에 목적물의 소유권을 취득한 제3취득자가 다른 사람에 대한 허위의 채무에 기하여 근저당권설정등기 등을 경료하더라도 이로써 **가압류채권자의 법률상 지위에 어떤 영향을 미치지 않으므로 강제집행면탈죄에 해당하지 아니한다.**(대법원 2008. 5. 29. 2008도2476 **관광버스 가압류 사건**)

① [○] **경계침범죄에서 말하는 '경계'**는 반드시 법률상의 정당한 경계를 가리키는 것은 아니고, 비록 법률상의 정당한 경계에 부합되지 않는 경계라 하더라도 그것이 종래부터 일반적으로 승인되어 왔거나 이해관계인들의 **명시적 또는 묵시적 합의에 의하여 정해진 것으로서 객관적으로 경계로 통용되어 왔다면 경계라 할 것이다.** (대법원 2007. 12. 28. 2007도9181)

정답 | 335 ③ 336 ②

③ [○] 강제집행면탈죄는 위태범으로서 현실적으로 민사소송법에 의한 강제집행 또는 가압류·가처분의 집행을 받을 우려가 있는 객관적인 상태 아래, 즉 채권자가 본안 또는 보전소송을 제기하거나 제기할 태세를 보이고 있는 상태에서 주관적으로 강제집행을 면탈하려는 목적으로 재산을 은닉, 손괴, 허위양도하거나 허위의 채무를 부담하여 채권자를 해할 위험이 있으면 성립하고, **반드시 채권자를 해하는 결과가 야기되거나 행위자가 어떤 이득을 취하여야 범죄가 성립하는 것은 아니다.**(대법원 2012. 6. 28. 2012도3999 **송달·양도 동일날짜 사건**)

④ [○] 형법 제327조는 '강제집행을 면할 목적으로 재산을 은닉, 손괴, 허위양도 또는 허위의 채무를 부담하여 채권자를 해한 자'를 처벌함으로써 강제집행이 임박한 채권자의 권리를 보호하기 위한 것이므로, **강제집행면탈죄의 객체는 채무자의 재산 중에서 채권자가 민사집행법상 강제집행이나 보전처분의 대상으로 삼을 수 있는 것이어야 한다.**(대법원 2017. 8. 18. 2017도6229 **다른 계좌로 휴업급여 수령사건**)

337 강제집행면탈죄에 관한 설명 중 가장 적절하지 않은 것은? (다툼이 있으면 판례에 의함)

□□□

17 경찰승진 [*Core* ★★]

① 강제집행면탈죄에 있어서 재산에는 재산적 가치가 있어 민사소송법에 의한 강제집행 또는 보전처분이 가능한 특허 내지 실용신안 등을 받을 수 있는 권리도 포함된다.

② 채무자가 채권자의 가압류집행을 면탈할 목적으로 제3채무자에 대한 채권을 타인에게 허위양도한 경우, 가압류결정 정본이 제3채무자에게 송달되기 전에 채권을 허위로 양도하였다면 강제집행면탈죄가 성립한다.

③ 허위의 채무를 부담하는 내용의 채무변제계약 공정증서를 작성한 후 이에 기하여 채권 압류 및 추심명령을 받은 다음 3개월 후에 실제로 위 강제집행에 따른 추심금을 수령한 경우, 강제집행면탈죄는 위 추심금을 수령한 때에 범죄행위가 종료한다고 보아야 하고 그 때부터 공소시효가 진행한다.

④ 사업장의 유체동산에 대한 강제집행을 면탈할 목적으로 사업자 등록의 사업자 명의를 변경함이 없이 사업장에서 사용하는 금전등록기의 사업자 이름만을 변경한 경우도 강제집행면탈죄에 있어서 재산의 '은닉'에 해당한다.

해설

③ [×] 허위의 채무를 부담하는 내용의 채무변제계약 공정증서를 작성한 후 이에 기하여 **채권압류 및 추심명령을 받은 때에 강제집행면탈죄가 성립함과 동시에 그 범죄행위가 종료되어 공소시효가 진행한다.**(대법원 2009. 5. 28. 2009도875)

① [○] 강제집행면탈죄에 있어서 재산에는 동산·부동산뿐만 아니라 재산적 가치가 있어 민사소송법에 의한 강제집행 또는 보전처분이 가능한 **특허 내지 실용신안 등을 받을 수 있는 권리도 포함된다.**(대법원 2001. 11. 27. 2001도4759 **전력기술회사 사건**)

② [○] 채무자인 피고인 甲이 채권자 A의 가압류집행을 면탈할 목적으로 제3채무자인 乙에 대한 채권을 丙에게 허위양도한 경우, 가압류결정 정본이 제3채무자 乙에게 송달된 날짜와 甲이 **채권을 양도한 날짜가 동일하더라도 가압류결정 정본이 乙에게 송달되기 전에 채권을 허위로 양도한 것이라면 강제집행면탈죄가 성립한다.**(대법원 2012. 6. 28. 2012도3999 **송달·양도 동일날짜 사건**)

④ [○] 피고인 甲이 (가)회사의 명의로 엘지슈퍼를 경영하다가 강제집행을 저지할 의도로 금전등록기의 **사업자 이름을 (가)회사 대표이사 乙에서 甲의 형인 丙으로 변경**하였고, 그로 인하여 (가)회사에 대한 집행력 있는 공정증서정본의 소지자인 피해자 A가 유체동산가압류 집행을 하려 하였으나 집행관 B가 금전등록기의 사업자 이름이 집행채무자의 이름과 다르다는 이유로 그 집행을 거부함으로써 가압류 집행이 이루어지지 않은 경우, 비록 사업자등록의 사업자 명의는 실제로 변경되지 않았다 하더라도 甲의 행위로 인해 연쇄점 내의 물건들에 관한 소유관계가 불명하게 되었으므로 **강제집행면탈죄가 성립한다.**(대법원 2003. 10. 9. 2003도3387 **금전등록기 명의변경 사건**)

338 □□□ 권리행사를 방해하는 죄에 관한 다음 설명 중 옳지 않은 것은 모두 몇 개인가? (다툼이 있으면 판례에 의함)

24 법원행시 [Superlative ★★★]

㉠ 피고인들이 공모하여 렌트카 회사인 甲주식회사를 설립한 다음 乙주식회사 등의 명의로 저당권등록이 되어 있는 다수의 차량들을 사들여 甲회사 소유의 영업용차량으로 등록한 후 자동차대여사업자등록 취소처분을 받아 차량등록을 직권말소시켜 저당권 등이 소멸되게 하였다는 사정만으로는 위 각 차량을 은닉하였다고 단정할 수 없으므로 위 각 차량에 대한 권리행사방해가 성립하지 않는다.

㉡ 배우자 명의로 부동산에 관한 물권을 등기한 경우 만일 명의신탁자가 조세포탈, 강제집행의 면탈 또는 법령상 제한의 회피를 목적으로 명의신탁을 함으로써 명의신탁이 무효로 되는 경우에는 말할 것도 없고, 그러한 목적이 없어서 유효한 명의신탁이 되는 경우에도 제3자인 부동산의 임차인에 대한 관계에서는 명의신탁자는 소유자가 될 수 없으므로 어느 모로 보나 신탁한 부동산이 권리행사방해죄에서 말하는 '자기의 물건'이라고 할 수 없다.

㉢ 국세징수법에 의한 체납처분을 면탈할 목적으로 재산을 은닉하는 등의 행위는 형법 제327조에서 정한 강제집행면탈죄의 규율 대상에 포함되지 않는다.

㉣ 민사집행법 제3편의 적용 대상인 '담보권 실행 등을 위한 경매'를 면탈할 목적으로 재산을 은닉하는 등의 행위는 형법 제327조에서 정한 강제집행면탈죄의 규율 대상에 포함되지 않는다.

㉤ 압류금지채권의 목적물을 수령하는 데 사용하던 기존 예금계좌가 채권자에 의해 압류된 채무자가 압류되지 않은 다른 예금계좌를 통하여 그 목적물을 수령하더라도 강제집행이 임박한 채권자의 권리를 침해할 위험이 있는 행위라고 볼 수 없으므로 강제집행면탈죄가 성립하지 않는다.

① 없음　② 1개　③ 2개
④ 3개　⑤ 4개

정답 | 337 ③　338 ②

해설

② ㉠ 항목만 옳지 않다.

㉠ [×] 렌트카 회사인 甲회사의 대표이사와 사내이사인 피고인들이 乙회사 등의 명의로 저당권등록이 되어 있는 다수의 차량들을 사들여 甲회사 소유의 영업용 차량으로 등록한 후 차량 구입자들 또는 지입차주들로 하여금 차량을 관리 · 처분하도록 함으로써 그 차량들의 소재를 파악할 수 없게 하고, 나아가 자동차대여사업자등록이 취소되어 그 차량들에 대한 저당권등록마저 직권말소되도록 한 경우 **그 자체로 저당권자로 하여금 자동차등록원부에 기초하여 저당권의 목적이 된 자동차의 소재를 파악하는 것을 현저하게 곤란하게 하거나 불가능하게 하는 행위에 해당한다.**(대법원 2017. 5. 17. 2017도2230 렌트카를 대포차로 사건)

㉡ [○] (1) 명의신탁자가 조세포탈 등의 목적으로 명의신탁을 함으로써 명의신탁이 무효로 되는 경우에는 말할 것도 없고, 그러한 목적이 없어서 유효한 명의신탁이 되는 경우에도 제3자인 부동산의 임차인에 대한 관계에서는 명의신탁자는 소유자가 될 수 없으므로 **어느 모로 보나 신탁한 부동산이 권리행사방해죄에서 말하는 '자기의 물건'이라 할 수 없다.** (2) 피고인 甲이 이른바 중간생략등기형 명의신탁 또는 계약명의신탁의 방식으로 자신의 처 乙에게 등기명의를 신탁하여 놓은 점포에 자물쇠를 채워 점포의 임차인 A를 출입하지 못하게 한 경우 그 점포는 권리행사방해죄의 객체인 자기의 물건에 해당하지 않으므로 권리행사방해죄는 성립되지 아니한다.(대법원 2005. 9. 9. 2005도626 명의신탁 빌딩 출입방해사건)

㉢ [○] 강제집행면탈죄가 적용되는 강제집행은 민사집행법의 적용대상인 강제집행 또는 가압류 · 가처분 등의 집행을 가리키는 것이므로 **국세징수법에 의한 체납처분을 면탈할 목적으로 재산을 은닉하는 등의 행위는 위 죄의 규율대상에 포함되지 않는다.**(대법원 2012. 4. 26. 2010도5693 국고보조금 반환명령 사건)

㉣ [○] 강제집행면탈죄가 적용되는 강제집행은 민사집행법 제2편의 적용 대상인 '강제집행' 또는 가압류 · 가처분 등의 집행을 가리키는 것이고, 민사집행법 제3편의 적용 대상인 **'담보권 실행 등을 위한 경매'를 면탈할 목적으로 재산을 은닉하는 등의 행위는 위 죄의 규율 대상에 포함되지 않는다.**(대법원 2015. 3. 26. 2014도14909 임의경매 면탈목적 사건)

㉤ [○] (1) 압류금지채권의 목적물이 채무자의 예금계좌에 입금되기 전까지는 여전히 강제집행 또는 보전처분의 대상이 될 수 없는 것이므로 압류금지채권의 목적물을 수령하는데 사용하던 **기존 예금계좌가 채권자에 의해 압류된 채무자가 압류되지 않은 다른 예금계좌를 통하여 그 목적물을 수령하더라도 채권자의 권리를 침해할 위험이 있는 행위라고 볼 수 없어 강제집행면탈죄가 성립하지 않는다.** (2) 산업재해보상보험법상 휴업급여를 받을 권리는 압류가 금지되는 채권으로서 강제집행면탈죄의 객체에 해당하지 않으므로 피고인이 장차 지급될 휴업급여 수령계좌를 기존의 압류된 예금계좌에서 압류가 되지 않은 다른 예금계좌로 변경하여 휴업급여를 수령한 행위는 죄가 되지 않는다.(대법원 2017. 8. 18. 2017도6229 휴업급여 사건)

제11절 | 재산에 관한 죄 종합

339 다음 설명 중 불가벌적 사후행위에 해당하지 아니하고 별도의 죄가 성립하는 경우로서 가장 옳은 것은? (다툼이 있으면 판례에 의함)
□□□ 17 법원9급 [Core ★★]

① 법원을 기망하여 승소판결을 받고 그 확정판결에 의하여 소유권이전등기를 경료한 경우
② 타인을 공갈하여 취득한 임야를 매각한 경우
③ 절취한 자기앞수표를 음식대금으로 교부하고 거스름돈을 환불받은 경우
④ 장물보관의뢰를 받은 자가 그 정을 알면서 이를 보관하고 있다가 임의처분한 경우

해설

① [O] 법원을 기망하여 승소판결을 받고 그 확정판결에 의하여 소유권이전등기를 경료한 경우에는 **사기죄와 별도로 공정증서원본부실기재죄가 성립하고 양죄는 실체적 경합범 관계에 있다.**(대법원 1983. 4. 26. 83도188)
② [×] 횡령죄는 불법영득의 의사없이 목적물의 점유를 시작한 경우라야 하고, 타인을 공갈하여 재물을 교부케 한 경우에는 공갈죄를 구성하는 외에 그것을 소비하고 타에 처분하였다 하더라도 **횡령죄를 구성하지는 않는다.**(대법원 1986. 2. 11. 85도2513)
③ [×] 절취한 자기앞수표를 음식대금으로 교부하고 거스름돈을 환불받은 행위는 절도의 불가벌적 사후처분행위로서 **사기죄가 되지 아니한다.**(대법원 1987. 1. 20. 86도1728)
④ [×] 절도범인으로부터 장물보관 의뢰를 받은 자가 그 정을 알면서 이를 인도받아 보관하고 있다가 임의처분하였다 하여도 장물보관죄가 성립하는 때에는 이미 그 소유자의 소유물 추구권을 침해하였으므로 그 후의 횡령행위는 불가벌적 사후행위에 불과하여 **별도로 횡령죄가 성립하지 않는다.**(대법원 2004. 4. 9. 2003도8219 고려청자 사건)

정답 | 339 ①

340 다음 설명 중 가장 옳지 않은 것은? (다툼이 있으면 판례에 의함) 24 법원9급 [Core ★★]

□□□

① 피고인이 접근매체를 양도할 의사로 금융기관에 법인 명의 계좌를 개설하면서 예금거래신청서 등에 금융거래의 목적이나 접근매체의 양도의사 유무 등에 관한 사실을 허위로 기재하였으나, 계좌개설 심사업무를 담당하는 금융기관의 업무담당자가 이를 그대로 믿고 그 내용의 진실 여부를 확인할 수 있는 증빙자료의 요구 등 추가적인 확인조치 없이 계좌를 개설해 준 것은 금융기관 업무담당자의 불충분한 심사에 기인한 것이므로 위계에 의한 업무방해죄를 구성하지 않는다.

② 피고인이 피고인 명의로 개설된 예금계좌의 접근매체를 보이스피싱 조직원에게 양도하고, 이에 기망당한 사기피해자가 위 계좌로 송금한 사기피해금을 임의로 인출하였을 때 피고인이 보이스피싱 범행의 공범이 아니어서 사기 내지 사기방조죄가 성립하지 않는 경우라면 피고인이 사기피해금 중 일부를 임의로 인출한 행위도 사기피해자에 대한 횡령죄가 될 수 없다.

③ 보이스피싱 범죄의 범인이 피해자를 기망하여 피해자의 자금을 사기이용계좌로 송금·이체받으면 사기죄는 기수에 이르고, 범인이 사기이용계좌에서 현금을 인출하였다고 하더라도 사기피해자에 대하여 별도의 횡령죄를 구성하지 않는다.

④ 보이스피싱 범행 공모자 중 일부가 구성요건 행위 중 일부를 직접 분담하여 실행하지 않은 경우라 할지라도 전체 범죄에서 그가 차지하는 지위, 역할이나 범죄 경과에 대한 지배 내지 장악력 등을 종합해 볼 때 범죄에 대한 본질적 기여를 통한 기능적 행위지배가 존재한다고 인정된다면 공동정범으로서의 죄책을 진다.

해설

② [×] (계좌명의인이 개설한 예금계좌가 전기통신금융사기 범행에 이용되어 그 계좌에 피해자가 사기피해금을 송금·이체한 경우) 계좌명의인은 피해자와 사이에 아무런 법률관계 없이 송금·이체된 사기피해금 상당의 돈을 피해자에게 반환하여야 하므로 피해자를 위하여 사기피해금을 보관하는 지위에 있다고 보아야 하고, 만약 계좌명의인이 그 돈을 영득할 의사로 인출하면 **피해자에 대한 횡령죄가 성립한다.** 이때 계좌명의인이 사기의 공범이라면 자신이 가담한 범행의 결과 피해금을 보관하게 된 것일 뿐이어서 피해자와 사이에 위탁관계가 없고, 그가 송금·이체된 돈을 인출하더라도 이는 자신이 저지른 사기범행의 실행행위에 지나지 아니하여 새로운 법익을 침해한다고 볼 수 없으므로 사기죄 외에 별도로 횡령죄를 구성하지 않는다.(대법원 2018. 7. 19. 2017도17494 전합 **보이스피싱 사건Ⅲ**)

① [○] 계좌개설 신청인이 접근매체를 양도할 의사로 금융기관에 법인 명의 계좌를 개설하면서 예금거래신청서 등에 금융거래의 목적이나 접근매체의 양도의사 유무 등에 관한 사실을 허위로 기재하였으나 계좌개설 심사업무를 담당하는 금융기관의 업무담당자가 단순히 예금거래신청서 등에 기재된 계좌개설 신청인의 허위 답변만을 그대로 믿고 그 내용의 진실 여부를 확인할 수 있는 증빙자료의 요구 등 추가적인 확인조치 없이 법인 명의의 계좌를 개설해 준 경우 그 **계좌개설은 금융기관 업무담당자의 불충분한 심사에 기인한 것이므로 계좌개설 신청인의 위계가 업무방해의 위험성을 발생시켰다고 할 수 없어 위계에 의한 업무방해죄를 구성하지 않는다.** (대법원 2023. 9. 14. 2022도15824 **121회 법인명의 접근매체 발급사건**)

③ [O] 전기통신금융사기(이른바 보이스피싱 범죄)의 범인이 피해자의 자금을 점유하고 있다고 하여 피해자와의 어떠한 위탁관계나 신임관계가 존재한다고 볼 수 없을 뿐만 아니라 **사기이용계좌에서 현금을 인출하였다고 하더라도 이는 이미 성립한 사기범행이 예정하고 있던 행위에 지나지 아니하여 새로운 법익을 침해한다고 보기도 어려우므로 위와 같은 인출행위는 사기의 피해자에 대하여 별도의 횡령죄를 구성하지 아니한다.** 이러한 법리는 사기범행에 이용되리라는 사정을 알고서 자신 명의 계좌의 접근매체를 양도함으로써 사기범행을 방조한 종범이 사기이용계좌로 송금된 피해자의 자금을 임의로 인출한 경우에도 마찬가지로 적용된다.(대법원 2017. 5. 31. 2017도3894 **보이스피싱 사건II**)

④ [O] 공동정범은 공동가공의 의사와 그 공동의사에 기한 기능적 행위지배를 통한 범죄 실행이라는 주관적·객관적 요건을 충족함으로써 성립하므로 공모자 중 일부가 구성요건 행위 중 일부를 직접 분담하여 실행하지 않은 경우라 할지라도 전체 범죄에서 그가 차지하는 지위, 역할이나 범죄 경과에 대한 지배 내지 장악력 등을 종합해 볼 때 범죄에 대한 본질적 기여를 통한 **기능적 행위지배가 존재한다고 인정된다면 공동정범으로서의 죄책을 면할 수 없다.**(대법원 2017.10. 26. 2017도8600 **보이스피싱 조직 사건**)

341 다음 설명 중 가장 옳지 않은 것은? (다툼이 있으면 판례에 의함) 20 법원9급 [Core ★★]

□□□

① 횡령 교사를 한 후 그 횡령한 물건을 취득한 때에는 횡령교사죄와 장물취득죄의 경합범이 성립한다.

② 주식회사의 대표이사가 타인을 기망하여 신주를 인수하게 한 후 그로부터 납입받은 신주 인수대금을 횡령한 것은 사기죄와는 전혀 다른 새로운 보호법익을 침해하는 행위로서 별죄를 구성한다.

③ 타인의 부동산을 보관 중인 자가 불법영득의 의사를 가지고 그 부동산에 근저당권설정등기를 경료함으로써 일단 횡령행위가 기수에 이르렀다면, 그 후 같은 부동산에 별개의 근저당권을 설정하거나 해당 부동산을 매각하였다 하더라도 당초의 근저당권 실행을 위한 임의경매에 의한 매각 등 그 근저당권으로 인해 당연히 예상될 수 있는 범위를 넘어 새로운 법익침해의 위험을 추가시키거나 법익침해의 결과를 발생시켰다는 등의 특별한 사정이 없는한 불가벌적 사후행위에 불과하고 별도의 횡령죄를 구성하지 않는다.

④ 직무를 집행하는 공무원에 대하여 위험한 물건을 휴대하여 고의로 상해를 가한 경우에는 특수공무집행방해치상죄만 성립할 뿐, 이와는 별도로 폭력행위 등 처벌에 관한 법률 위반 (집단·흉기 등 상해)죄를 구성하지 않는다.

정답 | 340 ② 341 ③

해설

③ [×] 타인의 부동산을 보관 중인 자가 그 부동산에 근저당권설정등기를 경료함으로써 일단 횡령행위가 기수에 이르렀다 하더라도 그 후 같은 부동산에 별개의 근저당권을 설정하여 새로운 법익침해의 위험을 추가함으로써 법익침해의 위험을 증가시키거나 해당 부동산을 매각함으로써 기존의 근저당권과 관계없이 법익침해의 결과를 발생시켰다면, 이는 근저당권으로 인해 당연히 예상될 수 있는 범위를 넘어 새로운 법익침해의 위험을 추가시키거나 법익침해의 결과를 발생시킨 것이므로 특별한 사정이 없는 한 불가벌적 사후행위로 볼 수 없고, 별도로 횡령죄를 구성한다.(대법원 2015. 1. 29. 2014도12022)

① [○] 횡령 교사를 한 후 그 횡령한 물건을 취득한 때에는 **횡령교사죄와 장물취득죄의 경합범이 성립된다.**(대법원 1969. 6. 24. 69도692)

② [○] 주식회사의 대표이사가 타인을 기망하여 회사가 발행하는 신주를 인수하게 한 다음, 그로부터 납입받은 신주인수대금을 보관하던 중 횡령한 행위는 전혀 다른 새로운 보호법익을 침해하는 행위로서 **별죄를 구성한다.**(대법원 2006. 10. 27. 2004도6503)

④ [○] 피고인이 승용차를 운전하던 중 음주단속을 피하기 위하여 위험한 물건인 승용차로 단속 경찰관을 들이받아 경찰관의 공무집행을 방해하고 경찰관에게 상해를 입게 한 경우, **특수공무집행방해치상죄만 성립할 뿐 이와는 별도로 폭처법위반(집단 · 흉기등상해)죄를 구성하지 않는다.**(대법원 2008. 11. 27. 2008도7311 음주단속경찰관 치상사건)

342 불가벌적 사후행위에 대한 설명으로 옳지 않은 것은? (다툼이 있으면 판례에 의함)

□□□

17 국가7급 [*Core* ★★]

① 종친회 회장이 위조한 종친회 규약 등을 공탁관에게 제출하는 방법으로 종친회를 피공탁자로 하여 공탁된 수용보상금을 출급받아 편취한 후, 이를 보관하던 중 종친회의 요구에 대하여 정당한 이유 없이 반환을 거부한 행위는 사기범행의 불가벌적 사후행위에 해당한다.

② 채무자가 자신의 부동산에 甲 명의로 허위의 금전채권에 기한 담보가등기를 설정하여 강제집행면탈죄가 성립된 후, 그 부동산을 乙에게 양도하여 乙 명의로 이루어진 가등기양도 및 본등기를 경료한 행위는 강제집행면탈범행의 불가벌적 사후행위에 해당한다.

③ 부정한 이익을 얻거나 기업에 손해를 가할 목적으로 그 기업에 유용한 영업비밀이 담겨 있는 타인의 재물을 절취한 후, 그 영업비밀을 부정사용한 행위는 절도범행의 불가벌적 사후행위에 해당하지 아니한다.

④ 자동차를 절취한 후, 훔친 자동차의 번호판을 떼어 내 다른 자동차에 임의로 부착하여 운행한 행위는 자동차절도범행의 불가벌적 사후행위에 해당하지 아니한다.

해설

② [×] 채무자가 자신의 부동산에 甲 명의로 허위의 금전채권에 기한 담보가등기를 설정하고 이를 乙에게 양도하여 乙 명의의 본등기를 경료하게 한 경우, 위와 같은 담보가등기 설정행위를 강제집행면탈 행위로 본다고 하더라도 그 가등기를 양도하여 본등기를 경료하게 함으로써 소유권을 상실케 하는 행위는 면탈의 방법과 법익침해의 정도가 훨씬 중하다는 점을 고려할 때 이를 불가벌적 사후행위로 볼 수는 없다.(대법원 2008. 5. 8. 2008도198 공사대금 면탈 사건) 별도로 강제집행면탈죄가 성립한다.

① [○] 종친회 회장인 피고인이 위조한 종친회 규약 등을 공탁관에게 제출하는 방법으로 종친회를 피공탁자로 하여 공탁된 수용보상금을 출급받아 편취한 경우 종친회를 피해자로 한 **사기죄가 성립하고,** 그 후 종친회에 대하여 공탁금 반환을 거부한 행위는 **새로운 법익의 침해를 수반하지 않는 불가벌적 사후행위에 해당할 뿐 별도의 횡령죄가 성립하지 않는다.**(대법원 2015. 9. 10. 2015도8592 종친회 수용보상금 편취사건)

③ [○] 영업비밀이 담겨 있는 타인의 재물을 절취한 후 그 영업비밀을 사용하는 경우, **영업비밀의 부정사용행위**는 새로운 법익의 침해로 보아야 하므로 위와 같은 부정사용행위가 **절도범행의 불가벌적 사후행위가 되는 것은 아니다.**(대법원 2008. 9. 11. 2008도5364 단가리스트 CD 사건) 별도로 부정경쟁방지법위반죄가 성립한다.

④ [○] 절취한 후 자동차등록번호판을 떼어내는 행위는 새로운 법익의 침해로 보아야 하므로 위와 같은 **번호판을 떼어내는 행위가 절도범행의 불가벌적 사후행위가 되는 것은 아니다.**(대법원 2007. 9. 6. 2007도4739) 별도로 자동차관리법위반죄가 성립한다.

정답 | 342 ②

343 다음 중 피고인 甲의 후행행위가 불가벌적 사후행위에 해당하는 것은 모두 몇 개인가? (다툼이 있으면 판례에 의함)
□□□

15 경찰채용 [Core ★★]

㉠ A주식회사 대표이사인 피고인 甲이 자신의 채권자 乙에게 차용금에 대한 담보로 A회사 명의 정기예금에 질권을 설정하여 주었는데, 그 후 乙이 피고인 甲의 동의하에 위 정기예금계좌에 입금되어 있던 A회사 자금을 전액 인출한 경우 (후행 예금인출동의 행위의 횡령죄 성립 여부)
㉡ 피해자 乙종중으로부터 토지를 명의신탁 받아 보관 중이던 피고인 甲이 丙에 대한 개인채무 변제에 사용할 돈을 차용하기 위해 乙종중의 승낙없이 위 토지에 근저당권설정등기를 경료해 준 후 다시 乙종중의 승낙없이 丁에게 위 토지를 매도한 경우 (후행 매도행위의 횡령죄 성립 여부)
㉢ 피고인 甲이 당초부터 약속어음을 할인하여 줄 의사가 없으면서 있는 것처럼 피해자를 기망하여 약속어음을 교부받은 후 이를 피해자에 대한 채권의 변제에 충당한 경우 (후행 채권 변제행위의 횡령죄 성립 여부)
㉣ 피고인 甲이 부정한 이익을 얻을 목적으로 타인의 영업비밀이 담긴 CD를 절취하여 그 영업비밀을 부정사용한 경우 (후행 부정사용 행위의 영업비밀부정사용죄 성립 여부)

① 1개 ② 2개 ③ 3개 ④ 4개

해설

② ㉠㉢ 2 항목이 불가불적 사후행위에 해당한다.
㉠ 주식회사 대표이사인 피고인 甲이 자신의 채권자 乙에게 차용금에 대한 담보로 회사 명의 정기예금에 질권을 설정하여 주었는데, 그 후 乙이 피고인 甲의 동의하에 정기예금 계좌에 입금되어 있던 회사 자금을 전액 인출하였다고 하여도, 위와 같은 **예금인출 동의행위는 이미 배임행위로써 이루어진 질권설정행위의 사후조처에 불과하여 불가벌적 사후행위에 해당하고** 따라서 **별도의 횡령죄를 구성하지 않는다.**(대법원 2012. 11. 29. 2012도10980 *질권 사건*)
㉡ 타인의 부동산을 보관 중인 자가 그 **부동산에 근저당권설정등기를 경료함으로써 일단 횡령행위가 기수에 이르렀다 하더라도 그 후 해당 부동산을 매각함으로써 기존의 근저당권과 관계없이 법익침해의 결과를 발생시켰다면,** 이는 근저당권으로 인해 당연히 예상될 수 있는 범위를 넘어 새로운 법익침해의 위험을 추가시키거나 법익침해의 결과를 발생시킨 것이므로 **불가벌적 사후행위로 볼 수 없고 별도로 횡령죄를 구성한다.**(대법원 2013. 2. 21. 2010도10500 全合 *종중회의 총무 횡령사건*)
㉢ 피고인이 당초부터 피해자를 기망하여 약속어음을 교부받은 경우에는 그 교부받은 즉시 사기죄가 성립하고 그 후 이를 피해자에 대한 피고인의 **채권의 변제에 충당하였다 하더라도 불가벌적 사후행위가 됨에 그칠 뿐, 별도로 횡령죄를 구성하지 않는다.**(대법원 1983. 4. 26. 82도3079)
㉣ 영업비밀이 담겨 있는 타인의 재물을 절취한 후 그 영업비밀을 사용하는 경우, **영업비밀의 부정사용행위는 새로운 법익의 침해로 보아야 하므로** 위와 같은 부정사용행위가 **절도범행의 불가벌적 사후행위가 되는 것은 아니다.**(대법원 2008. 9. 11. 2008도5364 *단가리스트 CD 사건*)

344 불가벌적 사후행위에 대한 설명 중 옳지 않은 것은 모두 몇 개인가? (다툼이 있으면 판례에 의함)
□□□

18 해경간부 [Core ★★]

㉠ 사람을 살해한 다음 그 시체를 다른 장소로 옮겨 유기한 경우에는 살인죄와 사체유기죄의 경합범이 성립하고 사체유기행위를 불가벌적 사후행위라 할 수는 없다.
㉡ 자동차를 절취한 자가 자동차등록판을 떼어낸 경우는 새로운 법익침해가 있다고 볼 수 없으므로 자동차등록판을 떼어낸 경우는 불가벌적 사후행위이다.
㉢ 후불식 전화카드를 절취한 후 그 카드를 이용하여 공중전화를 한 경우에는 '대가를 지급하지 아니하고' 공중전화를 이용한 경우에 해당되므로 편의시설부정이용의 죄가 구성된다.
㉣ 명의수탁자가 신탁받은 부동산의 일부에 대한 토지수용보상금 중 일부를 소비하고 수용되지 않은 나머지 부동산 전체에 대한 반환을 거부한 경우 이는 새로운 법익의 침해가 있는 것으로 보아 별개의 횡령죄가 성립한다고 보아야 한다.

① 0개 ② 1개
③ 2개 ④ 3개

해설

③ ㉡㉢ 2 항목이 옳지 않다.
㉠ [○] 사람을 살해한 자가 그 사체를 다른 장소로 옮겨 유기하였을 때에는 **별도로 사체유기죄가 성립하고**, 이와 같은 사체유기를 불가벌적 사후행위로 볼 수는 없다.(대법원 1997. 7. 25. 97도1142 **페스카마호 사건**)
㉡ [×] 자동차를 절취한 후 자동차등록번호판을 떼어내는 행위는 새로운 법익의 침해로 보아야 하므로 번호판을 떼어내는 행위가 절도범행의 **불가벌적 사후행위가 되는 것은 아니다**.(대법원 2007. 9. 6. 2007도4739) 별도의 자동차관리법위반죄가 성립한다.
㉢ [×] 타인의 전화카드(한국통신의 후불식 통신카드)를 절취하여 전화통화에 이용한 경우에는 통신카드서비스 이용계약을 한 **피해자가 그 통신요금을 납부할 책임을 부담하게 되므로**, 이러한 경우에는 피고인이 '대가를 지급하지 아니하고' 공중전화를 이용한 경우에 해당한다고 볼 수 없어 **편의시설부정이용죄를 구성하지 않는다**.(대법원 2001. 9. 25. 2001도3625)
㉣ [○] 명의수탁자가 신탁받은 부동산의 일부에 대한 **토지수용보상금 중 일부를 소비하고**, 이어 **수용되지 않은 나머지 부동산 전체에 대한 반환을 거부한 경우**, 그 금원 횡령죄가 성립된 이후에 수용되지 않은 나머지 부동산 전체에 대한 반환을 거부한 것은 새로운 법익의 침해가 있는 것으로서 **별개의 횡령죄가 성립한다**.(대법원 2001. 11. 27. 2000도3463)

정답 | 343 ② 344 ③

345 다음 설명 중 옳지 않은 것은 모두 몇 개인가? (다툼이 있으면 판례에 의함)

□□□

21 법원행시 [Superlative ★★★]

㉠ 피고인이 담당 공무원을 기망하여 납부의무가 있는 농지보전부담금을 면제받은 경우에는 사기죄가 성립한다.
㉡ 주점의 종업원에게 신체에 위해를 가할 듯한 태도를 보여 이에 겁을 먹은 위 종업원으로부터 주류를 제공받은 경우에 있어 위 종업원은 주류에 대한 처분권이 없어 공갈죄의 피해자에 해당하지 않는다.
㉢ 채무자가 채권양도담보계약에 따라 부담하는 '담보 목적채권의 담보가치를 유지·보전할 의무'를 이행하는 것은 채무자 자신의 사무에 해당할 뿐이고, 채무자가 통상의 계약에서의 이익대립관계를 넘어서 채권자와의 신임관계에 기초하여 채권자의 사무를 맡아 처리한다고 볼 수 없으므로 이 경우 채무자는 채권자에 대한 관계에서 '타인의 사무를 처리하는 자'에 해당한다고 할 수 없다.
㉣ 장물취득죄에서 '취득'이라고 함은 점유를 이전받음으로써 그 장물에 대하여 사실상의 처분권을 획득하는 것을 의미하는 것이므로 단순히 보수를 받고 본범을 위하여 장물을 일시 사용하거나 그와 같이 사용할 목적으로 장물을 건네받은 것만으로는 장물을 취득한 것으로 볼 수 없다.
㉤ 형법 제370조의 경계침범죄는 단순히 계표를 손괴하는 것만으로는 부족하고 계표를 손괴, 이동 또는 제거하거나 기타 방법으로 토지의 경계를 인식불능하게 함으로써 비로소 성립되며 계표의 손괴, 이동 또는 제거 등은 토지의 경계를 인식불능케 하는 방법의 예시에 불과하여 이와 같은 행위의 결과로서 토지의 경계가 인식불능케 됨을 필요로 하고 동죄에 대하여는 미수죄에 관한 규정이 없으므로 계표의 손괴 등의 행위가 있더라도 토지경계의 인식불능의 결과가 발생하지 않은 한 본죄가 성립될 수 없다.

① 없음　　② 1개　　③ 2개
④ 3개　　⑤ 4개

해설

③ ㉠㉡ 2 항목이 옳지 않다.

㉠ [×] (1) 중앙행정기관의 장, 지방자치단체의 장 등 법률에 따라 금전적 부담의 부과권한을 부여받은 자(이하 '부과권자'라 한다)가 재화 또는 용역의 제공과 관계없이 특정 공익사업과 관련하여 권력작용으로 부담금을 부과하는 것은 일반 국민의 재산권을 제한하는 침해행정에 속하고, 이러한 침해행정 영역에서 일반 국민이 담당 공무원을 기망하여 권력작용에 의한 재산권 제한을 면하는 경우에는 부과권자의 직접적인 권력작용을 사기죄의 보호법익인 재산권과 동일하게 평가할 수 없는 것이므로 행정법규에서 그러한 행위에 대한 처벌규정을 두어 처벌함은 별론으로 하고, 사기죄는 성립할 수 없다.
(2) 원심이, 피고인이 담당 공무원을 기망하여 납부의무가 있는 농지보전부담금을 면제받아 재산상 이익을 취득하였다는 공소사실에 대하여 범죄로 되지 아니하는 경우에 해당한다고 보아, 이를 무죄로 판단한 제1심 판결을 그대로 유지한 것은 사기죄의 성립에 관한 법리를 오해한 잘못이 없다.(대법원 2019. 12. 24. 2019도2003 농지보전부담금 사건)

㉡ [×] 피고인들이 공동하여 A가 종업원으로 일하고 있던 랑데부 룸살롱에서 A에게 은근히 조직폭력배임을 과시하면서 "이 새끼들아 술 내놔"라고 소리치고, 험악한 인상을 쓰면서 "너희들은 B가 깡패도 아닌데 왜 따라다니며 어울리냐"라고 말하는 등의 방법으로 신체에 위해를 가할 듯한 태도를 보여 이에 겁을 먹은 A로부터

주류를 제공받은 경우 공갈죄가 성립하고, 피고인들로부터 **협박을 당한 A는 주류에 대한 사실상의 처분권자이므로 A를 공갈죄의 피해자라고 봄이 상당하다.**(대법원 2005. 9. 29. 2005도4738 랑데부 룸살롱사건)

㉢ [○] 채권양도담보계약에 따라 채무자가 부담하는 '담보 목적 채권의 담보가치를 유지 · 보전할 의무' 등은 담보목적을 달성하기 위한 것에 불과하며, 채권양도담보계약의 체결에도 불구하고 당사자 관계의 전형적 · 본질적 내용은 여전히 피담보채권인 금전채권의 실현에 있다. 따라서 채무자가 **채권양도담보계약에 따라 부담하는 '담보 목적 채권의 담보가치를 유지 · 보전할 의무'를 이행하는 것은 채무자 자신의 사무에 해당할 뿐이고,** 채무자가 통상의 계약에서의 이익대립관계를 넘어서 채권자와의 신임관계에 기초하여 채권자의 사무를 맡아 처리한다고 볼 수 없으므로 이 경우 채무자는 채권자에 대한 관계에서 **'타인의 사무를 처리하는 자'에 해당한다고 할 수 없다.**(대법원 2021. 7. 15. 2015도5184 요양급여채권 포괄근담보 사건)

㉣ [○] 장물취득죄에서 '취득'이라고 함은 점유를 이전받음으로써 그 장물에 대하여 사실상의 처분권을 획득하는 것을 의미하는 것이므로 **단순히 보수를 받고 본범을 위하여** 장물을 일시 사용하거나 그와 같이 사용할 목적으로 장물을 건네받은 것만으로는 **장물을 취득한 것으로 볼 수 없다.**(대법원 2003. 5. 13. 2003도1366 신용카드 심부름 사건)

㉤ [○] 경계침범죄는 단순히 계표를 손괴하는 것만으로는 부족하고 계표를 손괴, 이동 또는 제거하거나 기타 방법으로 토지의 경계를 인식불능하게 함으로써 비로소 성립되며, 이와 같은 행위의 결과로서 토지의 경계가 인식불능케 됨을 필요로 하고 동죄에 대하여는 **미수죄에 관한 규정이 없으므로 계표의 손괴 등의 행위가 있더라도 토지경계의 인식불능의 결과가 발생하지 않은 한 경계침범죄가 성립될 수 없다.**(대법원 1991. 9. 10. 91도856)

346 다음 설명 중 옳지 않은 것은? (다툼이 있으면 판례에 의함)

□□□ 12 경찰간부 [Core ★★]

① 장래 발생할 특정의 조건부채권을 담보하기 위하여 부동산에 근저당권을 설정한 경우 강제집행면탈죄가 성립한다.

② 준강도죄의 입법취지, 강도죄와의 균형 등을 종합적으로 고려해 보면 준강도죄의 기수 여부는 절도행위의 기수 여부를 기준으로 하여 판단하여야 한다.

③ 폭행 또는 협박으로 의무 있는 일을 하게 한 경우에는 폭행죄 또는 협박죄만 성립할 뿐 강요죄는 성립하지 않는다.

④ 절도행위 중 발각되자 폭행 · 협박으로 재물을 강취한 경우에는 준강도죄가 아니라 강도죄가 성립한다.

해설

① [×] 장래에 발생할 특정의 조건부채권을 담보하기 위한 방편으로 부동산에 대하여 근저당권을 설정한 것이라면, 이는 **장래 발생할 진실한 채무를 담보하기 위한 것으로서** 강제집행면탈죄 소정의 **'허위의 채무를 부담'하는 경우에 해당한다고 할 수 없다.**(대법원 1996. 10. 25. 96도1531)

② [○] (1) 피해자에 대한 폭행 · 협박을 수단으로 하여 재물을 탈취하고자 하였으나 그 목적을 이루지 못한 자가 강도미수죄로 처벌되는 것과 마찬가지로, 절도미수범인이 폭행 · 협박을 가한 경우에도 강도미수에 준하여 처벌하는 것이 합리적이라 할 것이다.

정답 | 345 ③ 346 ①

(2) **준강도죄의 기수 여부는 절도행위의 기수 여부를 기준으로 하여 판단하여야 한다.**(대법원 2004. 11. 18. 2004도5074 全合 **양주절취 미수사건**)

③ [○] 강요죄는 폭행 또는 협박으로 사람의 권리행사를 방해하거나 의무 없는 일을 하게 하는 것을 말하고, 여기에서 '의무 없는 일'이라 함은 법령, 계약 등에 기하여 발생하는 법률상 의무 없는 일을 말하므로 **법률상 의무 있는 일을 하게 한 경우에는 강요죄가 성립할 여지가 없다.**(대법원 2012. 11. 29. 2010도1233 **업무일지작성 지시사건**)

④ [○] 준강도죄는 절도가 '재물의 탈환을 항거하거나 체포를 면탈하거나 죄적을 인멸할 목적'으로 폭행 또는 협박을 가한 때에 성립하는데, 지문의 경우 그런 목적이 없었으므로 **강도죄가 성립할 뿐이다.**

347 다음 사례에 대한 설명으로 옳지 않은 것은? (다툼이 있으면 판례에 의함)

□□□

21 국가7급 [Superlative ★★★]

> 甲이 자신의 명의로 개설된 예금계좌가 보이스피싱 범행에 이용될 것임을 인식하지 못하고 그 접근매체를 보이스피싱 조직원 乙에게 양도한 후 피해자 A가 乙에게 속아 위 계좌로 피해금 1,000만원을 송금하였다. 이후 甲은 1,000만원 중 500만원을 별도의 접근매체를 이용하여 임의로 인출하였다.

① 甲이 자신 명의 계좌에 입금된 사실을 알고 이를 인출한 경우 은행에 대한 사기죄는 성립하지 않는다.

② 甲이 자신 명의 계좌에 입금된 사실을 알고 이를 인출한 경우 보이스피싱 조직원 乙에 대한 횡령죄가 성립한다.

③ 甲은 피해자 A와의 사이에 아무런 법률관계 없이 송금 이체된 금원에 대하여 A에게 반환하여야 하므로 A를 위하여 피해금을 보관하는 지위에 있다.

④ 만약 甲이 자신의 예금계좌가 보이스피싱 범행에 이용될 것임을 인식하고 乙과 공모한 것이 인정되면 甲의 출금행위는 사기죄 이외에 별도로 횡령죄가 성립하지 않는다.

해설

② [×] 계좌명의인이 사기의 공범이라면 자신이 가담한 범행의 결과 피해금을 보관하게 된 것일 뿐이어서 피해자와 사이에 위탁관계가 없고, 그가 송금·이체된 돈을 인출하더라도 이는 자신이 저지른 사기범행의 실행행위에 지나지 아니하여 새로운 법익을 침해한다고 볼 수 없으므로 **사기죄 외에 별도로 횡령죄를 구성하지 않는다.**(대법원 2018. 7. 19. 2017도17494 全合 **보이스피싱 사건Ⅲ**)

① [○] 송금의뢰인이 수취인의 예금계좌에 계좌이체 등을 한 이후, 수취인이 은행에 대하여 예금반환을 청구함에 따라 은행이 수취인에게 그 예금을 지급하는 행위는 계좌이체금액 상당의 예금계약의 성립 및 그 예금채권 취득에 따른 것으로서 은행이 착오에 빠져 처분행위를 한 것이라고 볼 수 없으므로 결국 이러한 행위는 **은행을 피해자로 한 사기죄에 해당하지 않는다.**(대법원 2010. 5. 27. 2010도3498 **대포통장 현금인출사건Ⅰ**)

③④ [○] (계좌명의인이 개설한 예금계좌가 전기통신금융사기 범행에 이용되어 그 계좌에 피해자가 사기피해금을 송금 · 이체한 경우) 계좌명의인은 피해자와 사이에 아무런 법률관계 없이 송금 · 이체된 사기피해금 상당의 돈을 피해자에게 반환하여야 하므로, 피해자를 위하여 사기피해금을 보관하는 지위에 있다고 보아야 하고, 만약 계좌명의인이 그 돈을 영득할 의사로 인출하면 **피해자에 대한 횡령죄가 성립한다.** 이때 계좌명의인이 사기의 공범이라면 자신이 가담한 범행의 결과 피해금을 보관하게 된 것일 뿐이어서 피해자와 사이에 위탁관계가 없고, 그가 송금 · 이체된 돈을 인출하더라도 이는 자신이 저지른 사기범행의 실행행위에 지나지 아니하여 새로운 법익을 침해한다고 볼 수 없으므로 **사기죄 외에 별도로 횡령죄를 구성하지 않는다.**(대법원 2018. 7. 19. 2017도17494 全合 **보이스피싱 사건Ⅲ**) 甲은 사기 피해자 A에 대한 횡령죄의 죄책을 진다.

348 다음 사례에 대한 설명 중 가장 적절하지 않은 것은? (다툼이 있는 경우 판례에 의함)

□□□

21 경찰채용 [*Core* ★★]

> 甲은 보이스피싱 조직원 乙에게 甲명의로 개설한 예금통장과 위 계좌에 연결된 체크카드를 교부하여 전자금융거래에 관한 접근매체를 양도하였다. 이후 乙은 丙에게 전화하여 검사를 사칭하면서 "당신 명의로 은행 계좌가 개설되어 범죄에 이용되었다. 명의가 도용된 것 같으니 추가 피해 예방을 위해 금융기관에 있는 돈을 해약하여 금융법률 전문가인 甲에게 송금하면 범죄 연관성을 확인 후 돌려주겠다."라고 거짓말을 하였다. 이에 속은 丙은 甲의 계좌에 613만원을 송금하였는데, 甲은 별도로 만들어 소지하고 있던 이 사건 계좌에 연결된 체크카드를 이용하여 그 중 300만원을 임의로 인출하였다.

① 甲이 사기의 공범이라면 甲의 현금 인출행위는 丙과의 관계에서는 횡령죄가 성립하지 않는다.
② 甲이 사기의 공범이 아니라면 甲과 丙의 관계에서는 착오송금의 법리를 그대로 적용할 수 없다.
③ 甲이 사기의 공범인지 여부와 관계없이 甲의 현금 인출행위는 장물취득죄에 해당하지 않는다.
④ 甲이 사기의 공범인지 여부와 관계없이 甲의 현금 인출행위는 乙에 대한 관계에서는 횡령죄가 성립하지 않는다.

해설

② [×] 甲과 乙이 공범이라면 사기죄만 성립한다. 甲과 乙이 공범이 아니라면 **(착오송금의 법리를 적용하여) 甲은 丙에 대한 횡령죄만 성립한다.**

①④ [○] (계좌명의인이 개설한 예금계좌가 전기통신금융사기 범행에 이용되어 그 계좌에 피해자가 사기피해금을 송금 · 이체한 경우) 계좌명의인은 피해자와 사이에 아무런 법률관계 없이 송금 · 이체된 사기피해금 상당의 돈을 피해자에게 반환하여야 하므로, 피해자를 위하여 사기피해금을 보관하는 지위에 있다고 보아야 하고, 만약 계좌명의인이 그 돈을 영득할 의사로 인출하면 **피해자에 대한 횡령죄가 성립한다.** 이때 계좌명의인이 사기의 공범이라면 자신이 가담한 범행의 결과 피해금을 보관하게 된 것일 뿐이어서 피해자와 사이에 위탁관계가 없고, 그가 송금 · 이체된 돈을 인출하더라도 이는 자신이 저지른 사기범행의 실행행위에 지나지 아니하여 새로운 법익을 침해한다고 볼 수 없으므로 **사기죄 외에 별도로 횡령죄를 구성하지 않는다.**(대법원 2018. 7. 19. 2017도17494 全合 **보이스피싱 사건Ⅲ**)

정답 | 347 ② 348 ②

③ [O] (1) 장물취득죄에 있어서 '취득'이라 함은 장물의 점유를 이전받음으로써 그 장물에 대하여 사실상 처분권을 획득하는 것을 의미하는데
(2) 본범의 사기행위는 피고인이 예금계좌를 개설하여 본범에게 양도한 방조행위가 가공되어 본범에게 편취금이 귀속되는 과정 없이 피고인이 피해자로부터 피고인의 예금계좌로 돈을 송금받아 취득함으로써 종료되는 것이고, 그 후 피고인이 자신의 예금계좌에서 돈을 인출하였다 하더라도 이는 예금명의자로서 은행에 예금반환을 청구한 결과일 뿐 **본범으로부터 돈에 대한 점유를 이전받아 사실상 처분권을 획득한 것은 아니므로** 피고인의 인출행위를 **장물 '취득'죄로 벌할 수는 없다.**(대법원 2010. 12. 9. 2010도6256 **대포통장 현금 인출사건Ⅱ**) 甲은 장물취득죄의 죄책을 지지 아니한다.

349 다음 설명 중 옳지 않은 것은 모두 몇 개인가? (다툼이 있으면 판례에 의함)

□□□

20 경찰간부 [Superlative ★★★]

㉠ 사기죄에서 외관상 재물의 교부에 해당하는 행위가 있었으나, 재물이 범인의 사실상의 지배 아래에 들어가 그의 자유로운 처분이 가능한 상태에 놓이지 않고 여전히 피해자의 지배 아래에 있는 것으로 평가되는 경우라면 그 재물에 대한 처분행위가 있었다고 볼 수 없다.
㉡ 재정악화로 어려움을 겪는 회사라 할지라도 합법적인 방법으로 피해자 회사들과 갈등을 해결하려 하지 않고 유예 기간 안에 돈을 지급하지 않으면 자동차 부품 생산라인을 중단하여 큰 손실을 입게 만들겠다는 태도를 보였다면 공갈죄가 성립한다.
㉢ 甲이 보이스피싱 조직원 乙에게 자기 명의 계좌의 통장을 양도한 후 乙의 보이스피싱 범행으로 그 계좌에 송금된 사기피해금을 임의로 인출한 경우 乙에 대하여 횡령죄를 구성한다.
㉣ 공무원이 그 임무에 위배되는 행위로써 제3자로 하여금 재산상의 이익을 취득하게 하여 국가에 손해를 가한 경우에도 업무상배임죄는 성립한다.

① 1개 ② 2개 ③ 3개 ④ 4개

해설

① ㉢ 항목만 옳지 않다.
㉠ [O] 사기죄에 있어서 '재물의 교부'란 범인의 기망에 따라 피해자가 착오로 재물에 대한 사실상의 지배를 범인에게 이전하는 것을 의미하는데, 재물의 교부가 있었다고 하기 위하여 **반드시 재물의 현실의 인도가 필요한 것은 아니고** 재물이 범인의 사실상의 지배 아래에 들어가 그의 **자유로운 처분이 가능한 상태에 놓인 경우에도 재물의 교부가 있었다고 보아야 한다.**(대법원 2003. 5. 16. 2001도1825 **미륵불상 도자기 사건**)
㉡ [O] 피고인 운영 회사는 계속적인 재정 악화 등으로 회사 운영에 어려움을 겪었고 그로 인해 피해자 회사들이 피고인으로부터 금형 이관 절차를 검토하는 등으로 피고인 운영 회사가 절박한 상황에 있었더라도, 피고인이 합법적인 방법으로 피해자 회사들과 갈등을 해결하려고 시도하지 않고 곧바로 생산라인을 중단하겠다고 협박한 것은 피고인의 법익을 보호하기 위한 유일한 수단이라거나 적합한 수단이었다고 볼 수 없으므로 **위법성이 조각되지 않는다.**(대법원 2019. 2. 14. 2018도19493 **자동차 부품 공급중단 공갈사건**) 지문의 경우 **공갈죄가 성립한다.**

ⓒ [×] (1) 계좌명의인이 개설한 예금계좌가 전기통신금융사기 범행에 이용되어 그 계좌에 피해자가 사기피해금을 송금·이체한 경우 **계좌명의인은 피해자와 사이에 아무런 법률관계 없이 송금·이체된 사기피해금 상당의 돈을 피해자에게 반환하여야 하므로**, 피해자를 위하여 사기피해금을 보관하는 지위에 있다고 보아야하고, 만약 **계좌명의인이 그 돈을 영득할 의사로 인출하면 피해자에 대한 횡령죄가 성립한다.**
(2) 이때 계좌명의인이 사기의 공범이라면 자신이 가담한 범행의 결과 피해금을 보관하게 된 것일 뿐이어서 피해자와 사이에 위탁관계가 없고, 그가 송금·이체된 돈을 인출하더라도 이는 자신이 저지른 사기범행의 실행행위에 지나지 아니하여 새로운 법익을 침해한다고 볼 수 없으므로 사기죄 외에 별도로 횡령죄를 구성하지 않는다.(대법원 2018. 7. 19. 2017도17494 全合 **보이스피싱 사건Ⅲ**)

ⓓ [○] **공무원**이 그 임무에 위배되는 행위로써 제3자로 하여금 재산상의 이익을 취득하게 하여 국가에 손해를 가한 경우에 **업무상배임죄가 성립한다.**(대법원 2013. 9. 27. 2013도6835 **MB 내곡동사저 사건**)

350 재산죄에 관한 설명 중 가장 적절한 것은? (다툼이 있으면 판례에 의함)

□□□ 23 경찰채용 [*Core* ★★]

① 甲과 乙이 공동으로 생강밭을 경작하여 그 이익을 분배하기로 약정하고 생강 농사를 시작하였으나, 곧바로 동업 관계에 불화가 생겨 乙이 묵시적으로 동업 탈퇴의 의사표시를 한 채 생강밭에 나오지 않자 그때부터 甲이 혼자 생강밭을 경작하고 수확하여 생강을 반출한 경우 甲의 행위는 절도죄를 구성한다.

② 절도죄의 성립에 필요한 불법영득의 의사는 물건의 가치만을 영득할 의사만으로는 부족하고, 재물의 소유권 또는 이에 준하는 본권을 영구적으로 보유할 의사를 필요로 한다.

③ 횡령범인이 위탁자가 소유자를 위해 보관하고 있는 물건을 위탁자로부터 보관받아 이를 횡령한 경우 범인과 피해물건의 소유자 사이에 친족관계가 있으면 범인과 위탁자 사이에 친족관계가 없더라도 친족상도례가 적용된다.

④ 재산범죄를 저지른 이후에 별도의 재산범죄의 구성요건에 해당하는 사후행위가 있었다면 비록 그 행위가 불가벌적 사후행위로서 처벌의 대상이 되지 않는다 할지라도 그 사후행위로 인하여 취득한 물건은 재산범죄로 인하여 취득한 물건으로서 장물이 될 수 있다.

해설

④ [○] 재산범죄를 저지른 이후에 별도의 재산범죄의 구성요건에 해당하는 사후행위가 있었다면 비록 그 행위가 **불가벌적 사후행위로서 처벌의 대상이 되지 않는다 할지라도 그 사후행위로 인하여 취득한 물건은 재산범죄로 인하여 취득한 물건으로서 장물이 될 수 있다.**(대법원 2004. 4. 16. 2004도353 **컴사기 현금인출 사건**)

① [×] (1) 두 사람으로 된 동업관계 즉, 조합관계에 있어 그 중 1인이 탈퇴하면 조합관계는 해산됨이 없이 종료되어 청산이 뒤따르지 아니하며 조합원의 합유에 속한 조합재산은 남은 조합원의 단독소유에 속하고, 탈퇴자와 남은 자 사이에 탈퇴로 인한 계산을 하여야 한다.
(2) 乙과 피고인 甲이 동업하여 생강농사를 시작하였지만 불화가 생겨 乙이 생강 밭에 나오지 않아 甲이 혼자 생강 밭을 경작하고 수확까지 해 온 경우라면 **乙이 묵시적으로 동업탈퇴의 의사표시를 한 것이라고 보아야**

정답 | 349 ① 350 ④

하므로 이후 甲이 밭에서 생강을 반출하였더라도 절도죄는 성립하지 아니한다.(대법원 2009. 2. 12. 2008도11804 **생강 동업사건**)

② [×] 절도죄의 성립에 필요한 불법영득의 의사란 타인의 물건을 그 권리자를 배제하고 자기의 소유물과 같이 그 경제적 용법에 따라 이용 · 처분하고자 하는 의사를 말하는 것으로서 단순히 타인의 점유만을 침해하였다고 하여 그로써 곧 절도죄가 성립하는 것은 아니나 **재물의 소유권 또는 이에 준하는 본권을 침해하는 의사가 있으면 되고 반드시 영구적으로 보유할 의사가 필요한 것은 아니며 그것이 물건 그 자체를 영득할 의사인지 물건의 가치만을 영득할 의사인지를 불문한다.**(대법원 2014. 2. 21. 2013도14139 **리스 BMW 사건**)

③ [×] 친족상도례에 관한 형법 제361조, 제328조 제2항은 범인과 피해물건의 소유자 및 위탁자 쌍방 사이에 친족관계가 있는 경우에만 적용되는 것이고, 단지 **횡령범인과 피해물건의 소유자간에만 친족관계가 있거나 횡령범인과 피해물건의 위탁자간에만 친족관계가 있는 경우에는 그 적용이 없다.**(대법원 2008. 7. 24. 2008도3438 **소유자만 친족 사건**)

351 다음 설명 중 옳은 것은? (다툼이 있으면 판례에 의함)

13 국가7급 [*Core* ★★]

□□□

① 체포면탈의 목적으로 사용할 흉기를 휴대하고 원래 의도한 대로 타인의 재물을 절취하여 나오던 중 경찰에 의하여 저항 없이 그대로 체포된 경우 특수절도죄가 성립하고 강도예비 음모죄는 성립하지 않는다.

② 식품제조회사를 상대로 지정한 예금계좌에 1억원을 입금하지 않으면 식품에 독극물을 투입하겠다고 협박하여 그 예금계좌에 1억원을 입금 받고 아직 인출하지 않은 경우 공갈죄의 미수가 된다.

③ 방송국 프로듀서가 특정 가수의 노래만을 자주 방송하여 달라는 청탁과 함께 그 대가로 1,000만원을 받은 후 그 청탁대로 이행하지 않은 경우는 배임수재죄의 미수가 된다.

④ 법률상의 정당한 경계를 침범하는 행위가 있는 때에는 그로 인하여 사실상의 경계에 대한 인식불능의 결과가 발생하지 않더라도 경계침범죄가 성립한다.

해설

① [○] 단순히 **'준강도'할 목적이 있음에 그치는 경우에는 강도예비 · 음모죄로 처벌할 수 없다.**(대법원 2006. 9. 14. 2004도6432 **준강도 목적 사건**)

② [×] 피해자들을 공갈하여 피해자들로 하여금 지정한 예금구좌에 돈을 입금케한 이상, 돈은 범인이 자유로히 처분할 수 있는 상태에 놓인 것으로서 **공갈죄는 이미 기수에 이르렀다 할 것이다.**(대법원 1985. 9. 24. 85도1687 **제과회사 독극물 협박사건**)

③ [×] 배임수재죄는 타인의 사무를 처리하는 자가 그 임무에 관하여 부정한 청탁을 받고 재물 또는 재산상의 이익을 취득함으로써 성립되고 청탁에 따른 일정한 행위가 현실적으로 행하여질 것을 요하지 않는다.(대법원 1987. 11. 24. 87도1560) 지문의 경우 **배임수재죄의 기수가 된다.**(대법원 1991. 6. 11. 91도688 **가요산책 PD사건**)

④ [×] 법률상의 정당한 경계를 침범하는 행위가 있었다 하더라도 그로 말미암아 **토지의 사실상의 경계에 대한 인식불능의 결과가 발생하지 않는 한 경계침범죄가 성립하지 아니한다.**(대법원 2010. 9. 9. 2008도8973)

352 사례에 대한 설명으로 옳은 것은? (다툼이 있으면 판례에 의함) 14 국가7급 [Superlative ★★★]
□□□

① 임차인 甲이 임대계약 종료 후 식당건물에서 퇴거하면서 종전부터 사용하던 냉장고의 전원을 켜 둔 채 그대로 두었다가 약 1개월 후 철거해 가는 바람에 그 기간 동안 전기가 소비된 경우 甲에게 절도죄가 성립한다.

② 건설업자 甲이 친구 乙을 시켜 구청 공무원 丙에게 뇌물을 전달해 달라는 부탁을 하였는 바 乙이 교부받은 금원을 전달하지 않고 임의로 소비한 경우 乙에게 횡령죄가 성립한다.

③ 장난감 권총을 생산·판매하는 甲은 경영난에 봉착하자 경리사원 乙과 함께 이중장부를 만들어 세무공무원을 기망하여 조세를 면탈한 경우 甲에게 사기죄는 성립하지 않는다.

④ 甲은 가짜 기자행세를 하면서 주점 객실에서 나체쇼를 한 乙女를 고발할 것처럼 데리고 나와 여관으로 유인한 다음, 겁에 질린 乙女의 상태를 이용하여 1회 성교한 경우 甲에게 공갈죄가 성립한다.

해설

③ [O] 조세를 강제적으로 징수하는 국가 또는 지방자치단체의 직접적인 권력작용을 사기죄의 보호법익인 재산권과 동일하게 평가할 수 없는 것이므로 **기망행위에 의하여 조세를 포탈하거나 조세의 환급·공제를 받은 경우에는 조세범처벌법 위반죄가 성립함은 별론으로 하고 형법상 사기죄는 성립할 수 없다.**(대법원 2008. 11. 27. 2008도7303 **면세유 사건 I**)

① [×] 임차인은 퇴거 후에도 냉장고에 관한 점유·관리를 그대로 보유하고 있었다고 보아야 하므로, 냉장고를 통하여 전기를 계속 사용하였다고 하더라도 이는 당초부터 자기의 점유·관리하에 있던 전기를 사용한 것일 뿐 **타인의 점유·관리하에 있던 전기가 아니므로 절도죄는 성립하지 않는다.**(대법원 2008. 7. 10. 2008도3252 **냉장고 사건**)

② [×] 뇌물공여 또는 배임증재의 목적으로 전달하여 달라고 교부받은 금전은 불법원인급여물에 해당하여 그 소유권은 乙에게 귀속되는 것으로서 乙이 금전을 丙에게 전달하지 않고 임의로 소비하였다고 하더라도 **횡령죄가 성립하지 않는다.**(대법원 1999. 6. 11. 99도275 **경찰청 정보과 경감 사건**)

④ [×] 일반적으로 부녀와의 정교 그 자체는 이를 경제적으로 평가할 수 없는 것이므로 부녀를 공갈하여 정교를 맺었다고 하여도 특단의 사정이 없는 한 이로써 **재산상 이익을 갈취한 것이라고 볼 수는 없는 것이며,** 부녀가 주점 접대부라 할지라도 피고인과 매음을 전제로 정교를 맺은 것이 아닌 이상 피고인이 매음대가의 지급을 면하였다고 볼 여지가 없으니 **공갈죄가 성립하지 아니한다.**(대법원 1983. 2. 8. 82도2714 **나체쇼녀 겁탈사건**)

정답 | 351 ① 352 ③

353 □□□ **다음 사례 중 甲의 행위가 동일한 범죄구성요건에 해당하는 것으로만 짝지어진 것은? (다툼이 있으면 판례에 의함)**

22 경찰채용 [Superlative ★★★]

㉠ A는 B가 운영하는 피씨방을 이용하고 나오면서 자신의 핸드폰을 두고 왔는데, 그때 B의 피씨방을 이용하고 있던 甲이 A가 두고 간 핸드폰을 발견하고 그것을 가지고 갔다.
㉡ 甲은 A로부터 그의 오토바이를 타고 심부름을 다녀와 달라는 부탁을 받고 다녀오던 중, 마음이 변하여 A에게 오토바이를 돌려주지 않고 그대로 타고 가버렸다.
㉢ A는 지하철 선반 위에 올려둔 가방을 깜빡 잊고 그대로 지하철에서 내렸고, 이를 본 甲은 A가 가방을 두고 내린 것을 아무도 알아채지 못한 틈을 타 그 가방을 들고 지하철에서 내렸다.
㉣ 甲은 자신의 토지를 임차하여 대나무를 식재하고 가꾸어 온 A의 대나무를 그의 의사에 반하여 벌채하여 갔다.
㉤ 甲은 A의 토지 위에 권원 없이 식재한 자신의 감나무에 열린 감을 수확해 갔다.

① ㉠㉡㉣ ② ㉡㉢㉤
③ ㉠㉢㉣ ④ ㉠㉣㉤

해설

④ ㉠㉣㉤ 3 항목의 경우 절도죄가 성립한다. ㉡ 항목의 경우 횡령죄가 성립하고, ㉢ 항목의 경우 점유이탈물 횡령죄가 성립한다.
㉠ 피해자가 PC방에 두고 간 핸드폰은 PC방 관리자의 점유하에 있으므로 피고인이 이를 취한 행위는 **절도죄를 구성한다.**(대법원 2007. 3. 15. 2006도9338 **PC방 핸드폰 사건**)
㉡ 피해자가 오토바이를 타고 심부름을 다녀오라고 하여서 피고인이 오토바이를 타고 가다가 마음이 변하여 이를 반환하지 아니한 채 그대로 타고 가버렸다면 **횡령죄를 구성함은 별론으로 하고** 적어도 절도죄를 구성하지는 아니한다.(대법원 1986. 8. 19. 86도1093 **다방 오토바이 사건**)
㉢ 지하철의 승무원은 유실물법상 전동차의 관수자(管守者)로서 승객이 잊고 내린 유실물을 교부받을 권능을 가질 뿐 전동차 안에 있는 승객의 물건을 점유한다고 할 수 없고, 그 유실물을 현실적으로 발견하지 않는 한 이에 대한 점유를 개시하였다고 할 수도 없으므로 피고인이 유실물을 발견하고 가져간 행위는 **점유이탈물횡령죄에 해당함은 별론으로 하고** 절도죄에 해당하지 아니한다.(대법원 1999. 11. 26. 99도3963 **지하철 유실물 사건**)
㉣ 타인의 토지상에 권원없이 식재한 수목의 소유권은 토지소유자에게 귀속되고, **권원에 의하여 식재한 경우에는 그 소유권이 식재한 자에게 있다.**(대법원 1980. 9. 30. 80도1874 **대나무 사건**) 권원에 의하여, 즉 토지를 임차하여 식재한 대나무는 A 소유이므로 甲은 그 대나무를 무단 벌채해 간 경우 **절도죄가 성립한다.**
㉤ 타인의 토지상에 권원 없이 식재한 수목의 소유권은 토지소유자에게 귀속하고 권원에 의하여 식재한 경우에는 그 소유권이 식재한 자에게 있으므로 권원 없이 식재한 감나무에서 감을 수확한 것은 **절도죄에 해당한다.**(대법원 1998. 4. 24. 97도3425 **감나무 사건**)

354 재산죄에 관한 설명으로 옳지 않은 것은 모두 몇 개인가? (다툼이 있으면 판례에 의함)
□□□

22 경찰채용 [Superlative ★★★]

㉠ 채무자가 채권자에 대하여 소비대차 등으로 인한 채무를 부담하고 이를 담보하기 위하여 장래에 부동산의 소유권을 이전하기로 하는 내용의 대물변제예약에서, 약정의 내용에 좇은 이행을 하여야 할 채무는 특별한 사정이 없는 한 '타인의 사무'에 해당하는 것이 원칙이다.
㉡ 횡령죄의 본질이 신임관계에 기초하여 위탁된 타인의 물건을 위법하게 영득하는 데 있음에 비추어 볼 때 위탁신임관계는 횡령죄로 보호할 만한 가치 있는 신임에 의한 것으로 한정함이 타당하다.
㉢ 강제집행절차를 통한 소송사기는 집행절차의 개시신청을 한 때 또는 진행 중인 집행절차에 배당신청을 한 때에 실행에 착수하였다고 볼 것이다.
㉣ 횡령죄는 타인의 재물에 대한 재산범죄로서 재물의 소유권 등 본권을 보호법익으로 하는 범죄이다. 따라서 횡령죄의 객체가 타인의 재물에 속하는 이상 구체적으로 누구의 소유인지는 횡령죄의 성립 여부에 영향이 없다.
㉤ 침해행정 영역에서 일반 국민이 담당 공무원을 기망하여 권력작용에 의한 재산권 제한을 면하는 경우에는 부과권자의 직접적인 권력작용을 사기죄의 보호법익인 재산권과 동일하게 평가할 수 없는 것이므로 사기죄는 성립할 수 없다.

① 1개 ② 2개
③ 3개 ④ 4개

해설

① ㉠ 항목만 옳지 않다.
㉠ [×] 대물변제예약의 궁극적 목적은 차용금반환채무의 이행 확보에 있고, 채무자가 대물변제예약에 따라 부동산에 관한 소유권이전등기절차를 이행할 의무는 궁극적 목적을 달성하기 위해 채무자에게 요구되는 부수적 내용이어서 이를 가지고 배임죄에서 말하는 신임관계에 기초하여 채권자의 재산을 보호 또는 관리하여야 하는 **'타인의 사무'에 해당한다고 볼 수 없다.**(대법원 2014. 8. 21. 2014도3363 전원합의체 대물변제예약 부동산 매도사건)
㉡ [○] 횡령죄의 본질이 신임관계에 기초하여 위탁된 타인의 물건을 위법하게 영득하는 데 있음에 비추어 볼 때 위탁신임관계는 **횡령죄로 보호할 만한 가치 있는 신임에 의한 것으로 한정함이 타당하다.**(대법원 2016. 5. 19. 2014도6992 전원합의체 중간생략명의신탁 사건 I)
㉢ [○] 강제집행절차를 통한 소송사기는 **집행절차의 개시신청을 한 때 또는 진행 중인 집행절차에 배당신청을 한 때에 실행에 착수하였다고 볼 것이다.**(대법원 2015. 2. 12. 2014도10086 등기청구권 압류신청사건)
㉣ [○] 횡령죄는 타인의 재물에 대한 재산범죄로서 재물의 소유권 등 본권을 보호법익으로 하는 범죄이다. 따라서 횡령죄의 객체가 타인의 재물에 속하는 이상 **구체적으로 누구의 소유인지는 횡령죄의 성립 여부에 영향이 없다.**(대법원 2019. 12. 24. 2019도9773)
㉤ [○] **침해행정 영역**에서 일반 국민이 담당 공무원을 기망하여 권력작용에 의한 재산권 제한을 면하는 경우에는 부과권자의 직접적인 권력작용을 **사기죄의 보호법익인 재산권과 동일하게 평가할 수 없는 것이므로 사기죄는 성립할 수 없다.**(대법원 2019. 12. 24. 2019도2003 농지보전부담금 사건)

정답 | 353 ④ 354 ①

355 다음 중 옳지 않은 것은? (다툼이 있으면 판례에 의함) 13 국가9급 [Superlative ★★★]

□□□

① 컴퓨터등사용사기죄의 범행으로 예금채권을 취득한 다음 자기의 현금카드를 사용하여 현금자동지급기에서 현금을 인출한 경우 그 인출된 현금은 재산범죄에 의하여 취득한 재물이 아니므로 장물이 될 수 없다.

② 재산범죄를 저지른 이후에 별도의 재산범죄의 구성요건에 해당하는 사후행위가 있는 경우, 비록 그 행위가 불가벌적 사후행위로서 처벌의 대상이 되지 않더라도 그로 인하여 취득한 물건은 장물이 될 수 있다.

③ 회사의 이사 등이 업무상의 임무에 위배하여 보관 중인 회사의 자금으로 뇌물을 공여하였다면 뇌물공여죄의 죄책만 질 뿐 업무상횡령죄의 죄책은 지지 않는다.

④ 불법원인급여에 해당하여 급여자가 수익자에 대한 반환청구권을 행사할 수 없다고 하더라도, 수익자가 기망을 통하여 급여자로 하여금 불법원인급여에 해당하는 재물을 제공하도록 하였다면 사기죄가 성립한다.

해설

③ [×] 회사의 이사 등이 업무상의 임무에 위배하여 보관 중인 회사의 자금으로 뇌물을 공여하였다면 이는 오로지 회사의 이익을 도모할 목적이라기보다는 뇌물공여 상대방의 이익을 도모할 목적이나 기타 다른 목적으로 행하여진 것이라고 보아야 하므로, 그 이사 등은 회사에 대하여 **업무상횡령죄의 죄책을 면하지 못한다.**(대법원 2013. 4. 25. 2011도9238 **대한통운 부산지사 사건**)

① [○] 현금카드를 사용하여 현금자동지급기에서 현금을 인출한 경우에는 그것이 비록 컴퓨터등사용사기죄의 범행으로 취득한 예금채권을 인출한 것이라 할지라도 현금카드 사용권한 있는 자의 정당한 사용에 의한 것으로서 (현금자동지급기 관리자의 의사에 반하거나 기망행위 및 그에 따른 처분행위도 없었으므로) 별도로 **절도죄나 사기죄의 구성요건에 해당하지 않는다 할 것이고,** 그 결과 그 인출된 현금은 재산범죄에 의하여 취득한 재물이 아니므로 **장물이 될 수 없다.**(대법원 2004. 4. 16. 2004도353 **컴사기 현금인출 사건**)

② [○] '장물'이라 함은 재산범죄로 인하여 취득한 물건 그 자체를 말하므로, 재산범죄를 저지른 이후에 별도의 재산범죄의 구성요건에 해당하는 사후행위가 있었다면 비록 그 행위가 **불가벌적 사후행위로서 처벌의 대상이 되지 않는다 할지라도 그 사후행위로 인하여 취득한 물건은 재산범죄로 인하여 취득한 물건으로서 장물이 될 수 있다.**(대법원 2004. 4. 16. 2004도353 **컴사기 현금인출 사건**)

④ [○] 민법 제746조의 불법원인급여에 해당하여 급여자가 수익자에 대한 반환청구권을 행사할 수 없다고 하더라도 수익자가 기망을 통하여 급여자로 하여금 불법원인급여에 해당하는 재물을 제공하도록 하였다면 사기죄가 성립한다고 할 것인 바, 피고인이 피해자로부터 **도박자금으로 사용하기 위하여 금원을 차용하였더라도 사기죄의 성립에는 영향이 없다.**(대법원 2006. 11. 23. 2006도6795 **도박자금 편취사건**)

356 손괴 및 권리행사방해의 죄에 관한 설명 중 가장 적절하지 않은 것은? (다툼이 있으면 판례에 의함)
□□□

23 경찰채용 [Core ★★]

① 소유자의 의사에 따라 어느 장소에 게시 중인 문서를 소유자의 의사에 반하여 떼어내는 것과 같이 소유자의 의사에 따라 형성된 종래의 이용상태를 변경시켜 종래의 상태에 따른 이용을 일시적으로 불가능하게 하는 경우에도 문서손괴죄가 성립할 수 있다.

② 다른 사람의 소유물을 본래의 용법에 따라 무단으로 사용·수익하는 행위는 소유자를 배제한 채 물건의 이용가치를 영득하는 것이고, 그 때문에 소유자가 물건의 효용을 누리지 못하게 되었다면 그 효용 자체가 침해된 것으로 볼 수 있어 재물손괴죄를 구성한다.

③ 물건의 소유자가 아닌 甲은 형법 제33조 본문에 따라 권리행사방해 범행에 가담한 경우에 한하여 권리행사방해죄의 공범이 될 수 있을 뿐이며, 甲과 함께 권리행사방해죄의 공동정범으로 기소된 물건의 소유자 乙에게 고의가 없어 범죄가 성립하지 않는다면 甲에게 공동정범이 성립할 여지가 없다.

④ 가압류 후에 목적물의 소유권을 취득한 제3취득자가 다른 사람에 대한 허위의 채무에 기하여 근저당권설정등기를 경료하더라도 강제집행면탈죄를 구성하지 않는다.

해설

② [×] **다른 사람의 소유물을 본래의 용법에 따라 무단으로 사용·수익하는 행위는** 소유자를 배제한 채 물건의 이용가치를 영득하는 것이고, 그 때문에 소유자가 물건의 효용을 누리지 못하게 되었더라도 **효용 자체가 침해된 것이 아니므로 재물손괴죄에 해당하지 않는다.**(대법원 2022. 11. 30. 2022도1410 **타인 토지상 무단 건물신축 사건**)

① [○] (1) 소유자의 의사에 따라 어느 장소에 게시 중인 문서를 소유자의 의사에 반하여 떼어내는 것과 같이 소유자의 의사에 따라 형성된 **종래의 이용상태를 변경시켜 종래의 상태에 따른 이용을 일시적으로 불가능하게 하는 경우에도 문서손괴죄가 성립할 수 있다.**
(2) 그러나 어느 문서에 대한 종래의 사용상태가 문서 소유자의 의사에 반하여 또는 문서 소유자의 의사와 무관하게 이루어진 것일 경우에 단순히 그 종래의 사용상태를 제거하거나 변경시키는 것에 불과하고 이를 손괴, 은닉하는 등으로 새로이 문서 소유자의 그 문서 사용에 지장을 초래하지 않는 경우에는 문서의 효용, 즉 문서 소유자의 문서에 대한 사용가치를 일시적으로도 해하였다고 할 수 없어서 문서손괴죄가 성립하지 아니한다.(대법원 2015. 11. 27. 2014도13083 **회신문서 제거사건**)

③ [○] 물건의 소유자가 아닌 사람은 형법 제33조 본문에 따라 소유자의 권리행사방해 범행에 가담한 경우에 한하여 그의 공범이 될 수 있을 뿐이다. 그러나 **권리행사방해죄의 공범으로 기소된 물건의 소유자에게 고의가 없는 등으로 범죄가 성립하지 않는다면 공동정범이 성립할 여지가 없다.**(대법원 2017. 5. 30. 2017도4578 **에쿠스 담보제공 사건**)

④ [○] 가압류에는 처분금지적 효력이 있으므로 **가압류 후에 목적물의 소유권을 취득한 제3취득자 또는 그 제3취득자에 대한 채권자는 그 소유권 또는 채권으로써 가압류권자에게 대항할 수 없다.** 따라서 가압류 후에 목적물의 소유권을 취득한 제3취득자가 다른 사람에 대한 허위의 채무에 기하여 근저당권설정등기 등을 경료하더라도 이로써 **가압류채권자의 법률상 지위에 어떤 영향을 미치지 않으므로 강제집행면탈죄에 해당하지 아니한다.**(대법원 2008. 5. 29. 2008도2476 **관광버스 가압류 사건**)

정답 | 355 ③ 356 ②

357 **다음 중 가장 적절한 것은? (다툼이 있으면 판례에 의함)** 23 경찰채용 [Essential ★]

□□□

① 甲은 건물의 소유자로, 해당 건물을 매입하기 위한 소요자금을 대납하는 조건으로 해당 건물에서 약 2개월 동안 거주하고 있던 A가 위 금액을 입금하지 않자, A를 내쫓을 목적으로 아들인 乙에게 A가 거주하는 곳의 현관문에 설치된 디지털 도어락의 비밀번호를 변경할 것을 지시하고, 이에 따라 乙이 그 도어락의 비밀번호를 변경하였다면 甲에게는 권리행사방해교사죄가 성립한다.

② 甲이 타인 소유 토지의 이용을 방해할 목적으로 권한 없이 건물을 신축하였다면, 이는 다른 사람의 소유물을 본래의 용법에 따라 무단으로 사용·수익하는 행위로 소유자를 배제한 채 물건의 이용가치를 영득하는 것이고 그 결과 소유자가 물건의 효용을 누리지 못하게 된 것으로 볼 수 있어 이와 같은 甲의 행위는 재물손괴죄에 해당한다.

③ 건물의 임차인인 甲이 임대인 A에 대한 임대차보증금반환채권을 乙에게 양도하였는데도 A에게 채권양도 통지를 하지 않고 A로부터 남아 있던 임대차보증금을 반환받아 보관하던 중 개인적인 용도로 사용하였다면 甲에게는 횡령죄가 성립한다.

④ 甲은 PC방에 게 임을 하러 온 A로부터 20,000원을 인출해 오라는 부탁과 함께 현금카드를 건네받게 되자, 위법하게 이득할 의사로 권한없이 그 위임받은 금액을 초과한 50,000원을 인출한 후 그 중 20,000원만 A에게 건네주고 30,000원을 취득하였다면 甲의 행위는 그 차액 상당액에 관하여 컴퓨터등사용사기죄에 해당한다.

해설

④ [○] 피고인 甲이 A로부터 그 소유의 현금카드로 2만원을 인출하여 오라는 부탁과 함께 현금카드를 건네 받게 된 것을 기화로 현금자동지급기에 현금카드를 넣고 인출금액을 5만원으로 입력하여 그 금액을 인출한 후 2만원만 A에게 건네주어 3만원은 취득한 경우 그 인출된 현금에 대한 점유를 취득함으로써 이때에 인출한 현금 총액 중 인출을 위임받은 금액을 **넘는 부분의 비율에 상당하는 재산상 이익을 취득한 것으로 볼 수 있으므로 그 차액 상당액에 관하여 컴퓨터등사용사기죄가 성립한다.**(대법원 2006. 3. 24. 2005도3516 5만원 인출사건)

① [×] 피고인 甲이 자신이 관리하는 건물 5층에 거주하는 피해자 A를 내쫓을 목적으로 자신의 아들인 乙을 교사하여 그곳 현관문에 설치된 甲 소유 디지털 도어락의 비밀번호를 변경하게 한 경우 **乙이 자기의 물건이 아닌 도어락의 비밀번호를 변경하였다고 하더라도 권리행사방해죄가 성립할 수 없고**, 정범인 乙의 권리행사방해죄가 인정되지 않는 이상 **교사자인 甲에 대하여도 권리행사방해교사죄가 성립할 수 없다.**(대법원 2022. 9. 15. 2022도5827 도어락 비번변경 사건)

② [×] 피고인은 **타인 소유 토지에 권원 없이 건물을 신축하였는바**, 이러한 행위는 이미 대지화된 토지에 건물을 새로 지어 부지로서 사용 · 수익함으로써 그 소유자로 하여금 효용을 누리지 못하게 한 것일 뿐 **토지의 효용을 해하지 않았으므로 재물손괴죄가 성립하지 않는다.**(대법원 2022. 11. 30. 2022도1410 타인 토지상 무단 '건물 신축 사건)

③ [×] (1) 채권양도인이 채무자에게 채권양도 통지를 하는 등으로 채권양도의 대항요건을 갖추어 주지 않은 채 채무자로부터 채권을 추심하여 금전을 수령한 경우 특별한 사정이 없는 한 금전의 소유권은 채권양수인이 아니라 채권양도인에게 귀속하고 채권양도인이 채권양수인을 위하여 양도 채권의 보전에 관한 사무를 처리하는 신임관계가 존재한다고 볼 수 없다. 따라서 **채권양도인이 양도한 채권을 추심하여 수령한 금전에 관하여 채권양수인을 위해 보관하는 자의 지위에 있다고 볼 수 없으므로 채권양도인이 금전을 임의로 처분하더라도 횡령죄는 성립하지 않는다.** (2) 임차인 甲이 B와 임대차보증금반환채권에 관한 채권양도계약을 체결하고 임대인 A에게 채권양도 통지를 하기 전에 A로부터 채권을 추심하여 남아 있던 임대차보증금을 수령하였더라도 **임대차보증금으로 받은 금전의 소유권은 甲에게 귀속할 뿐이고 B에게 귀속한다고 볼 수 없다.** 나아가 채권양도계약을 체결한 甲과 B는 통상의 권리이전계약에 따른 이익대립관계에 있을 뿐이고 **甲이 B를 위한 보관자 지위가 인정될 수 있는 신임관계에 있다고 볼 수도 없다.**(대법원 2022. 6. 23. 2017도3829 全合 임차보증금 양도사건)

358 자동차운전면허증을 발견하여 휴대전화의 카메라 기능을 이용하여 이를 촬영하였다. 다음 날 甲은 친구 乙에게 위 금반지를 건네며 "내가 훔쳐온 것인데 대신 팔아 달라."라고 부탁하고, 乙은 이를 수락하였다. 그 후 甲은 음주운전으로 적발되자 휴대전화에 저장된 A의 자동차운전면허증 이미지 파일을 경찰관에게 제시하였다. 한편 乙은 금반지를 丙에게 매도하기로 하고 약속장소에서 丙을 기다리던 중 경찰관에게 체포되었다. 이에 관한 설명 중 옳지 않은 것을 모두 고른 것은? (다툼이 있으면 판례에 의함)

□□□

22 변호사 [Superlative ★★★]

㉠ 甲이 금반지를 훔친 것이 야간이었다면 甲에게는 야간주거침입절도죄가 성립한다.
㉡ 甲이 A의 자동차운전면허증 이미지 파일을 경찰관에게 제시한 행위는 운전면허증의 특정된 용법에 따른 행사라고 볼 수 없어 공문서부정행사죄가 성립하지 않는다.
㉢ 乙은 실제로 매수인인 丙을 만나기도 전에 경찰관에게 체포되어 丙에게 금반지의 점유가 이전되지 못하였으므로 장물알선죄가 성립하지 않는다.
㉣ 甲이 A의 동거하지 않는 친동생인 경우 甲이 금반지를 훔친 행위에 대해서는 그 형을 면제한다.

① ㉠㉢　② ㉠㉣　③ ㉡㉢
④ ㉡㉣　⑤ ㉠㉢㉣

해설

⑤ ㉠㉢㉣ 3 항목이 옳지 않다.

㉠ [×] 형법은 야간에 이루어지는 주거침입행위의 위험성에 주목하여 그러한 행위를 수반한 절도를 야간주거침입절도죄로 중하게 처벌하고 있는 것으로 보아야 하고, 따라서 주거침입이 주간에 이루어진 경우에는 **야간주거침입절도죄가 성립하지 않는다.**(대법원 2011. 4. 14. 2011도300 장안동 모텔 절도사건) 甲이 금반지를 훔친 것이 야간이었더라도 주거침입죄와 절도죄가 성립할 뿐 야간주거침입절도죄는 성립하지 않는다.

㉡ [○] 자동차 등의 운전자가 경찰공무원에게 다른 사람의 운전면허증 자체가 아니라 이를 촬영한 이미지파일을 휴대전화 화면 등을 통하여 보여주는 행위는 운전면허증의 특정된 용법에 따른 행사라고 볼 수 없는 것이어서 그로 인하여 경찰공무원이 그릇된 신용을 형성할 위험이 있다고 할 수 없으므로 이러한 행위는 결국 **공문서부정행사죄를 구성하지 아니한다.**(대법원 2019. 12. 12. 2018도2560 운전면허 촬영사진 제시 사건) 공문서부정행사죄는 성립하지 않는다.

㉢ [×] 피고인 乙이 甲 등으로부터 절취하여 온 귀금속을 매도하여 달라는 부탁을 받고 귀금속을 매수하기로 한 丙에게 전화하여 노래연습장에서 만나기로 약속한 후, 甲 등으로부터 건네받은 귀금속을 가지고 노래연습장에 들어갔다가 미처 丙을 만나기도 전에 경찰관에 의하여 체포된 경우 **乙이 귀금속을 매도하려는 甲 등과 이를 매수하려는 丙 사이를 연결하여 귀금속의 매매를 중개함으로써 장물알선죄는 성립하고**, 실제로 매매계약이 성립하지 않았다거나 귀금속의 점유가 丙에게 현실적으로 이전되지 아니하였다 하더라도 장물알선죄의 성립은 방해받지 않는다.(대법원 2009. 4. 23. 2009도1203 장물 알선사건) 장물알선죄가 성립한다.

㉣ [×] 동거하지 않는 친동생은 원친(遠親)에 해당하므로 **甲이 범한 절도죄는 친고죄에 해당하는 것이지** 甲에 대하여 형을 면제해야 하는 것은 아니다.(형법 제328조 제2항, 제344조)

정답 | 357 ④　358 ⑤

359 재산에 대한 죄에 관한 설명으로 옳지 않은 것을 모두 고른 것은? (다툼이 있으면 판례에 의함)

□□□

24 경찰채용 [Superlative ★★★]

㉠ 날치기와 같이 강력적으로 재물을 절취하는 행위는 때로는 피해자를 전도시키거나 부상케 하는 경우가 있고, 그와 같은 결과가 피해자의 반항억압을 목적으로 함이 없이 점유탈취의 과정에서 우연히 가해진 경우라도 이는 강도치상죄로 의율함이 타당하다.
㉡ 甲이 술집 운영자 A로부터 술값의 지급을 요구받자 A를 유인·폭행하고 도주함으로써 술값의 지급을 면하여 재산상 이익을 취득한 경우에는 형법 제335조의 준강도죄가 성립한다.
㉢ 형법 제370조(경계침범)에서 말하는 경계는 반드시 법률상의 정당한 경계를 말하는 것이 아니고 비록 법률상의 정당한 경계에 부합되지 아니하는 경계라고 하더라도 이해관계인들의 명시적 또는 묵시적 합의에 의하여 정하여진 것이면 이는 이 법조에서 말하는 경계라고 할 것이다.
㉣ 甲이 A에 대한 채무를 담보하기 위하여 자기 소유의 건물과 기계·기구를 A의 근저당권의 목적물로 제공한 경우에 甲이 담보유지의무를 위반하여 A의 근저당권의 목적이 된 건물을 철거 및 멸실등기하고, 기계·기구를 양도한 행위만으로는 물건을 손괴 또는 은닉하여 A의 권리행사를 방해한 행위로서 권리행사방해죄가 성립한다고 볼 수 없다.
㉤ 사업비용을 대납하는 것을 조건으로 甲 소유의 건물 5층에 임시로 거주하고 있는 A가 그 비용을 입금하지 않자 甲이 A의 가족을 내쫓을 목적으로 5층 현관문에 설치된, 甲 소유의 디지털 도어락의 비밀번호를 변경할 것을 乙(甲의 아들)에게 지시하여 도어락의 비밀번호를 乙이 변경한 경우에 乙에게는 권리행사방해죄가 성립할 수 없고, 甲의 권리행사방해교사죄도 성립할 수 없다.

① ㉠㉡㉣ ② ㉠㉡㉤
③ ㉠㉢㉣ ④ ㉢㉣㉤

해설

① ㉠㉡㉣ 3 항목이 옳지 않다.
㉠ [×] 날치기와 같이 강력적으로 재물을 절취하는 행위는 때로는 피해자를 전도(顚倒)시키거나 부상케 하는 경우가 있고, 구체적인 상황에 따라서는 이를 강도로 인정하여야 할 때가 있다 할 것이나 그와 같은 결과가 피해자의 반항억압을 목적으로 함이 없이 **점유탈취의 과정에서 우연히 가해진 경우라면 이는 절도에 불과한 것으로 보아야 한다.**(대법원 2003. 7. 25. 2003도2316 **부천 날치기 사건**)
㉡ [×] 피고인 甲이 술집 운영자 A로부터 술값의 지급을 요구받자 A를 유인·폭행하고 도주함으로써 술값의 지급을 면하고 A에게 상해를 가하였더라도 **甲이 절도의 실행에 착수하였다는 내용이 포함되어 있지 않은 이상 준강도죄는 성립하지 아니한다.**(대법원 2014. 5. 16. 2014도2521 **술값 안내려고 폭행사건**)
㉢ [○] 경계침범죄에서 말하는 '경계'는 반드시 법률상의 정당한 경계를 가리키는 것은 아니고, 비록 법률상의 정당한 경계에 부합되지 않는 경계라 하더라도 그것이 **종래부터 일반적으로 승인되어 왔거나 이해관계인들의 명시적 또는 묵시적 합의에 의하여 정해진 것으로서 객관적으로 경계로 통용되어 왔다면 경계라 할 것이다.**(대법원 2007. 12. 28. 2007도9181 **조형소나무 굴취 사건**)

ⓔ [×] 원심은, 피고인들이 근저당권이 설정된 건물을 철거한 뒤 멸실등기를 마치고, 기계 · 기구를 양도함으로써 피해자의 권리의 목적이 된 피고인들의 물건을 손괴 또는 은닉하여 **피해자의 권리행사를 방해하였다고 보아 유죄로 판단하였는바**, 위와 같은 원심판단은 정당하다.(대법원 2021. 1. 14. 2020도14735 **건물철거 · 기계기구양도 사건**) 처음에는 배임죄로 공소를 제기하였다가 검사가 이를 권리행사방해죄로 공소장변경을 한 사건이다.

ⓜ [○] 피고인 甲이 자신이 관리하는 건물 5층에 거주하는 피해자 A를 내쫓을 목적으로 자신의 아들인 乙을 교사하여 그곳 현관문에 설치된 甲 소유 디지털 도어락의 비밀번호를 변경하게 한 경우 **乙이 자기의 물건이 아닌 도어락의 비밀번호를 변경하였다고 하더라도 권리행사방해죄가 성립할 수 없고, 정범인 乙의 권리행사방해죄가 인정되지 않는 이상 교사자인 甲에 대하여도 권리행사방해교사죄가 성립할 수 없다.**(대법원 2022. 9. 15. 2022도5827 **도어락 비번변경 사건**)

정답 | 359 ①

제 2 편

사회적 법익에 관한 죄

제1장 공공의 안전과 평온에 관한 죄
제2장 공공의 신용에 관한 죄
제3장 사회의 도덕에 관한 죄

제1장 공공의 안전과 평온에 관한 죄

제1절 | 공안을 해하는 죄

001 다음 설명 중 옳지 않은 것은 모두 몇 개인가? (다툼이 있으면 판례에 의함) 17 경찰간부 [Core ★★]

□□□

㉠ 사람의 생명, 신체 또는 재산을 해할 정도의 성능이 없거나, 사람의 신체 또는 재산을 경미하게 손상시킬 수 있는 정도에 그쳐 사회의 안전과 평온에 직접적이고 구체적인 위험을 초래하여 공공의 안전을 문란하게 하기에 현저히 부족한 파괴력과 위험성 정도만 가진 물건은 폭발물사용죄에서의 '폭발물'에 해당하지 않는다.
㉡ 甲이 乙, 丙, 丁과 함께 어음을 발행한 뒤 부도시키는 방법으로 타인의 재물을 편취하기로 모의한 뒤, 이를 위해 A실업이라는 상호로 사무실을 개설하여 전자제품 도매상을 경영하는 것처럼 위장하고는, 乙의 이름으로 은행에 당좌계정을 개설하여 그 은행으로부터 다량의 어음용지를 교부받아 이를 확보하는 한편, 甲은 A실업의 실질적인 대표자로서 지급의 입출, 어음용지와 도장 등의 보관책임을 맡고, 乙과 丙은 대외적인 업무를, 丁은 감사로서의 임무를 수행하기로 한 경우 甲에게는 범죄단체조직죄가 성립한다.
㉢ 乙로부터 丙에 대한 채권을 추심해 달라는 부탁을 받은 甲이, 丙의 집으로 찾아가 자신을 합동수사반에서 나온 사람으로 소개하고 丙을 집 밖으로 데리고 나와 근처 호텔 커피숍으로 임의동행하고는, 乙이 丙에 대해 가지고 있는 채권을 자신이 대신 추심하겠다고 말하였다면 甲에게는 공무원자격사칭죄가 성립한다.
㉣ 소요죄에서는 자수의 특례가 인정된다.

① 1개　　② 2개
③ 3개　　④ 4개

해설

③ ㉡㉢㉣ 3 항목이 옳지 않다.

㉠ [○] 폭발물사용죄에서 말하는 '폭발물'이란 그 폭발작용의 위력이나 파편의 비산 등으로 사람의 생명, 신체, 재산 및 공공의 안전이나 평온에 직접적이고 구체적인 위험을 초래할 수 있는 정도의 강한 파괴력을 가지는 물건을 의미한다. 따라서 어떠한 물건이 폭발물에 해당하는지 여부는 그 **폭발작용 자체의 위력이 공안을 문란하게 할 수 있는 정도로 고도의 폭발성능을 가지고 있는지 여부에 따라 엄격하게 판단하여야 한다.**(대법원 2012. 4. 26. 2011도17254 사제폭발물 사건)

㉡ [×] (1) 범죄단체조직죄 소정의 '범죄를 목적으로 하는 단체'라 함은 특정다수인이 일정한 범죄를 수행한다는 공동목적 아래 이루어진 계속적인 결합체로서 그 단체를 주도하는 최소한의 통솔체제를 갖추고 있음을 요한다.
(2) 피고인 甲, 乙 등의 결합의 정도가 어음사기, 범행의 실행을 위한 예비나 공모의 범위를 넘어 어음사기를 목적으로 한 범죄단체로서의 **단체내부의 질서를 유지하는 통솔체제를 갖춘 계속적인 결합체에 이른 것으로는 볼 수 없다.**(대법원 1985. 10. 8. 85도1515 4인 어음사기 공모사건)

ⓒ [×] 피고인들이 그들이 **위임받은 채권을 용이하게 추심하는 방편으로 합동수사반원임을 사칭하고 협박한 사실이 있다고 하여도** 채권의 추심행위는 개인적인 업무이지 합동수사반의 수사업무의 범위에는 속하지 아니하므로 이를 **공무원자격사칭죄로 처벌할 수 없다.**(대법원 1981. 9. 8. 81도1955)
ⓓ [×] 소요죄에서는 이른바 **자수의 특례 규정이 없다.**

002 범죄단체 등 조직죄에 관한 설명으로 가장 적절하지 않은 것은? (다툼이 있으면 판례에 의함)

□□□

20 경찰채용 [Superlative ★★★]

① 범죄단체 등 조직죄는 사형, 무기 또는 장기 4년 이상의 징역에 해당하는 범죄를 범할 목적이 있어야 한다.
② 형법 제114조 소정의 범죄를 목적으로 하는 단체라 함은 특정다수인이 일정한 범죄를 수행한다는 공동목적 아래 이루어진 계속적인 결합체로서 그 단체를 주도하는 최소한의 통솔체제를 갖추고 있음을 요한다.
③ 피고인들이 총책을 중심으로 간부급 조직원들과 상담원들, 현금인출책 등으로 구성된 보이스피싱 사기 조직을 구성하고 이에 가담하여 조직원으로 활동한 경우는 형법상의 범죄단체에 해당한다.
④ 범죄단체 가입행위 또는 범죄단체 구성원으로서 활동하는 행위와 사기행위는 포괄일죄의 관계에 있다.

해설

④ [×] 피고인이 보이스피싱 사기 범죄단체에 가입한 후 사기범죄의 피해자들로부터 돈을 편취하는 등 그 구성원으로서 활동한 경우, **범죄단체 가입행위 또는 범죄단체 구성원으로서 활동하는 행위와 사기행위는 각각 별개의 범죄구성요건을 충족하는 독립된 행위이고** 서로 보호법익도 달라 법조경합 관계로 **목적된 범죄인 사기죄만 성립하는 것은 아니다.**(대법원 2017. 10. 26. 2017도8600 보이스피싱 조직 사건)
① [○] **사형, 무기 또는 장기 4년 이상**의 징역에 해당하는 범죄를 목적으로 하는 단체 또는 집단을 조직하거나 이에 가입 또는 그 구성원으로 활동한 사람은 그 목적한 죄에 정한 형으로 처벌한다.(제114조)
② [○] 범죄단체조직죄 소정의 '범죄를 목적으로 하는 단체'라 함은 특정다수인이 일정한 범죄를 수행한다는 공동목적 아래 이루어진 계속적인 결합체로서 그 단체를 주도하는 **최소한의 통솔체제를 갖추고 있음을 요한다.**(대법원 1985. 10. 8. 85도1515 4인 어음사기 공모사건)
③ [○] 피고인들이 불특정 다수의 피해자들에게 전화하여 금융기관 등을 사칭하면서 신용등급을 올려 낮은 이자로 대출을 해주겠다고 속여 신용관리비용 명목의 돈을 송금받아 편취할 목적으로 보이스피싱 사기조직을 구성하고 이에 가담하여 조직원으로 활동함으로써 범죄단체를 조직하거나 이에 가입·활동한 경우, 위 보이스피싱 조직은 보이스피싱이라는 사기범죄를 목적으로 구성된 다수인의 계속적인 결합체로서 총책을 중심으로 간부급 조직원들과 상담원들, 현금인출책 등으로 구성되어 내부의 위계질서가 유지되고 조직원의 역할 분담이 이루어지는 최소한의 통솔체계를 갖춘 **형법상의 범죄단체에 해당한다.**(대법원 2017. 10. 26. 2017도8600 보이스피싱 조직 사건)

정답 | 001 ③ 002 ④

003 다음 설명 중 가장 옳지 않은 것은? (다툼이 있으면 판례에 의함) 21 법원9급 [Core ★★]

□□□

① 형법 제114조에서 정한 '범죄를 목적으로 하는 집단'이란 특정 다수인이 사형, 무기 또는 장기 4년 이상의 징역에 해당하는 범죄를 수행한다는 공동목적 아래 구성원들이 정해진 역할분담에 따라 행동함으로써 범죄를 반복적으로 실행할 수 있는 조직체계를 갖춘 계속적인 결합체를 의미하므로, 위 '범죄를 목적으로 하는 집단'의 경우 '범죄단체에서 요구되는 '최소한의 통솔체계'를 갖출 필요가 있다.

② 다중이 집합하여 손괴의 행위를 한 자는 형법 제115조의 소요죄로 처벌된다.

③ 폭행, 협박의 행위를 할 목적으로 다중이 집합하여 그를 단속할 권한이 있는 공무원으로부터 2회의 해산명령만을 받은 경우에는 해산하지 아니하더라도 형법 제116조의 다중불해산죄로 처벌되지 않는다.

④ 공무원의 자격을 사칭하여 그 직권을 행사한 자는 형법 제118조의 공무원자격사칭죄로 처벌되지만, 형법상 그 미수범 처벌규정을 두고 있지는 않다.

해설

① [×] 범죄단체조직죄 소정의 **'범죄를 목적으로 하는 집단'이란** 특정 다수인이 사형, 무기 또는 장기 4년 이상의 범죄를 수행한다는 공동목적 아래 구성원들이 정해진 역할분담에 따라 행동함으로써 범죄를 반복적으로 실행할 수 있는 조직체계를 갖춘 계속적인 결합체를 의미한다. **범죄단체에서 요구되는 최소한의 통솔체계를 갖출 필요는 없지만** 범죄의 계획과 실행을 용이하게 할 정도의 조직적 구조를 갖추어야 한다.(대법원 2020. 8. 20. 2019도16263 **중고차 사기단 사건**)

② [○] **다중이 집합하여** 폭행, 협박 또는 **손괴의 행위를 한 자**는 1년 이상 10년 이하의 징역이나 금고 또는 1천500만원 이하의 벌금에 처한다.(제115조)

③ [○] 폭행, 협박 또는 손괴의 행위를 할 목적으로 다중이 집합하여 그를 단속할 권한이 있는 공무원으로부터 **3회 이상**의 해산명령을 받고 해산하지 아니한 자는 2년 이하의 징역이나 금고 또는 300만원 이하의 벌금에 처한다.(제116조)

④ [○] **공무원의 자격을 사칭하여 그 직권을 행사한 자**는 3년 이하의 징역 또는 700만원 이하의 벌금에 처한다.(제118조)

004 다음 설명 중 옳지 않은 것을 모두 고른 것은? (다툼이 있으면 판례에 의함)

□□□

18 경찰승진 [Superlative ★★★]

㉠ 목장 소유자가 목장운영을 위해 목장용지 내에 임도를 개설하고 차량 출입을 통제하면서 인근 주민들의 일부 통행을 부수적으로 묵인한 경우, 위 임도는 공공성을 지닌 장소로 일반교통방해죄의 '육로'에 해당한다.
㉡ 농촌주택에서 배출되는 생활하수의 배수관(소형 PVC관)을 토사로 막아 하수가 내려가지 못하게 한 경우, 수리방해죄에 해당하지 아니한다.
㉢ 피해자의 사체 위에 옷가지 등을 올려놓고 불을 붙인 천조각을 던져서 그 불길이 방안을 태우면서 천정에까지 옮겨 붙었다면 도중에 진화되었다고 하더라도 일단 천조각을 던진 때에 이미 현주건조물방화죄의 기수에 이른 것이다.
㉣ 도선사가 강제도선 구역 내에서 조기 하선함에 따라 적기에 충돌회피동작을 취하지 못하여 선박충돌사고가 일어난 경우 도선사에게 업무상과실선박파괴죄가 성립한다.
㉤ 피고인들이 위임받은 채권을 용이하게 추심하는 방편으로 합동수사반원임을 사칭하고 협박한 경우, 위 채권의 추심행위는 공무원자격사칭죄로 처벌할 수 있다.

① ㉠㉡㉢　② ㉠㉢㉤　③ ㉡㉣㉤　④ ㉢㉣㉤

해설

② ㉠㉢㉤ 3 항목이 옳지 않다.

㉠ [×] 목장 소유자가 목장운영을 위해 목장용지 내에 임도(林道)를 개설하고 차량 출입을 통제하면서 인근주민들의 일부 통행을 부수적으로 묵인한 경우, 위 **임도는 공공성을 지닌 장소가 아니어서 '육로'에 해당하지 않는다.**(대법원 2007. 10. 11. 2005도7573 **목장내 임도 사건**)

㉡ [○] 원천(源泉) 내지 자원으로서의 물의 이용이 아니라 **하수나 폐수 등 이용이 끝난 물을 배수로를 통하여 내려보내는 것은 수리방해죄에서 수리(水利)에 해당한다고 할 수 없고**, 그러한 배수 또는 하수처리를 방해하는 행위는, 특히 그 배수가 수리용의 인수(引水)와 밀접하게 연결되어 있어서 그 배수의 방해가 직접 인수에까지 지장을 초래한다는 등의 특수한 경우가 아닌 한 수리방해죄의 대상이 될 수 없다.
(2) 피고인이 피해자들의 집(농촌주택)에서 배출되는 **생활하수의 배수관(소형 PVC관)을 토사로 막아 하수가 내려가지 못하게 한 경우라도 수리방해죄는 성립하지 아니한다.**(대법원 2001. 6. 26. 2001도404 **PVC 하수관 사건**)

㉢ [×] 피고인이 피해자의 사체 위에 옷가지 등을 올려놓고 불을 붙인 천조각을 던져 **불길이 방안을 태우면서 천정에까지 옮겨 붙었다면**, 설령 그 불이 완전연소에 이르지 못하고 도중에 진화되었다고 하더라도 **현주건조물방화죄는 기수에 이르렀다.**(대법원 2007. 3. 16. 2006도9164 **강간살인→방화 사건**)

㉣ [○] **도선사인 피고인 甲이 현대 하모니호가 부산항 제3호 등부표를 지날 무렵 정당한 사유 없이 하모니호에서 하선함으로써** 도선사에 비하여 상대적으로 항만사정이나 한국인과의 교신에 익숙하지 못한 데다 선박운용기술이 떨어지는 **중국인 선장 乙로 하여금 부산항 강제도선구 내에서 조선하도록 한 업무상 과실이 있고**, 나아가 피고인이 강제도선구역 내에서 조기 하선함으로 인하여 그 후 하모니호의 선장 乙은 부산항 항만교통정보센터로부터 입항선인 씨에스씨엘 칭다오호의 행동이 의심스러우니 주의하라는 경고를 받았음에도 적기에 충돌회피동작을 취하지 못하여 결국 선박충돌사고가 발생하게 하였으므로 **피고인 甲의 위와 같은 업무상 과실과 사고발생 사이의 상당인과관계도 인정된다.**(대법원 2007. 9. 21. 2006도6949 **하모니호 칭다오호 충돌사건**)

㉤ [×] 피고인들이 그들이 위임받은 채권을 용이하게 추심하는 방편으로 합동수사반원임을 사칭하고 협박한 사실이 있다고 하여도 채권의 추심행위는 개인적인 업무이지 합동수사반의 수사업무의 범위에는 속하지 아니하므로 이를 **공무원자격사칭죄로 처벌할 수 없다.**(대법원 1981. 9. 8. 81도1955)

정답 | 003 ①　004 ②

제2절 | 방화와 실화의 죄

005 방화와 실화의 죄에 관한 설명 중 가장 적절하지 않은 것은? (다툼이 있으면 판례에 의함)

□□□

15 경찰승진 [Essential ★]

① 방화죄의 주된 보호법익은 공공의 안전으로서 방화죄의 기본적 성격은 공공위험죄이지만, 부차적으로는 개인의 재산도 보호법익에 포함된다.

② 매개물에 발화된 때에는 아직 목적물인 건조물에 불이 옮겨 붙지 아니하였더라도 방화죄의 미수범이 성립한다.

③ 불이 매개물을 떠나 목적물에 옮겨 붙어 독립하여 연소할 수 있는 상태에 이르렀을 때 방화죄는 기수가 된다.

④ 성냥불로 담배를 붙인 다음 그 성냥불이 꺼진 것을 확인하지 아니한 채 휴지가 들어 있는 플라스틱 휴지통에 던졌다면 중실화죄에 있어 중대한 과실에 해당하지 않는다.

해설

④ [×] 피고인이 성냥불로 담배를 붙인 다음 그 성냥불이 꺼진 것을 확인하지 아니한 채 휴지가 들어 있는 플라스틱 휴지통에 던진 것은 **중대한 과실이 있는 경우에 해당한다.**(대법원 1993. 7. 27. 93도135)

① [○] 방화죄는 **공공의 안전**을 제1차적인 보호법익으로 하지만 제2차적으로는 **개인의 재산권을 보호**하는 것이다.(대법원 2009. 10. 15. 2009도7421 **재활용품 · 쓰레기 방화사건**)

② [○] 매개물을 통한 점화에 의하여 건조물을 소훼함을 내용으로 하는 형태의 방화죄의 경우에, 범인이 그 매개물에 불을 켜서 붙였거나 또는 범인의 행위로 인하여 **매개물에 불이 붙게 됨**으로써 연소작용이 계속될 수 있는 상태에 이르렀다면, 그것이 곧바로 진화되는 등의 사정으로 인하여 목적물인 건조물 자체에는 불이 옮겨 붙지 못하였다고 하더라도, **방화죄의 실행의 착수가 있었다고 보아야 한다.**(대법원 2002. 3. 26. 2001도6641 **마산 두척동 방화사건**)

③ [○] 현주건조물방화죄는 화력이 매개물을 떠나 목적물인 건조물 **스스로 연소할 수 있는 상태에 이름으로써 기수가 된다.**(대법원 2007. 3. 16. 2006도9164 **강간살인 → 방화 사건**)

006 방화죄에 관한 다음 설명 중 가장 적절하지 않은 것은? (다툼이 있으면 판례에 의함)

□□□

14 경찰채용 [Essential ★]

① 타인 소유의 현주건조물에 방화하자 불이 옆에 있는 자기 소유의 일반건조물에 옮겨 붙은 경우 연소죄가 성립한다.

② 불을 놓아 무주물의 일반물건을 소훼하여 공공의 위험을 발생하게 한 경우에는 「형법」 제167조 제2항의 자기소유일반물건방화죄가 성립한다.

③ 강도가 피해자로부터 재물을 강취한 후 피해자를 살해할 목적으로 주거를 방화하여 사망에 이르게 한 때에는 강도살인죄와 현주건조물방화치사죄의 상상적 경합이 성립한다.

④ 甲이 동거인과 가정불화로 홧김에 죽은 동생의 유품으로 보관 중이던 서적 등을 뒷마당에 내어놓고 불태우는 과정에서 건물에 불이 번진 때에는 현주건조물에 대한 방화의 범의를 인정하기 곤란하다.

해설

① [×] 타인 소유의 현주건조물에 방화한 이상 (옆에 있는 자기 소유의 일반건조물에 옮겨 붙은 경우라도) **현주건조물방화죄가 성립한다.**(제164조 제1항) 연소죄는 자기 소유 일반건조물 또는 일반물건에 대한 방화가 확대되어 현주, 공용 또는 타인 소유 일반건조물 · 물건을 연소한 경우에 성립하는 범죄이다.(제168조)

② [○] 재활용품과 쓰레기 등은 **'무주물'로서 형법 제167조 제2항에 정한 '자기 소유의 물건'에 준하는 것으로 보아야 하므로,** 여기에 불을 붙인 후 불상의 가연물을 집어넣어 그 화염을 키움으로써 공공의 위험을 발생하게 하였다면 제167조 제2항의 **자기소유 일반물건방화죄가 성립한다.**(대법원 2009. 10. 15. 2009도7421 재활용품 · 쓰레기 방화사건)

③ [○] 피고인들이 피해자들의 재물을 강취한 후 그들을 살해할 목적으로 현주건조물에 방화하여 사망에 이르게 한 경우, 피고인들의 행위는 **강도살인죄와 현주건조물방화치사죄에 모두 해당하고 두 죄는 상상적 경합범관계에 있다.**(대법원 1998. 12. 8. 98도3416 강도 방화살인사건)

④ [○] 피고인 甲이 동거하던 乙과 가정불화가 악화되어 헤어지기로 작정하고 홧김에 죽은 동생의 유품으로 보관하던 서적 등을 **뒷마당에 내어 놓고 불태워 버리려 했던 점**이 인정될 뿐, 甲이 乙 소유의 가옥을 불태워 버리겠다고 결의하여 불을 놓았다고 볼 수 없다면 甲의 소위를 가리켜 **방화의 범의가 있었다고 할 수 없다.**(대법원 1984. 7. 24. 84도1245)

정답 | 005 ④ 006 ①

007 방화죄에 관한 다음 설명 중 가장 적절하지 않은 것은? (다툼이 있으면 판례에 의함)

□□□

12 경찰채용 [Essential ★]

① 피고인이 동거인과 가정불화로 홧김에 죽은 동생의 유품으로 보관 중이던 서적 등을 뒷마당에 내어놓고 불태우는 과정에서 건물에 불이 번진 때에는 현주건조물에 대한 방화의 범의를 인정하기 곤란하다.

② 무주물인 재활용품에 불을 놓아 공공의 위험을 발생하게 한 경우에는 자기소유일반물건 방화죄가 성립된다.

③ 피고인이 피해자의 재물을 강취한 후 그를 살해할 목적으로 현주건조물에 방화하여 사망에 이르게 한 경우, 피고인의 위 행위는 강도살인죄와 현주건조물방화치사죄의 상상적 경합관계에 있다.

④ 피고인이 방화의 의사로 뿌린 휘발유가 인화성이 강한 상태로 주택주변과 피해자의 몸에 적지 않게 살포되어 있는 사정을 알면서도 라이터를 켜 불꽃을 일으킴으로써 피해자의 몸에 불이 붙은 경우, 외부적 사정에 의하여 불이 방화 목적물인 주택 자체에 옮겨 붙지 아니한 경우에는 현주건조물방화죄의 실행의 착수가 인정되지 않는다.

해설

④ [×] 피고인이 휘발유가 인화성이 강한 상태로 주택주변과 피해자의 몸에 적지 않게 살포되어 있는 사정을 알면서도 라이터를 켜 불꽃을 일으킴으로써 피해자의 몸에 불이 붙은 경우, 비록 외부적 사정에 의하여 불이 방화 목적물인 주택 자체에 옮겨 붙지는 아니하였다 하더라도 **현존건조물방화죄의 실행의 착수가 있었다고 봄이 상당하고**, 이로 인하여 피고인을 만류하던 피해자로 하여금 약 4주간의 치료를 요하는 화상을 입게 한 경우 현존건조물방화치상죄가 성립한다.(대법원 2002. 3. 26. 2001도6641 **마산 두척동 방화사건**)

① [○] 피고인 甲이 동거하던 乙과 가정불화가 악화되어 헤어지기로 작정하고 홧김에 죽은 동생의 유품으로 보관하던 서적 등을 **뒷마당에 내어 놓고 불태워 버리려 했던** 점이 인정될 뿐, 甲이 乙 소유의 가옥을 불태워 버리겠다고 결의하여 불을 놓았다고 볼 수 없다면 甲의 소위를 가리켜 **방화의 범의가 있었다고 할 수 없다**.(대법원 1984. 7. 24. 84도1245)

② [○] 재활용품과 쓰레기 등은 '**무주물**'로서 형법 제167조 제2항에 정한 **'자기 소유의 물건'에 준하는 것으로 보아야 하므로**, 여기에 불을 붙인 후 불상의 가연물을 집어넣어 그 화염을 키움으로써 공공의 위험을 발생하게 하였다면 제167조 제2항의 **자기소유 일반물건방화죄가 성립한다**.(대법원 2009. 10. 15. 2009도7421 **재활용품 · 쓰레기 방화사건**)

③ [○] 피고인들이 피해자들의 재물을 강취한 후 그들을 살해할 목적으로 현주건조물에 방화하여 사망에 이르게 한 경우, 피고인들의 행위는 **강도살인죄와 현주건조물방화치사죄에 모두 해당하고 두 죄는 상상적 경합범관계에 있다**.(대법원 1998. 12. 8. 98도3416 **강도 방화살인사건**)

008 다음 설명 중 옳지 않은 것은 모두 몇 개인가? (다툼이 있으면 판례에 의함) 16 경찰간부 [Core ★★]

□□□

㉠ 피고인들이 피해자들의 재물을 강취한 후 그들을 살해할 목적으로 현주건조물에 방화하여 사망에 이르게 한 경우, 피고인들의 행위는 강도살인죄와 현주건조물방화치사죄에 모두 해당하고 그 두 죄는 상상적 경합관계에 있다.
㉡ 피고인이 피해자의 사체 위에 옷가지 등을 올려놓고 불을 붙인 천 조각을 던져 그 불길이 방안을 태우면서 천정에까지 옮겨 붙었다면, 설령 그 불이 완전연소에 이르지 못하고 도중에 진화되었다고 하더라도 일단 천정에 옮겨 붙은 이상 그 때에 이미 현주건조물방화죄는 기수에 해당한다.
㉢ 불을 놓아 무주물의 일반물건을 소훼하여 공공의 위험을 발생하게 한 경우에는 형법 제167조 제2항의 자기소유일반물건방화죄가 성립한다.
㉣ 타인소유일반건조물 등 방화죄의 예비·음모는 처벌한다.

① 0개 ② 1개
③ 2개 ④ 3개

해설

① 모든 항목이 옳다.
㉠ [○] 피고인들이 피해자들의 재물을 강취한 후 그들을 살해할 목적으로 현주건조물에 방화하여 사망에 이르게 한 경우, 피고인들의 행위는 **강도살인죄와 현주건조물방화치사죄에 모두 해당하고 두 죄는 상상적 경합범관계에 있다.**(대법원 1998. 12. 8. 98도3416 강도 방화살인사건)
㉡ [○] 피고인이 피해자의 사체 위에 옷가지 등을 올려놓고 불을 붙인 천조각을 던져 **불길이 방안을 태우면서 천정에까지 옮겨 붙었다면**, 설령 그 불이 완전연소에 이르지 못하고 도중에 진화되었다고 하더라도 **현주건조물방화죄는 기수에 이르렀다.**(대법원 2007. 3. 16. 2006도9164 강간살인 → 방화 사건)
㉢ [○] 재활용품과 쓰레기 등은 **'무주물'**로서 형법 제167조 제2항에 정한 **'자기 소유의 물건'에 준하는 것으로 보아야 하므로, 여기에 불을 붙인 후 불상의 가연물을 집어넣어 그 화염을 키움으로써 공공의 위험을 발생하게 하였다면 제167조 제2항의 자기소유 일반물건방화죄가 성립한다.**(대법원 2009. 10. 15. 2009도7421 재활용품 · 쓰레기 방화사건)
㉣ [○] 불을 놓아 제164조와 제165조에 기재한 외의 건조물, 기차, 전차, 자동차, 선박, 항공기 또는 지하채굴시설을 불태운 자는 2년 이상의 유기징역에 처한다.(제166조 제1항), 제164조 제1항, 제165조, 제166조 제1항, 제172조 제1항, 제172조의 2제1항, 제173조 제1항과 제2항의 죄를 범할 목적으로 **예비 또는 음모한 자는 5년 이하의 징역에 처한다.** 단 그 목적한 죄의 실행에 이르기 전에 자수한 때에는 형을 감경 또는 면제한다.(제175조)

정답 | 007 ④ 008 ①

009 방화의 죄에 관한 설명 중 가장 적절한 것은? (다툼이 있으면 판례에 의함)

□□□

23 경찰채용 [Superlative ★★★]

① 공용건조물방화죄를 범할 목적으로 예비·음모한 후 목적한 죄의 실행에 이른 후에 수사 기관에 자수한 경우 형을 감경하거나 면제할 수 있다.

② 주거로 사용하지 않고 사람이 현존하지도 않는 타인 소유의 자동차를 불태웠으나 공공의 위험이 발생하지 않았다면 방화죄를 구성하지 않는다.

③ 甲이 A의 재물을 강취한 후 A를 살해할 의사로 현주건조물에 방화하여 A가 사망한 경우 甲의 행위는 강도살인죄와 현주건조물방화치사죄에 모두 해당하고 그 두 죄는 실체적 경합범관계에 있다.

④ 甲이 A를 살해할 의사로 A가 혼자 있는 건조물에 방화하였으나 A가 사망하지 않은 경우 현존건조물방화치사미수죄를 구성한다.

해설

① [○] 형법 제52조 제1항 공용건조물방화죄의 **실행에 이르렀으므로** 자수특례 규정인 필요적 감면 규정이 적용될 수 없고, **자수에 대한 임의적 감면 규정이 적용된다.**

② [×] 주거로 사용하지 않고 사람이 현존하지도 않는 타인 소유의 자동차를 불태웠다면 공공의 위험이 발생하지 않았더라도 **일반자동차방화죄가 성립한다.**(형법 제166조 제1항)

③ [×] 피고인들이 피해자들의 재물을 강취한 후 그들을 살해할 목적으로 현주건조물에 방화하여 사망에 이르게 한 경우, 피고인들의 행위는 **강도살인죄와 현주건조물방화치사죄에 모두 해당하고 두 죄는 상상적 경합범관계에 있다.**(대법원 1998. 12. 8. 98도3416 강도 방화살인사건)

④ [×] 甲이 A를 살해할 의사로 A가 혼자 있는 건조물에 방화하였으나 A가 사망하지 않은 경우 현존건조물방화죄와 살인미수죄가 성립한고, 이들은 **상상적 경합범의 관계에 있다.**(형법 제164조 제1항, 제250조 제1항, 제254조) 현존건조물방화치사미수죄라는 범죄는 존재하지 않는다.

010 방화와 실화의 죄에 대한 설명으로 가장 적절한 것은? (다툼이 있으면 판례에 의함)

□□□

20 경찰채용 [Core ★★]

① 전기 석유난로를 켜 놓은 채 귀가하여 전기 석유난로 과열로 화재가 발생하였다면 화재 원인을 살펴볼 필요 없이 피고인에게 중실화죄를 인정할 수 있다.

② 사람이 현존하는 자동차에 방화한 경우 일반건조물등방화죄가 성립한다.

③ 지붕과 문짝, 창문이 없고 담장과 일부 벽체가 붕괴된 철거대상 건물로서 사실상 기거 취침에 사용할 수 없는 상태의 타인의 폐가에 대해 방화한 경우 타인소유일반건조물방화죄가 성립한다.

④ 유조차운전사가 석유구판점의 위험물취급주임의 지시를 받아 유조차의 석유를 구판점 탱크로 급유하다가 탱크주입구에서 급유호스가 빠지는 바람에 화기에 인화되어 화재가 발생한 경우 유조차운전사의 업무상과실이 인정되지 않는다.

해설

④ [○] 유조차운전사가 석유구판점의 위험물취급주임의 지시를 받아 유조차의 석유를 구판점 탱크로 급유하다가 급유호스가 탱크주입구에서 빠지는 바람에 분출된 석유가 화기에 인화되어 화재가 발생한 경우, 운전수가 위험물취급주임이 탱크주입구 부분을 이탈하였음을 보고서도 유조차 운전석에 앉아 다른 일을 보고 있었다고 하여 **운전사에게 화재발생에 대하여 과실이 있다고 책임을 물을 수는 없다.**(대법원 1990. 11. 13. 90도2011 백유사 석유구판점 화재사건)

① [×] 화인의 감정이 없어 제3자에 의한 방화나 실화 또는 누전 등 기타에 의한 발화가능성도 전혀 배제할 수 없음에도 이를 외면한 채, 전기석유난로 자체에 고장이 있었는지 여부나 가연물이 그 온풍구에 직접 접촉된 적이 있었는지 여부에 대하여 심리해 보지도 않고 전기석유난로의 과열이 화재발생의 원인이 되었다고 막연히 단정하여 **피고인을 중실화죄로 의율처단한 제1심판결을 그대로 유지한 원심판결은 위법하다.**(대법원 1994. 3. 11. 93도3001)

② [×] 지문의 경우 **현존자동차방화죄가 성립한다.**(제164조 제1항)

형법(2020. 12. 8. 법률 제17571호, 일부개정된 것)
제164조【현주건조물등 방화】 ① 불을 놓아 사람이 주거로 사용하거나 사람이 현존하는 건조물, 기차, 전차, 자동차, 선박, 항공기 또는 지하채굴시설을 불태운 자는 무기 또는 3년 이상의 징역에 처한다.

③ [×] (1) 방화죄의 객체인 건조물은 토지에 정착되고 벽 또는 기둥과 지붕 또는 천장으로 구성되어 사람이 내부에 기거하거나 출입할 수 있는 공작물을 말하고, 반드시 사람의 주거용이어야 하는 것은 아니라도 사람이 사실상 기거 · 취침에 사용할 수 있는 정도는 되어야 한다.
(2) 폐가는 지붕과 문짝, 창문이 없고 담장과 일부 벽체가 붕괴된 철거 대상 건물로서 사실상 기거 · 취침에 사용할 수 없는 상태의 것이므로 **일반건조물방화죄(형법 제166조)가 아니라 일반물건방화죄(형법 제167조)가 성립한다.**(대법원 2013. 12. 12. 2013도3950 영종도 폐가 방화사건)

정답 | 009 ① 010 ④

011 방화와 실화의 죄에 관한 다음 설명 중 가장 적절하지 않은 것은? (다툼이 있으면 판례에 의함)

□□□

13 경찰승진 [Core ★★]

① 방화의 의사로 뿌린 휘발유가 인화성이 강한 상태로 주택주변과 피해자의 몸에 적지 않게 살포되어 있는 사정을 알면서도 라이터를 켜 불꽃을 일으킴으로써 피해자의 몸에 불이 붙은 경우, 현존건조물방화죄의 실행의 착수가 인정된다.

② 노상에서 전봇대 주변에 놓인 재활용품과 쓰레기 등에 불을 놓아 소훼한 경우, 재활용품과 쓰레기 등은 무주물로서 형법 제167조 제2항에 정한 '자기 소유의 물건'이 아니므로, 여기에 불을 붙인 후 불상의 가연물을 집어넣어 그 화염을 키움으로써 전선을 비롯한 주변의 가연물에 손상을 입히거나 바람에 의하여 다른 곳으로 불이 옮아붙을 수 있는 공공의 위험을 발생하게 하였다면 타인소유일반물건방화죄가 성립한다.

③ 동거인과 가정불화가 악화되어 홧김에 죽은 동생의 유품으로 보관하던 서적 등을 뒷마당에 내어놓고 불태워 버리려 했던 점이 인정될 뿐 동거인 소유의 가옥을 불태워 버리겠다고 결정하여 불을 놓았다고 볼 수 없다면 현주건조물방화의 범의가 있었다고 할 수 없다.

④ 현주건조물방화죄는 미수범을 처벌하나 현주건조물방화치사상죄, 타인소유일반물건방화 죄는 미수범을 처벌하지 않는다.

해설

② [×] 무주물에 방화하는 경우에 타인의 재산권을 침해하지 않는 점은 자기의 소유에 속한 물건을 방화하는 경우와 마찬가지인 점, 무주물에 방화하는 행위는 그 무주물을 소유의 의사로 점유하는 것이라고 볼 여지가 있는 점 등을 종합하여 보면, 불을 놓아 무주물을 소훼하여 공공의 위험을 발생하게 한 경우에는 **'무주물'을 '자기 소유의 물건'에 준하는 것으로 보아 형법 제167조 제2항을 적용하여 처벌하여야 한다.**(대법원 2009. 10. 15. 2009도7421 재활용품 · 쓰레기 방화사건)

① [○] 피고인이 휘발유가 인화성이 강한 상태로 주택주변과 피해자의 몸에 적지 않게 살포되어 있는 사정을 알면서도 라이터를 켜 불꽃을 일으킴으로써 **피해자의 몸에 불이 붙은 경우,** 비록 외부적 사정에 의하여 불이 방화 목적물인 주택 자체에 옮겨 붙지는 아니하였다 하더라도 **현존건조물방화죄의 실행의 착수가 있었다**고 봄이 상당하고, 이로 인하여 피고인을 만류하던 피해자로 하여금 약 4주간의 치료를 요하는 화상을 입게 한 경우 현존건조물방화치상죄가 성립한다.(대법원 2002. 3. 26. 2001도6641 마산 두척동 방화사건)

③ [○] 피고인 甲이 동거하던 乙과 가정불화가 악화되어 헤어지기로 작정하고 홧김에 죽은 동생의 유품으로 보관하던 서적 등을 **뒷마당에 내어 놓고 불태워 버리려 했던 점**이 인정될 뿐, 甲이 乙 소유의 가옥을 불태워 버리겠다고 결의하여 불을 놓았다고 볼 수 없다면 甲의 소위를 가리켜 **방화의 범의가 있었다고 할 수 없다.**(대법원 1984. 7. 24. 84도1245)

④ [○] 제164조 제1항, 제165조, 제166조 제1항, 제172조 제1항, 제172조의2 제1항, 제173조제1항과 제2항의 **미수범은 처벌한다.**(제174조) 현주건조물방화치사상죄, 타인소유일반물건방화죄는 미수범은 처벌 규정이 없다.

012 방화와 실화의 죄에 대한 설명 중 옳은 것은 모두 몇 개인가? (다툼이 있으면 판례에 의함)

□□□

21 경찰간부 [Superlative ★★★]

㉠ 형법은 방화죄의 객체를 소유권 귀속에 따라 자기소유물과 타인소유물 및 무주물로 구분하고 법정형에 차등을 두고 있다.
㉡ 형법 제13장(방화와 실화의 죄)은 구체적 위험범을 규정하고 있고, 구체적 위험의 내용으로는 '공공의 위험'만을 규정하고 있다.
㉢ 자기소유물에 대한 방화죄는 모두 구체적 위험범의 형태로 규정되어 있으며, 구체적 위험의 발생은 구성요건요소로서 고의의 인식대상이 된다.
㉣ 구체적 위험범으로 규정된 구성요건에서 구체적 위험이 발생하지 않은 경우 미수가 되며, 형법 제13장에 규정된 구체적 위험범들은 모두 미수범 규정을 두고 있다.
㉤ 연소죄는 자기소유물에 대한 방화가 확대되어 타인소유물 또는 현주건조물 등의 소훼라는 중한 결과를 야기한 경우를 처벌하기 위한 결과적 가중범이다.

① 1개 ② 2개 ③ 3개 ④ 4개

해설

② ㉢㉤ 2 항목이 옳다. 다만, 문제의 지문이 오해의 소지가 많다.

형법(2020. 12. 8. 법률 제17571호, 일부개정된 것)

제164조 ① 불을 놓아 사람이 주거로 사용하거나 사람이 현존하는 건조물, 기차, 전차, 자동차, 선박, 항공기 또는 지하채굴시설을 불태운 자는 무기 또는 3년 이상의 징역에 처한다.
② 제1항의 죄를 지어 사람을 상해에 이르게 한 경우에는 무기 또는 5년 이상의 징역에 처한다. 사망에 이르게 한 경우에는 사형, 무기 또는 7년 이상의 징역에 처한다.
제165조 불을 놓아 공용(公用)으로 사용하거나 공익을 위해 사용하는 건조물, 기차, 전차, 자동차, 선박, 항공기 또는 지하채굴시설을 불태운 자는 무기 또는 3년 이상의 징역에 처한다.
제166조 ① 불을 놓아 제164조와 제165조에 기재한 외의 건조물, 기차, 전차, 자동차, 선박, 항공기 또는 지하채굴시설을 불태운 자는 2년 이상의 유기징역에 처한다.
② 자기 소유인 제1항의 물건을 불태워 공공의 위험을 발생하게 한 자는 7년 이하의 징역 또는 1천만원 이하의 벌금에 처한다.
제167조 ① 불을 놓아 제164조부터 제166조까지에 기재한 외의 물건을 불태워 공공의 위험을 발생하게 한 자는 1년 이상 10년 이하의 징역에 처한다.
② 제1항의 물건이 자기 소유인 경우에는 3년 이하의 징역 또는 700만원 이하의 벌금에 처한다.
제174조 제164조 제1항, 제165조, 제166조 제1항, 제172조 제1항, 제172조의2 제1항, 제173조 제1항과 제2항의 미수범은 처벌한다.

㉠ [×] 형법 제13장(방화와 실화의 죄)은 **무주물에 대하여 규정하고 있지 않고**, 다만 판례는 무주물을 자기소유물에 준하는 것으로 보고 있다.(대법원 2009. 10. 15. 2009도7421 재활용품 · 쓰레기 방화사건)

정답 | 011 ② 012 ②

㉡ [×] 제166조 제2항(자기소유일반건조물방화죄), 제167조 제1항 · 제2항(일반물건방화죄), 제173조(가스 · 전기등 공급방해죄)는 공공의 위험만을 규정하고 있지만, 제172조(폭발성물건파열죄), 제172조의2(가스 · 전기등 방류죄)는 **생명, 신체 또는 재산에 대한 위험을 규정하고 있다.** 다만, 지문 자체가 방화와 실화의 죄라고 하고 있어 지문이 오해의 소지가 있다.

㉢ [○] 제166조 제2항(자기소유일반건조물방화죄), 제167조 제1항 · 제2항(일반물건방화죄)에 대해서 모두 구체적 위험범으로 규정하고 있으며 **구체적 위험의 발생은 고의의 인식대상이 된다.** 다만, 형법 제164조의 현주건조물방화죄와 제165조의 공용건조물방화죄의 경우는 자기 소유물인지 타인 소유물인지 구분하고 있지 않아 이 지문 또한 오해의 소지가 있다.

㉣ [×] 형법 제166조 제2항, 제167조 제1항 · 제2항의 죄는 구체적 위험범이다. 구체적 위험범으로 규정된 구성요건에서 구체적 위험이 발생하지 않은 경우 **무죄가 된다.**(대법원 2013. 12. 12. 2013도3950 영종도 폐가방화사건) 그리고 형법 제13장에 규정된 구체적 위험범들은 모두 **미수범 처벌규정이 없다.**(제174조)

㉤ [○] 연소죄는 **자기 소유** 일반건조물 또는 일반물건에 대한 방화가 확대되어 현주, 공용 또는 타인 소유 일반건조물 · 물건을 연소한 경우에 성립하는 결과적 가중범이다.(제168조)

013 □□□ **甲은 원한관계에 있는 A를 살해하기로 마음먹고 한밤 중에 A의 집으로 가서 A와 A의 딸 B가 잠을 자고 있는 것을 확인한 후 A의 집 주변에 휘발유를 뿌리고 A의 집을 방화하였다. 이로 인해 A는 질식사하였고 B는 잠에서 깨어 현관문을 열고 밖으로 나오려고 하였으나 甲이 밖에 서 현관문을 막고 서는 바람에 B도 질식사하였다. 甲의 죄책에 관한 설명 중 옳지 않은 것은? (다툼이 있으면 판례에 의함)**

20 변호사 [Superlative ★★★]

① 현주건조물방화치사죄는 사망의 결과에 대하여 과실이 있는 경우뿐만 아니라 고의가 있는 경우에도 성립하는 부진정 결과적가중범이다.

② A를 사망하게 한 점에 대해서는 현주건조물방화치사의 죄책을 진다.

③ B를 사망하게 한 점에 대해서는 현주건조물방화죄와 살인죄가 성립하고 두 죄는 실체적 경합관계에 있다.

④ 만약 甲이 A가 혼자 있는 집에 들어가 A를 폭행하여 재물을 강취하고 A를 살해할 목적으로 A의 집을 방화하여 A를 사망에 이르게 하였다면 강도살인죄와 현주건조물방화치사죄가 성립하고 두 죄는 상상적경합 관계에 있다.

⑤ 만약 甲이 A의 집 주변에 휘발유를 뿌린 다음 라이터로 불을 붙였으나 잠을 자고 있던 A가 집 밖으로 뛰어나와 불을 끄는 바람에 A의 집에는 불이 옮겨 붙지 않았지만 그로 인해 A가 화상을 입고 사망하였다면 현주건조물방화치사죄의 미수범으로 처벌된다.

해설

⑤ [×] A가 집 밖으로 뛰어나와 불을 끄는 바람에 화상을 입고 사망한 것이고(甲의 행위와 A 사망 사이에 상당인과관계가 있다고 보기 어렵고) 또한 A 사망에 대하여 甲에게 예견가능성이 있다고 보기 어려워 **결과적 가중범인 현주건조물방화치사죄는 성립하지 않는다.**(대법원 1988. 4. 12. 88도178 참고)

①② [○] **현주건조물방화치사상죄는 과실이 있는 경우뿐만 아니라 고의가 있는 경우도 포함**된다고 볼 것이므로 현주건조물내에 있는 사람을 강타하여 실신케 한 후 동건조물에 방화하여 소사케 한 피고인을 현주건조물에의 방화죄와 살인죄의 상상적 경합으로 의율할 것은 아니다.(대법원 1983. 1. 18. 82도2341 은봉암 사건)

③ [○] 불을 놓은 집에서 빠져 나오려는 피해자들을 막아 소사(燒死)케 한 행위는 1개의 행위가 수개의 죄명에 해당하는 경우라고 볼 수 없고, 방화행위와 살인행위는 법률상 별개의 범의에 의하여 별개의 법익을 해하는 별개의 행위라고 할 것이니 **현주건조물방화죄와 살인죄는 실체적 경합관계에 있다.**(대법원 1983. 1. 18. 82도2341 은봉암 사건)

④ [○] 피고인들이 피해자들의 재물을 강취한 후 그들을 살해할 목적으로 현주건조물에 방화하여 사망에 이르게 한 경우, 피고인들의 행위는 **강도살인죄와 현주건조물방화치사죄에 모두 해당하고 두 죄는 상상적 경합범관계에 있다.**(대법원 1998. 12. 8. 98도3416 강도 방화살인사건)

014 □□□ **甲의 죄책에 대한 설명으로 옳은 것은? (다툼이 있으면 판례에 의함)** 23 국가7급 [Superlative ★★★]

> 甲은 방화의 고의로 A가 주거로 사용하는 집에 불을 놓았고 이로 인해 A가 사망하였다.

① A가 사망하였더라도 甲의 방화가 미수에 그쳤다면 甲은 현주건조물방화치사죄 미수범의 죄책을 진다.

② 甲이 A에 대한 살인의 고의로 방화한 것이라면 甲에게는 현주건조물방화치사죄 외에 고의범인 살인죄가 별도로 성립하고 양죄는 상상적 경합관계에 있다.

③ 만약 甲이 A를 살해할 고의로 방화를 하였으나 A가 사망하지 않았다면 甲에게는 현주건조물방화치사죄의 미수범이 성립한다.

④ 만약 A가 甲의 부친(父親)이고 그 사망에 대해 甲에게 고의가 인정된다면 甲에게는 현주건조물방화치사죄와 존속살해죄가 성립하고 양죄는 상상적 경합관계에 있다.

정답 | 013 ⑤ 014 ④

해설

④ [○] 사람을 살해할 목적으로 현주건조물에 방화하여 사망에 이르게 한 경우에는 **현주건조물방화치사죄로 의율하여야 하고 이와 더불어 살인죄와의 상상적 경합범으로 의율할 것은 아니라고 할 것이고, 다만 존속살인죄와 현주건조물방화치사죄는 상상적 경합범 관계에 있으므로 법정형이 중한 존속살인죄로 의율함이 타당하다.** (대법원 1996. 4. 26. 96도485 아버지 · 동생 방화살해사건)

① [×] A가 사망하였다면 甲의 방화가 미수에 그쳤더라도 甲은 **현주건조물방화치사죄의 죄책을 진다고 해석된다.**

② [×] 사람을 살해할 목적으로 현주건조물에 방화하여 사망에 이르게 한 경우에는 현주건조물방화치사죄로 의율하여야 하고 이와 더불어 살인죄와의 상상적 경합범으로 의율할 것은 아니라고 할 것이고, 다만 존속살인죄와 현주건조물방화치사죄는 상상적 경합범 관계에 있으므로 법정형이 중한 존속살인죄로 의율함이 타당하다.(대법원 1996. 4. 26. 96도485 아버지 · 동생 방화살해사건)

③ [×] 형법상 **현주건조물방화치사미수죄는 존재하지 않는다.** 甲이 A를 살해할 고의로 방화를 하였으나 A가 사망하지 않았다면 甲은 현주건조물방화죄와 살인미수죄의 상상적 경합범의 죄책을 진다.

015 다음 중 판례에 따를 때 현주건조물방화죄의 기수가 인정되는 경우는 모두 몇 개인가?

□□□

17 경찰간부 [*Core* ★★]

㉠ 甲이 동거녀와의 불화를 이유로 헤어지기로 작정하고는 홧김에 죽은 동생의 유품으로 보관중이던 서적 등을 뒷마당에 내어 놓고 불태우는 과정에서 동거녀의 가옥에까지 불이 옮겨 붙은 경우

㉡ 甲이 아버지와 말다툼을 하고는 홧김에 라이터로 휴지에 불을 붙여 장롱 안에 있는 옷가지에 불을 놓아 건물을 소훼하려 하였지만, 불길이 치솟는 것을 보고 겁이 나서 물을 부어 불을 끈 경우

㉢ 甲이 지붕과 문짝, 창문이 없고 담장과 일부 벽체가 붕괴된 철거 대상 건물로서 사실상 기거 · 취침에 사용할 수 없는 상태인 폐가의 내부와 외부에 쓰레기를 모아 놓고 태워, 폐가 주변 수목 4~5그루를 태우고 폐가의 벽을 일부 그을리게 한 경우

㉣ 부모에게 용돈을 요구하였다가 거절당한 甲이 홧김에 부모와 함께 살고 있는 자기 집 헛간 지붕 위에 올라가 라이터로 불을 놓고, 이어서 몸채, 사랑채 지붕 위에 차례로 올라가 불을 놓아, 헛간 지붕 $60cm^2$, 몸채 지붕 $1m^2$, 사랑채 지붕 $1m^2$ 가량을 태운 경우

① 없음　② 1개　③ 2개　④ 3개

해설

② ㄹ 항목만 현주건조물방화죄의 기수에 해당한다.

㉠ 피고인 甲이 동거하던 乙과 가정불화가 악화되어 헤어지기로 작정하고 홧김에 죽은 동생의 유품으로 보관하던 서적 등을 뒷마당에 내어 놓고 불태워 버리려 했던 점이 인정될 뿐, 甲이 乙 소유의 가옥을 불태워 버리겠다고 결의하여 불을 놓았다고 볼 수 없다면 甲의 소위를 가리켜 **방화의 범의가 있었다고 할 수 없다.**(대법원 1984. 7. 24. 84도1245)

㉡ 치솟는 불길에 놀라거나 자신의 신체안전에 대한 위해 또는 범행 발각시의 처벌 등에 두려움을 느끼는 것은 **일반 사회통념상 범죄를 완수함에 장애가 되는 사정에 해당한다고 보아야 할 것이므로,** 이를 자의에 의한 중지미수라고는 볼 수 없다.(대법원 1997. 6. 13. 97도957 마음약한 방화범 사건) 지문은 장애미수에 해당한다.

㉢ 피고인이 폐가의 내부와 외부에 쓰레기를 모아놓고 태워 **불길이 폐가 주변 수목 4~5그루를 태우고 폐가의 벽을 일부 그을리게 하는 정도만으로는** 방화죄의 기수에 이르렀다고 보기 어렵고, 일반물건방화죄에 관하여 는 미수범의 처벌 규정이 없으므로 피고인은 **무죄다.**(대법원 2013. 12. 12. 2013도3950 영종도 폐가 방화사건)

㉣ 부모에게 용돈을 요구하였다가 거절당한 피고인이 홧김에 자기 집 헛간 지붕위에 올라가 거기다 라이터불로 불을 놓고, 이어서 몸채, 사랑채 지붕위에 차례로 올라가 거기에다 각각 **불을 놓아 헛간지붕 60평방cm 가량, 몸채지붕 1평방m 가량, 사랑채지붕 1평방m 가량을 태웠다고 하면 방화행위는 기수로 보아야 한다.**(대법원 1970. 3. 24. 70도330)

정답 | 015 ②

제3절 | 교통방해의 죄

016 일반교통방해죄에 관한 다음 설명 중 가장 적절하지 않은 것은? (다툼이 있으면 판례에 의함)

□□□

15 경찰채용 [Essential ★]

① 소유자가 토지인도소송의 승소판결을 받아 그 집행을 하여 그 토지를 공터로 두었는데 인근주민들이 일시 지름길로 이용하자 그 통행을 방해한 경우 일반교통방해죄가 성립한다.

② 법률에 따라 옥외집회신고를 마쳤어도, 신고의 범위와 법률상의 제한을 현저히 일탈하여 주요도로 전차선을 점거하여 행진 등을 함으로써 교통소통에 현저한 장해를 일으켰다면 일반교통방해죄가 성립한다.

③ 불특정 다수인의 통행로로 이용되어 오던 도로의 토지 일부의 소유자라 하더라도 그 도로의 중간에 바위를 놓아두거나 이를 파헤침으로써 차량의 통행을 못하게 한 행위는 일반교통방해죄가 성립한다.

④ 우리 형법에는 업무상 과실, 중과실에 의한 일반교통방해를 처벌하는 조항이 있다.

해설

① [×] 토지의 소유자가 자신의 토지의 한쪽 부분을 일시 공터로 두었을 때 인근주민들이 토지의 동서쪽에 있는 도로에 이르는 지름길로 일시 이용한 적이 있다 하여도 이를 형법 제185조 소정의 **육로로 볼 수 없다.**(대법원 1984. 11. 13. 84도2192 **지름길 통행사건**) 지문의 경우 일반교통방해죄가 성립하지 아니한다.

② [○] 집회 또는 시위가 신고된 범위 내에서 행해졌거나 신고된 내용과 다소 다르게 행해졌어도 신고된 범위를 현저히 일탈하지 않는 경우에는 그로 인하여 도로의 교통이 방해를 받았다고 하더라도 특별한 사정이 없는 한 일반교통방해죄가 성립한다고 볼 수 없으나, 집회 또는 시위가 당초 **신고된 범위를 현저히 일탈하거나** 집시법 제12조의 규정에 의한 조건을 중대하게 위반하여 도로교통을 방해함으로써 **통행을 불가능하게 하거나 현저하게 곤란하게 하는 경우에는 일반교통방해죄가 성립한다.**(대법원 2008. 11. 13. 2006도755 **민노총 행진시위 사건**)

③ [○] 피고인이 도로의 일부가 자신의 소유라 하더라도 적법한 절차에 의하여 문제를 해결하려고 하지 아니하고 도로의 **중간에 바위를 놓아두거나 이를 파헤침으로써 차량의 통행을 못하게 한 경우, 일반교통방해죄**와(부근에서 여관 및 식당을 운영하는 A와 버섯농장을 운영하는 B에 대한) 업무방해죄가 성립한다.(대법원 2002. 4. 26. 2001도6903 **바위 사건**)

④ [○] **과실**로 인하여 제185조 내지 제187조의 죄를 범한 자는 1천만원 이하의 벌금에 처한다. **업무상과실** 또는 **중대한 과실**로 인하여 제185조 내지 제187조의 죄를 범한 자는 3년 이하의 금고 또는 2천만원 이하의 벌금에 처한다.(제189조)

017 교통방해의 죄에 대한 설명으로 옳지 않은 것은? (다툼이 있으면 판례에 의함)

□□□

20 국가9급 [Essential ★]

① 일반교통방해죄는 교통이 불가능하거나 현저히 곤란한 상태가 발생하면 바로 기수가 되고 교통방해의 결과가 현실적으로 발생해야 하는 것은 아니다.

② 목장 소유자가 그 운영을 위해 목장용지 내에 임도를 개설하고 차량 출입을 통제하면서 인근 주민들의 일부 통행을 부수적으로 묵인한 경우, 그 임도는 일반교통방해죄의 객체인 '육로'에 해당한다.

③ 공항 여객터미널 버스정류장 앞 도로 중 공항리무진 버스 외의 다른 차의 주차가 금지된 구역에서 밴 차량을 40분간 불법주차 하고 호객행위를 한 것만으로는 일반교통방해죄에 해당하지 아니한다.

④ 업무상 과실로 교량을 손괴하여 자동차의 교통을 방해하고 그 결과 승객이 탑승한 자동차를 교량에서 추락시킨 경우에는 업무상과실일반교통방해죄와 업무상과실자동차추락죄가 성립하고, 양 죄는 상상적 경합관계에 있다.

해설

② [×] 목장 소유자가 목장운영을 위해 **목장용지 내에 임도(林道)를 개설하고 차량 출입을 통제하면서 인근 주민들의 일부 통행을 부수적으로 묵인한 경우**, 위 임도는 공공성을 지닌 장소가 아니어서 **'육로'에 해당하지 않는다.**(대법원 2007. 10. 11. 2005도7573 **목장내 임도 사건**)

① [○] 일반교통방해죄는 **추상적 위험범**이므로 교통이 불가능하거나 현저히 곤란한 상태가 발생하면 바로 기수가 되고 **교통방해의 결과가 현실적으로 발생하여야 하는 것은 아니다.**(대법원 2019. 1. 10. 2016도19464 **민변 권영국 변호사 사건**)

③ [○] 피고인이 공항여객터미널 버스정류장 앞 도로 중 공항리무진 버스 외의 다른 차의 주차가 금지된 구역에서 밴 차량을 40분간 불법주차하고 호객행위를 하였더라도, 주차한 장소의 옆 차로를 통하여 다른 차량들이 충분히 통행할 수 있었고, 주차행위로 인하여 공항리무진 버스가 출발할 때 후진을 하여 차로를 바꾸어 진출해야 하는 불편을 겪기는 하였지만 통행이 불가능하거나 현저하게 곤란하지는 않았던 경우 **일반교통방해죄를 구성하지 않는다.**(대법원 2009. 7. 9. 2009도4266 **인천국제공항 불법주차 사건**)

④ [○] 업무상과실로 인하여 교량을 손괴하여 자동차의 교통을 방해하고 그 결과 자동차를 추락시킨 경우에는 업무상과실일반교통방해죄와 업무상과실자동차추락죄가 성립하고, 각 죄는 **상상적 경합관계에 있다.**(대법원 1997. 11. 28. 97도1740 **성수대교 붕괴사건**)

정답 | 016 ① 017 ②

018 교통방해죄에 관한 다음 설명 중 가장 옳지 않은 것은? (다툼이 있으면 판례에 의함)

□□□

22 법원행시 [Essential ★]

① 신고 범위를 현저히 벗어나거나 집회 및 시위에 관한 법률 제12조에 따른 조건을 중대하게 위반함으로써 교통방해를 유발한 집회에 참가한 경우 참가 당시 이미 다른 참가자들에 의해 교통의 흐름이 차단된 상태였다고 하더라도 교통방해를 유발한 다른 참가자들과 암묵적·순차적으로 공모하여 교통방해의 위법상태를 지속시켰다고 평가할 수 있다면 일반 교통방해죄가 성립한다.

② 형법 제187조에서 정한 '파괴'란 교통기관으로서의 기능·용법의 전부나 일부를 불가능하게 할 정도의 파손에 이르지 아니하는 단순한 손괴도 포함된다.

③ 일반교통방해죄는 이른바 추상적 위험범으로서 교통이 불가능하거나 또는 현저히 곤란한 상태가 발생하면 바로 기수가 되고 교통방해의 결과가 현실적으로 발생하여야 하는 것은 아니다.

④ 공로에 출입할 수 있는 다른 도로가 있는 상태에서 토지 소유자로부터 일시적인 사용승낙을 받아 통행하거나 토지 소유자가 개인적으로 사용하면서 부수적으로 타인의 통행을 묵인한 장소에 불과한 도로는 형법 제185조에서 말하는 육로에 해당하지 않는다.

⑤ 교통방해 행위가 피해자의 사상이라는 결과를 발생하게 한 유일하거나 직접적인 원인이 된 경우만이 아니라 그 행위와 결과 사이에 피해자나 제3자의 과실 등 다른 사실이 개재된 때에도 그와 같은 사실이 통상 예견될 수 있는 것이라면 상당인과관계를 인정할 수 있다.

해설

② [×] 형법 제187조에서 정한 **'파괴'란** 전복, 매몰, 추락 등과 같은 수준으로 인정할 수 있을 만큼 **교통기관으로서의 기능·용법의 전부나 일부를 불가능하게 할 정도의 파손을 의미하고** 그 정도에 이르지 아니하는 단순한 손괴는 포함되지 않는다.(대법원 2009. 4. 23. 2008도11921 삼성1호-허베이호 충돌 기름유출사건)

① [○] 신고 범위를 현저히 벗어나거나 집회 및 시위에 관한 법률 제12조에 따른 조건을 중대하게 위반함으로써 교통방해를 유발한 집회에 참가한 경우 참가 당시 이미 다른 참가자들에 의해 교통의 흐름이 차단된 상태였다고 하더라도 교통방해를 유발한 다른 참가자들과 **암묵적·순차적으로 공모하여 교통방해의 위법상태를 지속시켰다고 평가할 수 있다면 일반교통방해죄가 성립한다.**(대법원 2018. 2. 28. 2017도16846)

③ [○] 일반교통방해죄는 이른바 **추상적 위험범**으로서 교통이 불가능하거나 또는 현저히 곤란한 상태가 발생하면 바로 기수가 되고 교통방해의 결과가 현실적으로 발생하여야 하는 것은 아니다.(대법원 2019. 4. 23. 2017도1056)

④ [○] 공로에 출입할 수 있는 다른 도로가 있는 상태에서 토지 소유자로부터 일시적인 사용승낙을 받아 통행하거나 토지 소유자가 개인적으로 사용하면서 **부수적으로 타인의 통행을 묵인한 장소에 불과한 도로는 형법 제185조에서 말하는 육로에 해당하지 않는다.**(대법원 2017. 4. 7. 2016도12563 농로 사건)

⑤ [○] 교통방해 행위가 피해자의 사상이라는 결과를 발생하게 한 유일하거나 직접적인 원인이 된 경우만이 아니라 그 행위와 결과 사이에 피해자나 제3자의 과실 등 다른 사실이 개재된 때에도 그와 같은 사실이 통상 예견될 수 있는 것이라면 **상당인과관계를 인정할 수 있다.**(대법원 2014. 7. 24. 2014도6206 고속도로 급제동 정차사건)

019 교통방해의 죄에 대한 설명으로 가장 적절하지 않은 것은? (다툼이 있으면 판례에 의함)

□□□

19 경찰승진 [Core ★★]

① 주민들에 의하여 공로로 통하는 유일한 통행로로 오랫동안 이용되어 온 폭 2m의 골목길을 자신의 소유라는 이유로 폭 50 내지 75cm 가량만 남겨두고 담장을 설치하여 주민들의 통행을 현저히 곤란하게 하였다면 일반교통방해죄를 구성한다.

② 서울 중구 소공동의 왕복 4차로의 도로 중 편도 3개 차로 쪽에 차량 2, 3대와 간이테이블 수십개를 이용하여 길가쪽 2개 차로를 차지하는 포장마차를 설치하고 영업행위를 한 경우 교통량이 상대적으로 적은 야간에 이루어졌다면 일반교통방해죄를 구성하지 않는다.

③ 교통방해를 유발한 집회에 참가한 경우 참가 당시 이미 다른 참가자들에 의해 교통흐름이 차단된 상태였더라도 교통방해를 유발한 다른 참가자들과 암묵적·순차적으로 공모하여 교통방해의 위법상태를 지속시켰다고 평가할 수 있다면 일반교통방해죄가 성립한다.

④ 공항 여객터미널 버스정류장 앞 도로 중 공항리무진 버스 외의 다른 차의 주차가 금지된 구역에서 밴 차량을 40분간 불법주차하고 호객행위를 한 것은 다른 차량들의 통행을 현저히 곤란하게 한 것으로 볼 수 없어 일반교통방해죄를 구성하지 않는다.

해설

② [×] 피고인이 2, 3대의 차량과 간이테이블 수십 개를 이용하여 도로 중 조선호텔 방면 편도 3개 차로 중 길가쪽 2개 차로를 차지하는 포장마차를 설치하고 영업을 하였다면, 비록 그와 같은 행위가 주로 주간에 비하여 차량통행이 적은 야간에 이루어진 것이라고 하더라도 그로 인하여 도로의 교통을 방해하여 차량통행이 현저히 곤란한 상태가 발생하였다고 하지 않을 수 없고, 도로를 통행하는 차량이 나머지 1개 차로와 반대편 차로를 이용할 수 있었다고 하여 피고인들의 행위가 **일반교통방해죄에 해당하지 않는다고 볼 수도 없다.**(대법원 2007. 12. 14. 2006도4662 **소공동 포장마차 사건**)

① [○] 피고인 甲 소유의 대지 및 인접한 乙의 집 사이의 폭 2m의 골목길이 주민들에 의하여 공로로 통하는 유일한 통행로로 오랫동안 이용되어 왔음에도, 甲이 건축물을 재축하면서 폭 50 내지 75cm 가량만 남겨 두고 담장을 설치하여 주민들의 통행을 현저히 곤란하게 하였다면 **일반교통방해죄가 성립한다.**(대법원 1994. 11. 4. 94도2112 **담장 설치사건**)

③ [○] 일반교통방해죄에서 교통방해 행위는 계속범의 성질을 가지는 것이어서 교통방해의 상태가 계속되는 한 위법상태는 계속 존재한다. 따라서 교통방해를 유발한 집회에 참가한 경우 참가 당시 이미 다른 참가자들에 의해 교통의 흐름이 차단된 상태였다고 하더라도 교통방해를 유발한 다른 참가자들과 암묵적 · 순차적으로 공모하여 교통방해의 위법상태를 지속시켰다고 평가할 수 있다면 **일반교통방해죄가 성립한다.**(대법원 2018. 5. 11. 2017도9146 **세월호 1주기 추모제 사건**)

④ [○] 피고인이 공항여객터미널 버스정류장 앞 도로 중 공항리무진 버스 외의 다른 차의 주차가 금지된 구역에서 밴 차량을 40분간 불법주차하고 호객행위를 하였더라도, 주차한 장소의 옆 차로를 통하여 다른 차량들이 충분히 통행할 수 있었고, 주차행위로 인하여 공항리무진 버스가 출발할 때 후진을 하여 차로를 바꾸어 진출해야 하는 불편을 겪기는 하였지만 통행이 불가능하거나 현저하게 곤란하지는 않았던 경우 **일반교통방해죄를 구성하지 않는다.**(대법원 2009. 7. 9. 2009도4266 **인천국제공항 불법주차 사건**)

정답 | 018 ② 019 ②

020 다음 설명 중 가장 적절하지 않은 것은? (다툼이 있으면 판례에 의함) 12 경찰승진 [Core ★★]

□□□

① 형법 제114조 제1항 소정의 '범죄를 목적으로 하는 단체'라 함은 특정다수인이 일정한 범죄를 수행한다는 공동목적 아래 이루어진 계속적인 결합체로서 단순한 다중의 집합과는 달라 단체를 주도하는 최소한의 통솔체제를 갖추고 있어야 함을 요한다.

② 불을 놓아 무주물을 소훼하여 공공의 위험을 발생하게 한 경우에는 '무주물'을 자기 소유의 물건에 준하는 것으로 보아 형법 제167조 제2항을 적용하여 처벌하여야 한다.

③ 고향에 있는 자기 소유의 빈집을 철거하기 위하여 방화를 하였는데, 갑자기 불어온 강풍에 의해 이웃집에 불이 옮겨 붙어 그 이웃집까지 전소된 경우, 자기소유 일반건조물방화 죄가 성립한다.

④ 피고인의 가옥 앞 도로가 폐기물 운반 차량의 통행로로 이용되어 가옥 일부에 균열 등이 발생하자 피고인이 위 도로에 트랙터를 세워두거나 철책 펜스를 설치함으로써 위 차량의 통행을 불가능하게 한 경우는 일반교통방해죄에 해당하나, 위 차량들의 앞을 가로막고 앉아서 통행을 일시적으로 방해한 경우는 일반교통방해죄에 해당하지 않는다.

해설

③ [×] 자기소유일반건조물에 대한 방화가 현주건조물에 연소된 경우로써 **연소죄가 성립한다.**(제168조 제1항)

① [○] 범죄단체조직죄 소정의 '범죄를 목적으로 하는 단체'라 함은 특정다수인이 일정한 범죄를 수행한다는 공동목적 아래 이루어진 계속적인 결합체로서 그 단체를 주도하는 **최소한의 통솔체제를 갖추고 있음을 요한다.** (대법원 1985. 10. 8. 85도1515 **4인 어음사기 공모사건**)

② [○] 재활용품과 쓰레기 등은 '**무주물**'로서 형법 제167조 제2항에 정한 '**자기 소유의 물건'에 준하는 것으로 보아야 하므로, 여기에 불을 붙인 후 불상의 가연물을 집어넣어 그 화염을 키움으로써 공공의 위험을 발생하게 하였다면 제167조 제2항의 자기소유 일반물건방화죄가 성립한다.**(대법원 2009. 10. 15. 2009도7421 **재활용품 · 쓰레기 방화사건**)

④ [○] 피고인이 도로에 트랙터를 세워두거나 철책 펜스를 설치하여 노폭을 현저하게 제한함으로써 종전에 는 통행이 가능하던 차량의 통행을 불가능하게 한 행위는 일반교통방해죄를 구성하지만, 나아가 **피고인이 도로를 가로막고 앉아서 차량의 통행을 일시적으로 방해한 행위는 교통을 방해하여 통행을 불가능하게 하거나 현저하게 곤란하게 하는 행위라고 보기 어려워 일반교통방해죄를 구성하지 아니한다.**(대법원 2009. 1. 30. 2008도10560 **트랙터 · 철책펜스 사건**)

021 다음 <보기> 설명 중 옳지 않은 것은 모두 몇 개인가? (다툼이 있으면 판례에 의함)

□□□

21 해경채용 [Core ★★]

㉠ 선박매몰죄의 고의가 성립하기 위해서는 행위시에 사람이 현존하는 것이라는 점에 대한 인식과 함께 이를 매몰한다는 결과발생에 대한 인식이 필요하며, 현존하는 사람을 사상에 이르게 한다는 등 공공의 위험에 대한 인식까지는 필요하지 않다.

㉡ 사람의 현존하는 선박에 대해 매몰행위의 실행을 개시하고 그로 인하여 선박을 매몰시켰더라도, 매몰의 결과발생시 사람이 현존하지 않았거나 범인이 선박에 있는 사람을 안전하게 대피시켰다면 선박매몰죄의 미수가 성립한다.

㉢ 「형법」 제187조에서 정한 '파괴'란 다른 구성 요건 행위인 전복·매몰·추락 등과 같은 수준으로 인정할 수 있는 만큼 교통기관으로서의 기능·용법의 전부나 일부를 불가능하게 할 정도의 파손을 의미한다.

㉣ 도선사가 강제도선구역 내에서 조기 하선함으로 인하여 적기에 충돌회피동작을 취하지 못하여 결국 선박충돌사고가 발생한 경우, 도선사의 업무상과실과 선박충돌사고 사이에 상당인과관계가 인정된다.

① 1개 ② 2개
③ 3개 ④ 4개

해설

① ㉡ 항목만 옳지 않다.

㉠ [○] 선박매몰죄의 고의가 성립하기 위하여는 행위시에 사람이 현존하는 것이라는 점에 대한 인식과 함께 이를 매몰한다는 결과발생에 대한 인식이 필요하며, **현존하는 사람을 사상에 이르게 한다는 등 공공의 위험에 대한 인식까지는 필요하지 않다.**(대법원 2000. 6. 23. 99도4688 **동일호 고의 침몰사건**)

㉡ [×] 사람의 현존하는 선박에 대해 매몰행위의 실행을 개시하고 그로 인하여 선박을 매몰시켰다면 매몰의 결과발생시 사람이 현존하지 않았거나 범인이 선박에 있는 사람을 안전하게 대피시켰다고 하더라도 **선박매몰죄의 기수로 보아야 할 것이지 이를 미수로 볼 것은 아니다.**(대법원 2000. 6. 23. 99도4688 **동일호 고의침몰사건**)

㉢ [○] 형법 제187조에서 정한 '파괴'란 전복, 매몰, 추락 등과 같은 수준으로 인정할 수 있을 만큼 **교통기관으로서의 기능 · 용법의 전부나 일부를 불가능하게 할 정도의 파손을 의미하고** 그 정도에 이르지 아니하는 단순한 손괴는 포함되지 않는다.(대법원 2009. 4. 23. 2008도11921 **삼성1호-허베이호 충돌 기름유출사건**)

㉣ [○] 도선사인 피고인 甲이 현대 하모니호가 부산항 제3호 등부표를 지날 무렵 정당한 사유 없이 하모니호에서 하선함으로써 도선사에 비하여 상대적으로 항만사정이나 한국인과의 교신에 익숙하지 못한 데다 선박운용기술이 떨어지는 중국인 선장 乙로 하여금 부산항 강제도선구 내에서 조선하도록 한 **업무상 과실이 있고,** 나아가 피고인이 강제도선구역 내에서 조기 하선함으로 인하여 그 후 하모니호의 선장 乙은 부산항 항만교통정보센터로부터 입항선인 씨에스씨엘 칭다오호의 행동이 의심스러우니 주의하라는 경고를 받았음에도 적기에 충돌회피동작을 취하지 못하여 결국 선박충돌사고가 발생하게 하였으므로 피고인 甲의 위와 같은 업무상 과실과 사고발생 사이의 **상당인과관계도 인정된다.**(대법원 2007. 9. 21. 2006도6949 **하모니호 칭다오호 충돌사건**)

정답 | 020 ③ 021 ①

022 교통방해의 죄에 관한 다음 설명 중 가장 옳은 것은? (다툼이 있으면 판례에 의함)

□□□

19 법원행시 [Superlative ★★★]

① 집회 및 시위에 관한 법률에 따른 신고 없이 이루어진 집회에 참석한 참가자들이 차로 위를 행진하는 등으로 도로교통을 방해함으로써 통행을 불가능하게 하거나 현저하게 곤란하게 하는 경우에 일반교통방해죄가 성립하고, 이때 실제로 참가자가 교통방해를 유발하는 직접적인 행위를 하였는지 여부, 참가자의 참가 경위나 관여 정도 등을 불문하고 공모공동정범의 죄책을 물을 수 있다.

② 교통방해를 유발한 집회에 참가한 경우 참가 당시 이미 다른 참가자들에 의해 교통의 흐름이 차단된 상태였다고 하더라도 교통방해를 유발한 다른 참가자들과 암묵적·순차적으로 공모하여 교통방해의 위법상태를 지속시켰다고 평가할 수 있다면 일반교통방해죄가 성립한다.

③ 공로에 출입할 수 있는 다른 도로가 있는 상태에서 토지 소유자로부터 일시적인 사용승낙을 받아 통행하거나 토지 소유자가 개인적으로 사용하면서 부수적으로 타인의 통행을 묵인한 장소도 일반교통방해죄의 객체인 육로에 해당한다.

④ 교통방해치사상죄가 성립하려면 교통방해 행위와 사상의 결과 사이에 상당인과관계가 있어야 하고 행위시에 결과의 발생을 예견할 수 있어야 하는데, 그 행위와 결과 사이에 피해자나 제3자의 과실 등 다른 사실이 개재된 경우에는 그와 같은 사실이 통상 예견될 수 있는 경우라고 하더라도 상당인과관계를 인정할 수 없다.

⑤ 형법 제187조의 선박파괴죄에서 정한 파괴란 본죄가 공공위험죄인 본질에 비추어 불특정 다수인의 생명·신체에 위험을 생기게 할 정도의 손괴임을 요한다.

해설

② [○] 일반교통방해죄에서 교통방해 행위는 **계속범**의 성질을 가지는 것이어서 교통방해의 상태가 계속되는한 위법상태는 계속 존재한다. 따라서 교통방해를 유발한 집회에 참가한 경우 참가 당시 이미 다른 참가자들에 의해 교통의 흐름이 차단된 상태였다고 하더라도 교통방해를 유발한 다른 참가자들과 암묵적·순차적으로 공모하여 교통방해의 위법상태를 지속시켰다고 평가할 수 있다면 **일반교통방해죄가 성립한다.**(대법원 2018. 5. 11. 2017도9146 세월호 1주기 추모제 사건)

① [×] 집시법에 따른 신고 없이 이루어진 집회에 참석한 참가자들이 차로 위를 행진하는 등으로 도로 교통을 방해함으로써 통행을 불가능하게 하거나 현저하게 곤란하게 하는 경우에 일반교통방해죄가 성립한다.
그러나 이 경우에도 참가자 모두에게 당연히 일반교통방해죄가 성립하는 것은 아니고, 실제로 **참가자가 집회·시위에 가담하여 교통방해를 유발하는 직접적인 행위를 하였거나 참가자의 참가 경위나 관여 정도 등에 비추어 참가자에게 공모공동정범의 죄책을 물을 수 있는 경우라야 일반교통방해죄가 성립한다.**(대법원 2018. 5. 11. 2017도9146 세월호 1주기 추모제 사건)

③ [×] 통행로를 이용하는 사람이 적은 경우에도 '육로'에 해당할 수 있으나, 공로에 출입할 수 있는 다른 도로가 있는 상태에서 **토지 소유자로부터 일시적인 사용승낙을 받아 통행하거나 토지 소유자가 개인적으로 사용하면서 부수적으로 타인의 통행을 묵인한 장소에 불과한 도로는** 일반교통방해죄에서 말하는 **'육로'에 해당하지 않는다.**(대법원 2017. 4. 7. 2016도12563 농로 사건)

④ [×] 교통방해치사상죄는 결과적 가중범이므로, 위 죄가 성립하려면 교통방해 행위와 사상의 결과 사이에 상당 인과관계가 있어야 하고 행위시에 결과의 발생을 예견할 수 있어야 한다. 그리고 교통방해 행위가 피해자의 사상이라는 결과를 발생하게 한 유일하거나 직접적인 원인이 된 경우만이 아니라, 그 행위와 결과 사이에 피해자나 제3자의 과실 등 다른 사실이 개재된 때에도 그와 같은 사실이 통상 예견될 수 있는 것이라면 상당인과관계를 인정할 수 있다.(대법원 2014. 7. 24. 2014도6206 고속도로 급제동 정차사건)

⑤ [×] (1) 형법 제187조에서 정한 '파괴'란 전복, 매몰, 추락 등과 같은 수준으로 인정할 수 있을 만큼 교통기관으로서의 기능·용법의 전부나 일부를 불가능하게 할 정도의 파손을 의미하고 그 정도에 이르지 아니하는 단순한 손괴는 포함되지 않는다.

(2) 허베이호는 총 길이 338m, 갑판 높이 28.9m, 총 톤수 146,848t, 유류탱크 13개, 평형수탱크 4개인 대형 유조선인데, 허베이호가 입은 손상은 좌현 1, 3, 5번 유류탱크에 각 한 군데씩 구멍(1번 탱크 0.3m×0.03m, 3번 탱크 1.2m×0.1m, 5번 탱크 1.6m×2m)이 생기고 선수마스트, 위성통신 안테나, 항해등 등이 파손된 정도에 불과하다면 선박의 '파괴'에 이를 정도라고 보기 어렵고, 이는 유류탱크에 생긴 구멍에서 기름이 누출되어 이를 수리할 때까지 기름을 운송하는 유조선으로서의 기능을 정상적으로 수행할 수 없었다고 하여 달리 볼 것도 아니다.(대법원 2009. 4. 23. 2008도11921 삼성1호-허베이호 충돌 기름유출사건)

정답 | 022 ②

제2장 공공의 신용에 관한 죄

제1절 | 통화에 관한 죄

023 다음 설명 중 옳은 것은 모두 몇 개인가? (다툼이 있으면 판례에 의함) 16 경찰채용 [Essential ★]

□□□

㉠ 위조통화임을 알고 있는 자에게 그 위조통화를 교부한 경우에 피교부자가 이를 유통시키리라는 것을 예상 내지 인식하면서 교부하였다면, 그 교부행위 자체가 통화에 대한 공공의 신용 또는 거래의 안전을 해할 위험이 있으므로 위조통화행사죄가 성립한다.

㉡ 통화에 관한 죄는 외국인의 국내범은 처벌하지만 외국인의 국외범은 처벌하지 아니한다.

㉢ 형법 제207조 제3항의 외국에서 통용하는 지폐에 일반인의 관점에서 통용할 것이라고 오인할 가능성이 있는 지폐까지 포함시킨다면 이는 유추해석 내지 확장해석하여 적용하는 것이 되어 죄형법정주의의 원칙에 어긋나는 것으로 허용되지 않는다.

㉣ 일본국의 자동판매기 등에 투입하여 일본국의 500￥(엔)짜리 주화처럼 사용하기 위해 한국은행 발행 500원짜리 주화의 표면 일부를 깎아내어 손상을 가한 경우 통화변조에 해당한다.

① 1개 ② 2개

③ 3개 ④ 4개

해설

② ㉠㉢ 2 항목이 옳다.

㉠ [○] **위조통화임을 알고 있는 자에게 그 위조통화를 교부한 경우**에 피교부자가 이를 유통시키리라는 것을 예상 내지 인식하면서 교부하였다면, 그 교부행위 자체가 통화에 대한 공공의 신용 또는 거래의 안전을 해할 위험이 있으므로 **위조통화행사죄가 성립한다.**(대법원 2003. 1. 10. 2002도3340 *스위스화 이라크화 사건*)

㉡ [×] 통화에 관한 죄는 외국인의 국내범은 물론 **외국인의 국외범도 처벌한다.**(제5조 제4호)

㉢ [○] 형법 제207조 제3항에서 '외국에서 통용한다'고 함은 그 외국에서 강제통용력을 가지는 것을 의미하는 것이므로 외국에서 통용하지 아니하는 즉, **강제통용력을 가지지 아니하는 지폐**는 그것이 비록 일반인의 관점에서 통용할 것이라고 오인할 가능성이 있다고 하더라도 **외국에서 통용하는 외국의 지폐에 해당한다고 할 수 없다.**(대법원 2004. 5. 14. 2003도3487 *10만달러 100만달러 사건*)

㉣ [×] 피고인들이 한국은행발행 500원짜리 주화의 표면 일부를 깎아내어 손상을 가하였지만 그 크기와 모양 및 대부분의 문양이 그대로 남아 있어, 이로써 **기존의 500원짜리 주화의 명목가치나 실질가치가 변경되었다거나** 객관적으로 보아 일반인으로 하여금 **일본국의 500￥짜리 주화로 오신케 할 정도의 새로운 화폐를 만들어 낸 것이라고 볼 수 없다.**(대법원 2002. 1. 11. 2000도3950 *500원 동전 사건*)

024 통화에 관한 죄에 대한 설명 중 옳은 것은? (다툼이 있으면 판례에 의함) 17 경찰간부 [Core ★★]

□□□

① 甲이 한국은행발행 500원짜리 주화 앞면의 학 문양 일부만을 선반으로 깎아 냄으로써 그 크기와 모양, 앞면의 다른 문양 및 500원이라는 액면이 표시된 뒷면의 문양은 그대로 남아 있었지만, 주화의 무게가 약간 줄어들었을 뿐 아니라 일본국의 자동판매기 등이 甲이 가공한 주화를 일본국의 500엔짜리 주화로 오인하기에 이르렀다면 甲에게는 통화변조죄가 성립한다.

② 위조통화행사죄는 위조통화임을 모르는 자에게 교부한 경우에만 성립하므로, 위조통화임을 알고 있는 자에게 교부한 경우에는 피교부자가 이를 유통시키리라는 점을 예상 내지 인식하면서 교부하였더라도 위조통화행사죄에는 해당하지 않는다.

③ 통화위조죄가 성립하기 위해서는, 위화를 진화와의 식별이 불가능할 정도로 정교하게 제작해야만 한다.

④ 자신의 신용력을 증명하기 위해 타인에게 보여줄 목적으로 통화를 위조한 경우에는 통화위조죄가 성립하지 않는다.

해설

④ [○] 형법 제207조 소정의 '행사할 목적'이란 유가증권위조의 경우와 달리, 위조, 변조한 통화를 진정한 통화로서 유통에 놓겠다는 목적을 말하므로 **자신의 신용력을 증명하기 위하여 타인에게 보일 목적으로 통화를 위조한 경우에는 행사할 목적이 있다고 할 수 없다.**(대법원 2012. 3. 29. 2011도7704 5만원권 앞면만 복사사건)

① [×] 피고인들이 한국은행발행 **500원짜리 주화의 표면 일부를 깎아내어 손상을 가하였지만 그 크기와 모양 및 대부분의 문양이 그대로 남아 있어**, 이로써 기존의 500원짜리 주화의 **명목가치나 실질가치가 변경되었다거나** 객관적으로 보아 일반인으로 하여금 **일본국의 500￥짜리 주화로 오신케 할 정도의 새로운 화폐를 만들어 낸 것이라고 볼 수 없다.**(대법원 2002. 1. 11. 2000도3950 *500원 동전 사건*)

② [×] **위조통화임을 알고 있는 자에게 그 위조통화를 교부한 경우에 피교부자가 이를 유통시키리라는 것을 예상 내지 인식하면서 교부하였다면**, 그 교부행위 자체가 통화에 대한 공공의 신용 또는 거래의 안전을 해할 위험이 있으므로 **위조통화행사죄가 성립한다.**(대법원 2003. 1. 10. 2002도3340 스위스화 이라크화 사건)

③ [×] 위조통화행사죄의 객체인 **위조통화는 객관적으로 보아 일반인으로 하여금 진정통화로 오신케 할 정도에 이른 것이면 족하고** 그 위조의 정도가 반드시 진물에 흡사하여야 한다거나 누구든지 쉽게 그 진부를 식별하기가 불가능한 정도의 것일 필요는 없다.(대법원 1985. 4. 23. 85도570)

정답 | 023 ② 024 ④

025 **통화위조죄에 대한 설명으로 옳은 것은? (다툼이 있으면 판례에 의함)** 21 경찰간부 [*Core* ★★]

□□□

① 위조통화를 행사하여 재물을 불법영득한 때에는 위조통화행사죄와 사기죄가 성립하며, 양 죄는 상상적 경합관계에 있다.

② 통화위조죄를 범할 목적으로 예비·음모한 자가 목적한 죄의 실행에 이르기 전에 자수한 때에는 그 형을 감경 또는 면제할 수 있다.

③ 형법은 행사할 목적으로 외국에서 유통하는 외국의 화폐, 지폐 또는 은행권을 위조 또는 변조한 자에 대한 처벌규정을 두고 있다.

④ 행사할 목적으로 통용하는 대한민국의 화폐, 지폐 또는 은행권을 위조 또는 변조한 행위에 대해서는 외국인의 국외범에 대해서도 대한민국 형법이 적용된다.

해설

④ [○] 대한민국 영영 외에서 **통화에 관한 죄**를 범한 외국인에게 적용한다.(제5조 제4호, 제207조 제1항)

① [×] 위조통화를 행사하여 재물을 불법영득한 때에는 위조통화행사죄와 사기죄의 양죄가 성립하고 이들은 **실체적 경합관계**에 있다.(대법원 1979. 7. 10. 79도840)

② [×] 통화위조죄를 범할 목적으로 예비 · 음모한 자가 목적한 죄의 실행에 이르기 전에 자수한 때에는 **그 형을 감경 또는 면제한다**.(제213조)

③ [×] 형법은 행사할 목적으로 **외국에서 유통하는 외국의 화폐, 지폐 또는 은행권을** 위조 또는 변조한 자에 대한 처벌규정을 두고 있지 않다.(제207조)

제2절 | 유가증권 등에 관한 죄

026 다음 중 유가증권이라고 볼 수 있는 것은 모두 몇 개인가? (다툼이 있으면 판례에 의함)

□□□

15 경찰간부 [Core ★★]

㉠ 신용카드업자가 발행한 신용카드
㉡ 전자복사기를 사용해 복사한 유가증권 사본
㉢ 문방구 약속어음 용지로 작성된 주권
㉣ 리프트 탑승권
㉤ 정기예탁금 증서

① 2개　　② 3개

③ 4개　　④ 5개

해설

① ㉢㉣ 2 항목이 유가증권에 해당한다.

㉠ 신용카드업자가 발행한 **신용카드는** 이를 소지함으로써 신용구매가 가능하고 금융의 편의를 받을 수 있다는 점에서 경제적 가치가 있다 하더라도 그 자체에 **경제적 가치가 화체되어 있거나 특정의 재산권을 표창하는 유가증권이라고 볼 수 없다.**(대법원 1999. 7. 9. 99도857 신용카드 잠시사용 사건)

㉡ **위조유가증권행사죄**에 있어서의 유가증권이라 함은 위조된 유가증권의 원본을 말하는 것이지 전자복사기 등을 사용하여 기계적으로 **복사한 사본은 이에 해당하지 않는다.**(대법원 2010. 5. 13. 2008도10678 선하증권사본 사건) (同旨 대법원 1998. 2. 13. 97도2922 유가증권사본 사건)

㉢ 유가증권은 일반인이 진정한 것으로 오신할 정도의 형식과 외관을 갖추고 있으면 되므로 증권이 비록 **문방구 약속어음 용지**를 이용하여 작성되었다고 하더라도 그 전체적인 형식 · 내용에 비추어 일반인이 진정한 것으로 오신할 정도의 약속어음 요건을 갖추고 있으면 당연히 **유가증권에 해당한다.**(대법원 2001. 8. 24. 2001도2832 문방구 약속어음 사건)

㉣ 리프트탑승권은 유가증권의 일종이고, 피고인이 발매할 권한 없이 발매기를 임의 조작함으로써 리프트탑승권을 부정 발급한 행위는 **유가증권인 리프트탑승권을 위조하는 행위에 해당한다.**(대법원 1998. 11. 24. 98도2967 무주리조트 사건)

㉤ **정기예탁금증서는** 예탁금반환채권의 유통이나 행사를 목적으로 작성된 것이 아니고 채무자가 그 증서 소지인에게 변제하여 책임을 면할 목적으로 발행된 이른바 면책증권에 불과하여 위 증서의 점유가 예탁금 반환채권을 행사함에 있어 그 조건이 된다고 볼 수 없는 것이라면 **유가증권에 해당하지 아니한다.**(대법원 1984. 11. 27. 84도2147)

정답 | 025 ④　026 ①

027 유가증권에 관한 죄에 대한 다음 설명 중 가장 적절하지 않은 것은? (다툼이 있으면 판례에 의함)

□□□

13 경찰승진 [Core ★★]

① 위조유가증권임을 알고 있는 자에게 교부하였더라도 피교부자가 이를 유통시킬 것임을 인식하고 교부하였다면 그 교부행위 자체가 유가증권의 유통질서를 해할 우려가 있어 위조유가증권행사죄가 성립한다.

② 타인이 위조한 액면과 지급기일이 백지로 된 약속어음을 구입하여 행사의 목적으로 백지인 액면란에 금액을 기입하여 그 위조어음을 완성하는 행위는 백지어음 형태의 위조행위와는 별개의 유가증권위조죄를 구성한다.

③ 수표의 외관이 일반인으로 하여금 진정한 수표라고 신용하게 할 정도의 것이라면 동 수표가 수표요건을 결하여 실체법상 무효의 것이라 해도 위조죄는 성립한다.

④ 배서인이 약속어음 배서인의 주소를 허위로 기재한 경우, 배서인의 인적 동일성을 해하여 배서인이 누구인지를 알 수 없는 경우가 아니라고 하더라도 형법 제216조 소정의 허위유가증권작성죄가 성립한다.

해설

④ [×] **배서인의 주소기재는 배서의 요건이 아니므로** 약속어음 배서인의 주소를 허위로 기재하였다고 하더라도 그것이 배서인의 인적 동일성을 해하여 배서인이 누구인지를 알 수 없는 경우가 아닌 한 약속어음상의 권리관계에 아무런 영향을 미치지 않는다 할 것이고, 따라서 **그것을 허위로 기재하더라도 허위유가증권작성죄에 해당되지 않는다.**(대법원 1986. 6. 24. 84도547)

① [○] **위조유가증권임을 알고 있는 자에게 교부하였더라도 피교부자가 이를 유통시킬 것임을 인식하고 교부하였다면**, 그 교부행위 그 자체가 유가증권의 유통질서를 해할 우려가 있어 처벌의 이유와 필요성이 충분히 있다고 할 것이므로 **위조유가증권행사죄가 성립한다.**(대법원 2010. 12. 9. 2010도12553 **수표대여 연출사건**)

② [○] 타인이 위조한 액면과 지급기일이 백지로 된 약속어음을 그것이 위조 약속어음인 정을 알고도 구입하여 행사의 목적으로 기존의 위조어음의 액면란에 금액을 기입하여 어음위조를 완성하는 행위는 백지어음 형태의 위조행위와는 별개의 유가증권위조죄를 구성한다 할 것이고, 이는 진정하게 성립된 **백지어음의 액면란을 보충권 없이 함부로 기입하는 행위가 유가증권위조죄에 해당한다**는 법리와 조금도 다를 바 없다.(대법원 1982. 6. 22. 82도677)

③ [○] 수표의 외관이 **일반인으로 하여금 진정한 수표라고 신용하게 할 정도**의 것이라면 동 수표가 **수표요건을 결하여 실체법상 무효의 것이라 해도 위조죄는 성립한다.**(대법원 1973. 6. 12. 72도1796)

028 유가증권에 관한 죄에 대한 설명 중 가장 적절하지 않은 것은? (다툼이 있으면 판례에 의함)

□□□

17 경찰채용 [Essential ★]

① 자기앞수표의 발행인이 수표의뢰인으로부터 수표자금을 입금받지 아니한 채 자기앞수표를 발행하더라도 허위유가증권작성죄가 성립하지 아니한다.

② 위조유가증권행사죄에 있어서의 유가증권이라 함은 위조된 유가증권의 원본을 말하는 것이지 전자복사기 등을 사용하여 기계적으로 복사한 사본은 이에 해당하지 않는다.

③ 유가증권의 내용 중 권한 없는 자에 의하여 이미 변조된 부분을 다시 권한 없이 변경한 경우 유가증권변조죄는 성립하지 않는다.

④ 타인이 위조한 액면과 지급기일이 백지로 된 약속어음을 구입하여 행사의 목적으로 백지인 액면란에 금액을 기입하여 그 위조어음을 완성하는 행위는 백지어음 형태의 위조행위와 별개의 유가증권위조죄를 구성하지 않는다.

해설

④ [×] 타인이 위조한 액면과 지급기일이 백지로 된 약속어음을 그것이 위조 약속어음인 정을 알고도 구입하여 행사의 목적으로 기존의 위조어음의 액면란에 금액을 기입하여 어음위조를 완성하는 행위는 **백지어음형태의 위조행위와는 별개의 유가증권위조죄를 구성한다 할 것이고,** 이는 진정하게 성립된 백지어음의 액면란을 보충권 없이 함부로 기입하는 행위가 유가증권위조죄에 해당한다는 법리와 조금도 다를 바 없다.(대법원 1982. 6. 22. 82도677)

① [○] 자기앞수표의 발행인이 수표의뢰인으로부터 **수표자금을 입금받지 아니한 채 자기앞수표를 발행하더라도** 그 수표의 효력에는 아무런 영향이 없으므로 **허위유가증권작성죄가 성립하지 아니한다.**(대법원 2005. 10. 27. 2005도4528)

② [○] 위조유가증권행사죄에 있어서의 유가증권이라 함은 위조된 유가증권의 원본을 말하는 것이지 전자복사기 등을 사용하여 기계적으로 **복사한 사본은 이에 해당하지 않는다.**(대법원 2010. 5.1 3. 2008도10678 선하증권 사본 사건)

③ [○] 유가증권의 내용 중 권한 없는 자에 의하여 **이미 변조된 부분을 다시 권한 없이 변경하였다고 하더라도 유가증권변조죄는 성립하지 않는다.**(대법원 2012. 9. 27. 2010도15206)

정답 | 027 ④ 028 ④

029 유가증권에 관한 죄에 대한 설명 중 가장 적절하지 않은 것은? (다툼이 있으면 판례에 의함)

□□□

18 경찰채용 [Essential ★]

① 자기앞수표의 발행인이 수표의뢰인으로부터 수표자금을 입금받지 아니한 채 자기앞수표를 발행한 경우에는 허위유가증권작성죄가 성립한다.

② 「형법」 제214조의 유가증권이 되기 위해서는 재산권이 증권에 화체된다는 것과 그 권리의 행사와 처분에 증권의 점유를 필요로 한다는 두 가지 요소를 갖추면 족하지 반드시 유통성을 가질 필요는 없다.

③ 이미 타인에 의하여 위조된 약속어음의 기재사항을 권한 없이 변경하였다고 하더라도 유가증권변조죄는 성립하지 않는다.

④ 타인이 위조한 액면과 지급기일이 백지로 된 약속어음을 구입하여 행사의 목적으로 백지인 액면란에 금액을 기입하여 그 위조어음을 완성하는 행위는 백지어음 형태의 위조행위와 별개의 유가증권위조죄를 구성한다.

해설

① [×] 자기앞수표의 발행인이 수표의뢰인으로부터 수표자금을 입금받지 아니한 채 자기앞수표를 발행하더라도 그 수표의 효력에는 아무런 영향이 없으므로 허위유가증권작성죄가 성립하지 아니한다.(대법원 2005. 10. 27. 2005도4528)

② [○] 유가증권은 일반인이 진정한 것으로 오신할 정도의 형식과 외관을 갖추고 있으면 되므로 증권이 비록 **문방구 약속어음 용지**를 이용하여 작성되었다고 하더라도 그 전체적인 형식 · 내용에 비추어 일반인이 진정한 것으로 오신할 정도의 약속어음 요건을 갖추고 있으면 당연히 **유가증권에 해당한다**.(대법원 2001. 8. 24. 2001도2832 문방구 약속어음 사건)

③ [○] 이미 타인에 의하여 **위조된 약속어음**의 기재사항을 권한 없이 변경하였다고 하더라도 **유가증권변조죄는 성립하지 아니한다**.(대법원 2006. 1. 26. 2005도4764)

④ [○] 타인이 위조한 액면과 지급기일이 백지로 된 약속어음을 그것이 위조 약속어음인 정을 알고도 구입하여 행사의 목적으로 기존의 위조어음의 액면란에 금액을 기입하여 어음위조를 완성하는 행위는 백지어음 형태의 위조행위와는 별개의 유가증권위조죄를 구성한다 할 것이고, 이는 진정하게 성립된 **백지어음의 액면란을 보충권 없이 함부로 기입하는 행위가 유가증권위조죄에 해당한다**는 법리와 조금도 다를 바 없다.(대법원 1982. 6. 22. 82도677)

030 유가증권에 관한 죄에 대한 설명이다. 아래 ㉠부터 ㉣까지의 설명 중 옳고 그름의 표시(○, ×)가 바르게 된 것은? (다툼이 있으면 판례에 의함)

19 경찰승진 [Core ★★]

㉠ 유가증권이란 증권상에 표시된 재산상의 권리의 행사와 처분에 그 증권의 점유를 필요로 하는 것을 총칭하는 것으로서 재산권이 증권에 화체된다는 것, 그 권리의 행사와 처분에 증권의 점유를 필요로 한다는 것과 반드시 유통성을 가질 것을 필요로 한다.
㉡ 甲이 백지 약속어음의 액면란을 부당 보충하여 위조한 후 乙이 甲과 공모하여 금액란을 임의로 변경한 경우 乙의 행위는 유가증권위조나 변조에 해당하지 않는다.
㉢ A회사의 대표이사로 재직한 바 있는 甲이 A회사의 대표이사가 이미 乙로 변경된 이후임에도 불구하고, 이전부터 사용하여오던 자기 명의로 된 A회사 대표이사 명판을 이용하여 여전히 자신을 A회사 대표이사로 표시하여 약속어음을 발행하고 행사한 경우 유가증권위조죄 및 동 행사죄가 성립한다.
㉣ 위조유가증권의 교부자와 피교부자가 서로 유가증권위조를 공모한 경우 그들 사이의 위조유가증권교부행위는 유가증권의 유통질서를 해할 우려가 있어 위조유가증권행사죄가 성립한다.

① ㉠ ○ ㉡ × ㉢ ○ ㉣ ×
② ㉠ × ㉡ ○ ㉢ × ㉣ ○
③ ㉠ × ㉡ ○ ㉢ × ㉣ ×
④ ㉠ × ㉡ × ㉢ × ㉣ ○

해설

③ 이 지문이 옳은 연결이다.

㉠ [×] 유가증권은 재산권이 증권에 화체된다는 것과 그 권리의 행사와 처분에 증권의 점유를 필요로 한다는 두 가지 요소를 갖추면 족하지 **반드시 유통성을 가질 필요는 없다.**(대법원 2001. 8. 24. 2001도2832 **문방구 약속어음 사건**)

㉡ [○] (1) 이미 타인에 의하여 위조된 약속어음의 기재사항을 권한 없이 변경하였다고 하더라도 **유가증권변조죄는 성립하지 아니하고,** 위조된 약속어음의 **액면금액을 권한 없이 변경하는 것이 당초의 위조와는 별개의 새로운 유가증권위조로 된다고 할 수도 없다.**
(2) 권한 없이 보충됨으로써 위조되었다고 평가되는 약속어음에 있어서 그 위조행위자와 공모하여 금액란을 임의로 변경한 피고인의 행위는 유가증권변조에 해당하지 아니한다.(대법원 2008. 12. 24. 2008도9494)

㉢ [×] 주식회사 대표이사로 재직하던 피고인이 대표이사가 타인으로 변경되었음에도 불구하고 이전부터 사용하여 오던 피고인 명의로 된 회사 대표이사의 명판을 이용하여 여전히 피고인을 회사의 대표이사로 표시하여 약속어음을 발행, 행사하였다면 **자격모용유가증권작성 및 동행사죄에 해당한다.**(대법원 1991. 2. 26. 90도577)

㉣ [×] 위조유가증권의 교부자와 피교부자가 서로 유가증권위조를 공모하였거나 위조유가증권을 타에 행사하여 그 이익을 나누어 가질 것을 공모한 공범의 관계에 있다면, 그들 사이의 위조유가증권 교부행위는 그들 이외의 자에게 행사함으로써 범죄를 실현하기 위한 전단계의 행위에 불과한 것으로서 **위조유가증권은 아직 범인들의 수중에 있다고 볼 것이지 행사되었다고 볼 수는 없다.**(대법원 2010. 12. 9. 2010도12553 **수표대여 연출사건**)

정답 | 029 ① 030 ③

031 다음 설명 중 옳은 것만을 모두 고른 것은? (다툼이 있으면 판례에 의함)

□□□

16 국가9급 [Core ★★]

㉠ 농촌주택에서 배출되는 생활하수의 배수관(소형 PVC관)을 토사로 막아 하수가 내려가지 못하게 한 경우 수리방해죄가 성립한다.

㉡ 단순히 자신의 신용력을 증명하기 위하여 타인에게 보일 목적으로 통화를 위조한 경우 통화위조죄는 성립하지 않는다.

㉢ 기재사항이 누락되어 사법상 무효인 유가증권을 행사할 목적으로 위조하여 일반인으로 하여금 유효한 주권으로 오신시킬 정도의 외관을 갖춘 경우 유가증권위조죄가 성립한다.

㉣ 타인에 의하여 이미 위조된 약속어음의 기재사항을 권한 없이 변경한 경우 유가증권변조죄가 성립한다.

① ㉠㉢ ② ㉡㉢

③ ㉠㉡㉣ ④ ㉡㉢㉣

해설

② ㉡㉢ 2 항목이 옳다.

㉠ [×] 원천(源泉) 내지 자원으로서의 물의 이용이 아니라 **하수나 폐수 등 이용이 끝난 물을 배수로를 통하여 내려보내는 것은 수리방해죄에서 수리(水利)에 해당한다고 할 수 없고**, 그러한 배수 또는 하수처리를 방해하는 행위는, 특히 그 배수가 수리용의 인수(引水)와 밀접하게 연결되어 있어서 그 배수의 방해가 직접 인수에까지 지장을 초래한다는 등의 특수한 경우가 아닌 한 수리방해죄의 대상이 될 수 없다.
(2) 피고인이 피해자들의 집(농촌주택)에서 배출되는 **생활하수의 배수관(소형 PVC관)을 토사로 막아 하수가 내려가지 못하게 한 경우라도 수리방해죄는 성립하지 아니한다.**(대법원 2001. 6. 26. 2001도404 PVC 하수관 사건)

㉡ [○] 형법 제207조 소정의 '행사할 목적'이란 유가증권위조의 경우와 달리, 위조, 변조한 통화를 진정한 통화로서 유통에 놓겠다는 목적을 말하므로 **자신의 신용력을 증명하기 위하여 타인에게 보일 목적으로 통화를 위조한 경우에는 행사할 목적이 있다고 할 수 없다.**(대법원 2012. 3. 29. 2011도7704 **5만원권 앞면만 복사사건**)

㉢ [○] **대표이사의 날인이 없어 상법상으로는 무효라 할지라도**, 발행인인 대표이사의 기명을 비롯한 그밖의 주권의 기재요건을 모두 구비하고 그 위에 회사의 사인까지 날인하였다면 이와 같은 **주권은** 일반인으로 하여금 일견유효한 주권이라고 오신시킬 정도의 외관을 갖추었다 할 것이고, 따라서 형법 제214조 소정의 **유가증권에 해당한다.**(대법원 1974. 12. 24. 74도294)

㉣ [×] 이미 타인에 의하여 위조된 약속어음의 기재사항을 권한 없이 변경하였다고 하더라도 **유가증권변조죄는 성립하지 아니한다.** 그리고 약속어음의 액면금액을 권한 없이 변경하는 것은 유가증권변조에 해당할 뿐 유가증권위조는 아니므로, 약속어음의 액면금액을 권한 없이 변경하는 행위가 당초의 위조와는 별개의 새로운 유가증권위조로 된다고 할 수도 없다.(대법원 2006. 1. 26. 2005도4764)

032 유가증권, 우표와 인지에 관한 죄에 관한 다음 설명 중 옳지 않은 것은 모두 몇 개인가? (다툼이 있으면 판례에 의함)
□□□
24 법원행시 [Superlative ★★★]

㉠ 구 부정수표 단속법(2010. 3.24. 법률 제10185호로 개정 되기 전의 것, 이하 '구 부정수표 단속법'이라 한다) 제5조에서 처벌하는 행위는 수표의 발행에 관한 위조·변조를 말하고, 수표의 배서를 위조·변조한 경우에는 수표의 권리의무에 관한 기재를 위조·변조한 것으로서 형법 제214조 제2항에 해당하는지 여부는 별론으로 하고 구 부정수표 단속법 제5조에는 해당하지 않는다.

㉡ 유가증권변조죄에서 '변조'는 진정하게 성립된 유가증권의 내용에 권한 없는 자가 유가증권의 동일성을 해하지 않는 한도에서 변경을 가하는 것을 의미하므로 유가증권의 내용 중 권한 없는 자에 의하여 이미 변조된 부분을 다시 권한 없이 변경하였다고 하더라도 유가증권변조죄는 성립하지 않는다.

㉢ 자기앞수표의 발행인이 수표의뢰인으로부터 수표자금을 입금받지 아니한 채 자기앞수표를 발행하더라도 그 수표의 효력에는 아무런 영향이 없으므로 허위유가증권작성죄가 성립하지 아니한다.

㉣ 주식회사 대표이사로 재직하던 피고인이 대표이사가 타인으로 변경되었음에도 불구하고 이전부터 사용하여 오던 피고인 명의로 된 위 회사 대표이사의 명판을 이용하여 여전히 피고인을 위 회사의 대표이사로 표시하여 약속어음을 발행·행사한 경우 만일 약속어음을 작성·행사함에 있어 후임 대표이사의 승낙을 얻었다거나 위 회사의 실질적인 대표이사로서의 권한을 행사하는 피고인이 은행과의 당좌계약을 변경하는 데에 시일이 걸려 잠정적으로 전임 대표이사인 그의 명판을 사용한 것이라는 사정이 인정된다면 자격모용유가증권작성 및 동행사죄는 성립하지 않는다.

㉤ 위조우표취득죄 및 위조우표행사죄에 관한 형법 제219조 및 제218조 제2항 소정의 "행사"라 함은 위조된 대한민국 또는 외국의 우표를 진정한 우표로서 사용하는 것으로 반드시 우편요금의 납부용으로 사용하는 것에 한정되지 않고 우표수집의 대상으로서 매매하는 경우도 이에 해당된다.

① 없음　② 1개　③ 2개
④ 3개　⑤ 4개

정답 | 031 ②　032 ②

해설

② ㉣ 항목만 옳지 않다.

㉠ [○] 부정수표 단속법 제5조에서 처벌하는 행위는 수표의 발행에 관한 위조 · 변조를 말하고, **수표의 배서를 위조 · 변조한 경우에는 수표의 권리의무에 관한 기재를 위조한 것으로서 형법 제214조 제2항에 해당하는지 여부는 별론으로 하고 부정수표 단속법 제5조에는 해당하지 않는다.**(대법원 2019. 11. 28. 2019도12022 **수표 배서인란 임의기재 사건**)

㉡ [○] 유가증권변조죄에서 '변조'는 진정하게 성립된 유가증권의 내용에 권한 없는 자가 유가증권의 동일성을 해하지 않는 한도에서 변경을 가하는 것을 의미하므로 유가증권의 내용 중 권한 없는 자에 의하여 이미 **변조된 부분을 다시 권한 없이 변경하였다고 하더라도 유가증권변조죄는 성립하지 않는다.**(대법원 2012. 9. 27. 2010도15206 **지급기일 3번 변조사건**)

㉢ [○] 자기앞수표의 발행인이 수표의뢰인으로부터 **수표자금을 입금받지 아니한 채 자기앞수표를 발행하더라도 그 수표의 효력에는 아무런 영향이 없으므로 허위유가증권작성죄가 성립하지 아니한다.**(대법원 2005. 10. 27. 2005도4528 **자금관계× 수표발행 사건**)

㉣ [×] **주식회사 대표이사로 재직하던 피고인이 대표이사가 타인으로 변경되었음에도 불구하고** 이전부터 사용하여 오던 피고인 명의로 된 회사 대표이사의 명판을 이용하여 여전히 **피고인을 회사의 대표이사로 표시하여 약속어음을 발행 · 행사하였다면** 설사 약속어음을 작성 · 행사함에 있어 후임 대표이사의 승낙을 얻었다거나 회사의 실질적인 대표이사로서의 권한을 행사하는 피고인이 은행과의 당좌계약을 변경하는데에 시일이 걸려 잠정적으로 전임 대표이사인 그의 명판을 사용한 것이라 하더라도 이는 합법적인 대표이사로서의 권한 행사라 할 수 없어 **자격모용유가증권작성 및 동행사죄에 해당한다.**(대법원 1991. 2. 26. 90도577 **연산산업 대표이사 사건**)

㉤ [○] 위조우표취득죄 및 위조우표행사죄에 관한 형법 제219조 및 제218조 제2항에 규정된 '행사'라 함은 위조된 대한민국 또는 외국의 우표를 진정한 우표로서 사용하는 것을 말하는 것으로 반드시 우편요금의 납부용으로 사용하는 것에 한정되지 아니하고 **우표수집의 대상으로서 매매하는 경우도 이에 해당된다.**(대법원 1989. 4. 11. 88도1105 **위조우표 매수 · 전매 사건**)

제3절 | 문서에 관한 죄

033 사문서위조 · 변조죄에 대한 설명으로 가장 옳지 않은 것은? (다툼이 있으면 판례에 의함)
□□□

14 경찰간부 [Core ★★]

① 대리권·대표권이 있는 자가 권한의 범위 내에서 단순히 권한을 남용하는 문서를 작성함에 불과한 경우에는 문서위조죄가 성립하지 않는다.

② 문서의 작성에는 작성자가 자필로 작성할 필요는 없고, 명의인의 착각을 이용하여 명의인으로 하여금 진의에 반하는 문서를 작성·서명하도록 하는 것과 같이 간접정범에 의한 위조도 가능하다.

③ 문서죄에 있어서 죄수는 문서의 수를 기준으로 정한다.

④ 위임인 명의의 백지문서에 위임의 취지에 반하여 백지를 보충하는 것은 위조에 해당한다.

해설

③ [×] 문서에 2인 이상의 작성명의인이 있을 때에는 **각 명의자마다 1개의 문서가 성립되므로** 2인 이상의 연명으로 된 문서를 위조한 때에는 작성명의인의 수대로 수개의 문서위조죄가 성립한다.(대법원 1987. 7. 21. 87도564)

① [○] 타인의 대표자 또는 대리자가 그 대표명의 또는 대리명의를 써서 또는 직접 본인의 명의를 사용하여 문서를 작성할 권한을 가지는 경우에 그 지위를 남용하여 단순히 자기 또는 제3자의 이익을 도모할 목적으로 마음대로 문서를 작성한 때라고 할지라도 **문서위조죄는 성립하지 아니한다.**(대법원 1983. 4. 12. 83도332)

② [○] 명의인을 기망하여 문서를 작성케 하는 경우는 서명, 날인이 정당히 성립된 경우에도 **기망자는 명의인을 이용하여 서명 날인자의 의사에 반하는 문서를 작성케 하는 것이므로 사문서위조죄가 성립한다.**(대법원 2000. 6. 13. 2000도778 종중 회의록 사건)

④ [○] 피고인 甲이 乙과의 **동업계약**에 따라 甲의 명의로 변경하기 위하여 乙의 인장이 날인된 백지의 건축주명의변경신청서를 받아 보관하고 있던 중 그 위임의 취지에 반하여 丙 앞으로 건축주명의를 변경하는 **건축주명의변경신청서를 작성하여 구청에 제출하였다면 사문서위조 및 동행사죄가 성립한다.**(대법원 1984. 6. 12. 83도2408)

정답 | 033 ③

034 문서에 관한 죄에 대한 다음 설명 중 가장 옳은 것은? (다툼이 있으면 판례에 의함)

□□□

16 법원9급 [*Core* ★★]

① 주취운전자 적발보고서 및 주취운전자 정황진술보고서의 각 운전자란에 타인의 서명을 한 다음 이를 경찰관에게 제출하였다면 허위공문서작성죄의 간접정범이 성립한다.

② 제3자로부터 신분확인을 위하여 신분증명서의 제시를 요구받고 다른 사람의 운전면허증을 제시한 행위는 운전면허증의 사용목적에 따른 행사라고 할 수 없으므로 공문서부정행사죄가 성립하지 아니한다.

③ 타인의 주민등록증 사본의 사진란에 자신의 사진을 붙여 복사하여 행사하였다면 공문서위조 및 동행사죄가 성립한다.

④ 기왕에 습득한 타인의 주민등록증을 자신의 가족의 것이라고 제시하면서 그 주민등록증상의 명의로 이동전화 가입신청을 한 경우 공문서부정행사죄가 성립한다.

해설

③ [○] 피고인이 타인의 주민등록증사본의 사진란에 피고인의 사진을 붙여 이를 복사하여 전혀 별개의 **주민등록증사본을 창출시킨 경우 공문서위조죄가 성립한다.**(대법원 2000. 9. 5. 2000도2855)

① [×] 주취운전자 적발보고서 및 주취운전자 정황진술보고서의 각 운전자란에 타인의 서명을 한 다음 이를 경찰관에게 제출한 것은 **사문서위조 및 동행사죄에 해당한다.**(대법원 2004. 12. 23. 2004도6483)

② [×] 피고인이 제3자로부터 신분확인을 위하여 신분증명서의 제시를 요구받고 다른 사람의 운전면허증을 제시한 행위는 **그 사용목적에 따른 행사로서 공문서부정행사죄에 해당한다.**(대법원 2001. 4. 19. 2000도1985 全合 **타인 운전면허증 제시사건**)

④ [×] 피고인이 기왕에 습득한 타인의 주민등록증을 피고인 가족의 것이라고 제시하면서 그 주민등록증상의 명의 또는 가명으로 이동전화 가입신청을 한 경우, **타인의 주민등록증을 본래의 사용용도인 신분확인용으로 사용한 것이라고 볼 수 없어 공문서부정행사죄가 성립하지 않는다.**(대법원 2003. 2. 26. 2002도4935 **엄마 허락 누나심부름 사건**)

035 □□□ 문서에 관한 죄에 대한 설명 중 옳고 그름의 표시(○, ×)가 바르게 된 것은? (다툼이 있으면 판례에 의함)

17 경찰채용 [Essential ★]

㉠ 컴퓨터 모니터 화면에 나타나는 이미지는 이미지 파일을 보기 위한 프로그램을 실행할 경우에 그때마다 계속적으로 화면에 고정된 것으로 볼 수 있으므로, 형법상 문서에 관한 죄에 있어서의 문서에 해당한다.
㉡ 형법상 문서에 관한 죄에 있어서 전자복사기를 사용하여 복사한 문서의 사본도 문서로 본다.
㉢ 문서위조죄의 요건을 구비한 이상 그 문서의 명의인이 실재하지 않는 허무인이거나 또는 문서의 작성일자 전에 이미 사망하였다고 하더라도 문서위조죄가 성립한다.
㉣ 컴퓨터 스캔 작업을 통하여 만들어낸 공인중개사 자격증의 이미지 파일은 전자기록으로서 전자기록 장치에 전자적 형태로서 고정되어 계속성이 있다고 볼 수는 있으나, 그러한 형태는 그 자체로서 시각적 방법에 의해 이해할 수 있는 것이 아니어서 이를 형법상 문서에 관한 죄에 있어서의 '문서'로 보기 어렵다.
㉤ 휴대전화 신규 가입신청서를 위조한 후, 이를 스캔한 이미지 파일을 제3자에게 이메일로 전송하여 컴퓨터 화면상으로 보게 한 행위는 위조사문서행사죄가 성립하지 않는다.

① ㉠ ○ ㉡ ○ ㉢ × ㉣ × ㉤ ○
② ㉠ × ㉡ ○ ㉢ ○ ㉣ ○ ㉤ ×
③ ㉠ × ㉡ × ㉢ ○ ㉣ × ㉤ ○
④ ㉠ ○ ㉡ × ㉢ × ㉣ ○ ㉤ ×

해설

② 이 지문이 옳은 연결이다.

㉠ [×] **컴퓨터 모니터 화면에 나타나는 이미지는** 이미지 파일을 보기 위한 프로그램을 실행할 경우에 그때마다 전자적 반응을 일으켜 화면에 나타나는 것에 지나지 않아서 계속적으로 화면에 고정된 것으로는 볼 수 없으므로 **문서에 관한 죄에 있어서의 문서에는 해당되지 않는다.**(대법원 2010. 7. 15. 2010도6068 **졸업증명서 파일 사건**)

㉡ [○] 이 장의 죄에 있어서 전자복사기, 모사전송기 기타 이와 유사한 기기를 사용하여 **복사한 문서 또는 도화의 사본도 문서 또는 도화로 본다.**(제237조의2)

㉢ [○] **명의인이 실재하지 않는 허무인이거나 또는 문서의 작성일자 전에 이미 사망하였다고 하더라도** 그러한 문서 역시 공공의 신용을 해할 위험성이 있으므로 **문서위조죄가 성립한다**고 봄이 상당하며 이는 공문서뿐만 아니라 사문서의 경우에도 마찬가지라고 보아야 할 것이다.(대법원 2005. 2. 24. 2002도18 전원합의체 **임상경력증명서 사건**)

㉣ [○] **컴퓨터 모니터 화면에 나타나는 이미지는** 이미지 파일을 보기 위한 프로그램을 실행할 경우에 그때마다 전자적 반응을 일으켜 화면에 나타나는 것에 지나지 않아서 계속적으로 화면에 고정된 것으로는 볼 수 없으므로, **형법상 문서에 관한 죄에 있어서의 '문서'에는 해당되지 않는다고 할 것이다.**(대법원 2008. 4. 10. 2008도1013 **공인중개사자격증 이미지 사건**)

㉤ [×] 스캐너로 읽어 들여 이미지화한 것은 문서에 관한 죄에 있어서의 '문서'에 해당하지 않는다고 하더라도, **자신이 이미 위조한 휴대전화 신규 가입신청서를 행사한 것에 해당하여 위조문서행사죄가 성립한다.**(대법원 2008. 10. 23. 2008도5200 **휴대폰가입신청서 사건**)

정답 | 034 ③ 035 ②

036 사문서위 · 변조죄에 관한 설명 중 옳은 것은? (다툼이 있으면 판례에 의함)

□□□

17 변호사 [Superlative ★★★]

① 사문서를 변조할 당시 그 명의인의 명시적·묵시적 승낙이 없었더라도 변조된 문서가 그 명의인에게 유리하여 결과적으로 그 의사에 합치되는 때에는 사문서변조죄를 구성하지 않는다.

② 사문서에 2인 이상의 작성명의인이 있는 때에는 그 명의자 가운데 1인이 나머지 명의자와 합의 없이 행사할 목적으로 그 문서의 내용을 변경하더라도 사문서변조죄를 구성하지 않는다.

③ 주식회사의 지배인이 자신을 그 회사의 대표이사로 표시하여 연대보증채무를 부담하는 취지의 회사 명의의 차용증을 작성한 경우에 그 문서에 허위의 내용이 포함되어 있더라도 사문서위조죄를 구성하지 않는다.

④ 사문서의 작성명의자의 인장이 압날되지 않고 주민등록번호가 기재되지 않았다면 일반인이 그 작성명의자에 의해 작성된 사문서라고 믿을만한 정도의 형식과 외관을 갖추었더라도 사문서위조죄의 객체가 되지 않는다.

⑤ 직접적인 법률관계에 단지 간접적으로 연관된 의사표시 내지 권리·의무의 변동에 사실상으로 영향을 줄 수 있는 의사표시를 내용으로 하는 문서는 사문서위조죄의 객체가 되지 않는다.

해설

③ [○] (가)회사의 아산지점 지배인인 피고인 甲이 자신을 (가)회사의 대표이사로 표시하여 '(가)회사는 (나)회사의 1억원 차용금 채무에 대하여 연대보증한다'는 취지의 차용증을 작성 · 교부한 경우, 甲은 (가)회사의 **적법한 지배인이므로 (가)회사 명의 문서를 작성하는 행위가 사문서위조에 해당할 수는 없는 것이고**, 가사 甲이 자신을 (가)회사의 대표이사로 표시하는 등 일부 허위 내용이 포함되거나 연대보증행위가 (가)회사의 이익에 반하는 것이라 하더라도 같은 결론에 이른다.(대법원 2010. 5. 13. 2010도1040 황강산업 지배인 사건)

① [×] 사문서변조에 있어서 그 변조 당시 명의인의 명시적, 묵시적 승낙없이 한 것이면 **변조된 문서가 명의인에게 유리하여 결과적으로 그 의사에 합치한다 하더라도 사문서변조죄의 구성요건을 충족한다.**(대법원 1985. 1. 22. 84도2422)

② [×] 부동산 매매계약서와 같이 문서에 2인 이상의 작성명의인이 있는 때에는 각 명의자마다 1개의 문서가 성립되는 것으로 볼 것이고 **피고인이 그 명의자의 한사람이라 하더라도 타 명의자와 합의없이 그 문서의 내용을 변경하였을 때에는 사문서변조죄가 성립된다.**(대법원 1977. 7. 12. 77도1736)

④ [×] 사문서의 작성명의자의 인장이 압날되지 아니하고 주민등록번호가 기재되지 않았더라도, 일반인으로 하여금 그 작성 명의자가 진정하게 **작성한 사문서로 믿기에 충분할 정도의 형식과 외관을 갖추었으면 사문서위조 및 동행사죄의 객체가 되는 사문서라고 보아야 한다.**(대법원 1989. 8. 8. 88도2209)

⑤ [×] 거래상 중요한 사실을 증명하는 문서는, 법률관계의 발생 · 존속 · 변경 · 소멸의 전후과정을 증명하는 것이 주된 취지인 문서뿐만 아니라 직접적인 법률관계에 단지 **간접적으로만 연관된 의사표시 내지 권리 · 의무의 변동에 사실상으로만 영향을 줄 수 있는 의사표시를 내용으로 하는 문서도 포함될 수 있다.**(대법원 2012. 5. 9. 2010도2690 분담금인하 안내문 사건)

037 다음 중 가장 옳지 않은 것은? (다툼이 있으면 판례에 의함) 24 해경채용 [Core ★★]

□□□

① 세금계산서상의 공급받는 자는 그 문서 내용의 일부에 불과할 뿐이므로 임의적 기재사항인 '공급받는 자'란에 임의로 다른 사람을 기재하였더라도 그 사람에 대한 관계에서 사문서위조죄가 성립하지 않는다.

② 부동산 매수인(乙)이 매도인(甲)과 부동산계약서 2통을 작성하고 그 중 1통을 가지고 있는 기회를 이용하여 행사할 목적으로 그 부동산계약서의 좌단 난외에 '전기부동산에 대한 제3자에 대여한 전세계약은 乙이 승계하고 전세금반환의무를 부하기로 함'이라고 권한 없이 가필하고 그 밑에 자신의 인장을 날인하였다면 사문서위조죄가 성립한다.

③ 소속 공무소 식당의 주·부식 구입 업무를 담당하는 공무원이 그 공무소와의 계약에 의하여 주·부식의 구입·검수 업무 등을 담당하는 비공무원인 영양사의 명의를 위조하여 검수결과보고서를 작성하였더라도 공문서위조죄가 성립하지 않는다.

④ 컴퓨터 모니터 화면상의 이미지로 생성된 국립대학교 교무처장 명의의 졸업증명서 파일은 형법상문서에 관한 죄에서의 '문서'에 해당하지 않는다.

해설

② [×] 부동산 매매계약서와 같이 문서에 2인 이상의 작성명의인이 있는 때에는 각 명의자마다 1개의 문서가 성립되는 것이고 피고인이 그 명의자의 한 사람이라 하더라도 타 명의자와 합의없이 행사할 목적으로 그 문서의 내용을 변경하였을 때에는 사문서변조죄가 성립한다.(대법원 1977. 7. 12. 77도1736 부동산 매매계약서 변조사건)

① [○] 세금계산서의 작성권자는 어디까지나 재화나 용역을 공급하는 공급자이므로 재화나 용역을 공급하는 공급자인 피고인이 **세금계산서의 '공급받는 자' 란에 임의로 다른 사람을 기재하였다 하여 그 사람에 대한 관계에서 사문서위조죄가 성립된다고 할 수 없다.**(대법원 2007. 3. 15. 2007도169 공급받는 자 사건)

③ [○] ○○경비단 식당의 주 · 부식 구입업무를 담당하는 공무원이 계약 등에 의하여 주 · 부식 구입 · 검수 업무 등을 담당하는 조리장과 영양사의 명의를 위조하여 검수결과 보고서를 작성한 경우 그 **조리장과 영양사가 공무원이거나 공무원으로 의제되는 자에 해당한다고 단정할 수 없다면 그 서류는 공문서에 해당하지 아니한다.**(대법원 2008. 1. 17. 2007도6987 후생계 경사 배임사건)

④ [○] 원심이 **졸업증명서 파일은** 그 파일을 보기 위하여 일정한 프로그램을 실행하여 모니터 등에 이미지 영상을 나타나게 하여야 하므로 파일 그 자체는 형법상 문서에 관한 죄에 있어서의 **문서에 해당되지 않는다고 하여 공문서위조의 공소사실에 대해 무죄를 선고한 것은 정당하다.**(대법원 2010. 7. 15. 2010도6068 졸업증명서 파일 사건)

정답 | 036 ③ 037 ②

038 다음 설명 중 가장 적절한 것은? (다툼이 있으면 판례에 의함)

16 경찰채용 [Essential ★]

□□□

① 주식회사의 지배인이 자신을 그 회사의 대표이사로 표시하여 연대보증채무를 부담하는 취지의 회사 명의의 차용증을 작성·교부한 경우, 그 문서에 일부 허위 내용이 포함되거나 위 연대보증행위가 회사의 이익에 반하는 것이더라도 사문서위조 및 위조사문서행사에 해당하지 않는다.

② 공무원이 여러 차례의 출장반복의 번거로움을 회피하고 민원사무를 신속히 처리한다는 방침에 따라 사전에 출장조사한 다음 출장조사 내용이 변동없다는 확신하에 출장복명서를 작성하고, 다만 그 출장일자를 작성일자로 기재한 경우 허위공문서작성죄가 성립한다.

③ 공립학교 교사가 작성하는 교원의 인적사항과 전출희망사항 등을 기재하는 부분과 학교장이 작성하는 학교장의견란 등으로 구성되어 있는 교원실태조사카드의 교사 명의 부분을 명의자의 의사에 반하여 작성한 행위는 공문서위조죄를 구성한다.

④ 권한 없는 자가 임의로 인감증명서의 사용용도란에 나오는 기재사항을 고쳐 쓴 경우에는 공문서변조죄가 성립한다.

해설

① [○] 원래 **주식회사의 지배인은** 회사의 영업에 관하여 재판상 또는 재판 외의 모든 행위를 할 권한이 있으므로, 지배인이 직접 주식회사 명의 문서를 작성하는 행위는 **위조나 자격모용사문서작성에 해당하지 않는 것이 원칙이고**, 이는 그 문서의 내용이 진실에 반하는 허위이거나 대표권을 남용하여 자기 또는 제3자의 이익을 도모할 목적으로 작성된 경우에도 마찬가지이다.(대법원 2010. 5. 13. 2010도1040 **황강산업 지배인 사건**)

② [×] 공무원이 여러 차례의 출장반복의 번거로움을 회피하고 민원사무를 신속히 처리한다는 방침에 따라 사전에 출장조사한 다음 출장조사 내용이 변동없다는 확신하에 출장복명서를 작성하고 다만 그 출장일자를 작성일자로 기재한 것이라면 **허위공문서작성의 범의가 있었다고 볼 수 없다.**(대법원 2001. 1. 5. 99도4101 **제주영농보조금 편법지급사건**)

③ [×] 공립학교 교사가 작성하는 교원의 인적사항과 전출희망사항 등을 기재하는 부분과 학교장이 작성하는 학교장의견란 등으로 구성되어 있는 교원실태조사카드는 학교장의 작성 명의 부분은 공문서라고 할 수 있으나, **작성자가 교사 명의로 된 부분은 개인적으로 전출을 희망하는 의사표시를 한 것에 지나지 아니하여 이것을 가리켜 공문서라고 할 수는 없을 것이므로** 위 카드의 교사 명의 부분을 명의자의 의사에 반하여 작성하였다고 하여도 **공문서를 위조한 것이라고 할 수 없다.**(대법원 1991. 9. 24. 91도1733 **교원실태조사카드 사건**)

④ [×] 인감증명서의 사용용도란의 기재는 증명청인 동장이 작성한 증명문구에 의하여 증명되는 부분과는 아무런 관계가 없다고 할 것이므로, 피고인이 임의로 인감증명서의 사용용도란의 기재를 고쳐 썼다고 하더라도 **공무원 또는 공무소의 문서 내용에 대하여 변경을 가하여 새로운 증명력을 작출한 경우라고 볼 수 없으므로 공문서변조죄나 이를 전제로 하는 변조공문서행사죄가 성립되지는 않는다.**(대법원 2004. 8. 20. 2004도2767 **인감증명서 사용용도란 사건**)

039 다음 중 문서에 관한 죄에 대한 설명으로 가장 옳은 것은? (다툼이 있으면 판례에 의함)

□□□

24 해경승진 [*Core* ★★]

① A주식회사의 대표이사 甲이 실질적 운영자인 1인 주주 B의 구체적인 위임이나 승낙없이 이미 퇴임한 전(前) 대표이사 C를 대표이사로 표시하여 A회사 명의의 문서를 작성한 경우 사문서위조죄가 성립한다.

② 공무원이 아닌 자가 공무원에게 허위사실을 기재한 증명원을 제출하여 그것을 알지 못하는 공무원으로부터 증명서를 받아 낸 경우 허위공문서작성죄의 간접정범은 성립하지 않는다.

③ 직접적인 법률관계에 단지 간접적으로 연관된 의사표시 내지 권리·의무의 변동에 사실상으로 영향을 줄 수 있는 의사표시를 내용으로 하는 문서는 사문서위조죄의 객체가 되지 않는다.

④ 공무원이 고의로 법령을 잘못 적용하여 공문서를 작성하였다면 그 법령적용의 전제가 된 사실관계에 대한 내용에 거짓이 없다고 하더라도 허위공문서작성죄가 성립한다.

해설

② [○] **공무원이 아닌 자는** 형법 제228조(공정증서원본등의부실기재)의 경우를 제외하고는 **허위공문서작성죄의 간접정범으로 처벌할 수 없다.**(대법원 2006. 5. 11. 2006도1663 **재해대장 사건**) 지문의 경우는 공문서위조죄의 간접정범으로도 처벌할 수 없다.(대법원 2001. 3. 9. 2000도938 **공사실적증명원 사건** 참고)

① [×] (1) **주식회사의 적법한 대표이사는 회사의 영업에 관하여 재판상 또는 재판 외의 모든 행위를 할 권한이 있으므로 대표이사가 직접 주식회사 명의 문서를 작성하는 행위는 자격모용사문서작성 또는 위조에 해당하지 않는 것이 원칙이다.** 이는 그 문서의 내용이 진실에 반하는 허위이거나 대표권을 남용하여 자기 또는 제3자의 이익을 도모할 목적으로 작성된 경우에도 마찬가지이다. 그리고 대표이사가 권한을 행사하는 과정에서 단순히 1인 주주의 위임 또는 승낙을 받지 않았다고 하여 그 대표권 행사가 권한을 넘어서는 행위가 되는 것은 아니다. (2) **A회사의 적법한 대표이사로 선임된 피고인 甲이 'A회사 대표이사 C'로 표시하여 회사 명의 문서를 작성한 행위는,** 비록 C가 이미 퇴임한 전 대표이사이거나 문서 내용 중 일부가 진실에 반하는 허위라고 하더라도 그리고 회사의 운영을 실질적으로 장악·통제하고 있던 1인 주주인 B의 구체적인 위임 또는 승낙을 받지 않았다고 하더라도 **위조행위에 해당하지 않는다.**(대법원 2008. 11. 27. 2006도9194 **대평레미콘 대표 사건**)

③ [×] 거래상 중요한 사실을 증명하는 문서는, 법률관계의 발생·존속·변경·소멸의 전후과정을 증명하는 것이 주된 취지인 문서뿐만 아니라 직접적인 법률관계에 단지 **간접적으로만 연관된 의사표시 내지 권리·의무의 변동에 사실상으로만 영향을 줄 수 있는 의사표시를 내용으로 하는 문서도 포함될 수 있다.**(대법원 2012. 5. 9. 2010도2690 **분담금인하 안내문 사건**) **'일반분양아파트 14채의 분양수입금을 찾아내어 그 수입금으로 조합원들의 분담금을 더 인하할 수 있다'**라는 내용의 안내문은 조합원들의 권리·의무의 변동 및 법적 분쟁에 직·간접적으로 영향을 줄 수 있는 의사표시를 내용으로 하는 것으로서 자격모용사문서작성 및 동행사죄의 객체인 '사실증명에 관한 문서'에 해당한다는 취지의 판례이다.

④ [×] 허위공문서작성죄란 공문서에 진실에 반하는 기재를 하는 때에 성립하는 범죄이므로, 고의로 법령을 잘못 적용하여 공문서를 작성하였다고 하더라도 **그 법령적용의 전제가 된 사실관계에 대한 내용에 거짓이 없다면 허위공문서작성죄가 성립될 수 없다.**(대법원 2003. 2. 11. 2002도4293 **임실군 폐기물처리사업 사건**)

정답 | 038 ① 039 ②

040 문서에 관한 죄에 관한 설명으로 가장 옳지 않은 것은? (다툼이 있으면 판례에 의함)

□□□

18 경찰간부 [*Core* ★★]

① 복사문서가 문서위조죄에 있어서의 문서가 될 수 있는지에 대하여 판례가 문서성을 인정하던 것을 형법 제237조의2의 입법을 통하여 복사문서의 문서성을 명문화하였다.

② 자신의 이름과 나이를 속이는 용도로 사용할 목적으로 주민 등록증의 이름·주민등록번호란에 글자를 오려붙인 후 이를 컴퓨터 스캔 장치를 이용하여 이미지 파일로 만들어 컴퓨터 모니터 화면에 이미지가 나타나도록 하는 한편 타인에게 그 이미지가 저장되어 있는 파일을 이메일로 전송한 행위는 공문서 위조 및 위조공문서행사죄를 구성하지 않는다.

③ 甲이 운영하는 A회사 사무실에서 행사할 목적으로 권한 없이 임대인 乙과 甲이 작성한 사무실 전세계약서 원본을 스캐너로 복사하여 컴퓨터 화면에 띄운 후 포토샵을 이용하여 보증금액 "일천만 원, 10,000,000원"을 지워 보증금액을 공란으로 만든 후 그 자리에서 사무실전세계약서를 프린터로 출력하고, 검정색 볼펜으로 보증금액 공란에 "삼천만 원, 30,000,000원"으로 기재하여 丙에게 출력한 사무실전세계약서를 팩스로 송부한 것에 불과하다면 변조사문서행사죄가 성립하지 아니한다.

④ 중국산 가짜 담배를 밀수입하여 판매하면서 그 담뱃갑을 위조한 경우 담뱃갑은 문서 등 위조의 대상인 도화에 해당한다.

해설

③ [×] 공소사실에서 적시된 범죄사실은 '컴퓨터 모니터 화면상의 이미지'를 변조하고 이를 행사한 행위가 아니라 '프린터로 출력된 문서'인 사무실전세계약서를 변조하고 이를 행사한 행위임을 알 수 있다. 그럼에도 원심은, 검사가 기소하지 아니한 공소사실, 즉 컴퓨터 모니터 화면상의 이미지 파일에 대한 변조 및 그 행사의 점이 공소사실인 것처럼 보아 이를 무죄로 판단하고 말았으니, 이러한 원심의 판단에는 심판대상의 범위에 관한 법리를 오해하여 판결에 영향을 미친 위법이 있다.(대법원 2011. 11. 10. 2011도10468 전세계약서 변조 사건) 지문의 경우 사문서변조 및 동행사죄가 성립한다.

① [O] 전자복사기, 모사전송기 기타 이와 유사한 기기를 사용하여 **복사한 문서 또는 도화의 사본도 문서 또는 도화로 본다.**(형법 제237조의2)

② [O] **컴퓨터 모니터 화면에 나타나는 이미지는** 이미지 파일을 보기 위한 프로그램을 실행할 경우에 그때마다 전자적 반응을 일으켜 화면에 나타나는 것에 지나지 않아서 계속적으로 화면에 고정된 것으로는 볼 수 없으므로, 형법상 문서에 관한 죄에 있어서의 **'문서'에는 해당되지 않는다.**(대법원 2007. 11. 29. 2007도7480 미애 사건)

④ [O] 담뱃갑은 그 안에 들어 있는 담배가 특정 제조회사가 제조한 특정한 종류의 담배라는 사실을 증명하는 기능을 하고 있으므로 그러한 **담뱃갑은 문서 등 위조의 대상인 도화에 해당한다.**(대법원 2010. 7. 29. 2010도2705 중국산 짝퉁 담배 사건)

041 문서에 관한 죄에 대한 설명으로 가장 적절하지 않은 것은? (다툼이 있으면 판례에 의함)

□□□

21 경찰채용 [Essential ★]

① 허위공문서작성죄의 객체가 되는 문서는 문서상 작성명의인이 명시된 경우뿐 아니라 작성명의인이 명시되어 있지 않더라도 문서의 형식, 내용 등 문서 자체에 의하여 누가 작성하였는지를 추지할 수 있을 정도의 것이면 된다.

② 실제의 본명 대신 가명이나 위명을 사용하여 사문서를 작성한 경우, 그 문서의 작성명의인과 실제 작성자의 인격이 상이할 때에는 위조죄가 성립할 수 있다.

③ 가정법원의 서기관이 이혼의사확인서등본을 작성한 후 그 뒤에 이혼신고서를 첨부하고 직인을 간인하여 교부한 경우, 당사자가 이를 떼어내고 다른 내용의 이혼신고서를 붙여 관련 행정관서에 제출하였다면 공문서변조 및 변조공문서행사죄가 성립한다.

④ 사립학교 법인 이사가 이사회 회의록에 서명 대신 서명거부사유를 기재하고 그에 대한 서명을 한 경우, 이사회 회의록의 작성권한자인 이사장이라 하더라도 임의로 이를 삭제하면 특별한 사정이 없는 한 사문서변조에 해당한다.

해설

③ [×] (1) 가정법원의 서기관 등이 이혼의사확인서등본을 작성한 뒤 이를 이혼의사확인신청 당사자 쌍방에게 교부하면서 이혼신고서를 확인서등본 뒤에 첨부하여 그 직인을 간인하였다고 하더라도, 그러한 사정만으로 이혼신고서가 공문서인 이혼의사확인서등본의 일부가 되었다고 볼 수 없다.
(2) 따라서 당사자가 이혼의사확인서등본과 간인으로 연결된 이혼신고서를 떼어내고 원래 이혼신고서의 내용과는 다른 이혼신고서를 작성하여 이혼의사확인서등본과 함께 호적관서에 제출하였다고 하더라도 공문서인 이혼의사확인서 등본을 변조하였다거나 변조된 이혼의사확인서등본을 행사하였다고 할 수 없다.(대법원 2009. 1. 30. 2006도7777 이혼신고서 교체사건)

① [○] 허위공문서작성죄의 객체가 되는 문서는 문서상 작성명의인이 명시된 경우뿐 아니라 작성명의인이 명시되어 있지 않더라도 문서의 형식, 내용 등 그 문서 자체에 의하여 **누가 작성하였는지를 추지(推知)할 수 있을 정도의 것이면 된다.**(대법원 2019. 3. 14. 2018도18646 국정원 댓글 수사방해 사건)

② [○] 실제의 본명 대신 가명이나 위명을 사용하여 사문서를 작성한 경우에 그 문서의 작성명의인과 실제 작성자 사이에 인격의 동일성이 그대로 유지되는 때에는 위조가 되지 않으나, **명의인과 작성자의 인격이 상이할 때에는 위조죄가 성립할 수 있다.**(대법원 2010. 11. 11. 2010도1835 가명 현금보관증 사건)

④ [○] 이사가 이사회 회의록에 서명 대신 **서명거부사유를 기재하고 그에 대한 서명을 하면 특별한 사정이 없는 한 그 내용은 이사회 회의록의 일부가 되고,** 이사회 회의록의 작성권한자인 이사장이라 하더라도 임의로 **이를 삭제한 경우에는** 이사회 회의록 내용에 변경을 가하여 새로운 증명력을 가져오게 되므로 **사문서변조에 해당한다.**(대법원 2018. 9. 13. 2016도20954 성신학원 이사장 사건)

정답 | 040 ③ 041 ③

042 문서에 관한 죄에 관한 설명 중 가장 적절하지 않은 것은? (다툼이 있으면 판례에 의함)

□□□

14 경찰승진 [*Core* ★★]

① 주식회사의 지배인은 회사의 영업에 관하여 재판상 또는 재판 외의 모든 행위를 할 권한이 있으므로 지배인이 직접 주식회사 명의의 문서를 작성하는 행위는 위조나 자격모용사문서작성에 해당하지 않는 것이 원칙이고 이는 그 문서의 내용이 진실에 반하는 허위이거나 권한을 남용하여 자기 또는 제3자의 이익을 도모할 목적으로 작성된 경우에도 마찬가지이다.

② 사문서의 작성명의자의 인장이 압날되지 아니하고 주민등록번호의 기재가 없더라도 일반인으로 하여금 작성명의자가 진정하게 작성한 사문서로 믿기에 충분할 정도의 형식과 외관을 갖추었으면 사문서위조죄의 객체가 된다고 보아야 한다.

③ 이혼신고서를 가정법원에 제출한 甲은 가정법원의 서기관이 교부한 이혼의사확인서등본과 간인으로 연결된 이혼신고서를 떼어내고 원래 이혼신고서의 내용과는 다른 이혼신고서를 작성하여 이혼의사확인서등본과 함께 호적관서에 제출한 경우 공문서인 이혼의사확인서등본을 변조하였다거나 변조된 이혼의사확인서등본을 행사하였다고 할 수 있다.

④ 십지지문 지문대조표는 수사기관이 피의자의 신원을 특정하고 지문대조조회를 하기 위하여 직무상 작성하는 서류로서 비록 자서란에 피의자로 하여금 스스로 성명 등의 인적 사항을 기재하도록 하고 있다 하더라도 이를 사문서로 볼 수는 없다.

해설

③ [×] (1) 가정법원의 서기관 등이 이혼의사확인서등본을 작성한 뒤 이를 이혼의사확인신청 당사자 쌍방에게 교부하면서 이혼신고서를 확인서등본 뒤에 첨부하여 그 직인을 간인하였다고 하더라도, 그러한 사정만으로 **이혼신고서가 공문서인 이혼의사확인서등본의 일부가 되었다고 볼 수 없다.**
(2) 따라서 당사자가 이혼의사확인서등본과 간인으로 연결된 이혼신고서를 떼어내고 원래 이혼신고서의 내용과는 다른 이혼신고서를 작성하여 이혼의사확인서등본과 함께 호적관서에 제출하였다고 하더라도, **공문서인 이혼의사확인서 등본을 변조하였다거나 변조된 이혼의사확인서등본을 행사하였다고 할 수 없다.**(대법원 2009. 1. 30. 2006도7777 **이혼신고서 교체사건**)

① [○] 원래 **주식회사의 지배인은** 회사의 영업에 관하여 재판상 또는 재판 외의 모든 행위를 할 권한이 있으므로, 지배인이 직접 주식회사 명의 문서를 **작성하는 행위는 위조나 자격모용사문서작성에 해당하지 않는 것이 원칙**이고, 이는 그 문서의 내용이 진실에 반하는 허위이거나 대표권을 남용하여 자기 또는 제3자의 이익을 도모할 목적으로 작성된 경우에도 마찬가지이다.(대법원 2010. 5. 13. 2010도1040 **황강산업 지배인사건**)

② [○] 사문서의 작성명의자의 인장이 압날되지 아니하고 주민등록번호가 기재되지 않았더라도, 일반인으로 하여금 그 작성 명의자가 진정하게 작성한 **사문서로 믿기에 충분할 정도의 형식과 외관을 갖추었으면 사문서위조 및 동행사죄의 객체가 되는 사문서라고 보아야 한다.**(대법원 1989. 8. 8. 88도2209)

④ [○] **십지지문 지문대조표는** 수사기관이 피의자의 신원을 특정하고 지문대조조회를 하기 위하여 직무상 작성하는 서류로서 비록 자서란에 피의자로 하여금 스스로 성명 등의 인적 사항을 기재하도록 하고 있다 하더라도 이를 **사문서로 볼 수는 없다.**(대법원 2000. 8. 22. 2000도2393 **십지지문지문대조표 사건**)

043 문서죄에 관한 설명으로 가장 적절한 것은? (다툼이 있으면 판례에 의함) 24 경찰채용 [Essential ★]

□□□

① 인터넷을 통하여 열람·출력한 등기사항전부증명서 하단의 열람일시 부분을 단순히 수정 테이프로 지우고 복사해 두었다가 이를 타인에게 교부한 행위는 등기사항전부증명서가 나타내는 권리·사실 관계와 다른 새로운 증명력을 가진 문서를 만든 것으로 볼 수 없으므로 공문서변조 및 변조공문서행사죄를 구성하지 않는다.

② 유효기간이 경과한 홍콩 교통국장 명의의 국제운전면허증에 첨부된 사진을 바꾸어 붙여 이를 행사하는 경우 그 상대방이 유효기간을 쉽게 알 수 없도록 되어 있거나 진정하게 작성된 것으로서 명의자로부터 국제운전면허를 받은 것으로 오신하기에 충분한 정도의 형식과 외관을 갖추고 있다면 사문서위조죄에 해당한다.

③ 사문서의 작성명의인이 이미 사망한 자인 경우에는 그 문서의 작성일자가 명의인의 생존 중의 일자로 된 경우가 아니면 사문서위조죄나 그 행사죄를 구성하지 않는 것이며, 이는 자격모용사문서작성죄나 그 행사죄에 있어서도 마찬가지이다.

④ 형법 제238조의 공기호는 해당 부호를 공무원 또는 공무소가 사용하는 것만으로 족하므로 온라인 구매사이트에서 검찰 업무표장의 이미지가 들어간 주차표지판 등을 주문하여 자신의 승용차에 부착하고 다닌 경우에는 해당 부호를 공무원 또는 공무소가 사용하는 것이 분명한 이상 그 부호를 통하여 증명을 하는 사항이 구체적으로 특정되어 있지 않더라도 공기호위조 및 위조공기호행사죄에 해당한다.

해설

② [○] 피고인이 위조하였다는 국제운전면허증이 그 유효기간을 경과하여 본래의 용법에 따라 사용할 수는 없게 되었다고 하더라도 이를 행사하는 경우 그 상대방이 유효기간을 쉽게 알 수 없도록 되어 있거나 위 문서 자체가 진정하게 작성된 것으로서 피고인이 명의자로부터 **국제운전면허를 받은 것으로 오신하기에 충분한 정도의 형식과 외관을 갖추고 있다면 문서위조죄가 성립한다.**(대법원 1998. 4. 10. 98도164 **유효기간경과 국제운전면허증 사건**) 우리나라 궁제운전면허증이라면 공문서위조죄가 되지만 홍콩 국제운전면허증이라면 사문서위조죄가 성립한다.

① [×] 피고인이 **등기사항전부증명서의 열람일시를 삭제하여 복사한 행위는** 변경 전 등기사항전부증명서가 나타내는 관리 · 사실관계와 다른 새로운 증명력을 가진 문서를 만든 것에 해당하고 그로 인하여 **공공적 신용을 해할 위험성도 발생하였다고 판단된다.**(대법원 2021. 2. 25. 2018도19043 **등기부 열람일시 삭제사건**) 공문서변조 및 동행사죄가 성립한다.

③ [×] 작성된 문서가 일반인으로 하여금 당해 명의인의 권한 내에서 작성된 문서라고 믿게 할 수 있는 정도의 형식과 외관을 갖추고 있으면 문서위조죄가 성립하는 것이고, 위와 같은 요건을 구비한 이상 **그 명의인이 실재하지 않는 허무인이거나 또는 문서의 작성일자 전에 이미 사망하였다고 하더라도** 그러한 문서 역시 공공의 신용을 해할 위험성이 있으므로 **공문서와 사문서를 가리지 아니하고 문서위조죄가 성립한다.**(대법원 2005. 3. 25. 2003도4943 **삼성종합건설 사건**)

정답 | 042 ③ 043 ②

④ [×] 피고인이 온라인 구매사이트에서 검찰 업무표장(또는) 아래 피고인의 전화번호, 승용차 번호 또는 '공무수행' 문구를 표시한 표지판 3개를 주문하고 그 판매자로 하여금 제작하게 하여 배송받은 다음 이를 자신의 승용차에 부착하고 다녔는바, 검찰 업무표장은 검찰수사, 공판, 형의 집행부터 대외 홍보 등 검찰청의 업무 전반 또는 검찰청 업무와의 관련성을 나타내기 위한 것으로 보일 뿐 이것이 부착된 차량은 '검찰 공무수행 차량'이라는 것을 증명하는 기능이 있다는 등 이를 통하여 증명을 하는 사항이 구체적으로 특정되어 있다거나 그 사항이 이러한 검찰 업무표장에 의하여 증명된다고 볼 근거가 없고, 일반인들이 각 표지판이 부착된 차량을 '검찰 공무수행 차량'으로 오인할 수 있다고 해도 검찰 업무표장이 증명적 기능을 갖추지 못한 이상 이를 공기호라고 할 수는 없다.(대법원 2024. 1. 4. 2023도11313 검찰 업무표장 사건)

044 다음 설명 중 가장 적절하지 않은 것은? (다툼이 있으면 판례에 의함)

13 경찰채용 [Essential ★]

□□□

① 신용장에 날인된 시중은행의 접수일부인은 사실증명에 관한 사문서에 해당되므로 위탁된 권한을 넘어서 신용장에 허위의 접수일부인을 날인한 것은 사문서위조죄에 해당한다.

② 토지거래 허가구역 안의 토지에 관하여 실제로는 매매계약을 체결하고서도 처음부터 토지거래허가를 잠탈하려는 목적으로 등기원인을 '증여'로 하여 소유권이전등기를 경료한 경우 공정증서원본부실기재죄에 해당한다.

③ 어떤 선박이 사고를 낸 것처럼 허위로 사고신고를 하면서 그 선박의 선박국적증서와 선박검사증서를 함께 제출하였다면, 그 본래의 용도를 벗어나 행사된 것으로 이와 같은 행위는 공문서부정행사죄에 해당한다.

④ 甲 교회 목사인 피고인이 자신을 지지하는 일부 교인들과 甲 교회를 탈퇴함으로써 대표자의 지위를 상실하였으나, 그 후 甲 교회 명의로 甲 교회 소유 부동산을 자신에게 매도하는 내용의 매매계약서를 작성하고 이를 행사한 행위는 사문서위조죄 및 위조사문서행사죄에 해당한다.

해설

③ [×] (1) 선박국적증서는 한국선박으로서 등록하는 때에 선박번호, 국제해사기구에서 부여한 선박식별번호, 호출부호, 선박의 종류, 명칭, 선적항 등을 수록하여 발급하는 문서이고, 선박검사증서는 선박정기검사 등에 합격한 선박에 대하여 항해구역 · 최대승선인원 및 만재흘수선의 위치 등을 수록하여 발급하는 문서이다.
(2) 따라서 어떤 선박이 사고를 낸 것처럼 허위로 사고신고를 하면서 그 선박의 선박국적증서와 선박검사증서를 함께 제출하였다고 하더라도, 선박국적증서와 선박검사증서는 선박의 국적과 항행할 수 있는 자격을 증명하기 위한 용도로 사용된 것일 뿐 그 본래의 용도를 벗어나 행사된 것으로 보기는 어려우므로 공문서부정행사죄에 해당하지 않는다.(대법원 2009. 2. 26. 2008도10851 선박국적 · 검사증서 사건)

① [○] 신용장에 날인된 **은행의 접수일부인**(接受日附印)은 사실증명에 관한 **사문서에 해당**되므로 신용장에 허위의 접수인을 날인한 것은 사문서위조에 해당된다.(대법원 1979. 10. 30. 77도1879)

② [○] 피고인 甲이 乙과 사이에 토지거래 허가구역 안에 있는 토지에 관하여 실제로는 매매계약을 체결하고서

도 처음부터 토지거래허가를 잠탈하려는 목적으로 등기원인을 실제와 달리 '증여'로 한 乙 명의의 소유권이전등기를 경료한 경우, 토지거래계약은 확정적 무효이고 이에 터 잡은 **소유권이전등기는 실체관계에 부합하지 아니하며**, 비록 甲과 乙 사이에 토지에 관하여 실제의 원인과 달리 '증여'를 원인으로 한 소유권이전등기를 경료시킬 의사의 합치가 있더라도 **공정증서원본에 부실의 사실을 기재하게 한 때에 해당한다**.(대법원 2007. 11. 30. 2005도9922 토지거래허가 잠탈목적 사건)

④ [O] 교회 목사인 피고인이 자신을 지지하는 일부 교인들과 교회를 탈퇴함으로써 대표자의 지위를 상실하였는데도, 그 후 교회 명의로 교회 소유 부동산을 자신에게 매도하는 내용의 **매매계약서를 작성하고 이를 행사한 행위는 사문서위조죄 및 위조사문서행사죄에 해당한다**.(대법원 2011. 1. 13. 2010도9725 양우리교회 사건)

045 허위공문서작성죄가 성립하는 경우는 모두 몇 개인가? (다툼이 있으면 판례에 의함)

□□□

14 경찰간부 [Superlative ★★★]

> ㉠ 세대주가 아닌 자를 세대주인 것으로 해서 주민등록표를 작성한 경우
> ㉡ 무허가 건물을 가옥대장에 허가받은 건물로 기재하는 경우
> ㉢ 가옥대장에 기재된 내용과 다른 내용을 기재한 가옥증명서를 발급한 경우
> ㉣ 준공검사를 하지 않고도 준공검사를 하였다고 준공검사조서에 기재한 경우
> ㉤ 면사무소 호적계장이 면장의 결재 없이 호적의 출생년도, 주민등록번호란에 허위 내용의 호적정정기재를 한 경우

① 2개 ② 3개 ③ 4개 ④ 5개

해설

③ ㉠㉡㉢㉣ 4 항목의 경우 허위공문서작성죄가 성립한다.

㉤ 항목의 경우는 공문서위조죄가 성립한다.

㉠ 지방공무원인 피고인 甲이 乙로부터 부탁을 받고 乙이 세대주이고 처인 丙은 동거가족에 불과하였음에도 불구하고 마치 丙이 세대주인 것처럼 된 세대별 주민등록표 1장을 작성하여 **동사무소의 주민등록표 보관함에 비치하였다면 허위공문서작성 및 동행사죄가 성립한다**.(대법원 1990. 10. 16. 90도1199)

㉡ 피고인이 건축물조사 및 가옥대장 정리업무를 담당하는 **지방행정서기를 교사**하여 무허가건물을 허가받은 건축물인 것처럼 가옥대장 등에 등재하게 하였다면 **허위공문서작성죄의 교사범으로 처단한 것은 정당하다**.(대법원 1983. 12. 13. 83도1458)

㉢ 공무원이 작성한 가옥증명서의 기재 내용이 객관적인 사실에 부합되는 것으로 그 내용이 허위가 아닐지라도, 가옥증명서 자체가 **시청에 비치한 가옥대장과 대조하여 상위가 없다는 증명서이고 보면**, 가옥대장기재와 다른 내용을 기재하여 가옥증명서를 발행한 이상 **허위공문서작성죄가 성립한다**.(대법원 1973. 10. 23. 73도395)

정답 | 044 ③ 045 ③

㉣ 피고인이 준공검사조서를 작성함에 있어서 정산설계서를 확인하고 준공검사를 한 것이 아님에도 마치 한 것처럼 준공검사용지에 **'정산설계서에 의하여 준공검사'**를 하였다는 내용을 기입하였다면 **허위공문서작성의 범의가 있었음이 명백하여 그것만으로 허위공문서작성죄가 성립하고**, 준공검사조서의 내용이 객관적으로 정산설계서 초안이나 그 후에 작성된 정산설계서 원본의 내용과 일치한다거나 공사현장의 준공상태에 부합한다 하더라도 그 성립에 아무런 영향을 미치지 못한다.(대법원 1983. 12. 27. 82도3063)
㉤ 공무원이 작성권한을 가진 공무원의 결재도 받지 아니하고 임의로 허위내용의 공문서를 작성권한자 명의로 작성 한 때에는 **공문서위조죄가 성립한다**.(대법원 1990. 10. 12. 90도1790 호적정정 사건)

046 허위공문서작성죄에 대한 설명으로 옳지 않은 것은? (다툼이 있으면 판례에 의함)

□□□

21 국가9급 [Essential ★]

① 객체가 되는 문서는 문서상 작성명의인이 명시되어 있지 않더라도 문서의 형식, 내용 등 문서 자체에 의하여 누가 작성하였는지를 추지할 수 있을 정도의 것이면 된다.
② '직무에 관한 문서'라 함은 공무원이 직무권한 내에서 작성하는 문서를 말하며, 법률뿐 아니라 명령, 내규 또는 관례에 의한 직무집행의 권한으로 작성하는 경우도 포함된다.
③ 공증담당 변호사가 법무사의 직원으로부터 인증촉탁서류를 제출받은 후, 법무사가 공증 사무실에 출석하여 사서증서의 날인이 당사자 본인의 것임을 확인한 바 없지만, 업계의 관행에 따라 그러한 확인을 한 것처럼 인증서에 기재한 경우에는 허위공문서작성죄가 성립하지 아니한다.
④ 공무원이 고의로 법령을 잘못 적용하여 공문서를 작성한 경우에도 그 법령적용의 전제가 된 사실관계에 대한 내용에 거짓이 없다면 허위공문서작성죄가 성립하지 않는다.

해설

③ [×] (1) 사서증서 인증을 촉탁받은 공증인이 사서증서 인증서를 작성함에 있어서, 당사자가 공증인의 면전에서 사서증서에 서명 또는 날인을 하거나 당사자 본인이나 그 대리인으로 하여금 사서증서의 서명 또는 날인이 본인의 것임을 확인하게 한 바가 없음에도 불구하고, 당사자가 공증인의 면전에서 사서증서에 서명 또는 날인을 하거나 본인이나 그 대리인이 사서증서의 서명 또는 날인이 본인의 것임을 확인한 양인증서에 기재하였다면 허위공문서작성죄의 죄책을 면할 수 없다.
(2) 공증담당 변호사가 법무사의 직원으로부터 인증촉탁서류를 제출받았을 뿐 **법무사가 공증사무실에 출석하여 사서증서의 날인이 당사자 본인의 것임을 확인한 바 없음에도 마치 그러한 확인을 한 것처럼 인증서에 기재한 경우** 인증촉탁 대리인이 법무사일 경우 그 직원이 공증사무실에 촉탁서류를 제출할 뿐 법무사 본인이 사서증서의 날인 또는 서명이 당사자 본인의 것임을 확인하지 아니하는 것이 업계의 관행이라고 할지라도 그와 같은 **업계의 관행이 정당하다고 볼 수 없어 허위공문서작성죄가 성립한다**.(대법원 2007. 1. 25. 2006도3844 투자증서 허위인증 사건)
① [○] 허위공문서작성죄의 객체가 되는 문서는 문서상 작성명의인이 명시된 경우뿐 아니라 작성명의인이 명시되어 있지 않더라도 문서의 형식, 내용 등 그 문서 자체에 의하여 **누가 작성하였는지를 추지(推知)할 수 있을 정도의 것이면 된다**.(대법원 2019. 3. 14. 2018도18646 국정원 댓글 수사방해 사건)

② [○] 허위공문서작성죄에 있어서 '직무에 관한 문서'라 함은 공무원이 직무권한 내에서 작성하는 문서를 말하고 그 문서는 대외적인 것이거나 내부적인 것을 구별하지 아니하며, 그 직무권한이 **반드시 법률상 근거가 있음을 필요로 하는 것이 아니고 명령, 내규 또는 관례에 의한 직무집행의 권한으로 작성하는 경우라도 포함된다.**(대법원 2015. 10. 29. 2015도9010 **서울시 공무원간첩 국정원 증거조작 사건**)

④ [○] 공무원이 고의로 법령을 잘못 적용하여 공문서를 작성하였다고 하더라도 그 법령적용의 전제가 된 **사실관계에 대한 내용에 거짓이 없다면 허위공문서작성죄가 성립될 수 없다.**(대법원 2003. 2. 11. 2002도4293 **임실군 폐기물처리사업 사건**)

047 허위공문서작성죄에 관한 다음 설명 중 가장 옳지 않은 것은? (다툼이 있으면 판례에 의함)

□□□

22 법원9급 [*Core* ★★]

① 피의자신문조서 말미에 작성자의 서명, 날인이 없으나, 첫머리에 작성 사법경찰리와 참여사법경찰리의 직위와 성명을 적어 넣은 것이 있다면 그 문서 자체에 의하여 작성자를 추지할 수 있으므로 그러한 피의자신문조서는 허위공문서작성죄의 객체가 되는 공문서로 볼 수 있다.

② 공무원이 아닌 피고인이 건축물조사 및 가옥대장 정리업무를 담당하는 공무원을 교사하여 무허가 건물을 허가받은 건축물인 것처럼 가옥대장 등에 등재케 하여 허위공문서 등을 작성케 한 사실이 인정된다면 허위공문서작성죄의 교사범으로 처벌할 수 있다.

③ 등기공무원이 소유권이전등기와 근저당권설정등기의 신청이 동시에 이루어지고 그와 함께 등본의 교부신청이 있었음에도 고의로 일부를 누락하여 소유권이전등기만 기입하고 근저당권설정등기는 기입하지 않은 채 등기부등본을 발급한 경우 본죄가 성립한다.

④ 공무원인 甲이 문서작성자에게 전화로 문의하여 원본과 상이 없다는 사실을 확인하였고, 실제 그 사본이 원본과 다른 점이 없다면, 실제 원본과 대조함이 없이 공무원 甲이 그 직무에 관하여 사문서 사본에 "원본대조필 토목 기사 甲 "이라 기재하고 甲의 도장을 날인한 행위만으로는 허위공문서작성죄가 성립한다고 단정할 수 없다.

해설

④ [×] 공무원인 피고인 甲이 그 직무에 관하여 사문서 사본에 '원본대조필 토목기사 甲'이라 기재하고 **도장을 날인하였다면 그 기재 자체가 공문서로 되고, 이 경우 甲이 실제로 원본과 대조함이 없이 '원본대조필'이라고 기재한 이상 그것만으로 곧 허위공문서작성죄가 성립하는 것이고**, 甲이 문서작성자에게 전화로 원본과 상이 없다는 사실을 확인하였다거나 객관적으로 그 사본이 원본과 다른 점이 없다고 하더라도 위 죄가 성립한다.(대법원 1981. 9. 22. 80도3180 **원본대조필 사건**)

정답 | 046 ③ 047 ④

① [○] 피의자신문조서 말미에 작성자의 서명, 날인이 없으나, 첫머리에 작성 사법경찰리와 참여 사법경찰리의 직위와 성명을 적어 넣은 것이 있다면 그 문서 자체에 의하여 **작성자를 추지할 수 있으므로 그러한 피의자신문조서는 허위공문서작성죄의 객체가 되는 공문서로 볼 수 있다.**(대법원 1995. 11. 10. 95도2088 허위피신조서사건)

② [○] 공무원이 아닌 피고인이 건축물조사 및 가옥대장 정리업무를 담당하는 공무원을 교사하여 무허가 건물을 허가받은 건축물인 것처럼 가옥대장 등에 등재케 하여 허위공문서 등을 작성케 한 사실이 인정된다면 **허위공문서작성죄의 교사범으로 처벌할 수 있다.**(대법원 1983. 12. 13. 83도1458)

③ [○] 소유권이전등기와 근저당권설정등기의 신청이 동시에 이루어지고 그와 함께 등본의 교부신청이 있는 경우에는, 등기공무원은 소유권이전등기와 근저당권설정등기 모두에 관하여 등기부에의 기입을 마치고 그에 따른 등기부등본을 교부하여야 함에도 불구하고, 등기공무원이 **소유권이전등기만 기입하고 근저당권설정등기는 기입하지 아니한 채 등기부등본을 발급하였다면** 비록 그 등기부등본의 기재가 등기부의 기재와 일치한다 하더라도, 그 등기부등본은 이미 접수된 신청서에 따라 기입하여야 할 사항 중 일부를 고의로 누락한 채 작성되어 내용이 진실하지 아니한 것으로서 **허위공문서작성죄에 해당한다.**(대법원 1996. 10. 15. 96도1669)

048 다음 설명 중 가장 옳지 않은 것은? (다툼이 있으면 판례에 의함)

23 법원행시 [*Core* ★★]

□□□

① 인감증명서 발급업무를 담당하는 공무원이 발급을 신청한 본인이 직접 출두한 바 없음에도 불구하고 본인이 직접 신청하여 발급받은 것처럼 인감증명서에 기재하였다면 이는 공문서위조죄가 아닌 허위공문서작성죄를 구성한다.

② 공문서를 작성하는 과정에서 법령 등을 잘못 적용하거나 적용하여야 할 법령 등을 적용하지 아니한 잘못이 있더라도 그 적용의 전제가 된 사실관계에 관하여 거짓된 기재가 없다면 허위공문서작성죄가 성립할 수 없고, 이는 그와 같은 잘못이 공무원의 고의에 기한 것이라도 달리 볼 수 없다.

③ 문서명의인이 이미 사망하였는데도 문서명의인이 생존하고 있다는 점이 문서의 중요한 내용을 이루거나 그 점을 전제로 문서가 작성되었다고 하더라도 그러한 내용의 문서에 관하여 사망한 명의자의 승낙이 추정된다면 사문서위조죄가 성립하지 않는다.

④ 주식회사의 지배인이 직접 주식회사 명의 문서를 작성하는 행위는 위조나 자격모용사문서작성에 해당하지 않는 것이 원칙이고, 이는 그 문서의 내용이 진실에 반하는 허위이거나 권한을 남용하여 자기 또는 제3자의 이익을 도모할 목적으로 작성된 경우에도 마찬 가지이다.

⑤ 이사회를 개최함에 있어 공소외 이사들이 그 참석 및 의결권의 행사에 관한 권한을 甲에게 위임하였다면, 그 이사들이 실제로 이사회에 참석하지도 않았는데 마치 참석하여 의결권을 행사한 것처럼 甲이 이사회 회의록에 기재하였다하더라도 甲에게 사문서위조 및 동행사죄가 성립하지 않는다.

해설

③ [×] 문서명의인이 이미 사망하였는데도 문서명의인이 생존하고 있다는 점이 문서의 중요한 내용을 이루거나 그 점을 전제로 문서가 작성되었다면 이미 그 문서에 관한 공공의 신용을 해할 위험이 발생하였다 할 것이므로 그러한 내용의 문서에 관하여 **사망한 명의자의 승낙이 추정된다는 이유로 사문서위조죄의 성립을 부정할 수는 없다.**(대법원 2011. 9. 29. 2011도6223 아버지 갑자기 사망사건)

① [○] 인감증명서 발급업무를 담당하는 공무원이 발급을 신청한 본인이 직접 출두한 바 없음에도 불구하고 본인이 직접 신청하여 발급받은 것처럼 인감증명서에 기재하였다면 이는 공문서위조죄가 아닌 **허위공문서작성죄를 구성한다.**(대법원 1997. 7. 11. 97도1082 본인출두 인감증명서 사건)

② [○] 허위공문서작성죄는 공문서에 진실에 반하는 기재를 하는 때에 성립하는 범죄이므로 공문서를 작성하는 과정에서 법령 등을 잘못 적용하거나 적용하여야 할 법령 등을 적용하지 아니한 잘못이 있더라도 그 적용의 **전제가 된 사실관계에 관하여 거짓된 기재가 없다면 허위공문서작성죄가 성립할 수 없고,** 이는 그와 같은 잘못이 공무원의 고의에 기한 것이라도 달리 볼 수 없다. 공문서 작성 과정에서 법령 등을 잘못 적용하였다고 하여 반드시 진실에 반하는 기재를 하여 공문서를 작성하게 되는 것은 아니므로 공문서 작성과정에서 법령 등의 적용에 잘못이 있다는 것과 기재된 공문서 내용이 허위인지 여부는 구별되어야 한다.(대법원 2021. 9. 16. 2019도18394 기성검사조서 사건)

④ [○] 원래 주식회사의 지배인은 회사의 영업에 관하여 재판상 또는 재판 외의 모든 행위를 할 권한이 있으므로 **지배인이 직접 주식회사 명의 문서를 작성하는 행위는 위조나 자격모용사문서작성에 해당하지 않는 것이 원칙이고, 이는 그 문서의 내용이 진실에 반하는 허위이거나 대표권을 남용하여 자기 또는 제3자의 이익을 도모할 목적으로 작성된 경우에도 마찬가지이다.(대법원 2010. 5. 13. 2010도1040 황강산업 지배인 사건)**

⑤ [○] 이사회를 개최함에 있어 이사들이 그 참석 및 의결권의 행사에 관한 권한을 피고인에게 위임하였다면 그 이사들이 실제로 이사회에 참석하지도 않았는데 마치 참석하여 의결권을 행사한 것처럼 피고인이 이사회 회의록에 기재하였다 하더라도 이는 이른바 **사문서의 무형위조에 해당할 따름이어서 처벌대상이 되지 아니한다.**(대법원 1985. 10. 22. 85도1732 의결권 위임 사건)

정답 | 048 ③

049 다음 중 甲에게 괄호 안의 범죄가 성립되지 않는 경우는 모두 몇 개인가? (다툼이 있으면 판례에 의함)

□□□

24 경찰채용 [Superlative ★★★]

㉠ 甲이 인터넷을 통해 등기사항전부증명서를 열람·출력한 후 행사할 목적으로 그 증명서 하단의 열람 일시 부분을 수정 테이프로 지우고 복사해 둔 경우 (공문서변조죄)

㉡ 甲과 乙은 乙이 甲으로부터 1,000만원을 차용하는 것처럼 가장하여 乙의 연인 A로 하여금 이를 변제하도록 협박하기로 공모한 후, A를 보증인으로 하는 차용증을 작성하는 자리에서 甲이 위조된 100만원권 자기앞수표 10장이 들어 있는 봉투를 乙에게 교부하면서 그 자기앞수표 자체를 봉투에서 꺼내거나 그 자기앞수표의 위조 사실을 모르는 A에게 보여주지 않은 경우 (위조유가증권행사죄)

㉢ 甲이 1995년에 미국에서 진정하게 발행된 미화 1달러권 지폐와 2달러권 지폐를 화폐수집가들이 수집하는 희귀화폐인 것처럼 만들어 행사할 목적으로 발행연도 '1995'를 빨간색으로 '1928'로 고치고, 발행번호와 미국 재무부를 상징하는 문양 및 재무부장관의 사인 부분을 지운 후 빨간색으로 다시 가공한 경우 (외국통용외국통화변조죄)

㉣ 甲은 A종중의 적법한 대표자가 아님에도 A종중 소유의 토지가 소유권보존등기가 되어 있지 않은 점을 이용하여, 자신이 A종중의 대표자인 것처럼 종중규약과 회의록을 허위로 작성한 후 이를 근거로 그 토지에 대하여 A종중을 소유자로, 甲을 A종중의 대표자로 소유권보존등기를 경료하여 부동산등기부상 자신을 A종중의 대표자로 등재되도록 한 경우 (공정증서원본부실기재죄)

㉤ 사법경찰관 甲은 검사로부터 '교통사고 피해자들로부터 사고 경위에 대해 구체적 진술을 청취하여 운전자의 도주 여부에 대해 재수사할 것'을 요청받고는, 행사할 목적으로 재수사 결과서를 작성하면서 피해자들로부터 실제 진술을 청취하지 않고도 그 재수사 결과서의 '재수사 결과'란에 자신의 독자적인 의견이나 추측에 불과한 것을 마치 피해자들로부터 직접 들은 진술인 것처럼 기재한 경우 (허위공문서작성죄)

① 1개　　② 2개
③ 3개　　④ 4개

해설

② ㉡㉢ 2 항목의 경우 ( ) 범죄가 성립하지 않는다.

㉠ 피고인이 등기사항전부증명서의 열람일시를 삭제하여 복사한 행위는 변경 전 **등기사항전부증명서가 나타내는 관리 · 사실관계와 다른 새로운 증명력을 가진 문서를 만든 것에 해당하고** 그로 인하여 공공적 신용을 해할 위험성도 발생하였다고 판단된다.(대법원 2021. 2. 25. 2018도19043 **등기부 열람일시 삭제사건**)

㉡ 피고인 甲과 乙은 乙이 甲으로부터 1,500만원을 차용하는 것처럼 가장하기로 공모한 다음, 甲이 '위조된 100만원권 자기앞수표 14장' 외에 10만원권 수표 10장이 들어 있는 봉투를 丙을 통해 乙과 그 위조사실을 모르는 A가 함께 있는 자리에서 乙에게 교부하자, 乙이 A를 보증인으로 하는 차용증을 작성하여 丙에게 주었는데, **이때 乙이 봉투에서 10만원권 수표 10장을 꺼내어 A에게 보여 주었으나 위조된 100만원권 자기앞수표는 봉투에서 꺼내거나 A에게 보여 주지 않은 경우 이들이 봉투를 A의 면전에서 주고받은 행위를 위조된 자기**

앞수표를 행사한 경우에 해당한다고 볼 수 없어 피고인 甲에 대하여는 위조유가증권행사죄가 성립하지 아니한다.(대법원 2010. 12. 9. 2010도12553 수표대여 연출사건)

ⓒ 피고인이 미화 1달러권 지폐와 2달러권 지폐를 화폐수집가들이 골드라고 부르며 수집하는 희귀화폐인 것처럼 만들기 위하여 발행연도 1995.을 1928.으로 빨간색으로 고치고, 발행번호와 미국 재무부를 상징하는 문양 및 재무부장관의 사인 부분을 지운 후 빨간색으로 다시 가공한 정도라면 **기존 통화의 명목가치나 실질가치가 변경되었다거나 객관적으로 보아 일반인으로 하여금 기존 통화와 다른 진정한 화폐로 오신하게 할 정도의 새로운 물건을 만들어 낸 것으로 보기는 어렵다**.(대법원 2004. 3. 26. 2003도5640 1달러 2달러 사건)

ⓓ 비록 종중 소유의 부동산은 종중 총회의 결의를 얻어야 유효하게 처분할 수 있다 하더라도 거래 상대방으로서는 부동산등기부상에 표시된 종중 대표자를 신뢰하고 거래하는 것이 일반적이라는 점 등에 비추어 보면, 종중 대표자의 기재는 당해 부동산의 처분권한과 관련된 중요한 부분의 기재로서 이에 대한 공공의 신용을 보호할 필요가 있으므로 이를 허위로 등재한 경우에는 **공정증서원본부실기재죄의 대상이 되는 부실의 기재에 해당한다**.(대법원 2006. 1. 13. 2005도4790 종중대표자 허위등기 사건)

ⓔ 사법경찰관인 피고인이 검사로부터 '피해자들로부터 교통사고 경위에 대해 구체적인 진술을 청취하여 운전자 도주 여부에 대해 재수사할 것'을 요청받았음에도 재수사 결과서의 재수사 결과란에 피해자들로부터 진술을 청취하지 않고도 진술을 듣고 그 진술내용을 적은 것처럼 기재하고 자신의 독자적인 의견이나 추측에 불과한 것을 마치 피해자들로부터 직접 들은 진술인 것처럼 기재했다면 **허위공문서작성 및 고의가 인정되어 허위공문서작성죄가 성립한다**.(대법원 2023. 3. 30. 2022도6886 경찰관 재수사결과서 허위작성 사건)

정답 | 049 ②

050 다음 설명 중 옳지 않은 것은 모두 몇 개인가? (다툼이 있으면 판례에 의함) 16 경찰채용 [Core ★★]

□□□

㉠ 형법 제225조의 공문서변조나 위조죄의 객체인 공문서는 공무원 또는 공무소가 그 직무에 관하여 작성하는 문서이고, 그 행위주체가 공무원과 공무소가 아닌 경우에는 형법 또는 기타 특별법에 의하여 공무원 등으로 의제되는 경우를 제외하고는 계약 등에 의하여 공무와 관련되는 업무를 일부 대행하는 경우가 있다 하더라도 공무원 또는 공무소가 될 수는 없다.

㉡ 휴대전화 신규 가입신청서를 위조한 후 이를 스캔한 이미지 파일을 제3자에게 이메일로 전송하여 컴퓨터 화면상으로 보게 한 행위는, 이미지 파일 자체는 문서에 관한 죄의 '문서'에 해당하지 않으므로 위조사문서행사죄가 성립하지 않는다.

㉢ 부동산의 거래당사자가 거래가액을 시장 등에게 거짓으로 신고하여 신고필증을 받은 뒤 이를 기초로 사실과 다른 내용의 거래가액이 부동산등기부에 등재되도록 한 경우 공전자기록등불실기재죄가 성립하지 않는다.

㉣ 권한 없는 자가 임의로 인감증명서의 사용용도란의 기재를 고쳐 썼다고 하더라도 공문서변조죄나 이를 전제로 하는 변조공문서행사죄가 성립되지는 않는다.

㉤ 甲 구청장이 乙 구청장으로 전보된 후 甲 구청장의 권한에 속하는 건축허가에 관한 기안용지의 결재란에 서명을 한 것은 허위공문서작성죄를 구성한다.

① 1개
② 2개
③ 3개
④ 4개

해설

② ㉡㉤ 2 항목이 옳지 않다.

㉠ [○] 공문서변조나 위조죄의 객체인 공문서는 공무원 또는 공무소가 그 직무에 관하여 작성하는 문서이고, 그 행위주체가 **공무원과 공무소가 아닌 경우에는** 형법 또는 기타 특별법에 의하여 공무원 등으로 의제되는 경우를 제외하고는 계약 등에 의하여 공무와 관련되는 **업무를 일부 대행하는 경우가 있다 하더라도 공무원 또는 공무소가 될 수는 없다.**(대법원 2008. 1. 17. 2007도6987 후생계 경사 배임사건)

㉡ [×] 스캐너로 읽어 들여 이미지화한 것은 문서에 관한 죄에 있어서의 '문서'에 해당하지 않는다고 하더라도, **자신이 이미 위조한 휴대전화 신규 가입신청서를 행사한 것에 해당하여 위조문서행사죄가 성립한다.**(대법원 2008. 10. 23. 2008도5200 휴대폰가입신청서 스캔 · 전송 사건)

㉢ [○] 부동산등기부에 기재되는 거래가액은 당해 부동산의 권리의무관계에 중요한 의미를 갖는 사항에 해당한다고 볼 수 없어, 부동산의 거래당사자가 **거래가액을 시장 등에게 거짓으로 신고**하여 신고필증을 받은 뒤 이를 기초로 사실과 다른 내용의 거래가액이 부동산등기부에 등재되도록 하였다면, 공인중개사법에 따른 과태료의 제재를 받게 됨은 별론으로 하고, 형법상의 **공전자기록등부실기재 및 동행사죄는 성립하지는 아니한다.**(대법원 2013. 1. 24. 2012도12363 거래가액 허위신고사건)

㉣ [○] 인감증명서의 사용용도란의 기재는 증명청인 동장이 작성한 증명문구에 의하여 증명되는 부분과는 아무런 관계가 없다고 할 것이므로, 피고인이 임의로 인감증명서의 **사용용도란의 기재를 고쳐 썼다고 하더라도** 공무원 또는 공무소의 문서 내용에 대하여 변경을 가하여 새로운 증명력을 작출한 경우라고 볼 수 없으므로 **공문서변조죄나 이를 전제로 하는 변조공문서행사죄가 성립되지는 않는다.**(대법원 2004. 8. 20. 2004도2767 인감증명서 사용용도란 사건)

㉤ [×] 甲 구청장인 피고인이 乙 구청장으로 전보된 후 甲 구청장의 권한에 속하는 건축허가에 관한 기안용지의 결재란에 서명을 한 것은 자격모용공문서작성죄를 구성한다.(대법원 1993. 4. 27. 92도2688 남동구청장 → 동래구청장 사건)

051 문서에 관한 죄와 관련된 <보기> 설명 중 옳은 것은 모두 몇 개인가? (다툼이 있으면 판례에 의함)

□□□

21 해경채용 [Core ★★]

㉠ 공무원인 의사가 공무소의 명의로 허위진단서를 작성한 경우에는 허위공문서작성죄만 성립하고 허위진단서작성죄는 별도로 성립하지 않는다.

㉡ 사문서위조죄는 그 명의자가 진정으로 작성한 문서로 볼 수 있을 정도의 형식과 외관을 갖추어 일반인이 명의자의 진정한 사문서로 오신하기에 충분한 정도이면 성립하므로 반드시 그 작성 명의자의 서명이나 날인이 있어야 하는 것은 아니나, 일반인이 명의자의 진정한 사문서로 오신하기에 충분한 정도인지 여부는 문서의 형식과 외관은 물론 문서의 작성 경위, 종류, 내용 및 거래에 있어서 그 문서가 가지는 기능 등 여러 가지 사정을 종합하여 판단하여야 한다.

㉢ 주식회사의 지배인이 자신을 그 회사의 대표이사로 표시하여 연대보증채무를 부담하는 취지의 회사 명의의 차용증을 작성·교부한 경우, 그 문서에 일부 허위 내용이 포함되거나 위 연대보증행위가 회사의 이익에 반하는 것이더라도 사문서위조 및 위조사문서행사에 해당하지 않는다.

㉣ 문서위조 및 동행사죄의 보호법익은 문서에 대한 공공의 신용이므로, '문서의 원본인지 여부'가 중요한 거래에서 문서의 사본을 진정한 원본인 것처럼 행사할 목적으로 다른 조작을 가함이 없이 문서의 원본을 그대로 컬러복사기로 복사한 후 복사한 문서의 사본을 원본인 것처럼 행사한 행위는 사문서위조죄 및 동행사죄에 해당하지 않는다.

① 1개　　② 2개

③ 3개　　④ 4개

정답 | 050 ②　051 ③

해설

③ ㉠㉡㉢ 3 항목이 옳다.

㉠ [○] 허위진단서작성죄의 대상은 공무원이 아닌 의사가 사문서로서 진단서를 작성한 경우에 한정되고, 공무원인 의사가 공무소의 명의로 허위진단서를 작성한 경우에는 **허위공문서작성죄만이 성립하고 허위진단서작성죄는 별도로 성립하지 않는다.**(대법원 2004. 4. 9. 2003도7762 국립병원 내과과장 사건)

㉡ [○] 사문서위조죄는 그 명의자가 진정으로 작성한 문서로 볼 수 있을 정도의 형식과 외관을 갖추어 일반인이 명의자의 진정한 사문서로 오신하기에 충분한 정도이면 성립하는 것이고, 반드시 그 **작성명의자의 서명이나 날인이 있어야 하는 것은 아니다.**(대법원 2007. 5. 10. 2007도1674 연대보증인 날인 누락사건)

㉢ [○] X회사의 아산지점 **지배인**인 피고인 甲이 자신을 X회사의 대표이사로 표시하여 'X회사는 Y회사의 1억원 차용금 채무에 대하여 연대보증한다'는 취지의 차용증을 작성 · 교부한 경우 甲은 X회사의 적법한 지배인이므로 X회사 명의 문서를 작성하는 행위가 **사문서위조에 해당할 수는 없는 것이고,** 가사 甲이 자신을 X회사의 대표이사로 표시하는 등 일부 허위 내용이 포함되거나 연대보증행위가 X회사의 이익에 반하는 것이라 하더라도 같은 결론에 이른다.(대법원 2010. 5. 13. 2010도1040 황강산업 지배인 사건)

㉣ [×] (1) '문서가 원본인지 여부'가 중요한 거래에 있어서 문서의 사본을 진정한 원본인 것처럼 행사할 목적으로 **다른 조작을 가함이 없이 문서의 원본을 그대로 컬러복사기로 복사한 후 위와 같이 복사한 문서의 사본을 원본인 것처럼 행사한 행위는 사문서위조 및 동행사죄에 해당한다.**

(2) 변호사인 피고인이 저작권법위반의 형사고소사건을 위임받은 후 네이버 아이디(ID) 불상의 피고소인 30명을 각 형사고소하기 위하여 고소장을 개별적으로 수사관서에 제출하면서도 하나의 고소위임장에만 서울지방변호사회로부터 발급받은 진정한 경유증표 원본을 첨부한 후 이를 일체로 하여 컬러복사기로 20장 또는 10장의 고소위임장을 각 복사하여 각 고소장에 첨부하여 의정부지방검찰청 수사과에 접수한 것은 사문서위조 및 동행사죄에 해당한다.(대법원 2016. 7. 14. 2016도2081 경유증표 컬러복사 사건)

052 다음은 행위와 성립 가능한 범죄를 짝지어 놓은 것이다. 바르게 연결한 것을 모두 고르면? (다툼이 있으면 판례에 의함)

□□□ 23 국가7급 [Superlative ★★★]

㉠ 지붕과 문짝, 창문이 없고 담장과 일부 벽체가 붕괴된 철거 대상 건물로서 사실상 기거·취침에 사용할 수 없는 상태의 폐가에 불을 놓아 소실케 함으로써 공공의 위험을 발생하게 한 경우 – 일반건조물방화죄
㉡ 공공기관 민원실에서 민원인들이 위력에 해당하는 소란을 피워 공무원들의 업무를 방해한 경우 – 업무방해죄
㉢ 남편이 부인과의 불화로 공동생활을 영위하던 아파트에서 짐 일부를 챙겨 나왔는데, 그 후 남편이 아파트에 찾아갔으나 정당한 이유 없이 출입이 금지되자 물리력을 행사하여 주거에 들어간 경우 – 주거침입죄
㉣ 공무원인 의사가 공무소의 명의로 허위진단서를 작성한 경우 – 허위공문서작성죄

① ㉣
② ㉠㉡
③ ㉠㉣
④ ㉡㉢

해설

① ㉣ 항목만 옳다.
㉠ [×] 지붕과 문짝, 창문이 없고 담장과 일부 벽체가 붕괴된 철거 대상 건물로서 사실상 기거·취침에 사용할 수 없는 상태의 폐가(廢家)는 **형법 제166조의 건조물이 아닌 형법 제167조의 물건에 해당한다.**(대법원 2013. 12. 12. 2013도3950 **영종도 폐가 방화사건**) 일반건조물방화죄가 아니라 일반물건방화죄가 성립한다.
㉡ [×] 피고인들이 충남지방경찰청 1층 민원실에서 자신들이 진정한 사건의 처리와 관련하여 지방경찰청장의 면담 등을 요구하면서 이를 제지하는 경찰관들에게 큰소리로 욕설을 하고 행패를 부려 위력으로 경찰관들의 수사관련 업무를 방해하였더라도 **공무를 방해하는 행위에 대해서는 업무방해죄로 의율할 수 없다.**(대법원 2009. 11. 19. 2009도4166 全合 **충남청 민원실 행패사건**)
㉢ [×] (1) 공동거주자 중 한 사람이 법률적인 근거 기타 정당한 이유 없이 다른 공동거주자가 공동생활의 장소에 출입하는 것을 금지한 경우 다른 공동거주자가 이에 대항하여 공동생활의 장소에 들어갔더라도 이는 사전 양해된 공동주거의 취지 및 특성에 맞추어 공동생활의 장소를 이용하기 위한 방편에 불과할 뿐 그의 출입을 금지한 공동거주자의 사실상 주거의 평온이라는 법익을 침해하는 행위라고는 볼 수 없으므로 주거침입죄는 성립하지 않는다. (2) 아파트에 대한 공동거주자의 지위를 계속 유지하고 있던 甲이 아파트에 출입하는 과정에서 정당한 이유 없이 이를 금지하는 **B(甲의 처 A의 동생, 즉 甲의 처제)의 조치에 대항하여 아파트의 출입문에 설치된 체인형 걸쇠를 손괴하고 아파트에 들어간 경우 주거침입죄가 성립한다고 볼 수는 없다.**(대법원 2021. 9. 9. 2020도6085 全合 **공동아파트침입 사건**)
㉣ [○] 허위진단서작성죄의 대상은 공무원이 아닌 의사가 사문서로서 진단서를 작성한 경우에 한정되고, 공무원인 의사가 공무소의 명의로 허위진단서를 작성한 경우에는 **허위공문서작성죄만이 성립하고 허위진단서작성죄는 별도로 성립하지 않는다.**(대법원 2004. 4. 9. 2003도7762 **국립병원 내과과장 사건**)

정답 | 052 ①

053 문서에 관한 죄에 대한 설명으로 가장 적절한 것은? (다툼이 있으면 판례에 의함)

□□□

22 경찰채용 [Core ★★]

① 형법은 사문서의 경우 무형위조만을 처벌하면서 예외적으로 유형위조를 처벌하는 태도를 취하고 있다.

② 공무원인 의사가 공무소의 명의로 허위의 진단서를 작성한 경우 허위공문서작성죄와 허위진단서작성죄가 성립하고 두 죄는 상상적 경합관계에 있다.

③ 공문서와 달리 사문서에 있어서는 권한 있는 사람의 허위작성을 예외적으로만 처벌하는 형법의 태도를 고려할 때, 형법 제232조의2에서 정하는 사전자기록등위작죄에서의 '위작'에 시스템의 설치 운영 주체로부터 각자의 직무 범위에서 개개의 단위정보의 입력 권한을 부여받은 사람이 그 권한을 남용하여 허위의 정보를 입력함으로써 시스템 설치 운영 주체의 의사에 반하는 전자기록을 생성하는 경우는 포함되지 않는다고 보아야 한다.

④ A회사의 대표이사 甲이 B회사의 대표이사 乙로부터 포괄적 위임을 받아 두 회사의 대표 이사 업무를 처리하면서 두 회사 명의로 허위 내용의 영수증과 세금계산서를 작성한 사안에서, B회사 명의 부분은 乙의 개별적 구체적 위임 또는 승낙 없는 행위로서 사문서위조 및 위조사문서행사죄가 성립하지만, A회사 명의 부분은 이미 퇴직한 종전의 대표이사를 승낙 없이 대표이사로 표시하였더라도 이에 해당하지 않는다.

해설

④ [O] 주식회사의 적법한 대표이사라 하더라도 그 권한을 포괄적으로 위임하여 다른 사람으로 하여금 대표이사 업무를 처리하게 하는 것은 허용되지 않는 것이므로 **대표이사로부터 포괄적으로 권한 행사를 위임받은 사람이 주식회사 명의로 문서를 작성하는 행위는 원칙적으로 권한 없는 사람의 문서 작성행위로서 자격모용사문서작성 또는 위조에 해당**하고, 대표이사로부터 개별적 · 구체적으로 주식회사 명의 문서 작성에 관하여 위임 또는 승낙을 받은 경우에만 예외적으로 적법하게 주식회사 명의로 문서를 작성할 수 있을 뿐이다.(대법원 2008. 11. 27. 2006도2016 두 회사 대표이사 사건)

① [×] 형법은 사문서의 경우 유형위조(제231조)만을 처벌하면서 예외적으로 무형위조(제233조)를 처벌하고 있다.(대법원 2020. 8. 27. 2019도11294 全合 가상화폐거래량 허위입력 사건)

② [×] 허위진단서작성죄의 대상은 공무원이 아닌 의사가 사문서로서 진단서를 작성한 경우에 한정되고, 공무원인 의사가 공무소의 명의로 허위진단서를 작성한 경우에는 허위공문서작성죄만이 성립하고 허위진단서작성죄는 별도로 성립하지 않는다.(대법원 2004. 4. 9. 2003도7762 국립병원 내과과장 사건)

③ [×] 시스템을 설치 · 운영하는 주체와의 관계에서 전자기록의 생성에 관여할 권한이 없는 사람이 전자기록을 작출하거나 전자기록의 생성에 필요한 단위 정보의 입력을 하는 경우는 물론 시스템의 설치 · 운영 주체로부터 각자의 직무 범위에서 개개의 단위정보의 입력 권한을 부여받은 사람이 그 권한을 남용하여 허위의 정보를 입력함으로써 시스템 설치 · 운영 주체의 의사에 반하는 전자기록을 생성하는 경우도 공전자기록등위작죄에서 말하는 전자기록의 '위작'에 포함되고, 위 법리는 사전자기록등위작죄에서 행위의 태양으로 규정한 '위작'에 대해서도 마찬가지로 적용된다.(대법원 2020. 8. 27. 2019도11294 全合 가상화폐거래량 허위입력 사건)

054 공공의 신용에 대한 죄에 관한 설명으로 가장 적절하지 않은 것은? (다툼이 있으면 판례에 의함)

□□□

22 경찰채용 [Essential ★]

① 사용권한자와 용도가 특정되어 있는 공문서를 사용권한 없는 자가 사용한 경우 그 공문서 본래의 용도에 따른 사용이 아니라 하더라도 형법 제230조의 공문서부정행사죄가 성립된다.

② 문서가 위조된 것임을 이미 알고 있는 공범자 등에게 행사하는 경우에는 위조문서행사죄가 성립할 수 없으나, 간접정범을 통한 위조문서행사범행에 있어 도구로 이용된 자라고 하더라도 문서가 위조된 것임을 알지 못하는 자에게 행사한 경우에는 위조문서행사죄가 성립한다.

③ 인터넷을 통하여 열람·출력한 등기사항전부증명서 하단의 열람일시 부분을 수정테이프로 지우고 복사한 행위는 공문서변조에 해당한다.

④ 위조된 외국의 화폐, 지폐 또는 은행권이 강제통용력을 가지지 않고, 그 화폐 등이 국내에서 사실상 거래 대가의 지급수단이 되고 있지 않는 경우에는 그 화폐 등을 행사하더라도 위조통화행사죄를 구성하지 않는다고 할 것이므로 형법 제234조에서 정한 위조사문서행사죄 또는 위조사도화행사죄로 의율할 수 있다.

해설

① [×] 사용권한자와 용도가 특정되어 있는 공문서를 사용권한 없는 자가 사용한 경우에도 그 공문서 본래의 용도에 따른 사용이 아닌 경우에는 공문서부정행사죄가 성립되지 아니한다.(대법원 2003. 2. 26. 2002도4935 엄마허락 누나심부름 사건)

② [○] 문서가 위조된 것임을 이미 알고 있는 공범자 등에게 행사하는 경우에는 위조문서행사죄가 성립할 수 없으나 간접정범을 통한 위조문서행사범행에 있어 **도구로 이용된 자라고 하더라도** 문서가 위조된 것임을 알지 못하는 자에게 행사한 경우에는 **위조문서행사죄가 성립한다.**(대법원 2012. 2. 23. 2011도14441 이미지 파일 출력사건)

③ [○] 피고인이 등기사항전부증명서의 열람일시를 삭제하여 복사한 행위는 변경 전 등기사항전부증명서가 나타내는 관리·사실관계와 다른 새로운 증명력을 가진 문서를 만든 것에 해당하고 그로 인하여 **공공적 신용을 해할 위험성도 발생하였다고 판단된다.**(대법원 2021. 2. 25. 2018도19043 등기부 열람일시 삭제사건)

④ [○] 위조된 외국의 화폐, 지폐 또는 은행권이 강제통용력을 가지지 않는 경우에는 형법 제207조 제3항에서 정한 '외국에서 통용하는 외국의 화폐 등'에 해당하지 않고, 나아가 그 화폐 등이 국내에서 사실상 거래대가의 지급수단이 되고 있지 않는 경우에는 형법 제207조 제2항에서 정한 '내국에서 유통하는 외국의 화폐 등'에도 해당하지 않으므로, 그 화폐 등을 행사하더라도 형법 제207조 제4항에서 정한 위조통화행사죄를 구성하지 않는다고 할 것이고, 따라서 이러한 경우에는 형법 제234조에서 정한 **위조사문서행사죄 또는 위조사도화행사죄로 의율할 수 있다.**(대법원 2013. 12. 12. 2012도2249 10만 파운드화 사건)

정답 | 053 ④ 054 ①

055 □□□ 다음 중 형법 제228조의 공정증서원본등부실기재죄의 객체인 '공정증서 원본 또는 이와 동일한 전자기록 등 특수매체기록, 면허증, 허가증, 등록증, 여권'에 해당하는 것은 모두 몇 개인가? (다툼이 있으면 판례에 의함)

15 법원9급 [Superlative ★★★]

㉠ 토지대장	㉡ 상업등기부
㉢ 공증인이 인증한 사서증서	㉣ 사업자등록증

① 1개 ② 2개

③ 3개 ④ 4개

해설

① ㉡ 항목만이 공정증서원본 등에 해당한다.

㉠ 권리의무에 변동을 주는 효력이 없는 **토지대장은 공정증서에 해당하지 아니한다.**(대법원 1988. 5. 24. 87도2696 토지대장 사건)

㉡ **상업등기부는 공정증서원본에 해당한다.**(대법원 2006. 10. 26. 2006도5147)

㉢ 형법 제228조에서 말하는 공정증서란 권리의무에 관한 공정증서를 가리키는 것이라 할 것이므로 **공증인이 인증한 사서증서는 공정증서원본이 될 수 없다.**(대법원 1984. 10. 23. 84도1217)

㉣ **사업자등록증은** 단순한 사업사실의 등록을 증명하는 증서에 불과하고 그에 의하여 사업을 할 수 있는 자격이나 요건을 갖추었음을 인정하는 것은 아니라고 할 것이어서 **'등록증'에 해당하지 않는다.**(대법원 2005. 7. 15. 2003도6934 사업자등록증 사건)

056 □□□ 다음 중 공정증서원본등부실기재죄가 성립할 수 있는 경우는 모두 몇 개인가? (다툼이 있으면 판례에 의함)

15 경찰간부 [Superlative ★★★]

㉠ 주민등록증을 위조하여 자신의 신분을 허위로 대고 그 정을 모르는 공무원으로부터 사업자등록증을 발부받은 경우
㉡ 법원에 허위 내용의 조정신청서를 제출하여 판사로 하여금 조정조서에 부실의 사실을 기재한 경우
㉢ 해외이주의 목적으로 위장결혼을 하고 혼인신고를 하여 그 사실이 호적부에 기재된 경우
㉣ 토지거래 허가구역 안의 토지에 관하여 실제로는 매매계약을 체결하고서도 처음부터 토지거래허가를 잠탈하려는 목적으로 등기원인을 '증여'로 하여 소유권이전등기를 경료한 경우

① 1개 ② 2개
③ 3개 ④ 4개

해설

② ㉢㉣ 2 항목의 경우 공정증서원본부실기재죄가 성립한다.
㉠ 사업자등록증은 단순한 사업사실의 등록을 증명하는 증서에 불과하고 그에 의하여 사업을 할 수 있는 자격이나 요건을 갖추었음을 인정하는 것은 아니라고 할 것이어서 **'등록증'에 해당하지 않는다.**(대법원 2005. 7. 15. 2003도6934 사업자등록증 사건)
㉡ 조정절차에서 작성되는 조정조서는 그 성질상 허위신고에 의해 부실한 사실이 그대로 기재될 수 있는 **공문서로 볼 수 없어 공정증서원본에 해당하는 것으로 볼 수 없다.**(대법원 2010. 6. 10. 2010도3232 임야분할 조정조서 사건)
㉢ 해외이주의 목적으로 위장결혼을 하고 혼인신고를 하여 그 사실이 호적부에 기재되었다면 **공정증서원본부실기재죄를 구성한다.**(대법원 1985. 9. 10. 85도1481 해외이주용 위장결혼 사건)
㉣ 처음부터 토지거래허가를 잠탈하려는 목적으로 등기원인을 실제와 달리 '증여'로 한 소유권이전등기를 경료한 경우, 토지거래계약은 확정적 무효이고 이에 터잡은 소유권이전등기는 실체관계에 부합하지 아니하며 그와 같은 소유권이전등기는 토지등기부에 대한 공공의 신용을 해칠 위험성이 큰 점을 감안하면 **공정증서원본에 부실의 사실을 기재하게 한 때에 해당한다.**(대법원 2007. 11. 30. 2005도9922 토지거래허가 잠탈목적 사건)

정답 | 055 ① 056 ②

057 다음 중 공정증서원본부실기재죄 등에 관한 설명으로 가장 옳지 않은 것은? (다툼이 있으면 판례에 의함)

□□□

21 해경간부 [Core ★★]

① 유한회사의 사원이 상법 등 법령에 정한 회사설립의 요건과 절차에 따라 회사설립등기를 함으로써 회사가 성립되었다고 하더라도 회사를 성립할 당시 회사를 실제로 운영할 의사가 없이 회사를 이용한 범죄 의도나 목적이 있었다거나 회사로서의 물적·인적조직 등 영업실질을 갖추지 않고 있는 경우에는 공전자기록등부실기재죄가 성립한다.

② 실제로는 채권·채무관계가 존재하지 아니함에도 공증인에게 허위신고를 하여 가장된 금전채권에 대하여 집행력이 있는 공정증서원본을 작성하고 이를 비치하게 한 것이라면 공정증서원본부실기재죄 및 부실기재공정증서원본행사죄가 성립한다.

③ 재건축조합 임시총회의 소집절차나 결의방법이 법령이나 정관에 위반되어 임원개임결의가 사법상 무효라고 하더라도, 실제로 재건축조합의 조합총회에서 그와 같은 내용의 임원개임결의가 이루어졌고 그 결의에 따라 임원변경등기를 마쳤다면 특별한 사정이 없는 한 공정증서원본부실기재죄가 성립하지 않는다.

④ 유상증자 등기의 신청시 발행주식 총수 및 자본의 총액이 증가한 사실이 허위임을 알면서 증자등기를 신청하여 상업등기부 원본에 그 기재를 하게 한 경우, 등기신청서류로 제출된 주금납입금보관증명서가 위조된 것임을 몰랐다고 하더라도 공정증서원본부실기재죄가 성립한다.

해설

① [×] 유한회사의 사원이 상법 등 법령에 정한 회사설립의 요건과 절차에 따라 회사설립등기를 함으로써 회사가 성립하였다고 볼 수 있는 경우 회사설립등기와 그 기재 내용은 특별한 사정이 없는 한 공정증서원본 등 부실기재죄에서 말하는 부실의 사실에 해당하지 않는다. 유한회사의 사원 등 회사설립에 관여하는 사람이 회사를 설립할 당시 회사를 실제로 운영할 의사 없이 회사를 이용한 범죄 의도나 목적이 있었다거나 회사로서의 인적·물적 조직 등 영업의 실질을 갖추지 않았다는 이유만으로는 부실의 사실을 법인등기부에 기록하게 한 것으로 볼 수 없다.(대법원 2020. 3. 26. 2019도7729 대포통장 유통목적 유한회사 설립사건)

② [○] 실제로는 채권·채무관계가 존재하지 아니함에도 공증인에게 허위신고를 하여 가장된 금전채권에 대하여 집행력이 있는 공정증서원본을 작성하고 이를 비치하게 한 것이라면 **공정증서원본부실기재 및 동행사죄가 성립한다.**(대법원 2008. 12. 24. 2008도7836 우영종합건설 대표 사건)

③ [○] 재건축조합의 임시총회의 소집절차에 중대한 하자가 있을 뿐만 아니라, 조합규약에서 조합총회의 경우에 조합원의 의결권의 대리행사를 금지하고 있음에도 불구하고 임시총회를 개최하여 피고인들이 임시총회추진위원회에 대한 입회동의서를 제출하거나 임시총회에 관한 위임장을 제출한 170명을 대리하는 형식으로 임원개임결의를 하고 그 결의에 따라 임원변경등기를 마쳤다 하더라도, **실제로 재건축조합의 조합총회에서 그와 같은 내용의 임원변경에 관한 결의가 이루어졌다고 한다면** 특별한 사정이 없는 한 공정증서원본인 법인등기부에 **부실의 기재를 하게 하였다고 볼 수는 없다.**(대법원 2004. 10. 15. 2004도3584 동신아파트 재건축조합 사건)

④ [○] 유상증자 등기의 신청시 발행주식 총수 및 자본의 총액이 증가한 사실이 **허위임을 알면서 증자등기를 신청하여 상업등기부원본에 그 기재를 하게 한 이상**, 등기신청서류로 제출된 주금납입금보관증명서가 위조된 것임을 몰랐다고 하더라도 **공정증서원본부실기재죄가 성립한다.**(대법원 2006. 10. 26. 2006도5147)

058 공정증서원본부실기재에 관한 다음 설명 중 가장 옳은 것은? (다툼이 있으면 판례에 의함)

□□□

14 법원9급 [Core ★★]

① 협의상 이혼의 의사표시가 기망에 의하여 이루어져 호적에 그 협의상 이혼사실이 기재되었다면 공정증서원본부실기재죄가 성립한다.

② 가장매매로 인한 소유권이전등기를 경료한 경우에는 공정증서원본부실기재 및 동행사죄가 성립한다.

③ 발행인과 수취인이 통모하여 진정한 어음채무 부담이나 어음채권 취득 의사 없이 단지 발행인의 채권자에게서 채권추심이나 강제집행을 받는 것을 회피하기 위하여 형식적으로만 약속어음의 발행을 가장한 후 공증인에게 마치 진정한 어음발행행위가 있는 것처럼 허위로 신고하여 어음공정증서원본을 작성·비치하게 한 경우에 공정증서원본부실기재 및 동행사죄가 성립한다.

④ 타인의 부동산을 자기의 소유라고 허위의 사실을 신고하여 소유권이전등기를 경료한 이후라면 그 부동산이 자기의 소유인 것처럼 가장하여 그 부동산에 관하여 자기 명의로 채권자와의 사이에 근저당권설정등기를 경료한 경우 별도로 공정증서원본부실기재 및 동행사죄가 성립하지 않는다.

해설

③ [O] 발행인과 수취인이 통모하여 진정한 어음채무의 부담이나 어음채권의 취득에 관한 의사 없이 단지 발행인의 채권자로부터 채권의 추심이나 강제집행을 받는 것을 회피하기 위하여 형식적으로만 약속어음의 발행을 가장한 경우 이러한 어음발행행위는 통정허위표시로서 무효이므로, 이와 같이 발행인과 수취인 사이에 통정허위표시로서 무효인 어음발행행위를 공증인에게는 마치 진정한 어음발행행위가 있는 것처럼 허위로 신고함으로써 **공증인으로 하여금 그 어음발행행위에 대하여 집행력 있는 어음공정증서원본을 작성케 하고 이를 비치하게 하였다면, 공정증서원본부실기재 및 동행사죄가 성립한다.**(대법원 2012. 4. 26. 2009도5786 무효 어음발행 공증사건)

① [×] 협의상 이혼의 의사표시가 기망에 의하여 이루어진 것일지라도 그것이 취소되기까지는 유효하게 존재하는 것이므로, 이는 공정증서원본부실기재죄에 정한 **부실의 사실에 해당하지 않는다.**(대법원 1997. 1. 24. 95도448 기망에 의한 이혼사건)

② [×] 피고인이 부동산에 관하여 가장매매를 원인으로 소유권이전등기를 경료하였더라도, 그 당사자 사이에는 소유권이전등기를 경료시킬 의사는 있었다고 할 것이므로 **공정증서원본부실기재죄 및 동행사죄는 성립하지 않는다.**(대법원 2011. 7. 14. 2010도1025 아파트 가장증여 사건)

④ [×] 근저당권은 근저당물의 소유자가 아니면 설정할 수 없으므로 타인의 부동산을 자기 또는 제3자의 소유라고 허위의 사실을 신고하여 소유권이전등기를 경료한 후 나아가 그 부동산이 자기 또는 당해 제3자의 소유인 것처럼 가장하여 채권자와의 사이에 근저당권설정등기를 경료한 경우에는 **공정증서원본부실기재 및 동행사죄가 성립한다.**(대법원 1997. 7. 25. 97도605)

정답 | 057 ① 058 ③

059 공정증서원본등부실기재죄가 성립하는 경우는 모두 몇 개인가? (다툼이 있으면 판례에 의함)

□□□

17 경찰간부 [Core ★★]

㉠ 부동산에 대해 점유로 인한 소유권취득시효를 완성한 甲이 이미 사망한 그 부동산의 등기명의자를 상대로 매매를 원인으로 하는 소유권이전등기절차이행청구의 소를 제기하여, 의제자백에 의한 승소판결을 받고 이와 같은 확정판결에 기해 甲자신의 명의로 그 부동산에 대한 소유권이전등기를 경료한 경우

㉡ 처음부터 진실한 주금납입으로 회사의 자금을 확보할 의사 없이, 형식상 또는 일시적으로 주금을 납입하고 이 돈을 은행에 예치하여 납입의 외형을 갖추고 주금납입증명서를 교부받아 설립등기나 증자등기의 절차를 마친 다음 바로 그 납입한 돈을 인출하고는, 그 인출한 돈을 특별히 회사를 위해 사용하지도 않은 경우

㉢ 甲이 중국인 乙과 참다운 부부관계를 설정할 의사가 아니라 단지 乙의 국내 취업을 위한 입국을 가능하게 할 목적으로 형식상 혼인하기로 하고 甲의 본적지 면사무소에 혼인신고를 한 경우

㉣ 甲이 허위의 공정증서에 기해 乙의 부동산에 대한 강제경매신청을 하였고, 이에 의해 동 부동산에 대해 법원의 강제경매개시결정을 원인으로 하는 경매신청등기가 경료된 경우

① 1개　　② 2개

③ 3개　　④ 4개

해설

② ㉡㉢ 2 항목의 경우 공정증서원본등부실기재죄가 성립한다.

㉠ 피고인이 사망한 부동산등기 명의인을 상대로 매매를 원인으로 하는 소유권이전등기절차 이행청구의 소를 제기하여 의제자백에 의한 승소판결을 받고 이에 기하여 피고인 명의로 소유권이전등기를 경료하였다고 하여도 **동 등기가 실체적 권리관계에 부합하는 유효한 등기라면 그 등기원인이 다르다 하여도 부실의 등기라고 할 수 없다.**(대법원 1982. 1. 12. 81도1702)

㉡ 당초부터 진실한 주금납입으로 회사의 자금을 확보할 의사 없이 형식상 또는 일시적으로 주금을 납입하고 이 돈을 은행에 예치하여 납입의 외형을 갖추고 주금납입증명서를 교부받아 설립등기나 증자등기의 절차를 마친 다음 바로 그 납입한 돈을 인출한 경우에는, 이를 회사를 위하여 사용하였다는 특별한 사정이 없는 한 실질적으로 회사의 자본이 늘어난 것이 아니어서 **납입가장죄, 공정증서원본부실기재 및 동행사죄가 성립한다.**(대법원 2004. 6. 17. 2003도7645 全合 이용호 G&G그룹 회장 사건)

㉢ 피고인들이 **중국 국적의 조선족 여자들과 참다운 부부관계를 설정할 의사 없이 단지 그들의 국내 취업을 위한 입국을 가능하게 할 목적으로 형식상 혼인하기로 한 것이라면,** 피고인들의 혼인은 우리나라의 법에 의하여 혼인으로서의 실질적 성립요건을 갖추지 못하여 그 효력이 없고, 따라서 피고인들이 중국에서 중국의 방식에 따라 혼인식을 거행하였다고 하더라도 **효력이 없는 혼인의 신고를 한 이상 피고인들은 공정증서원본부실기재 및 동행사죄의 죄책을 면할 수 없다.**(대법원 1996. 11. 22. 96도2049 국내취업용 위장결혼 사건)

㉣ 부실의 등기가 당사자의 허위신고에 의하지 아니하고 법원의 촉탁에 의하여 이루어진 경우에는 공정증서원본부실기재죄를 구성하지 아니한다고 할 것인 바, **경매신청등기는 법원의 직권촉탁에 의하여 경료된 것이며 피고인의 허위신고에 의하여 경료된 것이 아니므로** 피고인의 강제경매신청에 관한 소위는 **공정증서원본부실기재죄를 구성하지 아니한다.**(대법원 1976. 5. 25. 74도568)

060 공정증서원본 등 부실기재죄에 관한 설명이다. 다음 중 옳은 것은 모두 몇 개인가? (다툼이 있으면 판례에 의함)
□□□
15 경찰채용 [Core ★★]

㉠ 사업자등록증은 공정증서원본등부실기재죄의 대상인 등록증에 해당하지 않는다.
㉡ 자동차운전면허증 재교부신청서의 사진란에 본인의 사진이 아닌 다른 사람의 사진을 붙여 제출함으로써 담당 공무원으로 하여금 자동차운전면허대장에 부실의 사실을 기재하게 한 경우 공정증서원본 등 부실기재죄가 성립한다.
㉢ 민사조정법상의 조정절차에서 작성되는 조정조서는 형법 제228조 제1항에서 말하는 공정증서원본에 해당한다.
㉣ 종중 소유의 토지를 자신의 개인 소유로 신고하여 토지대장에 올린 경우 공정증서원본 등 부실기재죄가 성립하지 않는다.
㉤ 원래 자신소유인 부동산에 대하여 허위의 보증서를 작성한 후 등기소에 제출하여 자기 명의로 소유권을 이전받은 경우 공정증서원본 등 부실기재죄가 성립한다.
㉥ 종중의 적법한 대표 권한이 없는 자가 종중 소유의 토지에 보존등기를 신청하면서 자신이 대표자인 것처럼 허위신고를 함으로써 부동산등기부에 종중의 대표자로 기재된 경우에는 공정증서원본 등 부실기재죄가 성립하지 않는다.

① 1개　　② 2개
③ 3개　　④ 4개

해설

② ㉠㉣ 2 항목이 옳다.
㉠ [○] 세무서장이 교부하는 **사업자등록증은** 단순한 사업사실의 등록을 증명하는 증서에 불과하고 그에 의하여 사업을 할 수 있는 자격이나 요건을 갖추었음을 인정하는 것은 아니므로 형법 제228조 제2항 소정의 **등록증에 해당하지 않는다.**(대법원 2005. 7. 15. 2003도6934 **사업자등록증 사건**)
㉡ [×] **자동차운전면허대장은** 운전면허 행정사무집행의 편의를 위하여 범칙자, 교통사고유발자의 인적사항 · 면허번호 등을 기재하거나 운전면허증의 교부 및 재교부 등에 관한 사항을 기재하는 것에 불과하며, 그에 대한 기재를 통해 당해 운전면허 취득자에게 어떠한 권리의무를 부여하거나 변동 또는 상실시키는 효력을 발생하게 하는 것으로 볼 수 없어 **공정증서원본이라고 볼 수 없다.**(대법원 2010. 6. 10. 2010도1125 **자동차운전면허대장 사건**)
㉢ [×] 조정절차에서 작성되는 **조정조서는** 그 성질상 허위신고에 의해 부실한 사실이 그대로 기재될 수 있는 공문서로 볼 수 없어 **공정증서원본에 해당하는 것으로 볼 수 없다.**(대법원 2010. 6. 10. 2010도3232 **임야분할조정조서 사건**)
㉣ [○] 토지대장에 일정한 사항을 등재하는 것은 행정사무 집행의 편의와 사실증명의 자료로 삼기 위한 것이며, 어떠한 권리가 부여된다거나 변동 또는 상실되는 효력이 생기는 것은 아니므로 **토지대장은 공정증서원본이라고는 할 수 없다.**(대법원 1988. 5. 24. 87도2696 **토지대장 사건**)

정답 | 059 ②　060 ②

ⓜ [×] 허위의 보증서를 발급받아 소유권이전등기를 거쳤더라도 그것이 권리의 실체관계에 부합하는 등기라면 **공정증서에 부실의 사실을 기재하였다고는 할 수 없다.**(대법원 1984. 12. 11. 84도2285)

ⓗ [×] 종중의 적법한 대표권한이 없는 자가 종중 소유의 토지에 보존등기를 신청하면서 자신이 대표자인 것처럼 허위신고를 함으로써 부동산등기부에 종중의 대표자로 기재된 경우에는 **공정증서원본부실기재죄가 성립한다.**(대법원 2006. 1. 13. 2005도4790 종중대표자 허위등기 사건)

061 다음 중 공정증서원본부실기재죄가 성립하는 경우는 모두 몇 개인가? (다툼이 있으면 판례에 의함)

□□□

16 경찰간부 [Core ★★]

㉠ 등기부에 거래가액을 부풀려서 기재하게 한 경우

㉡ 허위의 소유권 이전등기를 경료한 자가 자신의 채권자와 합의에 의하여 그 부동산에 근저당설정등기를 경료한 경우

㉢ 총발행주식의 과반수를 소유한 대주주가 적법한 소집절차나 임시주주총회의 개최 없이 자신이 임시의장이 되어 임시주주총회 의사록을 작성하여 법인등기를 마친 경우

㉣ 당사자의 합의에 의하여 진정한 채무자가 아닌 제3자를 채무자로 기재한 근저당설정등기를 한 경우

㉤ 주식회사의 임시주주총회가 법령 및 정관상 요구되는 이사회의 결의나 소집절차 없이 이루어졌다고 하더라도, 주주 전원이 참석하여 총회를 개최하는데 동의하고 아무런 이의 없이 만장일치로 결의가 되었고 그 결의에 따라 등기가 이루어진 경우

㉥ 신주발행이 무효로 확정되기 이전에 그 신주발행의 사실을 담당 공무원에게 신고하여 법인등기부에 기재하게 한 경우

① 0개 ② 1개

③ 2개 ④ 3개

해설

② ㉡ 항목의 경우에만 공정증서원본부실기재죄가 성립한다.

㉠ 부동산의 거래당사자가 **거래가액을 시장 등에게 거짓으로 신고하여 신고필증을 받은 뒤 이를 기초로 사실과 다른 내용의 거래가액이 부동산등기부에 등재되도록 하였다면,** 공인중개사법에 따른 과태료의 제재를 받게 됨은 별론으로 하고 **공정증서원본부실기재 및 동행사죄는 성립하지 아니한다.**(대법원 2013. 6. 27. 2013도3246 미등기 빌라 전매사건)

㉡ 근저당권은 근저당물의 소유자가 아니면 설정할 수 없으므로 **타인의 부동산을** 자기 또는 제3자의 소유라고 허위의 사실을 신고하여 소유권이전등기를 경료한 후 나아가 **그 부동산이 자기 또는 당해 제3자의 소유인 것처럼 가장하여 그 부동산에 관하여** 자기 또는 당해 제3자 명의로 채권자와의 사이에 **근저당권설정등기를 경료한 경우에는 공정증서원본부실기재 및 동행사죄가 성립한다.**(대법원 1997. 7. 25. 97도605)

㉢ (1) 주식회사의 임시주주총회가 법령 및 정관상 요구되는 이사회의 결의 및 소집절차 없이 이루어졌다하더라도, 주주명부상의 주주 전원이 참석하여 총회를 개최하는 데 동의하고 아무런 이의 없이 만장일치로 결의가 이루어졌다면 그 결의는 특별한 사정이 없는 한 유효하다.
(2) 피고인이 **회사 원명의 주주 전원의 위임을 받아 기존 이사 및 감사를 해임하고 새로운 이사 및 감사를 선임한 내용의 결의가 있었던 것으로 임시주주총회 의사록을 작성한 이상**, 비록 피고인이 적법한 주주총회 소집절차를 거치지 않았을 뿐 아니라 실제로 주주총회를 개최하지도 않았지만 주주 전원의 의사에 따라 그 내용의 유효한 결의가 있었던 것으로 보아야 하므로 **그 결의에 따른 등기는 실체관계에 부합하는 것으로 이를 부실의 사항을 기재한 등기라고 할 수 없다.**(대법원 2008. 6. 26. 2008도1044 **이사 · 감사 해임 · 선임등기 사건**)

㉣ 근저당설정등기는 등기권리자인 채권자와 등기의무자인 근저당권설정자와의 합의를 기초로 이루어지는 것이므로 설사 등기의 편의상 진정한 채무자가 아닌 제3자를 채무자로 등기부상 등재케 하였다 하더라도 **그것이 계약당사자간의 합의에 의하여 이루어진 것이라면** 당사자 사이에 이와 같은 등기를 경료하게 할 의사가 있었던 것이므로 **공정증서원본부실기재죄는 성립되지 않는다.**(대법원 1985. 10. 8. 84도2461)

㉤ 주식회사의 임시주주총회가 법령 및 정관상 요구되는 이사회의 결의나 소집절차 없이 이루어졌다고 하더라도, **주주 전원이 참석하여 총회를 개최하는 데 동의하고 아무런 이의 없이 만장일치로 결의가 이루어졌다면** 그 결의는 특별한 사정이 없는 한 유효하고, 그 결의에 따른 등기는 실체관계에 부합하는 것으로 이를 **부실의 사항을 기재한 등기라고 할 수 없다.**(대법원 2014. 5. 16. 2013도15895)

㉥ **주식회사의 신주발행의 경우 신주발행에 법률상 무효사유가 존재한다고 하더라도** 그 무효는 신주발행무효의소에 의해서만 주장할 수 있고, 신주발행무효의 판결이 확정되더라도 그 판결은 장래에 대하여만 효력이 있으므로, 그 신주발행이 판결로써 무효로 확정되기 이전에 그 신주발행사실을 담당 공무원에게 신고하여 공정증서인 법인등기부에 기재하게 하였다고 하여 그 행위가 공무원에 대하여 허위신고를 한 것이라거나 그 기재가 **부실기재에 해당하는 것이라고 할 수는 없다.**(대법원 2007. 5. 31. 2006도8488)

정답 | 061 ②

062 다음 중 공문서부정행사죄가 성립하는 것을 모두 고른 것은? (다툼이 있으면 판례에 의함)

□□□

14 변호사 [Superlative ★★★]

㉠ 신분을 확인하려는 경찰관에게 자신의 인적 사항을 속이기 위하여 미리 소지하고 있던 타인의 운전면허증을 제시하는 경우
㉡ 타인의 주민등록표등본을 그와 아무런 관련이 없는 사람이 마치 자신의 것인 것처럼 행사한 경우
㉢ 허위로 선박 사고신고를 하면서 그 선박의 국적증명서와 선박검사증서를 함께 제출한 경우
㉣ 기왕에 습득한 타인의 주민등록증을 자신의 가족의 것이라고 제시하면서 그 주민등록증상의 명의로 이동전화 가입신청을 한 경우

① ㉠ ② ㉠㉡ ③ ㉠㉣
④ ㉢㉣ ⑤ ㉠㉡㉢

해설

① ㉠ 항목의 경우에만 공문서부정행사죄가 성립한다.

㉠ 제3자로부터 신분확인을 위하여 신분증명서의 제시를 요구받고 **다른 사람의 운전면허증을 제시한 행위는 그 사용목적에 따른 행사로서 공문서부정행사죄에 해당한다.**(대법원 2001. 4. 19. 2000도1985 전합 **타인 운전면허증 제시사건**)

㉡ 주민등록표등본은 그 사용권한자가 특정되어 있다고 할 수 없고 또 용도도 다양하며 반드시 본인이나 세대원만이 사용할 수 있는 것이 아니므로 타인의 주민등록표등본을 그와 아무런 관련 없는 사람이 마치 자신의 것인 것처럼 행사하였다고 하더라도 **공문서부정행사죄가 성립되지 아니한다.**(대법원 1999. 5. 14. 99도206 **주민등록등본 사용사건**)

㉢ (1) 선박국적증서는 한국선박으로서 등록하는 때에 선박번호, 국제해사기구에서 부여한 선박식별번호, 호출부호, 선박의 종류, 명칭, 선적항 등을 수록하여 발급하는 문서이고, 선박검사증서는 선박정기검사 등에 합격한 선박에 대하여 항해구역·최대승선인원 및 만재흘수선의 위치 등을 수록하여 발급하는 문서이다.
(2) 따라서 **어떤 선박이 사고를 낸 것처럼 허위로 사고신고를 하면서 그 선박의 선박국적증서와 선박검사증서를 함께 제출하였다고 하더라도,** 선박국적증서와 선박검사증서는 선박의 국적과 항행할 수 있는 자격을 증명하기 위한 용도로 사용된 것일 뿐 **그 본래의 용도를 벗어나 행사된 것으로 보기는 어려우므로 공문서부정행사죄에 해당하지 않는다.**(대법원 2009. 2. 26. 2008도10851 **선박국적·검사증서 사건**)

㉣ 피고인이 습득한 타인의 주민등록증을 피고인 가족의 것이라고 제시하면서 그 주민등록증상의 명의 또는 가명으로 이동전화 가입신청을 한 경우, **타인의 주민등록증을 본래의 사용용도인 신분확인용으로 사용한 것이라고 볼 수 없어 공문서부정행사죄는 성립하지 않는다.**(대법원 2003. 2. 26. 2002도4935 **엄마허락 누나심부름사건**)

063 ‘문서에 관한 죄’에 대한 설명으로 가장 적절한 것은? (다툼이 있으면 판례에 의함)

□□□

18 경찰승진 [Essential ★]

① 국립대학교 교무처장 명의의 ‘졸업증명서 파일’을 위조한 경우, 위 파일은 형법상의 문서에 해당한다.

② 공문서인 기안문서의 작성권한자가 직접 이에 서명하지 않고 피고인에게 지시하여 자기의 서명을 흉내내어 기안문서의 결재란에 대신 서명케 한 경우라면 작성권자의 지시 또는 승낙에 의한 것으로서 공문서위조죄의 위법성이 조각된다.

③ 원본파일의 변경까지 초래하지는 아니하였더라도 램에 올려진 전자기록에 허구의 내용을 권한 없이 수정입력한 경우, 사전자기록변작죄의 기수에 이르렀다.

④ 신주발행이 판결로써 무효로 확정되기 이전에 그 신주발행사실을 담당 공무원에게 신고하여 공정증서인 법인등기부에 기재하게 한 경우에는 그 행위가 공무원에 대하여 허위신고를 한 것이고, 그 기재 또한 불실기재에 해당한다.

해설

③ [O] 램(RAM)에 올려진 전자기록은 원본파일과 불가분적인 것으로 원본파일의 개념적 연장선상에 있는 것이므로, 피고인이 비록 원본파일의 변경까지 초래하지는 아니하였더라도 전자기록에 허구의 내용을 권한 없이 수정입력한 것은 그 자체로 사전자기록을 변작한 행위의 구성요건에 해당된다고 보아야 할 것이며 그러한 수정입력의 시점에서 **사전자기록변작죄의 기수에 이른다.**(대법원 2003. 10. 9. 2000도4993 **금호산업 허위실적증명 사건**)

① [×] 졸업증명서 파일은 그 파일을 보기 위하여 일정한 프로그램을 실행하여 모니터 등에 이미지 영상을 나타나게 하여야 하므로, **파일 그 자체는 형법상 문서에 관한 죄에 있어서의 문서에 해당되지 않는다.**(대법원 2010. 7. 15. 2010도6068 **졸업증명서 파일 사건**)

② [×] 공문서인 기안문서의 작성권한자가 직접 이에 서명하지 않고 피고인에게 지시하여 자기의 서명을 흉내내어 기안문서의 결재란에 대신 서명케 한 경우라면 피고인의 기안문서 작성행위는 작성권자의 지시 또는 승낙에 의한 것으로서 **공문서위조죄의 구성요건해당성이 조각된다.**(대법원 1983. 5. 24. 82도1426 **대신 서명하라 사건**)

④ [×] 주식회사의 신주발행의 경우 신주발행에 법률상 무효사유가 존재한다고 하더라도 그 무효는 신주발행무효의 소에 의해서만 주장할 수 있는 것이고, 신주발행무효의 판결이 확정되더라도 그 판결은 장래에 대하여만 효력이 있는 것이므로 그 신주발행이 판결로써 무효로 확정되기 이전에 신주발행 사실을 담당공무원에게 신고하여 법인등기부에 기재하게 하였다고 하여 그 행위가 **공무원에 대하여 허위신고를 한 것이라거나 그 기재가 부실기재에 해당하는 것이라고 할 수는 없다.**(대법원 2007. 5. 31. 2006도8488)

정답 | 062 ① 063 ③

064 문서에 관한 죄에 대한 다음 설명 중 옳지 않은 것은 모두 몇 개인가? (다툼이 있으면 판례에 의함)

□□□

20 법원행시 [Superlative ★★★]

㉠ 문서위조 및 동행사죄의 보호법익은 문서에 대한 공공의 신용이므로 '문서가 원본인지 여부'가 중요한 거래에 있어서 문서의 사본을 진정한 원본인 것처럼 행사할 목적으로 다른 조작을 가함이 없이 문서의 원본을 그대로 컬러복사기로 복사한 후 위와 같이 복사한 문서의 사본을 원본인 것처럼 행사한 행위는 사문서위조죄 및 동행사죄에 해당한다.

㉡ 부동산의 거래당사자가 거래가액을 시장 등에게 거짓으로 신고하여 신고필증을 받은 뒤 이를 기초로 사실과 다른 내용의 거래가액이 부동산등기부에 등재되도록 하였다면, '공인중개사의 업무 및 부동산 거래신고에 관한 법률'에 따른 과태료의 제재를 받게 됨은 별론으로 하고, 형법상의 공전자기록등불실기재죄 및 불실기재공전자기록등행사죄가 성립하지는 아니한다.

㉢ 형법 제233조의 허위진단서작성죄에서 허위진단서 작성에 해당하는 허위의 기재는 사실에 관한 것이건 판단에 관한 것이건 불문하므로, 현재의 진단명과 증상에 관한 기재뿐만 아니라 현재까지의 진찰 결과로서 발생 가능한 합병증과 향후 치료에 대한 소견을 기재한 경우에도 그로써 환자의 건강상태를 나타내고 있는 이상 허위진단서 작성의 대상이 될 수 있다.

㉣ 이사가 이사회 회의록에 서명 대신 서명거부사유를 기재하고 그에 대한 서명을 하면, 특별한 사정이 없는 한 그 내용은 이사회 회의록의 일부가 되고, 이사회 회의록의 작성권한자인 이사장이라 하더라도 임의로 이를 삭제한 경우에는 이사회 회의록 내용에 변경을 가하여 새로운 증명력을 가져오게 되므로 사문서변조에 해당한다.

㉤ 자동차 등의 운전자가 운전 중에 도로교통법 제92조 제2항에 따라 경찰공무원으로부터 운전면허증의 제시를 요구받은 경우 운전면허증의 특정된 용법에 따른 행사는 도로교통법 관계법령에 따라 발급된 운전면허증 자체를 제시하는 것이라고 보아야 한다. 이 경우 자동차 등의 운전자가 경찰공무원에게 다른 사람의 운전면허증 자체가 아니라 이를 촬영한 이미지파일을 휴대전화 화면 등을 통하여 보여주는 행위는 운전면허증의 특정된 용법에 따른 행사라고 볼 수 없는 것이어서 그로 인하여 경찰공무원이 그릇된 신용을 형성할 위험이 있다고 할 수 없으므로, 이러한 행위는 결국 공문서부정행사죄를 구성하지 아니한다.

① 1개　② 2개　③ 3개
④ 4개　⑤ 없음

해설

⑤ 모든 항목이 옳다.

㉠ [O] (1) '문서가 원본인지 여부'가 중요한 거래에 있어서 문서의 사본을 진정한 원본인 것처럼 행사할 목적으로 다른 조작을 가함이 없이 문서의 원본을 그대로 컬러복사기로 복사한 후 위와 같이 복사한 문서의 사본을 원본인 것처럼 행사한 행위는 사문서위조 및 동행사죄에 해당한다.

(2) 변호사인 피고인이 저작권법위반의 형사고소사건을 위임받은 후 네이버 아이디(ID) 불상의 피고소인 30명을 각 형사고소하기 위하여 고소장을 개별적으로 수사관서에 제출하면서도 하나의 고소위임장에만 서울지방변호사회로부터 발급받은 진정한 경유증표 원본을 첨부한 후 이를 일체로 하여 컬러복사기로 20장 또는 10장의

고소위임장을 각 복사하여 각 고소장에 첨부하여 의정부지방검찰청 수사과에 접수한 것은 **사문서위조 및 동행사죄에 해당한다.**(대법원 2016. 7. 14. 2016도2081 경유증표 컬러복사 사건)

ⓛ [○] 부동산등기부에 기재되는 **거래가액**은 당해 부동산의 권리의무관계에 중요한 의미를 갖는 사항에 해당한다고 볼 수 없어, 부동산의 거래당사자가 거래가액을 시장 등에게 거짓으로 신고하여 신고필증을 받은 뒤 이를 기초로 사실과 다른 내용의 거래가액이 부동산등기부에 등재되도록 하였다면, 공인중개사법에 따른 과태료의 제재를 받게 됨은 별론으로 하고 형법상의 **공전자기록등부실기재 및 동행사죄는 성립하지는 아니한다.**(대법원 2013. 1. 24. 2012도12363 거래가액 허위신고사건)

ⓒ [○] 허위 진단서 작성에 해당하는 **허위의 기재는 사실에 관한 것이건 판단에 관한 것이건 불문하므로,** 현재의 진단명과 증상에 관한 기재뿐만 아니라 현재까지의 진찰 결과로서 발생 가능한 **합병증과 향후 치료에 대한 소견을 기재한 경우에도 그로써 환자의 건강상태를 나타내고 있는 이상 허위 진단서 작성의 대상이 될 수 있다.**(대법원 2017. 11. 9. 2014도15129 여대생 청부살해범 남편과 주치의 사건)

ⓔ [○] 이사가 이사회 회의록에 서명 대신 서명거부사유를 기재하고 그에 대한 서명을 하면 특별한 사정이 없는 한 그 내용은 이사회 회의록의 일부가 되고, **이사회 회의록의 작성권한자인 이사장이라 하더라도 임의로 이를 삭제한 경우에는 이사회 회의록 내용에 변경을 가하여 새로운 증명력을 가져오게 되므로 사문서변조에 해당한다.**(대법원 2018. 9. 13. 2016도20954 성신학원 이사장 사건)

ⓜ [○] 자동차 등의 운전자가 경찰공무원에게 다른 사람의 운전면허증 자체가 아니라 이를 촬영한 **이미지파일을 휴대전화 화면 등을 통하여 보여주는 행위는** 운전면허증의 특정된 용법에 따른 행사라고 볼 수 없는 것이어서 그로 인하여 경찰공무원이 그릇된 신용을 형성할 위험이 있다고 할 수 없으므로 이러한 행위는 결국 **공문서부정행사죄를 구성하지 아니한다.**(대법원 2019. 12. 12. 2018도2560 운전면허 촬영사진 제시 사건)

정답 | 064 ⑤

065 문서에 관한 죄에 대한 설명으로 가장 적절하지 않은 것은? (다툼이 있으면 판례에 의함)

□□□

23 경찰채용 [Core ★★]

① 형법 제228조 제1항 공전자기록 등 부실기재죄의 구성요건인 '부실의 사실기재'는 당사자의 허위신고에 의하여 이루어져야 하므로 법원의 촉탁에 의하여 등기를 마친 경우에는 그 전제 절차에 허위적 요소가 있더라도 위 죄가 성립하지 않는다.

② 작성자가 '행사할 목적'으로 타인의 자격을 모용하여 문서를 작성하였다 하더라도 문서행사의 상대방이 자격모용 사실을 알았다거나 작성자가 그 문서에 모용한 자격과 무관한 직인을 날인하였다는 등의 사정이 있었다면 자격모용에 의한 사문서작성죄의 범의와 행사의 목적은 인정되지 않는다.

③ 명의인을 기망하여 문서를 작성케 하는 경우에는 서명·날인이 정당히 성립된 경우라도 기망자는 명의인을 이용하여 서명날인자의 의사에 반하는 문서를 작성케 하는 것이므로 사문서위조죄가 성립한다.

④ 사용권한자와 용도가 특정되어 있는 공문서를 사용권한 없는 자가 사용한 경우에도 그 공문서 본래의 용도에 따른 사용이 아닌 경우에는 공문서부정행사죄가 성립하지 않는다.

해설

② [×] 자격모용사문서작성죄에서의 '행사할 목적'이라 함은 그 문서가 정당한 권한에 기하여 작성된 것처럼 다른 사람으로 하여금 오신하도록 하게 할 목적을 말한다고 할 것이므로 사문서를 작성하는 자가 주식회사의 대표로서의 자격을 모용하여 문서를 작성한다는 것을 인식, 용인하면서 그 문서를 진정한 문서로서 어떤 효용에 쓸 목적으로 사문서를 작성하였다면 자격모용에 의한 사문서작성죄의 행사의 목적과 고의를 인정할 수 있다. **작성자가 '행사할 목적'으로 자격을 모용하여 문서를 작성한 이상 문서행사의 상대방이 자격모용 사실을 알았다거나 작성자가 그 문서에 모용한 자격과 무관한 직인을 날인하였다는 등의 사정이 있다고 하여 달리 볼 것은 아니다.**(대법원 2022. 6. 22 2021도17712 **총괄대표이사 피고인 사건**)

① [○] 형법 제228조 제1항 공전자기록등부실기재죄의 구성요건인 '부실의 사실기재'는 당사자의 허위신고에 의하여 이루어져야 하므로 **법원의 촉탁**에 의하여 등기를 마친 경우에는 그 전제 절차에 허위적 요소가 있더라도 위 죄가 성립하지 않는다.(대법원 2022. 1. 13. 2021도11257 **허위채권에 기한 가압류 사건**)

③ [○] 명의인을 기망하여 문서를 작성케 하는 경우에는 서명 · 날인이 정당히 성립된 경우라도 기망자는 명의인을 이용하여 서명날인자의 의사에 반하는 문서를 작성케 하는 것이므로 **사문서위조죄가 성립한다.**(대법원 2000. 6. 13. 2000도778 **종중 회의록 사건**)

④ [○] 사용권한자와 용도가 특정되어 있는 공문서를 사용권한 없는 자가 사용한 경우에도 **그 공문서 본래의 용도에 따른 사용이 아닌 경우에는 공문서부정행사죄가 성립하지 않는다.**(대법원 2022. 10. 14. 2020도13344 **국가 유공자증 사건**)

066 문서에 관한 죄에 관한 다음 설명 중 옳지 않은 것으로 짝지어진 것은? (다툼이 있으면 판례에 의함)

□□□

18 경찰간부 [Core ★★]

㉠ 외국에서 발행되어 유효기간이 경과한 타인의 국제운전면허증에 붙어있던 타인의 사진을 떼어내고 그 자리에 자신의 사진을 붙였다면 사문서위조죄가 성립한다.
㉡ 허위로 작성된 공문서를 그 동일성을 해하지 아니하는 정도로 변경을 가하였다면 공문서변조죄가 성립한다.
㉢ 공무원이 허위공문서를 기안하여 그 정을 모르는 작성권자의 결재를 받아 공문서를 완성한 때에는 허위공문서작성죄의 간접정범이 성립한다.
㉣ 고소사건의 담당 경찰관은 경찰 범죄정보시스템에 접근하여 당해 사건의 처리정보를 입력할 수 있는 정당한 권한을 가진 자이므로 고소사건을 처리하지 아니하였더라도 그 사건을 검찰에 송치한 것으로 입력한 행위만으로는 공전자기록위작죄가 성립하지 아니한다.

① ㉠㉡ ② ㉠㉣
③ ㉡㉢ ④ ㉡㉣

해설

④ ㉡㉣ 2 항목이 옳지 않다.

㉠ [○] 문서위조죄는 문서의 진정에 대한 공공의 신용을 그 보호법익으로 하는 것이므로, 피고인이 위조하였다는 국제운전면허증이 그 유효기간을 경과하여 본래의 용법에 따라 사용할 수는 없게 되었다고 하더라도, 이를 행사하는 경우 그 상대방이 유효기간을 쉽게 알 수 없도록 되어 있거나 위 문서 자체가 진정하게 작성된 것으로서 피고인이 명의자로부터 국제운전면허를 받은 것으로 오신하기에 충분한 정도의 형식과 외관을 갖추고 있다면 피고인의 행위는 **문서위조죄에 해당한다.**(대법원 1998. 4. 10. 98도164 **유효기간경과 국제운전면허증 사건**)

㉡ [×] 공문서변조라 함은 권한없이 이미 진정하게 성립된 공무원 또는 공무소 명의의 문서내용에 대하여 그 동일성을 해하지 아니할 정도로 변경을 가하는 것을 말한다 할 것이므로, **이미 허위로 작성된 공문서는 공문서변조죄의 객체가 되지 아니한다.**(대법원 1986. 11. 11. 86도1984 **허위 폐품반납서 사건**)

㉢ [○] 작성권한이 있는 공무원의 직무를 보좌하는 자가 허위의 내용이 기재된 문서 초안을 그 정을 모르는 상사에게 제출하여 결재하도록 하는 등의 방법으로 허위의 공문서를 작성하게 한 경우 **허위공문서작성죄의 간접정범이 성립한다.**(대법원 2011. 5. 13. 2011도1415 **가평군청 관광버스 · 화물차 불법등록 사건**)

㉣ [×] 경찰서 조사계 소속 경찰관인 피고인 甲이 사실은 A에 대한 고소사건을 처리하지 아니하였음에도 불구하고, 조사계 소속 일용직으로서 정을 모르는 乙을 통하여 **경찰범죄정보시스템에 그 사건을 검찰에 송치한 것으로 허위사실을 입력한 경우, 공전자기록위작죄가 성립한다.**(대법원 2005. 6. 9. 2004도6132 **허위검찰송치 입력사건**)

정답 | 065 ② 066 ④

067 **문서에 관한 죄에 대한 설명으로 옳은 것은? (다툼이 있으면 판례에 의함)** 21 국가7급 [Superlative ★★★]

□□□

① 甲이 위조·변조한 공문서의 컴퓨터 이미지 파일을 A에게 이메일로 송부하여 프린터로 출력하게 한 경우 A가 그 위조된 사실을 알지 못하였다면 甲에게는 위조·변조공문서행사죄가 성립하지 않는다.

② A은행의 지배인으로 등기되어 있는 甲은 지급보증의 성질이 있는 A 은행 명의로 된 대출 채권 양수도약정서와 사용인감계를 작성하였는데, A 은행의 내부규정은 지급보증 등의 의사결정 권한을 상위 결재권자에게 부여하고 있었다면 사문서위조죄에 해당한다.

③ 휴대전화 신규 가입신청서를 위조한 후 이를 스캔한 이미지파일을 제3자에게 이메일로 전송하여 컴퓨터 화면으로 보게 한 경우 이미지 파일 자체는 문서에 해당하지 않으므로 위조사문서행사죄가 성립하지 않는다.

④ 형법 제231조(사문서 위조·변조)의 경우 유형위조만을 처벌하므로 형법 제232조의2(사전자기록위작·변작)에서의 '위작'은 유형위조만을 의미하는 것으로 해석하여야 하며, 이에 무형위조도 포함한다고 해석하는 것은 문언의 의미를 확장하여 처벌범위를 지나치게 넓히는 것으로 죄형법정주의에 반한다.

해설

② [O] 은행의 지배인으로 등기되어 있는 피고인이 인감관리자의 결재도 받지 않고 지급보증의 성질이 있는 은행 명의의 대출채권양수도약정서와 사용인감계를 작성한 경우 은행의 내부규정에 지급보증 등 여신에 관하여 금액 규모 등에 따라 전결권자를 구분하고 나아가 여신 결재가 이루어진 것을 전제로 인감관리자의 결재를 받아 사용인감계를 작성하도록 하는 등으로 **지급보증 등의 의사결정 권한을 상위 결재권자에게 부여하고 있다면**, 위와 같은 문서작성 행위는 **제한된 지배인의 대리권한을 넘는 경우에 해당하여 사문서위조죄가 성립한다.** (대법원 2012. 9. 27. 2012도7467 경남은행 지배인 사건)

① [×] (1) 간접정범을 통한 위조문서행사범행에 있어 도구로 이용된 자라고 하더라고 문서가 위조된 것임을 알지 못하는 자에게 행사한 경우에는 위조문서행사죄가 성립한다.
(2) 피고인 甲이 위조한 전문건설업등록증 등의 컴퓨터 이미지 파일을 공사 수주에 사용하기 위하여 A 등에게 이메일로 송부하였고, **A 등이 甲으로부터 이메일로 송부받은 컴퓨터 이미지 파일을 프린터로 출력할 당시 그 이미지 파일이 위조된 것임을 알지 못한 경우 형법 제229조의 위조·변조공문서행사죄를 구성한다.**(대법원 2012. 2. 23. 2011도14441 이미지파일 출력사건)

③ [×] 스캐너로 읽어 들여 이미지화한 것은 문서에 관한 죄에 있어서의 '문서'에 해당하지 않는다고 하더라도, **자신이 이미 위조한 휴대전화 신규 가입신청서를 행사한 것에 해당하여 위조문서행사죄가 성립한다.**(대법원 2008. 10. 23. 2008도5200 휴대폰가입신청서 스캔·전송 사건) 이는 이미 사문서를 위조한 상태에서 스캐너와 메일을 이용하여 이를 상대방에게 전송하여 보게 한 것이므로 (제시, 비치, 송부 등 행사의 방법에는 아무런 제한이 없으므로) 위조사문서행사죄가 성립한다.

④ [×] 시스템을 설치·운영하는 주체와의 관계에서 전자기록의 생성에 관여할 권한이 없는 사람이 전자기록을 작출하거나 전자기록의 생성에 필요한 단위 정보의 입력을 하는 경우는 물론 시스템의 설치·운영주체로부터 **각자의 직무 범위에서 개개의 단위정보의 입력 권한을 부여받은 사람이 그 권한을 남용하여 허위의 정보를 입력함으로써 시스템 설치·운영 주체의 의사에 반하는 전자기록을 생성하는 경우도** 공전자기록등위작죄에서 말하는 전자기록의 '위작'에 포함되고, 위 법리는 사전자기록등위작죄에서 행위의 태양으로 규정한 '위작'에 **대해서도 마찬가지로 적용된다.**(대법원 2020. 8. 27. 2019도11294 全合 가상화폐거래량 허위입력사건) 사전자기록위작·변작죄에서 '위작'에는 유형위조는 물론 무형위조도 포함된다.

068 다음 중 (　　) 속에 甲의 죄책이 가장 적절한 것은? (다툼이 있으면 판례에 의함)
□□□

22 경찰간부 [Superlative ★★★]

① 甲과 乙은 공모하여 행사할 목적으로 금융감독원장 명의의 '금융감독원 대출정보내역'이라는 사실증명에 관한 문서 1장을 위조하고, 공범 乙에게 기망당하여 위조 사실을 모르는 A에게 위 문서를 교부함으로써 위조된 문서를 행사하였다. (사문서위조죄, 위조사문서행 사죄)

② B주식회사의 지배인 甲이 그 권한을 남용하여 자신을 B회사의 대표이사로 표시하여 연대 보증채무를 부담한다는 취지로 회사명의의 차용증을 작성하여 채권자에게 교부하였다. (사문서위조죄, 위조사문서행사죄)

③ C은행의 지배인으로 등기되어 있는 甲이, 회사의 내부규정 등에 의하여 각 지배인이 회사를 대리할 수 있는 행위의 종류, 내용, 상대방 등을 한정하여 그 권한을 제한한 경우에 그 제한된 권한범위를 벗어나서 신용이나 담보가 부족한 차주 회사가 저축은행 등 대출기관에서 대출을 받는 데 사용하도록 지급보증의 성질이 있는 C은행 명의의 대출채권양수 도약정서와 사용인감계를 작성하였다. (사문서위조죄)

④ 甲이 D의 주민등록증을 이용하여 주민등록증상 이름과 사진을 하얀 종이로 가린 후 복사기로 복사를 하고, 다시 컴퓨터를 이용하여 E의 인적사항과 주소, 발급일자를 기재한 후 덮어쓰기를 하여 이를 다시 복사하는 방식으로 별개의 주민등록증사본을 창출시켰다. (공문서변조죄)

해설

③ [○] 은행의 **지배인**으로 등기되어 있는 피고인이 인감관리자의 결재도 받지 않고 지급보증의 성질이 있는 은행 명의의 대출채권양수도약정서와 사용인감계를 작성한 경우 **은행의 내부규정**에 지급보증 등 여신에 관하여 금액 규모 등에 따라 전결권자를 구분하고 나아가 여신 결재가 이루어진 것을 전제로 인감관리자의 결재를 받아 사용인감계를 작성하도록 하는 등으로 지급보증 등의 의사결정 권한을 상위 결재권자에게 부여하고 있다면, 위와 같은 **문서작성 행위는 제한된 지배인의 대리권한을 넘는 경우에 해당하여 사문서위조죄가 성립한다.** (대법원 2012. 9. 27. 2012도7467 경남은행 지배인 사건)

① [×] 금융위원회법 제29조, 제69조 제1항에서 정한 금융감독원 집행간부인 금융감독원장 명의의 문서를 위조, 행사한 행위는 사문서위조죄, 위조사문서행사죄에 해당하는 것이 아니라 공문서위조죄, 위조공문서행사죄에 해당한다.(대법원 2021. 3. 11. 2020도14666 금융감독원 대출정보내역 사건)

② [×] B회사의 아산지점 지배인인 피고인 甲이 자신을 B회사의 대표이사로 표시하여 'B회사는 A회사의 1억원 차용금 채무에 대하여 연대보증한다'는 취지의 차용증을 작성 · 교부한 경우 甲은 B회사의 적법한 지배인이므로 B회사 명의 문서를 작성하는 행위가 사문서위조에 해당할 수는 없는 것이고, 가사 甲이 자신을 B회사의 대표이사로 표시하는 등 일부 허위 내용이 포함되거나 연대보증행위가 B회사의 이익에 반하는 것이라 하더라도 같은 결론에 이른다.(대법원 2010. 5. 13. 2010도1040 황강산업 지배인 사건)

④ [×] 피고인이 타인의 주민등록증을 이용하여 주민등록증상 이름과 사진을 하얀 종이로 가린 후 복사기로 복사를 하고, 다시 컴퓨터를 이용하여 위조하고자 하는 당사자의 인적사항과 주소, 발급일자를 기재한 후 덮어쓰기를 하여 이를 다시 복사하는 방식으로 전혀 별개의 주민등록증사본을 창출시킨 경우 그 사본 또한 공문서위조 및 행사죄의 객체가 되는 공문서에 해당한다.(대법원 2004. 10. 28. 2004도5183)

정답 | 067 ② 068 ③

069 다음 설명 중 옳지 않은 것은 모두 몇 개인가? (다툼이 있으면 판례에 의함) 16 경찰간부 [Core ★★]

□□□

㉠ 위조문서행사죄에 있어서 행사의 상대방에는 아무런 제한이 없고 위조된 문서의 작성 명의인이라고 하여 행사의 상대방이 될 수 없는 것은 아니나, 문서가 위조된 것임을 이미 알고 있는 공범자 등에게 행사하는 경우에는 위조문서행사죄가 성립될 수 없다.
㉡ 간접정범을 통한 위조문서행사범행에 있어 도구로 이용된 자라고 하더라도 문서가 위조된 것임을 알지 못하는 자에게 행사한 경우에는 위조문서행사죄가 성립한다.
㉢ 타인의 인장을 조각할 당시에 그 명의자로부터 명시적이거나 묵시적인 승낙 내지 위임을 받았다면 인장위조죄가 성립하지 않는다.
㉣ 의사인 피고인이 환자의 인적사항, 병명, 입원기간 및 그러한 입원사실을 확인하는 내용이 기재된 '입퇴원 확인서'를 허위로 작성하였다면 허위진단서작성죄가 성립한다.
㉤ 위조된 외국의 화폐, 지폐 또는 은행권이 강제통용력을 가지지 않고, 국내에서 사실상 거래 대가의 지급수단이 되고 있지 않는 경우에는 그 화폐 등을 행사하더라도 위조통화행사죄를 구성하지 않고 또한 위조사문서행사죄 또는 위조사도화행사죄로 의율할 수도 없다.
㉥ 위조통화임을 알고 있는 자에게 그 위조통화를 교부한 경우에 피교부자가 이를 유통시키리라는 것을 예상 내지 인식하면서 교부하였다면 위조통화행사죄가 성립한다.

① 1개 ② 2개 ③ 3개 ④ 4개

해설

② ㉣㉤ 2 항목이 옳지 않다.

㉠ [○] 위조문서행사죄에 있어서의 행사는 위조된 문서를 진정한 것으로 사용함으로써 문서에 대한 공공의 신용을 해칠 우려가 있는 행위를 말하므로, 행사의 상대방에는 아무런 제한이 없고 **위조된 문서의 작성 명의인이라고 하여 행사의 상대방이 될 수 없는 것은 아니며, 다만 문서가 위조된 것임을 이미 알고 있는 공범자 등에게 행사하는 경우에는 위조문서행사죄가 성립될 수 없다.**(대법원 2005. 1. 28. 2004도4663 **입점자각서 송부사건**)

㉡ [○] 위조문서행사죄에 있어서 행사는 위조된 문서를 진정한 것으로 사용함으로써 문서에 대한 공공의 신용을 해칠 우려가 있는 행위를 말하므로 그 행사의 상대방에는 아무런 제한이 없고, 다만 문서가 위조된 것임을 이미 알고 있는 공범자 등에게 행사하는 경우에는 위조문서행사죄가 성립할 수 없으나, **간접정범을 통한 위조문서행사범행에 있어 도구로 이용된 자라고 하더라고 문서가 위조된 것임을 알지 못하는 자에게 행사한 경우에는 위조문서행사죄가 성립한다.**(대법원 2012. 2. 23. 2011도14441 **이미지 파일 출력사건**)

㉢ [○] 사인위조죄는 그 명의인의 의사에 반하여 위법하게 행사할 목적으로 권한 없이 타인의 인장을 위조한 경우에 성립하므로 타인의 인장을 조각할 당시에 그 명의자로부터 **명시적이거나 묵시적인 승낙 내지 위임을 받았다면 인장위조죄가 성립하지 않는다.**(대법원 2014. 9. 26. 2014도9213 **공대출 사건**)

㉣ [×] 피고인이 환자들에게 작성하여 교부한 **'입퇴원확인서'**는 의사의 전문적 지식에 의한 진찰이 없더라도 확인 가능한 환자들의 입원 여부 및 입원기간의 증명이 주된 목적인 서류로서 **환자의 건강상태를 증명하기 위한 서류라고 볼 수 없으므로 허위진단서작성죄에서 규율하는 진단서라고 보기는 어렵다.**(대법원 2013. 12. 12. 2012도3173 **입퇴원확인서 사건**)

㉤ [×] **위조된 외국의 화폐, 지폐 또는 은행권이 강제통용력을 가지지 않는 경우에는** 형법 제207조 제3항에서 정한 '외국에서 통용하는 외국의 화폐 등'에 해당하지 않고, 나아가 **그 화폐 등이 국내에서 사실상 거래 대가의 지급수단이 되고 있지 않는 경우에는** 형법 제207조 제2항에서 정한 '내국에서 유통하는 외국의 화폐 등'에

도 해당하지 않으므로, 그 화폐 등을 행사하더라도 형법 제207조 제4항에서 정한 **위조통화행사죄를 구성하지 않는다고 할 것이고**, 따라서 이러한 경우에는 형법 제234조에서 정한 **위조사문서행사죄 또는 위조사도화행사죄로 의율할 수 있다.**(대법원 2013. 12. 12. 2012도2249 **10만 파운드화 사건**)

ⓑ [○] 위조통화임을 알고 있는 자에게 그 위조통화를 교부한 경우에 피교부자가 이를 유통시키리라는 것을 예상 내지 인식하면서 교부하였다면, 그 교부행위 자체가 통화에 대한 공공의 신용 또는 거래의 안전을 해할 위험이 있으므로 위조통화행사죄가 성립한다.(대법원 2003. 1. 10. 2002도3340 **스위스화 이라크화 사건**)

070 다음 설명 중 옳은 것과 옳지 않은 것이 바르게 표시된 것은? (다툼이 있으면 판례에 의함)

□□□

20 경찰간부 [Superlative ★★★]

㉠ 甲이 타인 행세를 하며 피의자로서 조사를 받은 다음 경찰관에 의하여 작성된 피의자신문조서의 말미에 타인의 서명 및 무인을 하고 타인의 이름이 기재된 수사과정확인서에 무인을 한 경우 甲에게는 사서명등위조죄 및 동행사죄가 인정 된다.

㉡ 위조인장행사죄에 있어서 '행사'라 함은 위조된 인장을 진정한 것처럼 용법에 따라 사용하는 행위를 말한다 할 것이므로, 위조된 인영을 타인에게 열람할 수 있는 상태에 두거나 위조된 인과 그 자체를 타인에게 교부하는 경우에 성립한다.

㉢ 사인위조죄는 그 명의인의 의사에 반하여 위법하게 행사할 목적으로 권한 없이 타인의 인장을 위조한 경우에 성립하므로, 타인의 인장을 조각할 당시에 그 명의자로부터 명시적이거나 묵시적인 승낙 내지 위임을 받았다면 인장위조죄는 성립하지 않는다.

㉣ 어떤 문서에 권한 없는 자가 타인의 서명 등을 기재하는 경우에는 그 문서가 완성되기 전이라도 일반인으로서는 그 문서에 기재된 타인의 서명 등을 그 명의인의 진정한 서명으로 오신할 수 있으므로, 일단 서명 등이 완성된 이상 문서가 완성되지 아니한 경우에도 서명 등의 위조죄는 성립한다.

㉤ 아파트 동대표로 당선된 甲이 사실은 대학을 졸업하지 않았음이 사립대학 교무처장 명의로 된 학력조회 회보서를 통해 확인되자 아파트 주민대표회 간부들이 甲의 허위학력 사실을 아파트 주민들에게 공고문 형식으로 알리면서 그 공고문의 신뢰성 제고를 위해 공고문 안에 대학 교무처장 명의의 직인을 함께 나타낸 경우에는 사인위조죄가 성립한다.

① ㉠ ○ ㉡ ○ ㉢ × ㉣ × ㉤ ○
② ㉠ × ㉡ ○ ㉢ × ㉣ ○ ㉤ ×
③ ㉠ × ㉡ ○ ㉢ ○ ㉣ × ㉤ ○
④ ㉠ ○ ㉡ × ㉢ ○ ㉣ ○ ㉤ ○

정답 | 069 ② 070 ④

해설

④ 이 지문이 옳은 연결이다.

㉠ [○] 피고인 甲이 A로 행세하면서 피의자로서 조사를 받은 다음 신분이 탄로나기 전에 이미 경찰관에 의하여 작성된 피의자신문조서의 말미에 A의 서명 및 무인을 하고 A의 이름이 기재된 수사과정확인서에 무인을 한 경우, **사서명위조 및 동행사죄가 성립한다.**(대법원 2011. 3. 10. 2011도503 피신조서 타인서명 사건)

㉡ [×] 위조인장행사죄에 있어서 '행사'라 함은 위조된 인장을 진정한 것처럼 용법에 따라 사용하는 행위를 말한다 할 것이므로 위조된 인영(印影)을 타인에게 열람할 수 있는 상태에 두든지, 인과(印顆)의 경우에는 날인하여 일반인이 열람할 수 있는 상태에 두면 그것으로 행사가 되는 것이고, 위조된 인과 그 자체를 타인에게 교부한 것만으로는 위조인장행사죄를 구성한다고 할 수 없다.(대법원 1984. 2. 28. 84도90 위조인장 교부사건)

㉢ [○] 사인위조죄는 그 명의인의 의사에 반하여 위법하게 행사할 목적으로 권한 없이 타인의 인장을 위조한 경우에 성립하므로 타인의 인장을 조각할 당시에 그 명의자로부터 **명시적이거나 묵시적인 승낙 내지 위임을 받았다면 인장위조죄가 성립하지 않는다.**(대법원 2014. 9. 26. 2014도9213 공대출 사건)

㉣ [○] 어떤 문서에 권한 없는 자가 타인의 서명 등을 기재하는 경우에는 그 문서가 완성되기 전이라도 일반인으로서는 그 문서에 기재된 타인의 서명 등을 그 명의인의 진정한 서명 등으로 오신할 수도 있으므로, 일단 서명 등이 완성된 이상 **문서가 완성되지 아니한 경우에도 서명 등 위조죄는 성립한다.**(대법원 2011. 3. 10. 2011도503 피신조서 타인서명 사건)

㉤ [○] 공고문에 현출된 "고려대학교 교무처장" 직인은 **일반인으로 하여금 진정한 직인으로 오신하게 할 정도에 이르렀다**고 할 것임에도, 원심은 피고인들이 직인을 고려대학교 교무처장의 정당한 인장인 것처럼 가장하기 위해서 이를 현출하였다거나 직인을 위조하여 행사할 의사가 있었다고 볼 수는 없다고 판단하고 말았으니, 원심판결에는 사인위조죄의 성립요건에 관한 법리를 오해함으로써 판결 결과에 영향을 미친 위법이 있다.(대법원 2010. 1. 14. 2009도5929) 지문은 **사인위조죄가 성립한다**는 취지의 판례이다.

071 문서에 관한 죄에 관한 설명으로 옳은 것은 모두 몇개인가? (다툼이 있으면 판례에 의함)

□□□

25 경찰간부 [Superlative ★★★]

㉠ 제3자로부터 신분확인을 위하여 신분증명서의 제시를 요구받고 타인의 운전면허증을 제시한 행위는 그 사용목적에 따른 행사로서 공문서부정행사죄에 해당한다.

㉡ 인감증명서 발급업무를 담당하는 공무원이 발급을 신청한 본인이 직접 출두한 바 없는데도 본인이 직접 신청하여 발급받은 것처럼 인감증명서에 기재하였다면 이는 공문서위조죄를 구성한다.

㉢ A구청장이 B구청장으로 전보된 후 A구청장의 권한에 속하는 건축허가에 관한 기안용지의 결재란에 서명을 한 것은 허위공문서작성죄를 구성한다.

㉣ 타인의 부동산을 자기의 소유라고 허위의 사실을 신고하여 소유권이전등기를 경료한 후 그 부동산이 자기의 소유인 것처럼 가장하여 그 부동산에 관하여 자기 명의로 채권자와의 사이에 근저당권설정등기를 경료한 경우 공정증서원본부실기재 및 동행사죄가 성립한다.

ⓜ 甲이 중국 국적의 조선족 여성 乙과 참다운 부부관계를 설정할 의사이 단지 乙의 국내 취업을 위한 입국을 가능하게 할 목적으로 형식상 혼인신고를 하여 그 사실이 가족관계등록부에 기재된 경우 이는 공정증서원본의 부실기재에 해당한다.

① 2개
② 3개
③ 4개
④ 5개

해설

② ㉠㉣㉤ 3 항목이 옳다.

㉠ [○] 피고인이 제3자로부터 신분확인을 위하여 신분증명서의 제시를 요구받고 다른 사람의 운전면허증을 제시한 행위는 그 사용목적에 따른 행사로서 **공문서부정행사죄에 해당한다.**(대법원 2001. 4. 19. 2000도1985 全合 타인 운전면허증 제시사건)

㉡ [×] 인감증명서 발급업무를 담당하는 공무원이 발급을 신청한 본인이 직접 출두한 바 없음에도 불구하고 본인이 직접 신청하여 발급받은 것처럼 인감증명서에 기재하였다면 **이는 공문서위조죄가 아닌 허위공문서작성죄를 구성한다.**(대법원 1997. 7. 11. 97도1082 본인출두 인감증명서 사건)

㉢ [×] A구청장인 피고인이 B구청장으로 전보된 후 A구청장의 권한에 속하는 건축허가에 관한 기안용지의 결재란에 서명을 한 것은 **자격모용공문서작성죄를 구성한다.**(대법원 1993. 4. 27. 92도2688 남구청장 → 동래구청장 사건)

㉣ [○] 근저당권은 근저당물의 소유자가 아니면 설정할 수 없으므로 타인의 부동산을 자기 또는 제3자의 소유라고 허위의 사실을 신고하여 소유권이전등기를 경료한 후 나아가 그 부동산이 자기 또는 당해 제3자의 소유인 것처럼 가장하여 그 부동산에 관하여 자기 또는 당해 제3자 명의로 채권자와의 사이에 근저당권설정등기를 경료한 경우에는 **공정증서원본부실기재 및 동행사죄가 성립한다.**(대법원 1997. 7. 25. 97도605 허위 소유권이전·근저당권설정등기 사건)

㉤ [○] 피고인들이 중국 국적의 조선족 여자들과 참다운 부부관계를 설정할 의사 없이 단지 그들의 국내 취업을 위한 입국을 가능하게 할 목적으로 형식상 혼인하기로 한 것이라면, 피고인들의 혼인은 우리나라의 법에 의하여 혼인으로서의 실질적 성립요건을 갖추지 못하여 그 효력이 없고, 따라서 피고인들이 중국에서 중국의 방식에 따라 혼인식을 거행하였다고 하더라도 효력이 없는 혼인의 신고를 한 이상 **피고인들은 공정증서원본부실기재 및 동행사죄의 죄책을 면할 수 없다.**(대법원 1996. 11. 22. 96도2049 국내취업용 위장결혼 사건)

정답 | 071 ②

072 형법 제20장(문서에 관한 죄)에 관한 다음 설명 중 옳은 것은 모두 몇 개인가? (다툼이 있으면 판례에 의함)

□□□ 21 법원행시 [Superlative ★★★]

㉠ 피고인이 인터넷을 통하여 열람·출력한 등기사항전부 증명서 하단의 열람일시 부분을 수정테이프로 지우고 복사한 행위는 등기사항전부증명서가 나타내는 권리·사실관계와 다른 새로운 증명력을 가진 문서를 만든 것에 해당하고 그로 인하여 공공적 신용을 해할 위험성도 발생한 경우에 해당하므로 공문서변조죄가 성립한다.

㉡ 금융위원회의 설치 등에 관한 법률 제29조, 제69조 제1항에서 정한 금융감독원 집행간부인 금융감독원장 명의의 문서를 위조, 행사한 행위는 사문서위조죄, 위조사문서행사죄에 해당한다.

㉢ 피고인이 음주운전으로 단속되자 동생 甲의 이름을 대며 조사를 받다가 휴대용정보단말기(PDA)에 표시된 음주운전단속결과통보 중 운전자 甲의 서명란에 甲의 이름 대신 의미를 알 수 없는 부호를 기재한 행위는 甲의 서명을 위조한 것에 해당한다.

㉣ 사전자기록위작죄에서 정한 '위작'이란 전자기록의 생성에 관여할 권한이 없는 사람이 전자기록을 작성하거나 전자기록의 생성에 필요한 단위정보를 입력하는 경우만을 의미한다고 해석하여야 한다.

㉤ 중국인인 피고인이 콘도미니엄 입주민들의 모임인 甲 시설운영위원회의 대표로 선출된 후 甲 위원회가 대표성을 갖춘 단체라는 외양을 작출할 목적으로 주민센터에서 가져온 행정용 봉투의 좌측 상단에 미리 제작해 둔 甲 위원회 한자 직인과 한글 직인을 날인한 다음 주민센터에서 발급받은 피고인의 인감증명서 중앙에 있는 '용도'란 부분에 이를 오려 붙이는 방법으로 인감증명서 1매를 작성하고, 이를 휴대전화로 촬영한 사진 파일을 甲 위원회에 가입한 입주민들이 참여하는 메신저 단체대화방에 게재한 경우, 피고인이 만든 문서는 공문서에 해당하지 않고, 이를 사진촬영한 파일을 단체대화방에 게재한 행위 역시 위조공문서행사죄에 해당하지 않는다.

① 1개 ② 2개 ③ 3개
④ 4개 ⑤ 5개

해설

③ ㉠㉢㉤ 3 항목이 옳다.

㉠ [○] 피고인이 등기사항전부증명서의 **열람일시를 삭제하여 복사한 행위는** 변경 전 등기사항전부증명서가 나타내는 관리·사실관계와 다른 **새로운 증명력을 가진 문서를 만든 것에 해당하고 그로 인하여 공공적 신용을 해할 위험성도 발생하였다고 판단된다.**(대법원 2021. 2. 25. 2018도19043 등기부 열람일시 삭제사건)

㉡ [×] 금융위원회법 제29조, 제69조 제1항에서 정한 금융감독원 집행간부인 **금융감독원장 명의의 문서를 위조, 행사한 행위는** 사문서위조죄, 위조사문서행사죄에 해당하는 것이 아니라 **공문서위조죄, 위조공문서행사죄에 해당한다.**(대법원 2021. 3. 11. 2020도14666 **금융감독원 대출정보내역 사건**)

㉢ [○] 피고인 甲이 음주운전으로 단속되자 동생 乙의 이름을 대며 조사를 받다가 휴대용정보단말기(PDA)에 표시된 음주운전단속결과통보 중 운전자 '乙의 서명란'에 乙의 **이름 대신 의미를 알 수 없는 부호를 기재한 행위는 乙의 서명을 위조한 것에 해당한다.**(대법원 2020. 12. 30. 2020도14045 PDA **동생서명 사건**)

ⓡ [×] 시스템을 설치 · 운영하는 주체와의 관계에서 전자기록의 생성에 관여할 권한이 없는 사람이 전자기록을 작출하거나 전자기록의 생성에 필요한 단위 정보의 입력을 하는 경우는 물론 시스템의 설치 · 운영주체로부터 각자의 직무 범위에서 **개개의 단위정보의 입력 권한을 부여받은 사람이 그 권한을 남용하여 허위의 정보를 입력함으로써** 시스템 설치 · 운영 주체의 의사에 반하는 전자기록을 생성하는 경우도 공전자기록 등위작죄에서 말하는 전자기록의 **'위작'에 포함되고, 위 법리는 사전자기록등위작죄에서 행위의 태양으로 규정한 '위작'에 대해서도 마찬가지로 적용된다.**(대법원 2020. 8. 27. 2019도11294 全合 **가상화폐거래량 허위입력 사건**)

ⓜ [○] 피고인이 행정용 봉투 중 '보내는 사람 서귀포시 △△동장' 등이 기재된 부분을 오려내어 '□□施設運營委員會' 한자 직인과 'ㅇㅇ시설운영위원회' 한글 직인을 차례로 날인한 후 서귀포시 △△동장이 발행한 인감증명서 '용도'란에 이를 붙이는 방법으로 문서를 만든 경우(인감증명서의 용도란은 인감증명서의 다른 부분과 재질과 색깔이 다른 종이가 붙어 있음이 눈에 띄고, 다른 부분의 글자색은 모두 검정색인 반면 오려붙인 부분의 글자색은 파란색이며, 활자체도 다른 형태이다. 인감증명서의 피고인 인감은 검정색인 반면 피고인이 용도란에 날인한 한자 직인과 한글 직인은 모두 붉은 색이다), 이는 공무원 또는 공무소가 'ㅇㅇ시설운영위원회'를 등록된 단체라거나 피고인이 위 단체의 대표임을 증명하기 위해 작성한 문서라고 보기 어렵고 따라서 **공문서로서의 외관과 형식을 갖추지 못하여 공문서위조죄가 성립한다고 보기 어려운 이상**, 이를 사진촬영하여 그 파일을 메신저 단체대화방에 게재한 행위가 위조공문서행사죄에 해당한다고 할 수도 없다.(대법원 2020. 12. 24. 2019도8443 **조잡한 인감증명서 위조사건**)

정답 | 072 ③

제4절 | 공공의 신용에 관한 죄 종합

073 문서에 관한 죄에 대한 설명 중 가장 적절하지 않은 것은? (다툼이 있으면 판례에 의함)

□□□

23 경찰승진 [Core ★★]

① 행사할 목적으로 작성된 문서가 일반인으로 하여금 당해 명의인의 권한 내에서 작성된 문서라고 믿게 할 수 있는 정도의 형식과 외관을 갖추고 있다면 그 명의인이 실재하지 않는 허무인이거나 또는 문서의 작성일자 전에 이미 사망하였더라도 문서위조죄가 성립한다.

② '변호사회 명의의 경유증표'와 같이 '문서가 원본인지 여부'가 중요한 거래에서 문서의 사본을 진정한 원본인 것처럼 행사할 목적으로 다른 조작을 가함이 없이 문서의 원본을 그대로 컬러복사기로 복사한 후 복사한 문서의 사본을 원본인 것처럼 행사한 행위는 사문서위조죄 및 동행사죄에 해당한다.

③ 장애인사용자동차표지를 사용할 권한이 없는 사람이 실효된 '장애인전용주차구역 주차표지가 있는 장애인사용자동차표지'를 자신의 자동차에 단순히 비치하였으나 장애인전용주차구역이 아닌 장소에 주차한 경우 장애인사용자동차표지를 본래의 용도에 따라 사용했다고 볼 수 없으므로 공문서부정행사죄가 성립하지 않는다.

④ 공무원이 아닌 자가 관공서에 허위사실을 기재한 증명원을 제출하여 그 내용이 허위인정을 모르는 담당 공무원으로부터 증명서를 발급받은 경우 공문서위조죄의 간접정범이 성립한다.

해설

④ [×] 어느 문서의 작성권한을 갖는 공무원이 그 문서의 기재 사항을 인식하고 그 문서를 작성할 의사로써 이에 서명날인하였다면, 설령 그 서명날인이 타인의 기망으로 착오에 빠진 결과 그 문서의 기재사항이 진실에 반함을 알지 못한 데 기인한다고 하여도 **그 문서의 성립은 진정하며 여기에 하등 작성명의를 모용한 사실이 있다고 할 수는 없으므로**, 공무원 아닌 자가 관공서에 허위 내용의 증명원을 제출하여 그 내용이 허위인 정을 모르는 담당공무원으로부터 그 증명원 내용과 같은 증명서를 발급받은 경우 **공문서위조죄의 간접정범으로 의율할 수는 없다.**(대법원 2001. 3. 9. 2000도938 **공사실적증명원 사건**)

① [○] 작성된 문서가 일반인으로 하여금 당해 명의인의 권한 내에서 작성된 문서라고 믿게 할 수 있는 정도의 형식과 외관을 갖추고 있으면 문서위조죄가 성립하는 것이고, 위와 같은 요건을 구비한 이상 그 명의인이 실재하지 않는 허무인이거나 또는 문서의 작성일자 전에 이미 사망하였다고 하더라도 그러한 문서 역시 공공의 신용을 해할 위험성이 있으므로 **문서위조죄가 성립한다고 봄이 상당**하며, 이는 공문서뿐만 아니라 사문서의 경우에도 마찬가지이다.(대법원 2005. 2. 24. 2002도18 全合 **임상경력증명서 사건**)

② [○] (1) '문서가 원본인지 여부'가 중요한 거래에 있어서 문서의 사본을 진정한 원본인 것처럼 행사할 목적으로 다른 조작을 가함이 없이 문서의 원본을 그대로 컬러복사기로 복사한 후 위와 같이 복사한 문서의 **사본을 원본인 것처럼 행사한 행위는 사문서위조 및 동행사죄에 해당한다.**

(2) 변호사인 피고인이 저작권법 위반의 형사고소사건을 위임받은 후 네이버 아이디(ID) 불상의 피고소인 30명을 각 형사고소하기 위하여 고소장을 개별적으로 수사관서에 제출하면서도 하나의 고소위임장에만 서울지방변호사회로부터 발급받은 진정한 경유증표 원본을 첨부한 후 이를 일체로 하여 컬러복사기로 20장 또는 10장

의 고소위임장을 각 복사하여 각 고소장에 첨부하여 의정부지방검찰청 수사과에 접수한 것은 **사문서위조 및 동행사죄에 해당한다.**(대법원 2016. 7. 14. 2016도2081 **경유증표 컬러복사 사건**)

③ [O] 장애인사용자동차표지는 장애인이 이용하는 자동차에 대한 조세감면 등 필요한 지원의 편의를 위하여 장애인이 사용하는 자동차를 대상으로 발급되는 것이고, 장애인전용주차구역 주차표지가 있는 장애인사용자동차표지는 보행상 장애가 있는 사람이 이용하는 자동차에 대한 지원의 편의를 위하여 발급되는 것이다. 따라서 장애인사용자동차표지를 사용할 권한이 없는 사람이 **장애인전용주차구역에 주차하는 등 장애인 사용 자동차에 대한 지원을 받을 것으로 합리적으로 기대되는 상황이 아니라면 단순히 이를 자동차에 비치하였더라도 장애인사용자동차표지를 본래의 용도에 따라 사용했다고 볼 수 없어 공문서부정행사죄가 성립하지 않는다.**(대법원 2022. 9. 29. 2021도14514 **실효된 장애인사용자동차표지 비치사건**) 피고인이 실효된 '장애인전용주차구역 주차표지가 있는 장애인사용자동차표지'를 승용차에 계속 비치한 채 아파트 주차장 중 **장애인전용주차구역이 아닌 장소에** 주차한 사건으로 대법원은 공문서부정행사죄가 성립하지 않는다고 판시하였다. 만약 피고인이 **장애인전용주차구역에** 주차하였다면 공문서부정행사죄가 성립했을 것이다.

제2편 사회적 법익에 관한 죄

074 다음 중 <사례>에서 문서에 관한 죄에 대한 설명으로 가장 옳은 것은? (다툼이 있으면 판례에 의함)

□□□

22 해경채용 [Superlative ★★★]

> 甲은 야산에서 한 달 전 사망한 A의 지갑을 주웠는데, 그 지갑 속에는 B은행이 발행한 10만원권 자기앞수표 10장과 A의 운전면허증이 들어 있었다. 甲은 위 자기앞수표 10장을 유흥비로 사용하였다. 甲은 A의 운전면허증을 재발급받아 자신이 사용하기로 마음먹고, 운전면허시험장에 가서 운전면허증 재발급신청서에 자신의 사진을 붙이되 A의 이름과 인적 사항을 기재하여 운전면허증 재발급 신청을 하였고, 이에 속은 담당공무원으로부터 甲의 사진이 부착된 A의 이름으로 된 운전면허증을 발급받았다. 그 후 甲은 운전 중 검문경찰관으로부터 신분증제시 요구를 받고 A의 이름으로 된 운전면허증을 제시하였다.

① 甲이 검문경찰관에게 제시한 A 명의의 운전면허증은 진정하게 성립된 문서가 아니기 때문에 공문서 부정행사죄는 성립하지 않는다.

② 甲이 그 정을 모르는 담당공무원을 이용하여 운전면허증을 재발급받았으므로 공문서위조죄의 간접정범이 성립한다.

③ 甲이 권한 없이 A명의의 운전면허증 재발급신청서를 작성하였으므로 사문서위조죄가 성립한다.

④ 甲이 공무원에 대하여 허위신고를 하여 자동차 운전면허대장에 부실의 사실을 기재하게 하였다면 공정증서원본부실기재죄(형법 제228조 제1항)가 성립한다.

정답 | 073 ④ 074 ③

해설

③ [○] 명의인이 실재하지 않는 허무인이거나 또는 문서의 작성일자 전에 이미 **사망하였다고 하더라도 그러한 문서 역시 공공의 신용을 해할 위험성이 있으므로 문서위조죄가 성립한다**고 봄이 상당하며 이는 공문서뿐만 아니라 사문서의 경우에도 마찬가지라고 보아야 할 것이다.(대법원 2005. 2. 24. 2002도18 전원합의체 **임상경력증명서 사건**) A가 사망하였더라도 A 명의의 운전면허증 재발급신청서를 작성한 것은 사문서위조죄에 해당한다.

① [×] 피고인 甲이 A인 양 허위신고하여 甲의 사진과 지문이 찍힌 A 명의의 주민등록증을 발급받은 이상 주민등록증의 발행목적상 甲에게 위 주민등록증에 부착된 사진의 인물이 A의 신원 상황을 가진 사람이라는 허위사실을 증명하는 용도로 이를 사용할 수 있는 권한이 없다는 사실을 인식하고 있었다고도 할 것이므로 이를 검문 경찰관에게 제시하여 이러한 허위사실을 증명하는 용도로 사용한 것은 **공문서부정행사죄를 구성한다**.(대법원 1982. 9. 28. 82도1297)

② [×] 어느 문서의 작성권한을 갖는 **공무원이 그 문서의 기재 사항을 인식하고 그 문서를 작성할 의사로써 이에 서명날인하였다면** 설령 그 서명날인이 타인의 기망으로 착오에 빠진 결과 그 문서의 기재사항이 진실에 반함을 알지 못한 데 기인한다고 하여도, 그 문서의 성립은 진정하며 여기에 하등 **작성명의를 모용한 사실이 있다고 할 수는 없으므로** 공무원 아닌 자가 관공서에 허위 내용의 증명원을 제출하여 그 내용이 허위인 정을 모르는 담당공무원으로부터 그 증명원 내용과 같은 증명서를 발급받은 경우 **공문서위조죄의 간접정범으로 의율할 수는 없다**.(대법원 2001. 3. 9. 2000도938 **공사실적증명원 사건**)

④ [×] 자동차운전면허대장은 운전면허 행정사무집행의 편의를 위하여 범칙자, 교통사고유발자의 인적사항·면허번호 등을 기재하거나 운전면허증의 교부 및 재교부 등에 관한 사항을 기재하는 것에 불과하며, 그에 대한 기재를 통해 당해 운전면허 취득자에게 어떠한 권리의무를 부여하거나 변동 또는 상실시키는 효력을 발생하게 하는 것으로 볼 수 없으므로 **자동차운전면허대장은 사실증명에 관한 것에 불과하므로 공정증서원본이라고 볼 수 없다**.(대법원 2010. 6. 10. 2010도1125 **자동차운전면허대장 사건**)

075 □□□ 다음 중 사례와 괄호 안의 죄책이 올바르게 연결된 것은 모두 몇 개인가? (다툼이 있으면 판례에 의함)

20 해경채용 [Superlative ★★★]

㉠ 甲 선박에 의해 발생한 사고를 마치 乙 선박에 의해 발생한 것처럼 허위신고를 하면서 그에 대한 검정용 자료로서 乙 선박의 선박국적증서와 선박검사증서를 함께 제출한 경우 (공문서부정행사)

㉡ 경찰서에서 조사를 받던 사람이 제3자로 행세하면서 피의자신문조서에 제3자의 서명을 기재하였으나, 조사 경찰관의 서명·날인 등이 완료되기 전에 그 서명위조 사실이 발각된 경우 (사서명위조 및 위조사서명행사)

㉢ 일반인으로 하여금 명의인인 주식회사의 권한 내에서 작성된 문서라고 믿게 할 수 있는 정도의 형식과 외관을 갖춘 문서를 작성·제시하였으나, 문서의 작성·제시가 이미 해산 등기를 마쳐 그 주식회사의 법인격이 소멸한 이후에 이루어진 경우 (무죄)

㉣ 시청 공무원이, 시청 청사신축공사 현장에 출장을 나간 적이 없는 동료 공무원이 마치 현장출장을 간 것처럼 시청 행정지식관리시스템에 허위의 정보를 입력하여 출장 복명서를 생성한 후 그 사실을 모르는 결재권자에게 이를 전송한 경우 (공전자기록등위작 및 위작공전자기록등행사)
㉤ 컴퓨터 스캔 및 이미지 편집 프로그램을 이용하여 공인중개사 자격증의 이미지 파일을 만들어 낸 후 이를 이메일에 첨부하여 전송함으로써 다른 사람으로 하여금 모니터 화면을 통해 그 이미지 파일을 열어보도록 한 경우 (공문서위조 및 위조공문서행사)

① 0개 ② 1개
③ 2개 ④ 3개

해설

③ ㉡㉣ 2 항목이 옳다.
㉠ [×] (1) 선박국적증서는 한국선박으로서 등록하는 때에 선박번호, 국제해사기구에서 부여한 선박식별번호, 호출부호, 선박의 종류, 명칭, 선적항 등을 수록하여 발급하는 문서이고, 선박검사증서는 선박정기검사 등에 합격한 선박에 대하여 항해구역 · 최대승선인원 및 만재흘수선의 위치 등을 수록하여 발급하는 문서이다.
(2) 따라서 **어떤 선박이 사고를 낸 것처럼 허위로 사고신고를 하면서 그 선박의 선박국적증서와 선박검사증서를 함께 제출하였다고 하더라도,** 선박국적증서와 선박검사증서는 선박의 국적과 항행할 수 있는 자격을 증명하기 위한 용도로 사용된 것일 뿐 **그 본래의 용도를 벗어나 행사된 것으로 보기는 어려우므로 공문서부정행사죄에 해당하지 않는다.**(대법원 2009. 2. 26. 2008도10851 선박국적 · 검사증서 사건)
㉡ [○] 피고인의 간인이나 무인이 끝나지 않았고 조사한 경찰관의 서명날인이 완료되지 않아 그 피의자신문조서가 완성되지 않았다고 하더라도, 일반인이 보기에 서명이 제3자에 의하여 현출된 것이라고 오신하기에 충분하므로 **사서명위조죄는 성립하였다**고 할 것이고, 또 피고인이 제3자의 서명을 기재함과 동시에 그 서명은 경찰관 등이 열람할 수 있는 상태에 놓이게 되어 그 즉시 **위조사서명행사죄도 성립하였다**고 할 것이며, 그 이후 피고인의 간인이나 조사 경찰관의 서명날인 등이 완료되기 전에 조사 경찰관이 그 서명이 위조된 사실을 알았다고 하더라도 이와 같은 사정은 사서명위조죄나 그 행사죄의 성립과는 무관하다.(대법원 2005. 12. 23. 2005도4478 피신조서 조카서명 사건)
㉢ [×] 피고인이 위조행사한 삼성종합건설 명의의 아파트공급계약서와 입금표가 비록 삼성종합건설이 이미 해산등기를 마쳐 그 법인격이 소멸한 이후에 작성되었거나 그 법인격이 소멸한 이후의 일자로 작성되었다고 하더라도, 일반인으로 하여금 그 명의인인 삼성종합건설의 권한 내에서 작성된 문서라고 믿게 할 수 있는 정도의 형식과 외관을 갖추고 있다고 보기에 충분하므로 **사문서위조 및 동행죄에 해당된다.**(대법원 2005. 3. 25. 2003도4943 삼성종합건설 사건)
㉣ [○] (1) 전자기록의 생성에 관여할 권한이 없는 사람이 전자기록을 작출하거나 전자기록의 생성에 필요한 단위 정보의 입력을 하는 경우는 물론 시스템의 설치 · 운영 주체로부터 각자의 직무 범위에서 개개의 단위정보의 입력 권한을 부여받은 사람이 그 권한을 남용하여 허위의 정보를 입력함으로써 시스템 설치 · 운영 주체의 의사에 반하는 전자기록을 생성하는 경우도 형법 제227조의2에서 말하는 전자기록의 '위작'에 포함된다.
(2) 출장복명서상 실제 체비지 현장에 출장을 나가서 그 현황을 파악한 공무원이 누구인지 여부에 관한 정보는 그 출장복명서의 내용의 신뢰도에 직접 영향을 미치며 그 관련 업무를 처리함에 있어서 중요한 정보가 된다고

정답 | 075 ③

할 것이고, 따라서 이에 관하여 허위의 정보를 입력하는 것은 그 사무처리를 그르치게 할 목적으로 부천시청 행정지식관리시스템을 설치·운영하는 주체의 의사에 반하는 전자기록인 허위의 출장복명서를 생성하는 것으로서 **공전자기록등위작의 범의가 충분히 인정된다.**(대법원 2007. 7. 27. 2007도3798 부천시 허위출장복명서 사건) 지문의 경우 공전자기록등위작 및 동행사죄가 성립한다.

ⓜ [×] 컴퓨터 모니터 화면에 나타나는 이미지는 이미지 파일을 보기 위한 프로그램을 실행할 경우에 그때마다 전자적 반응을 일으켜 화면에 나타나는 것에 지나지 않아서 계속적으로 화면에 고정된 것으로는 볼 수 없으므로, 형법상 문서에 관한 죄에 있어서의 **'문서'에는 해당되지 않는다.**(대법원 2008. 4. 10. 2008도1013 공인중개사 자격증 사건) 지문의 경우 공문서위조 및 동행사죄는 성립하지 아니한다.

076 문서의 죄에 관한 설명 중 옳지 않은 것은 모두 몇 개인가? (다툼이 있으면 판례에 의함)

□□□

22 경찰채용 [Superlative ★★★]

㉠ 컴퓨터의 기억장치 중 하나인 램(RAM, Random Access Memory)은 기억장치 또는 저장매체이기는 하나 임시적인 기억 또는 저장에 활용되는 매체에 불과하여 램에 올려진 전자기록은 형법 제232조의2의 사전자기록위작·변작죄에서 말하는 전자기록에 해당하지 않는다.

㉡ 공문서를 작성하는 과정에서 법령 등을 잘못 적용하거나 적용하여야 할 법령 등을 적용하지 아니한 잘못이 있는 경우에는 허위공문서작성죄가 성립하며, 그 적용의 전제가 된 사실관계에 관하여 거짓된 기재가 없더라도 그 성립을 부정할 수 없다.

㉢ 형법 제228조 제2항의 공정증서원본 부실기재죄에서 말하는 '등록증'은 공무원이 작성한 모든 등록증을 말하는 것이 아니라, 일정한 자격이나 요건을 갖춘 자에게 그 자격이나 요건에 상응한 활동을 할 수 있는 권능 등을 인정하기 위하여 공무원이 작성한 증서를 말하는 것으로서 사업자등록증은 단순한 사업 사실의 등록을 증명하는 증서에 불과하여 동법 제228조 제2항의 등록증에 해당하지 않는다.

㉣ 타인의 주민등록증을 습득한 자가 해당 주민등록증을 본인 가족의 것이라고 제시하면서 그 주민등록증 상의 명의 또는 가명으로 이동전화 가입신청을 한 경우 형법 제230조 공문서등부정행사죄가 성립한다.

㉤ 형법 제228조 제1항이 규정하는 공정증서원본 부실기재죄나 공전자기록 등 부실기재죄는 공무원에 대하여 진실에 반하는 허위신고를 하여 공정증서원본 또는 이와 동일한 전자기록등특수매체기록에 그 증명하는 사항에 관하여 실체관계에 부합하지 아니하는 '부실의 사실'을 기재 또는 기록하게 함으로써 성립하고, 여기서 '부실의 사실'이라 함은 권리의무관계에 중요한 의미를 갖는 사항이 객관적인 진실에 반하는 것을 말한다.

① 1개　　② 2개　　③ 3개　　④ 4개

해설

③ ㉠㉡㉣ 3 항목이 옳지 않다.

㉠ [×] 사전자기록위작 · 변작죄에서 말하는 권리의무 또는 사실증명에 관한 타인의 전자기록 등 특수매체기록이라 함은 일정한 저장매체에 전자방식이나 자기방식에 의하여 저장된 기록을 의미하고, 비록 컴퓨터의 기억장치 중 하나인 램(RAM)이 임시기억장치 또는 임시저장매체이기는 하지만, **위 램에 올려진 전자기록 역시 사전자기록위작 · 변작죄에서 말하는 전자기록 등 특수매체기록에 해당한다.**(대법원 2003. 10. 9. 2000도4993 금호산업 허위실적증명 사건)

㉡ [×] 허위공문서작성죄는 공문서에 진실에 반하는 기재를 하는 때에 성립하는 범죄이므로 공문서를 작성하는 과정에서 법령 등을 잘못 적용하거나 적용하여야 할 법령 등을 적용하지 아니한 잘못이 있더라도 **그 적용의 전제가 된 사실관계에 관하여 거짓된 기재가 없다면 허위공문서작성죄가 성립할 수 없다.**(대법원 2021. 9. 16. 2019도18394 기성검사조서 사건)

㉢ [○] 형법 제228조 제2항의 공정증서원본 부실기재죄에서 말하는 '등록증'은 공무원이 작성한 모든 등록증을 말하는 것이 아니라, 일정한 자격이나 요건을 갖춘 자에게 그 자격이나 요건에 상응한 활동을 할 수 있는 권능 등을 인정하기 위하여 공무원이 작성한 증서를 말하는 것으로서 **사업자등록증은 단순한 사업사실의 등록을 증명하는 증서에 불과하여 동법 제228조 제2항의 등록증에 해당하지 않는다.**(대법원 2005. 7. 15. 2003도6934 사업자등록증 사건)

㉣ [×] 피고인이 기왕에 습득한 타인의 주민등록증을 피고인 가족의 것이라고 제시하면서 그 주민등록증상의 명의 또는 가명으로 이동전화 가입신청을 한 경우 타인의 주민등록증을 본래의 사용용도인 신분확인용으로 사용한 것이라고 볼 수 없어 공문서부정행사죄가 성립하지 않는다.(대법원 2003. 2. 26. 2002도4935 엄마허락 누나심부름 사건)

㉤ [○] 형법 제228조 제1항이 규정하는 공정증서원본 부실기재죄나 공전자기록 등 부실기재죄는 공무원에 대하여 진실에 반하는 허위신고를 하여 공정증서원본 또는 이와 동일한 전자기록 등특수매체기록에 그 증명하는 사항에 관하여 실체관계에 부합하지 아니하는 '부실의 사실'을 기재 또는 기록하게 함으로써 성립하고, 여기서 **'부실의 사실'이라 함은 권리의무관계에 중요한 의미를 갖는 사항이 객관적인 진실에 반하는 것을 말한다.**(대법원 2020. 11. 5. 2019도12042 스리랑카인 자동차 증여사건)

정답 | 076 ③

제3장 사회의 도덕에 관한 죄

제1절 | 성풍속에 관한 죄

077 다음 설명 중 가장 옳지 않은 것은? (다툼이 있으면 판례에 의함) 16 법원행시 [Essential ★]

□□□

① 요구르트 제품의 홍보를 위하여 전라의 여성 누드모델들이 일반 관람객과 다수의 기자 등이 있는 자리에서, 알몸에 밀가루를 바르고 무대에 나와 분무기로 요구르트를 몸에 뿌려 밀가루를 벗겨내는 방법으로 알몸을 완전히 드러낸 채 음부 및 유방 등이 노출된 상태에서 무대를 돌며 관람객들을 향하여 요구르트를 던진 행위가 공연음란죄에 해당한다.

② 말다툼을 한 후 항의의 표시로 엉덩이를 노출시킨 행위는 공연음란죄에서의 음란한 행위에 해당한다고 보기 어렵다.

③ 고속도로에서 승용차를 손괴하거나 타인에게 상해를 가하는 등의 행패를 부리던 자가 이를 제지하려는 경찰관에 대항하여 공중 앞에서 알몸이 되어 성기를 노출한 경우 공연음란죄에서의 음란한 행위에 해당한다고 보기 어렵다.

④ 연극공연행위의 음란성의 유무는 그 공연행위 자체로서 객관적으로 판단해야 할 것이고, 그 행위자의 주관적인 의사에 따라 좌우되는 것은 아니다.

⑤ 공연윤리위원회의 심의를 마친 영화의 장면으로서 제작한 포스터 등의 광고물이라고 하더라도 건전한 성풍속이나 성도덕 관념에 반하는 것이라면 음화에 해당할 수 있다.

해설

③ [×] 피고인 甲이 고속도로에서 승용차를 운전하여 가던 중 A 운전의 승용차가 진로를 비켜주지 않는다는 이유로 그 차를 추월하여 정차하게 한 다음, 승용차를 손괴하고 안에 타고 있던 B를 때려 상해를 가하는 등의 행패를 부리다가 신고를 받고 출동한 경찰관이 이를 제지하려고 하자, 시위조로 주위에 운전자 등 사람이 많이 있는 가운데 **옷을 모두 벗어 알몸의 상태로 바닥에 드러눕거나 돌아다닌 경우, 그 행위는 음란한 행위이고** 또한 피고인에게 타인의 정상적인 성적 수치심을 해하는 **음란한 행위라는 인식도 있었다고 보아야 한다.**(대법원 2000. 12. 22. 2000도4372 **고속도로 나체쇼 사건**)

① [○] **요구르트 제품의 홍보**를 위하여 전라의 여성 누드모델들이 일반 관람객과 기자 등 수십명이 있는 자리에서, 알몸에 밀가루를 바르고 무대에 나와 분무기로 요구르트를 몸에 뿌려 밀가루를 벗겨내는 방법으로 **알몸을 완전히 드러낸 채** 음부 및 유방 등이 노출된 상태에서 무대를 돌며 관람객들을 향하여 요구르트를 던진 경우 **공연음란죄가 성립한다.**(대법원 2006. 1. 13. 2005도1264 **요구르트 홍보사건**)

② [○] 피고인의 행위는 보는 사람에게 부끄러운 느낌이나 불쾌감을 주는 정도에 불과하다고 보여지고, 일반 보통인의 성욕을 자극하여 성적 흥분을 유발하거나 정상적인 **성적 수치심을 해할 정도에 해당한다고 보기는 어렵다.**(대법원 2004. 3. 12. 2003도6514 **똥구멍에 술을 부어라 사건**)

④ [○] 형법 제245조의 공연음란죄에 규정한 '음란한 행위'라 함은 일반 보통인의 성욕을 자극하여 성적흥분을 유발하고 정상적인 성적 수치심을 해하여 성적 도의관념에 반하는 것을 가리키는바, 연극공연행위의 음란성의 판단에 있어서는 당해 공연행위의 성에 관한 노골적이고 상세한 묘사·서술의 정도와 그 수법, 묘사·서술이 행위 전체에서 차지하는 비중, 공연행위에 표현된 사상 등과 묘사·서술과의 관련성, 연극작품의 구성이나 전개 또는 예술성·사상성 등에 의한 성적 자극의 완화의 정도, 이들의 관점으로부터 당해 공연행위를 전체로서 보았을 때 주로 관람객들의 호색적 흥미를 돋구는 것으로 인정되느냐 여부 등의 여러 점을 검토하는 것이 필요하고, 이들의 사정을 종합하여 그 시대의 건전한 사회통념에 비추어 그것이 공연히 성욕을 흥분 또는 자극시키고 또한 보통인의 정상적인 성적 수치심을 해하고, 선량한 성적도의관념에 반하는 것이라고 할 수 있는가 여부에 따라 결정되어야 한다. 또한 연극공연행위의 음란성의 유무는 그 공연행위 자체로서 **객관적으로 판단해야 할 것이고, 그 행위자의 주관적인 의사에 따라 좌우되는 것은 아니다.**(대법원 1996. 6. 11. 96도980 **연극 <미란다> 사건**)

⑤ [○] **공연윤리위원회의 심의를 마친 영화작품이라 하더라도** 이것을 관람객의 범위가 제한된 영화관에서 상영하는 것이 아니고 관람객을 유치하기 위하여 영화장면의 일부를 포스타나 스틸사진 등으로 제작하였고, 제작된 포스타 등 도화가 그 영화의 예술적 측면이 아닌 선정적 측면을 특히 강조하여 그 표현이 과도하게 성욕을 자극시키고 일반인의 정상적인 성적 정서를 해치는 것이어서 건전한 성풍속이나 성도덕관념에 반하는 것이라면 그 포스타 등 광고물은 **음화에 해당한다.**(대법원 1990. 10. 16. 90도1485 **영화 <사방지> 사건**)

078 다음 사례 중 공연음란죄의 성립이 인정된 것만을 모두 고른 것은? (다툼이 있으면 판례에 의함)

□□□

21 경찰간부 [*Core* ★★]

㉠ 말다툼을 한 후 항의의 표시로 엉덩이가 드러날 만큼 바지와 팬티를 내린 다음 엉덩이를 들이밀며 "똥구멍에 술을 부어 보아라"라고 말한 경우
㉡ 다수인이 통행하는 참전비 앞길에서 바지와 팬티를 내리고 성기와 엉덩이를 노출한 채 한 쪽 방향으로 걸어가다가 돌아 서서 걷기도 하는 등 주위를 서성인 경우
㉢ 요구르트 제품의 홍보를 위하여 전라의 여성 누드모델들이 관람객 수십 명이 있는 자리에서 알몸을 완전히 드러낸 채관람객들을 향하여 요구르트를 던진 경우
㉣ 아파트 엘리베이터 내에 피해자(여, 11세)와 단둘이 탄 다음 신체접촉 없이 피해자를 향하여 성기를 노출하고 이를 보고 놀란 피해자에게 다가간 경우
㉤ 고속도로에서 승용차를 손괴하는 등의 행패를 부리던 자가 이를 제지하려는 경찰관에 대항하여 공중 앞에서 알몸이 되어 성기를 노출한 경우

① ㉠㉡㉤
② ㉠㉢㉣
③ ㉡㉢㉤
④ ㉡㉢㉣

정답 | 077 ③ 078 ③

해설

③ ㉡㉢㉤ 3 항목의 경우 공연음란죄가 성립한다.
㉠ 피고인의 행위는 보는 사람에게 부끄러운 느낌이나 불쾌감을 주는 정도에 불과하다고 보여지고, **일반 보통인의 성욕을 자극하여 성적 흥분을 유발하거나 정상적인 성적 수치심을 해할 정도에 해당한다고 보기는 어렵다.**(대법원 2004. 3. 12. 2003도6514 똥구멍에 술을 부어라 사건)
㉡ 피고인의 비록 성행위를 묘사하거나 성적인 의도를 표출한 것은 아니라고 하더라도 공연히 음란한 행위를 한 것에 해당한다.(대법원 2020. 1. 16. 2019도14056 참전비 성기 노출사건)
㉢ 피고인들의 행위는 비록 성행위를 묘사하거나 성적인 의도를 표출하는 행위는 아니라고 하더라도 일반 보통인의 성욕을 자극하여 성적 흥분을 유발하고 정상적인 성적 수치심을 해하여 성적 도의관념에 반하는 음란한 행위에 해당하는 것으로 봄이 상당하다.(대법원 2006. 1. 13. 2005도1264 요구르트 홍보사건)
㉣ 피고인이 피해자에 대하여 한 행위는 피해자의 성적 자유의사를 제압하기에 충분한 세력에 의하여 추행행위에 나아간 것으로서 **위력에 의한 추행행위에 해당한다.**(대법원 2013. 1. 16. 2011도7164 엘리베이터 자위사건Ⅱ)
㉤ 피고인이 불특정 또는 다수인이 알 수 있는 상태에서 옷을 모두 벗고 알몸이 되어 성기를 노출하였다면 그 행위는 일반적으로 보통인의 정상적인 성적 수치심을 해하여 성적 도의관념에 반하는 음란한 행위라고 할 것이다.(대법원 2000. 12. 22. 2000도4372 고속도로 나체쇼 사건)

079 풍속에 관한 죄에 대한 설명으로 가장 적절하지 않은 것은? (다툼이 있으면 판례에 의함)

□□□

18 경찰채용 [Essential ★]

① 고속도로에서 승용차를 손괴하거나 타인에게 상해를 가하는 등의 행패를 부리던 자가 이를 제지하려는 경찰관에 대항하여 공중 앞에서 알몸이 되어 성기를 노출한 경우 음란한 행위에 해당한다.

② 음란한 영상화면을 수록한 컴퓨터 프로그램 파일을 컴퓨터통신망을 통하여 전송하는 방법으로 판매한 경우 「형법」상 음화반포판매죄가 성립한다.

③ 인터넷사이트에 집단 성행위 목적의 카페를 개설·운영한 자가 남녀 회원을 모집한 후 특별모임을 빙자하여 집단으로 성행위를 하고 그 촬영물이나 사진 등을 카페에 게시한 경우, 해당 카페의 회원 수에 비추어 위 게시행위는 음란물을 공연히 전시한 것에 해당한다.

④ 불특정다수인이 웹사이트의 링크를 이용하여 별다른 제한 없이 음란한 부호 등에 바로 접할 수 있는 상태가 실제로 조성되었다면 이는 음란한 부호 등을 공연히 전시한다는 구성요건을 충족한다.

해설

② [×] 컴퓨터 프로그램파일은 형법 제243조에 규정된 '문서, 도화, 필름 기타 물건'에 해당한다고 할 수 없으므로 음란한 영상화면을 수록한 컴퓨터 프로그램파일을 컴퓨터 통신망을 통하여 전송하는 방법으로 판매한 행위에 대하여는 형법 제243조의 규정을 적용할 수 없다.(대법원 1999. 2. 24. 98도3140 *BIG 사건*)

① [○] 피고인 甲이 고속도로에서 승용차를 운전하여 가던 중 A 운전의 승용차가 진로를 비켜주지 않는다는 이유로 그 차를 추월하여 정차하게 한 다음, 승용차를 손괴하고 안에 타고 있던 B를 때려 상해를 가하는 등의 행패를 부리다가 신고를 받고 출동한 경찰관이 이를 제지하려고 하자, 시위조로 주위에 운전자 등 사람이 많이 있는 가운데 **옷을 모두 벗어 알몸의 상태로 바닥에 드러눕거나 돌아다닌 경우**, 그 행위는 음란한 행위이고 또한 피고인에게 타인의 정상적인 성적 수치심을 해하는 **음란한 행위라는 인식도 있었다고 보아야 한다**.(대법원 2000. 12 .22. 2000도4372 *고속도로 나체쇼 사건*)

③ [○] (1) 정보통신망법 제65조 제1항 제2호[개정법 제74조 제1항 제2호]에서 '공연히 전시'한다고 함은 불특정 또는 다수인이 실제로 음란한 부호 · 문언 · 음향 또는 영상을 인식할 수 있는 상태에 두는 것을 의미한다.
(2) 피고인이 인터넷사이트에서 **집단 성행위(일명 '스와핑') 목적의 카페**를 개설, 운영하면서 남녀회원을 모집한 후 특별모임을 빙자하여 집단으로 성행위를 하고 그 촬영물이나 사진 등을 카페에 게시한 경우, 비록 위 카페가 회원제로 운영되는 등 제한적이고 회원들 상호간에 음란물을 게시, 공유하여 온 사정이 있다 하여도 **음란물을 공연히 전시한 것에 해당한다**.(대법원 2009. 5. 14. 2008도10914 *스와핑카페 운영자 사건*)

④ [○] (1) 전기통신기본법 제48조의2[개정법 정보통신망법 제74조 제1항 제2호] 소정의 '공연히 전시'한다고 함은 불특정 · 다수인이 실제로 음란한 부호 · 문언 · 음향 또는 영상을 인식할 수 있는 상태에 두는 것을 의미한다.
(2) 링크를 포함한 일련의 행위 및 범의가 다른 웹사이트 등을 단순히 소개 · 연결할 뿐이거나 다른 웹사이트 운영자의 실행행위를 방조하는 정도를 넘어, 이미 음란한 부호 등이 불특정 · 다수인에 의하여 인식될 수 있는 상태에 놓여 있는 다른 웹사이트를 **링크의 수법으로 사실상 지배 · 이용함으로써 그 실질에 있어서 음란한 부호 등을 직접 전시하는 것과 다를 바 없다**고 평가되고, 이에 따라 불특정 · 다수인이 이러한 링크를 이용하여 별다른 제한 없이 음란한 부호 등에 바로 접할 수 있는 상태가 실제로 조성되었다면 '**음란한 부호 등을 공연히 전시한다'는 구성요건을 충족한다**.(대법원 2003. 7. 8. 2001도1335 *팬티신문 사건*)

정답 | 079 ②

080 다음은 형법상 성풍속에 관한 죄에 대한 설명이다. 옳은 것(○)과 옳지 않은 것(×)을 바르게 연결한 것은? (다툼이 있으면 판례에 의함)
□□□

13 경찰채용 [Essential ★]

㉠ 음란한 영상화면을 수록한 컴퓨터 프로그램 파일을 컴퓨터 통신망을 통하여 전송하는 방법으로 판매한 경우 형법상 음화반포판매죄가 성립한다.
㉡ 음란한 부호 등이 전시된 웹페이지에 대한 링크행위로 인해 불특정 다수인이 별다른 제한 없이 음란한 부호 등에 바로 접할 수 있는 상태가 실제로 조성되었다고 한다면 이러한 링크행위는 음란한 부호 등을 공연히 전시한 경우에 해당한다.
㉢ 고속도로에서 행패를 부리다가 경찰관이 출동하여 이를 제지하려고 하자 주위에 운전자 등 많은 사람이 운집한 가운데 시위조로 옷을 모두 벗고 알몸의 상태로 바닥에 드러눕거나 돌아다닌 행위는 공연음란죄에 해당한다.
㉣ 피고인이 甲과 주차문제로 말다툼을 할 때 甲이 피고인에게 "술을 먹었으면 입으로 먹었지 똥구멍으로 먹었냐"라고 말한 것에 격분하여 甲이 운영하는 상점으로 찾아가 상점카운터를 지키고 있던 甲의 딸인 乙(여, 23세)을 보고 "주인 어디 갔느냐"고 소리를 지르다가 등을 돌려 엉덩이가 드러날 만큼 바지와 팬티를 내린 다음 엉덩이를 들이밀며 "똥구멍으로 어떻게 술을 먹느냐, 똥구멍에 술을 부어 보아라"라고 말한 경우 공연음란죄가 성립한다.

① ㉠ (×), ㉡ (○), ㉢ (○), ㉣ (○)
② ㉠ (○), ㉡ (×), ㉢ (×), ㉣ (○)
③ ㉠ (×), ㉡ (○), ㉢ (○), ㉣ (×)
④ ㉠ (○), ㉡ (×), ㉢ (×), ㉣ (×)

해설

③ 이 지문이 옳은 연결이다.
㉠ [×] **컴퓨터 프로그램파일은 형법 제243조에 규정된 '문서, 도화, 필름 기타 물건'에 해당한다고 할 수 없으므로**, 음란한 영상화면을 수록한 컴퓨터 프로그램파일을 컴퓨터 통신망을 통하여 전송하는 방법으로 판매한 행위에 대하여는 **형법 제243조의 규정을 적용할 수 없다.**(대법원 1999. 2. 24. 98도3140 **BIG 사건**)
㉡ [○] (1) 전기통신기본법 제48조의2[개정법 정보통신망법 제74조 제1항 제2호] 소정의 '공연히 전시'한다고 함은 불특정·다수인이 실제로 음란한 부호·문언·음향 또는 영상을 인식할 수 있는 상태에 두는 것을 의미한다. (2) 링크를 포함한 일련의 행위 및 범의가 다른 웹사이트 등을 단순히 소개·연결할 뿐이거나 다른 웹사이트 운영자의 실행행위를 방조하는 정도를 넘어, 이미 음란한 부호 등이 불특정·다수인에 의하여 인식될 수 있는 상태에 놓여 있는 다른 웹사이트를 링크의 수법으로 사실상 지배·이용함으로써 그 실질에 있어서 음란한 부호 등을 직접 전시하는 것과 다를 바 없다고 평가되고, 이에 따라 불특정·다수인이 이러한 링크를 이용하여 별다른 제한 없이 음란한 부호 등에 바로 접할 수 있는 상태가 실제로 조성되었다면 **'음란한 부호 등을 공연히 전시한다'는 구성요건을 충족한다.**(대법원 2003. 7. 8. 2001도1335 **팬티신문 사건**)
㉢ [○] 피고인이 불특정 또는 다수인이 알 수 있는 상태에서 옷을 모두 벗고 **알몸이 되어 성기를 노출**하였다면 그 행위는 일반적으로 보통인의 정상적인 성적 수치심을 해하여 성적 도의관념에 반하는 **음란한 행위라고 할 것이다.**(대법원 2000. 12. 22. 2000도4372 **고속도로 나체쇼 사건**)
㉣ [×] 피고인의 행위는 보는 사람에게 부끄러운 느낌이나 불쾌감을 주는 정도에 불과하다고 보여지고, **일반 보통인의 성욕을 자극하여 성적 흥분을 유발하거나 정상적인 성적 수치심을 해할 정도에 해당한다고 보기는 어렵다.**(대법원 2004. 3. 12. 2003도6514 **똥구멍에 술을 부어라 사건**)

제2절 | 도박과 복표에 관한 죄

081 도박죄에 관한 설명 중 가장 적절하지 않은 것은? (다툼이 있으면 판례에 의함)
□□□

16 경찰승진 [Essential ★]

① 사기도박과 같이 도박당사자의 일방이 사기의 수단으로써 승패의 수를 지배하는 경우에는 도박에서의 우연성이 결여되어 사기죄만 성립하고 도박죄는 별도로 성립하지 않는다.

② 도박개장죄는 영리의 목적으로 스스로 주재자가 되어 그 지배하에 도박 장소를 개설함으로써 성립하는 것이며, 영리를 목적으로 도박을 개장하면 기수에 이르고, 현실로 도박이 행하여졌음을 묻지 않는다.

③ 도박행위를 처벌하지 않는 외국 카지노에서의 내국인의 도박에 대해서는, 내국인의 폐광지역 카지노출입을 허용하는 국내법을 유추적용하여 위법성이 조각되는 것으로 보아야 한다.

④ 도박의 습벽이 있는 자가 타인의 도박을 방조하면 상습도박방조의 죄가 성립한다.

해설

③ [×] 형법 제3조는 속인주의를 규정하고 있고 또한 국가 정책적 견지에서 도박죄의 보호법익보다 좀 더 높은 국가이익을 위하여 예외적으로 내국인의 출입을 허용하는 폐광지역개발지원에 관한 특별법 등에 따라 카지노에 출입하는 것은 법령에 의한 행위로 위법성이 조각된다고 할 것이나, **도박죄를 처벌하지 않은 외국카지노에서의 도박이라는 사정만으로 (내국인인 피고인에 대하여) 그 위법성이 조각된다고 할 수 없다.**(대법원 2004. 4. 23. 2002도2518 라스베가스 도박사건)

① [○] **사기도박**과 같이 도박당사자의 일방이 사기의 수단으로써 승패의 수를 지배하는 경우에는 도박에서의 우연성이 결여되어 **사기죄만 성립하고 도박죄는 성립하지 아니한다.**(대법원 2011. 1. 13. 2010도9330 보령사기도박사건)

② [○] 도박개장죄는 영리의 목적으로 도박을 개장하면 기수에 이르고, 현실로 도박이 행하여졌음은 묻지 않는다. 따라서 영리의 목적으로 인터넷 도박게임 사이트를 개설하여 운영하는 경우 게임이용자들과 게임회사 사이에 있어서 재물이 오고갈 수 있는 상태에 있으면, 게임이용자가 도박게임 사이트에 접속하여 **실제 게임을 하였는지 여부와 관계없이 도박개장죄는 '기수'에 이른다.**(대법원 2009. 12. 10. 2008도5282 머니머니썬 PC방 사건)

④ [○] 상습도박의 죄나 상습도박방조의 죄에 있어서의 상습성은 행위의 속성이 아니라 행위자의 속성으로서 도박을 반복해서 거듭하는 습벽을 말하는 것인바, 도박의 습벽이 있는 자가 타인의 도박을 방조하면 상습도박방조의 죄에 해당하는 것이며, 도박의 습벽이 있는 자가 도박을 하고 또 도박방조를 하였을 경우 **상습도박방조의 죄는 무거운 상습도박의 죄에 포괄시켜 1죄로서 처단하여야 한다.**(대법원 1984. 4. 24. 84도195)

정답 | 080 ③ 081 ③

082 도박개장죄에 대한 설명 중 옳은 것은? (다툼이 있으면 판례에 의함)

□□□ 15 경찰간부 [Core ★★]

① 영리의 목적을 필요로 하는 목적범이다.

② 도박개장죄는 현실적으로 그 이익을 얻었을 것을 요한다.

③ 피씨방 업주들이 가맹점을 모집하여 인터넷 도박게임이 가능하도록 시설 등을 설치하고 도박게임 프로그램을 가동하던 중 문제가 발생하여 더 이상의 영업으로 나아가지 못한 경우 도박개장죄는 미수에 그친 것이다.

④ 인터넷 게임사이트의 온라인 게임에서 통용되는 사이버 머니를 구입하고자 하는 사람을 유인하여 돈을 받고 위 게임사이트에 접속하여 일부러 패하는 방법으로 사이버머니를 판매한 사람에 대하여, 정범인 위 게임사이트 개설자의 도박개장행위를 인정할 수 없다고 하더라도 종범인 도박개장방조죄는 성립한다.

해설

① [○] 영리의 목적으로 도박을 하는 장소나 공간을 개설한 사람은 5년 이하의 징역 또는 3천만원 이하의 벌금에 처한다.(제247조)

② [×] 도박을 개장한 자가 현실적으로 이익을 얻지 않는 경우라도 도박개장죄는 성립할 수 있다.(대법원 2008. 10 .23. 2008도3970 PC방 아마존게임 사건)

③ [×] (1) 도박개장죄는 영리의 목적으로 도박을 개장하면 기수에 이르고, 현실로 도박이 행하여졌음은 묻지 않는다. 따라서 영리의 목적으로 인터넷 도박게임 사이트를 개설하여 운영하는 경우 게임이용자들과 게임회사 사이에 있어서 재물이 오고갈 수 있는 상태에 있으면, 게임이용자가 도박게임 사이트에 접속하여 실제 게임을 하였는지 여부와 관계없이 도박개장죄는 '기수'에 이른다.
(2) 피고인이 가맹점을 모집하여 인터넷도박게임이 가능하도록 시설 등을 설치하고 도박게임 프로그램을 가동하던 중 문제가 발생하여 더 이상의 영업으로 나아가지 못한 것으로 볼 여지가 있다면 이로써 도박개장죄는 이미 '기수'에 이르렀다고 볼 수 있다.(대법원 2009. 12. 10. 2008도5282 머니머니썬 PC방 사건)

④ [×] (1) 종범은 정범의 실행행위 전이나 실행행위 중에 정범을 방조하여 그 실행행위를 용이하게 하는 것을 말하므로 정범의 실행행위가 있어야 성립한다.
(2) 게임사이트를 개설한 자가 게임을 회원들에게 단순 오락용 게임으로 제공하는 것을 넘어서 게임을 도박의 수단으로 제공하고 그에 따른 이익을 취득하였다는 사실이 없다면 종범인 도박개장방조죄가 성립하지 않는다.(대법원 2007. 11. 29. 2007도8050 물게임사건)

083 □□□ **형법 제23장 도박과 복표에 관한 죄에 관한 다음 설명 중 옳지 않은 것은 모두 몇 개인가? (다툼이 있으면 판례에 의함)**

23 법원행시 [Core ★★]

㉠ 국가 정책적 견지에서 도박죄의 보호법익보다 좀 더 높은 국가이익을 위하여 예외적으로 내국인의 출입을 허용하는 폐광지역 개발 지원에 관한 특별법 등에 따라 카지노에 출입하는 것은 법령에 의한 행위로 위법성이 조각되는 것처럼 도박죄를 처벌하지 않는 외국 카지노에서의 도박이라는 사정만으로 그 위법성이 조각된다고 할 수 있다.

㉡ 사기죄는 편취의 의사로 기망행위를 개시한 때에 실행에 착수한 것으로 보아야 하므로 사기도박에서도 사기적인 방법으로 도금을 편취하려고 하는 자가 상대방에게 도박에 참가할 것을 권유하는 등 기망행위를 개시한 때에 실행의 착수가 있는 것으로 보아야 하나, 그 후에 사기도박을 숨기기 위하여 정상적인 도박을 하였다면 이미 사기죄의 실행행위는 종료한 것으로 보아야 한다.

㉢ 형법 제247조의 도박장소등개설죄는 영리의 목적으로 스스로 주재자가 되어 그 지배하에 도박장소를 개설함으로써 성립하는 것으로서 도박죄와는 별개의 독립된 범죄이고, '영리의 목적'이란 도박개장의 대가로 불법한 재산상의 이익을 얻으려는 의사를 의미하는 것으로, 반드시 도박개장의 직접적 대가이어야 하고 도박개장을 통하여 간접적으로 얻게 될 이익을 위한 경우에는 영리의 목적을 인정할 수 없다.

㉣ 피고인 등이 피해자들을 유인하여 사기도박을 하여 도금을 편취한 행위는 사회관념상 1개의 행위로 평가함이 상당하므로 피해자들에 대한 각 사기죄는 상상적 경합의 관계에 있다고 보아야 할 것이다.

㉤ 상습도박죄에 있어서의 상습성이라 함은 반복하여 도박행위를 하는 습벽으로서 행위자의 속성을 말하는데, 이러한 습벽의 유무를 판단함에 있어서는 도박의 전과나 도박횟수 등이 중요한 판단자료가 되기 때문에 도박전과가 없는 경우에는 도박의 습벽이 인정된다는 이유로 상습성을 인정할 수 없다.

① 없음 ② 1개 ③ 2개
④ 3개 ⑤ 4개

해설

⑤ ㉠㉡㉢㉤ 4 항목이 옳지 않다.

㉠ [×] 도박죄를 처벌하지 않는 외국 카지노에서의 도박이라는 사정만으로 **(내국인인 피고인에 대하여) 그 위법성이 조각된다고 할 수 없다.**(대법원 2017. 4. 13. 2017도953 **100억 원정도박 사건**)

㉡ [×] 사기죄는 편취의 의사로 기망행위를 개시한 때에 실행에 착수한 것으로 보아야하므로 사기도박에서도 사기적인 방법으로 도금을 편취하려고 하는 자가 상대방에게 도박에 참가할 것을 권유하는 등 기망행위를 개시한 때에 실행의 착수가 있는 것으로 보아야 하고, **그 후에 사기도박을 숨기기 위하여 정상적인 도박을 하였더라도 이는 사기죄의 실행행위에 포함된다.**(대법원 2015. 10. 29. 2015도10948 **해외원정 사기도박단 사건**) 정상적인 도박을 하는 경우라면 아직 사기죄의 실행행위가 종료된 것이라고 볼 수 없다.

정답 | 082 ① 083 ⑤

ⓒ [×] 도박개장죄는 영리의 목적으로 스스로 주재자가 되어 그 지배하에 도박장소를 개설함으로써 성립하는 것으로서 도박죄와는 별개의 독립된 범죄이고, '영리의 목적'이란 도박개장의 대가로 불법한 재산상의 이익을 얻으려는 의사를 의미하는 것으로, **반드시 도박개장의 직접적 대가가 아니라 도박개장을 통하여 간접적으로 얻게 될 이익을 위한 경우에도 영리의 목적이 인정된다.**(대법원 2008. 9. 11. 2008도1667 **인터넷 도박싸이트 사건**)

ⓓ [○] 사기도박에 있어 1개의 기망행위에 의하여 여러 피해자로부터 각각 재물을 편취한 경우에는 **피해자별로 수개의 사기죄가 성립하고, 그 사이에는 상상적 경합의 관계에 있다.**(대법원 2011. 1. 13. 2010도9330 **보령 사기도박사건**)

ⓔ [×] 상습도박죄에 있어서의 상습성이라 함은 반복하여 도박행위를 하는 습벽으로서 행위자의 속성을 말하는데, 이러한 습벽의 유무를 판단함에 있어서는 도박의 전과나 도박횟수 등이 중요한 판단자료가 되나, **도박전과가 없다 하더라도** 도박의 성질과 방법, 도금의 규모, 도박에 가담하게 된 태양 등의 제반 사정을 참작하여 **도박의 습벽이 인정되는 경우에는 상습성을 인정할 수 있다.**(대법원 2017. 4. 13. 2017도953 **100억 원정도박 사건**)

084 도박죄에 대한 설명으로 옳은 것만을 모두 고르면? (다툼이 있으면 판례에 의함)

□□□

14 국가9급 [Core ★★]

ⓐ 사기도박의 실행에 착수한 후에 사기도박을 숨기기 위하여 얼마간 정상적인 도박을 한 경우, 사기죄만이 성립하고 도박죄는 따로 성립하지 않는다.

ⓑ 도박에 참여한 수인의 피해자로부터 사기도박으로 도금을 편취한 경우 피해자들에 대한 각 사기죄는 실체적 경합의 관계에 있다.

ⓒ 도박행위를 처벌하지 않는 외국 카지노에서의 내국인의 도박에 대해서는, 내국인의 폐광지역 카지노 출입을 허용하는 국내법을 유추적용하여 위법성이 조각되는 것으로 보아야 한다.

ⓓ 도박은 '재물을 걸고 우연에 의하여 재물의 득실을 결정하는 것'을 의미하는 바, 당사자의 능력이 승패의 결과에 영향을 미친다면 다소간 우연성의 영향을 받는다고 하여도 도박죄는 성립하지 않는다.

ⓔ 도박의 습벽이 있는 자가 타인의 도박을 방조하면 상습도박방조의 죄가 성립한다.

ⓕ 유료낚시터에서 입장료 명목으로 요금을 받은 후 낚인 물고기에 부착된 시상번호에 따라 경품을 지급한 경우 도박개장죄가 성립한다.

① ⓐⓔⓕ
② ⓑⓓⓕ
③ ⓐⓑⓒⓔ
④ ⓐⓓⓔⓕ

해설

① ㉠㉤㉥ 3 항목이 옳다.

㉠ [○] **사기도박**의 실행에 착수한 후에 사기도박을 숨기기 위하여 얼마간 정상적인 도박을 한 경우, **사기죄만이 성립하고 도박죄는 따로 성립하지 않는다.**(대법원 2011. 1. 13. 2010도9330 **보령 사기도박사건**)

㉡ [×] 피고인 등이 피해자들을 유인하여 사기도박을 하여 도금을 편취한 행위는 사회관념상 1개의 행위로 평가함이 상당하므로, **피해자들에 대한 각 사기죄는 상상적 경합의 관계에 있다.**(대법원 2011. 1. 13. 2010도9330 **보령 사기도박사건**)

㉢ [×] 예외적으로 내국인의 출입을 허용하는 폐광지역 카지노에 출입하는 것은 법령에 의한 행위로 위법성이 조각된다고 할 것이나, **도박죄를 처벌하지 않는 외국 카지노에서의 도박이라는 사정만으로 그 위법성이 조각된다고 할 수 없다.**(대법원 2004. 4. 23. 2002도2518 **라스베가스 도박사건**)

㉣ [×] 당사자의 능력이 승패의 결과에 영향을 미친다고 하더라도 다소라도 우연성의 사정에 의하여 영향을 받게 되는 때에는 **도박죄가 성립할 수 있다.**(대법원 2014. 6. 12. 2013도13231 **사설경마장 사건**)

㉤ [○] 상습도박의 죄나 상습도박방조의 죄에 있어서의 상습성은 행위의 속성이 아니라 행위자의 속성으로서 도박을 반복해서 거듭하는 습벽을 말하는 것인바, 도박의 습벽이 있는 자가 타인의 도박을 방조하면 상습도박방조의 죄에 해당하는 것이며, 도박의 습벽이 있는 자가 도박을 하고 또 도박방조를 하였을 경우 상습도박방조의 죄는 무거운 **상습도박의 죄에 포괄시켜 1죄로서 처단하여야 한다.**(대법원 1984. 4. 24. 84도195)

㉥ [○] 피고인이 **실내낚시터**를 운영하면서, 물고기 1,700여 마리를 구입하여 그 중 600마리의 등지느러미에 1번부터 600번까지의 번호표를 달고 나머지는 번호표를 달지 않은 채 대형 수조에 넣고, 손님들로부터 시간당 3만원 내지 5만원의 요금을 받고 낚시를 하게 한 후, 손님들이 낚은 물고기에 부착된 번호가 시상번호와 일치하는 경우 손님들에게 5천원 내지 3백만원 상당의 문화상품권이나 주유상품권을 지급하는 방식으로 영업한 경우, 손님들이 내는 입장료는 낚시터에 입장하기 위한 대가로서의 성격과 경품을 타기 위해 미리 거는 금품으로서의 성격을 아울러 지니고 있다고 볼 수 있고, 손님들에게 경품을 제공하기로 한 것은 **'재물을 거는 행위'로 볼 수 있으므로 피고인은 영리의 목적으로 도박장소인 낚시터를 개설하였다고 봄이 상당하다.**(대법원 2009. 2. 26. 2008도10582 **경품낚시터 사건**)

정답 | 084 ①

085 다음 설명 중 옳지 않은 것은 몇 개인가? (다툼이 있으면 판례에 의함) 18 경찰간부 [Core ★★]

□□□

㉠ 도박죄의 객체에는 재물뿐만 아니라 재산상의 이익도 포함된다.
㉡ 편면적 도박, 즉 사기도박의 경우에 사기행위자에게는 사기죄가, 그 상대방에게는 도박죄가 성립한다.
㉢ 인터넷 고스톱게임 사이트를 유료화하는 과정에서 사이트를 홍보하기 위하여 고스톱대회를 개최하면서 참가자들로부터 참가비를 받고 입상자들에게 상금을 지급한 행위만으로는 도박개장죄가 성립하지 않는다.
㉣ 예배방해죄는 예배 중이거나 예배와 시간적으로 밀접불가분의 관계에 있는 준비단계에서 이를 방해하는 경우에만 성립한다.
㉤ 범죄로 인하여 사망한 것이 명백한 자의 사체는 변사체검시방해죄의 객체가 된다.

① 1개　　② 2개
③ 3개　　④ 4개

해설

③ ㉡㉢㉤ 3 항목이 옳지 않다.

㉠ [○] 도박을 한 사람은 1천만원 이하의 벌금에 처한다.(제246조 제1항) 도박의 대상이 되는 객체에는 아무런 제한이 없으므로 **재물뿐만 아니라 재산상의 이익도 포함된다.**

㉡ [×] 사기도박과 같이 도박당사자의 일방이 사기의 수단으로써 승패의 수를 지배하는 경우에는 도박에서의 우연성이 결여되어 **사기죄만 성립하고 도박죄는 성립하지 아니한다.**(대법원 2011. 1. 13. 2010도9330 보령사기도박사건)

㉢ [×] 피고인들이 **인터넷 고스톱게임 사이트를 유료로 전환하는 과정에서 사이트를 홍보하기 위하여 고스톱대회를 개최하여, 참가자들로부터 참가비 합계 387만원의 수입을 얻고 대회 입상자에 대한 상금으로 420만원을 지출한 경우**, 비록 고스톱대회를 개최하게 된 직접적인 목적이 인터넷 사이트를 유료로 전환하는 과정에서 홍보를 위한 것이었고, 고스톱대회를 개최한 결과 이득을 보지 못하고 오히려 손해를 보았다고 하더라도, 피고인들로서는 인터넷 사이트를 홍보함으로써 궁극적으로는 사이트의 유료 수입을 극대화하려는 목적으로 고스톱대회를 개최한 것이고 또한 피고인들이 고스톱대회를 개최한 결과 손해를 보았다는 사정은 대회 참가자의 수가 적었다는 우연한 사정으로 발생한 것에 불과하므로 **피고인들에게 있어서 '영리의 목적'은 인정되므로 도박개장죄가 성립한다.**(대법원 2002. 4. 12. 2001도5802 고스톱대회 사건)

㉣ [○] (1) 예배방해죄는 공중의 종교생활의 평온과 종교감정을 그 보호법익으로 하는 것이므로 예배 중이거나 예배와 시간적으로 밀접불가분의 관계에 있는 준비단계에서 이를 방해하는 경우에만 성립한다.
(2) **교회의 교인이었던 사람이** 교인들의 총유인 교회 현판, 나무십자가 등을 떼어 내고 **예배당 건물에 들어가 출입문 자물쇠를 교체하여 7개월 동안 교인들의 출입을 막은 경우**, 장기간 예배당 건물의 출입을 통제한 위 행위는 교인들의 예배 내지 그와 밀접불가분의 관계에 있는 준비단계를 계속하여 방해한 것으로 볼 수 없어 **예배방해죄가 성립하지 않는다.**(대법원 2008. 2. 1. 2007도5296 풍성교회 사건)

㉤ [×] 변사체검시방해죄에 있어 '변사자'라 함은 부자연한 사망으로서 그 사인이 분명하지 않은 자를 의미하고 그 사인이 명백한 경우는 변사자라 할 수 없으므로 **범죄로 인하여 사망한 것이 명백한 자의 사체는 변사체검시방해죄의 객체가 될 수 없다.**(대법원 2003. 6. 27. 2003도1331)

086 □□□ ‘성풍속 및 도박에 관한 죄’에 대한 설명으로 가장 적절하지 않은 것은? (다툼이 있으면 판례에 의함)

18 경찰승진 [Essential ★]

① 고속도로에서 앞서가던 차량이 진로를 비켜주지 않는다는 이유로 그 차를 추월하여 정차하게 한 다음, 주위에 사람이 많은 가운데 옷을 모두 벗고 성기를 노출시킨 상태로 바닥에 드러눕거나 돌아다녔다면 공연음란죄가 성립한다.

② 인터넷사이트에 집단 성행위 목적의 비공개카페를 개설, 운영한 자가 남녀 회원을 모집한 후 특별모임을 빙자하여 집단으로 성행위를 하고 그 촬영물이나 사진 등을 카페에 게시한 경우, 음란물을 공연히 전시한 것에 해당하지 않는다.

③ 피고인들은 서로 친숙하게 지내온 사이로서 이 사건 당일 우연히 다방에서 만나게 되어 약 3,000원 상당의 음식내기 화투놀이를 약 30분 동안 한 사실은 도박죄를 구성하지 않는다.

④ 인터넷 고스톱게임 사이트를 유료화하는 과정에서 사이트를 홍보하기 위하여 고스톱대회를 개최하면서 참가자들로부터 참가비를 받고 입상자들에게 상금을 지급한 행위는 도박 장소 등 개설죄를 구성한다.

해설

② [×] (1) 정보통신망법 제65조 제1항 제2호[개정법 제74조 제1항 제2호]에서 ‘공연히 전시’한다고 함은 불특정 또는 다수인이 실제로 음란한 부호·문언·음향 또는 영상을 인식할 수 있는 상태에 두는 것을 의미한다. (2) 피고인이 인터넷사이트에서 집단 성행위(일명 ‘스와핑’) 목적의 카페를 개설, 운영하면서 남녀회원을 모집한 후 특별모임을 빙자하여 **집단으로 성행위를 하고 그 촬영물이나 사진 등을 카페에 게시한 경우**, 비록 위 카페가 회원제로 운영되는 등 제한적이고 회원들 상호간에 음란물을 게시, 공유하여 온 사정이 있다 하여도 **음란물을 공연히 전시한 것에 해당한다**.(대법원 2009. 5. 14. 2008도10914 **스와핑카페 운영자 사건**)

① [○] 피고인이 불특정 또는 다수인이 알 수 있는 상태에서 옷을 모두 벗고 **알몸이 되어 성기를 노출**하였다면 그 행위는 일반적으로 보통인의 정상적인 성적 수치심을 해하여 성적 도의관념에 반하는 **음란한 행위라고 할 것이다**.(대법원 2000. 12. 22. 2000도4372 **고속도로 나체쇼 사건**)

③ [○] 피고인들이 서로 친숙한 사이로서 이 사건 당일 우연히 다방에서 만나게 되어, 약 **3,000원 상당**의 음식내기 화투놀이를 약 30분간 한 소위는 피고인들의 친분관계, 화투놀이의 시간과 장소, 도박의 경위 및 그 금액의 근소성에 비추어 일시 오락의 정도에 불과하고 **도박죄를 구성하지 않는다**.(대법원 1984. 4. 10. 84도194)

④ [○] 피고인들이 인터넷 고스톱게임 사이트를 유료로 전환하는 과정에서 사이트를 홍보하기 위하여 **고스톱 대회를 개최**하여, 참가자들로부터 참가비 합계 387만원의 수입을 얻고 대회 입상자에 대한 상금으로 420만원을 지출한 경우, 비록 고스톱대회를 개최하게 된 직접적인 목적이 인터넷 사이트를 유료로 전환하는 과정에서 홍보를 위한 것이었고, 고스톱대회를 개최한 결과 이득을 보지 못하고 오히려 손해를 보았다고 하더라도, 피고인들로서는 인터넷 사이트를 홍보함으로써 궁극적으로는 사이트의 유료 수입을 극대화하려는 목적으로 고스톱대회를 개최한 것이고 또한 피고인들이 고스톱대회를 개최한 결과 손해를 보았다는 사정은 대회 참가자의 수가 적었다는 우연한 사정으로 발생한 것에 불과하므로 피고인들에게 있어서 **‘영리의 목적’은 인정되므로 도박개장죄가 성립한다**.(대법원 2002. 4. 12. 2001도5802 **고스톱대회 사건**)

정답 | 085 ③ 086 ②

제3절 | 신앙에 관한 죄

087 다음 설명 중 가장 옳지 않은 것은? (다툼이 있으면 판례에 의함) 13 경찰간부 [Core ★★]

□□□

① 피고인이 관리하는 과수원에서 노무자로서 종사하던 자가 자살한 경우에 비록 법률상 또는 계약상의 의무는 아니라 할지라도 의당 관할관서에의 신고 또는 그 유가족에의 통보 연락 등 상당한 조처를 취하였어야 할 조리상의 의무를 기대할 수 있는 것인 바, 피고인이 이에 반하여 임의로 사체를 지하에 매몰한 행위는 사체유기죄가 성립한다.

② 사체은닉죄는 사체의 발견을 불가능 또는 심히 곤란하게 하는 것을 구성요건으로 하고 있는 바, 살인, 강도살인 등의 목적으로 사람을 살해한 자가 그 살해의 목적을 수행함에 있어 사후 사체의 발견이 불가능 또는 심히 곤란하게 하려는 의사로 인적이 드문 장소로 피해자를 유인하거나 실신한 피해자를 끌고가서 그곳에서 살해하고 사체를 그대로 둔 채 도주한 경우에도 사체은닉죄가 성립한다.

③ 사람을 살해한 자가 그 사체를 다른 장소로 옮겨 유기하였을 때에는 살인죄와 사체유기죄의 경합범이 성립한다.

④ 변사체검시방해죄에서 사인(死因)이 명백한 경우는 변사자라 할 수 없으므로, 범죄로 인하여 사망한 것이 명백한 자의 사체는 변사체검시방해죄의 객체가 될 수 없다.

해설

② [×] 살인, 강도살인 등의 목적으로 사람을 살해한 자가 그 살해의 목적을 수행함에 있어 사후 사체의 발견이 불가능 또는 심히 곤란하게 하려는 의사로 인적이 드문 장소로 피해자를 유인하거나 실신한 피해자를 끌고 가서 그곳에서 살해하고 사체를 그대로 둔 채 도주한 경우에는 비록 결과적으로 사체의 발견이 현저하게 곤란을 받게 되는 사정이 있다 하더라도 **별도로 사체은닉죄가 성립되지 아니한다.**(대법원 1986. 6. 24. 86도891 **만경산 강도살인사건**)

① [○] 피고인이 관리하는 과수원에서 노무자로서 종사하던 자가 자살한 경우에 비록 법률상 또는 계약상의 의무는 아니라 할지라도 의당 관할관서에의 신고 또는 그 유가족에의 통보 연락 등 상당한 조처를 취하였어야 할 조리상의 의무를 기대할 수 있는 것인 바, 피고인이 이에 반하여 **임의로 사체를 지하에 매몰한 행위는 사체유기죄가 성립한다.**(대법원 1961. 1. 18. 60도859)

③ [○] 사람을 살해한 자가 그 사체를 다른 장소로 옮겨 유기하였을 때에는 별도로 사체유기죄가 성립하고, 이와 같은 **사체유기를 불가벌적 사후행위로 볼 수는 없다.**(대법원 1997. 7. 25. 97도1142 **페스카마호 사건**)

④ [○] 변사체검시방해죄에 있어 '변사자'라 함은 부자연한 사망으로서 그 사인이 분명하지 않은 자를 의미하고 그 사인이 명백한 경우는 변사자라 할 수 없으므로 범죄로 인하여 사망한 것이 명백한 자의 사체는 **변사체검시방해죄의 객체가 될 수 없다.**(대법원 2003. 6. 27. 2003도1331)

088 다음 설명 중 옳고 그름의 표시(○, ×)가 바르게 된 것은? (다툼이 있으면 판례에 의함)
□□□

18 경찰채용 [Superlative ★★★]

㉠ 범행을 은폐할 목적으로 피해자의 시신을 화장하였더라도 일반 화장절차에 따라 장제의 의례를 갖추었다면 사체유기죄가 성립하지 아니한다.
㉡ 법률, 계약 또는 조리상 사체에 대한 장제 또는 감호의 의무가 없는 자도 장소적 이전을 함이 없이 소극적으로 단순히 사체를 방치함으로써 사체유기죄를 범할 수 있다.
㉢ 살인 등의 목적으로 사람을 살해한 자가 살해의 목적을 수행할 때 사후 사체의 발견을 심히 곤란하게 하려는 의도로 인적이 드문 장소로 피해자를 유인하여 그곳에서 살해하고 사체를 그대로 두고 도주한 경우에는 살인죄 외에 별도로 사체은닉죄가 성립한다.
㉣ 질병으로 의사의 치료를 받아 오다가 약효가 없어 사망하여 그 사인이 명백한 자라도 그 사체에 대한 검시를 방해하는 것은 변사체검시방해죄를 구성한다.

① ㉠ ○ ㉡ ○ ㉢ × ㉣ ×
② ㉠ ○ ㉡ × ㉢ × ㉣ ×
③ ㉠ × ㉡ × ㉢ ○ ㉣ ○
④ ㉠ ○ ㉡ × ㉢ × ㉣ ○

해설

② 이 지문이 옳은 연결이다.

㉠ [○] **일반 화장 절차**에 따라 피해자의 시신을 화장하여 일반의 장제에 의례를 갖추었다면 비록 그것이 범행을 은폐할 목적이었다고 하더라도 사자에 대한 종교적 감정을 침해하여 **사체를 유기한 것이라고 할 수 없다.**(대법원 1998. 3. 10. 98도51)

㉡ [×] 사체유기죄는 법률, 계약 또는 조리상 사체를 장제 또는 감호할 의무가 있는 자가 이를 방치하거나 그 **의무없는 자가 장소적 이전을 하면서** 종교적, 사회적 풍습에 따른 의례에 의하지 아니하고 이를 방기함을 요한다.(대법원 1986. 6. 24. 86도891 **만경산 강도살인사건**) 법률, 계약 또는 조리상 사체에 대한 장제 또는 감호의 의무가 없는 자가 장소적 이전을 함이 없이 소극적으로 단순히 사체를 방치한 경우 사체유기죄는 성립하지 아니한다.

㉢ [×] 살인, 강도살인등의 목적으로 사람을 살해한 자가 그 살해의 목적을 수행함에 있어 사후 사체의 발견이 불가능 또는 심히 곤란하게 하려는 의사로 인적이 드문 장소로 피해자를 유인하거나 실신한 피해자를 끌고 가서 그곳에서 살해하고 사체를 그대로 둔 채 도주한 경우에는 비록 결과적으로 사체의 발견이 현저하게 곤란을 받게 되는 사정이 있다 하더라도 **별도로 사체은닉죄가 성립되지 아니한다.**(대법원 1986. 6. 24. 86도891 **만경산 강도살인사건**)

㉣ [×] 변사체검시방해죄에 있어 '변사자'라 함은 부자연한 사망으로서 그 사인이 분명하지 않은 자를 의미하고 **그 사인이 명백한 경우는 변사자라 할 수 없다.**(대법원 2003. 6. 27. 2003도1331)

정답 | 087 ② 088 ②

제 3 편

국가적 법익에 관한 죄

제1장 국가의 존립·권위에 관한 죄
제2장 국가의 기능에 관한 죄

제1장 국가의 존립·권위에 관한 죄

제1절 | 내란의 죄

001 □□□ **내란죄에 관한 내용으로 가장 옳지 않은 것은? (다툼이 있으면 판례에 의함)** 13 경찰간부 [Core ★★]

① 내란죄는 국토를 참절하거나 국헌을 문란할 목적으로 폭동한 행위로서, 그 목적이 달성되었을 때 내란죄의 기수가 성립한다.

② 국헌문란의 목적을 가지고 있었는지 여부는 외부적으로 드러난 행위와 그 행위에 이르게 된 경위 및 그 행위의 결과 등을 종합하여 판단하여야 한다.

③ 내란죄의 구성요건인 폭동의 내용으로서의 폭행 또는 협박은 일체의 유형력의 행사나 외포심을 생기게 하는 해악의 고지를 의미하는 최광의의 폭행·협박을 말하는 것으로서, 이를 준비하거나 보조하는 행위를 전체적으로 파악한 개념이다.

④ 범죄는 '어느 행위로 인하여 처벌되지 아니하는 자'를 이용하여서도 이를 실행할 수 있으므로, 내란죄의 경우에도 '국헌문란의 목적'을 가진 자가 그러한 목적이 없는 자를 이용하여 이를 실행할 수 있다.

해설

① [×] 내란죄는 국토를 참절하거나 국헌을 문란할 목적으로 폭동한 행위로서, 다수인이 결합하여 위와 같은 목적으로 **한 지방의 평온을 해할 정도의 폭행·협박행위를 하면 기수가 되고**, 그 목적의 달성 여부는 이와 무관한 것으로 해석되므로 다수인이 한 지방의 평온을 해할 정도의 폭동을 하였을 때 이미 내란의 구성요건은 완전히 충족된다고 할 것이어서 상태범으로 봄이 상당하다.(대법원 1997. 4. 17. 96도3376 全合 **신군부 내란사건**)

② [○] 국헌문란의 목적을 가지고 있었는지 여부는 외부적으로 드러난 행위와 그 행위에 이르게 된 경위 및 그 행위의 결과 등을 **종합하여 판단하여야 한다**.(대법원 1997. 4. 17. 96도3376 全合 **신군부 내란사건**)

③ [○] 내란죄의 구성요건인 폭동의 내용으로서의 폭행 또는 협박은 일체의 유형력의 행사나 외포심을 생기게 하는 해악의 고지를 의미하는 **최광의의 폭행·협박**을 말하는 것으로서 이를 준비하거나 보조하는 행위를 전체적으로 파악한 개념이며, 그 정도가 **한 지방의 평온을 해할 정도의 위력이 있음을 요한다**.(대법원 2015. 1. 22. 2014도10978 全合 **이석기 의원 사건**)

④ [○] 범죄는 '어느 행위로 인하여 처벌되지 아니하는 자'를 이용하여서도 이를 실행할 수 있으므로, 내란죄의 경우에도 '국헌문란의 목적'을 가진 자가 **그러한 목적이 없는 자를 이용하여 이를 실행할 수 있다**.(대법원 1997. 4. 17. 96도3376 全合 **신군부 내란사건**)

002 내란음모죄, 내란선동죄에 관한 다음 설명 중 가장 옳지 않은 것은? (다툼이 있으면 판례에 의함)

□□□

17 법원9급 [Superlative ★★★]

① 내란음모죄에 해당하는 합의를 인정하기 위하여는 객관적으로 내란범죄의 실행을 위한 합의라는 것이 명백히 인정될 뿐만 아니라 그 합의에 실질적인 위험성이 인정되어야 한다.

② 내란을 실행시킬 목표가 있더라도 특정한 정치적 사상을 옹호·교시하는 것만으로는 내란 선동이 될 수 없고 피선동자에게 내란 결의를 유발하거나 증대시킬 위험성이 인정되어야만 내란 선동으로 볼 수 있다.

③ 내란선동에 있어서는 시기와 장소, 대상과 방식 등 내란실행행위의 주요 내용이 선동 단계에서 구체적으로 제시되어야 할 것은 아니나 선동에 따라 피선동자가 내란의 실행행위로 나아갈 개연성은 인정되어야 한다.

④ 내란음모를 인정하기 위하여 개별 범죄행위에 관한 세부적 합의가 있을 필요는 없으나, 공격의 대상과 목표가 설정되어 있고 그 밖의 실행계획에 있어서 주요 사항의 윤곽을 공통적으로 인식할 정도의 합의가 있어야 한다.

해설

③ [×] 선동행위는 선동자에 의하여 일방적으로 행해지고, 그 이후 선동에 따른 범죄의 결의 여부 및 그 내용은 선동자의 지배영역을 벗어나 피선동자에 의하여 결정될 수 있으며, 내란선동을 처벌하는 근거가 선동행위 자체의 위험성과 불법성에 있다는 점 등을 전제하면, 내란선동에 있어 시기와 장소, 대상과 방식, 역할분담 등 내란 실행행위의 주요 내용이 선동 단계에서 구체적으로 제시되어야 하는 것은 아니고, 또 **선동에 따라 피선동자가 내란의 실행행위로 나아갈 개연성이 있다고 인정되어야만 내란선동의 위험성이 있는 것으로 볼 수도 없다.** (대법원 2015. 1. 22. 2014도10978 全合 **이석기 의원 사건**) 선동에 따라 피선동자가 내란의 실행행위로 나아갈 개연성이 인정되지 않더라도 내란선동죄가 성립할 수 있다.

① [○] 내란음모죄에 해당하는 합의를 인정하기 위하여는 객관적으로 내란범죄의 실행을 위한 합의라는 것이 명백히 인정될 뿐만 아니라 그 **합의에 실질적인 위험성이 인정되어야 한다.**(대법원 2015. 1. 22. 2014도10978 全合 **이석기 의원 사건**)

② [○] 내란을 실행시킬 목표가 있더라도 특정한 **정치적 사상을 옹호 · 교시하는 것만으로는 내란선동이 될 수 없고** 피선동자에게 **내란 결의를 유발하거나 증대시킬 위험성이 인정되어야만 내란선동으로 볼 수 있다.**(대법원 2015. 1. 22. 2014도10978 全合 **이석기 의원 사건**)

④ [○] 내란음모를 인정하기 위하여 개별 범죄행위에 관한 세부적 합의가 있을 필요는 없으나, 공격의 대상과 목표가 설정되어 있고 그 밖의 실행계획에 있어서 주요 사항의 **윤곽을 공통적으로 인식할 정도의 합의가 있어야 한다.**(대법원 2015. 1. 22. 2014도10978 全合 **이석기 의원 사건**)

정답 | 001 ① 002 ③

제2절 | 외환의 죄

003 간첩죄에 대한 다음 설명 중 옳은 것은? (다툼이 있으면 판례에 의함) 12 경찰간부 [*Core* ★★]

□□□

① 국가기밀은 군사비밀뿐만 아니라 사회·경제·정치 등에 대한 기밀도 포함되므로 수배자 명단도 해당된다는 것이 판례이다

② 대법원은 국가기밀과 관련해 국내에서 공지에 속하거나 국민에게 널리 알려진 사실도 국가기밀이 될 수 있다는 입장이다.

③ 편면적으로 지득하였던 군사상의 기밀사항을 제보한 행위도 간첩죄에 해당한다.

④ 지령에 의하여 해외교포 사회의 민심동향을 파악·수집하는 것은 간첩죄에 해당하지 않는다.

해설

① [○] 반국가단체 구성원으로부터 간첩지령을 받고 입국한 자가 출입국 검사관의 책상위에 있는 수배자 명단이 우연히 눈에 띈 것이라고 할지라도 이를 유심히 살핀 결과 특정 수배자를 알아냈다면 이는 **간첩행위라고 보아야 한다.**(대법원 1978. 1. 10. 77도3571)

② [×] 기밀은 정치, 경제, 사회, 문화 등 각 방면에 관하여 반국가단체에 대하여 비밀로 하거나 확인되지 아니함이 대한민국의 이익이 되는 모든 사실, 물건 또는 지식으로서, 그것들이 국내에서의 적법한 절차 등을 거쳐 이미 일반인에게 널리 알려진 공지의 사실, 물건 또는 지식에 속하지 아니한 것이어야 하고 또 그 내용이 누설되는 경우 국가의 안전에 위험을 초래할 우려가 있어 기밀로 보호할 실질가치를 갖춘 것이어야 한다.(대법원 1997. 7. 16. 97도985 全合 범민련 남측본부 중앙위원 사건)

③ [×] 북괴의 지령사주 기타의 의사의 연락없이 단편적으로 지득하였던 군사상의 기밀사항을 북괴에 납북된 상태하에서 제보한 행위는 간첩죄에 해당하지 아니한다.(대법원 1975. 9. 23. 75도1773)

④ [×] 지령에 의하여 민심동향을 파악 · 수집하는 것도 간첩에 해당되며, 그 탐지 · 수집의 대상이 우리 국민의 해외교포사회에 대한 정보여서 그 기밀사항이 국외에 존재한다고 하여도 국가기밀에 포함된다.(대법원 1988. 11. 8. 88도1630)

004 **다음 중 가장 옳지 않은 것은? (다툼이 있으면 판례에 의함)** 14 법원9급 [Core ★★]

□□□

① 간첩죄에 있어서는 국가(군사)기밀이란 순전한 의미에서의 국가(군사)기밀에만 국한할 것이 아니고 정치, 경제, 사회, 문화 등 각 방면에 걸쳐 북한괴뢰집단의 지, 부지에 불구하고 국방정책상 위 집단에 알리지 아니하거나 확인되지 아니함을 우리나라의 이익으로 하는 모든 기밀사항을 포함한다.

② 일간신문에 보도되는 사항이라 하더라도 북한괴뢰집단에 대하여 비밀로 하는 것이 대한민국의 이익을 위하여 필요하다고 생각되는, 군사에 관계되는 정보라면 그것을 수집, 탐지하는 것도 간첩행위가 된다.

③ 간첩이 무전기를 비닐에 싸서 땅에 매몰할 때 그 망을 보아주는 행위는 간첩방조행위가 된다.

④ 간첩행위에 의하여 탐지, 모집한 기밀을 적국에 제보하여 누설하였다고 하더라도 이는 따로 별개의 죄가 성립되는 것이 아니다.

해설

③ [×] 단순히 숙식을 제공한다거나 또는 무전기를 매몰하는 행위를 도와주었다거나 하는 사실만으로서는 간첩방조죄가 성립할 수 없다.(대법원 1986. 2. 25. 85도2533)

① [○] 간첩죄의 국가기밀은 순전한 국가기밀에만 국한할 것이 아니고 정치, 경제, 사회, 문화등 각 방면에 걸쳐 북한괴뢰집단의 지 · 부지에 불구하고 우리나라의 국가정책상 동 집단에 알리지 아니하거나 확인되지 아니함을 **대한민국의 이익으로 하는 모든 기밀사항을 포함하고 지령에 의하여 민심동향을 파악, 수집하는 것도 이에 해당한다.**(대법원 1985. 11. 12. 85도1939)

② [○] **일간신문에 보도되는 사항이라 하더라도** 북한괴뢰집단에 대하여 비밀로 하는 것이 대한민국의 이익을 위하여 필요하다고 생각되는 군사에 관계되는 정보라면 그것을 **수집탐지하는 것도 간첩행위가 된다.**(대법원 1983. 4. 26. 83도416)

④ [○] 간첩행위는 기밀에 속한 사항 또는 도서, 물건을 탐지 · 수집한 때에 기수가 되는 것이므로 간첩이 **이미 탐지 · 수집하여 지득하고 있는 사항을 타인에게 보고 · 누설하는 행위는 간첩의 사후행위로서 간첩행위 자체라고 할 수 없다.**(대법원 2011. 1. 20. 2008재도11 全合 진보당 조봉암 재심사건)

정답 | 003 ① 004 ③

005 다음은 간첩죄에 대한 설명이다. 가장 적절하지 않은 것은? (다툼이 있으면 판례에 의함)

□□□

13 경찰채용 [Essential ★]

① 형법 제98조 제1항의 간첩이라 함은 적국을 위하여 적국의 지령 사주 기타 의사의 연락 하에 군사상 기밀사항 또는 도서 물건을 탐지·수집하는 것을 의미하는 것이므로 북괴의 지령 사주 기타의 의사의 연락 없이 편면적으로 지득하였던 군사상의 기밀사항을 북괴에 납북된 상태 하에서 제보한 행위는 위 법조 소정의 간첩죄에 해당하지 아니한다.

② 간첩으로서 군사기밀을 탐지·수집하면 그로써 간첩행위는 기수가 되고 그 수집한 자료가 지령자에게 도달됨으로써 범죄의 기수가 되는 것은 아니다.

③ 직무에 관하여 군사상 기밀을 지득한 자가 이를 적국에 누설한 경우에는 형법 제98조 제2항(군사상의 기밀누설죄)에, 직무와 관계없이 지득한 군사상 기밀을 적국에 누설한 경우에는 형법 제99조(일반이적죄)에 각 해당한다.

④ 간첩죄를 범한 자가 그 탐지·수집한 기밀을 누설한 경우는 간첩죄와 군사기밀누설죄 등 두 가지 죄를 범한 것으로 인정할 수 있다.

해설

④ [×] 형법 제98조 제1항의 간첩죄를 범한 자가 그 탐지수집한 기밀을 누설한 경우에는 **양죄를 포괄하여 1죄를 범한 것으로 보아야 하고**, 간첩죄와 군사기밀누설죄 등 두가지 죄를 범한 것으로 인정할 수 없다.(대법원 1982. 4. 27. 82도285)

① [○] 형법 제98조 제1항의 간첩이라 함은 적국을 위하여 적국의 지령 사주 기타 의사의 연락 하에 군사상기밀사항 또는 도서 물건을 탐지 · 수집하는 것을 의미하는 것이므로 북괴의 지령 사주 기타의 의사의 연락 없이 **편면적으로 지득하였던 군사상의 기밀사항을 북괴에 납북된 상태 하에서 제보한 행위는 위 법조 소정의 간첩죄에 해당하지 아니한다.**(대법원 1975. 9. 23. 75도1773)

② [○] 간첩행위는 기밀에 속한 사항 또는 도서, 물건을 탐지 · 수집한 때에 기수가 되는 것이므로 간첩이 **이미 탐지 · 수집하여 지득하고 있는 사항을 타인에게 보고 · 누설하는 행위는 간첩의 사후행위로서 간첩행위 자체라고 할 수 없다.**(대법원 2011. 1. 20. 2008재도11 全合 **진보당 조봉암 재심사건**)

③ [○] **직무에 관하여** 군사상 기밀을 지득한 자가 이를 적국에 누설한 경우에는 형법 제98조 제2항(**군사상의 기밀누설죄**)에, **직무와 관계없이** 지득한 군사상 기밀을 적국에 누설한 경우에는 형법 제99조(**일반이적죄**)에 각 해당한다.(대법원 1982. 11. 23. 82도2201 **유학위장간첩 사건**)

006 다음 설명 중 가장 옳지 않은 것은? (다툼이 있으면 판례에 의함) 18 경찰간부 [Essential ★]

□□□

① 내란선동죄는 내란이 실행되는 것을 목표로 선동함으로써 성립하는 독립한 범죄이고, 선동으로 말미암아 피선동자들에게 반드시 범죄의 결의가 발생할 것을 요건으로 하지 않는다.

② 간첩방조죄는 정범인 간첩죄와 대등한 독립적 범죄로서 간첩죄와 동일한 법정형으로 처단한다.

③ 외국언론에 이미 보도된 바 있는 우리나라의 외교정책이나 활동에 관련된 사항들에 관하여 정부가 이른바 보도지침의 형식으로 국내언론기관의 보도 여부 등을 통제하고 있다는 사실을 알리는 것은 외교상의 기밀을 누설한 경우에 해당한다.

④ 국기모독죄는 '대한민국을 모욕할 목적'을 필요로 하는 목적범이다.

해설

③ [×] 정부가 국내 언론사에 이른바 '보도지침'을 보내 보도의 자제나 금지를 요청하는 형식으로 언론을 통제하고 있다는 사실을 공개한 것으로 인정될 뿐이고, 나아가 피고인들이 공개한 내용만으로는 보도의 자제나 금지가 요청된 사항에 대한 대한민국 정부의 공식적인 입장이나 견해는 물론 그 사항 자체의 존부나 진위조차 이를 알거나 확인할 수 없으므로, **피고인들의 행위가 외교상의 기밀을 알리거나 확인함으로써 이를 누설한 경우에 해당한다고 볼 수도 없다.**(대법원 1995. 12. 5. 94도2379 **보도지침 폭로사건**)

① [○] 선동행위는 선동자에 의하여 일방적으로 행해지고, 그 이후 선동에 따른 범죄의 결의 여부 및 그 내용은 선동자의 지배영역을 벗어나 피선동자에 의하여 결정될 수 있으며, 내란선동을 처벌하는 근거가 선동행위 자체의 위험성과 불법성에 있다는 점 등을 전제하면, 내란선동에 있어 시기와 장소, 대상과 방식, 역할분담 등 내란 실행행위의 주요 내용이 선동 단계에서 구체적으로 제시되어야 하는 것은 아니고, 또 **선동에 따라 피선동자가 내란의 실행행위로 나아갈 개연성이 있다고 인정되어야만 내란선동의 위험성이 있는 것으로 볼 수도 없다.**(대법원 2015. 1. 22. 2014도10978 전원합의체 **이석기 의원 사건**)

② [○] 간첩방조죄는 정범인 간첩죄와 대등한 범죄로서 간첩죄와 동일한 법정형으로 처단하게 되어 있어 형법 총칙상의 감경대상이 되는 종범과는 그 실질이 달라 **종범감경을 할 수 없다.**(대법원 1986. 9. 23. 86도1429)

④ [○] **대한민국을 모욕할 목적**으로 국기 또는 국장을 손상, 제거 또는 오욕한 자는 5년 이하의 징역이나 금고, 10년 이하의 자격정지 또는 700만원 이하의 벌금에 처한다.(제105조)

제3편 국가적 법익에 관한 죄

정답 | 005 ④ 006 ③

제3절 | 국교에 관한 죄

007 외국사절모욕죄에 대한 설명으로 가장 옳은 것은?

13 경찰간부 [Core ★★]

□□□

① 일반모욕죄와 같이 공연성을 요한다.

② 일반모욕죄와 같은 법정형이다.

③ 모욕의 개념이 일반모욕죄와는 다르다.

④ 외국사절명예훼손죄의 법정형과 동일하다.

해설

④ [O] 외국사절에 대하여 **모욕**을 가하거나 **명예를 훼손**한 자는 3년 이하의 징역이나 금고에 처한다.(제108조 제2항)
① [×] 일반모욕죄와는 달리 공연성을 요하지 아니한다.(제108조 제2항)
② [×] 일반모욕죄의 법정형은 1년 이하의 징역 또는 200만원 이하의 벌금이지만, 외국사절모욕죄의 법정형은 3년 이하의 징역이다.(제108조 제2항, 제311조)
③ [×] 모욕의 개념이 일반모욕죄와 다르지 않다.(통설)

008 다음 설명 중 옳지 않은 것은 모두 몇 개인가? (다툼이 있으면 판례에 의함)

□□□

18 법원행시 [Superlative ★★★]

㉠ 국기모독죄는 대한민국을 모욕할 목적을 필요로 하는 목적범이다.
㉡ 외국사절의 숙소 앞에서 시위를 벌이다가 숙소에서 나오던 외국사절을 태운 승용차를 발견하고 5m가 되지 않는 거리에서 승용차를 향하여 계란을 던져 운전석 유리 부분과 본네트 부분에 맞혔다고 하더라도, 외국사절폭행죄에 해당하지 않는다.
㉢ 외국언론에 이미 보도된 바 있는 우리나라의 외교정책이나 활동에 관련된 사항들에 관하여 정부가 이른바 보도지침의 형식으로 국내 언론기관의 보도 여부 등을 통제하고 있다는 사실을 알리는 것은, 외교상의 기밀을 누설한 경우에 해당하지 않는다.
㉣ 제3자로부터 북한의 지령을 전달받고 그로부터 금품 등을 수수하고 그에게 이미 지득한 남한의 정세 등에 관한 문건을 전달하여 북한에 제공하였다면, 형법 제98조 제1항에 정한 적국을 위하여 간첩하는 행위에 해당한다.
㉤ 내란이나 내란목적살인을 예비, 음모, 선동, 선전한 자가 내란이나 내란목적살인에 이르기 전에 자수한 때에는 그 형을 감경 또는 면제한다.

① 0개　② 1개　③ 2개
④ 3개　⑤ 4개

해설

④ ㉡㉣㉤ 3 항목이 옳지 않다.

㉠ [○] 대한민국을 **모욕할 목적**으로 국기 또는 국장을 손상, 제거 또는 오욕한 자는 5년 이하의 징역이나 금고, 10년 이하의 자격정지 또는 700만원 이하의 벌금에 처한다.(제105조)

㉡ [×] 형법 제108조 제1항에서 말하는 외국사절에 대한 폭행죄에 있어서의 '폭행'이라 함은 외국사절의 신체에 대한 위법한 일체의 유형력의 행사를 의미하고, 여기서의 유형력의 행사는 외국사절의 신체에 대하여 가해지면 충분하며 반드시 신체에 직접적으로 접촉할 필요는 없다.(대법원 2003. 7. 11. 2003도1800) 지문의 경우 **외국사절폭행죄가 성립한다.**

㉢ [○] 정부가 국내 언론사에 이른바 '보도지침'을 보내 보도의 자제나 금지를 요청하는 형식으로 언론을 통제하고 있다는 사실을 공개한 것으로 인정될 뿐이고, 나아가 피고인들이 공개한 내용만으로는 보도의 자제나 금지가 요청된 사항에 대한 대한민국 정부의 공식적인 입장이나 견해는 물론 그 사항 자체의 존부나 진위조차 이를 알거나 확인할 수 없다면 **피고인들의 행위가 외교상의 기밀을 알리거나 확인함으로써 이를 누설한 경우에 해당한다고 볼 수도 없다.**(대법원 1995. 12. 5. 94도2379 보도지침 폭로사건)

㉣ [×] (1) 간첩이란 적국에 제보하기 위하여 기밀에 속한 사항 또는 도서, 물건을 탐지·수집하는 것을 말하고, 간첩행위는 기밀에 속한 사항 또는 도서, 물건을 탐지·수집한 때에 기수가 되는 것이므로 간첩이 이미 탐지·수집하여 지득하고 있는 사항을 타인에게 보고·누설하는 행위는 간첩의 사후행위로서 형법 제98조 제1항의 간첩행위 자체라고 할 수 없다.

(2) 진보당의 중앙위원장인 피고인이 **이미 지득하고 있던 진보당 관련 문건 등을 보고·누설한 행위는 형법 제98조 제1항에 규정된 간첩행위, 즉 우리나라의 기밀을 탐지·수집하는 간첩행위라고 보기 어렵다.**(대법원 2011. 1. 20. 2008재도11 全合 진보당 조봉암 재심사건)

㉤ [×] 내란죄나 내란목적살인죄를 범할 목적으로 예비 또는 음모한 자가 목적한 죄의 실행에 이르기 전에 자수한 때에는 그 형을 감경 또는 면제한다.(제90조 제1항) 그러나 내란죄나 내란목적살인죄를 범할 것을 **선동 또는 선전한 자의 경우는 비록 자수하더라도 그 형을 '필요적으로' 감경 또는 면제할 수 없다.**(제90조 제2항)

정답 | 007 ④ 008 ④

제2장 국가의 기능에 관한 죄

제1절 | 공무원의 직무에 관한 죄 |

009 직무유기죄가 성립되는 경우로 가장 적절하지 않은 것은? (다툼이 있으면 판례에 의함)
□□□

16 경찰승진 [Essential ★]

① 예비군 중대장 甲은 그 소속 예비군대원의 훈련불참사실을 알았지만, 예비군대원의 훈련불참사실을 고의로 은폐할 목적으로 당해 예비군대원이 훈련에 참석한 양 허위 내용의 학급편성명부를 작성, 행사한 경우

② 당직사관이 술을 마시고 내무반에서 화투놀이를 한 후 애인과 함께 자고나서 당직근무의 인수·인계 없이 퇴근한 경우

③ 경찰관이 방치된 오토바이가 있다는 신고를 받거나 순찰 중 이를 발견하고 오토바이 상회 운영자에게 연락하여 오토바이를 수거해가도록 하고 그 대가를 받은 경우

④ 경찰관 甲이 불법체류자의 신병을 출입국관리사무소에 인계하지 않고 훈방하면서 이들의 인적사항을 기재해 두지 않은 경우

해설

① [×] 예비군 중대장이 예비군대원의 훈련불참사실을 고의로 은폐할 목적으로 당해 예비군대원이 훈련에 참석한 양 허위내용의 학급편성명부를 작성, 행사하였다면, **직무위배의 위법상태는 허위공문서작성 당시부터 그 속에 포함되어 있는 것이고** 그 후 소속대대장에게 보고하지 아니하였다 하더라도 당초에 있었던 직무위배의 위법상태가 그대로 계속된 것에 불과하다고 보아야 하고, **별도의 직무유기죄가 성립하여 양죄가 실체적 경합범이 된다고 할 수 없다.**(대법원 1982. 12. 28. 82도2210)

② [○] 학생군사교육단의 당직사관으로 주번근무를 하던 육군 중위가 당직근무를 함에 있어서 훈육관실에서 학군사관후보생 2명과 함께 술을 마시고 내무반에서 학군사관후보생 2명 및 **애인 등과 함께 화투놀이**를 한 다음 애인과 함께 자고 난 뒤 교대할 당직근무자에게 당직근무의 인계, 인수도 하지 아니한 채 퇴근하였다면 **직무유기죄가 성립된다.**(대법원 1990. 12. 21. 90도2425 꿀통 ROTC 당직사관 사건)

③ [○] 경찰관이 여러 번 오토바이를 오토바이 상회 운영자에게 보관시키고도 경찰관 스스로 소유자를 찾아반환하도록 처리하거나 상회 운영자에게 반환 여부를 확인한 일이 전혀 없고, 상회 운영자로부터 오토바이를 보내준 대가 또는 그 **처분대가로 돈까지 지급받았다면**, 경찰관의 이와 같은 행위는 상회 운영자에게 그 습득물에 대한 임의적인 처분까지 용인한 것으로서 습득물 처리 지침에 따른 직무를 의식적으로 방임내지 포기하고 정당한 사유 없이 **직무를 수행하지 아니한 경우에 해당한다.**(대법원 2002. 5. 17. 2001도6170 오토바이 무단처분 사건)

④ [○] 파출소 부소장인 피고인 甲이 순찰 중이던 경찰관들에게 "지동시장 내 동북호프에 불법체류자가 있으니 출동하라"는 무전지령을 하여 그들로 하여금 그곳에 있던 불법체류자 5명을 파출소로 연행해 오도록 하였음에도, 평소 친하게 지내오던 乙의 전화부탁을 받은 후, 연행된 자들의 신병을 출입국관리사무소에 인계하거나 **경찰서 외사계에 보고하지 않은 채**, 근무일지에 단지 '손님 3명, 여자 2명을 조사한 바 꼬치구이 종업원으로 혐의점 없어 귀가시킴'이라고 허위의 사실을 기재하고 이들을 **훈방한 경우, 직무유기죄에 해당한다.**(대법원 2008. 2. 14. 2005도4202 불법체류 조선족 훈방사건)

010 직무유기죄에 관한 설명으로 가장 적절하지 않은 것은? (다툼이 있으면 판례에 의함)

□□□

24 경찰승진 [Core ★★]

① 직무유기죄에서 '직무를 유기한 때'란 공무원이 법령, 내규 등에 의한 추상적 성실의무를 태만히 하는 일체의 경우에 성립하는 것이 아니라 직장의 무단이탈, 직무의 의식적인 포기 등과 같이 국가의 기능을 저해하고 국민에게 피해를 야기시킬 가능성이 있는 경우를 가리킨다.

② 공무원이 병가 중인 경우에는 구체적인 작위의무 내지 국가기능의 저해에 대한 구체적인 위험성이 있다고 할 수 없어 직무유기죄의 주체로 될 수 없다.

③ 경찰관이 압수물을 범죄 혐의의 입증에 사용하도록 하는 등의 조치를 취하지 않고 피압수자에게 돌려준 경우 증거인멸죄와 직무유기죄가 모두 성립하고 양 죄는 상상적 경합관계에 있다.

④ 농지사무를 담당하고 있는 군직원이 농지불법전용 사실을 알고도 아무런 조치를 취하지 않다가 해당 농지의 농지전용허가를 내주기 위해 불법농지 전용사실은 일체 기재하지 않은 허위의 출장복명서 및 심사의견서를 작성하여 결재권자에게 제출한 경우 허위공문서작성죄, 동행사죄와 직무유기죄가 별도 성립하고 각 죄는 실체적 경합관계에 있다.

해설

③ [×] 경찰서 방범과장이 부하직원으로부터 음비법위반 혐의로 오락실을 단속하여 증거물로 오락기의 변조 기판을 압수하여 보관 중임을 보고받았음에도, 압수물을 수사계에 인계하고 검찰에 송치하여 범죄 혐의의 입증에 사용하도록 하는 등의 적절한 조치를 취하지 않고, 오히려 부하직원에게 압수한 변조 기판을 돌려주라고 지시하여 오락실 업주에게 이를 돌려준 경우 **작위범인 증거인멸죄만이 성립하고 부작위범인 직무유기(거부)죄는 따로 성립하지 아니한다.**(대법원 2006.10.19. 2005도3909 全合 **변조기판 환부사건**)

① [○] 직무유기죄에서 '직무를 유기한 때'란 공무원이 법령, 내규 등에 의한 추상적 성실의무를 태만히 하는 일체의 경우에 성립하는 것이 아니라 **직장의 무단이탈, 직무의 의식적인 포기 등과 같이 국가의 기능을 저해하고 국민에게 피해를 야기시킬 가능성이 있는 경우를 말한다.**(대법원 2014. 4.10. 2013도229 **전북교육감 사건 I**)

② [○] **병가 중인 자는 직무유기죄의 주체로 될 수는 없으나** 신분이 없는 자라 하더라도 신분이 있는 자의 행위에 가공하는 경우 직무유기죄의 공동정범이 성립하므로 병가 중인 피고인들과 나머지 피고인들 사이에 직무유기의 공범관계가 인정되면 병가 중인 피고인들도 직무유기죄의 공동정범으로 처벌받아야 한다.(대법원 1997. 4.22. 95도748 **전국기관차협의회 파업사건**)

④ [○] 당진군 농지사무 담당공무원인 피고인 甲이 관내에서 乙의 농지불법전용 사실을 알게 되었음에도 아무런 조치를 취하지 아니한 후 乙로부터 농지에 관한 일시전용허가 신청서를 접수하자 현장출장복명서를 작성하면서 '허가하여 줌이 타당하다'라는 취지로 기재한 경우 甲이 복명서 등을 허위작성한 것은 乙이 농지일시전용허가를 신청하자 이를 허가하여 주기 위하여 한 것이지 乙의 **농지불법전용사실을 은폐하기 위하여 한 것은 아니므로 허위공문서작성, 동행사죄와 직무유기죄는 실체적 경합범의 관계에 있다.**(대법원 1993.12.24. 92도3334 **당진군 허위출장복명서 사건**)

정답 | 009 ① 010 ③

011 직무유기죄에 대한 설명으로 가장 적절하지 않은 것은? (다툼이 있으면 판례에 의함)

□□□

21 경찰승진 [Essential ★]

① 교육기관·교육행정기관·지방자치단체 또는 교육연구기관의 장이 징계의결을 집행하지 못할 법률상·사실상의 장애가 없는데도 징계의결서를 통보받은 날로부터 법정 시한이 지나도록 집행을 유보하는 모든 경우에 직무유기죄가 성립한다.

② 당직사관으로 주번근무를 하던 육군 중위가 당직근무를 함에 있어서 훈육관실에서 학군 사관후보생 2명과 함께 술을 마시고 내무반에서 학군사관후보생 2명 및 애인 등과 함께 화투놀이를 한 다음 애인과 함께 자고 난 뒤 교대할 당직근무자에게 당직근무의 인계, 인수도 하지 아니한 채 퇴근하였다면 직무유기죄가 성립한다.

③ 직무유기라 함은 공무원이 법령, 내규 등에 의한 추상적인 충근의무를 태만히 하는 일체의 경우를 이르는 것이 아니고, 직장의 무단이탈, 직무의 의식적인 포기 등과 같이 그것이 국가의 기능을 저해하며 국민에게 피해를 야기시킬 가능성이 있는 경우를 말한다.

④ 경찰관이 불법체류자의 신병을 출입국관리사무소에 인계하지 않고 훈방하면서 이들의 인적사항조차 기재해 두지 아니하였다면 직무유기죄가 성립한다.

해설

① [×] (1) 교육기관 · 교육행정기관 · 지방자치단체 또는 교육연구기관의 장이 징계의결을 집행하지 못할 법률상 · 사실상의 장애가 없는데도 징계의결서를 통보받은 날로부터 법정 시한이 지나도록 집행을 유보하는 모든 경우에 직무유기죄가 성립하는 것은 아니고, 그러한 유보가 직무에 관한 의식적인 방임이나 포기에 해당한다고 볼 수 있는 경우에 한하여 직무유기죄가 성립한다.
(2) 시국선언에 참여한 교사들에 대한 형사재판의 진행 경과 및 시국선언 참여행위의 정당성 여부에 관한 찬반 양론이 대립하였고, 전임 교육감이 재직 당시 교사들에 대한 징계의결의 집행 유보를 선언하였던 사정 등이 있어, 전라북도 교육감인 피고인이 교사 시국선언에 적극 참여한 **전라북도 소속 3명의 교사에 대한 징계의결서의 통보를 받고도 법정시한이 지나도록 징계를 유보한 행위를 직무의 의식적인 방임이나 포기로 볼 수 없다.**(대법원 2014. 4. 10. 2013도229 **김승환 전북교육감 사건Ⅰ**)

② [○] 학생군사교육단의 당직사관으로 주번근무를 하던 육군 중위가 당직근무를 함에 있어서 훈육관실에서 학군사관후보생 2명과 함께 술을 마시고 내무반에서 학군사관후보생 2명 및 애인 등과 함께 화투놀이를 한 다음 애인과 함께 자고 난 뒤 교대할 당직근무자에게 당직근무의 인계, 인수도 하지 아니한 채 퇴근하였다면 **직무유기죄가 성립된다.**(대법원 1990. 12. 21. 90도2425 **꼴통 ROTC 당직사관 사건**)

③ [○] 직무유기죄는 공무원이 법령 · 내규 등에 의한 추상적 **충근의무를 태만히 하는 일체의 경우에 성립하는 것이 아니라,** 직장의 무단이탈이나 직무의 의식적인 포기 등과 같이 **국가의 기능을 저해하고 국민에게 피해를 야기시킬 구체적 위험성이 있고 불법과 책임비난의 정도가 높은 법익침해의 경우에 한하여 성립한다.**(헌법재판소 2020. 3. 26. 2017헌마1179 **이석문 제주교육감 사건**)

④ [○] 파출소 부소장인 피고인 甲이 순찰 중이던 경찰관들에게 "지동시장 내 동북호프에 불법체류자가 있으니 출동하라"는 무전지령을 하여 그들로 하여금 그곳에 있던 불법체류자 5명을 파출소로 연행해 오도록 하였음에도, 평소 친하게 지내오던 乙의 전화부탁을 받은 후, 연행된 자들의 신병을 출입국관리사무소에 인계하거나 경찰서 외사계에 보고하지 않은 채, 근무일지에 단지 '손님 3명, 여자 2명을 조사한 바 꼬치구이 종업원으로 혐의점 없어 귀가시킴'이라고 허위의 사실을 기재하고 이들을 훈방한 경우 **직무유기죄에 해당한다.**(대법원 2008. 2. 14. 2005도4202 **불법체류 조선족 훈방사건**)

012 직무유기죄에 관한 다음 설명 중 가장 옳지 않은 것은? (다툼이 있으면 판례에 의함)

□□□

23 법원행시 [Core ★★]

① 직무유기죄는 공무원이 법령·내규 등에 의한 추상적 충근의무를 태만히 하는 일체의 경우에 성립하는 것이 아니라 직무의 의식적인 포기 등과 같이 국가의 기능을 저해하고 국민에게 피해를 야기시킬 구체적 위험성이 있고 불법과 책임비난의 정도가 높은 법익침해의 경우에 한하여 성립한다.

② 병가 중인 자의 경우 구체적인 작위의무 내지 국가기능의 저해에 대한 구체적인 위험성이 있다고 할 수 없어 직무유기죄의 주체로 될 수는 없으나, 다른 직무유기죄의 정범과 공범 관계가 성립하는 데에는 지장이 없다.

③ 형법 제122조 후단 소정의 직무유기죄는 소위 부진정 부작위범으로서 그 작위의무를 수행하지 아니하여 구성요건에 해당하는 사실이 있었고 그 후에도 계속하여 그 작위의무를 수행하지 아니하는 위법한 부작위 상태가 계속하는 한 가벌적 위법상태는 계속 존재하고 있다.

④ 무단이탈로 인한 직무유기죄 성립 여부는 결근 사유와 기간, 담당하는 직무의 내용과 적시 수행 필요성, 결근으로 직무수행이 불가능한지, 결근 기간에 국가기능의 저해에 대한 구체적인 위험이 발생하였는지 등을 종합적으로 고려하여 신중하게 판단해야 한다.

⑤ 통고처분이나 고발을 할 권한이 없는 세무공무원이 그 권한자에게 범칙사건조사 결과에 따른 통고처분이나 고발조치를 건의하는 등의 조치를 취하지 않았다면 이는 자신의 직무를 저버린 행위로서 국가의 기능을 저해하며 국민에게 피해를 야기시킬 가능성이 있어 직무유기죄에 해당한다.

해설

⑤ [×] 군산세무서 세무공무원인 피고인 甲이 乙의 부가가치세 포탈행위를 밝혀내고 포탈세액 및 가산세를 추징하였을 뿐만 아니라 乙에게 허위세금계산서를 교부하였던 丙이 고발되도록 하는 등 일련의 조치를 취한 이상 乙에 대한 통고처분이나 고발조치를 건의하는 등의 조치를 취하지 않았다고 하더라도 **그것이 직무를 성실히 수행하지 못한 것이라고 할 수 있을지언정 직무를 의식적으로 방임 내지 포기하였다고 볼 수는 없다.**(대법원 1997. 4. 11. 96도2753 **군산세무서 세무공무원 사건**)

① [○] 직무유기죄는 공무원이 법령·내규 등에 의한 추상적 성실의무를 태만히 하는 일체의 경우에 성립하는 것이 아니라 직장의 무단이탈이나 직무의 의식적인 포기 등과 같이 국가의 기능을 저해하고 국민에게 피해를 야기시킬 구체적 위험성이 있고 불법과 책임비난의 정도가 높은 법익침해의 경우에 한하여 성립하므로 **어떠한 형태로든 직무집행의 의사로 자신의 직무를 수행한 경우에는 그 직무집행의 내용이 위법한 것으로 평가된다는 점만으로 직무유기죄의 성립을 인정할 것은 아니다.**(대법원 2021. 9. 16. 2021도2748 **민정수석 사건**)

② [○] 병가 중인 자는 직무유기죄의 주체로 될 수는 없으나 신분이 없는 자라 하더라도 신분이 있는 자의 행위에 가공하는 경우 직무유기죄의 공동정범이 성립하므로 병가 중인 피고인들과 나머지 피고인들 사이에 직무유기의 공범관계가 인정되면 **병가 중인 피고인들도 직무유기죄의 공동정범으로 처벌받아야 한다.**(대법원 1997. 4. 22. 95도748 **전국기관차협의회 파업사건**)

정답 | 011 ① 012 ⑤

③ [O] 직무유기죄는 그 직무를 수행하여야 하는 작위의무의 존재와 그에 대한 위반을 전제로 하고 있는바, 그 작위의무를 수행하지 아니함으로써 구성요건에 해당하는 사실이 있었고 그 후에도 계속하여 그 작위의무를 수행하지 아니하는 **위법한 부작위상태가 계속되는 한 가벌적 위법상태는 계속 존재하고 있다고 할 것이며** 형법 제122조 후단은 이를 전체적으로 보아 일죄로 처벌하는 취지로 해석되므로 이를 즉시범이라고 할 수 없다.(대법원 1997. 8. 29. 97도675 **교통사고 미입건 사건**)

④ [O] 무단이탈로 인한 직무유기죄 성립 여부는 결근 사유와 기간, 담당하는 직무의 내용과 적시 수행 필요성, 결근으로 직무 수행이 불가능한지, 결근 기간에 국가기능의 저해에 대한 구체적인 위험이 발생하였는지 등을 종합적으로 고려하여 신중하게 판단해야 한다. 특히 **근무기간을 정하여 임용된 공무원의 경우에는 근무기간 안에 특정 직무를 마쳐야 하는 특별한 사정이 있는지 등을 고려할 필요가 있다.**(대법원 2022. 6. 22. 2021도8361 **중학교 기간제 교원 결근사건**)

013 다음 설명 중 옳지 않은 것은 몇 개인가? (다툼이 있으면 판례에 의함) 18 경찰간부 [Superlative ★★★]

□□□

㉠ 직무유기죄에서 '직무를 유기한 때'란 공무원이 법령, 내규 등에 의한 추상적 성실의무를 태만히 하는 일체의 경우에 성립하는 것이 아니라 직장의 무단이탈, 직무의 의식적인 포기 등과 같이 국가의 기능을 저해하고 국민에게 피해를 야기시킬 가능성이 있는 경우를 가리킨다.

㉡ 직권남용권리행사방해죄에서 공무원이 직무와는 상관없이 단순히 개인적인 친분에 근거하여 문화예술 활동에 대한 지원을 권유하거나 협조를 의뢰한 경우에는 직권남용에 해당하지 않는다.

㉢ 직무유기교사죄는 피교사자인 공무원이 수인이라고 하더라도 1개의 직무유기교사죄만 성립한다.

㉣ 직권남용권리행사방해죄에서 말하는 '권리'는 법률에 명기된 권리에 한하지 않고 법령상 보호되어야 할 이익이면 족하고, 그것이 공법상의 권리인지 사법상의 권리인지를 묻지 않는다.

㉤ 뇌물을 받는 주체가 아닌 자가 수고비로 받은 부분이나 뇌물을 받기 위하여 형식적으로 체결된 용역계약에 따른 비용으로 사용된 부분은 뇌물의 가액과 추징액에서 공제할 항목에 해당한다.

① 2개 ② 3개

③ 4개 ④ 5개

해설

① ㉢㉤ 2 항목이 옳지 않다.

㉠ [O] 직무유기죄에서 '직무를 유기한 때'란 공무원이 법령, 내규 등에 의한 추상적 성실의무를 태만히 하는 일체의 경우에 성립하는 것이 아니라 **직장의 무단이탈, 직무의 의식적인 포기 등과 같이 국가의 기능을 저해하고 국민에게 피해를 야기시킬 가능성이 있는 경우를 말한다.**(대법원 2014. 4. 10. 2013도229 **김승환 전북교육감 사건**)

㉡ [O] 직권남용권리행사방해죄는 공무원이 직권을 남용하여 사람으로 하여금 의무 없는 일을 하게 하거나 사람의 권리행사를 방해한 때에 성립하는 범죄이다. 여기에서 '직권남용'이란 공무원이 그 일반적 직무권한에 속하는 사항에 관하여 직권의 행사에 가탁하여 실질적, 구체적으로 위법·부당한 행위를 하는 경우를 의미하고, 공무원이 직무와는 상관없이 **단순히 개인적인 친분에 근거하여 문화예술 활동에 대한 지원을 권유하거나 협조를 의뢰한 것에 불과한 경우까지 직권남용에 해당한다고 할 수는 없다.**(대법원 2009. 1. 30. 2008도6950)

㉢ [×] 직무유기교사죄는 **피교사자인 공무원별로 1개의 죄가 성립되는 것이므로** 피교사자인 공무원별로 사실을 특정할 수 있도록 공소사실을 기재하여야 한다.(대법원 1997. 8. 22. 95도984)

㉣ [○] 직권남용죄에서 '권리'는 법률에 명기된 권리에 한하지 않고 법령상 보호되어야 할 이익이면 족한 것으로서 공법상의 권리인지 사법상의 권리인지를 묻지 않으므로, **경찰관의 범죄수사권도 직권남용죄에서 말하는 '권리'에 해당한다.**(대법원 2010. 1. 28. 2008도7312 최기문 전경찰청장 사건)

㉤ [×] **공무원이 뇌물을 받는 데에 필요한 경비를 지출한 경우** 그 경비는 뇌물수수의 부수적 비용에 불과하여 **뇌물의 가액과 추징액에서 공제할 항목에 해당하지 않는다.** 뇌물을 받는 주체가 아닌 자가 수고비로 받은 부분이나 뇌물을 받기 위하여 형식적으로 체결된 용역계약에 따른 비용으로 사용된 부분은 뇌물수수의 부수적 비용에 지나지 않는다.(대법원 2017. 3. 22. 2016도21536 심학봉 의원 사건)

014 다음 중 직권남용죄가 성립하는 경우는 모두 몇 개인가? (다툼이 있으면 판례에 의함)

□□□

12 경찰간부 [Core ★★]

㉠ 대통령비서실 정책실장이 공무원으로 하여금 특별교부세 교부대상이 아닌 특정 사찰의 증·개축사업을 지원하는 특별교부세 교부신청 및 교부결정을 하도록 하게 한 경우
㉡ 대통령비서실 정책실장이 기업관계자들에게 기업 메세나(Mecenat) 활동의 일환인 미술관 전시회 후원을 요청하여 기업관계자들이 특정 미술관에 후원금을 지급한 경우
㉢ 대검찰청 공안부장인 피고인이 고등학교 후배인 한국조폐공사 사장에게 위 공사의 쟁의행위 및 구조조정에 관하여 전화통화를 한 경우
㉣ 검찰의 고위 간부가 내사 담당 검사로 하여금 내사를 중도에서 그만두고 종결처리토록 한 경우

① 1개 ② 2개
③ 3개 ④ 4개

해설

② ㉠㉣ 2 항목의 경우 직권남용죄가 성립한다.

㉠ 대통령비서실 정책실장인 피고인이 지방자치단체의 재원으로 사찰의 증·개축사업을 지원하도록 특별교부세 교부신청 및 교부결정을 하도록 하게 한 행위가 대통령비서실 정책실장으로서의 직권을 남용하여 **특별교부세 담당공무원으로 하여금 의무 없는 일을 한 것이라고 한 원심의 판단은 정당하다.**(대법원 2009. 1. 30. 2008도6950 변양균·신정아 사건)

㉡ **공무원이 직무와는 상관없이 단순히 개인적인 친분에 근거하여** 문화예술 활동에 대한 지원을 권유하거나 협조를 의뢰한 것에 불과한 경우까지 **직권남용에 해당한다고 할 수 없다.**(대법원 2009. 1. 30. 2008도6950 변양균·신정아 사건)

정답 | 013 ① 014 ②

ⓒ 대검찰청 공안부장인 피고인이 고등학교 후배인 한국조폐공사 사장에게 공사의 쟁의행위 및 구조조정에 관하여 전화통화를 한 것은 **직권남용죄와 업무방해죄에 해당하지 않고** 노동조합및노동관계조정법 제40조 제2항에서 정한 '간여'에 해당한다.(대법원 2005. 4. 15. 2002도3453 조폐공사 파업 유도사건)
ⓓ 검찰의 고위 간부가 내사 담당 검사로 하여금 내사를 중도에서 그만두고 종결처리토록 한 행위는 **직권남용권리행사방해죄에 해당한다.**(대법원 2007. 6. 14. 2004도5561 신승남 검찰총장 사건)

015 직권남용죄에 관한 다음 설명 중 가장 옳지 않은 것은? (다툼이 있으면 판례에 의함)

□□□

21 법원9급 [*Core* ★★]

① 어떠한 직무가 공무원의 일반적 직무권한에 속하는 사항이라고 하기 위해서는 그에 관한 법령상 근거가 필요하다. 법령상 근거는 반드시 명문의 규정만을 요구하는 것이 아니라 명문의 규정이 없더라도 법령과 제도를 종합적, 실질적으로 살펴보아 그것이 해당 공무원의 직무권한에 속한다고 해석되고, 이것이 남용된 경우 상대방으로 하여금 사실상 의무 없는 일을 하게 하거나 권리를 방해하기에 충분한 것이라고 인정되는 경우에는 직권남용죄에서 말하는 일반적 직무권한에 포함된다.
② 공무원이 한 행위가 직권남용에 해당한다고 하여 그러한 이유만으로 상대방이 한 일이 '의무 없는 일'에 해당한다고 인정할 수는 없다.
③ 직권남용 행위의 상대방이 일반 사인인 경우 특별한 사정이 없는 한 '의무 없는 일'에 해당하는지는 직권을 남용하였는지와 별도로 그에게 그러한 일을 할 법령상 의무가 있는지를 살펴 개별적으로 판단하여야 한다.
④ 남용에 해당하는가를 판단하는 기준은 구체적인 공무원의 직무행위가 본래 법령에서 그 직권을 부여한 목적에 따라 이루어졌는지, 직무행위가 행해진 상황에서 볼 때 필요성·상당성이 있는 행위인지, 직권행사가 허용되는 법령상의 요건을 충족했는지 등을 종합하여 판단하여야 한다.

해설

③ [×] 직권남용 행위의 **상대방이 일반 사인인 경우 특별한 사정이 없는 한 직권에 대응하여 따라야 할 의무가 없으므로 그에게 어떠한 행위를 하게 하였다면 '의무 없는 일을 하게 한 때'에 해당할 수 있다.** 그러나 **상대방이 공무원이거나 법령에 따라 일정한 공적 임무를 부여받고 있는 공공기관 등의 임직원인 경우에는** 법령에 따라 임무를 수행하는 지위에 있으므로 **그가 직권에 대응하여 어떠한 일을 한 것이 의무 없는 일인지 여부는 관계법령 등의 내용에 따라 개별적으로 판단하여야 한다.**(대법원 2020. 12. 10. 2019도17879 기장군수 사건)
① [○] 직권남용죄에서 어떠한 직무가 공무원의 일반적 직무권한에 속하는 사항이라고 하기 위해서는 그에 관한 법령상 근거가 필요하다. 법령상 근거는 반드시 명문의 규정만을 요구하는 것이 아니라 **명문의 규정이 없더라도 법령과 제도를 종합적, 실질적으로 살펴보아 그것이 해당 공무원의 직무권한에 속한다고 해석되고,** 이것이 남용된 경우 상대방으로 하여금 사실상 의무 없는 일을 하게 하거나 권리를 방해하기에 충분한 것이라고 인정되는 경우에는 직권남용죄에서 말하는 **일반적 직무권한에 포함된다.**(대법원 2020. 10. 29. 2020도3972 이명박 전 대통령 사건)

② [○] 공무원이 한 행위가 **직권남용에 해당한다고 하여 그러한 이유만으로 상대방이 한 일이 '의무 없는 일'에 해당한다고 인정할 수는 없다.** '의무 없는 일'에 해당하는지는 직권을 남용하였는지와 별도로 상대방이 그러한 일을 할 법령상 의무가 있는지를 살펴 개별적으로 판단하여야 한다.(대법원 2020. 12. 10. 2019도17879 기장군수 사건)

④ [○] 직권남용죄에서 '직권남용'이란 공무원이 일반적 직무권한에 속하는 사항에 관하여 그 권한을 위법·부당하게 행사하는 것을 뜻한다. 남용에 해당하는가를 판단하는 기준은 구체적인 공무원의 직무행위가 본래 법령에서 그 직권을 부여한 목적에 따라 이루어졌는지, 직무행위가 행해진 상황에서 볼 때 필요성·상당성이 있는 행위인지, **직권행사가 허용되는 법령상의 요건을 충족했는지 등을 종합하여 판단하여야 한다.**(대법원 2020. 2. 13. 2019도5186 화이트리스트 사건)

016 직권남용죄에 관한 다음 설명 중 가장 옳지 않은 것은? (다툼이 있으면 판례에 의함)

□□□

22 법원9급 [Essential ★]

① 형법 제123조 직권남용죄의 미수범은 처벌하지 아니한다.

② 공무원의 직권남용행위가 있었다 할지라도 현실적으로 권리행사의 방해라는 결과가 발생하지 아니하였다면 직권남용죄가 성립하지 않는다.

③ 직권남용죄는 공무원이 그 일반적 직무권한에 속하는 사항에 관하여 직권의 행사에 가탁하여 실질적, 구체적으로 위법·부당한 행위를 한 경우에 성립하고, 그 일반적 직무권한은 반드시 법률상의 강제력을 수반하는 것임을 요하지 않는다.

④ 공무원이 자신의 직무권한에 속하는 사항에 관하여 실무담당자로 하여금 그 직무집행을 보조하는 사실행위를 하도록 한 경우 그 직무집행이 위법한 것이라면 특별한 사정이 없는 이상 의무 없는 일을 하게 한 때에 해당한다.

해설

④ [×] 직권남용죄에서 말하는 '사람으로 하여금 의무 없는 일을 하게 한 때'란 공무원이 직권을 남용하여 다른 사람으로 하여금 법령상 의무 없는 일을 하게 한 때를 의미한다. 따라서 공무원이 자신의 직무권한에 속하는 사항에 관하여 실무담당자로 하여금 그 직무집행을 보조하는 사실행위를 하도록 하더라도 이는 공무원 자신의 직무집행으로 귀결될 뿐이므로 원칙적으로 의무 없는 일을 하게 한 때에 해당한다고 할 수 없다.(대법원 2021. 9. 16. 2021도2748 우병우 민정수석 사건)

① [○] 직권남용죄는 **미수범 처벌규정이 없다.**

② [○] 직권남용죄에서 '권리행사를 방해한다' 함은 법령상 행사할 수 있는 권리의 정당한 행사를 방해하는 것을 말한다고 할 것이므로 이에 해당하려면 구체화된 권리의 현실적인 행사가 방해된 경우라야 할 것이고, 따라서 공무원의 직권남용행위가 있었다 할지라도 **현실적으로 권리행사의 방해라는 결과가 발생하지 아니하였다면 본죄의 기수를 인정할 수 없다.**(대법원 2008. 12. 24. 2007도9287 포항 폐기물처리장부지 사건)

정답 | 015 ③ 016 ④

③ [O] 직권남용죄는 공무원이 그 일반적 직무권한에 속하는 사항에 관하여 직권의 행사에 가탁(假託)하여 실질적, 구체적으로 위법 · 부당한 행위를 한 경우에 성립하고, 그 일반적 직무권한은 **반드시 법률상의 강제력을 수반하는 것임을 요하지 아니하며,** 그것이 남용될 경우 직권행사의 상대방으로 하여금 법률상 의무 없는 일을 하게 하거나 정당한 권리행사를 방해하기에 충분한 것이면 된다.(대법원 2015. 3. 26. 2013도2444 **박장규 용산구청장 사건**)

017 직권남용권리행사방해죄에 관한 다음 설명 중 가장 옳지 않은 것은? (다툼이 있으면 판례에 의함)

□□□

23 법원행시 [Superlative ★★★]

① 공무원이 자신의 직무권한에 속하는 사항에 관하여 실무 담당자로 하여금 그 직무집행을 보조하는 사실행위를 하도록 하더라도 원칙적으로 의무 없는 일을 하게 한 때에 해당한다고 할 수 없다.

② 형법 제123조는 "공무원이 직권을 남용하여 사람으로 하여금 의무없는 일을 하게 하거나 사람의 권리행사를 방해한 때에는 5년 이하의 징역, 10년 이하의 자격정지 또는 1천만원 이하의 벌금에 처한다"라고 규정하고 있는데, 여기서 말하는 '권리'는 공법상의 권리인지 사법상의 권리인지를 묻지 않는다.

③ 치안본부장인 甲이 국립과학수사연구소 A과장에게 고문치사자의 사인에 관하여 기자간 담회에 참고할 메모를 작성하도록 요구하고 A과장으로 하여금 내심의 의사에 반하여 두 번이나 고쳐 작성하도록 한 경우에도 직권남용죄는 성립하지 않는다.

④ 공무원이 직무관련자에게 제3자와 계약을 체결하도록 요구하여 계약 체결을 하게 한 행위가 제3자뇌물수수죄의 구성요건과 직권남용권리행사방해죄의 구성요건에 모두 해당하는 경우에는 제3자뇌물수수죄와 직권남용권리행사방해죄가 각각 성립하고, 위 두 죄는 형법 제40조의 상상적 경합관계에 있다.

⑤ 공무원의 직권남용행위가 있었다면 현실적으로 권리행사의 방해라는 결과가 발생하지 아니하였더라도 직권남용권리행사방해죄는 기수에 이른 것이다.

해설

⑤ [×] 직권남용죄에서 '권리행사를 방해한다' 함은 법령상 행사할 수 있는 권리의 정당한 행사를 방해하는 것을 말한다고 할 것이므로 이에 해당하려면 구체화된 권리의 현실적인 행사가 방해된 경우라야 할 것이고 따라서 공무원의 직권남용행위가 있었다 할지라도 **현실적으로 권리행사의 방해라는 결과가 발생하지 아니하였다면 본죄의 기수를 인정할 수 없다.**(대법원 2008. 12. 24. 2007도9287 **포항 폐기물처리장부지 사건**)

① [○] 직권남용죄에서 '의무 없는 일을 하게 한 때'란 사람으로 하여금 법령상 의무 없는 일을 하게 하는 때를 의미하는바, 공무원이 자신의 직무권한에 속하는 사항에 관하여 **실무 담당자로 하여금 그 직무집행을 보조하는 사실행위를 하도록 하더라도 이는 공무원 자신의 직무집행으로 귀결될 뿐이므로 원칙적으로 직권남용권리행사방해죄에서 말하는 '의무 없는 일을 하게 한 때'에 해당한다고 할 수 없으나**, 직무집행의 기준과 절차가 법령에 구체적으로 명시되어 있고 실무 담당자에게도 직무집행의 기준을 적용하고 절차에 관여할 고유한 권한과 역할이 부여되어 있다면 실무 담당자로 하여금 그러한 기준과 절차에 위반하여 직무집행을 보조하게 한 경우에는 '의무 없는 일을 하게 한 때'에 해당한다.(대법원 2017. 10. 31. 2017도12534 **전북교육감사건Ⅱ**)

② [○] 직권남용죄에서 '권리'는 법률에 명기된 권리에 한하지 않고 법령상 보호되어야 할 이익이면 족한것으로서 **공법상의 권리인지 사법상의 권리인지를 묻지 않으므로** 경찰관의 범죄수사권도 직권남용죄에서 말하는 '권리'에 해당한다.(대법원 2010. 1. 28. 2008도7312 **전경찰청장 사건**)

③ [○] 치안본부장인 피고인 甲이 국립과학수사연구소 법의학1과장 A에게 고문치사자의 사인(死因)에 관하여 기자간담회에 참고할 메모를 작성하도록 요구하고 이를 두번이나 고쳐 작성하도록 하였다 하여도, A의 메모작성행위가 국립과학수사연구소의 **행정업무에 관한 행정상 보고의무라고 할 수 없고 甲이 A에게 메모를 작성토록 한 행위가 그 일반적 권한에 속하는 사항이라고도 볼 수 없으며 또 A가 메모를 작성하여 줄 법률상 의무가 있는 것도 아닐 뿐만 아니라, 메모를 작성하여 준 것도 단순한 심리적 의무감 또는 스스로의 의사에 기한 것으로 볼 수 있을 뿐이어서 직권남용죄는 성립되지 아니한다.**(대법원 1991. 12. 27. 90도2800 **치안본부장 사건**)

④ [○] 공무원이 직무관련자에게 제3자와 계약을 체결하도록 요구하여 그 계약 체결을 하게 한 행위가 제3자뇌물수수죄의 구성요건과 직권남용죄의 구성요건에 모두 해당하는 경우에는 **제3자뇌물수수죄와 직권남용죄가 각각 성립하고, 두 죄는 상상적 경합관계에 있게 된다.**(대법원 2017. 3. 15. 2016도19659 **이천시 건축민원담당 공무원 사건**)

018 직무유기죄와 직권남용죄에 대한 설명으로 옳지 않은 것은? (다툼이 있으면 판례에 의함)

□□□

21 경찰간부 [*Core* ★★]

① 직무유기죄는 그 직무를 수행하여야 하는 작위의무의 존재와 그에 대한 위반을 전제로 하고 있는바, 공무원이 정당한 이유 없이 그 직무수행을 거부하거나 그 직무를 유기한 때 즉시 성립하는 즉시범이다.

② 직무유기죄는 공무원이 추상적 성실의무를 태만히 하는 일체의 경우에 성립하는 것이 아니라 직장의 무단이탈, 직무의 의식적인 포기 등과 같이 국가의 기능을 저해하고 국민에게 피해를 야기시킬 가능성이 있는 경우에 한하여 성립한다.

③ 직권남용죄에서 '직권남용'은 '사람으로 하여금 의무 없는 일을하게 한 것'과 '사람의 권리 행사를 방해한 것'과 구별되는 별개의 범죄성립요건으로 공무원이 한 행위가 직권남용에 해당한다고 하여 바로 상대방이 한 일이 '의무 없는 일'에 해당한다고 인정할 수는 없다.

④ '권리행사를 방해함으로 인한 직권남용권리행사방해죄'와 '의무 없는 일을 하게 함으로 인한 직권남용권리행사방해죄'의 두가지 행위태양에 모두 해당하는 경우, 전자만 성립하고 후자는 따로 성립하지 아니하는 것으로 봄이 상당하다.

정답 | 017 ⑤　018 ①

해설

① [×] 직무유기죄는 그 직무를 수행하여야 하는 작위의무의 존재와 그에 대한 위반을 전제로 하고 있는바, 그 작위의무를 수행하지 아니함으로써 구성요건에 해당하는 사실이 있었고 그 후에도 계속하여 그 작위의무를 수행하지 아니하는 **위법한 부작위상태가 계속되는 한 가벌적 위법상태는 계속 존재하고 있다고 할 것이며 형법 제122조 후단은 이를 전체적으로 보아 일죄로 처벌하는 취지로 해석되므로 이를 즉시범이라고 할 수 없다.**(대법원 1997. 8. 29. 97도675 교통사고 미입건 사건)

② [○] 직무유기죄에서 '직무를 유기한 때'란 공무원이 법령, 내규 등에 의한 추상적 성실의무를 태만히 하는 일체의 경우에 성립하는 것이 아니라 직장의 무단이탈, **직무의 의식적인 포기 등과 같이 국가의 기능을 저해하고 국민에게 피해를 야기시킬 가능성이 있는 경우를 말한다.**(대법원 2014. 4. 10. 2013도229 전북교육감사건)

③ [○] '사람으로 하여금 의무 없는 일을 하게 한 것'과 '사람의 권리행사를 방해한 것'은 형법 제123조가 규정하고 있는 객관적 구성요건요소인 '결과'로서 둘 중 어느 하나가 충족되면 직권남용권리행사방해죄가 성립한다. 이는 **'공무원이 직권을 남용하여'와 구별되는 별개의 범죄성립요건이다. 따라서 공무원이 한 행위가 직권남용에 해당한다고 하여 그러한 이유만으로 상대방이 한 일이 '의무 없는 일'에 해당한다고 인정할 수는 없다.** '의무 없는 일'에 해당하는지는 직권을 남용하였는지와 별도로 상대방이 그러한 일을 할 법령상 의무가 있는지를 살펴 개별적으로 판단하여야 한다. 직권을 남용한 행위가 위법하다는 이유로 곧바로 그에 따른 행위가 의무 없는 일이 된다고 인정하면 '의무 없는 일을 하게 한 때'라는 범죄성립요건의 독자성을 부정하는 결과가 되고, '권리행사를 방해한 때'의 경우와 비교하여 형평에도 어긋나게 된다.(대법원 2020. 1. 30. 2018도2236 全合 문화계 블랙리스트 사건)

④ [○] 상급 경찰관이 직권을 남용하여 부하 경찰관들의 수사를 중단시키거나 사건을 다른 경찰관서로 이첩하게 한 경우, 일단 '부하 경찰관들의 수사권 행사를 방해한 것'에 해당함과 아울러 '부하 경찰관들로 하여금 수사를 중단하거나 사건을 다른 경찰관서로 이첩할 의무가 없음에도 불구하고 수사를 중단하게 하거나 사건을 이첩하게 한 것'에도 해당된다고 볼 여지가 있다. 그러나 이는 어디까지나 하나의 사실을 각기 다른 측면에서 해석한 것에 불과한 것으로서, 권리행사를 방해함으로 인한 직권남용권리행사방해죄와 따라서 위 두 가지 행위 태양에 모두 해당하는 것으로 기소된 경우, **권리행사를 방해함으로 인한 직권남용권리행사방해죄만 성립하고 의무 없는 일을 하게 함으로 인한 직권남용권리행사방해죄는 따로 성립하지 아니하는 것으로 봄이 상당하다**(다만 공소제기권자인 검사는 재량에 따라 의무 없는 일을 하게 함으로 인한 직권남용권리행사방해죄로 공소를 제기할 수도 있는 것이므로, 그 경우 법원이 그 공소범위 내에서 직권남용권리행사방해죄로 인정하여 처벌하는 것은 가능하다).(대법원 2010. 1. 28. 2008도7312)

019 □□□ **공무상 비밀누설죄에 대한 다음 설명 중 타당하지 않은 것은 모두 몇 개인가? (다툼이 있으면 판례에 의함)**

13 경찰간부 [Core ★★]

㉠ 공무상 비밀누설죄 소정의 "직무상 비밀"은 법령에 의해서 비밀로 규정되었거나 비밀로 분류 명시된 사항에 한한다.
㉡ 甲이 법원공무원 乙을 교사하여 체포영장 발부자 명단을 받은 경우에 乙은 공무상 비밀누설죄, 甲은 공무상 비밀누설죄의 교사범의 죄책을 진다.
㉢ 본 죄는 기밀 그 자체를 보호하기 위한 것이 아니라 공무원의 비밀준수의무 침해에 의해 위협받는 국가기능을 보호하기 위한 것이다.
㉣ 검찰 고위간부 甲이 사건에 대한 수사가 진행 중인 상태에서 해당 사안에 관한 수사책임자 乙의 잠정적인 판단 등 수사팀의 내부 상황을 확인하고 그 내용을 수사 대상자에게 전달한 행위는 본 죄를 구성한다.

① 1개 ② 2개
③ 3개 ④ 4개

해설

② ㉠㉡ 2 항목이 옳지 않다.
㉠ [×] 공무상비밀누설죄에서 '법령에 의한 직무상 비밀'이란 반드시 법령에 의하여 비밀로 규정되었거나 비밀로 분류 명시된 사항에 한하지 아니하고, 정치, 군사, 외교, 경제, 사회적 필요에 따라 비밀로 된 사항은 물론 정부나 공무소 또는 국민이 객관적, 일반적인 입장에서 외부에 알려지지 않는 것에 상당한 이익이 있는 사항도 포함한다.(대법원 2012. 3. 15. 2010도14734 차량소유정보 사건)
㉡ [×] 피고인 乙이 직무상 비밀을 누설한 행위와 피고인 甲이 이를 누설받은 행위는 대향범 관계에 있으므로 공범에 관한 형법총칙 규정이 적용될 수 없으므로, 피고인 甲의 행위가 공무상비밀누설교사죄에 해당한다고 본 원심판단에는 법리오해의 위법이 있다.(대법원 2011. 4. 28. 2009도3642 체포영장발부자 명단 사건)
㉢ [○] 공무상비밀누설죄에서 '법령에 의한 직무상 비밀'이란 반드시 법령에 의하여 비밀로 규정되었거나 비밀로 분류 명시된 사항에 한하지 아니하고, 정치, 군사, 외교, 경제, 사회적 필요에 따라 비밀로 된 사항은 물론 정부나 공무소 또는 국민이 객관적, 일반적인 입장에서 외부에 알려지지 않는 것에 상당한 이익이 있는 사항도 포함하는 것이나, 실질적으로 그것을 비밀로서 보호할 가치가 있다고 인정할 수 있는 것이어야 하고, 본죄는 비밀 그 자체를 보호하는 것이 아니라 공무원의 비밀엄수의무의 침해에 의하여 위험하게 되는 이익, 즉 **비밀의 누설에 의하여 위협받는 국가의 기능을 보호하기 위한 것이다.**(대법원 2012. 3. 15. 2010도14734 차량소유정보 사건)
㉣ [○] **검찰 등 수사기관이 특정 사건에 대하여 수사를 진행하고 있는 상태에서** 수사기관이 현재 어떤 자료를 확보하였고, 해당 사안이나 피의자의 죄책, 신병처리에 대하여 수사책임자가 어떤 의견을 가지고 있는지 등의 정보는, 해당 사건에 대한 종국적인 결정을 하기 전까지는 **외부에 누설되어서는 안 될 수사기관 내부의 비밀에 해당한다.**(대법원 2007. 6. 14. 2004도5561)

정답 | 019 ②

020 공무원의 직무에 관한 죄의 설명 중 가장 적절하지 않은 것은? (다툼이 있으면 판례에 의함)

□□□

22 경찰채용 [Core ★★]

① 지방자치단체의 장이 미리 승진후보자명부상 후보자들 중에서 승진대상자를 실질적으로 결정한 다음, 그 내용을 인사위원회 간사, 서기 등을 통해 인사위원회 위원들에게 '승진대상자 추천'이라는 명목으로 제시하여 인사위원회로 하여금 자신이 특정한 후보자들을 승진대상자로 의결하도록 유도하는 행위는 직권남용권리행사방해죄의 구성요건인 '직권의 남용' 및 '의무 없는 일을 하게 한 경우'로 볼 수 있다.

② 공무원이 직무상 알게 된 비밀을 그 직무와의 관련성 혹은 필요성에 기하여 해당 직무의 집행과 관련 있는 다른 공무원에게 직무집행의 일환으로 전달한 경우 국가기능에 위험이 발생하리라고 볼 만한 특별한 사정이 인정되지 않는 한 그 행위는 비밀의 누설에 해당하지 아니한다.

③ 직무집행의 의사로 자신의 직무를 수행한 경우에는 그 직무집행의 내용이 위법한 것으로 평가된다는 점만으로 직무유기죄의 성립을 인정할 것은 아니고, 공무원이 태만·분망 또는 착각 등으로 인하여 직무를 성실히 수행하지 아니한 경우나 형식적으로 또는 소홀히 직무를 수행한 탓으로 적절한 직무수행에 이르지 못한 것에 불과한 경우에도 직무유기죄는 성립하지 아니한다.

④ 경찰관들이 현행범으로 체포한 도박혐의자들에게 현행범인체포서 대신에 임의동행동의서를 작성하게 하고, 그나마 제대로 조사도 하지 않은 채 석방하였으며, 압수한 일부 도박자금에 관하여 압수조서 및 목록도 작성하지 않은 채 반환하고, 일부 도박혐의자의 명의도용 사실과 도박 관련 범죄로 수회 처벌받은 전력을 확인하고서도 아무런 추가조사도 없이 석방한 경우 그 경찰관들에게는 직무유기죄가 성립한다.

해설

① [×] 지방자치단체의 장이 승진후보자명부 방식에 의한 5급 공무원 승진임용 절차에서 인사위원회의 사전심의·의결 결과를 참고하여 승진후보자명부상 후보자들에 대하여 승진임용 여부를 심사하고서 최종적으로 승진대상자를 결정하는 것이 아니라 미리 승진후보자명부상 후보자들 중에서 승진대상자를 실질적으로 결정한 다음 그 내용을 인사위원회 간사, 서기 등을 통해 인사위원회 위원들에게 '승진대상자 추천'이라는 명목으로 제시하여 인사위원회로 하여금 자신이 특정한 후보자들을 승진대상자로 의결하도록 유도하는 행위는 **인사위원회 사전심의 제도의 취지에 부합하지 않다는 점에서 바람직하지 않다고 볼 수 있지만 그것만으로는 직권남용권리행사방해죄의 구성요건인 '직권의 남용' 및 '의무 없는 일을 하게 한 경우'로 볼 수 없다.**(대법원 2020. 12. 10. 2019도17879 **기장군수 사건**)

② [○] 공무원이 직무상 알게 된 비밀을 그 직무와의 관련성 혹은 필요성에 기하여 해당 직무의 집행과 관련있는 다른 **공무원에게 직무집행의 일환으로 전달한 경우** 국가기능에 위험이 발생하리라고 볼 만한 특별한 사정이 인정되지 않는 한 그 행위는 **비밀의 누설에 해당하지 아니한다.**(대법원 2021. 11. 25. 2021도2486 **수사기록 유출사건**)

③ [○] 직무집행의 의사로 자신의 직무를 수행한 경우에는 그 직무집행의 내용이 위법한 것으로 평가된다는 점만으로 **직무유기죄의 성립을 인정할 것은 아니고,** 공무원이 태만·분망 또는 착각 등으로 인하여 직무를 **성실히 수행하지 아니한 경우나 형식적으로 또는 소홀히 직무를 수행한 탓으로 적절한 직무수행에 이르지 못한 것에 불과한 경우에도 직무유기죄는 성립하지 아니한다.**(대법원 2014. 4. 10. 2013도229 **전북교육감 사건 I**)

④ [○] 경찰관인 피고인들은 단순히 업무를 소홀히 수행한 것이 아니라 정당한 사유 없이 의도적으로 수사업무를 방임 내지 포기한 것이라고 봄이 상당하므로 **직무유기죄가 성립한다.**(대법원 2010. 6. 24. 2008도11226 **김해 도박단 봐주기 사건**)

021 □□□ 공무원의 직무에 관한 죄에 대한 설명으로 가장 적절하지 않은 것은? (다툼이 있으면 판례에 의함)

23 경찰채용 [Essential ★]

① 공무원이 태만이나 착각 등으로 인하여 직무를 성실히 수행하지 않은 경우 또는 직무를 소홀하게 수행하였기 때문에 성실한 직무수행을 못한 데 지나지 않는 경우에는 직무유기죄가 성립하지 않는다.

② 경찰공무원이 지명수배 중인 범인을 발견하고도 직무상 의무에 따른 적절한 조치를 취하지 아니하고 오히려 범인을 도피하게 하는 행위를 하였다면 범인도피죄만 성립하고 직무유기죄는 따로 성립하지 않는다.

③ 공무상비밀누설죄는 공무원 또는 공무원이었던 자가 법령에 의한 직무상 비밀을 누설하는 것을 구성요건으로 하고 있는바, 여기서 '법령에 의한 직무상 비밀'이란 법령에 의하여 비밀로 규정되었거나 비밀로 분류 명시된 사항에 한정된다.

④ 통고처분이나 고발을 할 권한이 없는 세무공무원이 그 권한자에게 범칙사건조사결과에 따른 통고처분이나 고발조치를 건의하는 등의 조치를 취하지 않았다고 하더라도, 구체적 사정에 비추어 그것이 직무를 성실히 수행하지 못한 것이라고 할 수 있을지언정 그 직무를 의식적으로 방임 내지 포기하였다고 볼 수 없다.

해설

③ [×] 공무상비밀누설죄에서 **'법령에 의한 직무상 비밀'이란 반드시 법령에 의하여 비밀로 규정되었거나 비밀로 분류 명시된 사항에 한하지 않고,** 정치ㆍ군사ㆍ외교ㆍ경제ㆍ사회적 필요에 따라 비밀로 된 사항은 물론 정부나 공무소 또는 국민이 객관적ㆍ일반적인 입장에서 외부에 알려지지 않는 것에 상당한 이익이 있는 사항도 포함하나, 실질적으로 그것을 비밀로서 보호할 가치가 있다고 인정할 수 있는 것이어야 한다.(대법원 2021. 12. 30. 2021도11924 **집행관사무원 비리 사건**)

① [○] 공무원이 태만이나 착각 등으로 인하여 직무를 성실히 수행하지 않은 경우 또는 직무를 소홀하게 수행하였기 때문에 **성실한 직무수행을 못한 데 지나지 않는 경우에는 직무유기죄가 성립하지 않는다.**(대법원 2022. 6 22 2021도8361 **중학교 기간제 교원 결근사건**)

② [○] 경찰공무원이 지명수배 중인 범인을 발견하고도 직무상 의무에 따른 적절한 조치를 취하지 아니하고 오히려 범인을 도피하게 하는 행위를 하였다면 그 직무위배의 위법상태는 범인도피행위 속에 포함되어 있다고 보아야 할 것이므로, 이와 같은 경우에는 **작위범인 범인도피죄만이 성립하고 부작위범인 직무유기죄는 따로 성립하지 아니한다.**(대법원 2017. 3.15. 2015도1456 **조폭 도피 경찰관 사건**)

④ [○] 군산세무서 세무공무원인 피고인 甲이 乙의 부가가치세 포탈행위를 밝혀내고 포탈세액 및 가산세를 추징하였을 뿐만 아니라 乙에게 허위세금계산서를 교부하였던 丙이 고발되도록 하는 등 **일련의 조치를 취한 이상 乙에 대한 통고처분이나 고발조치를 건의하는 등의 조치를 취하지 않았다고 하더라도 그것이 직무를 성실히 수행하지 못한 것이라고 할 수 있을지언정 직무를 의식적으로 방임 내지 포기하였다고 볼 수는 없다.**(대법원 1997. 411. 96도2753 **군산세무서 세무공무원 사건**)

정답 | 020 ① 021 ③

제2절 | 공무원의 직무에 관한 죄 II

022 뇌물죄에 관한 설명 중 가장 적절하지 않은 것은? (다툼이 있으면 판례에 의함)

□□□

16 경찰승진 [*Core* ★★]

① 뇌물공여죄의 성립에 반드시 상대방 측의 뇌물수수죄가 성립하여야만 하는 것은 아니다.

② 공무원이 직무집행의 의사 없이 타인을 공갈하여 재물을 교부하게 한 경우에도 재물의 교부자는 뇌물공여죄로 처벌한다.

③ 공무원이 직무에 관하여 금전을 무이자로 차용한 경우에는 차용 당시에 금융이익 상당의 뇌물을 수수한 것으로 보아야 하므로, 공소시효는 금전을 무이자로 차용한 때로부터 기산한다.

④ 뇌물로 공여된 당좌수표가 수수된 후 부도가 되었다 하더라도 뇌물수수죄가 성립한다.

해설

② [×] 공무원이 직무집행의 의사 없이 또는 직무처리와 대가적 관계없이 타인을 공갈하여 재물을 교부하게 한 경우에는 공갈죄만이 성립하고, 이러한 경우 재물의 교부자는 공갈죄의 피해자가 될 것이고 뇌물공여죄는 성립될 수 없다.(대법원 1994. 12. 22. 94도2528 탈세묵인 세무공무원 사건)

① [○] 뇌물공여죄가 성립하기 위하여는 뇌물을 공여하는 행위와 상대방 측에서 금전적으로 가치가 있는 그 물품 등을 받아들이는 행위가 필요할 뿐 반드시 **상대방 측에서 뇌물수수죄가 성립하여야 하는 것은 아니다.**(대법원 2013. 11. 28. 2013도9003 광주 총인처리시설 입찰비리사건)

③ [○] 공무원이 그 직무에 관하여 금전을 무이자로 차용한 경우에는 그 차용 당시에 금융이익 상당의 뇌물을 수수한 것으로 보아야 하므로 그 **공소시효는 금전을 무이자로 차용한 때로부터 기산한다.**(대법원 2012. 2. 23. 2011도7282 1억 무이자 차용사건)

④ [○] 뇌물로 공여된 **당좌수표가 수수 후 부도가 되었다 하더라도 뇌물죄의 성립에는 아무런 소장이 없다.**(대법원 1983. 2. 22. 82도2964)

023 뇌물죄에 대한 설명으로 옳지 않은 것은? (다툼이 있으면 판례에 의함) 23 국가7급 [Essential ★]

□□□

① 수뢰죄에 있어서 직무라는 것은 공무원의 법령상 관장하는 직무행위뿐만 아니라 그 직무에 관련하여 사실상 처리하고 있는 행위 및 결정권자를 보좌하거나 영향을 줄 수 있는 직무행위도 포함된다.

② 공무원이 수수한 금품에 직무행위와 대가관계가 있는 부분과 그렇지 않은 부분이 불가분적으로 결합되어 있는 경우에는 수수한 금품 전액이 직무행위에 대한 대가로 수수한 뇌물이다.

③ 수뢰자가 뇌물로 받은 돈을 은행에 예금한 후 같은 액수의 돈을 증뢰자에게 반환한 경우 그 뇌물을 반환한 것이므로 증뢰자로부터 이를 몰수·추징하여야 한다.

④ 알선수뢰죄에 있어서 알선행위는 다른 공무원의 직무에 속하는 사항에 관한 것이면 되는 것이지, 그것이 반드시 부정행위라거나 그 직무에 관하여 결재권한이나 최종 결정권한을 갖고 있어야 하는 것이 아니다.

해설

③ [×] 뇌물로 받은 돈을 은행에 예금한 경우 그 예금행위는 뇌물의 처분행위에 해당하므로 그 후 수뢰자가 같은 액수의 돈을 증뢰자에게 반환하였다 하더라도 이를 뇌물 그 자체의 반환으로 볼 수 없으니 **수뢰자로부터 그 가액을 추징하여야 한다.**(대법원 1996.10.25. 96도2022 뇌물 1억원 예금사건)

① [○] 뇌물죄에서 직무라 함은 공무원이 법령상 관장하는 직무 그 자체뿐만 아니라 그 직무와 밀접한 관계가 있는 행위 또는 **관례상이나 사실상 소관하는 직무행위 및 결정권자를 보좌하거나 영향을 줄 수 있는 직무행위도 포함된다.**(대법원 2011. 6.10. 2011도4260 수방사 공사담당관 사건)

② [○] 공무원이 수수 · 요구 또는 약속한 금품에 직무행위에 대한 대가로서의 성질과 직무 외의 행위에 대한 사례로서의 성질이 **불가분적으로 결합되어 있는 경우에는 그 수수 · 요구 또는 약속한 금품 전부가 불가분적으로 직무행위에 대한 대가로서의 성질을 가진다.**(대법원 2012. 1.12. 2011도12642 거제시장 사건)

④ [○] 알선수뢰죄에서 '다른 공무원의 직무에 속한 사항의 알선행위'는 그 공무원의 직무에 속하는 사항에 관한 것이면 되는 것이지 그것이 반드시 부정행위라거나 그 직무에 관하여 **결재권한이나 최종 결정권한을 갖고 있어야 하는 것이 아니다.**(대법원 2006. 4.27. 2006도735 광주시 의원 → 광주시 의원과 공무원 사건)

정답 | 022 ② 023 ③

024 다음 설명 중 가장 옳지 않은 것은? (다툼이 있는 경우 판례에 의함) 18 법원9급 [Core ★★]

□□□

① 공무원이 직접 뇌물을 받지 않고 증뢰자로 하여금 다른 사람에게 뇌물을 공여하도록 한 경우에는 그 다른 사람이 공무원의 사자 또는 대리인으로서 뇌물을 받은 경우 등과 같이 사회통념상 그 다른 사람이 뇌물을 받은 것을 공무원이 직접 받은 것과 같이 평가할 수 있는 관계가 있는 경우에는 형법 제129조 제1항의 뇌물수수죄가 성립한다.

② 뇌물의 내용인 이익은 금전, 물품 기타의 재산적 이익에 한하고 뇌물약속죄에 있어서 뇌물의 목적물인 이익은 약속 당시에 현존하여야 하므로 공무원이 오랫동안 처분을 하지 못하고 있던 부동산을 개발이 예상되는 다른 토지와 교환계약을 체결한 것만으로는 뇌물 약속죄가 성립한다고 할 수 없다.

③ 타인을 기망하여 그로부터 뇌물을 수수한 경우라도 뇌물수수죄, 뇌물공여죄가 성립할 수 있고, 이 경우 뇌물을 수수한 공무원에 대하여는 뇌물죄와 사기죄의 상상적 경합범이 성립한다.

④ 뇌물을 공여한 사람과 뇌물을 수수한 사람 사이에서는 상대방의 범행에 대하여 총칙상 공범관계가 성립되지 않는다.

해설

② [×] (1) 뇌물약속죄에 있어서 **뇌물의 목적물인 이익은 약속 당시에 현존할 필요는 없고 약속 당시에 예기할 수 있는 것이라도 무방하며**, 뇌물의 목적물이 이익인 경우에는 그 가액이 확정되어 있지 않아도 뇌물약속죄가 성립하는 데는 영향이 없다.
(2) 피고인이 그 소유의 안성 토지와 상대방 소유의 강화 토지를 교환하는 계약을 체결한 경우, 안성 토지의 시가가 강화 토지의 시가보다 비싸다고 하더라도 피고인으로서는 오랫동안 처분을 하지 못하고 있던 안성 토지를 처분하는 한편, 매수를 희망하였던 전원주택지로 앞으로 개발이 되면 가격이 많이 상승할 강화 토지를 매수하게 되는 **무형의 이익을 얻었다면 뇌물약속죄가 성립한다.**(대법원 2001. 9. 18. 2000도5438 **안성토지 강화토지 사건**)

① [○] 뇌물을 수수한 자가 공동수수자가 아닌 교사범 또는 종범에게 뇌물 중의 **일부를 사례금 등의 명목으로 교부하였다면** 이는 뇌물을 수수하는 데에 따르는 부수적 비용의 지출 또는 뇌물의 소비행위에 지나지 아니하므로 뇌물수수자로부터 그 **수뢰액 전부를 추징하여야 한다.**(대법원 2011. 11. 24. 2011도9585 **정비사업전문관리업체 비리사건**)

③ [○] 뇌물을 수수함에 있어서 공여자를 기망한 점이 있다 하여도 뇌물수수죄, 뇌물공여죄의 성립에는 영향이 없고, 이 경우 뇌물을 수수한 공무원에 대하여는 한 개의 행위가 **뇌물죄와 사기죄**의 각 구성요건에 해당하므로 **상상적 경합**으로 처단하여야 한다.(대법원 2015. 10. 29. 2015도12838 **돈을 빌려달라 사건**)

④ [○] (1) 뇌물공여죄와 뇌물수수죄 사이와 같은 이른바 대향범 관계에 있는 자는 강학상으로는 **필요적 공범**이라고 불리고 있으나, 서로 대향된 행위의 존재를 필요로 할 뿐 각자 자신의 구성요건을 실현하고 별도의 형벌규정에 따라 처벌되는 것이어서, 2인 이상이 가공하여 공동의 구성요건을 실현하는 **공범관계에 있는 자와는 본질적으로 다르다.**
(2) '공범의 1인에 대한 시효정지는 다른 공범자에 대하여 효력이 미친다'라고 규정한 형사소송법 제253조 제2항에서 '공범'에는 뇌물공여죄와 뇌물수수죄 사이와 같은 대향범 관계에 있는 자는 포함되지 않는다.(대법원 2015. 2. 12. 2012도4842 **제3자뇌물교부 공범사건**)

025 뇌물죄에 관한 다음 설명 중 가장 옳지 않은 것은? (다툼이 있으면 판례에 의함)

□□□

24 법원9급 [Core ★★]

① 뇌물죄에서 뇌물의 내용인 이익은 금전, 물품 기타의 재산적 이익뿐만 아니라 사람의 수요 욕망을 충족시키기에 족한 일체의 유형·무형의 이익을 포함하므로 장기간 처분하지 못하던 재산을 처분함으로써 생기는 무형의 이익 역시 뇌물의 내용인 이익에 해당된다.

② 공무원이 아닌 사람과 공무원이 공모하여 금품을 수수한 경우에도 각 수수자가 수수한 금품별로 직무 관련성 유무를 달리 볼 수 있다면 각 금품마다 직무와의 관련성을 따져 뇌물성을 인정하는 것이 책임주의 원칙에 부합한다.

③ 수뢰자가 뇌물을 그대로 보관하다가 증뢰자에게 반환한 경우 몰수·추징은 수뢰자로부터 하여야 한다.

④ 뇌물죄는 직무집행의 공정과 이에 대한 사회의 신뢰에 기초하여 직무행위의 불가매수성을 보호법익으로 하고 있고, 직무에 관한 청탁이나 부정한 행위를 필요로 하지 않으므로 뇌물성을 인정하는 데 특별히 의무위반 행위나 청탁의 유무 등을 고려할 필요가 없고, 금품수수 시기와 직무집행 행위의 전후를 가릴 필요도 없다.

해설

③ [×] 수뢰자가 뇌물을 그대로 보관하였다가 증뢰자에게 반환한 때에는 **증뢰자로부터 몰수 · 추징할 것이므로 수뢰자로부터 추징함은 위법하다.**(대법원 1984. 2. 28. 83도2783 **뇌물 100만원 그대로 반환사건**)

① [○] 뇌물죄에서 뇌물의 내용인 이익은 금전, 물품 기타의 재산적 이익뿐만 아니라 사람의 수요 욕망을 충족시키기에 족한 일체의 유형 · 무형의 이익을 포함하므로 장기간 처분하지 못하던 재산을 처분함으로써 생기는 **무형의 이익 역시 뇌물의 내용인 이익에 해당된다.**(대법원 2023. 6. 15. 2023도1985 **개발사업 긴급매각 사건**)

② [○] 공무원이 수수한 금품에 그 직무행위에 대한 대가로서의 성질과 직무 외의 행위에 대한 대가로서의 성질이 불가분적으로 결합되어 있는 경우에는 그 수수한 금품 전부가 불가분적으로 직무행위에 대한 대가로서의 성질을 가진다. 다만, 그 금품의 수수가 수회에 걸쳐 이루어졌고 **각 수수 행위별로 직무 관련성 유무를 달리 볼 여지가 있는 경우에는 그 행위마다 직무와의 관련성 여부를 가릴 필요가 있다.** 그리고 공무원이 아닌 사람과 공무원이 공모하여 금품을 수수한 경우에도 각 수수자가 수수한 금품별로 직무 관련성 유무를 달리 볼 수 있다면 각 금품마다 직무와의 관련성을 따져 뇌물성을 인정하는 것이 책임주의 원칙에 부합한다.(대법원 2024. 3. 12. 2023도17394 **포항이인지구도시개발조합 사건**) 도시개발조합로부터 체비지를 수의매수하려는 건설사가 로비 명목 등으로 중개업자인 甲(비공무원)에게 3억원을 주었고, 이후 甲은 사전에 공모한대로 자신이 2억원을 갖고 나머지 1억원 중 5,500만원은 조합장 乙(의제공무원 - 아래 법조문 참고)에게, 4,500만원은 조합감사 丙에게 주었다. 대법원은 건설사가 甲에게 준 3억원 전부를 조합 측에 대한 뇌물이라고 단정할 수 없고, 조합 임원인 乙, 丙과 중개업자인 甲의 각 수수금액별로 그 명목을 따져보면 3억원 중 일부는 甲이 중개업자로서 행한 중개행위에 대한 대가로 볼 여지가 있어 이들이 수령한 3억원 전부가 조합장 甲의 직무행위에 대한 대가라고 보기 어렵다고 판시하였다.

정답 | 024 ② 025 ③

도시 및 주거환경정비법(2023. 2. 14. 법률 제19225호로 일부개정된 것)
제134조【벌칙 적용에서 공무원 의제】 추진위원장 · 조합임원 · 청산인·전문조합관리인 및 정비사업전문관리업자의 대표자(법인인 경우에는 임원을 말한다) · 직원 및 위탁지원자는 형법 제129조부터 제132조까지의 규정을 적용할 때에는 공무원으로 본다.

④ [○] 뇌물죄는 직무집행의 공정과 이에 대한 사회의 신뢰에 기초하여 직무행위의 불가매수성을 보호법익으로 하고 있고, 직무에 관한 청탁이나 부정한 행위를 필요로 하지 않으므로 **뇌물성을 인정하는 데 특별히 의무위반 행위나 청탁의 유무 등을 고려할 필요가 없고, 금품수수 시기와 직무집행 행위의 전후를 가릴 필요도 없다.**(대법원 2017. 12. 22. 2017도12346)

026 뇌물죄에 있어 직무관련성이 인정되지 않는 것은? (다툼이 있으면 판례에 의함)

□□□

15 경찰승진 [Essential ★]

① 문교부 편수국 공무원인 피고인들이 교과서의 내용검토 및 개편 수정작업을 의뢰받고 그에 소요되는 비용을 받은 경우

② 경찰관이 재건축조합 직무대행자에 대한 진정사건을 수사하면서 진정인 측의 재건축 설계 업체로 선정되기를 희망하던 건축사사무소 대표로부터 금원을 수수한 경우

③ 음주운전을 적발하여 단속에 관련된 제반서류를 작성한 후 운전면허 취소업무를 담당하는 직원에게 이를 인계하는 업무를 담당하는 경찰관이 피단속자로부터 운전면허가 취소되지 않도록 하여 달라는 청탁을 받고 금원을 교부받은 경우

④ 지방의회의 의장 선거에서 투표권을 가지고 있는 군의원들이 의장선거와 관련하여 금품 등을 수수한 경우

해설

① 교과서의 내용검토 및 개편수정은 발행자나 저작자의 책임에 속하는 것이고 이를 문교부 편수국 공무원인 피고인들의 직무에 속한다고 할 수 없으므로 피고인들이 교과서의 내용검토 및 개편수정작업을 의뢰받고 그에 소요되는 비용을 받았다 하더라도 이를 **직무에 관한 뇌물로써 부정하게 수수한 것이라고 볼 수 없다.**(대법원 1979. 5. 22. 78도296)

② 경찰관 甲이 재건축조합 직무대행자인 A에 대한 진정사건을 수사하면서 진정인 측에 의하여 재건축 설계업체로 선정되기를 희망하던 건축사사무소 대표 乙로부터 금원을 수수한 경우, 乙이 甲에게 금원을 교부한 데에는 진정인 측으로부터 설계용역을 수주받을 수 있는 유리한 방향으로 A에 대한 사건처리를 해 달라는 취지가 전제 내지 포함되었다고 보아야 할 것이므로 **금원의 수수와 甲의 진정사건 수사와의 관련성을 배척할 수 없다.**(대법원 2007. 4. 27. 2005도4204 재건축조합 진정사건)

③ 경찰서 경비과 **교통지도계 경찰관**인 피고인 甲이 피단속자인 乙로부터 **운전면허가 취소되지 않도록 하여 달라는 청탁을 받고 금원을 교부받은 경우** 甲은 직무와 관련하여 뇌물을 수수한 것이라고 할 것이고, 운전면허취소 업무가 甲이 현실적으로 담당하지 않은 직무라거나 금원의 수수시기가 甲이 단속에 관하여 작성한 서류를 인계한 후라고 하더라도 **직무와의 관련성을 부정할 수 없다.**(대법원 1999. 11. 9. 99도2530 **면허취소 관련 수뢰 사건**)

④ **의장선거에서의 투표권을 가지고 있는 군의원들**이 이와 관련하여 금품 등을 수수할 경우 이는 군의원으로서의 직무와 관련된 것이라 할 것이므로 **뇌물죄가 성립한다.**(대법원 2002. 5. 10. 2000도2251 **성주군의회 의장선거 사건**)

027 뇌물죄에 관한 다음 설명 중 가장 적절하지 않은 것은? (다툼이 있으면 판례에 의함)

□□□

13 경찰승진 [Essential ★]

① 공무원이 직무집행의 의사 없이 타인을 공갈하여 재물을 교부하게 한 경우에도 재물의 교부자는 뇌물공여죄로 처벌된다.

② 뇌물약속죄에 있어서 뇌물의 목적물인 이익은 약속 당시에 현존할 필요는 없고 약속 당시에 예견할 수 있는 것이라도 무방하며, 뇌물의 목적물이 이익인 경우에는 그 가액이 확정되어 있지 않아도 뇌물약속죄가 성립하는 데는 영향이 없다.

③ 뇌물을 수수한 자가 공동수수자가 아닌 교사범 또는 종범에게 뇌물 중 일부를 사례금 등의 명목으로 교부하였다면 이는 뇌물을 수수하는 데 따르는 부수적 비용의 지출 또는 뇌물의 소비행위에 지나지 아니하므로, 뇌물수수자에게서 수뢰액 전부를 추징하여야 한다.

④ 공무원이 직무에 관하여 금전을 무이자로 차용한 경우에는 차용 당시에 금융이익 상당의 뇌물을 수수한 것으로 보아야 하므로, 공소시효는 금전을 무이자로 차용한 때로부터 기산한다.

해설

① [×] 공무원이 직무집행의 의사 없이 또는 직무처리와 대가적 관계없이 타인을 공갈하여 재물을 교부하게 한 경우에는 공갈죄만이 성립하고, 이러한 경우 재물의 교부자가 공무원의 해악의 고지로 인하여 외포의 결과 금품을 제공한 것이라면 그는 **공갈죄의 피해자가 될 것이고 뇌물공여죄는 성립될 수 없다.**(대법원 1994. 12. 22. 94도2528 **탈세묵인 세무공무원 사건**)

② [○] 뇌물약속죄에 있어서 뇌물의 목적물인 이익은 약속 당시에 현존할 필요는 없고 약속 당시에 예기할 수 있는 것이라도 무방하며, 뇌물의 목적물이 이익인 경우에는 그 **가액이 확정되어 있지 않아도 뇌물약속죄가 성립하는 데는 영향이 없다.**(대법원 2001. 9. 18. 2000도5438 **안성토지 강화토지 사건**)

정답 | 026 ① 027 ①

③ [○] 뇌물을 수수한 자가 공동수수자가 아닌 교사범 또는 종범에게 뇌물 중의 **일부를 사례금 등의 명목으로 교부하였다면** 이는 뇌물을 수수하는 데에 따르는 부수적 비용의 지출 또는 뇌물의 소비행위에 지나지 아니하므로 뇌물수수자로부터 그 **수뢰액 전부를 추징하여야 한다**.(대법원 2011. 11. 24. 2011도9585 **정비사업전문관리업체 비리사건**)

④ [○] 공무원이 그 직무에 관하여 금전을 무이자로 차용한 경우에는 그 차용 당시에 금융이익 상당의 뇌물을 수수한 것으로 보아야 하므로 그 **공소시효는 금전을 무이자로 차용한 때로부터 기산한다**.(대법원 2012. 2. 23. 2011도7282 **1억 무이자 차용사건**)

028 뇌물죄와 관련된 설명 중 가장 옳지 않은 것은? (다툼이 있으면 판례에 의함)

□□□

20 경찰간부 [*Core* ★★]

① 뇌물수수의 공범자들 사이에 직무와 관련하여 금품이나 이익을 수수하기로 하는 명시적 또는 암묵적 공모관계가 성립하고 공모 내용에 따라 공범자 중 1인이 금품이나 이익을 수수하였다면 수수한 금품이나 이익 전부에 관하여 뇌물수수죄의 공모공동정범이 성립할 수 있다.

② 공무원이 직무관련자에게 제3자와 계약을 체결하도록 요구하여 계약 체결을 하게 한 행위가 제3자뇌물수수죄의 구성요건과 직권남용권리행사방해죄의 구성요건에 모두 해당하는 경우 두 범죄는 상상적 경합관계에 있다.

③ 제3자뇌물수수죄에서 제3자란 행위자, 공동정범 그리고 교사자 이외의 사람을 의미하나 방조자는 제3자에 포함될 수 있다.

④ 공무원 또는 중재인이 부정한 청탁을 받고 제3자에게 뇌물을 제공하게 하고 제3자가 그러한 공무원 또는 중재인의 범죄 행위를 알면서 방조한 경우에는 그에 대한 별도의 처벌규정이 없더라도 방조범에 관한 형법총칙의 규정이 적용되어 제3자 뇌물수수방조죄가 인정될 수 있다.

해설

③ [×] 제3자뇌물수수죄에서 **제3자란 행위자와 공동정범 이외의 사람을 말하고**, 교사자나 방조자도 포함될 수 있다.(대법원 2017. 3. 15. 2016도19659 **이천시 건축민원 담당 공무원 사건**)

① [○] 뇌물수수의 공범자들 사이에 직무와 관련하여 금품이나 이익을 수수하기로 하는 명시적 또는 암묵적 공모관계가 성립하고 그 공모 내용에 따라 공범자 중 1인이 금품이나 이익을 수수하였다면, 사전에 특정금액 이하로만 받기로 약정하였다든가 수수한 금액이 공모 과정에서 도저히 예상할 수 없는 고액이라는 등과 같은 특별한 사정이 없는 한, 그 **수수한 금품이나 이익 전부에 관하여 특가법위반**(뇌물)죄 또는 뇌물수수죄의 공모공동정범이 성립하며, 수수할 금품이나 이익의 규모나 정도 등에 대하여 사전에 서로 의사의 연락이 있거나 수수한 금품 등의 구체적 금액을 공범자가 알아야 공모공동정범이 성립하는 것은 아니다.(대법원 2014. 12. 24. 2014도10199 **한수원 원전 납품비리 사건**)

② [○] 공무원이 직무관련자에게 제3자와 계약을 체결하도록 요구하여 그 계약 체결을 하게 한 행위가 제3자뇌

물수수죄의 구성요건과 직권남용죄의 구성요건에 모두 해당하는 경우에는 **제3자뇌물수수죄와 직권남용죄가 각각 성립하고, 두 죄는 상상적 경합관계에 있게 된다.**(대법원 2017. 3. 15. 2016도19659 **이천시 건축민원담당 공무원 사건**)

④ [○] 제3자뇌물수수죄에서 제3자란 행위자와 공동정범 이외의 사람을 말하고, 교사자나 방조자도 포함될 수 있다. 그러므로 공무원 또는 중재인이 부정한 청탁을 받고 제3자에게 뇌물을 제공하게 하고 그 제3자가 그러한 공무원 또는 중재인의 범죄행위를 알면서 방조한 경우에는 그에 대한 별도의 처벌규정이 없더라도 **방조범에 관한 형법 총칙의 규정이 적용되어 제3자뇌물수수방조죄가 인정될 수 있다.**(대법원 2017. 3. 15. 2016도19659 **이천시 건축민원 담당 공무원 사건**) 제3자뇌물수수죄는 필요적 공범이 아니라는 판례이다.

029 뇌물죄에 대한 설명으로 옳지 않은 것은? (다툼이 있으면 판례에 의함)

□□□ 17 국가9급 [Core ★★]

① 뇌물죄에서 말하는 '직무'에는 법령에 정하여진 직무뿐만 아니라 그와 관련 있는 직무, 과거에 담당하였거나 장래에 담당할 직무 외에 사무분장에 따라 현실적으로 담당하지 않는 직무라도 법령상 일반적인 직무권한에 속하는 직무 등 공무원이 그 직위에 따라 공무로 담당할 일체의 직무를 포함한다.

② 뇌물죄는 직무집행의 공정성과 이에 대한 사회의 신뢰 및 직무행위의 불가매수성을 그 보호법익으로 하고 있고, 직무에 관한 청탁이나 부정한 행위를 필요로 하는 것은 아니기 때문에 수수된 금품의 뇌물성을 인정하는 데 특별한 청탁이 있어야만 하는 것은 아니다.

③ 뇌물죄에서 뇌물의 내용인 이익이라 함은 금전, 물품 기타의 재산적 이익뿐만 아니라 사람의 수요·욕망을 충족시키기에 족한 일체의 유형, 무형의 이익을 포함한다고 해석되고, 투기적 사업에 참여할 기회를 얻는 것도 이에 해당한다.

④ 뇌물수수죄와 뇌물공여죄는 필요적 공범관계에 있으므로 뇌물공여죄가 성립하기 위해서는 상대방 측에서 뇌물수수죄가 성립되어야 한다.

해설

④ [×] **뇌물공여죄가 성립하기 위하여는** 뇌물을 공여하는 행위와 상대방 측에서 금전적으로 가치가 있는 그 물품 등을 받아들이는 행위가 필요할 뿐 **반드시 상대방 측에서 뇌물수수죄가 성립하여야 하는 것은 아니다.**(대법원 2013. 11. 28. 2013도9003 **광주 총인처리시설 입찰비리사건**)

① [○] 뇌물죄에서 직무라 함은 법령에 정하여진 직무뿐만 아니라 그와 관련 있는 직무, 과거에 담당하였거나 장래에 담당할 직무 외에 사무분장에 따라 **현실적으로 담당하지 않는 직무라도 법령상 일반적인 직무권한에 속하는 직무 등 공무원이 그 직위에 따라 공무로 담당할 일체의 직무를 포함한다.**(대법원 2013. 11. 28. 2013도9003 **광주 총인처리시설 입찰비리사건**)

정답 | 028 ③ 029 ④

② [O] 뇌물죄는 공무원의 직무집행의 공정과 이에 대한 사회의 신뢰 및 직무행위의 불가매수성을 그 보호법익으로 하고 있고, 직무에 관한 청탁이나 부정한 행위를 필요로 하는 것은 아니기 때문에 수수된 금품의 뇌물성을 인정하는 데 특별한 청탁이 있어야만 하는 것은 아니며, 또한 금품이 직무에 관하여 수수된 것으로 족하고 **개개의 직무행위와 대가적 관계에 있을 필요는 없다.**(대법원 2014. 10. 15. 2014도8113 조합장겸 보험설계사 수뢰사건)

③ [O] 뇌물의 내용인 이익이라 함은 금전, 물품 기타의 재산적 이익뿐만 아니라 사람의 수요, 욕망을 충족시키기에 족한 일체의 유형, 무형의 이익을 포함한다고 해석되고, **투기적 사업에 참여할 기회를 얻는 것도 이에 해당한다.**(대법원 2012. 8. 23. 2010도6504 을왕동 토지 매수사건)

030 뇌물죄에 관한 다음 설명 중 가장 옳지 않은 것은? (다툼이 있으면 판례에 의함)

□□□

13 법원9급 [*Core* ★★]

① 공무원이 직무에 관하여 금전을 무이자로 차용한 경우에는 차용 당시에 금융이익 상당의 뇌물을 수수한 것으로 보아야 하므로, 공소시효는 금전을 무이자로 차용한 때로부터 기산한다.

② 뇌물공여죄가 성립하기 위하여는 반드시 상대방측에서 뇌물수수죄가 성립하여야 할 필요는 없다.

③ 수뢰자가 자기앞수표를 뇌물로 받아 이를 소비한 후 자기앞수표 상당액을 증뢰자에게 반환하였다 하더라도 뇌물 그 자체를 반환한 것은 아니므로 이를 몰수할 수 없고 수뢰자로부터 그 가액을 추징하여야 할 것이다.

④ 공무원이 직접 뇌물을 받지 아니하고 증뢰자로 하여금 공무원 자신의 채권자에게 뇌물을 공여하도록 하여 공무원이 그 만큼 지출을 면하게 되는 경우에는 뇌물수수죄가 아니라 제3자뇌물제공죄가 성립한다.

해설

④ [×] 공무원이 직접 뇌물을 받지 아니하고 **증뢰자로 하여금 다른 사람에게 뇌물을 공여하도록 한 경우라도** 다른 사람이 공무원의 사자(使者) 또는 대리인으로서 뇌물을 받은 경우 등과 같이 사회통념상 다른 사람이 뇌물을 받은 것을 **공무원이 직접 받은 것과 같이 평가할 수 있는 관계가 있는 경우에는 형법 제129조 제1항 뇌물수수죄가 성립한다.**(대법원 2011. 11. 24. 2011도9585 정비사업전문관리업체 비리사건)

① [O] 공무원이 그 직무에 관하여 금전을 무이자로 차용한 경우에는 그 차용 당시에 금융이익 상당의 뇌물을 수수한 것으로 보아야 하므로 그 **공소시효는 금전을 무이자로 차용한 때로부터 기산한다.**(대법원 2012. 2. 23. 2011도7282 1억 무이자 차용사건)

② [O] 뇌물공여죄가 성립하기 위하여는 뇌물을 공여하는 행위와 상대방 측에서 금전적으로 가치가 있는 그 물품 등을 받아들이는 행위가 필요할 뿐 반드시 **상대방 측에서 뇌물수수죄가 성립하여야 하는 것은 아니다.**(대법원 2013. 11. 28. 2013도9003 광주 총인처리시설 입찰비리사건)

③ [O] 수뢰자가 자기앞수표를 뇌물로 받아 이를 소비한 후 **자기앞수표 상당액을 증뢰자에게 반환하였다 하더라도 수뢰자로부터 그 가액을 추징하여야 한다.**(대법원 1999. 1. 29. 98도3584 서울대교수 수뢰사건)

031 뇌물죄에 대한 설명 중 가장 적절한 것은? (다툼이 있으면 판례에 의함) 20 경찰채용 [Essential ★]

□□□

① 뇌물을 수수함에 있어서 공여자를 기망한 점이 있다 하여도 뇌물수수죄, 뇌물공여죄의 성립에는 영향이 없고, 이 경우 뇌물을 수수한 공무원에 대하여는 한 개의 행위가 뇌물죄와 사기죄의 각 구성요건에 해당하므로 형법 제40조에 의하여 상상적 경합으로 처단하여야 할 것이다.

② 뇌물죄에서 직무란 공무원이 그 지위에 수반하여 공무로서 처리하는 일체의 직무를 말하며, 과거에 담당하였거나 또는 장래 담당할 직무 및 사무분장에 따라 현실적으로 담당하지 않는 직무라고 하더라도 법령상 일반적인 직무권한에 속하는 직무 등 공무원이 그 직위에 따라 공무로 담당할 일체의 직무를 말하므로, 뇌물의 수수 등을 할 당시 이미 공무원의 지위를 떠난 경우라도 형법 제129조 제1항의 일반 수뢰죄로 처벌할 수 있다.

③ 공무원이 직무집행의 의사 없이 타인을 공갈하여 재물의 교부자가 외포의 결과 금품을 제공한 것이라도 재물의 교부자는 뇌물공여죄로 처벌된다.

④ 임명권자에 의하여 임용되어 공무에 종사하여 온 사람이 나중에 그가 임용결격자이었음이 밝혀져 당초의 임용행위가 무효인 경우에는, 형법 제129조에서 규정한 공무원으로 볼 수 없으므로 그가 그 직무에 관하여 뇌물을 수수한 때에는 수뢰죄로 처벌할 수 없다.

해설

① [○] 뇌물을 수수함에 있어서 공여자를 기망한 점이 있다 하여도 뇌물수수죄, 뇌물공여죄의 성립에는 영향이 없고, 이 경우 뇌물을 수수한 공무원에 대하여는 한 개의 행위가 **뇌물죄와 사기죄의 각 구성요건에 해당하므로 상상적 경합으로 처단하여야 한다.**(대법원 2015. 10. 29. 2015도12838 돈을 빌려달라 사건)

② [×] 뇌물의 수수 등을 할 당시 이미 공무원의 지위를 떠난 경우에는 형법 제129조 제1항의 수뢰죄로는 처벌할 수 없고 사후수뢰죄의 요건에 해당할 경우에 한하여 그 죄로 처벌할 수 있을 뿐이다.(대법원 2013. 11. 28. 2013도10011 부산 하수슬러지 뇌물사건)

③ [×] 공무원이 직무집행의 의사 없이 또는 직무처리와 대가적 관계없이 타인을 공갈하여 재물을 교부하게 한 경우에는 공갈죄만이 성립하고, 이러한 경우 재물의 교부자는 공갈죄의 피해자가 될 것이고 뇌물공여죄는 성립될 수 없다.(대법원 1994. 12. 22. 94도2528 탈세묵인 세무공무원 사건)

④ [×] 법령에 기한 임명권자에 의하여 임용되어 공무에 종사하여 온 사람이 나중에 그가 임용결격자이었음이 밝혀져 당초의 임용행위가 무효라고 하더라도 그가 임용행위라는 외관을 갖추어 실제로 공무를 수행한 이상 공무 수행의 공정과 그에 대한 사회의 신뢰 및 직무행위의 불가매수성은 여전히 보호되어야 한다. 따라서 이러한 사람은 형법 제129조에서 규정한 공무원으로 봄이 타당하고, 그가 그 직무에 관하여 뇌물을 수수한 때에는 수뢰죄로 처벌할 수 있다.(대법원 2014. 3. 27. 2013도11357 태백시청 과장 수뢰사건)

정답 | 030 ④ 031 ①

032 뇌물죄에 대한 설명으로 옳지 않은 것은? (다툼이 있으면 판례에 의함)

□□□ 16 경찰간부 [Core ★★]

① 형법 제133조 제2항의 제3자의 증뇌물전달죄는 제3자가 증뢰자로부터 교부받은 금품을 수뢰할 사람에게 전달하였는지의 여부에 관계없이 제3자가 그 정을 알면서 금품을 교부 받음으로써 성립한다.

② 뇌물을 여러 차례에 걸쳐 수수함으로써 그 행위가 여러 개이더라도 그것이 단일하고 계속된 범의에 의하여 이루어지고 동일법익을 침해한 때에는 포괄일죄로 처벌함이 상당하다.

③ 병역면제를 위하여 1억원의 뇌물을 받은 헌병수사관 甲이 독자적 판단에 따라 군의관 乙에게 5천만원을 공여한 경우 甲에게 추징해야 할 금액은 5천만원이다.

④ 피고인이 향응을 제공받는 자리에서 피고인 스스로 제3자를 초대하여 함께 접대를 받은 경우 그 제3자가 피고인과는 별도의 지위에서 접대를 받는 공무원이라는 등의 특별한 사정이 없는 한 그 제3자의 접대에 요한 비용도 피고인의 수뢰액으로 보아야 한다.

해설

③ [×] 공무원의 직무에 속한 사항의 알선에 관하여 **금품을 받은 자가 그 금품 중의 일부를 다른 알선행위자에게 청탁의 명목으로 교부하였다 하더라도** 당초 금품을 받을 당시 그와 같이 사용하기로 예정되어 있어서 그 받은 취지에 따라 그와 같이 사용한 것이 아니라, **범인의 독자적인 판단에 따라 경비로 사용한 것이라면** 이는 범인이 받은 금품을 소비하는 방법의 하나에 지나지 아니하므로 **그 가액 역시 범인으로부터 추징하지 않으면 안된다.**(대법원 1999. 6. 25. 99도1900 **원용수 준위 사건**) 지문의 경우 甲으로부터 추징해야 할 금액은 1억원이다.

① [○] 형법 제133조 제2항의 제3자의 증뇌물전달죄는 제3자가 증뢰자로부터 교부받은 금품을 수뢰할 사람에게 전달하였는지의 여부에 관계 없이 제3자가 그 정을 알면서 금품을 교부받음으로써 성립하는 것이며, 나아가 제3자가 그 교부받은 금품을 수뢰할 사람에게 전달하였다고 하여 **증뇌물전달죄 외에 별도로 뇌물공여죄가 성립하는 것은 아니다.**(대법원 1997. 9. 5. 97도1572)

② [○] 뇌물을 여러 차례에 걸쳐 수수함으로써 그 행위가 여러 개이더라도 그것이 단일하고 계속적 범의에 의하여 이루어지고 동일법익을 침해한 때에는 **포괄일죄로 처벌함이 상당하다.**(대법원 1999. 1. 29. 98도3584 **서울대교수 수뢰사건**)

④ [○] 피고인이 향응을 제공받는 자리에 피고인 스스로 제3자를 초대하여 함께 접대를 받은 경우에는, 그 제3자가 피고인과는 별도의 지위에서 접대를 받는 공무원이라는 등의 특별한 사정이 없는 한 그 **제3자의 접대에 요한 비용도 피고인의 접대에 요한 비용에 포함시켜 피고인의 수뢰액으로 보아야 한다.**(대법원 2001. 10. 12. 99도5294)

033 뇌물죄에 관한 다음 설명 중 옳은 것은 모두 몇 개인가? (다툼이 있으면 판례에 의함)

□□□

23 법원행시 [Superlative ★★★]

㉠ 뇌물은 공무원의 직무에 관하여 공여되거나 수수된 것으로 족하고, 개개의 직무행위와 대가적 관계에 있을 필요가 없으며 그 직무행위가 특정된 것일 필요도 없다.

㉡ 국가공무원이 지방자치단체의 업무에 관하여 별도의 위촉절차 등을 거쳐 그 고유의 직무와 관련이 없는 다른 직무를 수행하게 된 경우에는 그 위촉이 종료된 후 종전에 위촉받아 수행한 직무에 관하여 금품을 수수하더라도 이는 사후수뢰죄에 해당할 수 있음은 별론으로 하고 일반 수뢰죄로 처벌할 수 없다.

㉢ 수의계약을 체결하는 공무원이 해당 공사업자와 적정한 금액 이상으로 계약금액을 부풀려서 계약하고 부풀린 금액을 자신이 되돌려 받기로 사전에 약정한 다음 그에 따라 수수한 돈은 성격상 뇌물이 아니고 횡령금에 해당한다.

㉣ 공무원 甲이 시의 도시과 구획정리계 측량기술원으로 근무하면서 다년간 환지측량업무에 종사하게 된 결과 얻은 지식과 경험을 기초로 체비지에 관한 공개경쟁 입찰에서 입찰예정가격이 대략 어느 정도 될 것이라고 추측한 내용을 乙에게 알려준 경우 甲이 그 대가로 乙로부터 이익을 받기로 약속하였다고 하더라도 그 이익을 뇌물죄에서 말하는 직무에 관련된 대가라고 보기 어렵다.

㉤ 경찰공무원이 슬롯머신 영업에 5천만원을 투자하여 매월 3백만원을 배당받기로 약속한 후 35회에 걸쳐 1억 5백만원을 교부받은 경우 1억 5백만원은 그 자체가 뇌물이 되는데, 다만 실제의 뇌물의 액수는 5천만원을 투자함으로써 얻을 수 있는 통상적인 이익을 초과한 금액이라고 보아야 한다.

① 1개 ② 2개 ③ 3개
④ 4개 ⑤ 5개

해설

⑤ 모든 항목이 옳다.

㉠ [○] 뇌물죄는 직무집행의 공정과 이에 대한 사회의 신뢰 및 직무행위의 불가매수성을 그 보호법익으로 하고 있고, 직무에 관한 청탁이나 부정한 행위를 필요로 하는 것은 아니기 때문에 수수된 금품의 뇌물성을 인정하는 데 특별한 청탁이 있어야만 하는 것은 아니고, 또한 금품이 직무에 관하여 수수된 것으로 족하고 개개의 직무행위와 대가적 관계에 있을 필요는 없으며 그 **직무행위가 특정된 것일 필요도 없다.**(대법원 2011. 4. 28. 2009도10412 **공정위 사무관 수뢰사건**)

㉡ [○] 공무원이 그 고유의 직무와 관련이 없는 일에 관하여 별도의 위촉절차 등을 거쳐 다른 직무를 수행하게 된 경우에는 그 위촉이 종료되면 그 위원 등으로서 새로 보유하였던 공무원 지위는 소멸한다고 보아야할 것이므로 그 이후에 종전에 위촉받아 수행한 직무에 관하여 금품을 수수하더라도 이는 **사후수뢰죄에 해당할 수 있음은 별론으로 하고 일반 수뢰죄로 처벌할 수 없다.**(대법원 2013. 11. 28. 2013도10011 **부산 하수슬러지 뇌물사건**)

정답 | 032 ③ 033 ⑤

ⓒ [O] 피고인이 공사업자 등과 적정한 금액 이상으로 계약금액을 부풀려서 계약하고 그만큼 되돌려 받기로 사전에 약정한 다음 그에 따라 수수된 경우 이는 성격상 **뇌물이 아니고 횡령금에 해당한다.**(대법원 2007. 10. 12. 2005도7112 부풀린 계약금 사건)

ⓓ [O] 공무원 甲이 시의 도시과 구획정리계 측량기술원으로 근무하면서 다년간 환지측량업무에 종사하게 된 결과 얻은 지식과 경험을 기초로 체비지에 관한 공개경쟁 입찰에서 입찰예정가격이 대략 어느 정도 될 것이라고 추측한 내용을 乙에게 알려준 경우 甲이 그 대가로 乙로부터 이익을 받기로 약속하였다고 하더라도 그 이익을 **뇌물죄에서 말하는 직무에 관련된 대가라고 보기 어렵다.**(대법원 1983. 3. 22. 82도1922 부천시 측량기술원 사건)

ⓔ [O] 경찰공무원이 슬롯머신 영업에 5천만원을 투자하여 매월 3백만원을 배당받기로 약속한 후 35회에 걸쳐 1억 5백만원을 교부받은 경우 5천만원을 투자함으로써 바로 이익을 얻었다고는 볼 수 없고 매월 3백만원을 지급받기로 하는 약속, 즉 뇌물의 수수를 약속한 것에 불과하고 현실적으로 매월 3백만 원씩을 지급받은 것이 뇌물을 수수한 것이라고 보아야 하므로 **1억 5백만원은 그 자체가 뇌물이 되는데, 다만 실제의 뇌물의 액수는 5천만원을 투자함으로써 얻을 수 있는 통상적인 이익을 초과한 금액이라고 보아야 하며, 여기서 통상적인 이익이라 함은 다른 특별한 사정이 없는 한 그 경찰공무원의 직무와 관계없이 투자하였더라면 얻을 수 있었을 이익을 말한다.**(대법원 1995. 6. 30. 94도993 천기호 치안감 수뢰사건)

034 공무원의 직무에 관한 죄에 대한 설명으로 가장 적절하지 않은 것은? (다툼이 있으면 판례에 의함)

□□□

21 경찰채용 [Essential ★]

① (구)해양수산부 해운정책과 소속 공무원이 해운회사의 대표이사에게 중국의 선박운항허가 담당부서가 관장하는 중국 국적선사의 선박에 대한 운항허가를 받을 수 있도록 노력해 달라는 부탁을 받고 돈을 받은 경우에는 직무관련성이 없어 뇌물수수죄가 성립하지 아니한다.

② 국회의원이 대한치과의사협회로부터 요청받은 자료를 제공하고 그 대가로서 후원금 명목으로 금원 1,000만원을 교부받은 경우에는 직무관련성이 있어 뇌물수수죄가 성립한다.

③ 공무원이 어촌계장에게 선물을 받을 명단을 보내 자신의 이름으로 새우젓을 택배로 발송하게 하고, 그 대금을 지급하지 않는 방법으로 직무에 관하여 뇌물을 받은 경우에는 공여자와 수뢰자 사이에 직접 금품이 수수되지 않았더라도 뇌물공여죄 및 뇌물수수죄가 성립한다.

④ 공무원이 직무의 대상이 되는 사람으로부터 사교적 의례의 형식을 빌어 금품을 주고 받은 것이 개인적인 친분관계가 있어서 교분상의 필요에 의한 것이라고 명백하게 인정할 수 있는 경우라도 직무관련성이 있어 뇌물공여죄 및 뇌물수수죄가 성립한다.

해설

④ [×] 공무원이 그 직무의 대상이 되는 사람으로부터 금품 기타 이익을 받은 때에는 그것이 그 사람이 종전에 공무원으로부터 접대 또는 수수 받은 것을 갚는 것으로서 사회상규에 비추어 볼 때에 의례상의 대가에 불과한 것이라고 여겨지거나, 개인적인 친분관계가 있어서 교분상의 필요에 의한 것이라고 명백하게 인정할 수 있는 경우 등 특별한 사정이 없는 한 직무와의 관련성이 없는 것으로 볼 수 없다. 공무원의 직무와 관련하여 금품을 수수하였다면 비록 사교적 의례의 형식을 빌려 금품을 주고받았다고 하더라도 그 수수한 금품은 뇌물이 된다.(대법원 2017. 1. 12. 2016도15470 서해대 비리사건) 판례의 반대해석상 개인적인 친분관계가 있어서 교분상의 필요에 의한 것이라고 명백하게 인정할 수 있는 경우라면 직무관련성을 인정할 수 없어 뇌물죄는 성립하지 않는다.

① [○] 해운정책과의 업무는 대한민국 국적선사의 선박에 관한 것일 뿐 외국 국적선사의 선박에 대한 행정처분에 관한 것은 포함되어 있지 않고 또한 외국 국적선사의 선박에 대한 구체적인 행정처분은 해운정책과 소속 공무원에게 이를 좌우할 수 있는 어떠한 영향력이 있다고 할 수도 없으므로, 해운정책과 소속 공무원인 피고인 甲이 乙 등으로부터 중국 국적 선사인 단동국제항운 유한공사의 선박에 대한 운항허가를 받을 수 있도록 노력해 달라는 부탁을 받고 금원을 수수하였다고 하더라도 **직무관련성이 없어 수뢰죄는 성립하지 아니한다.**(대법원 2011. 5. 26. 2009도2453 해운정책과 과장 수뢰사건)

② [○] 국회의원인 피고인 甲이 치과의사협회장인 乙로부터 의과병원의 비급여율과 관련된 의료보수표의 제공을 부탁받고 후원금 명목으로 1,000만원을 지급받은 경우 이 1,000만원은 甲의 **직무권한 행사에 대한 대가로서의 실체를 가진다.**(대법원 2009. 5. 14. 2008도8852 김춘진 의원 사건)

③ [○] 乙이 2013. 11. 12.경부터 2014. 11. 12.경까지 공무원 甲이 제공한 명단 기재 대상자들(329명)에게 택배를 이용하여 '甲의 명의로' 총 11,186,000원 상당의 새우젓을 선물로 발송한 경우 乙은 배송업무를 대신하여 주었을 뿐이고 새우젓을 받은 사람들은 새우젓을 보낸 사람을 乙이 아닌 甲으로 인식하였으며 한편 甲과 乙 사이에 새우젓 제공에 관한 의사의 합치가 존재하고 위와 같은 제공방법에 관하여 甲이 양해하였다고 보이므로 **乙의 새우젓 출연에 의한 甲의 영득의사가 실현되어 형법 제129조 제1항의 뇌물공여죄 및 뇌물수수죄가 성립한다.**(대법원 2020. 9. 24. 2017도12389 새우젓 선물 사건)

정답 | 034 ④

035 뇌물죄에 관한 설명 중 옳은 것(○)과 옳지 않은 것(×)을 올바르게 조합한 것은? (다툼이 있으면 판례에 의함)
□□□

18 변호사 [Superlative ★★★]

㉠ 수수된 금품의 뇌물성을 인정하기 위하여는 그 금품이 개개의 직무행위와 대가적 관계에 있음이 증명되어야 한다.
㉡ 임용될 당시 「지방공무원법」상 임용결격자임에도 공무원으로 임용되어 계속 근무하던 중 직무에 관하여 뇌물을 수수한 경우, 임용행위의 무효에도 불구하고 뇌물수수죄의 성립을 인정할 수 있다.
㉢ 뇌물공여죄가 성립하기 위하여는 반드시 상대방 측에서 뇌물수수죄가 성립하여야 하는 것은 아니다.
㉣ 뇌물을 수수한 자가 공동수수자가 아닌 교사범 또는 종범에게 뇌물 중 일부를 사례금 등의 명목으로 교부한 경우, 실제 수익은 뇌물에서 사례금을 공제한 금액이므로, 전체 뇌물 액수에서 사례금 상당액을 공제한 금액을 뇌물수수자에게서 몰수·추징하여야 한다.
㉤ 공무원이 직접 뇌물을 받지 않고 증뢰자로 하여금 자신이 채무를 부담하고 있었던 제3자에게 뇌물을 공여하게 함으로써 자신의 지출을 면하였다면 「형법」 제130조의 제3자뇌물제공죄가 성립한다.

① ㉠ ○ ㉡ × ㉢ × ㉣ × ㉤ ○
② ㉠ ○ ㉡ × ㉢ × ㉣ ○ ㉤ ○
③ ㉠ × ㉡ × ㉢ ○ ㉣ ○ ㉤ ×
④ ㉠ × ㉡ ○ ㉢ ○ ㉣ × ㉤ ○
⑤ ㉠ × ㉡ ○ ㉢ ○ ㉣ × ㉤ ×

해설

⑤ 이 지문이 옳은 연결이다.

㉠ [×] 뇌물죄는 공무원의 직무집행의 공정과 이에 대한 사회의 신뢰 및 직무행위의 불가매수성을 그 보호법익으로 하고 있고, 직무에 관한 청탁이나 부정한 행위를 필요로 하는 것은 아니기 때문에 수수된 금품의 뇌물성을 인정하는 데 특별한 청탁이 있어야만 하는 것은 아니며, 또한 **금품이 직무에 관하여 수수된 것으로 족하고 개개의 직무행위와 대가적 관계에 있을 필요는 없다.**(대법원 2014. 10. 15. 2014도8113 **조합장겸 보험설계사 수뢰사건**)

㉡ [○] 법령에 기한 임명권자에 의하여 임용되어 공무에 종사하여 온 사람이 나중에 그가 **임용결격자이었음이 밝혀져 당초의 임용행위가 무효라고 하더라도,** 그가 임용행위라는 외관을 갖추어 실제로 공무를 수행한 이상 공무 수행의 공정과 그에 대한 사회의 신뢰 및 직무행위의 불가매수성은 여전히 보호되어야 하므로, 이러한 사람은 형법 제129조에서 규정한 공무원으로 봄이 상당하고, 그가 그 직무에 관하여 뇌물을 수수한 때에는 **수뢰죄로 처벌할 수 있다.**(대법원 2014. 3. 27. 2013도11357 **태백시청 과장 수뢰사건**)

㉢ [○] 뇌물공여죄가 성립하기 위하여는 뇌물을 공여하는 행위와 상대방 측에서 금전적으로 가치가 있는 그 물품 등을 받아들이는 행위가 필요할 뿐 **반드시 상대방 측에서 뇌물수수죄가 성립하여야 하는 것은 아니다.**(대법원 2013. 11. 28. 2013도9003 **광주 총인처리시설 입찰비리사건**)

㉣ [×] 뇌물을 수수한 자가 **공동수수자가 아닌 교사범 또는 종범에게 뇌물 중의 일부를 사례금 등의 명목으로 교부하였다면** 이는 뇌물을 수수하는 데에 따르는 부수적 비용의 지출 또는 뇌물의 소비행위에 지나지 아니하므로 **뇌물수수자로부터 그 수뢰액 전부를 추징하여야 한다.**(대법원 2011. 11. 24. 2011도9585 **정비사업전문 관리업체 비리사건**)

ⓜ [×] 공무원이 직접 뇌물을 받지 아니하고 증뢰자로 하여금 다른 사람에게 뇌물을 공여하도록 한 경우, 그 다른 사람이 공무원의 사자(使者) 또는 대리인으로서 뇌물을 받은 경우나 **그 다른 사람이 뇌물을 받음으로써 공무원은 그만큼 지출을 면하게 되는 경우 등 사회통념상 그 다른 사람이 뇌물을 받은 것을 공무원이 직접 받은 것과 같이 평가할 수 있는 관계가 있는 경우에는 형법 제129조 제1항의 뇌물수수죄가 성립한다.**(대법원 2009. 10. 15. 2009도6422 화성시 수치지형도 비리사건)

036 다음 설명 중 틀린 것은 모두 몇 개인가? (다툼이 있으면 판례에 의함) 12 경찰채용 [Essential ★]

□□□

㉠ 뇌물죄에서 말하는 직무에는 공무원이 법령상 관장하는 직무 그 자체뿐만 아니라 직무와 밀접한 관계가 있는 행위 또는 관례상이나 사실상 관여하는 직무행위도 포함된다.
㉡ 뇌물죄가 직무집행의 공정에 대한 사회의 신뢰를 보호하려는 것이므로 공무원이 이익을 수수하는 것으로 인하여 '사회일반으로부터 직무집행의 공정성을 의심받게 되는지 여부'도 뇌물죄의 성립 여부를 판단할 때에 기준이 된다.
㉢ 알선뇌물요구죄가 성립하려면 알선할 사항이 다른 공무원의 직무에 속하는 사항으로서 뇌물요구의 명목이 그 사항의 알선에 관련된 것임이 어느 정도 구체적으로 나타나야 하므로 뇌물을 요구할 당시 상대방에게 알선에 의하여 해결을 도모하여야 할 현안이 존재할 것을 요한다.
㉣ 수인이 공동하여 뇌물수수죄를 범한 경우에는 특정범죄 가중처벌 등에 관한 법률 제2조 제1항의 적용여부를 가리는 수뢰액을 정함에 있어서는 각 공범자들이 실제로 취득한 금액이나 분배받기로 한 금액을 기준으로 할 것이다.

① 1개 ② 2개 ③ 3개 ④ 4개

해설

② ㉢㉣ 2 항목이 옳지 않다.
㉠ [○] 뇌물죄에서 직무라 함은 공무원이 법령상 관장하는 직무 그 자체뿐만 아니라 그 직무와 밀접한 관계가 있는 행위 또는 **관례상이나 사실상 관여하는 직무행위도 포함된다.**(대법원 2015. 10. 29. 2012도2938)
㉡ [○] 뇌물죄가 직무집행의 공정과 이에 대한 사회의 신뢰 및 직무행위의 불가매수성을 보호법익으로 하고 있는 점에 비추어 볼 때, 공무원이 이익을 수수하는 것으로 인하여 **사회일반으로부터 직무집행의 공정성을 의심받게 되는지 여부도 뇌물죄의 성립 여부를 판단할 때에 기준이 된다.**(대법원 2014. 10. 15. 2014도8113 조합장겸 보험설계사 수뢰사건)
㉢ [×] 알선행위는 장래의 것이라도 무방하므로 알선뇌물수수죄가 성립하기 위하여는 뇌물을 수수할 당시 반드시 상대방에게 **알선에 의하여 해결을 도모하여야 할 현안이 존재하여야 할 필요가 없다.**(대법원 2013. 4. 11. 2012도16277 신재민 문광부차관 사건)

정답 | 035 ⑤ 036 ②

㉣ [×] 수인이 공동하여 뇌물수수죄를 범한 경우에 공범자는 자기의 수뢰액뿐만 아니라 다른 공범자의 수뢰액에 대하여도 그 죄책을 면할 수 없는 것이므로, 특가법 제2조 제1항의 적용 여부를 가리는 수뢰액을 정함에 있어서는 그 공범자 전원의 수뢰액을 합한 금액을 기준으로 하여야 할 것이고, 각 공범자들이 실제로 취득한 금액이나 분배받기로 한 금액을 기준으로 할 것이 아니다.(대법원 1999. 8. 20. 99도1557)

037 다음 설명 중 가장 옳지 않은 것은? (다툼이 있으면 판례에 의함)

12 법원9급 [Superlative ★★★]

□□□

① 공무원의 직무에 속한 사항의 알선에 관하여 금품을 받고 그 금품 중의 일부를 받은 취지에 따라 청탁과 관련하여 관계 공무원에게 뇌물로 공여하거나 다른 알선행위자에게 청탁의 명목으로 교부한 경우에는 그 부분의 이익은 실질적으로 범인에게 귀속된 것이 아니어서 이를 제외한 나머지 금품만을 몰수하거나 그 가액을 추징하여야 한다.

② 뇌물로 받은 돈을 은행에 예금한 경우 그 예금행위는 뇌물의 처분행위에 해당하므로 그 후 수뢰자가 같은 액수의 돈을 증뢰자에게 반환하였다 하더라도 이를 뇌물 그 자체의 반환으로 볼 수 없으니 이러한 경우에는 수뢰자로부터 그 가액을 추징하여야 한다.

③ 공무원이 뇌물을 받음에 있어서 그 취득을 위하여 상대방에게 뇌물의 가액에 상당하는 금원의 일부를 비용의 명목으로 출연하거나 그 밖에 경제적 이익을 제공한 경우, 몰수·추징의 대상은 그 뇌물의 가액에서 위와 같은 지출을 공제한 나머지 가액에 상당한 이익이다.

④ 피고인(수뢰자)이 향응을 제공받는 자리에 피고인 스스로 제3자를 초대하여 함께 접대를 받은 경우, 그 제3자가 피고인과는 별도의 지위에서 접대를 받는 공무원이라는 등의 특별한 사정이 없는 한 그 제3자의 접대에 요한 비용도 피고인의 접대에 요한 비용에 포함시켜 피고인의 수뢰액으로 보아야 한다.

해설

③ [×] 공무원이 뇌물을 받음에 있어서 그 취득을 위하여 상대방에게 뇌물의 가액에 상당하는 금원의 일부를 비용의 명목으로 출연하거나 그 밖에 경제적 이익을 제공하였다 하더라도, 이는 뇌물을 받는 데 지출한 부수적 비용에 불과하다고 보아야 할 것이지, 이로 인하여 공무원이 받은 뇌물이 그 뇌물의 가액에서 위와 같은 지출액을 공제한 나머지 가액에 상당한 이익에 한정되는 것이라고 볼 수는 없으므로, 그 공무원으로부터 그 받은 뇌물 자체를 몰수하여야 하고, 그 뇌물의 가액에서 위와 같은 지출을 공제한 나머지 가액에 상당한 이익만을 몰수 · 추징할 것은 아니다.(대법원 1999. 10. 8. 99도1638)

① [○] 공무원의 직무에 속한 사항의 알선에 관하여 금품을 받고 그 금품 중의 일부를 받은 취지에 따라 청탁과 관련하여 **관계 공무원에게 뇌물로 공여하거나 다른 알선행위자에게 청탁의 명목으로 교부한 경우에는** 그 부분의 이익은 실질적으로 범인에게 귀속된 것이 아니어서 **이를 제외한 나머지 금품만을 몰수하거나 그 가액을 추징하여야 한다.**(대법원 2002. 6. 14. 2002도1283 박노항 원사 사건)

② [○] 뇌물로 받은 돈을 **은행에 예금한 경우** 그 예금행위는 뇌물의 처분행위에 해당하므로 그 후 수뢰자가 같은 액수의 돈을 **증뢰자에게 반환하였다 하더라도 수뢰자로부터 그 가액을 추징하여야 한다.**(대법원 1996. 10. 25. 96도2022)

④ [○] 피고인이 향응을 제공받는 자리에 피고인 스스로 제3자를 초대하여 함께 접대를 받은 경우에는, 그 제3자가 피고인과는 별도의 지위에서 접대를 받는 공무원이라는 등의 특별한 사정이 없는 한 그 **제3자의 접대에 요한 비용도 피고인의 접대에 요한 비용에 포함시켜 피고인의 수뢰액으로 보아야 한다.**(대법원 2001. 10. 12. 99도5294)

038 뇌물죄에 대한 설명으로 가장 적절하지 않은 것은? (다툼이 있으면 판례에 의함)

□□□

22 경찰승진 [Core ★★]

① 공무원과 공동정범 관계에 있는 비공무원이 뇌물을 받은 경우 비공무원은 제3자뇌물수수죄에서 말하는 제3자가 될 수 없다.

② 공무원들이 공모하여 특별사업비를 횡령하고 이를 공범자끼리 수수한 행위가 공동정범들 사이의 범행에 의하여 취득한 돈을 내부적으로 분배한 것에 지나지 않는다면 별도로 그 돈의 수수행위에 관하여 뇌물죄가 성립하는 것은 아니다.

③ 공무원 甲이 A에게 2,000만원을 뇌물로 요구하였으나 A가 이를 즉각 거부한 경우에는 요구한 금품이 특정되었으므로 甲으로부터 2,000만원을 몰수하여야 한다.

④ 공무원이 뇌물을 수수함에 있어 공여자를 기망한 경우에도 뇌물수수죄 및 뇌물공여죄의 성립에는 영향이 없다.

해설

③ [×] (1) 형법 제134조는 뇌물에 공할 금품을 필요적으로 몰수하고 이를 몰수하기 불가능한 때에는 그 가액을 추징하도록 규정하고 있는바, 몰수는 특정된 물건에 대한 것이고 추징은 본래 몰수할 수 있었음을 전제로 하는 것임에 비추어 **뇌물에 공할 금품이 특정되지 않았던 것은 몰수할 수 없고 그 가액을 추징할 수도 없다.** (2) 피고인 甲이 A에게 2,000만원을 빌려달라고 요구하였으나 A가 이를 즉각 거부하여 **A가 피고인에게 뇌물로 제공한 금품이 특정되지 않아 이를 몰수할 수 없으므로 그 가액을 추징할 수도 없는 것임에도** 이를 간과하고 그 가액을 피고인으로부터 추징한 원심판결은 형법 제134조가 규정한 추징에 관한 법리를 오해하여 판결에 영향을 미친 잘못이 있다.(대법원 2015. 10. 29. 2015도12838 돈을 빌려달라 사건)

① [○] 공무원이 뇌물공여자로 하여금 공무원과 뇌물수수죄의 공동정범 관계에 있는 비공무원에게 뇌물을 공여하게 한 경우에는 공동정범의 성질상 공무원 자신에게 뇌물을 공여하게 한 것으로 볼 수 있고, 공무원과 공동정범 관계에 있는 비공무원은 제3자뇌물수수죄에서 말하는 제3자가 될 수 없으므로, 공무원과 공동정범 관계에 있는 **비공무원이 뇌물을 받은 경우에는 공무원과 함께 뇌물수수죄의 공동정범이 성립하고 제3자뇌물수수죄는 성립하지 않는다.**(대법원 2019. 8. 29. 2018도13792 全合 국정농단 최순실 사건 I)

정답 | 037 ③ 038 ③

② [○] 횡령 범행으로 취득한 돈을 공범자끼리 수수한 행위가 공동정범들 사이의 범행에 의하여 취득한 돈을 공모에 따라 내부적으로 분배한 것에 지나지 않는다면 **별도로 그 돈의 수수행위에 관하여 뇌물죄가 성립하는 것은 아니다.**(대법원 2020. 10. 29. 2020도3972 **이명박 전대통령 사건**)

④ [○] 뇌물을 수수함에 있어서 공여자를 기망한 점이 있다 하여도 뇌물수수죄, 뇌물공여죄의 성립에는 영향이 없고, 이 경우 뇌물을 수수한 공무원에 대하여는 한 개의 행위가 **뇌물죄와 사기죄의 각 구성요건에 해당하므로 상상적 경합으로 처단하여야 한다.**(대법원 2015. 10. 29. 2015도12838 **돈을 빌려달라 사건**)

039 뇌물죄에 관한 다음 설명 중 가장 적절하지 않은 것은? (다툼이 있으면 판례에 의함)

□□□

12 경찰채용 [Essential ★]

① 뇌물공여죄의 성립에 반드시 상대방 측의 뇌물수수죄가 성립하여야만 하는 것은 아니다.

② 뇌물죄에서 뇌물의 내용인 이익이라 함은 금전, 물품 기타의 재산적 이익뿐만 아니라 사람의 수요·욕망을 충족시키기에 족한 일체의 유형·무형의 이익을 포함한다고 해석되고, 투기적 사업에 참여할 기회를 얻는 것도 이에 해당한다.

③ 공무원이 직접 뇌물을 받지 아니하고 증뢰자로 하여금 다른 사람에게 뇌물을 공여하도록 한 경우라도 다른 사람이 공무원의 사자 또는 대리인으로서 뇌물을 받은 경우 등과 같이 사회통념상 다른 사람이 뇌물을 받은 것을 공무원이 직접 받은 것과 같이 평가할 수 있는 관계가 있는 경우에는 형법 제129조 제1항의 뇌물수수죄가 성립한다.

④ 뇌물을 수수한 자가 공동수수자가 아닌 교사범 또는 종범에게 뇌물 중 일부를 사례금 등의 명목으로 교부한 경우, 사례금 상당액을 공제한 금액을 뇌물수수자에게서 추징하여야 한다.

해설

④ [×] 뇌물을 수수한 자가 공동수수자가 아닌 교사범 또는 종범에게 뇌물 중 일부를 사례금 등의 명목으로 교부하였다면 이는 뇌물을 수수하는 데 따르는 부수적 비용의 지출 또는 뇌물의 소비행위에 지나지 아니하므로 **뇌물수수자에게서 수뢰액 전부를 추징하여야 한다.**(대법원 2011. 11. 24. 2011도9585 **정비사업전문관리업체 비리사건**)

① [○] 뇌물공여죄가 성립하기 위하여는 뇌물을 공여하는 행위와 상대방 측에서 금전적으로 가치가 있는 그 물품 등을 받아들이는 행위가 필요할 뿐 **반드시 상대방 측에서 뇌물수수죄가 성립하여야 하는 것은 아니다.**(대법원 2013. 11. 28. 2013도9003 **광주 총인처리시설 입찰비리사건**)

② [○] 뇌물의 내용인 이익이라 함은 금전, 물품 기타의 재산적 이익뿐만 아니라 사람의 수요, 욕망을 충족시키기에 족한 일체의 유형, 무형의 이익을 포함한다고 해석되고, **투기적 사업에 참여할 기회를 얻는 것도 이에 해당한다.**(대법원 2012. 8. 23. 2010도6504 **을왕동 토지 매수사건**)

③ [○] 공무원이 직접 뇌물을 받지 아니하고 증뢰자로 하여금 다른 사람에게 뇌물을 공여하도록 한 경우라도 다른 사람이 공무원의 **사자(使者) 또는 대리인**으로서 뇌물을 받은 경우 등과 같이 사회통념상 다른 사람이 뇌물을 받은 것을 공무원이 직접 받은 것과 같이 평가할 수 있는 관계가 있는 경우에는 형법 제129조 제1항 **뇌물수수죄가 성립한다.**(대법원 2011. 11. 24. 2011도9585 **정비사업전문관리업체 비리사건**)

040 뇌물죄에 관한 설명 중 옳지 않은 것은? (다툼이 있으면 판례에 의함) 22 변호사 [Core ★★]

□□□

① 제3자뇌물수수죄에서 제3자란 행위자와 공동정범 및 교사자와 방조자 이외의 사람을 말한다.

② 공무원이 아닌 사람이 공무원과 공동가공의 의사와 이를 기초로 한 기능적 행위지배를 통하여 공무원의 직무에 관하여 뇌물을 수수하는 범죄를 실행하였다면 공무원이 직접 뇌물을 받은 것과 동일하게 평가할 수 있으므로 공무원과 비공무원에게 형법 제129조 제1항에서 정한 뇌물수수죄의 공동정범이 성립한다.

③ 단지 상대방으로 하여금 뇌물을 수수하는 자에게 잘 보이면 어떤 도움을 받을 수 있다거나 손해를 입을 염려가 없다는 정도의 막연한 기대감을 갖게 하는 정도에 불과하고, 뇌물을 수수하는 자 역시 상대방이 그러한 기대감을 가질 것이라고 짐작하면서 수수하였다는 사정만으로는 알선뇌물수수죄가 성립하지 않는다.

④ 공무원 또는 중재인이 부정한 청탁을 받고 제3자에게 뇌물을 제공하게 하고 제3자가 그러한 공무원 또는 중재인의 범죄행위를 알면서 방조한 경우에는 그에 대한 별도의 처벌규정이 없더라도 방조범에 관한 형법총칙의 규정이 적용되어 제3자뇌물수수방조죄가 인정될 수 있다.

⑤ 공무원이 뇌물을 받는 데에 필요한 경비를 지출한 경우 그 경비는 뇌물수수의 부수적 비용에 불과하여 뇌물의 가액과 추징액에서 공제할 항목에 해당하지 않는다.

해설

① [×] 제3자뇌물수수죄에서 **제3자란 행위자와 공동정범 이외의 사람을 말하고**, 교사자나 방조자도 포함될 수 있다. (대법원 2017. 3. 15. 2016도19659 **이천시 건축민원 담당 공무원 사건**)

④ [○] 공무원 또는 중재인이 부정한 청탁을 받고 제3자에게 뇌물을 제공하게 하고 그 제3자가 그러한 공무원 또는 중재인의 범죄행위를 알면서 방조한 경우에는 그에 대한 별도의 처벌규정이 없더라도 방조범에 관한 형법총칙의 규정이 적용되어 **제3자뇌물수수방조죄가 인정될 수 있다**.(대법원 2017. 3. 15. 2016도19659 **이천시 건축민원 담당 공무원 사건**)

② [○] 공무원이 아닌 사람이 공무원과 공동가공의 의사와 이를 기초로 한 기능적 행위지배를 통하여 공무원의 직무에 관하여 뇌물을 수수하는 범죄를 실행하였다면 공무원이 직접 뇌물을 받은 것과 동일하게 평가할 수 있으므로 **공무원과 비공무원에게 형법 제129조 제1항에서 정한 뇌물수수죄의 공동정범이 성립한다**.(대법원 2019. 8. 29. 2018도13792 순순 **국정농단 최순실 사건Ⅰ**)

③ [○] 알선수뢰죄에서 '다른 공무원의 직무에 속한 사항의 알선에 관하여 뇌물을 수수한다'라고 함은, 다른 공무원의 직무에 속한 사항을 알선한다는 명목으로 뇌물을 수수하는 행위로서 반드시 알선의 상대방인 다른 공무원이나 그 직무의 내용을 구체적으로 특정할 필요까지는 없다. 알선행위는 장래의 것이라도 무방하므로 뇌물을 수수할 당시 상대방에게 알선에 의하여 해결을 도모하여야 할 현안이 반드시 존재하여야 할 필요는 없지만, 알선뇌물수수죄가 성립하려면 알선할 사항이 다른 공무원의 직무에 속하는 사항으로서 뇌물수수의 명목이 그 사항의 알선에 관련된 것임이 어느 정도는 구체적으로 나타나야 한다. 단지 상대방으로 하여금 뇌물을 수수하는 자에게 잘 보이면 어떤 도움을 받을 수 있다거나 손해를 입을 염려가 없다는 정도의 **막연한 기대감을 갖게 하는 정도에 불과하고**, 뇌물을 수수하는 자 역시 상대방이 그러한 기대감을 가질 것이라고 짐작하면서 수수하였다는 사정만으로는 **알선뇌물수수죄가 성립하지 않는다**.(대법원 2017. 12. 22. 2017도12346 **진경준 검사장 사건**)

정답 | 039 ④ 040 ①

⑤ [○] 공무원이 뇌물을 받는 데에 필요한 경비를 지출한 경우 그 경비는 뇌물수수의 부수적 비용에 불과하여 뇌물의 가액과 추징액에서 공제할 항목에 해당하지 않는다. 뇌물을 받는 주체가 아닌 자가 수고비로 받은 부분이나 뇌물을 받기 위하여 **형식적으로 체결된 용역계약에 따른 비용으로 사용된 부분은 뇌물수수의 부수적 비용에 지나지 않는다.**(대법원 2017. 3. 22. 2016도21536) 국회의원인 피고인이 가장 용역계약의 대금 명목으로 7,000만원을 송금받았는데, 이 중 5,500만원은 자기가 직접 전달받고 나머지 1,500만원은 부수적 비용으로 지출한 경우, 1,500만원도 뇌물의 가액과 추징의 대상에서 제외할 수 없다는 취지의 판례이다.

041 뇌물죄에 관한 설명 중 가장 적절하지 않은 것은? (다툼이 있으면 판례에 의함) 11 경찰채용 [Essential ★]

□□□

① 수의계약을 체결하는 공무원이 해당 공사업자와 적정한 금액 이상으로 계약 금액을 부풀려서 계약하고 부풀린 금액을 자신이 되돌려 받기로 사전에 약정한 다음 그에 따라 수수한 돈은 성격상 뇌물이 아니고 횡령금에 해당한다.

② 공무원이 직무와 관련하여 뇌물수수를 약속하고 퇴직 후 이를 수수하는 경우에는 뇌물약속과 뇌물수수가 시간적으로 근접하여 연속되어 있다고 하더라도, 뇌물약속죄 및 사후수뢰죄가 성립할 수 있음은 별론으로 하고, 뇌물수수죄는 성립하지 않는다.

③ 국립대학교 부설 연구소가 국가와는 별개의 지위에서 연구소라는 단체의 명의로 체결한 어업피해조사용역계약상의 과업 내용에 의하여 국립대학교 교수가 위 연구소 소속 연구원으로서 수행하는 조사용역업무는 교육공무원의 직무 또는 그와 밀접한 관계가 있거나 그와 관련된 행위에 해당한다고 볼 수 없다.

④ 공무원인 甲이 乙로부터 1,000만원을 뇌물로 받아 그 중 500만원을 술을 마시느라 소비하고 나머지 500만원을 은행에 예금하여 두었다가 이를 인출하여 乙에게 반환한 경우, 甲으로부터 500만원을 추징하고 乙로부터 500만원을 몰수 또는 추징한다.

해설

④ [×] 뇌물로 받은 돈을 은행에 예금한 경우 그 예금행위는 뇌물의 처분행위에 해당하므로 그 후 수뢰자가 같은 액수의 돈을 증뢰자에게 반환하였다 하더라도 이를 뇌물 그 자체의 반환으로 볼 수 없으니 **수뢰자로부터 그 가액을 추징하여야 한다.**(대법원 1996. 10. 25. 96도2022) 지문의 경우 수뢰자 甲으로부터 1,000만원을 추징하여야 한다.

① [○] 수의계약을 체결하는 공무원이 해당 공사업자와 적정한 금액 이상으로 계약금액을 부풀려서 계약하고 부풀린 금액을 자신이 되돌려 받기로 사전에 약정한 다음 그에 따라 수수한 돈은 성격상 **뇌물이 아니고 횡령금에 해당한다.**(대법원 2007. 10. 12. 2005도7112 부풀린 계약금 사건)

② [○] **뇌물수수죄는 공무원 또는 중재인이 그 직무에 관하여 뇌물을 수수한 때에 성립하는 것이어서 그 주체는 현재 공무원 또는 중재인의 직에 있는 자에 한정되므로, 공무원이 직무와 관련하여 뇌물수수를 약속하고 퇴직 후 이를 수수하는 경우에는** 뇌물약속과 뇌물수수가 시간적으로 근접하여 연속되어 있다고 하더라도 **뇌물약속죄 및 사후수뢰죄가 성립할 수 있음은 별론으로 하고 뇌물수수죄는 성립하지 않는다.**(대법원 2010. 10. 14. 2010도387 외환은행 매각사건)

③ [○] 국립대학교 부설 연구소가 국가와는 별개의 지위에서 연구소라는 단체의 명의로 체결한 어업피해조사용역계약상의 과업 내용에 의하여 국립대학교 교수가 위 연구소 소속 연구원으로서 수행하는 **조사용역업무는 교육공무원의 직무 또는 그와 밀접한 관계가 있거나 그와 관련된 행위에 해당한다고 볼 수 없다.**(대법원 2002. 5. 31. 2001도670 해양산업연구소 연구원 사건)

042 뇌물죄에 대한 설명으로 가장 적절한 것은? (다툼이 있으면 판례에 의함) 19 경찰승진 [Core ★★]

□□□

① 제3자뇌물공여죄에 있어서 묵시적인 의사표시에 의한 부정한 청탁이 있다고 하기 위하여는, 당사자 사이에 청탁의 대상이 되는 직무집행의 내용과 제3자에게 제공되는 금품이 그 직무집행에 대한 대가라는 점에 대하여 공통의 인식이나 양해가 존재하여야 한다.

② 공무원이 직무와 관련하여 뇌물수수를 약속하고 퇴직 후 이를 수수하는 경우에 뇌물약속과 뇌물수수가 시간적으로 근접하여 연속되어 있다면 뇌물수수죄가 성립한다.

③ 수의계약을 체결하는 공무원이 해당 공사업자와 적정한 금액 이상으로 계약금액을 부풀려서 계약하고 부풀린 금액을 자신이 되돌려 받기로 사전에 약정한 다음 그에 따라 돈을 수수하였다면 수뢰죄가 성립한다.

④ 알선수뢰죄에서 '공무원이 그 지위를 이용하여'라 함은 친구, 친족관계 등 사적인 관계를 이용하는 경우뿐만 아니라 다른 공무원이 취급하는 사무의 처리에 법률상이거나 사실상으로 영향을 줄 수 있는 관계에 있는 공무원이 그 지위를 이용하는 경우를 말한다.

해설

① [○] 제3자뇌물제공죄에서 '청탁'이란 공무원에 대하여 일정한 직무집행을 하거나 하지 않을 것을 의뢰하는 행위를 말하고, '부정한' 청탁이란 의뢰한 직무집행 자체가 위법하거나 부당한 경우 또는 의뢰한 직무집행 그 자체는 위법하거나 부당하지 아니하지만 당해 직무집행을 어떤 대가관계와 연결시켜 그 직무집행에 관한 대가의 교부를 내용으로 하는 경우 등을 의미한다. 그런데 제3자뇌물제공죄에서 공무원이 '그 직무에 관하여 부정한 청탁을 받을 것'을 요건으로 하는 취지는 처벌의 범위가 불명확해지지 않도록 하기 위한 것으로서, 이러한 **부정한 청탁은 명시적 의사표시에 의해서뿐만 아니라 묵시적 의사표시에 의해서도 가능하지만, 묵시적 의사표시에 의한 부정한 청탁이 있다고 하려면 청탁의 대상이 되는 직무집행의 내용과 제3자에게 제공되는 이익이 그 직무집행에 대한 대가라는 점에 대하여 공무원과 이익 제공자 사이에 공통의 인식이나 양해가 있어야 한다.** 따라서 그러한 인식이나 양해 없이 막연히 선처하여 줄 것이라는 기대나 직무집행과는 무관한 다른 동기에 의하여 제3자에게 금품을 공여한 경우에는 묵시적 의사표시에 의한 부정한 청탁이 있다고 볼 수 없다.(대법원 2014. 9. 4. 2011도14482 서울시 도시계획위원 사건)

② [×] 공무원이 직무와 관련하여 뇌물수수를 약속하고 퇴직 후 이를 수수하는 경우 뇌물약속죄 및 사후수뢰죄가 성립할 뿐 **뇌물수수죄는 성립하지 않는다.**(대법원 2010. 10. 14. 2010도387 외환은행 매각사건)

③ [×] 수의계약을 체결하는 공무원이 해당 공사업자와 적정한 금액 이상으로 계약금액을 부풀려서 계약하고 부풀린 금액을 자신이 되돌려 받기로 사전에 약정한 다음 그에 따라 **수수한 돈은 성격상 뇌물이 아니고 횡령금에 해당한다.**(대법원 2007. 10. 12. 2005도7112 부풀린 계약금 사건)

정답 | 041 ④ 042 ①

④ [×] 알선수뢰죄에서 **'공무원이 그 지위를 이용하여'라 함은 친구, 친족관계 등 사적인 관계를 이용하는 경우이거나 단순히 공무원으로서의 신분이 있다는 것만을 이용하는 경우에는 이에 해당한다고 할 수 없고,** 적어도 다른 공무원이 취급하는 사무의 처리에 법률상이거나 사실상으로 영향을 줄 수 있는 관계에 있는 공무원이 그 지위를 이용하는 경우이어야 한다.(대법원 2010. 11. 25. 2010도11460)

043 뇌물죄에 관한 설명으로 옳지 않은 것을 모두 고른 것은? (다툼이 있으면 판례에 의함)

□□□

23 경찰채용 [*Core* ★★]

㉠ 법령에 의한 임용권을 가자는 자에 의하여 임용되어 상당히 '오랜 기간동안 공무에 종사하여 온 사람이 나중에 그가 임용 결격자이었음이 밝혀져 당초의 임용행위가 무효라고 하더라도 형법 제129조에서 규정한 공무원으로 봄이 타당하고, 그가 그 직무에 관하여 뇌물을 수수한 때에는 수뢰죄로 처벌할 수 있다.

㉡ 타인을 기망하여 뇌물을 수수한 경우 뇌물을 수수한 공무원에게는 뇌물죄와 사기죄가 성립하고 양 죄는 실체적 경합관계에 있다.

㉢ 공무원이 직무집행을 빙자하여 타인의 재물을 갈취한 경우 뇌물공여죄가 성립하지 않는다.

㉣ 알선수뢰죄에서 '공무원이 그 지위를 이용하여'라 함은 친구, 친족관계 등 사적인 관계를 이용하는 경우뿐만 아니라 다른 공무원이 취급하는 사무처리에 법률상이거나 사실상으로 영향을 줄 수 있는 관계에 있는 공무원이 그 지위를 이용하는 경우도 포함한다.

① ㉠㉡　② ㉡㉢　③ ㉡㉣　④ ㉢㉣

해설

③ ㉡㉣ 2 항목이 옳지 않다.

㉠ [O] 법령에 기한 임명권자에 의하여 임용되어 공무에 종사하여 온 사람이 나중에 그가 임용결격자이었음이 밝혀져 당초의 임용행위가 무효라고 하더라도, 그가 임용행위라는 외관을 갖추어 실제로 공무를 수행한 이상 공무 수행의 공정과 그에 대한 사회의 신뢰 및 직무행위의 불가매수성은 여전히 보호되어야 하므로, 이러한 사람은 형법 제129조에서 규정한 공무원으로 봄이 상당하고, 그가 **그 직무에 관하여 뇌물을 수수한 때에는 수뢰죄로 처벌할 수 있다.**(대법원 2014. 3. 27. 2013도11357 **태백시청 과장 수뢰사건**)

㉡ [×] 뇌물을 수수함에 있어서 공여자를 기망한 점이 있다 하여도 뇌물수수죄, 뇌물공여죄의 성립에는 영향이 없고, 이 경우 뇌물을 수수한 공무원에 대하여는 한 개의 행위가 뇌물죄와 사기죄의 각 구성요건에 해당하므로 **상상적 경합으로 처단하여야 한다.**(대법원 2015. 10. 29. 2015도12838 **돈을 빌려달라 사건**)

㉢ [O] 공무원이 직무집행의 의사 없이 또는 직무처리와 대가적 관계없이 타인을 공갈하여 재물을 교부하게 한 경우에는 공갈죄만이 성립하고, 이러한 경우 재물의 교부자는 **공갈죄의 피해자가 될 것이고 뇌물공여죄는 성립될 수 없다.**(대법원 1994. 12. 22. 94도2528 **탈세묵인 세무공무원 사건**)

㉣ [×] 알선수뢰죄에서 '공무원이 그 지위를 이용하여'라 함은 **친구, 친족관계 등 사적인 관계를 이용하는 경우에는 이에 해당한다고 할 수 없으나,** 다른 공무원이 취급하는 사무의 처리에 법률상이거나 사실상으로 영향

을 줄 수 있는 관계에 있는 공무원이 그 지위를 이용하는 경우에는 이에 해당하고, 그 사이에 상하관계, 협동관계, 감독권한 등의 특수한 관계가 있음을 요하지 않는다.(대법원 2006. 4. 27. 2006도735 **광주시 의원 – 광주시 의원과 공무원 사건**)

044 뇌물죄에 대한 설명으로 옳은 것은? (다툼이 있으면 판례에 의함) 19 5급승진 [*Core* ★★]

□□□

① 알선뇌물수수죄(형법 제132조)에서 알선행위는 장래의 것이라도 무방하므로 뇌물을 수수할 당시 상대방에게 알선에 의하여 해결을 도모하여야 할 현안이 반드시 존재하여야 할 필요는 없지만, 알선뇌물수수죄가 성립하려면 알선할 사항이 다른 공무원의 직무에 속하는 사항으로서 뇌물수수의 명목이 그 사항의 알선에 관련된 것임이 어느 정도는 구체적으로 나타나야 한다.

② 공무원이 뇌물을 요구하여 증뢰자로부터 돈을 받았다면 받은 돈 전부에 대하여 영득의 의사가 인정되지만, 공무원이 뇌물을 받는 데에 필요한 경비를 지출한 경우에는 그 경비는 뇌물의 가액과 추징액에서 공제할 항목에 해당한다.

③ 공무원이 직접 뇌물을 받지 않고 증뢰자로 하여금 자신이 채무를 부담하고 있던 제3자에게 뇌물을 공여하게 하여 그만큼 자신의 채무를 면하게 하였다면, 공무원에게 제3자뇌물제공죄(형법 제130조)가 성립한다.

④ 뇌물죄에 있어서 수수한 금품은 직무에 관하여 수수된 것으로서 개개 직무행위와 대가관계에 있어야 하지만, 그 직무행위가 특정될 필요는 없다.

⑤ 뇌물을 수수한 공무원이 뇌물을 수수함에 있어서 공여자를 기망한 점이 있다면 공무원에게는 뇌물죄와 사기죄가 성립하고, 양죄는 실체적 경합이 된다.

해설

① [O] 알선수뢰죄에서 '다른 공무원의 직무에 속한 사항의 알선에 관하여 뇌물을 수수한다'라고 함은, 다른 공무원의 직무에 속한 사항을 알선한다는 명목으로 뇌물을 수수하는 행위로서 반드시 알선의 상대방인 다른 공무원이나 그 직무의 내용을 구체적으로 특정할 필요까지는 없다. 알선행위는 장래의 것이라도 무방하므로 뇌물을 수수할 당시 상대방에게 **알선에 의하여 해결을 도모하여야 할 현안이 반드시 존재하여야 할 필요는 없지만,** 알선뇌물수수죄가 성립하려면 알선할 사항이 다른 공무원의 직무에 속하는 사항으로서 뇌물수수의 명목이 그 사항의 **알선에 관련된 것임이 어느 정도는 구체적으로 나타나야 한다.** 단지 상대방으로 하여금 뇌물을 수수하는 자에게 잘 보이면 어떤 도움을 받을 수 있다거나 손해를 입을 염려가 없다는 정도의 **막연한 기대감을 갖게 하는 정도에 불과하고, 뇌물을 수수하는 자 역시 상대방이 그러한 기대감을 가질 것이 라고 짐작하면서 수수하였다는 사정만으로는 알선뇌물수수죄가 성립하지 않는다.**(대법원 2017. 12. 22. 2017도12346 **진경준 검사장 사건**)

정답 | 043 ③ 044 ①

② [×] 공무원이 **뇌물을 받는 데에 필요한 경비를 지출한 경우 그 경비는 뇌물수수의 부수적 비용에 불과하여 뇌물의 가액과 추징액에서 공제할 항목에 해당하지 않는다.** 뇌물을 받는 주체가 아닌 자가 수고비로 받은 부분이나 뇌물을 받기 위하여 형식적으로 체결된 용역계약에 따른 비용으로 사용된 부분은 뇌물수수의 부수적 비용에 지나지 않는다.(대법원 2017. 3. 22. 2016도21536 심학봉 의원 사건)

③ [×] 공무원이 직접 뇌물을 받지 아니하고 증뢰자로 하여금 다른 사람에게 뇌물을 공여하도록 한 경우라도 다른 사람이 공무원의 사자(使者) 또는 대리인으로서 뇌물을 받은 경우 등과 같이 사회통념상 다른 사람이 뇌물을 받은 것을 공무원이 직접 받은 것과 같이 평가할 수 있는 관계가 있는 경우에는 **형법 제129조 제1항 뇌물수수죄가 성립한다.**(대법원 2011. 11. 24. 2011도9585 정비사업전문관리업체 비리사건)

④ [×] 뇌물죄는 직무집행의 공정과 이에 대한 사회의 신뢰에 기하여 직무행위의 불가매수성을 그 직접의 보호법익으로 하고 있고, 직무에 관한 청탁이나 부정한 행위를 필요로 하지 아니하여 수수된 금품의 뇌물성을 인정하는 데 특별히 의무위반행위나 청탁의 유무 등을 고려할 필요가 없으므로, 뇌물은 직무에 관하여 수수된 것으로 족하고 **개개의 직무행위와 대가적 관계에 있을 필요는 없으며** 그 직무행위가 특정된 것일 필요도 없다.(대법원 2014. 1. 29. 2013도13937 피의자와 성관계 검사 사건)

⑤ [×] 뇌물을 수수함에 있어서 공여자를 기망한 점이 있다 하여도 뇌물수수죄, 뇌물공여죄의 성립에는 영향이 없고, 이 경우 뇌물을 수수한 공무원에 대하여는 한 개의 행위가 뇌물죄와 사기죄의 각 구성요건에 해당하므로 **상상적 경합으로 처단하여야 한다.**(대법원 2015. 10. 29. 2015도12838 돈을 빌려달라 사건)

045 뇌물죄에 대한 설명으로 가장 적절하지 않은 것은? (다툼이 있으면 판례에 의함)

□□□

21 경찰승진 [Essential ★]

① 법령에 기한 임명권자에 의하여 임용되어 공무에 종사하여 온 사람이 나중에 그가 임용결격자이었음이 밝혀져 당초의 임용행위가 무효라고 하더라도 그가 임용행위라는 외관을 갖추어 실제로 공무를 수행한 이상 「형법」 제129조에서 규정한 공무원으로 봄이 타당하고, 그가 그 직무에 관하여 뇌물을 수수한 때에는 수뢰죄로 처벌할 수 있다.

② 뇌물공여죄가 성립하기 위하여는 뇌물을 공여하는 행위와 상대방 측에서 금전적으로 가치가 있는 그 물품 등을 받아들이는 행위가 필요할 뿐 반드시 상대방 측에서 뇌물수수죄가 성립하여야 하는 것은 아니다.

③ 뇌물약속죄에서 뇌물의 약속은 직무와 관련하여 장래에 뇌물을 주고받겠다는 양 당사자의 의사표시가 확정적으로 합치하면 성립하고, 뇌물의 가액이 얼마인지는 문제되지 않는다.

④ 알선뇌물수수죄와 관련하여 상대방으로 하여금 뇌물을 수수하는 자에게 잘 보이면 어떤 도움을 받을 수 있다거나 손해를 입을 염려가 없다는 정도의 막연한 기대감을 갖게 하고, 뇌물을 수수하는 자 역시 상대방이 그러한 기대감을 가질 것이라고 짐작하면서 수수하였다면 알선뇌물수수죄가 성립한다.

해설

④ [×] 알선뇌물수수죄가 성립하려면 알선할 사항이 다른 공무원의 직무에 속하는 사항으로서 뇌물수수의 명목이 그 사항의 알선에 관련된 것임이 어느 정도는 구체적으로 나타나야 한다. 단지 상대방으로 하여금 뇌물을 수수하는 자에게 잘 보이면 어떤 도움을 받을 수 있다거나 손해를 입을 염려가 없다는 정도의 막연한 기대감을 갖게 하는 정도에 불과하고, 뇌물을 수수하는 자 역시 상대방이 그러한 기대감을 가질 것이라고 짐작하면서 수수하였다는 사정만으로는 알선뇌물수수죄가 성립하지 않는다.(대법원 2017. 12. 22. 2017도12346 진경준 검사장 사건)

① [○] 법령에 기한 임명권자에 의하여 임용되어 공무에 종사하여 온 사람이 나중에 그가 **임용결격자이었음이 밝혀져 당초의 임용행위가 무효라고 하더라도,** 그가 임용행위라는 외관을 갖추어 실제로 공무를 수행한 이상 공무 수행의 공정과 그에 대한 사회의 신뢰 및 직무행위의 불가매수성은 여전히 보호되어야 하므로, 이러한 사람은 형법 제129조에서 규정한 공무원으로 봄이 상당하고, 그가 그 직무에 관하여 뇌물을 수수한 때에는 **수뢰죄로 처벌할 수 있다.**(대법원 2014. 3. 27. 2013도11357 태백시청 과장 수뢰사건)

② [○] 뇌물공여죄가 성립하기 위하여는 뇌물을 공여하는 행위와 상대방 측에서 금전적으로 가치가 있는 그 물품 등을 받아들이는 행위가 필요할 뿐 반드시 **상대방 측에서 뇌물수수죄가 성립하여야 하는 것은 아니다.**(대법원 2013. 11. 28. 2013도9003 광주 총인처리시설 입찰비리사건)

③ [○] 뇌물약속죄에서 뇌물의 약속은 직무와 관련하여 장래에 뇌물을 주고 받겠다는 양 당사자의 의사표시가 확정적으로 합치하면 성립하고, 뇌물의 가액이 얼마인지는 문제되지 아니한다. 또한 뇌물의 목적물이 이익인 경우에 그 **가액이 확정되어 있지 않아도 뇌물약속죄가 성립하는 데에는 영향이 없다.**(대법원 2016. 6. 23. 2016도3753 용인 역북지구 비리사건)

정답 | 045 ④

046 뇌물죄에 관한 설명으로 가장 적절하지 않은 것은? (다툼이 있으면 판례에 의함)

□□□

24 경찰채용 [Core ★★]

① 공무원이 아닌 사람('비공무원')과 공무원이 공모하여 금품을 수수한 경우에 각 수수자가 수수한 금품별로 직무 관련성 유무가 다르더라도 각 금품마다 직무와의 관련성을 따질 것이 아니라 그 수수한 금품 전부가 불가분적으로 직무행위에 대한 대가로서의 성질을 가지므로 형법 제129조 제1항에서 정한 뇌물수수죄의 공동정범이 성립한다.

② 비공무원이 공무원과 공동가공의 의사와 이를 기초로 한 기능적 행위지배를 통하여 공무원의 직무에 관하여 뇌물을 수수하는 범죄를 실행하였다면 공무원이 직접 뇌물을 받은 것과 동일하게 평가할 수 있으므로 공무원과 비공무원에게 형법 제129조 제1항에서 정한 뇌물수수죄의 공동정범이 성립한다.

③ 공무원인 수뢰자가 먼저 뇌물을 요구하여 증뢰자가 제공하는 돈을 받았다면 그 액수가 수뢰자의 예상보다 너무 많아서 후에 이를 반환하였다고 하더라도 형법 제129조 제1항에서 정한 뇌물수수죄의 성립에는 영향이 없다.

④ 금품이나 이익 전부에 관하여 형법 제129조 제1항에서 정한 뇌물수수죄의 공동정범이 성립한 이후에 뇌물이 실제로 공동정범인 공무원 또는 비공무원 중 누구에게 귀속되었는지는 이미 성립한 뇌물수수죄에 영향을 미치지 않는다.

해설

① [×] 공무원이 수수한 금품에 그 직무행위에 대한 대가로서의 성질과 직무 외의 행위에 대한 대가로서의 성질이 불가분적으로 결합되어 있는 경우에는 그 수수한 금품 전부가 불가분적으로 직무행위에 대한 대가로서의 성질을 가진다. 다만 그 금품의 수수가 수회에 걸쳐 이루어졌고 각 수수 행위별로 직무 관련성 유무를 달리 볼 여지가 있는 경우에는 그 행위마다 직무와의 관련성 여부를 가릴 필요가 있다. 그리고 **공무원이 아닌 사람과 공무원이 공모하여 금품을 수수한 경우에도 각 수수자가 수수한 금품별로 직무 관련성 유무를 달리 볼 수 있다면 각 금품마다 직무와의 관련성을 따져 뇌물성을 인정하는 것이 책임주의 원칙에 부합한다.**(대법원 2024. 3. 12. 2023도17394 **포항이인지구도시개발조합 사건**) 도시개발조합로부터 체비지를 수의매수하려는 건설사가 로비 명목 등으로 중개업자인 甲(비공무원)에게 3억원을 주었고, 이후 甲은 사전에 공모한대로 자신이 2억원을 갖고 나머지 1억원 중 5,500만원은 조합장 乙(의제공무원 – 아래 법조문 참고)에게, 4,500만원은 조합감사 丙에게 주었다. 대법원은 건설사가 甲에게 준 3억원 전부를 조합 측에 대한 뇌물이라고 단정할 수 없고, 조합 임원인 乙, 丙과 중개업자인 甲의 각 수수금액별로 그 명목을 따져보면 3억원 중 일부는 甲이 중개업자로서 행한 중개행위에 대한 대가로 볼 여지가 있어 이들이 수령한 3억원 전부가 조합장 甲의 직무행위에 대한 대가라고 보기 어렵다고 판시하였다.

② [○] 비공무원이 공무원과 공동가공의 의사와 이를 기초로 한 기능적 행위지배를 통하여 공무원의 직무에 관하여 뇌물을 수수하는 범죄를 실행하였다면 공무원이 직접 뇌물을 받은 것과 동일하게 평가할 수 있으므로 공무원과 비공무원에게 **형법 제129조 제1항에서 정한 뇌물수수죄의 공동정범이 성립한다.**(대법원 2019. 8. 29. 2018도13792 전합 **국정농단 사건 I**)

③ [○] 피고인이 먼저 뇌물을 요구하여 증뢰자가 제공하는 돈을 받았다면 피고인에게는 받은 돈 전부에 대한 영득의 의사가 인정된다고 하지 않을 수 없고, 이처럼 영득의 의사로 뇌물을 수령한 이상 그 액수가 피고인이

예상한 것보다 **너무 많은 액수여서 후에 이를 반환하였다고 하더라도 뇌물죄의 성립에는 영향이 없다.**(대법원 2007. 3. 29. 2006도9182 손가락 하나 사건)

④ [○] 금품이나 이익 전부에 관하여 뇌물수수죄의 공동정범이 성립한 이후에 뇌물이 실제로 공동정범인 공무원 또는 비공무원 중 누구에게 귀속되었는지는 이미 성립한 뇌물수수죄에 영향을 미치지 않는다. 공무원과 비공무원이 사전에 뇌물을 비공무원에게 귀속시키기로 모의하였거나 뇌물의 성질상 비공무원이 사용하거나 소비할 것이라고 하더라도 이러한 사정은 **뇌물수수죄의 공동정범이 성립한 이후 뇌물의 처리에 관한 것에 불과하므로 뇌물수수죄가 성립하는 데 영향이 없다.**(대법원 2019. 8. 29. 2018도13792 전합 국정농단 사건 I)

047 국가적 법익에 대한 죄에 관한 설명 중 옳은 것은? (다툼이 있으면 판례에 의함)

□□□

13 사법시험 [Superlative ★★★]

① 사전수뢰죄에서 '공무원 또는 중재인이 될 자'란 공무원 또는 중재인이 될 것이 예정되어 있는 자를 말하며 공직취임에 대하여 어느 정도 개연성을 갖추었더라도 그 가능성이 확실하지 않은 경우는 포함되지 않는다.

② 뇌물의 내용인 이익이라 함은 금전, 물품 기타의 재산적 이익뿐만 아니라 사람의 수요·욕망을 충족시키기에 족한 일체의 유형·무형의 이익을 포함하는데, 이는 개인적 법익에 대한 죄인 배임수재죄의 재산상 이익과 내용이 같다.

③ 공무원이 예전에 자신의 부하로 근무한 자의 직무에 관한 사항에 대해 알선하고 그 대가로 일정한 이익을 취득한 경우 그 부하가 취급하는 업무처리에 사실상 영향력을 행사할 수 있는 지위에 있다면 그 부하가 이미 부서를 옮겨 가서 상하관계나 협동관계에 있지 않더라도, 공무원에게 알선수뢰죄가 성립한다.

④ 직권남용권리행사방해죄의 직권남용이란 공무원이 그의 일반적 권한에 속하는 사항에 관하여 그것을 불법하게 행사하는 것으로 세무공무원이 세금미납자를 감금하는 것은 직권남용권리행사방해죄에 해당한다.

⑤ 수의계약을 체결하는 공무원이 공사업자와 계약금액을 부풀려서 계약하고 부풀린 금액을 자신이 되돌려 받기로 사전에 약정한 다음 그에 따라 계약을 체결한 후 부풀린 금액을 공사업자로부터 수수하였다면 부정처사후수뢰죄가 성립한다.

정답 | 046 ① 047 ③

해설

③ [○] 알선수뢰죄에 있어서 '공무원이 그 지위를 이용하여'라고 함은 친구, 친족관계 등 사적인 관계를 이용하는 경우이거나 단순히 공무원으로서의 신분이 있다는 것만을 이용하는 경우에는 여기에 해당한다고 볼 수 없으나, 다른 공무원이 취급하는 업무처리에 **법률상이거나 사실상으로 영향을 줄 수 있는 공무원**이 그 지위를 이용하는 경우에는 여기에 해당하고 그 사이에 반드시 **상하관계, 협동관계, 감독권한 등의 특수한 관계에 있거나 같은 부서에 근무할 것을 요하는 것은 아니다.**(대법원 1994. 10. 21. 94도852 광명세무서장 → 중부지방국세청 조사담당관 사건) 지문의 경우 알선수뢰죄가 성립한다.

① [×] 형법 제129조 제2항에 정한 '공무원 또는 중재인이 될 자'란 공무원채용시험에 합격하여 발령을 대기하고 있는 자 또는 선거에 의해 당선이 확정된 자 등 공무원 또는 중재인이 될 것이 예정되어 있는 자뿐만 아니라 공직취임의 가능성이 확실하지는 않더라도 어느 정도의 개연성을 갖춘 자를 포함한다.(대법원 2010. 5. 13. 2009도7040 조합장 선출확실 사건)

② [×] (1) 뇌물죄에서 뇌물의 내용인 '이익'이라 함은 금전, 물품 기타의 재산적 이익뿐만 아니라 사람의 수요·욕망을 충족시키기에 족한 일체의 유형·무형의 이익을 포함하며, 제공된 것이 성적 욕구의 충족이라고 하여 달리 볼 것이 아니다.(대법원 2014. 1. 29. 2013도13937 피의자와 성관계 검사 사건)
(2) 재산죄인 배임수재죄에 있어 '재산상 이익'이란 재물 이외의 재산적 가치가 있는 일체의 이익을 말한다. 양자는 그 내용이 같지 않다.

④ [×] 직권남용은 공무원이 그의 일반적 권한에 속하는 사항에 관하여 그것을 불법하게 행사하는 것, 즉 형식적, 외형적으로는 직무집행으로 보이나 실질적으로는 정당한 권한 이외의 행위를 하는 경우를 의미하고, 공무원이 그의 일반적 권한에 속하지 않는 행위를 하는 경우인 지위를 이용한 불법행위와는 구별된다.(대법원 2014. 12. 24. 2012도4531 해병대 사령관 음해사건) 세무공무원이 세금미납자를 감금하는 것은 그의 일반적 권한에 속하지 않는 행위를 한 것이므로 (감금죄가 성립할 수는 있어도) **직권남용권리행사방해죄는 성립하지 아니한다.**

⑤ [×] 수의계약을 체결하는 공무원이 해당 공사업자와 적정한 금액 이상으로 계약금액을 부풀려서 계약하고 부풀린 금액을 자신이 되돌려 받기로 사전에 약정한 다음 그에 따라 **수수한 돈은 성격상 뇌물이 아니고 횡령금에 해당한다.**(대법원 2007. 10. 12. 2005도7112 부풀린 계약금 사건)

048 다음 설명 중 가장 옳은 것은? (다툼이 있으면 판례에 의함)

□□□ 21 법원행시 [Core ★★]

① 횡령 범행으로 취득한 돈을 공범자끼리 수수한 행위가 공동정범들 사이의 범행에 의하여 취득한 돈을 공모에 따라 내부적으로 분배한 것이라면 그 돈의 수수행위에 관하여는 뇌물죄가 성립한다.

② 뇌물의 수수 등을 할 당시 이미 공무원의 지위를 떠난 경우라도 형법 제129조 제1항의 수뢰죄로 처벌할 수 있다.

③ 공무원과 공동정범 관계에 있는 비공무원은 제3자뇌물수수죄에서 말하는 제3자가 될 수 없고, 공무원과 공동정범 관계에 있는 비공무원이 뇌물을 받은 경우에는 공무원과 함께 뇌물수수죄의 공동정범이 성립하고 제3자뇌물수수죄는 성립하지 않는다.

④ 한국환경공단은 환경부장관의 위탁을 받아 건설폐기물 인계·인수에 관한 내용 등의 전산 처리를 위한 전자정보처리프로그램인 올바로시스템을 구축·운영하고 있으므로 그 업무를 수행하는 한국환경공단 임직원은 공전자기록의 작성권한자인 공무원에 해당하고, 한국환경공단은 공무소에 해당한다.

⑤ 공무원이 부정한 청탁을 받고 제3자에게 뇌물을 제공하게 하고 제3자가 그러한 공무원의 범죄행위를 알면서 방조하였더라도 제3자에게 제3자뇌물수수방조죄가 성립할 수 없다.

해설

③ [○] 공무원이 뇌물공여자로 하여금 공무원과 뇌물수수죄의 공동정범 관계에 있는 비공무원에게 뇌물을 공여하게 한 경우에는 공동정범의 성질상 공무원 자신에게 뇌물을 공여하게 한 것으로 볼 수 있고, 공무원과 공동정범 관계에 있는 비공무원은 제3자뇌물수수죄에서 말하는 제3자가 될 수 없으므로, 공무원과 공동정범 관계에 있는 비공무원이 뇌물을 받은 경우에는 **공무원과 함께 뇌물수수죄의 공동정범이 성립하고 제3자뇌물수수죄는 성립하지 않는다.**(대법원 2019. 8. 29. 2018도13792 全合 국정농단 사건 I)

① [×] 횡령 범행으로 취득한 돈을 공범자끼리 수수한 행위가 공동정범들 사이의 범행에 의하여 취득한 돈을 공모에 따라 내부적으로 분배한 것에 지나지 않는다면 별도로 그 돈의 수수행위에 관하여 뇌물죄가 성립하는 것은 아니다.(대법원 2020. 10. 29. 2020도3972 이명박 전대통령 사건)

② [×] 뇌물의 수수 등을 할 당시 이미 공무원의 지위를 떠난 경우에는 제129조 제1항의 수뢰죄로는 처벌할 수 없고 사후수뢰죄의 요건에 해당할 경우에 한하여 그 죄로 처벌할 수 있을 뿐이다.(대법원 2013. 11. 28. 2013도10011 부산 하수슬러지 뇌물사건)

④ [×] 한국환경공단이 환경부장관의 위탁을 받아 건설폐기물 인계·인수에 관한 내용 등의 전산처리를 위한 전자정보처리 프로그램인 올바로시스템을 구축·운영하고 있다고 하더라도 그 업무를 수행하는 한국환경공단 임직원을 공전자기록의 작성권한자인 공무원으로 보거나 한국환경공단을 공무소로 볼 수는 없다. 이는 한국환경공단 또는 그 임직원이 환경부장관으로부터 위탁받은 업무와 관련하여 직무상 작성한 문서를 공문서로 볼 수 없는 것과 마찬가지이다.(대법원 2020. 3. 12. 2016도19170 한국환경공단 올바로시스템 사건)

⑤ [×] 제3자뇌물수수죄에서 제3자란 행위자와 공동정범 이외의 사람을 말하고, 교사자나 방조자도 포함될 수 있다. 그러므로 공무원 또는 중재인이 부정한 청탁을 받고 제3자에게 뇌물을 제공하게 하고 그 제3자가 그러한 공무원 또는 중재인의 범죄행위를 알면서 방조한 경우에는 그에 대한 별도의 처벌규정이 없더라도 방조범에 관한 형법 총칙의 규정이 적용되어 제3자뇌물수수방조죄가 인정될 수 있다.(대법원 2017. 3. 15. 2016도19659 이천시 건축민원 담당 공무원 사건)

정답 | 048 ③

049 뇌물죄에 관한 죄에 대한 다음 설명 중 옳지 않은 모두 몇 개인가? (다툼이 있으면 판례에 의함)

□□□

19 해경간부 [Superlative ★★★]

㉠ 제3자가 증뢰자로부터 교부받은 금품을 수뢰할 사람에게 전달하지 않은 경우 증뢰물전달죄의 미수가 성립한다.

㉡ 공무원인 甲이 乙로부터 1,000만원을 뇌물로 받아 그 중 500만원을 유흥에 소비하고 나머지 500만원을 은행에 예금하여 두었다가 이를 인출하여 乙에게 반환한 경우, 甲으로부터 500만원을 추징하고 乙로부터 500만원을 몰수 또는 추징한다.

㉢ 뇌물에 공할 금품이 특정되지 않았던 것은 몰수할 수는 없지만 그 가액을 추징할 수는 있다.

㉣ 제3자뇌물제공죄(형법 제130조), 배임수재죄(형법 제357조 제1항), 알선수뢰죄(형법 제132조)는 '부정한 청탁'을 그 구성요건으로 한다.

㉤ 뇌물공여죄가 성립하기 위하여는 반드시 상대방 측에서 뇌물수수죄가 성립하여야 하는 것은 아니다.

① 2개　② 3개

③ 4개　④ 5개

해설

③ ㉠㉡㉢㉣ 4 항목이 옳지 않다.

㉠ [×] **증뇌물전달죄는** 제3자가 증뢰자로부터 교부받은 금품을 수뢰할 사람에게 전달하였는지의 여부에 관계없이 **제3자가 그 정을 알면서 금품을 교부받음으로써 성립한다.**(대법원 1997. 9. 5. 97도1572) 증뇌물전달죄는 미수범 처벌규정이 없다.

㉡ [×] 뇌물로 받은 돈을 은행에 예금한 경우 그 예금행위는 뇌물의 처분행위에 해당하므로 그 후 수뢰자가 같은 액수의 돈을 증뢰자에게 반환하였다 하더라도 이를 뇌물 그 자체의 반환으로 볼 수 없으니 **수뢰자로부터 그 가액을 추징하여야 한다.**(대법원 1996. 10. 25. 96도2022) 이 항목의 경우 수뢰자 甲으로부터 1,000만원을 추징하여야 한다.

㉢ [×] 형법 제134조는 뇌물에 공할 금품을 필요적으로 몰수하고 이를 몰수하기 불가능한 때에는 그 가액을 추징하도록 규정하고 있는 바, 몰수는 특정된 물건에 대한 것이고 추징은 본래 몰수할 수 있었음을 전제로하는 것임에 비추어 **뇌물에 공할 금품이 특정되지 않았던 것은 몰수할 수 없고 그 가액을 추징할 수도 없다.**(대법원 2015. 10. 29. 2015도12838 **돈을 빌려달라 사건**)

㉣ [×] 제3자뇌물제공죄와 배임수재죄는 '부정한 청탁'을 그 구성요건으로 하지만(제130조, 제357조 제1항), **알선수뢰죄는 청탁을 그 구성요건으로 하지 않는다.**

㉤ [○] 뇌물공여죄가 성립하기 위하여는 뇌물을 공여하는 행위와 상대방 측에서 금전적으로 가치가 있는 그 물품 등을 받아들이는 행위가 필요할 뿐 **반드시 상대방 측에서 뇌물수수죄가 성립하여야 하는 것은 아니다.**(대법원 2013. 11. 28. 2013도9003 **광주 총인처리시설 입찰비리사건**)

제3절 | 공무방해의 죄

050 공무방해에 관한 죄에 대한 설명으로 가장 적절하지 않은 것은? (다툼이 있으면 판례에 의함)
□□□

21 경찰승진 [Essential ★]

① 공무집행방해죄는 공무원의 적법한 공무집행이 전제로 되는데, 추상적인 권한에 속하는 공무원의 어떠한 공무집행이 적법한지 여부는 행위 당시의 구체적 상황에 기하여 객관적·합리적으로 판단하여야 하고 사후적으로 순수한 객관적 기준에서 판단할 것은 아니다.

② 불심검문을 하게 된 경위, 불심검문 당시의 현장상황과 검문을 하는 경찰관들의 복장, 피고인이 공무원증 제시나 신분 확인을 요구하였는지 여부 등을 종합적으로 고려하여, 검문하는 사람이 경찰관이고 검문하는 이유가 범죄행위에 관한 것임을 피고인이 충분히 알고 있었다고 보이는 경우에는 신분증을 제시하지 않았다고 하여 그 불심검문이 위법한 공무집행이라고 할 수 없다.

③ 음주운전을 하다가 교통사고를 야기한 후 그 형사처벌을 면하기 위하여 타인의 혈액을 자신의 혈액인 것처럼 교통사고 조사 경찰관에게 제출하여 감정하도록 한 행위는 위계에 의한 공무집행방해죄에 해당한다.

④ 외국 주재 한국영사관의 비자발급 업무와 같이 상대방에게서 신청을 받아 일정한 자격요건 등을 갖춘 경우에 한하여 그에 대한 수용 여부를 결정하는 업무는 신청서에 기재된 사유가 사실과 부합하지 않을 수 있는 것을 전제로 그 자격요건 등을 심사·판단하는 것이므로, 업무담당자가 사실을 충분히 확인하지 아니한 채 신청인이 제출한 허위의 신청사유나 허위의 소명자료를 가볍게 믿고 이를 수용하였더라도 신청인에게 위계에 의한 공무집행 방해죄가 성립한다.

해설

④ [×] 외국 주재 한국영사관의 비자발급 업무와 같이, 상대방으로부터 신청을 받아 일정한 자격요건 등을 갖춘 경우에 한하여 그에 대한 수용 여부를 결정하는 업무에 있어서는 신청서에 기재된 사유가 사실과 부합하지 않을 수 있음을 전제로 하여 그 자격요건 등을 심사·판단하는 것이므로 (1) **그 업무담당자가 사실을 충분히 확인하지 아니한 채 신청인이 제출한 허위의 신청사유나 허위의 소명자료를 가볍게 믿고 이를 수용하였다면**, 이는 업무담당자의 불충분한 심사에 기인한 것으로서 **위계에 의한 공무집행방해죄를 구성하지 않는다고 할 것이지만** (2) 신청인이 업무담당자에게 허위의 주장을 하면서 이에 부합하는 허위의 소명자료를 첨부하여 제출한 경우 그 수리 여부를 결정하는 업무담당자가 관계 규정이 정한 바에 따라 그 요건의 존부에 관하여 나름대로 충분히 심사를 하였으나 신청사유 및 소명자료가 허위임을 발견하지 못하여 그 신청을 수리하게 될 정도에 이르렀다면, 이는 업무담당자의 불충분한 심사가 아니라 신청인의 위계행위에 의한 것으로서 위계에 의한 공무집행방해죄가 성립된다.(대법원 2011. 4. 28. 2010도14696 **조선족 신분세탁 사건Ⅱ**)

① [○] 공무집행방해죄는 공무원의 적법한 공무집행이 전제로 되는바, 추상적인 권한에 속하는 공무원의 어떠한 공무집행이 적법한지 여부는 **행위 당시의 구체적 상황에 기하여 객관적·합리적으로 판단하여야 하고 사후적으로 순수한 객관적 기준에서 판단할 것은 아니다.** 마찬가지로 현행범 체포의 적법성은 체포 당시의 구체적

정답 | 049 ③ 050 ④

상황을 기초로 객관적으로 판단하여야 하고, 사후에 범인으로 인정되었는지에 의할 것은 아니다.(대법원 2013. 8. 23. 2011도4763 화전민식당 사건)

② [O] 불심검문에 있어 검문하는 사람이 경찰관이고 검문하는 이유가 범죄행위에 관한 것임을 **피고인이 충분히 알고 있었다고 보이는 경우에는** 신분증을 제시하지 않았다고 하여 그 불심검문이 **위법한 공무집행이라고 할 수 없다.**(대법원 2014. 12. 11. 2014도7976 카페 불심검문 사건)

③ [O] 피고인이 교통사고조사 담당 경찰관에게 **타인의 혈액을 마치 자신의 혈액인 것처럼 건네주어** 그것으로 국립과학수사연구소에 의뢰하여 혈중알콜농도를 감정하게 하고 그 결과에 따라 음주운전 혐의에 대하여 공소권 없음의 의견으로 송치하게 한 경우 단순히 피의자가 수사기관에 대하여 허위사실을 진술하거나 자신에게 불리한 증거를 은닉하는 데 그친 것이 아니라 수사기관의 착오를 이용하여 적극적으로 피의사실에 관한 증거를 조작한 것이므로 **위계에 의한 공무집행방해죄가 성립한다.**(대법원 2003. 7. 25. 2003도1609 음주운전자 타인 혈액 제출사건)

051 공무방해에 관한 죄에 대한 설명 중 가장 적절한 것은? (다툼이 있으면 판례에 의함)

□□□

20 경찰채용 [*Core* ★★]

① 공무집행방해죄에서의 협박은 공무를 집행하는 공무원으로 하여금 객관적으로 공포심을 느끼게 하는 것만으로는 부족하다.

② 공무집행방해죄에 있어서의 범의는 그 직무집행을 방해할 의사를 반드시 필요로 한다.

③ 출원인이 어업허가를 받을 수 없는 자라는 사실을 알면서도 그 직무상의 의무에 따른 적절한 조치를 취하지 않고 오히려 부하직원으로 하여금 어업허가 처리기안문을 작성하게 한 다음 피고인 스스로 중간결재를 하는 등 피고인이 위계로써 담당국장의 최종결재를 받은 경우, 위계에 의한 공무집행방해죄뿐만 아니라 직무유기죄도 성립한다.

④ 국가정보원 고위 간부인 피고인이 검찰의 국가정보원에 대한 압수·수색에 대비하여 심리 전단 사무실을 새롭게 조성하고, 허위 문건을 작출하여 비치하는 한편, 존재하지 않는다거나 국가기밀에 해당한다는 이유를 내세워 국가정보원이 보관하고 있는 자료의 제출을 거부하여 검찰 공무원들이 압수·수색을 하지 못한 경우, 피고인들의 행위는 위계에 의한 공무집행방해죄에 해당한다.

해설

④ [O] 검찰 공무원들은 피고인들의 위계에 의하여 압수수색영장에 압수대상으로 기재되어 있고, 압수수색을 할 수 있었던 장소와 물건에 대하여 압수수색을 하지 못한 것이므로 **공무원의 구체적이고 현실적인 직무집행 방해의 결과가 발생하였다**라는 원심의 판단에는 잘못이 없다.(대법원 2019. 3. 14. 2018도18646 국정원댓글 수사방해 사건)

① [×] 공무집행방해죄에 있어서 협박은 객관적으로 상대방으로 하여금 공포심을 느끼게 하기에 족하면 되고, 상대방이 현실로 공포심을 품게 될 것까지 요구되는 것은 아니며 다만 그 협박이 경미하여 상대방이 전혀 개의치 않을 정도인 경우에는 협박에 해당하지 않는다.(대법원 2011. 2.10. 2010도15986 김상현 목포수협조합장 사건)

② [×] 공무집행방해죄에 있어서의 범의는 상대방이 직무를 집행하는 공무원이라는 사실, 그리고 이에 대하여 폭행 또는 협박을 한다는 사실을 인식하는 것을 그 내용으로 하고, 그 인식은 불확정적인 것이라도 소위 미필적 고의가 있다고 보아야 하며, **그 직무집행을 방해할 의사를 필요로 하지 아니하다.**(대법원 2012. 5. 24. 2010도11381 망원 송전탑 + 이화여대 사건)

③ [×] 피고인 스스로 중간결재를 하는 등 위계로써 농수산국장의 최종결재를 받았다면 직무위배의 위법상태가 위계에 의한 공무집행방해행위 속에 포함되어 있는 것이라고 보아야 할 것이므로, **작위범인 위계에 의한 공무집행방해죄만이 성립하고 부작위범인 직무유기죄는 따로 성립하지 아니한다.**(대법원 1997. 2. 28. 96도2825 이상한 어업허가 사건)

052 공무방해에 관한 죄에 대한 설명 중 가장 적절하지 않은 것은? (다툼이 있으면 판례에 의함)

□□□

23 경찰승진 [Essential ★]

① 공무원의 직무집행이 적법한지 여부는 행위 당시의 구체적인 상황을 토대로 객관적·합리적으로 판단해야 한다.

② 공무원의 직무수행에 대한 비판이나 시정 등을 요구하는 집회·시위 과정에서 상대방에게 고통을 줄 의도로 의사전달 수단으로서 합리적인 범위를 넘어서는 정도의 음향을 이용하였다면 공무집행방해죄의 폭행에 해당할 수 있다.

③ 음주운전을 하다가 교통사고를 야기한 후 그 형사처벌을 면하기 위해 타인의 혈액을 자신의 혈액인 것처럼 교통사고 조사경찰관에게 제출하여 감정하도록 한 경우 위계에 의한 공무집행방해죄가 성립한다.

④ 미결수용자 甲이 변호사 6명을 고용하여 총 51회에 걸쳐 변호인접견을 가장해 변호사들로 하여금 甲의 개인적 업무와 심부름을 하도록 하고, 소송서류 외의 문서를 수수한 경우 변호인 접견업무 담당 교도관의 직무집행을 대상으로 한 위계에 의한 공무집행방해죄가 성립한다.

해설

④ [×] 원심은, **"서울구치소에 수감된 피고인은 모두 6명의 집사변호사를 고용하여 총 51회에 걸쳐 변호인 접견을 가장하여 개인적인 업무와 심부름을 하게 하고 소송 서류 외의 문서를 수수함으로써** 위계로써 서울구치소의 변호인 접견업무 담당 교도관의 변호인 접견 관리 등에 관한 정당한 직무집행을 방해하였다"라는 **공소사실에 대하여 유죄로 판단하였는바 원심의 이러한 판단은 그대로 수긍하기 어렵다.**(대법원 2022. 6. 22. 2021도244 6명의 집사변호사 사건)

① [○] 공무집행방해죄는 공무원의 직무집행이 적법한 경우에 성립하는 것이고, 여기서 적법한 공무집행이란 그 행위가 공무원의 추상적 권한에 속할 뿐 아니라 구체적으로도 그 권한 내에 있어야 하며, 직무행위로서의 요건과 방식을 갖추어야 하고, 공무원의 어떠한 **공무집행이 적법한지 여부는 행위 당시의 구체적 상황에 기하여 객관적 · 합리적으로 판단하여야 한다.**(대법원 2014. 5. 29. 2013도2285 통합진보당 압수 · 수색 방해사건)

정답 | 051 ④ 052 ④

② [O] 공무원의 직무 수행에 대한 비판이나 시정 등을 요구하는 집회 · 시위 과정에서 일시적으로 상당한 소음이 발생하였다는 사정만으로는 이를 공무집행방해죄에서의 음향으로 인한 폭행이 있었다고 할 수는 없을 것이나, 그와 같은 의사전달수단으로서 합리적 범위를 넘어서 상대방에게 고통을 줄 의도로 음향을 이용하였다면 이를 폭행으로 인정할 수 있다.(대법원 2009. 10. 29. 2007도3584 **용산구청 앞 시위사건**)

③ [O] 피고인이 교통사고조사 담당 경찰관에게 타인의 혈액을 마치 자신의 혈액인 것처럼 건네주어 그것으로 국립과학수사연구소에 의뢰하여 혈중알콜농도를 감정하게 하고 그 결과에 따라 음주운전 혐의에 대하여 공소권 없음의 의견으로 송치하게 한 경우 단순히 피의자가 수사기관에 대하여 허위사실을 진술하거나 자신에게 불리한 증거를 은닉하는 데 그친 것이 아니라 수사기관의 착오를 이용하여 적극적으로 피의사실에 관한 증거를 조작한 것이므로 **위계에 의한 공무집행방해죄가 성립한다.**(대법원 2003. 7. 25. 2003도1609 **음주운전자 타인 혈액 제출사건**)

053 □□□ 공무집행방해에 관한 죄에 대한 설명으로 가장 적절하지 않은 것은? (다툼이 있으면 판례에 의함)

21 경찰채용 [*Core* ★★]

① 甲은 평소 집에서 심한 고성과 욕설 등으로 이웃 주민들로부터 수회에 걸쳐 112신고가 있어왔던 사람으로, 한밤중에 甲의 집이 소란스러워 잠을 이룰 수 없다는 112신고를 받고 출동한 경찰관들이 인터폰으로 문을 열어달라고 하였으나 욕설을 하며 소란행위를 계속하였다. 이에 경찰관들이 甲을 만나기 위해 일시적으로 전기차단기를 내리자 식칼을 들고 나와 욕설을 하며 경찰관들을 향해 찌를 듯이 협박하였더라도 경찰관들의 단전조치를 적법한 공무집행으로 볼 수 없어 甲에게는 특수공무집행방해죄가 성립하지 아니한다.

② 국립대학교의 전임교원 공채심사위원인 학과장 甲이 지원자 A의 부탁을 받고 이미 논문 접수가 마감된 학회지에 A의 논문이 게재되도록 돕고, 그 후 연구실적심사의 기준을 강화하자고 제안한 경우에는 설사 甲의 행위가 결과적으로는 A에게 유리한 결과가 되었다 하더라도 위계공무집행방해죄가 성립하지 아니한다.

③ 음주운전 신고를 받고 출동한 경찰관 A는 만취한 상태로 시동이 걸린 차량 운전석에 앉아 있는 甲을 발견하고 음주측정을 위해 하차를 요구하였고, 甲이 차량을 운전하지 않았다고 다투자 지구대로 가서 차량 블랙박스를 확인하자고 하였다. 이에 甲이 명시적인 거부 의사표시 없이 도주하자, A가 甲을 10m 정도 추격하여 앞을 막고 제지하는 과정에서 甲이 A를 폭행하였다면 공무집행방해죄가 성립한다.

④ 甲이 허위의 매매계약서 및 영수증을 소명자료로 첨부하여 가처분신청을 하여 법원으로 부터 유체동산에 대한 가처분결정을 받은 경우에는 甲의 행위만으로 법원의 구체적이고 현실적인 어떤 직무집행이 방해되었다고 볼 수 없으므로 위계공무집행방해죄가 성립하지 아니한다.

해설

① [×] **경찰관들이 112신고를 받고 출동하여 피고인을 만나려 하였으나 피고인은 문조차 열어주지 않고 소란행위를 멈추지 않았은 상황이라면** 피고인의 행위를 제지하고 수사하는 것은 경찰관의 직무상 권한이자 의무라고 볼 수 있으므로 **경찰관들이 피고인의 집으로 통하는 전기를 일시적으로 차단한 것은** 피고인을 집 밖으로 나오도록 유도한 것으로서, 피고인의 범죄행위를 진압·예방하고 수사하기 위해 필요하고도 적절한 조치로 보이고, 경찰관 직무집행법 제1조의 목적에 맞게 제2조의 직무 범위 내에서 제6조에서 정한 즉시강제의 요건을 충족한 **적법한 직무집행으로 볼 여지가 있다.**(대법원 2018. 12. 13. 2016도19417 **꼴통 아줌마 사건**)

② [○] 국립대학교의 전임교원 공채심사위원인 학과장 甲이 지원자 A의 부탁을 받고 이미 논문접수가 마감된 학회지에 A의 논문이 게재되도록 돕고, 연구실적심사의 기준을 강화하자고 제안하여 이에 따라 결국 A가 최종 선발된 경우 甲이 심사기준을 강화하는 제안을 한 것은 전임교원을 새로 임용하려는 목적에 부합하는 것으로서 전문성을 가진 모든 사람에게 가점을 주는 공정한 경우에 해당하고 또한 A가 논문을 추가게재할 수 있도록 도운 행위가 다소 부적절한 행위라고 볼 측면이 없지 않다고 하더라도 A로서는 자신의 노력에 의한 연구결과물로써 그러한 심사기준을 충족한 것이고 이후 어학시험, 교수능력심사, 면접심사 등의 전형 절차를 거쳐 최종 선발된 것이므로, 甲, A의 행위가 위계로써 공채관리위원회 위원들로 하여금 **A의 자격에 관하여 오인이나 착각, 부지를 일으키게 하였다거나 그로 인하여 그릇된 행위나 처분을 하게한 경우에 해당하지 않는다.**(대법원 2009. 4. 23. 2007도1554 **광주교대 학과장 사건**)

③ [○] 음주운전 신고를 받고 출동한 경찰관이 만취한 상태로 시동이 걸린 차량 운전석에 앉아있는 피고인을 발견하고 음주측정을 위해 하차를 요구한 경우 도로교통법 제44조 제2항이 정한 음주측정에 관한 직무에 착수하였다고 할 것이고, 피고인이 차량을 운전하지 않았다고 다투자 경찰관이 지구대로 가서 차량블랙박스를 확인하자고 한 것은 음주측정에 관한 직무 중 '운전' 여부 확인을 위한 임의동행 요구에 해당하고, 피고인이 차량에서 내리자마자 도주한 것을 임의동행 요구에 대한 거부로 보더라도 경찰관이 음주측정에 관한 직무를 계속하기 위하여 피고인을 추격하여 도주를 제지한 것은 **도로교통법상 음주측정에 관한 일련의 직무집행 과정에서 이루어진 행위로써 정당한 직무집행에 해당한다.**(대법원 2020. 8. 20. 2020도7193 **음주운전자 도주사건**)

④ [○] 법원은 당사자의 허위 주장 및 증거 제출에도 불구하고 진실을 밝혀야 하는 것이 그 직무이므로 가처분신청시 당사자가 **허위의 주장을 하거나 허위의 증거를 제출하였다 하더라도** 그것만으로 법원의 구체적이고 현실적인 어떤 직무집행이 방해되었다고 볼 수 없으므로 이로써 바로 **위계에 의한 공무집행방해죄가 성립한다고 볼 수 없다.**(대법원 2012. 4.26. 2011도17125 **기만적인 가처분신청 사건**)

정답 | 053 ①

054 다음 중 공무집행방해죄에 대한 설명으로 가장 옳지 않은 것은? (다툼이 있으면 판례에 의함)

□□□

23 해경승진 [Core ★★]

① 경찰관이 도로를 순찰하던 중 벌금 미납으로 수배된 피고인과 조우(遭遇)하여 형집행장을 소지하지 아니한 채 급속을 요하여 그에게 형집행 사유와 더불어 형집행장이 발부되어 있는 사실을 고지하고 벌금 미납으로 인한 노역장 유치의 집행을 위해 구인하려 하였는데, 피고인이 이에 저항하여 그 경찰관을 폭행한 경우 공무집행방해죄가 성립한다.

② 형법상 공무집행방해죄는 직무를 집행하는 공무원에 대하여 폭행 또는 협박한 경우에 성립하는 범죄로서 여기서의 폭행은 사람에 대한 유형력의 행사로 족하고 반드시 신체에 대한 것임을 요하지 아니하며 또한 추상적 위험범으로서 구체적으로 직무집행의 방해라는 결과발생을 요하지도 아니한다.

③ 피고인이 같은 장소에서 함께 출동한 경찰관들 중 먼저 경찰관 A를 폭행하고 곧이어 이를 제지하는 경찰관 B를 폭행한 경우 위와 같이 동일한 장소에서 동일한 기회에 이루어진 폭행 행위는 사회 관념상 1개의 행위로 평가하는 것이 상당하므로 A와 B에 대한 공무집행방해죄는 포괄일죄의 관계에 있다.

④ 피고인이 지구대 내에서 약 1시간 이상 경찰관에게 큰소리로 욕을 하고 의자에 드러눕거나 다른 사람들에게 시비를 걸고, 경찰관들이 피고인을 내보낸 뒤 문을 잠그자 다시 들어오기 위해 출입문을 계속해서 두드리는 등 소란을 피운 경우 공무원에 대한 간접적인 유형력의 행사로 볼 수 있어 공무집행방해죄가 성립할 수 있다.

해설

③ [×] 동일한 공무를 집행하는 여럿의 공무원에 대하여 폭행·협박 행위를 한 경우에는 공무를 집행하는 **공무원의 수**에 따라 여럿의 공무집행방해죄가 성립하고, 위와 같은 폭행·협박 행위가 동일한 장소에서 동일한 기회에 이루어진 것으로서 사회관념상 1개의 행위로 평가되는 경우에는 **여럿의 공무집행방해죄는 상상적 경합의 관계에 있다.**(대법원 2009. 6. 25. 2009도3505 **경찰관 2명 폭행사건**)

① [○] 사법경찰관리가 벌금형을 받은 사람을 그에 따르는 노역장유치의 집행을 위하여 구인하려면 검사로부터 발부받은 형집행장을 그 상대방에게 제시하여야 하지만, 형집행장을 소지하지 아니한 경우에 급속을 요하는 때에는 그 상대방에 대하여 형집행 사유와 형집행장이 발부되었음을 고하고 집행할 수 있다. 그리고 형집행장의 제시 없이 구인할 수 있는 **'급속을 요하는 때'란 애초 사법경찰관리가 적법하게 발부된 형집행장을 소지할 여유가 없이 형집행의 상대방을 조우한 경우 등을 가리킨다.**(대법원 2013. 9. 12. 2012도2349 **지명수배자 우연히 발견 사건**) **적법한 공무집행**이므로 피고인이 경찰관을 폭행한 경우 공무집행방해죄가 성립한다.

② [○] **공무집행방해죄에서 '폭행'은 사람에 대한 유형력의 행사로 족하고 반드시 그 신체에 대한 것임을 요하지 아니하며 또한 추상적 위험범**으로서 구체적으로 직무집행의 방해라는 결과발생을 요하지도 아니한다.(대법원 2018. 3. 29. 2017도21537 **주차장 행패 사건**)

④ [○] 피고인이 지구대 내에서 약 1시간 40분 동안 큰 소리로 경찰관을 모욕하는 말을 하고, 그곳 의자에 드러눕거나 다른 사람들에게 시비를 걸고 그 과정에서 경찰관들이 피고인을 내보낸 뒤 문을 잠그자 다시 들어오기 위해 출입문을 계속해서 두드리거나 잡아당기는 등 소란을 피운 경우 이는 공무원의 정당한 직무집행을 방해하기에 충분한 행위임은 분명하고, 그 행위의 정도에 따라 **공무원에 대한 간접적인 유형력의 행사로서 형법 제136조에서 규정한 폭행에 해당한다고 볼 여지가 있다.**(대법원 2013. 12. 26. 2013도11050 **관악산지구대 사건**)

055 □□□ **공무집행방해죄에 대한 설명으로 옳은 것은? (다툼이 있으면 판례에 의함)** 23 경찰간부 [Essential ★]

① 공무집행방해죄의 폭행은 사람에 대한 유형력의 행사이고 이는 반드시 신체에 대한 것임을 요하며, 본죄에서 '직무를 집행하는'이란 공무원이 직무수행에 직접 필요한 행위를 현실적으로 행하고 있는 때만을 가리킨다.

② 음주운전 신고를 받고 출동한 경찰관 P가 시동이 걸린 차량 운전석에 앉아있던 만취한 甲을 발견하고 음주측정을 위하여 하차를 요구하자 甲이 운전하지 않았다고 다투었고, 이에 P가 차량 블랙박스 확인을 위해 경찰서로 임의동행할 것을 요구하자, 甲이 차량에서 내리자마자 도주하여 P가 이미 착수한 음주측정 직무를 계속하기 위하여 甲을 10미터 정도 추격하여 도주를 제지한 것은 정당한 직무집행에 해당한다.

③ 위계에 의한 공무집행방해죄에서 '공무원의 직무집행'이란 법령의 위임에 따른 공무원의 적법한 직무집행으로서 공권력을 내용으로 하는 권력적 작용에 한정하므로 사경제주체로서의 활동을 비롯한 비권력적 작용은 포함하지 아니한다.

④ 위력으로써 공무원이 직무상 수행하는 공무를 방해하는 행위에 대해서는 형법 제314조의 업무방해죄로 처단할 수 있다.

해설

② [○] 음주운전 신고를 받고 출동한 경찰관이 만취한 상태로 시동이 걸린 차량 운전석에 앉아있는 피고인을 발견하고 음주측정을 위해 하차를 요구한 경우 도로교통법 제44조 제2항이 정한 음주측정에 관한 직무에 착수하였다고 할 것이고, 피고인이 차량을 운전하지 않았다고 다투자 경찰관이 지구대로 가서 차량블랙박스를 확인하자고 한 것은 음주측정에 관한 직무 중 **'운전' 여부 확인을 위한 임의동행 요구에 해당하고,** 피고인이 차량에서 내리자마자 도주한 것을 임의동행 요구에 대한 거부로 보더라도 경찰관이 음주측정에 관한 직무를 계속하기 위하여 피고인을 추격하여 도주를 제지한 것은 **도로교통법상 음주측정에 관한 일련의 직무집행 과정에서 이루어진 행위로써 정당한 직무집행에 해당한다.**(대법원 2020. 8. 20. 2020도7193 **음주운전자 도주사건**)

① [×] 공무집행방해죄에 있어서 **'직무를 집행하는'이라 함은** 공무원이 직무수행에 직접 필요한 행위를 현실적으로 행하고 있는 때만을 가리키는 것이 아니라 **공무원이 직무수행을 위하여 근무 중인 상태에 있는 때를 포괄하고,** 직무의 성질에 따라서는 그 직무수행의 과정을 개별적으로 분리하여 부분적으로 각각의 개시와 종료를 논하는 것이 부적절하고 여러 종류의 행위를 포괄하여 일련의 직무수행으로 파악함이 상당한 경우가 있다.(대법원 2018. 3. 29. 2017도21537 **주차장 행패 사건**)

③ [×] 위계에 의한 공무집행방해죄에서 공무원의 직무집행이란 법령의 위임에 따른 공무원의 적법한 직무집행인 이상 공권력의 행사를 내용으로 하는 권력적 작용뿐만 아니라 **사경제주체로서의 활동을 비롯한 비권력적 작용도 포함된다.**(대법원 2003. 12. 26. 2001도6349 **감척어선 사건**)

④ [×] 형법이 업무방해죄와는 별도로 공무집행방해죄를 규정하고 있는 것은 사적 업무와 공무를 구별하여 공무에 관해서는 공무원에 대한 폭행, 협박 또는 위계의 방법으로 그 집행을 방해하는 경우에 한하여 처벌하겠다는 취지라고 보아야 할 것이고, 따라서 **공무원이 직무상 수행하는 공무를 방해하는 행위에 대해서는 업무방해죄로 의율할 수는 없다.**(대법원 2011. 7. 28. 2009도11104 **마산시장 기자회견 방해사건**)

정답 | 054 ③ 055 ②

056 공무집행방해죄에 관한 설명으로 가장 적절하지 않은 것은? (다툼이 있으면 판례에 의함)

□□□

24 경찰채용 [Essential ★]

① 공무집행방해죄는 공무원의 적법한 공무집행을 전제로 하는데, 추상적인 권한에 속하는 공무원의 어떠한 공무집행이 적법한지 여부는 행위 당시의 구체적 상황에 기하여 객관적 합리적으로 판단하여야 하고 사후적으로 순수한 객관적 기준에서 판단할 것은 아니다.

② 행정청에 대한 일방적 통고로 효과가 완성되는 '신고'의 경우에는 신고인이 신고서에 허위사실을 기재하거나 허위의 소명 자료를 제출하였더라도 그것만으로는 담당 공무원의 구체적이고 현실적인 직무집행이 방해받았다고 볼 수 없어 특별한 사정이 없는 한 허위 신고가 위계에 의한 공무집행방해죄를 구성한다고 볼 수 없다.

③ 피고인들이 불법적인 농성을 계속하다가 관할 구청이 행정대집행으로 농성장소에 있던 물건을 치웠음에도 피고인들이 이에 대한 항의의 일환으로 집회를 개최하려고 하자, 또다시 같은 장소를 점거하고 물건을 다시 비치하는 것을 막기 위해 출동하여 농성장소를 미리 둘러싼 경찰관들이 농성장소 진입을 소극적으로 제지하는 과정에서 피고인들이 경찰관들을 밀치는 등 유형력을 행사한 행위는 공무집행방해죄를 구성한다.

④ 시청 청사 내 주민생활복지과 사무실에서 소란을 피우던 甲을 소속 공무원 A가 제지하며 밖으로 데리고 나가려 하자 甲이 A를 폭행한 경우 민원 상담을 시도한 순간부터 민원 상담 시도를 종료한 순간까지만 소속 공무원의 직무 범위인 민원 업무에 해당하는 것이므로 甲을 사무실에서 퇴거시키는 등의 후속 조치는 직무 범위에 포함되지 않는다고 할 것이므로 공무집행방해죄를 구성하지 않는다.

해설

④ [×] ○○시청 주민생활복지과 소속 공무원이 주민생활복지과 사무실에 방문한 피고인에게 민원 내용을 물어보며 민원 상담을 시도한 행위, 피고인의 욕설과 소란으로 인해 정상적인 민원 상담이 이루어지지 아니하고 다른 민원 업무 처리에 장애가 발생하는 상황이 지속되자 **피고인을 사무실 밖으로 데리고 나간 행위는 민원 안내 업무와 관련된 일련의 직무수행으로 포괄하여 파악함이 상당하다.** 이와 달리 민원 상담을 시도한 순간부터 민원 상담 시도를 종료한 순간까지만 주민생활복지과 소속 공무원의 직무 범위인 민원 업무에 해당하는 것으로 보고, **민원 상담 시도 종료 이후 소란을 피우고 있는 피고인을 사무실에서 퇴거시키는 등의 후속 조치는 주민생활복지과 소속 공무원의 직무 범위에 포함되지 않는다고 파악하는 것은 부당하다.**(대법원 2022. 3. 17. 2021도13883 **주민생활복지과 진상 사건**) 지문의 경우 공무집행방해죄가 성립한다.

① [○] 공무집행방해죄는 공무원의 적법한 공무집행이 전제되어야 하고, 공무집행이 적법하기 위해서는 그 행위가 공무원의 추상적 직무 권한에 속할 뿐만 아니라 구체적으로 그 권한 내에 있어야 하며, 직무행위로서 중요한 방식을 갖추어야 한다. 추상적인 권한에 속하는 공무원의 어떠한 공무집행이 적법한지는 **행위 당시의 구체적 상황에 기초를 두고 객관적 · 합리적으로 판단해야 하고, 사후적으로 순수한 객관적 기준에서 판단할 것은 아니다.**(대법원 2024. 7. 25. 2023도16951 **승차거부 민원인 사건**)

② [○] (1) **행정청에 대한 일방적 통고로 그 효과가 완성되는 '신고'의 경우에는** 신고인이 신고서에 허위사실을 기재하거나 허위의 소명자료를 제출하였다고 하더라도 그것만으로는 담당 공무원의 구체적이고 현실적인 직무

집행이 방해받았다고 볼 수 없어 특별한 사정이 없는 한 그러한 **허위 신고가 위계에 의한 공무집행방해죄를 구성한다고 볼 수 없다.** (2) 그러나 행정관청이 출원에 의한 인·허가처분 여부를 심사하거나 신청을 받아 일정한 자격요건 등을 갖춘 때에 한하여 그에 대한 수용 여부를 결정하는 등의 업무를 하는 경우에는 위 '신고'의 경우와 달리 그 출원자나 신청인이 제출한 허위의 소명자료 등에 대하여 담당 공무원이 나름대로 충분히 심사를 하였으나 이를 발견하지 못하여 인·허가처분을 하게 되거나 신청을 수리하게 되었다면, 이는 출원자나 신청인의 위계행위가 원인이 되어 행정관청이 그릇된 행위나 처분에 이르게 된 것이어서 위계에 의한 공무집행방해죄가 성립한다.(대법원 2016. 1. 28. 2015도17297 **등기확인서면 허위무인 사건**)

③ [○] 경찰 병력이 행정대집행 직후 대책위가 또다시 같은 장소를 점거하고 물건을 다시 비치하는 것을 막기 위해 농성 장소를 미리 둘러싼 뒤 대책위가 같은 장소에서 기자회견 명목의 집회를 개최하려는 것을 불허하면서 소극적으로 제지한 것은 경찰관 직무집행법 제6조 제1항의 범죄행위 예방을 위한 **경찰 행정상 즉시강제로서 적법한 공무집행에 해당하고, 피고인 등 대책위 관계자들이 이와 같이 직무집행 중인 경찰 병력을 밀치는 등 유형력을 행사한 행위는 공무집행방해죄에 해당한다.**(대법원 2021. 10. 14. 2018도2993 **대한문 앞 농성 사건**)

057 다음 설명 중 옳은 것을 모두 고른 것은? (다툼이 있으면 판례에 의함) 18 경찰채용 [Superlative ★★★]

□□□

㉠ 경찰관이 도로를 순찰하던 중 벌금 미납으로 수배된 피고인과 조우(遭遇)하여 형집행장을 소지하지 아니한 채 급속을 요하여 그에게 형집행 사유와 더불어 형집행장이 발부되어 있는 사실을 고지하고 벌금 미납으로 인한 노역장 유치의 집행을 위해 구인하려 하였는데, 피고인이 이에 저항하여 그 경찰관을 폭행한 경우 공무집행방해죄가 성립한다.

㉡ 형법상 공무집행방해죄는 직무를 집행하는 공무원에 대하여 폭행 또는 협박한 경우에 성립하는 범죄로서 여기서의 폭행은 반드시 신체에 대한 것임을 요하지 아니하며, 또한 구체적 위험범으로서 구체적으로 직무집행의 방해라는 결과발생을 필요로 한다.

㉢ 피고인이 지구대 내에서 약 1시간 이상 경찰관에게 큰소리로 욕을 하고 의자에 드러눕거나 다른 사람들에게 시비를 걸고, 경찰관들이 피고인을 내보낸 뒤 문을 잠그자 다시 들어오기 위해 출입문을 계속해서 두드리는 등 소란을 피운 경우, 공무원에 대한 간접적인 유형력의 행사로 볼 수 있어 공무집행방해죄가 성립할 수 있다.

㉣ 피고인이 같은 장소에서 함께 출동한 경찰관들 중 먼저 경찰관 A를 폭행하고 곧이어 이를 제지하는 경찰관 B를 폭행한 경우, 위와 같이 동일한 장소에서 동일한 기회에 이루어진 폭행 행위는 사회관념상 1개의 행위로 평가하는 것이 상당하므로 A와 B에 대한 공무집행방해죄는 포괄일죄의 관계에 있다.

① ㉠㉡ ② ㉠㉢ ③ ㉡㉢ ④ ㉢㉣

정답 | 056 ④ 057 ②

해설

② ㉠㉢ 2 항목이 옳다.

㉠ [○] 경찰관들의 형집행장 집행이 위법하지 아니하고 피고인에 대한 검거행위가 **적법한 공무집행에 해당**한다고 보아 피고인의 정당방위 주장을 배척하고 공무집행방해와 상해의 공소사실을 유죄로 인정한 원심의 판단은 정당하다.(대법원 2013. 9. 12. 2012도2349 지명수배자 우연히 발견 사건)

㉡ [×] 공무집행방해죄에서 '폭행'은 사람에 대한 유형력의 행사로 족하고 반드시 그 신체에 대한 것임을 요하지 아니하며 또한 **추상적 위험범으로서 구체적으로 직무집행의 방해라는 결과발생을 요하지도 아니한다**.(대법원 2018. 3. 29. 2017도21537 추차장 행패 사건)

㉢ [○] 피고인이 지구대 내에서 약 1시간 40분 동안 큰 소리로 경찰관을 모욕하는 말을 하고, 그곳 의자에 드러눕거나 다른 사람들에게 시비를 걸고 그 과정에서 경찰관들이 피고인을 내보낸 뒤 문을 잠그자 다시 들어오기 위해 출입문을 계속해서 두드리거나 잡아당기는 등 소란을 피운 경우, 이는 공무원의 정당한 직무집행을 방해하기에 충분한 행위임은 분명하고, 그 행위의 정도에 따라 공무원에 대한 **간접적인 유형력의 행사로서 형법 제136조에서 규정한 폭행에 해당한다고 볼 여지가 있다**.(대법원 2013. 12. 26. 2013도11050 관악산지구대 사건)

㉣ [×] 동일한 공무를 집행하는 여럿의 공무원에 대하여 폭행 · 협박 행위를 한 경우에는 공무를 집행하는 공무원의 수에 따라 여럿의 공무집행방해죄가 성립하고, 위와 같은 폭행 · 협박 행위가 동일한 장소에서 동일한 기회에 이루어진 것으로서 사회관념상 1개의 행위로 평가되는 경우에는 **여럿의 공무집행방해죄는 상상적 경합의 관계에 있다**.(대법원 2009. 6. 25. 2009도3505 경찰관 2명 폭행사건)

058 공무방해에 관한 죄에 대한 설명으로 옳지 않은 것은? (다툼이 있으면 판례에 의함)

□□□

22 국가7급 [*Core* ★★]

① 노조원들이 파업투쟁 중인 공장에 경찰관들이 진입할 것에 대비하여 경찰관들의 부재 중에 미리 윤활유나 철판 조각을 바닥에 뿌려 놓은 경우 그 후 공장에 진입하던 경찰관들이 이로 인해 미끄러져 넘어지거나 철판 조각에 찔려 다쳤다고 하더라도 특수공무집행방해 치상죄가 성립하지 않는다.

② 절도범인이 체포를 면탈할 목적으로 경찰관에게 폭행을 가한 때에는 준강도죄와 공무집행방해죄를 구성하고 양 죄는 상상적 경합 관계에 있으나, 강도범인이 체포를 면탈할 목적으로 경찰관에게 폭행을 가한 때에는 강도죄와 공무집행방해죄는 실체적 경합 관계에 있다.

③ 집행관이 법원으로부터 피신청인에 대하여 부작위를 명하는 가처분이 발령되었음을 고시하는데 그치고 나아가 봉인 또는 물건을 자기의 점유로 옮기는 등의 구체적인 집행행위를 하지 아니한 경우 단순히 피신청인이 가처분의 부작위명령을 위반하였다는 것만으로는 공무상표시무효죄가 성립하지 않는다.

④ 집행관이 유체동산을 가압류하면서 이를 채무자에게 보관하도록 한 경우 채무자가 가압류된 유체동산을 제3자에게 양도하고 그 점유를 이전한 경우라도 채무자와 양수인이 가압류된 유체동산을 원래 있던 장소에 그대로 두었다면 특별한 사정이 없는 한 공무상표시 무효죄가 성립하지 않는다.

해설

④ [×] 집행관이 유체동산을 가압류하면서 이를 채무자에게 보관하도록 한 경우 그 가압류의 효력은 압류된 물건의 처분행위를 금지하는 효력이 있으므로 채무자가 가압류된 유체동산을 제3자에게 양도하고 그 점유를 이전한 경우 이는 가압류집행이 금지하는 처분행위로서 특별한 사정이 없는 한 가압류표시 자체의 효력을 사실상으로 감쇄 또는 멸각시키는 행위에 해당한다. 이는 채무자와 양수인이 가압류된 유체동산을 원래 있던 장소에 그대로 두었다고 하더라도 마찬가지이다.(대법원 2018. 7. 11. 2015도5403 가압류 동산 양도사건)

① [○] 피고인이 노조원들과 함께 경찰관들이 파업투쟁 중인 공장에 진입할 경우에 대비하여 그들의 **부재 중**에 미리 윤활유나 철판조각을 바닥에 뿌려 놓아 경찰관들이 이에 미끄러져 넘어지거나 철판조각에 찔려 다친 경우 피고인 등이 윤활유나 철판조각을 경찰관들의 면전에서 공무집행을 방해할 의도로 뿌린 것이라는 등의 특별한 사정이 있는 경우는 별론으로 하고 이를 가리켜 **경찰관들에 대한 유형력의 행사, 즉 폭행에 해당하는 것으로 볼 수 없어 특수공무집행방해치상죄는 성립하지 아니한다.**(대법원 2010. 12. 23. 2010도7412 쌍용차 평택공장 점거사건 I)

② [○] **절도범인이 체포를 면탈할 목적으로 경찰관에게 폭행 · 협박을 가한 때에는** 준강도죄와 공무집행방해죄를 구성하고 양죄는 상상적 **경합관계**에 있으나, **강도범인이 체포를 면탈할 목적으로 경찰관에게 폭행을 가한 때에는** 강도죄와 공무집행방해죄는 **실체적 경합관계**에 있고 상상적 경합관계에 있는 것이 아니다.(대법원 1992. 7. 28. 92도917 절도상경 강도실경 사건)

③ [○] 집행관이 법원으로부터 피신청인에 대하여 부작위를 명하는 가처분이 발령되었음을 고시하는 데 그치고 나아가 봉인 또는 물건을 자기의 점유로 옮기는 등의 **구체적인 집행행위를 하지 아니하였다면**, 단순히 피신청인이 가처분의 부작위명령을 위반하였다는 것만으로는 **공무상표시의 효용을 해하는 행위에 해당하지 않는다.** (대법원 2016. 5. 12. 2015도20322 마트 사업자등록명의 변경사건)

정답 | 058 ④

059 □□□ **공무방해에 관한 죄에 대한 다음 설명 중 가장 옳지 않은 것은? (판례에 의함)** 11 경찰승진 [Essential ★]

① 교도관과 재소자가 상호 공모하여 재소자가 교도관으로부터 담배를 교부받아 이를 흡연한 행위 및 휴대폰을 교부받아 외부와 통화한 행위 등은 위계에 의한 공무집행방해죄에 해당하지 않는다.

② 위계에 의한 공무집행방해죄에 있어서 범죄행위가 구체적인 공무집행을 저지하거나 현실적으로 곤란하게 하는 데까지는 이르지 아니하고 미수에 그친 경우에는 위계에 의한 공무집행방해죄의 미수죄로 처벌한다.

③ 민사소송을 제기함에 있어 피고의 주소를 허위로 기재하여 법원공무원으로 하여금 변론기일소환장 등을 허위주소로 송달케 하였다는 사실만으로는 이로 인하여 법원공무원의 구체적이고 현실적인 어떤 직무집행이 방해되었다고 할 수는 없으므로, 이로써 바로 위계에 의한 공무집행방해죄가 성립한다고 볼 수는 없다.

④ 범죄피해신고를 받고 출동한 두 명의 경찰관에게 욕설을 하면서 순차로 폭행을 하여 신고처리 및 수사업무에 관한 정당한 직무집행을 방해한 경우, 상상적 경합관계에 있는 두 개의 공무집행방해죄를 범한 것이 된다.

해설

② [×] 범죄행위가 구체적인 공무집행을 저지하거나 현실적으로 곤란하게 하는 데까지는 이르지 아니하고 미수에 그친 경우에는 **위계에 의한 공무집행방해죄로 처벌할 수 없다.**(대법원 2009. 4. 23. 2007도1554 **광주교대 학과장 사건**)

① [○] (1) 법령에서 어떤 행위의 금지를 명하면서 이를 위반하는 행위에 대한 벌칙을 두는 한편, 공무원으로 하여금 그 금지 규정의 위반 여부를 감시, 단속하게 하고 있는 경우 그 공무원에게는 금지 규정 위반행위의 유무를 감시하여 확인하고 단속할 권한과 의무가 있으므로 단순히 공무원의 감시, 단속을 피하여 금지규정에 위반하는 행위를 한 것에 불과하다면 그에 대하여 벌칙을 적용하는 것은 별론으로 하고 그 행위가 **위계에 의한 공무집행방해죄에 해당하는 것이라고는 할 수 없다.**
(2) 수용자가 교도관의 감시, 단속을 피하여 규율위반행위를 하거나 수용자가 아닌 자가 교도관의 검사 또는 감시를 피하여 금지물품을 교도소 내로 반입되도록 하였다고 하더라도 위계에 의한 공무집행방해죄에 해당하는 것으로 볼 수 없다.(대법원 2004. 4. 9. 2004도272 **수용자 규율위반 사건Ⅱ**) (同旨 대법원 2003.11.13. 2001도7045 **수용자 규율위반 사건Ⅰ**)

③ [○] 민사소송을 제기함에 있어 피고의 주소를 허위로 기재하여 법원공무원으로 하여금 변론기일소환장 등을 **허위주소로 송달케 하였다는 사실만으로는** 이로 인하여 법원공무원의 구체적이고 현실적인 어떤 직무집행이 방해되었다고 할 수는 없으므로 이로써 바로 **위계에 의한 공무집행방해죄가 성립한다고 볼 수는 없다.**(대법원 1996.10.11. 96도312 **피고주소를 허위로 사건**)

④ [○] 동일한 공무를 집행하는 여럿의 공무원에 대하여 폭행·협박 행위를 한 경우에는 공무를 집행하는 공무원의 수에 따라 여럿의 공무집행방해죄가 성립하고, 위와 같은 폭행·협박 행위가 동일한 장소에서 동일한 기회에 이루어진 것으로서 **여럿의 공무집행방해죄는 상상적 경합의 관계에 있다.**(대법원 2009. 6. 25. 2009도3505 **경찰관 2명 폭행사건**)

060 공무집행방해죄에 관한 다음 설명 중 가장 옳지 않은 것은? (다툼이 있으면 판례에 의함)
□□□

23 법원행시 [Core ★★]

① 甲이 차량을 일단 정차한 다음 경찰관의 운전면허증 제시요구에 불응하고 다시 출발하는 과정에서, 경찰관이 잡고 있던 운전석 쪽의 열린 유리창 윗 부분을 놓지 않은 채 10 내지 15m 가량을 걸어서 따라 가다가 차량속도가 빨라지자 더 이상 따라가지 못하고 손을 놓아 버린 경우 이러한 사실만으로는 甲의 행위가 공무집행방해죄에 있어서의 폭행에 해당한다고 할 수 없다.

② 경찰관 A, B가 甲에 대하여 접수된 피해신고를 받고 함께 출동하여 신고처리 및 수사업무를 집행 하던 중, 甲이 같은 장소에서 A, B에게 욕설을 하면서 먼저 경찰관 A를 폭행 하고 곧이어 이를 제지하는 경찰관 B를 폭행한 경우 경찰관 A와 경찰관 B에 대한 공무집행방해죄는 형법 제40조에 정한 상상적 경합의 관계에 있다.

③ 공무집행방해죄는 공무원의 적법한 공무집행이 전제로 되는데, 현행범 체포의 적법성은 체포 당시의 구체적 상황을 기초로 객관적으로 판단하여야 하고, 사후에 범인으로 인정되었는지에 의할 것은 아니다.

④ 방송국 프로듀서와 촬영감독이 수용 중인 피의자를 접견하면서 촬영하기 위하여, 피의자의 지인인 것처럼 접견을 허가 받은 후 반입이 금지되어 있는 명함지갑 모양의 녹음·녹화 장비를 교정시설 내로 반입한 행위는 위계에 의한 공무집행방해죄를 구성한다.

⑤ 가처분신청시 당사자가 허위의 주장을 하거나 허위의 증거를 제출하였다 하더라도 그것만으로 바로 위계에 의한 공무집행방해죄가 성립한다고 볼 수 없다.

해설

④ [×] 녹음·녹화 등을 할 수 있는 전자장비가 교정시설의 안전 또는 질서를 해칠 우려가 있는 금지물품에 해당하여 반입을 금지할 필요가 있다면 교도관은 교정시설 등의 출입자와 반출·반입 물품을 검사·단속해야 할 일반적인 직무상 권한과 의무가 있다. 수용자가 아닌 사람이 **금지물품을 교정시설 내로 반입하였다면 교도관의 검사·단속을 피하여 단순히 금지규정을 위반하는 행위를 한 것일 뿐 이로써 위계에 의한 공무집행방해죄가 성립한다고 할 수는 없다.**(대법원 2022. 3. 31. 2018도15213 **서울구치소 잠입취재 사건**) 건조물침입죄도 성립하지 않는다.

① [○] 피고인이 차량을 일단 정차한 다음 경찰관의 운전면허증 제시요구에 불응하고 다시 출발하는 과정에서 경찰관이 잡고 있던 운전석 쪽의 열린 유리창 윗부분을 놓지 않은 채 어느 정도 진행하다가 차량속도가 빨라지자 더 이상 따라가지 못하고 손을 놓아버렸다면 이러한 사실만으로는 **공무집행방해죄에 있어서의 폭행에 해당한다고 할 수 없다.**(대법원 1996. 4. 26. 96도281 **차량 그대로 진행사건**)

② [○] 동일한 공무를 집행하는 여럿의 공무원에 대하여 폭행·협박 행위를 한 경우에는 공무를 집행하는 공무원의 수에 따라 여럿의 공무집행방해죄가 성립하고, 위와 같은 폭행·협박 행위가 동일한 장소에서 동일한 기회에 이루어진 것으로서 사회관념상 1개의 행위로 평가되는 경우에는 **여럿의 공무집행방해죄는 상상적 경합의 관계에 있다.**(대법원 2009. 6. 25. 2009도3505 **경찰관 2명 폭행사건**)

③ [○] 공무집행방해죄는 공무원의 적법한 공무집행이 전제로 되는바, 추상적인 권한에 속하는 공무원의 어떠한 공무집행이 적법한지 여부는 행위 당시의 구체적 상황에 기하여 객관적·합리적으로 판단하여야 하고 사후적

정답 | 059 ② 060 ④

으로 순수한 객관적 기준에서 판단할 것은 아니다. 마찬가지로 현행범 체포의 적법성은 체포 당시의 구체적 상황을 기초로 객관적으로 판단하여야 하고, 사후에 범인으로 인정되었는지에 의할 것은 아니다.(대법원 2013. 8. 23. 2011도4763 화전민식당 사건)

⑤ [○] 법원은 당사자의 허위 주장 및 증거 제출에도 불구하고 진실을 밝혀야 하는 것이 그 직무이므로 가처분신청시 당사자가 허위의 주장을 하거나 허위의 증거를 제출하였다 하더라도 그것만으로 법원의 구체적이고 현실적인 어떤 직무집행이 방해되었다고 볼 수 없으므로 이로써 바로 **위계에 의한 공무집행방해죄가 성립한다고 볼 수 없다.**(대법원 2012. 4. 26. 2011도17125 기만적인 가처분신청 사건)

061 업무방해의 죄에 대한 설명으로 옳지 않은 것은? (다툼이 있으면 판례에 의함)

□□□

17 국가7급 [*Core* ★★]

① 민원인이 경찰청 민원실에서 욕설을 하고 소란을 피우는 등 위력으로 공무원의 직무집행을 방해한 경우, 공무집행방해죄는 물론 업무방해죄도 성립하지 아니한다.

② 법원에 가처분신청시 당사자가 허위주장을 하거나 허위증거를 제출한 경우, 위계에 의한 공무집행방해죄가 성립하지 아니한다.

③ 등기신청인이 제출한 허위의 소명자료 등에 대하여 등기관이 나름대로 충분히 심사를 하였음에도 이를 발견하지 못하여 등기가 마쳐진 경우, 등기관에게 등기신청이 실체법상의 권리관계와 일치하는지를 심사할 실질적인 권한이 없다면 위계에 의한 공무집행방해죄가 성립하지 아니한다.

④ 운전자가 과속단속카메라에 촬영되더라도 불빛을 반사시켜 차량 번호판이 식별되지 않도록 하는 기능이 있는 제품을 차량번호판에 뿌린 상태로 차량을 운행한 경우, 위계에 의한 공무집행방해죄가 성립하지 아니한다.

해설

③ [×] 등기신청은 단순한 '신고'가 아니라 그 신청에 따른 등기관의 심사 및 처분을 예정하고 있는 것이므로, **등기신청인이 제출한 허위의 소명자료 등에 대하여 등기관이 나름대로 충분히 심사를 하였음에도 이를 발견하지 못하여 그 등기가 마쳐지게 되었다면 위계에 의한 공무집행방해죄가 성립할 수 있다.** 등기관이 등기신청에 대하여 부동산등기법상 그 등기신청에 필요한 서면이 제출되었는지 여부 및 제출된 서면이 형식적으로 진정한 것인지 여부를 심사할 권한은 갖고 있으나 **그 등기신청이 실체법상의 권리관계와 일치하는지 여부를 심사할 실질적인 심사권한은 없다고 하여 달리 보아야 하는 것은 아니다.**(대법원 2016. 1. 28. 2015도17297 등기확인서면 허위무인 사건)

① [○] 피고인들이 충남지방경찰청 1층 민원실에서 자신들이 진정한 사건의 처리와 관련하여 지방경찰청장의 면담 등을 요구하면서 이를 제지하는 경찰관들에게 큰소리로 욕설을 하고 행패를 부려 위력으로 **경찰관들의 수사관련 업무를 방해하였더라도, 공무를 방해하는 행위에 대해서는 업무방해죄로 의율할 수 없다.**(대법원 2009. 11. 19. 2009도4166 全合 충남청 민원실 행패사건)

② [○] 법원은 당사자의 허위 주장 및 증거 제출에도 불구하고 진실을 밝혀야 하는 것이 그 직무이므로, 가처분

신청시 당사자가 허위의 주장을 하거나 허위의 증거를 제출하였다 하더라도 그것만으로 **법원의 구체적이고 현실적인 어떤 직무집행이 방해되었다고 볼 수 없으므로 이로써 바로 위계에 의한 공무집행방해죄가 성립한다고 볼 수 없다.**(대법원 2012. 4. 26. 2011도17125 기만적인 가처분신청 사건)

④ [○] 과속으로 인하여 과속단속카메라에 촬영되더라도 불빛을 반사시켜 차량 번호판이 식별되지 않도록 하는 기능이 있는 이 사건 '**파워매직세이퍼**'를 차량 번호판에 뿌린 상태로 차량을 운행한 행위만으로는 교통단속업무를 구체적이고 현실적으로 수행하는 경찰공무원에 대하여 그가 충실히 직무를 수행한다고 하더라도 통상적인 업무처리과정 하에서는 사실상 적발이 어려운 **위계를 사용하여 그 업무집행을 하지 못하게 한 것이라고 보기 어렵다.**(대법원 2010. 4. 15. 2007도8024 파워매직세이퍼 사건)

062 甲에게 위계에 의한 공무집행방해죄가 성립하지 않는 경우는? (다툼이 있으면 판례에 의함)

□□□

17 경찰간부 [Core ★★]

① 음주운전을 하다가 교통사고를 일으킨 甲은 형사처벌을 면하기 위하여 동승자인 아내 A의 혈액을 자신의 혈액인 것처럼 교통사고 조사 경찰관에게 제출하여 감정하도록 하였다.

② 甲은 자신의 발명품에 대한 특허출원을 위해 행정관청에 허위의 출원사유 및 소명자료를 제출하여 특허등록결정을 받았다.

③ 甲은 개인택시 운송사업면허를 받은지 5년이 경과되지 아니하여 원칙적으로 개인택시 운송사업을 양도할 수 없는 사람인 A로부터 개인택시 운송사업의 양도·양수를 받을 목적으로, 질병이 있는 노숙자 B로 하여금 A로 위장하게 하여 의사로부터 진료를 받게 한 후 발급받은 A명의의 허위진단서를 행정관청에 개인택시 운송사업의 양도·양수 인가신청을 하면서 이를 소명자료로 제출하여 진단서의 기재 내용을 신뢰한 행정관청으로부터 인가처분을 받았다.

④ 甲은 운전면허시험에 거듭 불합격하는 자신의 친구 A를 위하여 시험감독자를 속이고 자동차 운전면허시험에 대리로 응시하였다.

해설

② 행정관청이 출원에 의한 인·허가처분을 함에 있어서는 그 출원사유가 사실과 부합하지 아니하는 경우가 있음을 전제로 하여 인·허가할 것인지 여부를 심사·결정하는 것이므로, 행정관청이 사실을 충분히 확인하지 아니한 채 출원자가 제출한 허위의 출원사유나 허위의 소명자료를 가볍게 믿고 인가 또는 허가를 하였다면 이는 행정관청의 불충분한 심사에 기인한 것이어서 출원자의 위계가 결과 발생의 주된 원인이라 할 수 없어 위계에 의한 공무집행방해죄를 구성하지 않는다.(대법원 2010. 10. 28. 2008도9590 수출식물 검사신청 사건)

① 피고인이 교통사고조사 담당 경찰관에게 타인의 혈액을 마치 자신의 혈액인 것처럼 건네주어 그것으로 국립과학수사연구소에 의뢰하여 혈중알콜농도를 감정하게 하고 그 결과에 따라 음주운전 혐의에 대하여 공소권 없음

정답 | 061 ③ 062 ②

의 의견으로 송치하게 한 경우, 단순히 피의자가 수사기관에 대하여 허위사실을 진술하거나 자신에게 불리한 증거를 은닉하는 데 그친 것이 아니라 수사기관의 착오를 이용하여 적극적으로 피의사실에 관한 증거를 조작한 것이므로 **위계에 의한 공무집행방해죄가 성립한다.**(대법원 2003. 7. 25. 2003도1609 **음주운전자 타인 혈액 제출사건**)

③ 피고인들은 개인택시운송사업 면허를 받은 지 5년이 지나지 아니하여 원칙적으로 개인택시운송사업을 양도할 수 없는 사람 등과 공모하여, 질병이 있는 노숙자들로 하여금 그들이 개인택시운송사업을 양도하려고 하는 사람인 것처럼 위장하여 의사의 진료를 받게 한 뒤 의사로부터 개인택시운송사업의 양도인이 1년 이상의 질병에 걸려 있는 것으로 된 허위 진단서를 발급받고 이를 소명자료로 삼아 개인택시운송사업의 양도·양수 인가신청을 하여 행정청으로부터 인가처분을 받았다면, 피고인들의 위와 같은 행위는 **위계에 의한 공무집행방해죄에 해당한다.**(대법원 2002. 9. 10. 2002도2131 **개인택시면허 양도·양수 사건II**)

④ 피고인이 마치 그의 형인 양 시험감독자를 속이고 원동기장치 자전거운전면허시험에 대리로 응시하였다면 피고인의 소위는 **위계에 의한 공무집행방해죄가 성립한다.**(대법원 1986. 9. 9. 86도1245)

063 위계에 의한 공무집행방해죄가 성립하는 것은 모두 몇 개인가? (다툼이 있으면 판례에 의함)

□□□

14 경찰승진 [*Core* ★★]

㉠ 감척어선 입찰자격이 없는 자가 제3자와 공모하여 제3자의 대리인 자격으로 제3자 명의로 입찰에 참가하고 낙찰받은 후 자신의 자금으로 낙찰대금을 지급하여 감척어선에 대한 실질적 소유권을 취득한 경우

㉡ 지방자치단체의 공사입찰에 있어서 허위서류를 제출하여 입찰참가자격을 얻고 낙찰자로 결정되어 계약을 체결한 경우

㉢ 민사소송을 제기함에 있어 피고의 주소를 허위로 기재하여 변론기일소환장 등 소송서류를 허위주소로 송달하게 한 경우

㉣ 음주운전을 하다가 교통사고를 야기한 후 형사처벌을 면하기 위하여 타인의 혈액을 자신의 혈액인 것처럼 교통사고 조사 경찰관에게 제출하여 감정하도록 한 경우

① 없음　　② 1개

③ 2개　　④ 3개

해설

④ ㉠㉡㉣ 3 항목의 경우 위계공무집행방해죄가 성립한다.

㉠ 위계에 의한 공무집행방해죄에서 공무원의 직무집행이란 법령의 위임에 따른 공무원의 적법한 직무집행인 이상 공권력의 행사를 내용으로 하는 **권력적 작용뿐만 아니라 사경제주체로서의 활동을 비롯한 비권력적 작용도 포함된다.**(대법원 2003. 12. 26. 2001도6349 **감척어선 사건**)

㉡ (가)회사가 광주시가 발주하는 염주종합경기장 입찰에 대한 참가자격을 갖추지 못하였음에도, 피고인들이 공사

실적에 관련된 사문서를 변조한 다음 이를 첨부한 실적증명발급요청서를 해외건설협회에 제출하여 위 입찰참가자격에 적합한 실적증명서를 받아내고, 이를 입찰참가신청서에 첨부하여 제출함으로써 (가)회사가 낙찰자로 결정되고 공사계약을 체결하게 된 경우, **위계에 의한 공무집행방해죄의 성립한다.**(대법원 2003. 10. 9. 2000도4993 **금호산업 허위실적증명 사건**)

ⓒ 민사소송을 제기함에 있어 피고의 주소를 허위로 기재하여 법원공무원으로 하여금 변론기일소환장 등을 허위주소로 송달케 하였다는 사실만으로는 이로 인하여 법원공무원의 **구체적이고 현실적인 어떤 직무집행이 방해되었다고 할 수는 없으므로 이로써 바로 위계에 의한 공무집행방해죄가 성립한다고 볼 수는 없다.**(대법원 1996. 10. 11. 96도312 **피고주소를 허위로 사건**)

ⓓ 피고인이 교통사고조사 담당 경찰관에게 **타인의 혈액을 마치 자신의 혈액인 것처럼 건네주어** 그것으로 국립과학수사연구소에 의뢰하여 혈중알콜농도를 감정하게 하고 그 결과에 따라 음주운전 혐의에 대하여 공소권 없음의 의견으로 송치하게 한 경우, 단순히 피의자가 수사기관에 대하여 허위사실을 진술하거나 자신에게 불리한 증거를 은닉하는 데 그친 것이 아니라 수사기관의 착오를 이용하여 적극적으로 피의사실에 관한 증거를 조작한 것이므로 **위계에 의한 공무집행방해죄가 성립한다.**(대법원 2003. 7. 25. 2003도1609 **음주운전자 타인 혈액 제출사건**)

064 □□□ **다음 <보기>는 위계에 의한 공무집행방해죄에 관한 설명이다. 옳은 것(○)과 옳지 않은 것(×)으로 올바르게 짝지어진 것은? (다툼이 있으면 판례에 의함)**

22 해경간부 [Core ★★]

㉠ 화물자동차 운송주선사업자가 관할 행정청에 주기적으로 허가기준에 관한 사항을 신고하는 과정에서 가장납입에 의하여 발급받은 허위의 예금잔액증명서를 제출하는 부정한 방법으로 허가를 받는 행위는 위계에 의한 공무집행방해죄를 구성하지 않는다.
㉡ 민사소송을 제기함에 있어 피고의 주소를 허위로 기재하여 법원공무원으로 하여금 변론기일소환장 등을 허위주소로 송달케 한 행위는 위계에 의한 공무집행방해죄가 성립한다.
㉢ 당사자가 법원에 가처분신청을 하면서 허위의 주장을 하거나 허위의 증거를 제출한 경우 위계에 의한 공무집행방해죄가 성립한다.
㉣ 병역법상의 지정업체에서 산업기능요원으로 근무할 의사가 없음에도 해당 지정업체의 장과 공모하여 허위내용의 편입신청서를 제출하여 관할관청으로부터 산업기능요원 편입을 승인받고, 관할관청의 실태조사를 회피하기 위하여 허위서류를 작성·제출하는 등의 방법으로 파견 근무를 신청하여 관할관청으로부터 파견근무를 승인받은 경우 위계에 의한 공무집행방해죄가 성립한다.

① ㉠ ○ ㉡ ○ ㉢ × ㉣ ×
② ㉠ ○ ㉡ × ㉢ × ㉣ ○
③ ㉠ × ㉡ ○ ㉢ × ㉣ ○
④ ㉠ × ㉡ × ㉢ ○ ㉣ ×

정답 | 063 ④ 064 ②

해설

② 이 지문이 옳은 연결이다.

㉠ [○] **이미 허가를 받아 적법하게** 화물자동차 운송주선사업을 영위하는 피고인이 신고를 하는 과정에서 신고서에 허위사실을 기재하고 그에 관한 허위의 서류를 첨부하여 제출하였다고 하더라도 그로써 곧 구체적이고 현실적인 직무집행이 방해받았다고 볼 수 없을 뿐 아니라, 행정청이 신고내용의 진실성이나 첨부자료의 진위 여부를 조사하지 아니하여 허위신고에 대한 적정한 행정권의 행사에 나아가지 못하였다고 하더라도 그러한 결과가 **허위신고로 인한 것이라고 보기도 어렵다.**(대법원 2011. 9. 8. 2010도7034 화물운송주선사업자 사건II)

㉡ [×] 민사소송을 제기함에 있어 피고의 주소를 허위로 기재하여 법원공무원으로 하여금 변론기일소환장 등을 허위주소로 송달케 하였다는 사실만으로는 이로 인하여 법원공무원의 구체적이고 현실적인 어떤 직무집행이 방해되었다고 할 수는 없으므로 이로써 바로 위계에 의한 공무집행방해죄가 성립한다고 볼 수는 없다.(대법원 1996. 10. 11. 96도312 피고주소를 허위로 사건)

㉢ [×] 법원은 당사자의 허위 주장 및 증거 제출에도 불구하고 진실을 밝혀야 하는 것이 그 직무이므로, 가처분 신청시 당사자가 허위의 주장을 하거나 허위의 증거를 제출하였다 하더라도 그것만으로 법원의 구체적이고 현실적인 어떤 직무집행이 방해되었다고 볼 수 없으므로 이로써 바로 위계에 의한 공무집행방해죄가 성립한다고 볼 수 없다.(대법원 2012. 4. 26. 2011도17125 기만적인 가처분신청 사건)

㉣ [○] 병역법상의 지정업체에서 산업기능요원으로 근무할 의사가 없음에도 해당 지정업체의 장과 공모하여 허위내용의 편입신청서를 제출하여 관할관청으로부터 **산업기능요원 편입을 승인받고**, 나아가 관할관청의 실태조사를 회피하기 위하여 허위서류를 작성·제출하는 등의 방법으로 파견근무를 신청하여 관할관청으로부터 파견근무를 승인받았다면, 이러한 파견근무의 승인 등은 관할관청의 불충분한 심사가 원인이된 것이 아니라 출원인의 위계행위가 원인이 된 것이어서 **위계에 의한 공무집행방해죄가 성립한다.**(대법원 2009. 3. 12. 2008도1321 산업기능요원 부정편입사건)

065 공무집행방해죄에 관한 다음 설명 중 가장 옳지 않은 것은? (다툼이 있으면 판례에 의함)

□□□

17 법원9급 [Superlative ★★★]

① 위계에 의한 공무집행방해죄는 상대방의 오인, 착각, 부지를 일으키고 이를 이용하는 위계에 의해 상대방이 그릇된 행위나 처분을 하게 함으로써 성립한다.

② 행정청에 대한 일방적 통고로 효과가 완성되는 '신고'의 경우 신고인이 신고서에 허위사실을 기재하였다 하더라도 그것만으로는 담당 공무원의 구체적이고 현실적인 직무집행이 방해받았다고 볼 수 없어 위계에 의한 공무집행방해죄는 성립하지 않는다.

③ 등기관은 등기신청이 실체법상의 권리관계와 일치하는지를 심사할 권한이 없으므로 등기관이 등기신청인이 제출한 허위의 소명자료에 대해 충분히 심사를 하였으나 이를 발견하지 못한 채 등기가 마쳐졌다 하더라도 위계에 기한 공무집행방해죄는 성립하지 않는다.

④ 외국 주재 한국영사관에 허위의 소명자료를 제출하여 비자를 신청하였는데 업무담당자가 사실을 충분히 확인하지 아니한 채 신청인 제출의 허위의 소명자료를 가볍게 믿고 비자를 발급하였다면 위계에 의한 공무집행방해죄는 성립하지 않는다.

해설

③ [×] 등기신청은 단순한 '신고'가 아니라 그 신청에 따른 등기관의 심사 및 처분을 예정하고 있는 것이므로, **등기신청인이 제출한 허위의 소명자료 등에 대하여 등기관이 나름대로 충분히 심사를 하였음에도 이를 발견하지 못하여 그 등기가 마쳐지게 되었다면 위계에 의한 공무집행방해죄가 성립할 수 있다.** 등기관이 등기신청에 대하여 부동산등기법상 그 등기신청에 필요한 서면이 제출되었는지 여부 및 제출된 서면이 형식적으로 진정한 것인지 여부를 심사할 권한은 갖고 있으나 그 등기신청이 실체법상의 권리관계와 일치하는지 여부를 심사할 실질적인 심사권한은 없다고 하여 달리 보아야 하는 것은 아니다.(대법원 2016. 1. 28. 2015도17297 등기확인서면 허위무인 사건)

① [○] 위계에 의한 공무집행방해죄는 상대방의 오인, 착각, 부지를 일으키고 이를 이용하는 위계에 의하여 상대방으로 하여금 그릇된 행위나 처분을 하게 함으로써 **공무원의 구체적이고 현실적인 직무집행을 방해하는 경우에 성립한다.**(대법원 2016. 1. 28. 2015도17297 등기확인서면 허위무인 사건)

② [○] (1) **신고는** 사인(私人)이 행정청에 대하여 일정한 사실 또는 관념을 통지함으로써 공법상 법률효과가 발생하는 행위로서 **원칙적으로 행정청에 대한 일방적 통고로 그 효과가 완성될 뿐** 이에 대응하여 신고내용에 따라 법률효과를 부여하는 행정청의 행위나 처분을 예정하고 있지 아니하므로, 신고인이 허위사실을 신고서에 기재하거나 허위의 소명자료를 첨부하여 제출하였다고 하더라도 관계 법령에 별도의 처벌규정이 있어 이를 적용하는 것은 별론으로 하고, 일반적으로 위와 같은 허위 신고가 형법상 **위계에 의한 공무집행방해죄를 구성한다고 볼 수 없다.**
(2) 다만 관계 법령이 비록 신고라는 용어를 사용하고 있더라도 사실상 인허가 등 처분의 신청행위와 다를 바 없다고 평가되는 등의 예외적인 경우에는 위계에 의한 공무집행방해죄가 성립할 여지가 있으나, 이때에도 행정청이 나름대로 충분히 사실관계를 확인하더라도 그 신고내용이 허위이거나 법령의 취지에 맞지 아니함을 발견할 수 없었던 경우가 아니라면 심사를 담당하는 행정청이 신고내용이나 자료의 진실성을 충분히 따져보지 않은 채 경솔하게 이를 믿고 어떠한 행위나 처분에 나아갔다고 하여 이를 신고인의 위계에 의한 결과로 볼 수 없으므로 위계에 의한 공무집행방해죄는 성립하지 아니한다.(대법원 2011. 9. 8. 2010도7034 화물운송주선 사업자 사건II)

④ [○] 외국 주재 한국영사관의 비자발급 업무와 같이, 상대방으로부터 신청을 받아 일정한 자격요건 등을 갖춘 경우에 한하여 그에 대한 수용 여부를 결정하는 업무에 있어서는 신청서에 기재된 사유가 사실과 부합하지 않을 수 있음을 전제로 하여 그 자격요건 등을 심사 · 판단하는 것이므로 (1) 그 업무담당자가 사실을 충분히 확인하지 아니한 채 신청인이 제출한 허위의 신청사유나 허위의 소명자료를 가볍게 믿고 이를 수용하였다면, 이는 업무담당자의 **불충분한 심사에 기인한 것으로서 위계에 의한 공무집행방해죄를 구성하지 않는다고 할 것**이지만 (2) 신청인이 업무담당자에게 허위의 주장을 하면서 이에 부합하는 허위의 소명자료를 첨부하여 제출한 경우 그 수리 여부를 결정하는 업무담당자가 관계 규정이 정한 바에 따라 그 요건의 존부에 관하여 나름대로 **충분히 심사를 하였으나 신청사유 및 소명자료가 허위임을 발견하지 못하여 그 신청을 수리하게 될 정도에 이르렀다면**, 이는 업무담당자의 불충분한 심사가 아니라 신청인의 위계행위에 의한 것으로서 **위계에 의한 공무집행방해죄가 성립된다.**(대법원 2011. 4. 28. 2010도14696 조선족 신분세탁 사건II)

정답 | 065 ③

066 다음 설명 중 가장 옳지 않은 것은? (다툼이 있으면 판례에 의함) 24 법원9급 [Essential ★]

□□□

① 형법 제136조가 정하는 공무집행방해죄는 공무원의 직무집행이 적법한 경우에 한하여 성립하는 것으로 이러한 적법성이 결여된 직무행위를 하는 공무원에게 대항하여 폭행이나 협박을 가하였다고 하더라도 공무집행방해죄가 성립하지 않는다.

② 동일한 공무를 집행하는 여럿의 공무원에 대하여 폭행·협박 행위를 한 경우에는 공무를 집행하는 공무원의 수에 따라 여럿의 공무집행방해죄가 성립하고, 위와 같은 폭행·협박 행위가 동일한 장소에서 동일한 기회에 이루어진 것으로서 사회관념상 1개의 행위로 평가되는 경우에는 여럿의 공무집행방해죄는 상상적 경합의 관계에 있다.

③ 공무집행방해죄는 직무를 집행하는 공무원에 대하여 폭행 또는 협박한 경우에 성립하는 범죄로서 위 폭행은 사람에 대한 유형력의 행사로 족하고 반드시 그 신체에 대한 것임을 요하지 아니하며, 또한 추상적 위험범으로서 구체적으로 직무집행의 방해라는 결과발생을 요하지 않는다.

④ 죄형법정주의 원칙상 공무집행방해죄에 있어서 '직무를 집행하는'이라 함은 공무원이 직무수행을 현실적으로 행하고 있는 때만을 가리키고 직무수행을 위하여 근무 중인 상태에 있는 때를 포괄하는 것은 아니다. 따라서 불법주차 단속을 요구하는 민원인이 구청에서 야간 당직 근무 중인 청원경찰을 폭행하였다고 하더라도 불법주차 단속업무는 야간 당직 근무자들의 업무가 아니므로 공무집행방해죄의 '직무집행'에 해당하지 않아 공무집행방해죄가 성립하지 않는다.

해설

④ [×] (전문) 공무집행방해죄에 있어서 '직무를 집행하는'이라 함은 공무원이 직무수행에 직접 필요한 행위를 현실적으로 행하고 있는 때만을 가리키는 것이 아니라 **공무원이 직무수행을 위하여 근무중인 상태에 있는 때를 포괄한다.**(대법원 2009. 1. 15. 2008도9919 **야간당직 청원경찰 폭행사건**) (후문) 야간 당직 근무 중인 청원경찰이 불법주차 단속요구에 응하여 현장을 확인만 하고 주간 근무자에게 전달하여 단속하겠다고 했다는 이유로 민원인이 청원경찰을 폭행한 경우 야간 당직 근무자는 불법주차 단속권한은 없지만 민원 접수를 받아 다음날 관련 부서에 전달하여 처리하고 있으므로 **불법주차 단속업무는 야간 당직 근무자들의 민원업무이자 경비업무로서 공무집행방해죄의 '직무집행'에 해당하여 공무집행방해죄가 성립한다.**(대법원 2009. 1. 15. 2008도9919 **야간당직 청원경찰 폭행사건**)

① [○] 공무집행방해죄는 공무원의 직무집행이 적법한 경우에 한하여 성립하는 것으로 이러한 적법성이 결여된 직무행위를 하는 공무원에게 대항하여 폭행이나 협박을 가하였다고 하더라도 이를 공무집행방해죄로 다스릴 수는 없고, 이때 적법한 공무집행이라 함은 그 행위가 **공무원의 추상적 권한에 속할 뿐 아니라 구체적 직무집행에 관한 법률상 요건과 방식을 갖춘 경우를 가리킨다.**(대법원 2017. 9. 26. 2017도9458 **파주 형집행장 불제시 사건**)

② [○] 동일한 공무를 집행하는 여럿의 공무원에 대하여 폭행·협박 행위를 한 경우에는 공무를 집행하는 공무원의 수에 따라 여럿의 공무집행방해죄가 성립하고, 위와 같은 폭행·협박 행위가 동일한 장소에서 동일한 기회에 이루어진 것으로서 사회관념상 1개의 행위로 평가되는 경우에는 **여럿의 공무집행방해죄는 상상적 경합의 관계에 있다.**(대법원 2009. 6. 25. 2009도3505 **경찰관 2명 폭행사건**)

③ [○] 공무집행방해죄에서 '폭행'은 사람에 대한 유형력의 행사로 족하고 반드시 그 신체에 대한 것임을 요하지 아니하며 또한 추상적 위험범으로서 **구체적으로 직무집행의 방해라는 결과발생을 요하지도 아니한다.**(대법원 2018. 3. 29. 2017도21537 **추차장 행패 사건**)

067 다음 설명 중 가장 적절하지 않은 것은? (다툼이 있으면 판례에 의함)

13 경찰채용 [Essential ★]

□□□

① 검사 甲이 참고인조사를 받는 줄 알고 검찰청에 자진출석한 변호사 사무실 사무장을 합리적 근거 없이 긴급체포 하려고 하자 그의 변호사 乙이 이를 제지하는 과정에서 甲에게 상해를 가하였다. 이 경우 乙에게 공무집행방해죄는 성립하지 않는다.

② 변호사가 접견을 핑계로 수용자를 위하여 휴대전화와 증권거래용 단말기를 구치소 내에 사실상 적발하기 어려운 방법으로 반입하여 이용하게 한 행위는 위계에 의한 공무집행방해죄에 해당한다.

③ 국립대학교의 전임교원 공채심사위원인 학과장이 지원자의 부탁을 받고 이미 논문접수가 마감된 학회지에 지원자의 논문이 게재되도록 돕고, 그 후 연구실적심사의 기준을 강화하자고 제안한 경우, 위계에 의한 공무집행방해죄가 성립한다.

④ 피고인이 노조원들과 함께 경찰관인 피해자들이 파업투쟁 중인 공장에 진입할 경우에 대비하여 그들의 부재 중에 미리 윤활유나 철판조각을 바닥에 뿌려 놓은 것에 불과하고, 위 피해자들이 이에 미끄러져 넘어지거나 철판조각에 찔려 다쳤다는 것에 지나지 않는다면 폭행에 해당하는 것으로 볼 수 없다.

해설

③ [×] 국립대학교의 전임교원 공채심사위원인 학과장 甲이 지원자 乙의 부탁을 받고 이미 논문접수가 마감된 학회지에 乙의 논문이 게재되도록 도운 행위는 다소 부적절한 행위라고 볼 수 있지만, 그 후 甲이 **연구실적심사의 기준을 강화하자고 제안한 것은 해당 학과의 전임교원 임용 목적에 부합하는 것으로서 공정한 경우에 해당하므로,** 설사 甲의 행위가 결과적으로는 乙에게 유리한 결과가 되었다 하더라도 **'위계'에 해당하지 않는다.**(대법원 2009. 4. 23. 2007도1554 **광주교대 학과장 사건**)

① [○] 검사 甲이 참고인조사를 받는 줄 알고 검찰청에 자진출석한 변호사 사무실 사무장을 합리적 근거없이 긴급체포 하려고 하자 그의 변호사 乙이 이를 제지하는 과정에서 甲에게 상해를 가하였다. 이 경우 乙에게 **공무집행방해죄는 성립하지 않는다.**(대법원 2006. 9. 8. 2006도148 **사무장 긴급체포사건**)

② [○] 변호사가 접견을 핑계로 수용자를 위하여 **휴대전화와 증권거래용 단말기를 구치소 내로 몰래 반입하여** 이용하게 한 행위는 **위계에 의한 공무집행방해죄에 해당한다.**(대법원 2005. 8. 25. 2005도1731 **연락병 변호사사건**)

정답 | 066 ④ 067 ③

④ [○] 피고인이 노조원들과 함께 경찰관들이 파업투쟁 중인 공장에 진입할 경우에 대비하여 그들의 부재 중에 미리 **윤활유나 철판조각을 바닥에 뿌려 놓아** 경찰관들이 이에 미끄러져 넘어지거나 철판조각에 찔려 다친 경우, 피고인 등이 윤활유나 철판조각을 경찰관들의 면전에서 공무집행을 방해할 의도로 뿌린 것이라는 등의 특별한 사정이 있는 경우는 별론으로 하고 이를 가리켜 경찰관들에 대한 유형력의 행사, 즉 **폭행에 해당하는 것으로 볼 수 없어 특수공무집행방해치상죄는 성립하지 아니한다.**(대법원 2010. 12. 23. 2010도7412 쌍용차 평택공장 점거사건Ⅰ)

068 공무집행방해죄 및 업무방해죄에 관한 설명으로 가장 옳은 것은? (다툼이 있으면 판례에 의함)

□□□

14 법원9급 [Superlative ★★★]

① 피고인이 甲 등과 공모하여 위력으로 시장 乙 및 丙 회사관계자 등의 기자회견 업무를 방해하였을 경우, 공무원 乙의 기자회견 업무에 대하여 업무방해죄가 성립하지 아니한다.

② 경찰청 민원실에서 말똥을 책상 및 민원실 바닥에 뿌리고 소리를 지르는 등 난동을 부린 행위가 '위력'으로 경찰관의 민원접수 업무를 방해한 경우, 경찰청 민원실 근무 경찰공무원에 대하여 업무방해죄가 성립한다.

③ 공무원의 직무 수행에 대한 비판이나 시정 등을 요구하는 집회·시위 과정에서 일시적으로 상당한 소음이 발생하였다는 사정만으로도, 이를 공무집행방해죄에서의 음향으로 인한 폭행이 있었다고 할 수 있다.

④ 불법주차 차량에 불법주차 스티커를 붙였다가 이를 다시 떼어 낸 직후에 있는 주차단속 공무원을 폭행한 경우, 폭행 당시 주차단속 공무원은 불법주차 단속의 직무수행을 하고 있지 않았다고 보아야 하므로 공무집행방해죄가 성립하지 않는다.

해설

① [○] 마산시장 A와 STX중공업 회사 관계자 등이 'STX조선소 유치 확정'에 관한 기자회견을 하려고 하자 피고인 甲이 乙 등과 공모하여 위력으로써 마산시청 1층 브리핑룸 및 중회의실 출입구를 봉쇄하여 A 등의 기자회견을 방해하였더라도 **공무를 방해하는 행위에 대해서는 업무방해죄로 의율할 수 없다.**(대법원 2011. 7. 28. 2009도11104 마산시장 기자회견 방해사건)

② [×] (1) 형법이 업무방해죄와는 별도로 공무집행방해죄를 규정하고 있는 것은 사적 업무와 공무를 구별하여 공무에 관해서는 공무원에 대한 폭행, 협박 또는 위계의 방법으로 그 집행을 방해하는 경우에 한하여 처벌하겠다는 취지라고 보아야 할 것이고, 따라서 **공무원이 직무상 수행하는 공무를 방해하는 행위에 대해서는 업무방해죄로 의율할 수는 없다.**

(2) 원심이, 피고인이 위력으로 경찰관의 민원접수 업무를 방해한 것이라는 이유로 업무방해의 공소사실을 유죄로 인정한 제1심판결을 그대로 유지하였으나, 원심의 판단은 업무방해죄의 성립범위에 관한 법리를 오해한 것이다.(대법원 2010. 2. 25. 2008도9049 활빈단 말똥세례사건)

③ [×] 민주사회에서 공무원의 직무수행에 대한 시민들의 건전한 비판과 감시는 가능한 한 널리 허용되어야 한다는 점에서 볼 때, 공무원의 직무 수행에 대한 비판이나 시정 등을 요구하는 집회 · 시위 과정에서 일시적으로 상당한 소음이 발생하였다는 사정만으로는 **공무집행방해죄에서의 음향으로 인한 폭행이 있었다고 할 수는 없다.**(대법원 2009. 10. 29. 2007도3584 용산구청앞 시위사건)

④ [×] 주차단속공무원의 여러 종류의 행위를 포괄하여 일련의 직무수행으로 파악함이 상당하다 할 것이며, 따라서 피고인의 폭행 당시 **주차단속공무원은 일련의 직무수행을 위하여 근무 중인 상태에 있었다고 봄이 상당하다.**(대법원 1999. 9. 21. 99도383 주차단속원 폭행사건) 지문의 경우 공무집행방해죄가 성립한다.

069 공무방해에 관한 죄에 관한 다음 설명 중 가장 옳지 않은 것은? (다툼이 있으면 판례에 의함)

□□□

15 법원9급 [Core ★★]

① 노동조합관계자들과 사용자측 사이의 다툼을 수습하려 하였으나 노동조합측이 지시에 따르지 않자 경비실 밖으로 나와 회사의 노사분규 동향을 파악하거나 파악하기 위해 대기 또는 준비 중이던 근로감독관을 폭행한 행위는 공무집행방해죄를 구성한다.

② 공무집행방해죄는 공무원의 적법한 공무집행이 전제로 된다 할 것이고, 그 공무집행이 적법하기 위하여는 그 행위가 당해 공무원의 추상적 직무 권한에 속할 뿐 아니라 구체적으로도 그 권한 내에 있어야 한다.

③ 행정관청이 사실을 충분히 확인하지 아니한 채 출원자가 제출한 허위의 출원사유나 허위의 소명자료를 가볍게 믿고 인가 또는 허가를 하였다면, 이는 행정관청의 불충분한 심사에 기인한 것으로서 출원자의 위계에 의한 것이었다고 할 수 없어 위계에 의한 공무집행방해죄를 구성하지 않는다.

④ 직무를 집행하는 공무원에 대하여 위험한 물건을 휴대하여 고의로 상해를 가한 경우에는 특수공무집행방해치상죄 뿐만 아니라, 이와 별도로 폭력행위 등 처벌에 관한 법률 위반(집단, 흉기 등 상해)죄를 구성한다.

정답 | 068 ① 069 ④

해설

④ [×] (1) 부진정결과적 가중범에서, 고의범에 대하여 더 무겁게 처벌하는 규정이 없는 경우에는 결과적 가중범이 고의범에 대하여 특별관계에 있으므로 결과적가중범만 성립하고 이와 법조경합의 관계에 있는 고의범에 대하여는 별도로 죄를 구성하지 않는다.
(2) 직무를 집행하는 공무원에 대하여 위험한 물건을 휴대하여 고의로 상해를 가한 경우 **특수공무집행방해치상죄만 성립할 뿐 별도로 폭처법위반(집단 · 흉기 등 상해)죄를 구성하지 않는다.**(대법원 2008. 11. 27. 2008도7311 **음주단속경찰관 치상사건**)

① [○] 노동조합 관계자들과 사용자측 사이의 다툼을 수습하려 하였으나 노동조합측이 지시에 따르지 않자, 경비실 밖으로 나와 회사의 노사분규 동향을 파악하거나 파악하기 위해 대기 또는 준비 중이던 **근로감독관을 폭행한 행위는 공무집행방해죄를 구성한다.**(대법원 2002. 4. 12. 2000도3485 **근로감독관 폭행사건**)

② [○] 공무집행방해죄는 공무원의 직무집행이 적법한 경우에 한하여 성립하고, 여기서 적법한 공무집행이란 그 행위가 공무원의 추상적 권한에 속할 뿐 아니라 **구체적 직무집행에 관한 법률상 요건과 방식을 갖춘 경우를 가리킨다.**(대법원 2017. 3. 9. 2013도16162 **쌍용차사태 변호사 불법체포사건**)

③ [○] 행정관청이 출원에 의한 인 · 허가처분을 함에 있어서는 그 출원사유가 사실과 부합하지 아니하는 경우가 있음을 전제로 하여 인 · 허가할 것인지의 여부를 심사, 결정하는 것이므로 (1) 행정관청이 사실을 충분히 확인하지 아니한 채 출원자가 제출한 허위의 출원사유나 허위의 소명자료를 가볍게 믿고 인가 또는 허가를 하였다면 이는 행정관청의 **불충분한 심사에 기인한 것**으로서 출원자의 위계가 결과 발생의 주된 원인이었다고 할 수 없어 **위계에 의한 공무집행방해죄를 구성하지 않는다**고 할 것이지만 (2) 출원자가 행정관청에 허위의 출원사유를 주장하면서 이에 부합하는 허위의 소명자료를 첨부하여 제출한 경우 허가관청이 관계 법령이 정한 바에 따라 인 · 허가요건의 존부 여부에 관하여 나름대로 충분히 심사를 하였으나 출원사유 및 소명자료가 허위임을 발견하지 못하여 인 · 허가처분을 하게 되었다면 이는 허가관청의 불충분한 심사가 그의 원인이 된 것이 아니라 출원인의 위계행위가 원인이 된 것이어서 위계에 의한 공무집행방해죄가 성립된다.(대법원 2009. 3. 12. 2008도1321 **산업기능요원 부정편입사건**)

070 공무집행방해죄에 관한 다음 설명 중 가장 적절하지 않은 것은? (다툼이 있으면 판례에 의함)

□□□

16 경찰채용 [Essential ★]

① 위법한 집회·시위가 장차 특정지역에서 개최될 것이 예상된다고 하더라도, 이와 시간적·장소적으로 근접하지 않은 다른 지역에서 그 집회·시위에 참가하기 위하여 출발 또는 이동하는 행위를 함부로 제지하는 것은 공무집행방해죄의 보호대상이 되는 공무원의 적법한 직무집행이 아니다.

② 위계에 의한 공무집행방해죄(형법 제137조)에 있어서 구체적인 공무집행을 저지하거나 현실적으로 곤란하게 하는 데까지는 이르지 아니하고 미수에 그친 경우, 위계에 의한 공무 집행방해죄로 처벌할 수는 없다.

③ 불심검문을 하게 된 경위, 불심검문 당시의 현장상황과 검문을 하는 경찰관들의 복장, 피고인이 공무원증 제시나 신분 확인을 요구하였는지 여부 등을 종합적으로 고려하여, 검문 하는 사람이 경찰관이고 검문하는 이유가 범죄행위에 관한 것임을 피고인이 충분히 알고 있었다고 보이는 경우에는 신분증을 제시하지 않았다고 하여 그 불심검문이 위법한 공무집행이라고 할 수 없다.

④ 공무집행방해죄(형법 제136조 제1항)에 있어서의 범의는 상대방이 직무를 집행하는 공무원이라는 사실, 그리고 이에 대하여 폭행 또는 협박을 한다는 사실을 인식하는 것을 그 내용으로 하고, 그 인식은 불확정적인 것이라도 소위 미필적 고의가 있다고 보아야 하며, 그 직무집행을 방해할 의사를 반드시 필요로 한다.

해설

④ [×] 공무집행방해죄에 있어서의 범의는 상대방이 직무를 집행하는 공무원이라는 사실, 그리고 이에 대하여 폭행 또는 협박을 한다는 사실을 인식하는 것을 그 내용으로 하고, 그 인식은 불확정적인 것이라도 소위 미필적 고의가 있다고 보아야 하며, **그 직무집행을 방해할 의사를 필요로 하지 아니하다.**(대법원 2012. 5. 24. 2010도11381 **망원 송전탑 + 이화여대 사건**)

① [○] (1) 비록 장차 특정 지역에서 위법한 집회·시위가 개최될 것이 예상된다고 하더라도, 이와 시간적·장소적으로 근접하지 않은 다른 지역에서 그 집회·시위에 참가하기 위하여 출발 또는 이동하는 행위를 함부로 제지하는 것은 행정상 즉시강제인 경찰관의 제지의 범위를 명백히 넘어서는 것이어서 허용될 수 없으므로, 이러한 제지 행위는 공무집행방해죄의 보호대상이 되는 공무원의 적법한 직무집행에 포함될 수 없다.
(2) 경찰이, **서울 시청 앞 광장 등에서 개최될 예정이었던 집회에 참여하기 위하여 제천시 보양읍 주민자치센터 앞마당에서 출발하려고 하는 행위를 제지한 행위는 적법한 직무집행에 해당한다고 할 수 없다.**(대법원 2008. 11. 13. 2007도9794 **상경시위 저지사건Ⅰ**)

② [○] 위계에 의한 공무집행방해죄에 있어서 위계라 함은, 행위자의 행위목적을 이루기 위하여 상대방에게 오인, 착각, 부지를 일으키게 하여 그 오인, 착각, 부지를 이용하는 것을 말하는 것으로 상대방이 이에 따라 그릇된 행위나 처분을 하여야만 이 죄가 성립하는 것이고, 만약 그러한 행위가 구체적인 직무집행을 저지하거나 현실적으로 곤란하게 하는 데까지는 이르지 않은 경우에는 **위계에 의한 공무집행방해죄로 처벌할 수 없다.**(대법원 2015. 2. 26. 2013도13217)

③ [○] 불심검문에 있어 검문하는 사람이 경찰관이고 검문하는 이유가 범죄행위에 관한 것임을 **피고인이 충분히 알고 있었다고 보이는 경우에는 신분증을 제시하지 않았다고 하여 그 불심검문이 위법한 공무집행이라고 할 수 없다.**(대법원 2014. 12. 11. 2014도7976 **카페 불심검문 사건**)

정답 | 070 ④

071 공무방해에 관한 죄에 관한 설명 중 옳지 않은 것은 모두 몇 개인가? (판례에 의함)

□□□

11 경찰승진 [Core ★★]

㉠ 공무집행방해죄에 있어서 협박이라 함은 상대방에게 공포심을 일으킬 목적으로 해악을 고지하는 행위를 의미하는 것으로서 그 협박이 경미하여 상대방이 전혀 개의치 않을 정도인 경우도 이에 해당한다.

㉡ 경찰공무원이 작성한 진술조서가 미완성이고 작성자와 진술자가 서명·날인 또는 무인한 것이 아니어서 공문서로서의 효력이 없다 하더라도 형법 제141조 제1항이 규정하고 있는 '공무소에서 사용하는 서류'로 볼 수 있다.

㉢ 위계에 의한 공무집행방해죄에 있어서 범죄행위가 구체적인 공무집행을 저지하거나 현실적으로 곤란하게 하는 데까지는 이르지 아니하고 미수에 그친 경우에는 위계에 의한 공무집행방해죄의 미수죄로 처벌한다.

㉣ 특수공무집행방해치상죄는 원래 결과적 가중범이기는 하지만, 이는 중한 결과에 대한 예견가능성이 있었음에도 불구하고 예견하지 못한 경우뿐만 아니라 그 결과에 대한 고의가 있는 경우까지도 포함하는 부진정 결과적 가중범이다.

① 1개　　② 2개

③ 3개　　④ 4개

해설

② ㉠㉢ 2 항목이 옳지 않다.

㉠ [×] 공무집행방해죄에 있어서의 폭행·협박은 성질상 공무원의 직무집행을 방해할 만한 정도의 것이어야 하므로, 경미하여 **공무원이 개의치 않을 정도의 것이라면 여기의 폭행·협박에는 해당하지 아니한다.**(대법원 2011. 2. 10. 2010도15986 김상현 목포수협조합장 사건)

㉡ [○] (1) 경찰이 작성한 진술조서가 미완성이고 작성자와 진술자가 **서명·날인 또는 무인한 것이 아니어서 공문서로서의 효력이 없다고 하더라도 공무소에서 사용하는 서류가 아니라고 할 수는 없다.**

(2) 사법경찰관 甲이 참고인 乙을 상대로 丙의 범죄에 대해 조사를 하여 참고인진술조서를 작성하였으나 乙이 그 조서에 서명·날인(무인)을 거부하였더라도, 甲이 丙에 대해 구속영장을 신청하면서 수사기록에 乙에 대한 진술조서를 첨부하지 아니하고 숨긴 경우 **공용서류은닉죄가 성립한다.**(대법원 2006. 5. 25. 2003도3945 서류조작 구속사건)

㉢ [×] 범죄행위가 구체적인 공무집행을 저지하거나 현실적으로 곤란하게 하는 데까지는 이르지 아니하고 미수에 그친 경우에는 **위계에 의한 공무집행방해죄로 처벌할 수 없다.**(대법원 2009. 4. 23. 2007도1554 광주교대 학과장 사건)

㉣ [○] **특수공무집행방해치상죄는** 원래 결과적가중범이기는 하지만, 이는 중한 결과에 대하여 예견가능성이 있었음에 불구하고 예견하지 못한 경우에 벌하는 진정결과적 가중범이 아니라 그 결과에 대한 예견가능성이 있었음에도 불구하고 예견하지 못한 경우뿐만 아니라 고의가 있는 경우까지도 포함하는 **부진정결과적 가중범이다.**(대법원 1995. 1. 20. 94도2842)

072 공무집행방해죄에 관한 설명 중 가장 적절하지 않은 것은? (다툼이 있으면 판례에 의함)
□□□

15 경찰승진 [Essential ★]

① 음주운전을 하다가 교통사고를 야기한 후 그 형사처벌을 면하기 위하여 타인의 혈액을 자신의 혈액인 것처럼 교통사고 조사 경찰관에게 제출하여 감정하도록 한 경우 위계에 의한 공무집행방해죄가 성립하지 않는다.

② 개인택시운송사업 양도·양수를 위하여 허위의 신청사유를 주장하면서 의사로부터 허위 진단서를 발급받아 이를 소명자료로 제출하여 행정청으로부터 양도·양수 인가처분을 받은 경우 위계에 의한 공무집행방해죄가 성립한다.

③ 변호사가 접견을 핑계로 수용자를 위하여 휴대전화와 증권거래용 단말기를 구치소 내로 몰래 반입하여 이용하게 한 행위는 위계에 의한 공무집행방해죄에 해당한다.

④ 민사소송을 제기함에 있어 피고의 주소를 허위로 기재하여 법원공무원으로 하여금 변론 기일 소환장 등을 허위주소로 송달하게 한 경우 위계에 의한 공무집행방해죄가 성립하지 않는다.

해설

① [×] 음주운전을 하다가 교통사고를 야기한 후 그 형사처벌을 면하기 위하여 타인의 혈액을 자신의 혈액인 것처럼 교통사고 조사 경찰관에게 제출하여 감정하도록 한 행위는, 단순히 피의자가 수사기관에 대하여 허위사실을 진술하거나 자신에게 불리한 증거를 은닉하는 데 그친 것이 아니라 수사기관의 착오를 이용하여 적극적으로 피의사실에 관한 증거를 조작한 것으로서 위계에 의한 공무집행방해죄가 성립한다.(대법원 2003. 7. 25. 2003도1609 음주운전자 타인 혈액 제출사건)

② [○] 피고인들은 개인택시운송사업 면허를 받은 지 5년이 지나지 아니하여 원칙적으로 개인택시운송사업을 양도할 수 없는 사람 등과 공모하여, **질병이 있는 노숙자들로 하여금** 그들이 개인택시운송사업을 양도하려고 하는 사람인 것처럼 위장하여 의사의 진료를 받게 한 뒤 의사로부터 개인택시운송사업의 양도인이 1년 이상의 질병에 걸려 있는 것으로 된 허위 진단서를 발급받고 이를 소명자료로 삼아 개인택시운송사업의 양도·양수 인가신청을 하여 행정청으로부터 인가처분을 받았다면, 피고인들의 위와 같은 행위는 **위계에 의한 공무집행방해죄에 해당한다.**(대법원 2002. 9. 10. 2002도2131 개인택시면허 양도·양수 사건II)

③ [○] 변호사가 접견을 핑계로 수용자를 위하여 **휴대전화와 증권거래용 단말기를 구치소 내로 몰래 반입**하여 이용하게 한 행위는 **위계에 의한 공무집행방해죄에 해당한다.**(대법원 2005. 8. 25. 2005도1731 연락병 변호사사건)

④ [○] 민사소송을 제기함에 있어 피고의 **주소를 허위로 기재**하여 법원공무원으로 하여금 변론기일소환장 등을 허위주소로 송달케 하였다는 사실만으로는 이로 인하여 법원공무원의 구체적이고 현실적인 어떤 직무집행이 방해되었다고 할 수는 없으므로 이로써 바로 **위계에 의한 공무집행방해죄가 성립한다고 볼 수는 없다.**(대법원 1996. 10. 11. 96도312 피고주소를 허위로 사건)

정답 | 071 ② 072 ①

073 □□□ **다음 중 위계에 의한 공무집행방해죄가 성립하는 것을 모두 고른 것은? (다툼이 있으면 판례에 의함)**

11 법원행시 [Superlative ★★★]

> ㉠ 수사기관에 대하여 피의자가 허위자백한 경우
> ㉡ 피의자나 참고인이 아닌 자가 피의자를 가장하여 수사기관에 대하여 허위사실을 진술한 경우
> ㉢ 음주운전을 하다가 교통사고를 야기한 후 형사처벌을 면하기 위하여 타인의 혈액을 자신의 혈액인 것처럼 교통사고조사 경찰관에게 제출하여 감정하도록 한 경우
> ㉣ 민사소송을 제기하면서 피고의 주소를 허위기재하여 소송서류를 허위주소로 송달케 한 경우
> ㉤ 신청인이 허위의 자료를 첨부하여 비자발급 신청을 하였고, 이에 대하여 업무담당자가 충분히 심사하였으나 신청사유 및 소명자료가 허위인 것을 발견하지 못하여 이를 수리한 경우

① ㉡㉢ ② ㉠㉣ ③ ㉡㉤
④ ㉢㉣ ⑤ ㉢㉤

해설

⑤ ㉢㉤ 2 항목의 경우 위계에 의한 공무집행방해죄가 성립한다.

㉠ 수사기관에 대하여 피의자가 허위자백을 한 것만으로는 **위계에 의한 공무집행방해죄가 성립된다고 할 수 없다.**(대법원 1971. 3. 9. 71도186)

㉡ 피의자나 참고인이 아닌 자가 자발적이고 계획적으로 피의자를 가장하여 수사기관에 대하여 허위사실을 진술하였다 하여 바로 이를 **위계에 의한 공무집행방해죄가 성립된다고 할 수 없다.**(대법원 1977. 2. 8. 76도3685)

㉢ 음주운전을 하다가 교통사고를 야기한 후 그 형사처벌을 면하기 위하여 타인의 혈액을 자신의 혈액인 것처럼 교통사고 조사 경찰관에게 제출하여 감정하도록 한 행위는, 단순히 피의자가 수사기관에 대하여 허위사실을 진술하거나 자신에게 불리한 증거를 은닉하는 데 그친 것이 아니라 수사기관의 착오를 이용하여 적극적으로 피의사실에 관한 증거를 조작한 것으로서 **위계에 의한 공무집행방해죄가 성립한다.**(대법원 2003. 7. 25. 2003도1609 **음주운전자 타인 혈액 제출사건**)

㉣ 민사소송을 제기함에 있어 피고의 주소를 허위로 기재하여 법원공무원으로 하여금 변론기일소환장 등을 허위주소로 송달케 하였다는 사실만으로는 법원공무원의 구체적이고 현실적인 어떤 직무집행이 방해되었다고 할 수는 없으므로 **위계에 의한 공무집행방해죄가 성립한다고 볼 수 없다.**(대법원 1996. 10. 11. 96도312 **피고주소를 허위로 사건**)

㉤ 외국 주재 한국영사관에 허위의 자료를 첨부하여 비자발급신청을 하고 이에 업무담당자가 충분히 심사하였으나 신청사유 및 소명자료가 허위임을 발견하지 못하여 신청을 수리한 경우, **위계에 의한 공무집행방해죄가 성립한다.**(대법원 2011. 4. 28. 2010도14696 **조선족 신분세탁 사건Ⅱ**)

074 위계에 의한 공무집행방해죄에 관한 다음의 설명 중 가장 옳지 않은 것은? (다툼이 있으면 판례에 의함)
□□□
13 법원행시 [Superlative ★★★]

① 공무원의 직무집행이란 법령의 위임에 따른 공무원의 적법한 직무집행인 이상 공권력의 행사를 내용으로 하는 권력적 작용뿐만 아니라 사경제주체로서의 활동을 비롯한 비권력적 작용도 포함된다.
② 변호사가 접견을 핑계로 수용자를 위하여 휴대전화와 증권거래용 단말기를 구치소 내로 몰래 반입하여 이용하게 한 행위는 위계에 의한 공무집행방해죄에 해당한다.
③ 피의자나 참고인이 아닌 자가 자발적이고 계획적으로 피의자를 가장하여 수사기관에서 허위 진술을 한 경우라도 곧바로 위계에 의한 공무집행방해죄가 성립하지 않는다.
④ 가처분신청시 당사자가 법원에 대하여 허위의 주장을 하거나 허위의 증거를 제출하였다 하더라도 바로 위계에 의한 공무집행방해죄가 성립하는 것은 아니다.
⑤ 범죄행위로 인하여 강제출국당한 전력이 있는 사람이 외국 주재 한국영사관 담당직원에게 허위의 호구부 및 외국인등록신청서 등을 제출하여 사증 및 외국인등록증을 발급받은 경우에 업무담당자가 충분히 심사하였으나 신청사유 및 소명자료가 허위임을 발견하지 못하여 신청을 수리한 경우라도 이는 행정청의 불충분한 심사에 기인한 것이므로 위계 에 의한 공무집행방해죄가 성립되지 않는다.

해설

⑤ [×] 조선족인 피고인이 강제출국을 당한 후 중국의 담당 관청으로부터 이름과 생년월일을 변경한 호구부(戶口簿)를 발급받아, 이를 선양주재 대한민국 총영사관에 제출하여 사증을 발급받아 한국으로 입국한 후 서울출입국관리사무소로부터 외국인등록증을 발급받은 경우, 사증 및 외국인등록증을 발급한 것이 **행정청의 불충분한 심사로 인한 것이 아니라 피고인의 적극적인 위계에 의한 것으로서 위계에 의한 공무집행방해죄가 성립한다.**(대법원 2009. 2. 26. 2008도11862 **조선족 신분세탁 사건 I**)
① [○] 위계에 의한 공무집행방해죄에서의 공무원의 직무집행이란 법령의 위임에 따른 공무원의 적법한 직무집행인 이상, 공권력의 행사를 내용으로 하는 **권력적 작용뿐만 아니라 사경제주체로서의 활동을 비롯한 비권력적 작용도 포함된다.**(대법원 2003. 12. 26. 2001도6349 **감척어선 사건**)
② [○] 변호사가 접견을 핑계로 수용자를 위하여 **휴대전화와 증권거래용 단말기를 구치소 내로 몰래 반입하여** 이용하게 한 행위는 **위계에 의한 공무집행방해죄에 해당한다.**(대법원 2005. 8. 25. 2005도1731 **연락병 변호사사건**)
③ [○] 피의자나 참고인이 아닌 자가 자발적이고 계획적으로 **피의자를 가장하여 수사기관에 대하여 허위사실을 진술**하였다 하여 바로 이를 **위계에 의한 공무집행방해죄가 성립된다고 할 수 없다.**(대법원 1977. 2. 8. 76도3685)
④ [○] **가처분신청**시 당사자가 허위의 주장을 하거나 허위의 증거를 제출하였다 하더라도 그것만으로 법원의 구체적이고 현실적인 어떤 직무집행이 방해되었다고 볼 수 없으므로 이로써 바로 **위계에 의한 공무집행방해죄가 성립한다고 볼 수 없다.**(대법원 2012. 4. 26. 2011도17125 **기만적인 가처분신청 사건**)

정답 | 073 ⑤0 74 ⑤

075 공무방해에 관한 죄에 대한 설명으로 가장 적절한 것은? (다툼이 있으면 판례에 의함)

□□□

23 경찰채용 [Essential ★]

① 불법체류를 이유로 강제출국 당한 중국 동포인 피고인이 중국에서 이름과 생년월일을 변경한 호구부를 발급받아 중국 주재 대한민국 총영사관에 제출하여 입국사증을 받은 다음 다시 입국하여 외국인등록증을 발급받고 귀화허가신청서까지 제출한 경우 출원인의 적극적인 위계에 의해 사증 및 외국인등록증이 발급되었던 것이므로 위계에 의한 공무집행방해죄가 성립하고, 귀화허가가 이루어지지 아니하였더라도 위 죄의 성립에 아무런 영향이 없다.

② 과속단속카메라에 촬영되더라도 불빛을 반사시켜 차량 번호판이 식별되지 않도록 하는 기능이 있는 제품을 차량 번호판에 뿌린 상태로 차량을 운행한 경우 이는 공무원의 감시·단속업무를 적극적으로 방해한 것으로 위계에 의한 공무집행방해죄가 성립한다.

③ 마약범죄 피의자가 타인의 소변을 마치 자신의 소변인 것처럼 수사기관에 건네주어 필로폰 음성반응이 나오게 한 경우 위계에 의한 공무집행방해죄는 성립하지 않는다.

④ 피의자나 참고인이 아닌 자가 자발적이고 계획적으로 피의자를 가장하여 수사기관에 대하여 허위사실을 진술한 경우 위계에 의한 공무집행방해죄가 성립한다.

해설

① [○] 불법체류를 이유로 강제출국 당한 중국 동포인 피고인이 중국에서 이름과 생년월일을 변경한 호구부(戶口簿)를 발급받아 중국 주재 대한민국 총영사관에 제출하여 변경된 명의로 입국사증을 받은 다음, 다시 입국하여 그 명의로 외국인등록증을 발급받고 귀화허가신청서까지 제출한 경우 **위계에 의한 공무집행방해 죄가 성립하고 또한 위계행위에 의하여 귀화허가에 관한 공무집행방해 상태가 초래된 것이 분명하므로 귀화허가가 이루어지지 아니하였더라도 위 죄의 성립에 아무런 영향이 없다.**(대법원 2011. 4. 28. 2010도14696 조선족 신분세 탁 사건II)

② [×] 과속으로 인하여 과속단속카메라에 촬영되더라도 불빛을 반사시켜 차량 번호판이 식별되지 않도록 하는 기능이 있는 '파워매직세이퍼'를 차량 번호판에 뿌린 상태로 차량을 운행한 행위만으로는 교통단속 업무를 구체적이고 현실적으로 수행하는 경찰공무원에 대하여 그가 충실히 직무를 수행한다고 하더라도 통상적인 업무처리과정 하에서는 사실상 적발이 어려운 위계를 사용하여 그 업무집행을 하지 못하게 한 것이라고 보기 어렵다.(대법원 2010. 4. 15. 2007도8024 파워매직세이퍼 사건)

③ [×] 피고인이 타인의 소변을 마치 자신의 소변인 것처럼 건네주어 필로폰 음성반응이 나오게 한 행위는 단순히 피의자가 수사기관에 대하여 허위사실을 진술하거나 자신에게 불리한 증거를 은닉하는 데 그친 것이 아니라 수사기관의 착오를 이용하여 적극적으로 피의사실에 관한 증거를 조작한 것이므로 위계에 의한 공무집행방해죄가 성립한다.(대법원 2007. 10. 11. 2007도6101 필로폰 투약자 타인 소변 제출사건)

④ [×] 피의자나 참고인이 아닌 자가 자발적이고 계획적으로 피의자를 가장하여 수사기관에 대하여 허위사실을 진술하였다 하여 바로 이를 위계에 의한 공무집행방해죄가 성립된다고 할 수 없다.(대법원 1977. 2. 8. 76도3685)

076 다음 설명 중 가장 옳은 것은? (다툼이 있으면 판례에 의함) 12 법원9급 [Superlative ★★★]

□□□

① 출입금지가처분이 집행되어 고시되어 있는 경우에는 가처분채권자의 승낙을 얻었다 하더라도 그 건조물에 출입하면 공무상 표시의 효용을 해하는 경우에 해당한다.

② 공무상표시무효죄의 경우에는, 행위 당시에 강제처분의 표시가 현존할 것을 요하지 않는다.

③ 형법 제140조의2에 규정된 부동산강제집행효용침해죄의 객체인 강제집행으로 명도 또는 인도된 부동산에는, 강제집행으로 퇴거 집행된 부동산이 포함되지 않는다.

④ 집행관이 법원으로부터 피신청인에 대하여 부작위를 명하는 가처분이 발령되었음을 고시하는 데 그치고 나아가 봉인 또는 물건을 자기의 점유로 옮기는 등의 구체적인 집행행위를 하지 아니하였다면, 단순히 피신청인이 위 가처분의 부작위명령을 위반하였다는 것만으로는 공무상 표시의 효용을 해하는 행위에 해당하지 않는다.

해설

④ [○] 집행관이 법원으로부터 피신청인에 대하여 부작위를 명하는 가처분이 발령되었음을 고시하는 데 그치고 나아가 봉인 또는 물건을 자기의 점유로 옮기는 등의 구체적인 집행행위를 하지 아니하였다면, 단순히 피신청인이 **가처분의 부작위명령을 위반하였다는 것만으로는 공무상표시의 효용을 해하는 행위에 해당하지 않는다.** (대법원 2016. 5. 12. 2015도20322 마트 사업자등록명의 변경사건)

① [×] 가처분 채권자의 승낙을 얻어 건조물 등에 출입하는 경우에는 출입금지가처분 표시의 효용을 해한 것이라고 할 수 없다.(대법원 2006. 10. 13. 2006도4740 채권자의 승낙을 얻어 사건)

② [×] 공무상표시무효죄가 성립하기 위하여는 행위 당시에 강제처분의 표시가 현존할 것을 요한다.(대법원 1997. 3. 11. 96도2801 서울폐차주식회사 사건)

③ [×] 부동산강제집행효용침해죄의 객체인 강제집행으로 명도 또는 인도된 부동산에는 강제집행으로 퇴거 집행된 부동산을 포함한다.(대법원 2003. 5. 13. 2001도3212 퇴거집행 주차장 사건)

정답 | 075 ① 076 ④

077 공무상표시무효죄에 관한 다음 설명 중 가장 틀린 것은? (다툼이 있으면 판례에 의함)

□□□

12 법원행시 [Superlative ★★★]

① 직접점유자에 대한 점유이전금지가처분결정이 집행된 후 그 피신청인인 직접점유자가 가처분 목적물의 간접점유자에게 그 점유를 이전한 경우에는 그 가처분표시의 효용을 해하였다고 볼 수 없다.

② 공무원이 직권을 남용하여 위법하게 실시한 봉인 또는 압류 기타 강제처분의 표시임이 명백하여 법률상 당연무효 또는 부존재라고 볼 수 있는 경우에는 그 봉인 등의 표시는 공무상표시무효죄의 객체가 되지 아니하여 이를 손상 또는 은닉하거나 기타 방법으로 그 효용을 해한다 하더라도 공무상표시무효죄가 성립하지 않는다.

③ 출입금지가처분은 그 성질상 가처분 채권자의 의사에 반하여 건조물 등에 출입하는 것을 금지하는 것이므로 비록 가처분결정이나 그 결정의 집행으로서 집행관이 실시한 고시에 그러한 취지가 명시되어 있지 않다고 하더라도 가처분채권자의 승낙을 얻어 그 건조물 등에 출입하는 경우에는 출입금지가처분 표시의 효용을 해한 것이라고 할 수 없다.

④ 집행관이 영업방해금지 가처분결정의 취지를 고시한 공시서를 게시하였지만, 구체적인 집행행위를 하지 않은 상태에서 피고인이 위 가처분에 의하여 부과된 부작위명령을 위반한 경우에는 공무상 표시의 효용을 해하는 행위를 하였다고 볼 수 없다.

⑤ 집행관이 채무자 겸 소유자의 건물에 대한 점유를 해제하고 이를 채권자에게 인도한 후 채무자의 출입을 봉쇄하기 위하여 출입문을 판자로 막아둔 것을 채무자가 이를 뜯어 내고 그 건물에 들어갔다 하더라도 이는 강제집행이 완결된 후의 행위로서 공무상표시무 효죄가 성립하지 않는다.

해설

① [×] 직접점유자에 대한 점유이전금지가처분결정이 집행된 후 그 피신청인인 직접점유자가 가처분 목적물의 간접점유자에게 그 점유를 이전한 경우에는 **가처분표시의 효용을 해한 것이 된다.**(대법원 1980. 12. 23. 80도1963)

② [○] 공무원이 직권을 남용하여 **위법하게 실시한 봉인 또는 압류 기타 강제처분의 표시임이 명백하여** 법률상 당연무효 또는 부존재라고 볼 수 있는 경우에는 그 봉인 등의 표시는 **공무상표시무효죄의 객체가 되지 아니한다.**(대법원 2007. 3. 15. 2007도312 **가처분 후 특허무효 사건**)

③ [○] 출입금지가처분은 가처분 채권자의 의사에 반하여 건조물 등에 출입하는 것을 금지하는 것이므로 비록 가처분결정이나 그 결정의 집행으로서 집행관이 실시한 고시에 그러한 취지가 명시되어 있지 않다고 하더라도 **가처분 채권자의 승낙을 얻어 건조물 등에 출입하는 경우에는 출입금지가처분 표시의 효용을 해한 것이라고 할 수 없다.**(대법원 2006. 10. 13. 2006도4740 **채권자의 승낙을 얻어 사건**)

④ [○] 집행관이 법원으로부터 피신청인에 대하여 부작위를 명하는 가처분이 발령되었음을 고시하는 데 그치고 나아가 **봉인 또는 물건을 자기의 점유로 옮기는 등의 구체적인 집행행위를 하지 아니하였다면,** 단순히 피신청인이 가처분의 부작위명령을 위반하였다는 것만으로는 **공무상표시의 효용을 해하는 행위에 해당하지 않는다.**(대법원 2016. 5. 12. 2015도20322 **마트 사업자등록명의 변경사건**)

⑤ [○] 집달관이 채무자 겸 소유자의 건물에 대한 점유를 해제하고 이를 **채권자에게 인도**한 후 채무자의 출입을 봉쇄하기 위하여 출입문을 판자로 막아둔 것을 **채무자가 이를 뜯어내고 그 건물에 들어갔다 하더라도** 이는 **강제집행이 완결된 후의 행위로서 공무상표시무효죄에 해당하지 않는다.**(대법원 1985. 7. 23. 85도1092)

078 공무방해에 관한 죄에 대한 설명 중 가장 적절하지 않은 것은? (다툼이 있으면 판례에 의함)

□□□

19 경찰채용 [Core ★★]

① 공무집행방해죄에서 공무원의 공무집행이 적법한지 여부는 행위 당시의 구체적 상황에 기하여 객관적 합리적으로 판단하여야 하고 사후적으로 순수한 객관적 기준에서 판단할 것은 아니다.

② 공무집행방해죄에서 협박이란 상대방에게 공포심을 일으킬 목적으로 해악을 고지하는 행위를 의미하는 것으로서 그 협박이 경미하여 상대방이 전혀 개의치 않을 정도인 경우에는 협박에 해당하지 않는다.

③ 부동산강제집행효용침해죄의 객체인 강제집행으로 명도 또는 인도된 부동산에는 강제집행으로 퇴거집행된 부동산은 포함되지 않는다.

④ 공무집행방해죄는 추상적 위험범으로서 구체적으로 직무집행의 방해라는 결과발생을 요하지 않는다.

해설

③ [×] 부동산강제집행효용침해죄의 객체인 강제집행으로 명도 또는 인도된 부동산에는 **강제집행으로 퇴거 집행된 부동산을 포함한다고 해석되므로**, 퇴거집행이 된 지상주차장에 침입한 피고인의 행위는 부동산강제집행효용침해죄를 구성한다.(대법원 2003. 5. 13. 2001도3212 **퇴거집행 주차장 사건**)

① [○] 공무집행방해죄는 공무원의 적법한 공무집행이 전제로 되는바, 추상적인 권한에 속하는 공무원의 어떠한 공무집행이 적법한지 여부는 **행위 당시의 구체적 상황에 기하여 객관적 · 합리적으로 판단하여야 하고** 사후적으로 순수한 객관적 기준에서 판단할 것은 아니다.(대법원 2013. 8. 23. 2011도4763 **화천민식당 사건**)

② [○] 공무집행방해죄에서 협박이란 상대방에게 공포심을 일으킬 목적으로 해악을 고지하는 행위를 의미하는 것으로서 고지하는 해악의 내용이 그 경위, 행위 당시의 주위 상황, 행위자의 성향, 행위자와 상대방과의 친숙함의 정도, 지위 등의 상호관계 등 행위 당시의 여러 사정을 종합하여 객관적으로 상대방으로 하여금 공포심을 느끼게 하는 것이어야 하고, 그 **협박이 경미하여 상대방이 전혀 개의치 않을 정도인 경우에는 협박에 해당하지 않는다.**(대법원 2011. 2. 10. 2010도15986 김상현 **목포수협조합장 사건**)

④ [○] **공무집행방해죄에서 '폭행'은 사람에 대한 유형력의 행사로 족하고** 반드시 그 신체에 대한 것임을 요하지 아니하며 또한 **추상적 위험범으로서 구체적으로 직무집행의 방해라는 결과발생을 요하지도 아니한다.**(대법원 2018. 3. 29. 2017도21537 **주차장 행패 사건**)

정답 | 077 ① 078 ③

제3편 국가적 법익에 관한 죄

079 다음 중 <사례>에 관한 설명으로 가장 옳지 않은 것은? (다툼이 있으면 판례에 의함)

□□□

24 해경승진 [Core ★★]

> 甲이 주점에서 술에 취하여 옆 자리 손님을 폭행하였는데, 이를 신고받은 경찰관 A와 B가 출동하였다. 甲은 경찰관 A와 B에게 욕설을 하며 경찰관 A의 얼굴을 주먹으로 때리고, 곧이어 이를 제지하는 B의 다리를 걷어 차 폭행하였다.

① 위 사안에서 甲의 폭행으로 경찰관 A가 상해를 입었다면 공무집행방해죄와 상해죄가 성립한다.

② 공무집행방해죄에 있어서 '직무를 집행하는'이라 함은 직무수행에 직접 필요한 행위를 현실적으로 행하고 있을 때만 가리키는 것이 아니라 직무수행을 위하여 근무 중인 상태에 있는 때를 포괄한다.

③ 공무집행방해죄는 국가적 법익에 관한 죄이나 위 사안과 같이 甲이 같은 목적으로 출동한 경찰관 A, B를 폭행한 경우에 두 개의 공무집행방해죄가 성립한다.

④ 위 사안과 같은 경우 동일한 장소에서 동일한 기회에 폭행이 이루어진 것으로 두 명의 공무원에 대한 폭행은 실체적 경합관계이다.

해설

④ [×] 동일한 공무를 집행하는 여럿의 공무원에 대하여 폭행 · 협박 행위를 한 경우에는 공무를 집행하는 공무원의 수에 따라 여럿의 공무집행방해죄가 성립하고, 위와 같은 폭행 · 협박 행위가 동일한 장소에서 동일한 기회에 이루어진 것으로서 여럿의 공무집행방해죄는 상상적 경합의 관계에 있다.(대법원 2009. 6. 25. 2009도3505 경찰관 2명 폭행사건)

① [○] 형법상 공무집행방해치상죄라는 범죄는 없다. 설문의 경우 甲은 **공무집행방해죄와 상해죄의 죄책을 진다.**(대법원 2013. 9. 26. 2013도643 제주해군기지 공사장 연좌시위 사건) 양 범죄는 상상적 경합범 관계에 있는 것으로 해석된다.(대법원 1999. 9. 21. 99도383 주차단속원 폭행사건 참고)

② [○] 공무집행방해죄에 있어서 '직무를 집행하는'이라 함은 공무원이 직무수행에 직접 필요한 행위를 현실적으로 행하고 있는 때만을 가리키는 것이 아니라 **공무원이 직무수행을 위하여 근무중인 상태에 있는 때를 포괄한다.** 직무의 성질에 따라서는 그 직무수행의 과정을 개별적으로 분리하여 부분적으로 각각의 개시와 종료를 논하는 것이 부적절하거나 여러 종류의 행위를 포괄하여 일련의 직무수행으로 파악함이 상당한 경우도 있다.(대법원 2009. 1. 15. 2008도9919 야간당직 청원경찰 폭행사건)

③ [○] 동일한 공무를 집행하는 여럿의 공무원에 대하여 폭행 · 협박 행위를 한 경우에는 공무를 집행하는 **공무원의 수에 따라 여럿의 공무집행방해죄가 성립하고,** 위와 같은 폭행 · 협박 행위가 동일한 장소에서 동일한 기회에 이루어진 것으로서 여럿의 공무집행방해죄는 상상적 경합의 관계에 있다.(대법원 2009. 6. 25. 2009도3505 경찰관 2명 폭행사건)

제4절 | 도주와 범인은닉의 죄

080 도주와 범인은닉(도피)죄에 관한 설명 중 가장 적절하지 않은 것은? (다툼이 있으면 판례에 의함)

□□□

16 경찰승진 [*Core* ★★]

① 범인이 아닌 자가 수사기관에서 범인임을 자처하고 허위사실을 진술하여 진범의 체포와 발견에 지장을 초래하게 한 경우 범인은닉죄가 성립한다.

② 범인이 자신을 위하여 타인으로 하여금 허위의 자백을 하게 하여 범인도피죄를 범하게 하더라도 이는 자신을 방어하기 위한 것으로서 범인도피교사죄로 벌할 수 없다.

③ 범인이 기소중지자임을 알고도 범인의 부탁으로 다른 사람의 명의로 대신 임대차계약을 체결해 준 행위는 범인도피죄에 해당한다.

④ 참고인이 범인이 아닌 사람을 범인이 아닐지도 모른다고 생각하면서도 그가 범인이라고 지목하는 허위진술을 하여 구속기소되게 하였다면 범인도피죄가 성립하지 아니한다.

해설

② [×] 범인이 자신을 위하여 타인으로 하여금 허위의 자백을 하게 하여 범인도피죄를 범하게 하는 행위는 **방어권의 남용으로 범인도피교사죄에 해당한다.**(대법원 2006. 12. 7. 2005도3707 동생 허위자백 사건)

① [○] 범인 아닌 자가 수사기관에서 **범인임을 자처하고 허위사실을 진술**하여 진범의 체포와 발견에 지장을 초래하게 한 행위는 **범인은닉죄에 해당한다.**(대법원 1996. 6. 14. 96도1016)

③ [○] 범인이 기소중지자임을 알고도 범인의 부탁으로 **다른 사람의 명의로 대신 임대차계약을 체결해 준 경우,** 비록 임대차계약서가 공시되는 것은 아니라 하더라도 수사기관이 탐문수사나 신고를 받아 범인을 발견하고 체포하는 것을 곤란하게 하는 것이므로 **범인도피죄에 해당한다.**(대법원 2004. 3. 26. 2003도8226 처 명의 임대차계약 체결사건)

④ [○] 참고인이 실제의 범인이 누군지도 정확하게 모르는 상태에서 수사기관에서 실제의 범인이 아닌 어떤 사람을 범인이 아닐지도 모른다고 생각하면서도 그를 범인이라고 지목하는 허위의 진술을 한 경우에는 참고인의 허위 진술에 의하여 **범인으로 지목된 사람이 구속기소**됨으로써 실제의 범인이 용이하게 도피하는 결과를 초래한다고 하더라도 그것만으로는 참고인에게 적극적으로 실제의 범인을 도피시켜 국가의 형사사법의 작용을 곤란하게 할 의사가 있었다고 볼 수 없어 **범인도피죄로 처벌할 수는 없다.**(대법원 1997. 9. 9. 97도1596 엉뚱한 강간범 지목사건)

정답 | 079 ④ 080 ②

081 범인은닉 · 도피죄에 관한 설명으로 가장 적절하지 않은 것은? (다툼이 있으면 판례에 의함)

□□□

20 경찰채용 [Essential ★]

① 주점 개업식날 찾아 온 범인에게 '도망다니면서 이렇게 와 주니 고맙다. 항상 몸조심하고 주의하여 다녀라. 열심히 살면서 건강에 조심해라'고 말한 것은 단순히 안부를 묻거나 통상적인 인사말에 불과하므로 범인도피죄에 해당하지 않는다.

② 범인이 타인으로 하여금 허위의 자백을 하게 하는 등으로 범인도피죄를 범하게 하는 경우와 같이 그것이 방어권의 남용으로 볼 수 있을 때에는 범인도피교사죄에 해당할 수 있다.

③ 범인도피죄는 그 자체로 도피시키는 것을 직접적인 목적으로 하였다고 보기 어려운 행위를 한 결과 간접적으로 범인이 안심하여 도피할 수 있게 한 경우도 포함된다.

④ 범인도피죄는 범인을 도피하게 함으로써 기수에 이르지만 범인도피 행위가 계속되는 동안에는 범죄행위도 계속되고 행위가 끝날 때 비로소 범죄행위가 종료되며, 공범자의 범인도피행위 도중에 그 범행을 인식하면서 그와 공동의 범의를 가지고 기왕의 범인도피상태를 이용하여 스스로 범인도피행위를 계속한 자에 대하여는 범인도피죄의 공동정범이 성립한다.

해설

③ [×] 범인도피죄는 위험범으로서 현실적으로 형사사법 작용을 방해하는 결과를 초래할 필요는 없으나 적어도 함께 규정되어 있는 은닉행위에 비견될 정도로 수사기관의 발견 · 체포를 곤란하게 하는 행위, 즉 직접 범인을 도피시키는 행위 또는 도피를 직접적으로 용이하게 하는 행위에 이르러야 성립하므로, **그 자체로는 도피시키는 것을 직접적인 목적으로 하였다고 보기 어려운 어떤 행위를 한 결과 간접적으로 범인이 안심하고 도피할 수 있게 한 경우는 여기에 포함되지 않는다.**(대법원 2011. 4. 28. 2009도3642 **체포영장발부자 명단사건**)

① [○] 피고인 甲이 주점 개업식 날 찾아 온 범인 乙에게 "도망다니면서 이렇게 와 주니 고맙다. 항상 몸조심하고 주의하여 다녀라. 열심히 살면서 건강에 조심하라"고 말한 것은 **단순히 안부인사에 불과한 것으로 범인을 도피하게 한 것으로 볼 수 없다.**(대법원 1992. 6. 12. 92도736 **건강 조심하라 사건**)

② [○] (1) 범인 스스로 도피하는 행위는 처벌되지 아니하므로 범인이 도피를 위하여 타인에게 도움을 요청하는 행위 역시 도피행위의 범주에 속하는 한 처벌되지 아니하며, 범인의 요청에 응하여 범인을 도운 타인의 행위가 범인도피죄에 해당한다고 하더라도 마찬가지이다. (2) 다만 범인이 타인으로 하여금 허위의 자백을 하게 하는 등으로 범인도피죄를 범하게 하는 경우와 같이 그것이 **방어권의 남용으로 볼 수 있을 때에는 범인도피교사죄에 해당할 수 있다.** 이 경우 방어권의 남용이라고 볼 수 있는지 여부는, 범인을 도피하게 하는 것이라고 지목된 행위의 태양과 내용, 범인과 행위자의 관계, 행위 당시의 구체적인 상황, 형사사법의 작용에 영향을 미칠 수 있는 위험성의 정도 등을 종합하여 판단하여야 한다.(대법원 2014. 4. 10. 2013도12079 **후배에게 도움요청 사건**)

④ [○] 범인도피죄는 범인을 도피하게 함으로써 기수에 이르지만 범인도피행위가 계속되는 동안에는 범죄행위도 계속되고 행위가 끝날 때 비로소 범죄행위가 종료되고, 공범자의 범인도피행위의 도중에 그 범행을 인식하면서 그와 공동의 범의를 가지고 **기왕의 범인도피상태를 이용하여 스스로 범인도피행위를 계속한 자에 대하여는 범인도피죄의 공동정범이 성립한다.**(대법원 1995. 9. 5. 95도577)

082 다음 중 범인은닉(도피)죄에 대한 설명으로 가장 옳지 않은 것은? (다툼이 있으면 판례에 의함)
□□□

20 해경채용 [Essential ★]

① 범인 스스로 도피하는 행위는 처벌되지 아니하므로, 범인이 도피를 위하여 타인에게 도움을 요청하는 행위 역시 도피행위의 범주에 속하는 한 처벌되지 아니하며, 범인의 요청에 응하여 범인을 도운 타인의 행위가 범인도피죄에 해당한다고 하더라도 마찬가지이다. 다만, 범인이 타인으로 하여금 허위의 자백을 하게 하는 등으로 범인도피죄를 범하게 하는 경우와 같이 그것이 방어권의 남용으로 볼 수 있을 때에는 범인도피교사죄에 해당할 수 있다.

② 수사기관에서 조사받는 피의자가 사실은 게임장의 종업원임에도 불구하고 자신이 실제 업주라고 허위로 진술하여 오락실 공동운영자인 공범의 존재를 숨긴 것은 범인도피죄에 해당하지 않는다.

③ 공범 중 1인이 그 범행에 관한 수사절차에서 참고인 또는 피의자로 조사받으면서 자기의 범행을 구성하는 사실관계에 관하여 허위로 진술하고 허위 자료를 제출하는 것은 자신의 범행에 대한 방어권 행사의 범위를 벗어난 것으로 볼 수 없어, 이러한 행위가 다른 공범을 도피하게 하는 결과가 된다고 하더라도 범인도피죄로 처벌할 수 없다.

④ 범인도피죄는 범인은닉 이외의 방법으로 범인에 대한 수사, 재판 형의집행 등 형사사법의 작용을 곤란 또는 불가능하게 하는 행위를 말하는 것으로서, 그 방법에는 제한이 없고, 이는 위험범으로서 현실적으로 형사사법의 작용을 방해하는 결과가 초래될 것이 요구된다.

해설

④ [×] 범인도피죄는 위험범으로서 **현실적으로 형사사법의 작용을 방해하는 결과가 초래될 것이 요구되지 아니한다.**(대법원 2006. 5. 26. 2005도7528 **음주측정 방해사건**)

① [○] (1) 범인 스스로 도피하는 행위는 처벌되지 아니하므로 범인이 도피를 위하여 타인에게 도움을 요청하는 행위 역시 도피행위의 범주에 속하는 한 처벌되지 아니하며, 범인의 요청에 응하여 범인을 도운 타인의 행위가 범인도피죄에 해당한다고 하더라도 마찬가지이다. (2) 다만 범인이 타인으로 하여금 허위의 자백을 하게 하는 등으로 범인도피죄를 범하게 하는 경우와 같이 그것이 **방어권의 남용으로 볼 수 있을 때에는 범인도피교사죄에 해당할 수 있다.** 이 경우 방어권의 남용이라고 볼 수 있는지 여부는, 범인을 도피하게 하는 것이라고 지목된 행위의 태양과 내용, 범인과 행위자의 관계, 행위 당시의 구체적인 상황, 형사사법의 작용에 영향을 미칠 수 있는 위험성의 정도 등을 종합하여 판단하여야 한다.(대법원 2014. 4. 10. 2013도12079 **후배에게 도움요청 사건**)

② [○] 참고인이 수사기관에서 범인에 관하여 조사를 받으면서 그가 알고 있는 사실을 묵비하거나 허위로 진술하였다고 하더라도 그것이 적극적으로 수사기관을 기만하여 착오에 빠지게 함으로써 범인의 발견 또는 체포를 곤란 내지 불가능하게 할 정도의 것이 아니라면 범인도피죄를 구성하지 않는다. 이러한 법리는 게임장 등의 실제 업주가 아니라 종업원임에도 불구하고 **자신이 실제 업주라고 허위로 진술하는 경우에도 마찬가지로서,** 단순히 실제 업주라고 허위로 진술하는 것만으로는 부족하고 게임장 등의 운영 경위, 자금출처, 게임기 등의 구입 경위, 점포의 임대차계약 체결 경위 등에 관해서까지 적극적으로 허위로 진술하거나 허위 자료를 제시하

정답 | 081 ③ 082 ④

여 그 결과 수사기관이 실제 업주를 발견 또는 체포하는 것이 곤란 내지 불가능하게 될 정도에까지 이른 것으로 평가될 수 있어야 범인도피죄를 구성한다.(대법원 2013. 1. 10. 2012도13999 진술번복 게임장 바지사장 사건)

③ [O] 공범 중 1인이 그 범행에 관한 수사절차에서 참고인 또는 피의자로 조사받으면서 자기의 범행을 구성하는 사실관계에 관하여 허위로 진술하고 허위 자료를 제출하는 것은 자신의 범행에 대한 방어권 행사의 범위를 벗어난 것으로 볼 수 없어 **범인도피죄로 처벌할 수 없고,** 이때 **공범이 이러한 행위를 교사하였더라도 범인도피교사죄는 성립하지 않는다.**(대법원 2018. 8. 1. 2015도20396 콜라텍 허위양도 사건)

083 다음 설명 중 옳은 것은 모두 몇 개인가? (다툼이 있으면 판례에 의함) 16 경찰채용 [Essential ★]

㉠ 친족 또는 동거의 가족이 본인을 위하여 범인은닉·도피죄(형법 제151조 제1항)를 범한 때에는 처벌하지 아니한다.

㉡ 범인도피죄는 범인을 도피하게 함으로써 기수에 이르지만, 범인도피행위가 계속되는 동안에는 범죄행위도 계속되고 행위가 끝날 때 비로소 범죄행위가 종료된다. 따라서 공범자의 범인도피행위 도중에 그 범행을 인식하면서 그와 공동의 범의를 가지고 기왕의 범인도피상태를 이용하여 스스로 범인도피행위를 계속한 경우에는 범인도피죄의 공동정범이 성립한다.

㉢ 범인이 기소중지자임을 알고도 범인의 부탁으로 다른 사람의 명의로 대신 임대차계약을 체결해 준 경우, 비록 임대차계약서가 공시되는 것은 아니라 하더라도 수사기관이 탐문수사나 신고를 받아 범인을 발견하고 체포하는 것을 곤란하게 하여 범인도피죄에 해당한다.

① 0개 ② 1개 ③ 2개 ④ 3개

해설

④ 모든 항목이 옳다.

㉠ [O] 벌금 이상의 형에 해당하는 죄를 범한 자를 은닉 또는 도피하게 한 자는 3년 이하의 징역 또는 500만원 이하의 벌금에 처한다. **친족 또는 동거의 가족**이 본인을 위하여 전항의 죄를 범한 때에는 **처벌하지 아니한다.** (제151조)

㉡ [O] 공범자의 범인도피행위 도중에 그 범행을 인식하면서 그와 공동의 범의를 가지고 기왕의 범인도피상태를 이용하여 **스스로 범인도피행위를 계속한 자에 대하여는 범인도피죄의 공동정범이 성립한다.**(대법원 1995. 9. 5. 95도577)

㉢ [O] 범인이 기소중지자임을 알고도 범인의 부탁으로 **다른 사람의 명의로 대신 임대차계약을 체결**해 준 경우, 비록 임대차계약서가 공시되는 것은 아니라 하더라도 수사기관이 탐문수사나 신고를 받아 범인을 발견하고 체포하는 것을 곤란하게 하는 것이므로 **범인도피죄에 해당한다.**(대법원 2004. 3. 26. 2003도8226 처 명의 임대차계약 체결사건)

084 범인도피죄에 대한 설명 중 옳은 것만을 모두 고른 것은? (다툼이 있으면 판례에 의함)
□□□

21 경찰간부 [Core ★★]

㉠ 범인 아닌 자가 수사기관에서 범인임을 자처하고 허위사실을 진술하여 진범의 체포와 발견에 지장을 초래하게 한 행위는 범인은닉죄에 해당한다.
㉡ 범인이 기소중지자임을 알고도 그의 부탁으로 다른 사람의 명의로 대신 임대차계약을 체결해 주는 데 그친 행위는 범인도피죄에 해당하지 않는다.
㉢ 폭행사건 현장의 참고인이 출동한 경찰관에게 범인의 이름 대신 허무인의 이름을 대면서 구체적인 인적사항에 대한 언급을 피한 경우 범인도피죄가 성립하지 않는다.
㉣ 참고인이 수사기관에서 진범이 아닐지 모른다고 생각하면서도 특정인을 범인으로 지목하는 허위진술을 하여 그 사람이 구속됨으로써 실제 범인이 용이하게 도피하는 결과를 초래한 경우, 그 참고인을 범인도피죄로 처벌할 수 있다.
㉤ 범인이 자신을 위하여 타인으로 하여금 허위자백을 하게 하여 범인도피죄를 범하게 하는 행위는 방어권 남용으로 범인도피교사죄에 해당하는 바, 그 타인이 형법 제151조 제2항에 의하여 처벌을 받지 아니하는 친족에 해당한다 하여 달리볼 것은 아니다.

① ㉠㉡㉢　　② ㉠㉢㉤
③ ㉠㉣㉤　　④ ㉡㉣㉤

해설

② ㉠㉢㉤ 3 항목이 옳다.
㉠ [O] 범인 아닌 자가 수사기관에서 범인임을 자처하고 허위사실을 진술하여 **진범의 체포와 발견에 지장을 초래하게 한 행위는 범인은닉죄에 해당한다.**(대법원 1996. 6. 14. 96도1016)
㉡ [×] 범인이 기소중지자임을 알고도 범인의 부탁으로 다른 사람의 명의로 대신 임대차계약을 체결해 준 경우, 비록 임대차계약서가 공시되는 것은 아니라 하더라도 수사기관이 탐문수사나 신고를 받아 범인을 발견하고 체포하는 것을 곤란하게 하는 것이므로 **범인도피죄에 해당한다.**(대법원 2004. 3. 26. 2003도8226 처 명의 임대차계약 체결사건)
㉢ [O] 피고인 甲이 피해자 A를 폭행한 乙의 인적사항을 묻는 경찰관의 질문에 답하면서, 단순히 '丙'이라고 허무인의 이름을 진술하고 구체적인 인적사항에 대하여는 모른다고 진술하는데 그쳤을 뿐이라면 이를 가리켜 **적극적으로 수사기관을 기만하여 착오에 빠지게 함으로써 범인의 발견 또는 체포를 곤란 내지 불가능하게 할 정도의 것이라고 할 수 없어 범인도피죄를 구성하지 않는다.**(대법원 2008. 6. 26. 2008도1059 허무인 진술사건)
㉣ [×] 참고인이 실제의 범인이 누군지도 정확하게 모르는 상태에서 수사기관에서 실제의 범인이 아닌 어떤 사람을 범인이 아닐지도 모른다고 생각하면서도 그를 범인이라고 지목하는 허위의 진술을 한 경우에는 참고인의 허위 진술에 의하여 범인으로 지목된 사람이 구속기소됨으로써 실제의 범인이 용이하게 도피하는 결과를 초래한다고 하더라도 그것만으로는 참고인에게 적극적으로 실제의 범인을 도피시켜 국가의 형사사법의 작용을 곤란하게 할 의사가 있었다고 볼 수 없어 **범인도피죄로 처벌할 수는 없다.**(대법원 1997. 9. 9. 97도1596 엉뚱한 강간범 지목사건)

정답 | 083 ④　084 ②

ⓜ [○] 범인이 자신을 위하여 타인으로 하여금 허위의 자백을 하게 하여 범인도피죄를 범하게 하는 행위는 방어권의 남용으로 **범인도피교사죄에 해당하는바**, 이 경우 **그 타인이** 형법 제151조 제2항에 의하여 처벌을 받지 아니하는 **친족 또는 동거 가족에 해당한다 하여 달리 볼 것은 아니다.**(대법원 2006. 12. 7. 2005도3707 **동생 허위자백 사건**)

085 도주와 범인은닉의 죄에 관한 다음 설명 중 가장 옳은 것은? (다툼이 있으면 판례에 의함)

□□□

13 경찰승진 [*Core* ★★]

① 형법 제151조 제2항은 친족 또는 동거의 가족이 본인을 위하여 전항의 죄를 범한 때에는 처벌하지 아니한다고 규정하고 있는데 여기서 말하는 친족에는 사실혼관계에 있는 자도 포함된다.

② 범인도피죄에 있어서 '죄를 범한 자'라 함은 범죄의 혐의를 받아 수사 대상이 되어 있는 자도 포함되므로 그가 나중에 혐의없음 처분을 받거나 무죄판결을 선고받은 경우에도 성립에 영향이 없으나 아직 수사기관에 포착되지 않아 수사대상이 되어 있지 않은 자는 포함되지 아니한다.

③ 참고인이 수사기관에서 범인에 관하여 조사를 받으면서 그가 알고 있는 사실을 묵비하거나 허위로 진술하였다고 하더라도, 그것이 적극적으로 수사기관을 기만하여 착오에 빠지게 함으로써 범인의 발견 또는 체포를 곤란 내지 불가능하게 할 정도의 것이 아니라면 범인 도피죄를 구성하지 않는다.

④ 도주죄의 범인이 도주행위를 하여 기수에 이른 이후에 범인의 도피를 도와주는 행위는 도주원조죄에 해당할 수 있을 뿐 범인도피죄에는 해당하지 않는다.

해설

③ [○] 참고인이 수사기관에서 범인에 관하여 조사를 받으면서 그가 알고 있는 사실을 묵비하거나 허위로 진술하였다고 하여도 그것이 적극적으로 수사기관을 기만하여 착오에 빠지게 함으로써 **범인의 발견 또는 체포를 곤란 내지 불가능하게 할 정도의 것이 아니라면 범인도피죄를 구성하지 않는다.**(대법원 2008. 6. 26. 2008도1059 **허무인 진술 사건**)

① [×] 사실혼관계에 있는 자는 민법 소정의 친족이라 할 수 없어 형법 제151조 제2항에서 말하는 **친족에 해당하지 않는다.**(대법원 2003. 12. 12. 2003도4533 **내연남 외국도피사건**)

② [×] 벌금 이상의 형에 해당하는 죄를 범한 자라는 것을 인식하면서도 도피하게 한 경우에는 그 자가 당시에는 아직 **수사대상이 되어 있지 않았다고 하더라도 범인도피죄가 성립한다.**(대법원 2003. 12. 12. 2003도4533 **내연남 외국도피사건**)

④ [×] 도주죄의 범인이 도주행위를 하여 기수에 이른 이후에 범인의 도피를 도와주는 행위는 **범인도피죄에 해당할 수 있을 뿐 도주원조죄에는 해당하지 아니한다.**(대법원 1991. 10. 11. 91도1656 **병원탈출 동생 사건**)

086 범인은닉죄와 범인도피죄에 관한 다음 설명 중 가장 옳지 않은 것은? (다툼이 있으면 판례에 의함)

□□□

16 법원9급 [Superlative ★★★]

① 범인 아닌 자가 수사기관에 범인임을 자처하고 허위사실을 진술하여 진범의 체포와 발견에 지장을 초래하게 한 행위는 범인은닉죄 또는 범인도피죄에 해당한다.

② 참고인이 수사기관에서 범인에 관하여 조사를 받으면서 그가 알고 있는 사실을 묵비하거나 허위로 진술하였다고 하더라도 그것이 적극적으로 수사기관을 기만하여 착오에 빠지게 함으로써 범인의 발견 또는 체포를 곤란 내지 불가능하게 할 정도가 아닌 한 범인도피죄를 구성하지 않는 것이고, 이러한 법리는 피의자가 수사기관에서 공범에 관하여 묵비하거나 허위로 진술한 경우에도 그대로 적용된다.

③ 범인도피죄는 범인을 도피하게 함으로써 기수에 이르지만 범인도피행위가 계속되는 동안에는 범죄행위도 계속 되고 행위가 끝날 때 비로소 범죄행위 종료되므로, 공범자의 범인도피행위 도중에 그 범행을 인식하면서 그와 공동의 범의를 가지고 기왕의 범인도피상태를 이용하여 스스로 범인도피행위를 계속한 경우에는 범인도피죄의 공동정범이 성립한다.

④ 범인이 자신을 위하여 타인으로 하여금 허위의 자백을 하게 하여 범인도피죄를 범하게 하는 행위는 방어권남용으로 범인도피교사죄에 해당하나, 이 경우 그 타인이 형법 제151조 제2항의 의하여 처벌을 받지 아니하는 친족 또는 동거의 가족에 해당하는 경우에는 범인도피교사죄에 해당하지 않는다.

해설

④ [×] 범인이 자신을 위하여 타인으로 하여금 허위의 자백을 하게 하여 범인도피죄를 범하게 하는 행위는 방어권의 남용으로 범인도피교사죄에 해당하는바, 이 경우 **그 타인이 형법 제151조 제2항에 의하여 처벌을 받지 아니하는 친족 또는 동거 가족에 해당한다 하여 달리 볼 것은 아니다.**(대법원 2006. 12. 7. 2005도3707 동생 허위자백 사건)

① [○] 범인 아닌 자가 수사기관에서 **범인임을 자처**하고 허위사실을 진술하여 진범의 체포와 발견에 지장을 초래하게 한 행위는 **범인은닉죄에 해당한다.**(대법원 1996. 6. 14. 96도1016)

② [○] 참고인이 수사기관에서 범인에 관하여 조사를 받으면서 그가 알고 있는 사실을 묵비하거나 허위로 진술하였다고 하더라도 그것이 적극적으로 수사기관을 기만하여 착오에 빠지게 함으로써 범인의 발견 또는 체포를 곤란 내지 불가능하게 할 정도가 아닌 한 범인도피죄를 구성하지 않는 것이고, 이러한 법리는 피의자가 수사기관에서 **공범에 관하여 묵비하거나 허위로 진술한 경우에도 그대로 적용된다.**(대법원 2010. 2. 11. 2009도12164 불법게임장 공범 묵비사건 II)

③ [○] 공범자의 범인도피행위 도중에 그 범행을 인식하면서 그와 공동의 범의를 가지고 기왕의 범인도피상태를 이용하여 스스로 범인도피행위를 계속한 자에 대하여는 **범인도피죄의 공동정범이 성립한다.**(대법원 1995. 9. 5. 95도577)

정답 | 085 ③ 086 ④

087 도주와 범인은닉의 죄에 관한 설명 중 옳은 것은? (다툼이 있으면 판례에 의함)

□□□

15 사법시험 [Superlative ★★★]

① 벌금 이상의 형에 해당하는 죄를 범하고 도피 중이던 甲이 친구에게 그런 사실을 설명하고 수사기관의 추적을 피하기 위해 위 친구에게 요청하여 속칭 '대포폰'을 개설하여 받고, 위 친구를 전화로 불러 그가 운전하는 차를 타고 시내를 이동하여 다닌 경우, 범인도피교사죄가 성립하지 않는다.

② 검사로부터 필로폰 투약사범으로 지명수배된 자를 검거하라는 지시를 받은 경찰관이 오히려 범인으로부터 1,300만원을 받고 휴대전화를 제공해 도피를 권유하여 범인을 도피케 한 경우, 직무유기죄도 별도로 성립한다.

③ 범인이 기소중지자임을 알고도 범인의 부탁으로 다른 사람의 명의로 대신 임대차계약을 체결해 준 경우, 범인도피죄가 성립하지 않는다.

④ 음주운전 혐의로 체포되었다가 사안이 경미하다는 이유로 석방될 예정에 있었던 乙에 대한 신원보증인으로서 경찰서에 출석한 甲이, 당시 乙이 경찰에서 A의 성명을 모용한다는 사실을 알고 있었음에도 이를 묵비하고 신원보증서에 甲 자신의 인적사항을 B로 기재하여 제출한 경우, 당시 乙이 다른 범죄로 기소중지된 상태였다는 사실을 알지 못했다 하더라도 甲에 대해서는 범인도피죄가 성립한다.

⑤ 범죄의 혐의를 받고 수사의 대상이 되어 있는 乙을 甲이 은닉했는데 후에 乙이 무혐의로 석방되었다면 甲에 대하여는 범인은닉죄가 성립하지 않는다.

해설

① [○] (1) 범인 스스로 도피하는 행위는 처벌되지 아니하는 것이므로 **범인이 도피를 위하여 타인에게 도움을 요청하는 행위 역시 도피행위의 범주에 속하는 한 처벌되지 아니하는 것**이며, 범인의 요청에 응하여 범인을 도운 타인의 행위가 범인도피죄에 해당한다고 하더라도 마찬가지이다.
(2) 피고인 甲이 친구에게 요청하여 **대포폰을 개설**하여 받고, 그에게 전화를 걸어 자신이 있는 곳으로 오도록 한 다음 그가 운전하는 자동차를 타고 청주시 일대를 이동하여 다닌 행위는 형사사법에 중대한 장애를 초래한다고 보기 어려운 통상적 도피의 한 유형으로 볼 여지가 충분하다.(대법원 2014. 4. 10. 2013도12079 후배에게 도움요청 사건) 지문의 경우 **통상적 도피의 한 유형으로 방어권남용으로 볼 수 없어 범인도피교사죄는 성립하지 아니한다.**

② [×] 피고인이 검사로부터 범인을 검거하라는 지시를 받고서도 오히려 범인에게 전화로 도피하라고 권유하여 그를 도피케 하였다는 범죄사실만으로는 직무위배의 위법상태가 범인도피행위 속에 포함되어 있는 것으로 보아야 할 것이므로 **작위범인 범인도피죄만이 성립하고 부작위범인 직무유기죄는 따로 성립하지 아니한다.**(대법원 1996. 5. 10. 96도51 무조건 튀어라 사건)

③ [×] 범인이 기소중지자임을 알고도 범인의 부탁으로 다른 사람의 명의로 대신 임대차계약을 체결해 준 경우, 비록 임대차계약서가 공시되는 것은 아니라 하더라도 수사기관이 탐문수사나 신고를 받아 범인을 발견하고 체포하는 것을 곤란하게 하는 것이므로 **범인도피죄에 해당한다.**(대법원 2004. 3. 26. 2003도8226 처 명의 임대차계약 체결사건)

④ [×] 수사절차에서 작성되는 신원보증서는 수사기관이나 재판정에의 출석 또는 형 집행 등 형사사법절차상의 편의를 도모하는 것에 불과하여 보증인에게 법적으로 진실한 서류를 작성 · 제출할 의무가 부과된 것은 아니므로, 신원보증서를 작성하여 수사기관에 제출하는 보증인이 피의자의 인적 사항을 허위로 기재하였다고 하더라도 그로써 적극적으로 수사기관을 기망한 결과 피의자를 석방하게 하였다는 등 특별한 사정이 없는 한, 그 행위만으로 범인도피죄가 성립되지 않는다.(대법원 2003. 2. 14. 2002도5374 허위 신원보증서 사건)
⑤ [×] 범인은닉죄에서 '죄를 범한 자'라 함은 범죄의 혐의를 받아 수사대상이 되어 있는 자를 포함하므로 구속수사의 대상이 된 乙이 그 후 무혐의로 석방되었다 하더라도 피고인 甲에 대한 범인은닉죄의 성립에는 영향이 없다.(대법원 1982. 1. 26. 81도1931)

088 도주와 범인은닉의 죄에 대한 설명으로 가장 적절하지 않은 것은? (다툼이 있으면 판례에 의함)

□□□

19 경찰승진 [Core ★★]

① 법률에 의하여 체포 또는 구금된 자가 수용설비 또는 기구를 손괴하거나 위험한 물건을 휴대하거나 2인 이상이 합동하여 도주한 때에는 특수도주죄로 가중처벌 된다.
② 「형법」 제151조 제2항은 친족 또는 동거의 가족이 본인을 위하여 범인도피죄를 범한 때에는 처벌하지 아니한다고 규정하고 있는데, 여기서 말하는 친족에는 사실혼 관계에 있는 자는 포함되지 않는다.
③ 참고인이 수사기관에서 범인에 관하여 조사를 받으면서 그가 알고 있는 사실을 묵비하거나 허위로 진술하였다고 하더라도, 그것이 적극적으로 수사기관을 기만하여 착오에 빠지게 함으로써 범인의 발견 또는 체포를 곤란 내지 불가능하게 할 정도가 아닌 한 범인도피죄를 구성하지 않고, 이러한 법리는 피의자가 수사기관에서 공범에 관하여 묵비하거나 허위로 진술한 경우에도 그대로 적용된다.
④ 공범자의 범인도피 행위 도중에 그 범행을 인식하면서 그와 공동의 범의를 가지고 기왕의 범인도피상태를 이용하여 스스로 범인도피행위를 계속한 경우에는 범인도피죄의 공동정범이 성립하고, 이는 공범자의 범행을 방조한 종범의 경우도 마찬가지이다.

정답 | 087 ①

해설

① [×] 특수도주죄는 **수용설비 또는 기구를 손괴하거나 사람에게 폭행 또는 협박을 가하거나 2인 이상이 합동하여** 도주죄를 범하는 경우에 성립한다.(제146조) 따라서 위험한 물건을 휴대하여 도주한 경우에는 특수도주죄가 성립하지 아니한다.

② [○] 형법 제151조 제2항 및 제155조 제4항은 친족 또는 동거의 가족이 본인을 위하여 범인도피죄, 증거인멸죄 등을 범한 때에는 처벌하지 아니한다고 규정하고 있는바, **사실혼관계에 있는 자는 민법 소정의 친족이라 할 수 없어 위 조항에서 말하는 친족에 해당하지 않는다.**(대법원 2003. 12. 12. 2003도4533 **내연남 외국도피 사건**)

③ [○] 참고인이 수사기관에서 범인에 관하여 조사를 받으면서 그가 알고 있는 사실을 **묵비하거나 허위로 진술하였다고 하더라도** 그것이 적극적으로 수사기관을 기만하여 착오에 빠지게 함으로써 범인의 발견 또는 체포를 곤란 내지 불가능하게 할 정도가 아닌 한 **범인도피죄를 구성하지 않는 것이고,** 이러한 법리는 **피의자가 수사기관에서 공범에 관하여 묵비하거나 허위로 진술한 경우에도 그대로 적용된다.**(대법원 2010. 2. 11. 2009도12164 **불법게임장 공범 묵비사건Ⅱ**)

④ [○] 공범자의 범인도피행위 도중에 그 범행을 인식하면서 그와 공동의 범의를 가지고 **기왕의 범인도피상태를 이용하여 스스로 범인도피행위를 계속한 경우에는 범인도피죄의 공동정범이 성립**하고, 이는 공범자의 범행을 방조한 종범의 경우도 마찬가지이다.(대법원 2012. 8. 30. 2012도6027 **범인 바꿔치기 변호사 사건**)

제5절 | 위증과 증거인멸의 죄

089 위증죄에 관한 설명 중 가장 적절하지 않은 것은? (다툼이 있으면 판례에 의함)

□□□

15 경찰승진 [Core ★★]

① 타인으로부터 전해들은 금품전달사실을 마치 증인 자신이 전달한 것처럼 진술한 경우 위증죄가 성립한다.

② 위증죄는 법률에 의하여 선서한 증인 본인만이 행위주체가 되는 진정신분범이다.

③ 증인이 설령 객관적인 사실과 일치하더라도, 자기의 기억에 반하는 진술을 하였다면 위증죄가 성립한다.

④ 위증죄에 있어서 진술의 내용은 요증사실에 관한 것으로 판결에 영향을 미친 것에만 한정된다.

해설

④ [×] 위증죄는 법률에 의하여 선서한 증인이 허위의 공술을 한 때에 성립하는 것으로서, 그 공술의 내용이 당해 사건의 **요증사실에 관한 것인지의 여부나 판결에 영향을 미친 것인지의 여부는 위증죄의 성립과 아무런 관계가 없다.**(대법원 1990. 2. 23. 89도1212)

① [○] 타인으로부터 전해들은 금품의 전달사실을 마치 증인 자신이 전달한 것처럼 진술한 것은 **증인의 기억에 반하는 허위진술**이라고 할 것이므로 그 진술부분은 **위증에 해당한다.**(대법원 1990. 5. 8. 90도448)

② [○] 통설의 입장이다.

③ [○] 위증죄에 있어서의 허위의 공술이란 증인이 자기의 **기억에 반하는 사실을 진술하는 것을 말하는 것**으로서 그 내용이 **객관적 사실과 부합한다고 하여도 위증죄의 성립에 장애가 되지 않는다.**(대법원 1989. 1. 17. 88도580)

정답 | 088 ① 089 ④

090 **위증죄에 대한 다음 설명 중 옳지 않은 것은? (다툼이 있으면 판례에 의함)** 15 경찰간부 [Core ★★]

□□□

① 증인이 선서를 하고서 진술한 증언내용이 자신이 그 증언내용사실을 잘 알지 못하면서도 잘 아는 것으로 증언한 것이라면 위증죄가 성립한다.

② 자기의 형사사건에 관하여 타인을 교사하여 위증죄를 범하게 한 경우에는 방어권남용으로서 위증죄의 교사범이 성립한다.

③ 이미 유죄판결이 확정된 증인이 증언에 앞서 증언거부권을 고지받지 못한 상황에서 허위진술을 하면 위증죄가 성립하지 아니한다.

④ 甲이 A를 모해할 목적으로 B에게 위증을 교사하여 B가 위증을 한 경우, B에게 모해의 목적이 없었던 경우에도 甲을 모해위증교사죄로 처단할 수 있다.

해설

③ [×] 이미 유죄의 확정판결을 받은 경우에는 일사부재리의 원칙에 의해 다시 처벌되지 아니하므로 증언을 거부할 수 없는바, 비록 증언에 앞서 증언거부권을 고지받지 못했다고 하더라도 허위의 진술을 하면 위증죄가 성립한다.(대법원 2008. 10. 23. 2005도10101 황제룸주점 강도상해사건)

① [○] 증인이 선서를 하고서 진술한 증언내용이 자신이 그 증언내용 사실을 잘 알지 못하면서도 잘 아는 것으로 증언한 것이라면 그 증언은 **기억에 반한 진술이어서 위증죄가 성립된다**.(대법원 1986. 9. 9. 86도57)

② [○] 피고인이 자기의 형사사건에 관하여 허위의 진술을 하는 행위는 피고인의 형사소송에 있어서의 방어권을 인정하는 취지에서 처벌의 대상이 되지 않으나, 법률에 의하여 선서한 증인이 타인의 형사사건에 관하여 위증을 하면 위증죄가 성립되므로 **자기의 형사사건에 관하여 타인을 교사하여 위증죄를 범하게 하는 것은** 이러한 방어권을 남용하는 것이라고 할 것이어서 **교사범의 죄책을 부담케 함이 상당하다**.(대법원 2004. 1. 27. 2003도5114)

④ [○] (1) 형법 제152조는 위증을 한 범인이 형사사건의 피고인 등을 '모해할 목적'을 가지고 있었는가 아니면 그러한 목적이 없었는가 하는 범인의 특수한 상태의 차이에 따라 범인에게 과할 형의 경중을 구별하고 있으므로 이는 바로 형법 제33조 단서 소정의 '신분관계로 인하여 형의 경중이 있는 경우'에 해당한다.
(2) 甲이 A를 모해할 목적으로 乙에게 위증을 교사한 이상, 가사 정범인 乙에게 모해의 목적이 없었다고 하더라도 형법 제33조 단서의 규정에 의하여 甲을 **모해위증교사죄로 처단할 수 있다**.(대법원 1994. 12. 23. 93도1002 모해위증교사 사건)

091 위증죄에 관한 설명 중 가장 적절하지 않은 것은? (다툼이 있으면 판례에 의함)

□□□

11 경찰채용 [Essential ★]

① 타인으로부터 전해들은 금품전달 사실을 마치 증인 자신이 전달한 것처럼 진술한 경우 위증죄가 성립한다.

② 전 남편에 대한 음주운전사건의 증인으로 법정에 출석한 전처가 증언거부권을 고지받지 않은 채 적극적으로 허위진술을 한 경우, 증언거부권을 고지받지 못했다 하더라도 이로 인하여 증언거부권이 사실상 침해당한 것으로 평가할 수 없다면 위증죄가 성립된다.

③ 위증죄에 있어서의 허위의 진술이란 증인이 자기의 기억에 반하는 사실을 진술하는 것을 말하는 것이므로 그 내용이 객관적 사실과 부합한다고 하여도 위증죄는 성립한다.

④ 제3자가 심문절차로 진행되는 가처분신청사건에서 증인으로 출석하여 선서를 하고 허위의 진술을 한 경우 위증죄가 성립한다.

해설

④ [×] 제3자가 심문절차로 진행되는 '가처분신청사건'에서 증인으로 출석하여 선서를 하고 진술함에 있어서 허위의 공술을 하였다고 하더라도 그 선서는 **법률상 근거가 없어 무효이므로 위증죄는 성립하지 않는다.**(대법원 2003. 7. 25. 2003도180 SBS 방영등금지가처분 사건)

① [○] 타인으로부터 **전해들은 금품의 전달사실을 마치 증인 자신이 전달한 것처럼 진술한 것은** 증인의 기억에 반하는 허위진술이라고 할 것이므로 그 진술부분은 **위증에 해당한다.**(대법원 1990. 5. 8. 90도448)

② [○] (1) 재판장이 신문 전에 증인에게 증언거부권을 고지하지 않은 경우에도 증인이 침묵하지 아니하고 진술한 것이 자신의 진정한 의사에 의한 것인지 여부를 기준으로 위증죄의 성립 여부를 판단하여야 한다.
(2) 허위의 진술을 한 증인이 "증언거부권을 고지받았더라도 동일한 증언을 하였을 것이다"라는 취지의 진술을 한다면, 선서 전에 재판장으로부터 **증언거부권을 고지받지 아니하였다 하더라도 이로 인하여 증언거부권이 사실상 침해당한 것으로 평가할 수 없으므로 위증죄가 성립한다.**(대법원 2010. 2. 25. 2007도6273 전처위증 사건)

③ [○] 위증죄에 있어서의 허위의 공술이란 증인이 자기의 **기억에 반하는 사실을 진술하는 것을 말하는 것으로서 그 내용이 객관적 사실과 부합한다고 하여도 위증죄의 성립에 장애가 되지 않는다.**(대법원 1989. 1. 17. 88도580)

정답 | 090 ③ 091 ④

제3편 국가적 법익에 관한 죄

092 위증과 증거인멸의 죄에 관한 다음 설명 중 가장 옳은 것은? (다툼이 있으면 판례에 의함)

□□□

13 경찰승진 [*Core* ★★]

① 민사소송에서의 당사자인 법인의 대표가 증인으로 선서하고 증언한 경우, 위증죄의 주체가 될 수 있다.

② 하나의 사건에 관하여 한 번 선서한 증인이 같은 기일에 여러 가지 사실에 관하여 기억에 반하는 허위의 공술을 한 경우, 각 진술마다 수개의 위증죄를 구성한다.

③ 법률에 의하여 선서한 증인의 허위의 공술의 내용이 당해 사건의 요증사실에 관한 것인지의 여부나 판결에 영향을 미친 것인지의 여부는 위증죄의 성립과 아무런 관계가 없다.

④ 위증죄를 범한 자가 그 공술한 사건의 재판이 확정되기 전에 자수한 경우 그 형을 필요적으로 감경한다.

해설

③ [○] 위증죄는 법률에 의하여 선서한 증인이 허위의 공술을 한 때에 성립하는 것으로서, 그 공술의 내용이 당해 사건의 **요증사실에 관한 것인지의 여부나 판결에 영향을 미친 것인지의 여부는 위증죄의 성립과 아무런 관계가 없다.**(대법원 1990. 2. 23. 89도1212)

① [×] 민사소송의 당사자는 증인능력이 없으므로 증인으로 선서하고 증언하였다고 하더라도 **위증죄의 주체가 될 수 없고** 이러한 법리는 **민사소송에서의 당사자인 법인의 대표자**의 경우에도 마찬가지로 적용된다.(대법원 2012. 12. 13. 2010도14360 **건축사사무소 대표 허위진술사건**)

② [×] 하나의 범죄의사에 의하여 계속하여 허위의 진술을 한 것으로서 **포괄하여 1개의 위증죄를 구성하는 것이고 각 진술마다 수 개의 위증죄를 구성하는 것이 아니다.**(대법원 2007. 3. 15. 2006도9463)

④ [×] 위증죄를 범한 자가 그 공술한 사건의 재판이 확정되기 전에 자수한 때에는 **그 형을 감경 또는 면제한다.**(제153조)

093 다음 설명 중 가장 옳지 않은 것은? (다툼이 있으면 판례에 의함)

23 법원9급 [Essential ★]

□□□

① 위증죄에 있어서 증인의 증언이 기억에 반하는 허위진술인지 여부는 그 증언의 단편적인 구절에 구애될 것이 아니라 당해 신문절차에 있어서의 증언 전체를 일체로 파악하여 판단하여야 할 것이고, 그 진술이 객관적 사실과 부합하지 않는다고 하여 그 증언이 곧바로 기억에 반하는 진술이라고 단정할 수는 없다.

② 위증죄는 법률에 의하여 선서한 증인이 자기의 기억에 반하는 사실을 진술함으로써 성립하므로 증인의 진술이 경험한 사실에 대한 법률적 평가이거나 단순한 의견에 지나지 아니 하는 경우에는 위증죄에서 말하는 허위의 진술이라고 할 수 없고, 경험한 사실에 기초한 주관적 평가나 법률적 효력에 관한 견해를 부연한 부분에 다소의 오류가 있다 하여도 위 증죄가 성립하지 않는다.

③ 피고인이 자기의 형사사건에 관하여 허위의 진술을 하는 행위는 피고인의 방어권을 인정하는 취지에서 처벌의 대상이 되지 않으나, 법률에 의하여 선서한 증인이 타인의 형사사건에 관하여 위증을 하면 형법 제152조 제1항의 위증죄가 성립되므로 자기의 형사사건에 관하여 타인을 교사하여 위증죄를 범하게 하는 것은 이러한 방어권을 남용하는 것이어서 교사범의 죄책을 부담한다.

④ 민사소송의 당사자는 증인능력이 없으므로 증인으로 선서하고 증언하였다고 하더라도 위증죄의 주체가 될 수 없으나, 민사소송에서의 당사자인 법인의 대표자의 경우에는 증인으로 선서하고 증언하는 것이 가능하므로 위증죄의 주체가 될 수 있다.

해설

④ [×] 민사소송의 당사자는 증인능력이 없으므로 증인으로 선서하고 증언하였다고 하더라도 **위증죄의 주체가 될 수 없고**, 이러한 법리는 **민사소송에서의 당사자인 법인의 대표자의 경우에도 마찬가지로 적용된다.**(대법원 2012. 12. 13. 2010도14360 건축사사무소 대표 허위진술사건)

① [○] (1) 증인의 증언이 기억에 반하는 허위진술인지 여부는 그 증언의 단편적인 구절에 구애될 것이 아니라 당해 신문절차에 있어서의 증언 전체를 일체로 파악하여 판단하여야 할 것이고, 증언의 전체적 취지가 객관적 사실과 일치되고 그것이 **기억에 반하는 공술이 아니라면 사소한 부분에 관하여 기억과 불일치하더라도 그것이 신문취지의 몰이해 또는 착오에 인한 것이라면 위증이 될 수 없다.**(대법원 2007. 10. 26. 2007도5076 토지매매 협상과정 증언 사건)

(2) 위증죄는 법률에 의하여 선서한 증인이 자기의 기억에 반하는 사실을 진술함으로써 성립하는 것이므로 그 진술이 객관적 사실과 부합하지 않는다고 하여 그 증언이 곧바로 위증이라고 단정할 수는 없다.(대법원 1996. 8. 23. 95도192 대일화학공업 사건)

② [○] 증인의 진술이 경험한 사실에 대한 법률적 평가이거나 단순한 의견에 지나지 아니하는 경우에는 위증죄에서 말하는 허위의 공술이라고 할 수 없으며, 경험한 객관적 사실에 대한 증인 나름의 **법률적 · 주관적 평가나 의견을 부연한 부분에 다소의 오류나 모순이 있더라도 위증죄가 성립하는 것은 아니다.**(대법원 2009. 3. 12. 2008도11007 우리들가정의학과 병원장 사건)

③ [○] 피고인이 자기의 형사사건에 관하여 허위의 진술을 하는 행위는 피고인의 형사소송에 있어서의 방어권을 인정하는 취지에서 처벌의 대상이 되지 않으나, 법률에 의하여 선서한 증인이 타인의 형사사건에 관하여 위증을 하면 위증죄가 성립되므로 **자기의 형사사건에 관하여 타인을 교사하여 위증죄를 범하게 하는 것은 이러한 방어권을 남용하는 것이라고 할 것이어서 교사범의 죄책을 부담케 함이 상당하다.**(대법원 2004. 1. 27. 2003도5114 사기미수범 위증교사 사건)

정답 | 092 ③ 093 ④

094 위증죄에 관한 설명 중 옳지 않은 것은? (다툼이 있으면 판례에 의함)

□□□ 19 변호사 [Core ★★]

① 위증죄와 모해위증죄의 관계에서 '모해할 목적'을 가지고 있었는가 아니면 그러한 목적이 없었는가 하는 범인의 특수한 상태는 「형법」 제33조 단서 소정의 '신분관계'에 해당된다.

② 甲이 자신의 강도상해 범행을 일관되게 부인하였으나 유죄판결이 확정된 후, 별건으로 기소된 공범의 형사사건에서 자신의 강도상해 범행사실을 부인하는 위증을 한 경우, 甲에게 위증죄가 성립한다.

③ 하나의 사건에 관하여 한 번 선서한 증인 甲이 같은 기일에 여러가지 사실에 관하여 기억 에 반하는 허위의 진술을 하는 경우에는 포괄하여 1개의 위증죄를 구성한다.

④ 甲이 자기의 형사사건에서 허위의 진술을 하는 경우 위증죄로 처벌되지 않으나, 자기의 형사사건에 관하여 타인을 교사하여 위증죄를 범하게 하는 경우에는 위증교사범의 죄책을 부담한다.

⑤ 甲이 제9회 공판기일에 증인으로 출석하여 선서한 후 기억에 반하는 허위 진술한 것을 철회·시정한 바 없이 증인신문절차가 그대로 종료되었지만, 그 후 다시 증인으로 신청된 甲이 위 사건의 제21회 공판기일에 다시 출석하여 선서한 후 종전의 제9회 기일에서 한 진술이 허위진술임을 시인하고 이를 철회하는 취지의 진술을 하였다면 甲에게 위증죄가 성립하지 않는다.

해설

⑤ [×] 증인이 1회 또는 수회의 기일에 걸쳐 이루어진 1개의 증인신문절차에서 허위의 진술을 하고 그 진술이 철회·시정된 바 없이 그대로 증인신문절차가 종료된 경우 그로써 위증죄는 기수에 달하고, 그 후 별도의 증인 신청 및 채택 절차를 거쳐 그 증인이 다시 신문을 받는 과정에서 종전 신문절차에서의 진술을 철회·시정한다 하더라도 그러한 사정은 형법 제153조가 정한 형의 감면사유에 해당할 수 있을 뿐, 이미 종결한 종전 증인 신문절차에서 행한 위증죄의 성립에 어떤 영향을 주는 것은 아니다.(대법원 2010. 9. 30. 2010도7525 9회와 21회 공판기일 증언사건) ➜ 甲에게 위증죄가 성립한다.

① [○] 형법 제152조는 위증을 한 범인이 형사사건의 피고인 등을 **'모해할 목적'**을 가지고 있었는가 아니면 그러한 목적이 없었는가 하는 범인의 특수한 상태의 차이에 따라 범인에게 과할 형의 경중을 구별하고 있으므로 이는 바로 형법 제33조 단서 소정의 **'신분관계로 인하여 형의 경중이 있는 경우'에 해당한다.**(대법원 1994. 12. 23. 93도1002 모해위증교사 사건)

② [○] 이미 유죄의 확정판결을 받은 피고인은 공범의 형사사건에서 그 범행에 대한 증언을 거부할 수 없을 뿐만 아니라 나아가 사실대로 증언하여야 하고, 설사 피고인이 자신의 형사사건에서 시종일관 그 범행을 부인하였다 하더라도 이러한 사정은 위증죄에 관한 양형참작사유로 볼 수 있음은 별론으로 하고 이를 이유로 피고인에게 사실대로 진술할 것을 **기대할 가능성이 없다고 볼 수는 없다.**(대법원 2008. 10. 23. 2005도10101 황제룸주점 강도상해사건) 지문의 경우 위증죄가 성립한다.

③ [○] 하나의 사건에 관하여 한 번 선서한 증인이 같은 기일에 여러 가지 사실에 관하여 기억에 반하는 허위의 진술을 한 경우 이는 하나의 범죄의사에 의하여 계속하여 허위의 진술을 한 것으로서 **포괄하여 1개의 위증죄를 구성하는 것**이고 각 진술마다 수 개의 위증죄를 구성하는 것이 아니다.(대법원 2007. 3. 15. 2006도9463)

④ [○] 피고인이 자기의 형사사건에 관하여 허위의 진술을 하는 행위는 피고인의 형사소송에 있어서의 방어권을 인정하는 취지에서 처벌의 대상이 되지 않으나, 법률에 의하여 선서한 증인이 타인의 형사사건에 관하여 위증을 하면 위증죄가 성립되므로 자기의 형사사건에 관하여 타인을 교사하여 위증죄를 범하게 하는 것은 이러한 **방어권을 남용하는 것이라고 할 것이어서 교사범의 죄책을 부담케 함이 상당하다.**(대법원 2004. 1. 27. 2003도5114)

095 위증죄에 관한 다음 설명 중 가장 옳은 것은? (다툼이 있으면 판례에 의함) 12 법원9급 [Core ★★]

□□□

① 증인신문절차에서 허위의 진술을 하고 그 진술이 철회·시정된 바 없이 그대로 증인신문 절차가 종료된 경우 그로써 위증죄는 기수에 달하고, 그 후 별도의 증인 신청 및 채택 절차를 거쳐 그 증인이 다시 신문을 받는 과정에서 종전 신문절차에서의 진술을 철회·시정한다 하더라도 이미 종결된 종전 증인신문절차에서 행한 위증죄의 성립에 어떤 영향을 주는 것은 아니다.

② 제3자가 심문절차로 진행되는 가처분 신청사건에서 증인으로 출석하여 선서를 하고 진술함에 있어서 허위의 공술을 하였다면 위증죄가 성립한다.

③ 민사소송의 당사자인 법인의 대표자가 선서하고 증언한 경우 위증죄의 주체가 될 수 있다.

④ 피고인이 자신의 형사사건에 관하여 타인을 교사하여 위증죄를 범하게 한 경우 위증교사죄로 처벌할 수 없다.

해설

① [○] 증인의 증언은 그 전부를 일체로 관찰 · 판단하는 것이므로 선서한 증인이 일단 기억에 반하는 허위의 진술을 하였더라도 그 신문이 끝나기 전에 그 진술을 철회 · 시정한 경우 위증이 되지 아니한다고 할 것이나, 증인이 1회 또는 수회의 기일에 걸쳐 이루어진 1개의 증인신문절차에서 허위의 진술을 하고 그 진술이 철회 · 시정된 바 없이 그대로 증인신문절차가 종료된 경우 그로써 **위증죄는 기수에 달하고**, 그 후 별도의 증인 신청 및 채택 절차를 거쳐 그 증인이 다시 신문을 받는 과정에서 종전 신문절차에서의 진술을 **철회 · 시정한다 하더라도** 그러한 사정은 형법 제153조가 정한 형의 감면사유에 해당할 수 있을 뿐, 이미 종결한 종전 증인신문절차에서 행한 **위증죄의 성립에 어떤 영향을 주는 것은 아니다.** 위와 같은 법리는 증인이 별도의 증인신문절차에서 새로이 선서를 한 경우뿐만 아니라 종전 증인신문절차에서 한 선서의 효력이 유지됨을 고지받고 진술한 경우에도 마찬가지로 적용된다.(대법원 2010. 9. 30. 2010도7525 9회와 21회 공판기일 증언사건)

② [×] 제3자가 심문절차로 진행되는 '가처분신청사건'에서 증인으로 출석하여 선서를 하고 진술함에 있어서 허위의 공술을 하였다고 하더라도 **그 선서는 법률상 근거가 없어 무효이므로 위증죄는 성립하지 않는다.**(대법원 2003. 7. 25. 2003도180 SBS 방영등금지가처분 사건)

③ [×] 민사소송의 당사자는 증인능력이 없으므로 증인으로 선서하고 증언하였다고 하더라도 **위증죄의 주체가 될 수 없고** 이러한 법리는 민사소송에서의 당사자인 **법인의 대표자의 경우에도 마찬가지로 적용된다.**(대법원 2012. 12. 13. 2010도14360 건축사사무소 대표 허위진술사건)

④ [×] 자기의 형사사건에 관하여 타인을 교사하여 위증죄를 범하게 하는 것은 이러한 방어권을 남용하는 것이라고 할 것이어서 **교사범의 죄책을 부담하게 함이 상당하다.**(대법원 2004. 1. 27. 2003도5114)

정답 | 094 ⑤ 095 ①

096 위증죄에 대한 설명으로 옳은 것만을 모두 고른 것은? (다툼이 있으면 판례에 의함)

□□□

17 국가7급 [Superlative ★★★]

㉠ 민사소송의 당사자는 증인능력이 없으므로 당해 사건의 증인으로 출석하여 선서하고 증언하였다고 하더라도 위증죄의 주체가 될 수 없다.

㉡ 민사소송절차에서 증인이 선서 후 증인진술서에 기재된 구체적인 내용에 관하여 진술함이 없이 단지 그 증인진술서에 기재된 내용이 사실대로라는 취지의 진술만을 한 경우, 그것이 증인진술서에 기재된 내용 중 특정 사항을 구체적으로 진술한 것과 같이 볼 수 있는 등의 특별한 사정이 없는 한 기재된 내용에 일부 허위가 있다고 하더라도 위증죄가 성립하지 아니한다.

㉢ 증인이 증인신문절차에서 허위의 진술을 하고 그대로 증인신문절차가 종료된 후, 별도의 증인 신청 및 채택 절차를 거쳐 그 증인이 다시 신문을 받는 과정에서 종전 증인신문절차에서의 진술을 철회·시정하더라도 종전 증인신문절차에서 행한 위증죄의 성립에는 영향이 없다.

㉣ 증인이 소송사건의 같은 심급에서 변론기일을 달리하여 수차 증인으로 나가 수 개의 허위진술을 하였더라도 최초에 한 선서의 효력을 유지시킨 후 증언하였다면 1개의 위증죄가 성립한다.

① ㉡㉢ ② ㉠㉡㉣ ③ ㉠㉢㉣ ④ ㉠㉡㉢㉣

해설

④ 모든 항목이 옳다.

㉠ [○] 민사소송의 당사자는 증인능력이 없으므로 증인으로 선서하고 증언하였다고 하더라도 위증죄의 주체가 될 수 없고, 이러한 법리는 **민사소송에서의 당사자인 법인의 대표자의 경우에도 마찬가지로 적용된다.**(대법원 2012. 12. 13. 2010도14360 건축사사무소 대표 허위진술사건)

㉡ [○] 증인이 법정에서 선서 후 증인진술서에 기재된 구체적인 내용에 관하여 진술함이 없이 단지 그 **증인진술서에 기재된 내용이 사실대로라는 취지의 진술만을 한 경우에는** 그것이 증인진술서에 기재된 내용 중 특정사항을 구체적으로 진술한 것과 같이 볼 수 있는 등의 특별한 사정이 없는 한 증인이 그 증인진술서에 기재된 구체적인 내용을 기억하여 반복 진술한 것으로는 볼 수 없으므로, 가사 거기에 기재된 내용에 허위가 있다 하더라도 그 부분에 관하여 법정에서 증언한 것으로 보아 **위증죄로 처벌할 수는 없다.**(대법원 2010. 5. 13. 2007도1397 증인진술서 진정성립 인정 사건)

㉢ [○] 증인의 증언은 그 전부를 일체로 관찰·판단하는 것이므로 선서한 증인이 일단 기억에 반하는 허위의 진술을 하였더라도 그 신문이 끝나기 전에 그 진술을 철회·시정한 경우 위증이 되지 아니한다고 할 것이나, 증인이 1회 또는 수회의 기일에 걸쳐 이루어진 1개의 증인신문절차에서 허위의 진술을 하고 그 진술이 철회·시정된 바 없이 그대로 증인신문절차가 종료된 경우 그로써 **위증죄는 기수에 달하고**, 그 후 별도의 증인 신청 및 채택 절차를 거쳐 그 증인이 다시 신문을 받는 과정에서 종전 신문절차에서의 **진술을 철회·시정한다 하더라도** 그러한 사정은 형법 제153조가 정한 형의 감면사유에 해당할 수 있을 뿐, 이미 종결한 종전 증인신문절차에서 행한 **위증죄의 성립에 어떤 영향을 주는 것은 아니다.** 위와 같은 법리는 증인이 별도의 증인신문절차에서 새로이 선서를 한 경우뿐만 아니라 종전 증인신문절차에서 한 선서의 효력이 유지됨을 고지받고 진술한 경우에도 마찬가지로 적용된다.(대법원 2010. 9. 30. 2010도7525 9회와 21회 공판기일 증언사건)

㉣ [○] 하나의 사건에 관하여 한 번 선서한 증인이 같은 기일에 여러 가지 사실에 관하여 기억에 반하는 허위의 진술을 한 경우 이는 하나의 범죄의사에 의하여 계속하여 허위의 진술을 한 것으로서 **포괄하여 1개의 위증죄를 구성하는 것**이고 각 진술마다 수 개의 위증죄를 구성하는 것이 아니다.(대법원 2007. 3. 15. 2006도9463)

097 위증과 증거인멸의 죄에 관한 다음 설명 중 옳지 않은 것은 몇 개인가? (다툼이 있으면 판례에 의함)

□□□

18 경찰간부 [Superlative ★★★]

㉠ 민사소송절차에 증인으로 출석한 자가 재판장으로부터 증언거부권을 고지받지 않은 상태에서 허위의 증언을 하였다면 비록 증인으로서 적법하게 선서를 마치고 한 허위진술이라도 위증죄는 성립하지 않는다.

㉡ 형사소송절차에서 재판장이 신문 전에 증인에게 증언거부권을 고지하지 않은 경우, 자기부죄거부특권에 관한 것이거나 증언거부사유가 있음에도 증인이 증언거부권을 고지받지 못함으로 인하여 증언거부권을 행사하는 데 사실상 장애가 초래되었다면 위증죄는 성립하지 않는다.

㉢ 참고인이 타인의 형사사건에 관하여 제3자와 대화를 하면서 허위로 진술하고 그 진술이 담긴 대화 내용을 녹음한 녹음파일 또는 이를 녹취한 녹취록을 만들어 수사기관에 제출하는 행위는 증거위조죄를 구성한다.

㉣ 참고인이 타인의 형사사건에 관하여 직접 진술하기에 앞서 허위의 사실확인서나 진술서를 작성하여 수사기관에 제출한 것은 존재하지 않는 문서를 이전부터 존재하고 있는 것처럼 작출하는 방법으로 새로운 증거를 창조한 것이어서 증거위조죄를 구성한다.

① 1개 ② 2개 ③ 3개 ④ 4개

해설

② ㉠㉣ 2 항목이 옳지 않다.

㉠ [×] (형사소송절차와는 달리 증언거부권 고지 규정을 두지 아니한) **민사소송절차에서 재판장이 증인에게 증언거부권을 고지하지 아니하였다 하여** 절차위반의 위법이 있다고 할 수 없고, 따라서 적법한 선서 절차를 마쳤음에도 **허위진술을 한 증인에 대해서는 달리 특별한 사정이 없는 한 위증죄가 성립한다.**(대법원 2011. 7. 28. 2009도14928 농약 판매사원 위증사건)

㉡ [○] (1) 증인신문절차에서 법률에 규정된 증인보호를 위한 규정이 지켜진 것으로 인정되지 않은 경우에는 증인이 허위의 진술을 하였다고 하더라도 위증죄의 구성요건인 '법률에 의하여 선서한 증인'에 해당하지 아니한다고 보아 이를 위증죄로 처벌할 수 없는 것이 원칙이다. (2) 다만, 법률에 규정된 증인보호 절차라 하더라도 개별 보호절차 규정들의 내용과 취지가 같지 아니하고, 당해 신문 과정에서 지키지 못한 절차규정과 그 경위 및 위반의 정도 등 제반 사정이 개별 사건마다 각기 상이하므로, 이러한 사정을 전체적 · 종합적으로 고려하여 볼 때 당해 사건에서 증인보호에 **사실상 장애가 초래되었다고 볼 수 없는 경우에까지 예외 없이 위증죄의 성립을 부정할 것은 아니다.**(대법원 2010. 1. 21. 2008도942 全合 해운대 노점 싸움사건)

㉢ [○] 참고인이 타인의 형사사건 등에 관하여 제3자와 대화를 하면서 허위로 진술하고 위와 같은 **허위 진술이 담긴 대화 내용을 녹음한 녹음파일 또는 이를 녹취한 녹취록을 만들어 수사기관 등에 제출하는 것은** (참고인이 타인의 형사사건 등에 관하여 수사기관에 허위의 진술을 하거나 이와 다를 바 없는 것으로서 허위의 사실확인서나 진술서를 작성하여 수사기관 등에 제출하는 것과는 달리) **증거위조죄를 구성한다.**(대법원 2013. 12. 26. 2013도8085 친딸 성폭행 후 증거위조 사건)

정답 | 096 ④ 097 ②

ⓡ [×] 참고인이 타인의 형사사건 등에서 직접 진술 또는 증언하는 것을 대신하거나 그 진술 등에 앞서서 **허위의 사실확인서나 진술서를 작성하여 수사기관 등에 제출하거나 또는 제3자에게 교부하여 제3자가 이를 제출한 것은** 존재하지 않는 문서를 이전부터 존재하고 있는 것처럼 작출하는 등의 방법으로 새로운 증거를 창조한 것이 아닐뿐더러, 참고인이 수사기관에서 허위의 진술을 하는 것과 차이가 없으므로 **증거위조죄를 구성하지 않는다.**(대법원 2015. 10. 29. 2015도9010 **서울시 공무원간첩 국정원 증거조작 사건**)

098 □□□ **형법 제155조 제1항(타인의 형사사건 또는 징계사건에 관한 증거를 인멸, 은닉, 위조 또는 변조하거나 위조 또는 변조한 증거를 사용한 자는 5년 이하의 징역 또는 700만원 이하의 벌금에 처한다)에 관한 설명 중 틀린 것은? (다툼이 있으면 판례에 의함)** 11 법원행시 [Superlative ★★★]

① '징계사건'에는 국가의 징계사건에 한정되지 아니하고, 사인간의 징계사건도 포함된다.

② '증거'가 타인에게 유리한 것이건 불리한 것이건 가리지 아니한다.

③ '위조'란 문서에 관한 죄에 있어서의 위조 개념과는 달리 새로운 증거의 창조를 의미하는 것이다.

④ 증거가 문서의 형식을 갖는 경우에 증거위조죄의 성립 여부가 그 작성권한의 유무나 내용의 진실성에 좌우되는 것은 아니다.

⑤ 형법 제155조 제4항은 친족 또는 동거의 가족이 본인을 위하여 위 죄 등을 범한 때에는 처벌하지 아니한다고 규정하고 있는데, 사실혼관계에 있는 자는 여기서의 친족 등에 해당하지 않는다.

해설

① [×] 증거인멸 등 죄는 위증죄와 마찬가지로 국가의 형사사법작용 내지 징계작용을 그 보호법익으로 하므로, 형법 제155조 제1항에서 말하는 '징계사건'이란 국가의 징계사건에 한정되고 **사인간의 징계사건은 포함되지 않는다.**(대법원 2007. 11. 30. 2007도4191 **변조 교사일지 제출사건**)

②③④ [○] 증거위조죄에서 '증거'라 함은 타인의 형사사건 또는 징계사건에 관하여 수사기관이나 법원 또는 징계기관이 국가의 형벌권 또는 징계권의 유무를 확인하는 데 관계있다고 인정되는 일체의 자료를 의미하고, 타인에게 **유리한 것이건 불리한 것이건 가리지 아니하며** 또 증거가치의 유무 및 정도를 불문하는 것이고, 여기서의 '위조'란 문서에 관한 죄에 있어서의 위조 개념과는 달리 **새로운 증거의 창조를 의미하는** 것이므로 존재하지 아니한 증거를 이전부터 존재하고 있는 것처럼 작출하는 행위도 증거위조에 해당하며, 증거가 문서의 형식을 갖는 경우 증거위조죄에 있어서의 증거에 해당하는지 여부가 그 **작성권한의 유무나 내용의 진실성에 좌우되는 것은 아니다.**(대법원 2011. 7. 28. 2010도2244 **참고인 허위진술서 제출사건**)

⑤ [○] 형법 제151조 제2항 및 제155조 제4항은 '친족 또는 동거의 가족이 본인을 위하여 범인도피죄, 증거인멸죄 등을 범한 때에는 처벌하지 아니한다'고 규정하고 있는바, **사실혼관계에 있는 자는 민법 소정의 친족이라 할 수 없어 위 조항에서 말하는 친족에 해당하지 않는다.**(대법원 2003. 12. 12. 2003도4533 **내연남 외국도피 사건**)

099 증거위조죄에 대한 설명으로 옳지 않은 것은? (다툼이 있으면 판례에 의함)

□□□

17 국가9급 [Superlative ★★★]

① 피의자에 대한 모해목적의 증거위조죄에서 '피의자'에는 수사 개시 이전의 단계에서 장차 형사입건될 가능성이 있는 대상자도 포함된다.

② 선서무능력자로서 범죄현장을 목격하지 않은 사람으로 하여금 형사법정에서 범죄현장을 목격한 양 허위의 증언을 하도록 하는 것은 증거위조죄를 구성하지 않는다.

③ 참고인이 타인의 형사사건 등에 관하여 제3자와 대화를 하면서 허위로 진술하고 위와 같은 허위 진술이 담긴 대화 내용을 녹음한 녹음파일 또는 이를 녹취한 녹취록을 만들어 수사기관에 제출하는 것은 증거위조죄를 구성한다.

④ 타인의 형사사건과 관련하여 수사기관이나 법원에 제출하거나 현출되게 할 의도로 법률 행위 당시에는 존재하지 아니하였던 처분문서를 사후에 그 작성일을 소급하여 작성하는 것은 증거위조죄를 구성한다.

해설

① [×] 형법 제155조 제3항의 모해증거위조죄에서 말하는 **'피의자'라고 하기 위해서는 수사기관에 의하여 범죄의 인지 등으로 수사가 개시되어 있을 것을 필요로 하고**, 그 이전의 단계에서는 장차 형사입건될 가능성이 크다고 하더라도 그러한 사정만으로 '피의자'에 해당한다고 볼 수는 없다.(대법원 2010. 6. 24. 2008도12127 피의자신분 획득전 사건)

② [○] 증거위조죄에서 '증거를 위조한다' 함은 **증거 자체를 위조함을 말하는 것**으로서, 선서무능력자로서 범죄 현장을 목격하지도 못한 사람으로 하여금 형사법정에서 범죄 현장을 목격한 양 허위의 증언을 하도록 하는 것은 **증거위조죄를 구성하지 아니한다.**(대법원 1998. 2. 10. 97도2961 **선서무능력자 허위증언 사건**)

③ [○] 참고인이 타인의 형사사건 등에 관하여 제3자와 대화를 하면서 허위로 진술하고 위와 같은 **허위 진술이 담긴 대화 내용을 녹음한 녹음파일 또는 이를 녹취한 녹취록을 만들어 수사기관 등에 제출하는** 것은 (참고인이 타인의 형사사건 등에 관하여 수사기관에 허위의 진술을 하거나 이와 다를 바 없는 것으로서 허위의 사실확인서나 진술서를 작성하여 수사기관 등에 제출하는 것과는 달리) **증거위조죄를 구성한다.**(대법원 2013. 12. 26. 2013도8085 친딸 성폭행 후 증거위조 사건)

④ [○] 타인의 형사사건과 관련하여 수사기관이나 법원에 제출하거나 현출되게 할 의도로 법률행위 당시에는 존재하지 아니하였던 처분문서, 즉 그 외형 및 내용상 법률행위가 그 문서 자체에 의하여 이루어진 것과 같은 외관을 가지는 문서를 사후에 그 **작성일을 소급하여 작성하는 것은**, 가사 그 작성자에게 해당 문서의 작성권한이 있고, 또 그와 같은 법률행위가 당시에 존재하였다거나 그 법률행위의 내용이 문서에 기재된 것과 큰 차이가 없다 하여도 **증거위조죄의 구성요건을 충족시키는 것이라고 보아야 한다.**(대법원 2007. 6. 28. 2002도3600 최종백 국민고충처리위원회장 사건)

정답 | 098 ①　099 ①

100 증거위조죄에 관한 다음 설명 중 가장 옳지 않은 것은? (다툼이 있으면 판례에 의함)

□□□

23 법원9급 [Core ★★]

① 사실의 증명을 위해 작성된 문서가 그 사실에 관한 내용이나 작성명의 등에 아무런 허위가 없다고 하더라도 사실증명에 관한 문서가 형사사건 또는 징계사건에서 허위의 주장에 관한 증거로 제출되어 그 주장을 뒷받침하게 된 경우라면 형법 제155조 제1항의 증거위조 죄가 성립한다.

② 형법 제155조 제1항의 증거위조죄에서 말하는 '증거'란 타인의 형사사건 또는 징계사건에 관하여 수사기관이나 법원 또는 징계기관이 국가의 형벌권 또는 징계권의 유무를 확인하는 데 관계있다고 인정되는 일체의 자료를 뜻한다. 따라서 범죄 또는 징계사유의 성립 여부에 관한 것뿐만 아니라 형 또는 징계의 경중에 관계있는 정상을 인정하는 데 도움이 될 자료까지도 본조가 규정한 증거에 포함된다.

③ 형법 제155조 제1항은 타인의 형사사건 또는 징계사건에 관한 증거를 인멸, 은닉, 위조 또는 변조하거나 위조 또는 변조한 증거를 사용한 자를 처벌하고 있고, 여기서의 '위조'란 문서에 관한 죄의 위조 개념과는 달리 새로운 증거의 창조를 의미한다.

④ 형법 제155조 제1항에서 타인의 형사사건에 관한 증거를 위조한다 함은 증거 자체를 위조함을 말하는 것이고, 참고인이 수사기관에서 허위의 진술을 하는 것은 이에 포함되지 아니한다.

해설

① [×] 증거위조죄에서 '위조'란 문서에 관한 죄의 위조 개념과는 달리 새로운 증거의 창조를 의미한다. 그러나 사실의 증명을 위해 작성된 문서가 그 사실에 관한 내용이나 작성명의 등에 아무런 허위가 없다면 **'증거위조'에 해당한다고 볼 수 없다. 가사 사실증명에 관한 문서가 형사사건 또는 징계사건에서 허위의 주장에 관한 증거로 제출되어 그 주장을 뒷받침하게 되더라도 마찬가지이다.**(대법원 2021. 1. 28. 2020도2642 허위입금확인증 사건)

② [○] 형법 제155조 제1항의 증거위조죄에서 말하는 '증거'란 타인의 형사사건 또는 징계사건에 관하여 수사기관이나 법원 또는 징계기관이 **국가의 형벌권 또는 징계권의 유무를 확인하는 데 관계있다고 인정되는 일체의 자료를 뜻한다.** 따라서 범죄 또는 징계사유의 성립 여부에 관한 것뿐만 아니라 형 또는 징계의 경중에 관계있는 정상을 인정하는 데 도움이 될 자료까지도 본조가 규정한 증거에 포함된다.(대법원 2021. 1. 28. 2020도2642 허위 입금확인증 사건)

③ [○] 형법 제155조 제1항은 타인의 형사사건 또는 징계사건에 관한 증거를 인멸, 은닉, 위조 또는 변조하거나 위조 또는 변조한 증거를 사용한 자를 처벌하고 있고, 여기서의 **'위조'란 문서에 관한 죄의 위조 개념과는 달리 새로운 증거의 창조를 의미한다.**(대법원 2015. 10. 29. 2015도9010 서울시 공무원간첩 국정원 증거조작 사건)

④ [○] 형법 제155조 제1항에서 타인의 형사사건에 관한 증거를 위조한다 함은 증거 자체를 위조함을 말하는 것이고, 참고인이 **수사기관에서 허위의 진술을 하는 것은 이에 포함되지 아니한다.**(대법원 2017. 10. 26. 2017도9827 명예훼손 확인서 위조사건)

101 증거인멸 및 증거위조죄에 대한 다음 설명 중 옳은 것은? (다툼이 있으면 판례에 의함)

□□□

18 해경채용 [Core ★★]

㉠ 피고인 자신이 직접 형사처분이나 징계처분을 받게 될 것을 두려워한 나머지 자기의 이익을 위하여 그 증거가 될 자료를 인멸하였다 하더라도, 그 행위가 동시에 다른 공범자의 형사사건이나 징계사건에 관한 증거를 인멸한 결과가 되는 경우, 증거인멸죄가 성립하지 않는다.
㉡ 자기의 형사사건에 관한 증거를 인멸하기 위하여 타인을 교사하여 증거인멸죄를 범하게 한 자에 대하여는 증거인멸죄의 교사범이 성립하지 않는다.
㉢ 참고인이 타인의 형사사건 등에 관하여 제3자와 대화를 하면서 허위로 진술하고 그 진술이 담긴 대화 내용을 녹음한 녹음파일 또는 이를 녹취한 녹취록을 만들어 수사기관 등에 제출하는 행위는 증거위조죄를 구성한다.
㉣ 참고인이 타인의 형사사건 등에서 직접 진술 또는 증언하는 것을 대신하거나 그 진술 등에 앞서서 허위의 사실확인서나 진술서를 작성하여 수사기관 등에 제출하는 행위는 증거위조죄를 구성한다.
㉤ 증거위조죄에서 '타인의 형사사건'이란 증거위조 행위 시에 아직 수사절차가 개시되기 전이라도 장차 형사사건이 될 수 있는 것까지 포함하나 그 형사사건이 기소되지 아니하거나 무죄가 선고될 경우 증거위조죄가 성립하지 않는다.

① ㉠㉢　　② ㉡㉢
③ ㉢㉤　　④ ㉠㉣

해설

① ㉠㉢ 2 항목이 옳다.

㉠ [O] 피고인 자신이 직접 형사처분이나 징계처분을 받게 될 것을 두려워한 나머지 자기의 이익을 위하여 그 증거가 될 자료를 인멸하였다면, 그 행위가 동시에 다른 공범자의 형사사건이나 징계사건에 관한 증거를 인멸한 결과가 된다고 하더라도 이를 **증거인멸죄로 다스릴 수 없다.**(대법원 2013. 11. 28. 2011도5329 공직윤리지원관실 불법사찰사건II)

㉡ [×] 자기의 형사사건에 관한 증거를 인멸하기 위하여 타인을 교사하여 죄를 범하게 한 자에 대하여는 **증거인멸교사죄가 성립한다.**(대법원 2000. 3. 24. 99도5275)

㉢ [O] 참고인이 타인의 형사사건 등에 관하여 제3자와 대화를 하면서 허위로 진술하고 위와 같은 **허위 진술이 담긴 대화 내용을 녹음한 녹음파일 또는 이를 녹취한 녹취록을 만들어 수사기관 등에 제출하는 것은** (참고인이 타인의 형사사건 등에 관하여 수사기관에 허위의 진술을 하거나 이와 다를 바 없는 것으로서 허위의 사실확인서나 진술서를 작성하여 수사기관 등에 제출하는 것과는 달리) **증거위조죄를 구성한다.**(대법원 2013. 12. 26. 2013도8085 친딸 성폭행 후 증거위조 사건)

정답 | 100 ①　101 ①

제3편 국가적 법익에 관한 죄

㉣ [×] 참고인이 타인의 형사사건 등에서 직접 진술 또는 증언하는 것을 대신하거나 그 진술 등에 앞서서 허위의 **사실확인서나 진술서를 작성하여 수사기관 등에 제출하거나 또는 제3자에게 교부하여 제3자가 이를 제출한** 것은 존재하지 않는 문서를 이전부터 존재하고 있는 것처럼 작출하는 등의 방법으로 새로운 증거를 창조한 것이 아닐뿐더러, 참고인이 수사기관에서 허위의 진술을 하는 것과 차이가 없으므로 **증거위조죄를 구성하지 않는다.**(대법원 2015. 10. 29. 2015도9010 서울시 공무원간첩 국정원 증거조작 사건)

㉤ [×] 증거위조죄에서 타인의 형사사건이란 증거위조 행위시에 아직 수사절차가 개시되기 전이라도 장차 형사사건이 될 수 있는 것까지 포함하고, **그 형사사건이 기소되지 아니하거나 무죄가 선고되더라도 증거위조죄의 성립에 영향이 없다.**(대법원 2011. 2. 10. 2010도15986 김상현 목포수협조합장 사건)

102 증거인멸 등에 관한 다음 설명 중 옳지 않은 것은 모두 몇 개인가? (다툼이 있으면 판례에 의함)

□□□

20 법원행시 [Superlative ★★★]

㉠ 피고인이 자기의 이익을 위하여 그 증거가 될 자료를 인멸하였다면, 그 행위가 동시에 다른 공범자의 형사사건이나 징계사건에 관한 증거를 인멸한 결과가 된다고 하더라도 이는 증거은닉죄에 해당하지 않는다.

㉡ 피고인이 자기의 이익을 위하여 제3자와 공동하여 증거가 될 자료를 은닉하는 행위를 하였다면 증거은닉죄에 해당하지 않는다.

㉢ 피고인이 타인을 교사하여 자기의 형사사건에 관한 증거를 인멸하게 하였다면 증거인멸교사죄가 성립한다.

㉣ 참고인이 타인의 형사사건과 관련하여 수사기관에서 조사를 받기에 앞서서 허위의 내용을 담은 진술서를 작성하여 수사기관에 제출한 경우 증거위조죄를 구성한다.

㉤ 참고인이 타인의 형사사건과 관련하여 수사기관에서 조사를 받으면서 허위로 진술하여 그 정을 모르는 담당 공무원으로 하여금 허위의 내용이 담긴 참고인진술조서를 작성토록 한 경우 증거위조죄의 간접정범이 성립한다.

① 1개 ② 2개 ③ 3개
④ 4개 ⑤ 없음

해설

② ㉣㉤ 2 항목이 옳지 않다.

㉠ [○] 증거인멸죄는 타인의 형사사건 또는 징계사건에 관한 증거를 인멸하는 경우에 성립하는 것으로서, 피고인 자신이 직접 형사처분이나 징계처분을 받게 될 것을 두려워한 나머지 **자기의 이익을 위하여 그 증거가 될 자료를 인멸하였다면**, 그 행위가 동시에 다른 공범자의 형사사건이나 징계사건에 관한 증거를 인멸한 결과가 된다고 하더라도 이를 **증거인멸죄로 다스릴 수 없다**.(대법원 2013. 11. 28. 2011도5329 공직윤리지원관실 불법사찰 사건II)

㉡ [○] 증거은닉죄는 타인의 형사사건이나 징계사건에 관한 증거를 은닉할 때 성립하고, 범인 자신이 한 증거은닉 행위는 형사소송에 있어서 피고인의 방어권을 인정하는 취지와 상충하여 처벌의 대상이 되지아니하므로 범인이 증거은닉을 위하여 타인에게 도움을 요청하는 행위 역시 원칙적으로 처벌되지 아니한다. 따라서 피고인 자신이 직접 형사처분을 받게 될 것을 두려워한 나머지 자기의 이익을 위하여 그 증거가 될 자료를 은닉하였다면 증거은닉죄에 해당하지 않고, 제3자와 공동하여 그러한 행위를 하였다고 하더라도 마찬가지이다.(대법원 2018. 10. 25. 2015도1000 오병윤 의원 사건)

㉢ [○] 자기의 형사사건에 관한 증거를 인멸하기 위하여 타인을 교사하여 죄를 범하게 한 자에 대하여는 **증거인멸교사죄가 성립한다**.(대법원 2000. 3. 24. 99도5275)

㉣ [×] 참고인이 타인의 형사사건 등에서 직접 진술 또는 증언하는 것을 대신하거나 그 진술 등에 앞서서 허위의 사실확인서나 진술서를 작성하여 수사기관 등에 제출하거나 또는 제3자에게 교부하여 제3자가 이를 제출한 것은 존재하지 않는 문서를 이전부터 존재하고 있는 것처럼 작출하는 등의 방법으로 새로운 증거를 창조한 것이 아닐뿐더러, 참고인이 수사기관에서 허위의 진술을 하는 것과 차이가 없으므로 증거위조죄를 구성하지 않는다.(대법원 2017.10.26. 2017도9827 명예훼손 확인서 위조사건)

㉤ [×] 증거위조죄에서 '증거를 위조한다' 함은 증거 자체를 위조함을 말하는 것이고, 참고인이 수사기관에서 허위의 진술을 하는 것은 이에 포함되지 아니한다.(대법원 2017. 10. 26. 2017도9827 명예훼손 확인서 위조 사건) ➔ 지문의 경우 증거위조죄의 직접정범이나 간접정범은 성립하지 아니한다.

정답 | 102 ②

제6절 | 무고의 죄

103 무고죄에 관한 설명 중 가장 적절하지 않은 것은? (다툼이 있으면 판례에 의함)

□□□

16 경찰승진 [Core ★★]

① 위증으로 고소, 고발한 사실 중 위증한 당해사건의 요증사항이 아니고 재판결과에 영향을 미친 바 없는 사실만이 허위라고 인정되는 경우, 무고죄는 성립하지 않는다.

② 피고인이 허위사실을 신고하였지만 신고된 범죄사실에 대한 공소시효가 완성되었음이 신고내용 자체에 의하여 분명한 경우 무고죄가 성립하지 않는다.

③ 피무고자의 승낙을 받아 허위사실을 기재한 고소장을 제출한 경우 무고죄가 성립한다.

④ 피고인이 최초에 작성한 허위내용의 고소장을 경찰관에게 제출한 이상 그 후에 그 고소장을 되돌려 받았다 하더라도 무고죄의 성립에 영향이 없다.

해설

① [×] 위증으로 고소, 고발한 사실 중 **위증한 당해 사건의 요증사항이 아니고 재판결과에 영향을 미친바 없는 사실만이 허위라고 인정되더라도 무고죄의 성립에는 영향이 없다.**(대법원 1989. 9. 26. 88도1533)

② [○] 타인으로 하여금 형사처분을 받게 할 목적으로 공무소에 대하여 허위사실을 신고하였다고 하더라도, 신고된 범죄사실에 대한 **공소시효가 완성되었음이 신고내용 자체에 의하여 분명한 경우에는 형사처분의 대상이 되지 않는 것이므로 무고죄가 성립하지 아니한다.**(대법원 1994. 2. 8. 93도3445 시효완성 사문서위조 고소사건)

③ [○] 무고에 있어서 **피무고자의 승낙이 있었다고 하더라도 무고죄의 성립에는 영향을 미치지 못한다.**(대법원 2005. 9. 30. 2005도2712 합의주선용 무고사건)

④ [○] 피고인이 최초에 작성한 허위내용의 **고소장을 경찰관에게 제출**하였을 때 이미 허위사실의 신고가 수사기관에 도달되어 **무고죄의 기수**에 이른 것이라 할 것이므로 그 후에 그 고소장을 되돌려 받았다 하더라도 이는 무고죄의 성립에 아무런 영향이 없다.(대법원 1985. 2. 8. 84도2215 횡령착복 자임 사건)

104 무고죄에 관한 다음 설명 중 가장 옳지 않은 것은? (다툼이 있으면 판례에 의함)

□□□

21 법원9급 [Essential ★]

① 성폭행 등의 피해를 입었다는 신고사실에 관하여 불기소처분 내지 무죄판결이 내려졌다고 하여, 그 자체를 무고를 하였다는 적극적인 근거로 삼아 신고내용을 허위라고 단정하여서는 아니 된다.

② 개별적, 구체적인 사건에서 성폭행 등의 피해자임을 주장하는 자가 처하였던 특별한 사정을 충분히 고려하지 아니한 채 진정한 피해자라면 마땅히 이렇게 하였을 것이라는 기준을 내세워 성폭행 등의 피해를 입었다는 점 및 신고에 이르게 된 경위 등에 관한 변소를 쉽게 배척하여서는 아니 된다.

③ 타인으로 하여금 형사처분을 받게 할 목적으로 공무소에 대하여 허위의 사실을 신고하였다면, 그 사실이 친고죄로서 그에 대한 고소기간이 경과하여 공소를 제기할 수 없음이 그 신고내용 자체에 의하여 분명한 경우에도 당해 국가기관의 직무를 그르치게 할 위험이 없다고 할 수 없으므로 무고죄가 성립한다.

④ 무고죄에서 신고한 사실이 객관적 진실에 반하는 허위사실이라는 요건은 적극적 증명이 있어야 하고, 신고사실의 진실성을 인정할 수 없다는 소극적 증명만으로 곧 그 신고사실이 객관적 진실에 반하는 허위의 사실이라 단정하여 무고죄의 성립을 인정할 수는 없다.

해설

③ [×] 타인으로 하여금 형사처분을 받게 할 목적으로 공무소에 대하여 허위의 사실을 신고하였다고 하더라도, 그 사실이 친고죄로서 그에 대한 고소기간이 경과하여 공소를 제기할 수 없음이 그 신고내용 자체에 의하여 분명한 때에는 **당해 국가기관의 직무를 그르치게 할 위험이 없으므로 무고죄는 성립하지 아니한다.**(대법원 2018. 7. 11. 2018도1818 누나 동생 무고사건)

①② [○] 성폭행 등의 피해를 입었다는 신고사실에 관하여 불기소처분 내지 무죄판결이 내려졌다고 하여, 그 자체를 무고를 하였다는 적극적인 근거로 삼아 신고내용을 **허위라고 단정하여서는 아니 됨**은 물론, 개별적, 구체적인 사건에서 피해자임을 주장하는 자가 처하였던 특별한 사정을 충분히 고려하지 아니한 채 진정한 피해자라면 마땅히 이렇게 하였을 것이라는 기준을 내세워 성폭행 등의 피해를 입었다는 점 및 신고에 이르게 된 경위 등에 관한 변소를 **쉽게 배척하여서는 아니 된다.**(대법원 2019. 7. 11. 2018도2614 직장선배 기습키스 사건)

④ [○] 무고죄에서 신고한 사실이 객관적 진실에 반하는 허위사실이라는 요건은 적극적 증명이 있어야 하고, 신고사실의 진실성을 인정할 수 없다는 소극적 증명만으로 곧 그 신고사실이 **객관적 진실에 반하는 허위의 사실이라 단정하여 무고죄의 성립을 인정할 수는 없다.**(대법원 2019. 7. 11. 2018도2614 직장선배 기습키스 사건)

정답 | 103 ① 104 ③

105 무고죄에 관한 설명 중 옳지 않은 것은? (다툼이 있으면 판례에 의함)

21 변호사 [Core ★★]

□□□

① 타인으로 하여금 형사처분을 받게 할 목적으로 공무소에 대하여 허위의 사실을 신고하였다고 하더라도, 그 사실이 친고죄로 그에 대한 고소기간이 경과하여 공소를 제기할 수 없음이 그 신고내용 자체에 의하여 분명한 때에는 무고죄가 성립하지 아니한다.

② 신고한 사실이 객관적 진실에 반하는 허위사실이라는 요건은 적극적 증명이 있는 경우뿐만 아니라 신고사실의 진실성을 인정할 수 없다는 소극적 증명이 있어도 충족된다.

③ 甲이 A를 사기죄로 고소하였는데, 수사 결과 甲의 무고 혐의가 밝혀져 甲은 무고죄로 공소제기되고 A는 불기소결정되었다. 甲은 제1심에서 혐의를 부인하였으나 유죄가 선고되자 제1심의 유죄판결에 대하여 양형부당을 이유로 항소하면서 항소심 제1회 공판기일에서 양형부당의 항소 취지와 무고 사실을 모두 인정한다는 취지가 기재된 항소이유서를 진술하였다면, 甲은 「형법」 제157조(자백·자수)에 따른 형의 필요적 감면 조치를 받아야 한다.

④ 甲은 '채권담보를 위해 채무자인 A와 A 소유 부동산에 대해 대물변제예약을 체결하였는 데 A가 이를 다른 사람에게 매도하였다'는 내용으로 허위고소하였다. 甲의 고소 이후 대법원이 위와 같은 경우 배임죄가 성립하지 않는다고 판례를 변경하였어도, 甲의 행위는 무고죄의 기수에 해당한다.

⑤ 甲이 사립대학교 교수 A로 하여금 징계처분을 받게 할 목적으로 국민권익위원회에서 운영하는 범정부 국민포털인 국민신문고에 민원을 제기한 경우, 甲에게는 무고죄가 성립하지 않는다.

해설

② [×] 무고죄는 신고한 사실이 객관적 진실에 반하는 **허위사실이라는 점에 관하여는 적극적인 증명이 있어야 하며**, 신고사실의 진실성을 인정할 수 없다는 점만으로 곧 그 신고사실이 객관적 진실에 반하는 허위사실이라고 단정하여 무고죄의 성립을 인정할 수 없다.(대법원 2014. 2. 13. 2011도15767)

① [○] 타인으로 하여금 형사처분을 받게 할 목적으로 공무소에 대하여 허위의 사실을 신고하였다고 하더라도, 그 사실이 친고죄로서 그에 대한 고소기간이 경과하여 공소를 제기할 수 없음이 그 **신고내용 자체에 의하여 분명한 때에는 당해 국가기관의 직무를 그르치게 할 위험이 없으므로 무고죄는 성립하지 아니한다**.(대법원 2018. 7. 11. 2018도1818 누나 동생 무고사건)

③ [○] (1) 무고죄에 있어서 형의 필요적 감경 또는 면제사유인 자백의 절차에 관해서는 아무런 법령상의 제한이 없으므로 그가 신고한 사건을 다루는 기관에 대한 고백이나 그 사건을 다루는 재판부에 증인으로 다시 출석하여 전에 그가 한 신고가 허위의 사실이었음을 고백하는 것은 물론 **무고사건의 피고인 또는 피의자로서 법원이나 수사기관에서의 신문에 의한 고백 또한 자백의 개념에 포함된다**.

(2) A, B에 대한 무고죄로 기소된 피고인 甲이 항소심의 공판기일에서 "공소사실을 모두 인정한다"라는 취지가 기재된 항소이유서를 진술한 경우, 甲은 허위의 사실을 고소하였음을 자백하였음이 명백하므로 항소심은 甲이 A, B에 대하여 무고한 고소사건의 처리 결과를 심리해 보고, 이들에 대하여 불기소결정 등이 내려져 그 재판이 확정된 적이 없다면 甲에 대하여 **형의 필요적 감면조치를 하여야 한다**.(대법원 2018. 8. 1. 2018도7293 항소심 무고자백 사건)

④ [○] 허위로 신고한 사실이 무고행위 당시 형사처분의 대상이 될 수 있었던 경우에는 국가의 형사사법권의 적정한 행사를 그르치게 할 위험과 부당하게 처벌받지 않을 개인의 법적 안정성이 침해될 위험이 이미 발생하였으므로 무고죄는 기수에 이르고, 이후 그러한 사실이 형사범죄가 되지 않는 것으로 **판례가 변경되었다고 하더라도 특별한 사정이 없는 한 이미 성립한 무고죄에는 영향을 미치지 않는다**.(대법원 2017. 5. 30. 2015도15398 고소 후 판례변경 사건)

⑤ [○] (1) 학교법인 등의 사립학교 교원에 대한 인사권의 행사로서 징계 등 불리한 처분은 사법적 법률행위의 성격을 가지므로, **사립학교 교원에 대한 학교법인 등의 징계처분은 무고죄에서의 '징계처분'에 포함되지 않는다.** (2) 피고인이 사립대학교 교원들로 하여금 징계처분을 받게 할 목적으로 국민권익위원회에서 운영하는 범정부 국민포털인 국민신문고에 민원을 제기하였더라도 무고죄가 성립하지 아니한다.(대법원 2014. 7. 24. 2014도6377 대학교수 시동생 무고사건)

106 다음 설명 중 가장 옳지 않은 것은? (다툼이 있으면 판례에 의함)

□□□

17 법원9급 [*Core* ★★]

① 고소인이 甲에게 대여하였다가 이미 변제받은 금원에 관하여 甲이 수개월간 변제치 않고 있었던 점을 들어 위 금원을 착복하였다고 고소장에 기재한 경우 그것이 甲으로부터 아직 변제받지 못한 금원에 관한 고소내용의 정황을 과장한 것이라면 특별의 사정이 없는 한 무고죄가 성립하지 않는다.

② 피고인이 '피고소인 甲이 2010. 1. 1. 피고인과의 사이에 피고인이 10년간 甲소유의 임야에 자생하는 송이를 채취하고 甲에게 그 대가를 지급하기로 하는 계약을 체결하였는데, 甲이 이후 乙에게 위 임야에 자생하는 송이 채취권을 이중으로 넘겨주어 피고인으로 하여금 손해를 입게 하였다'는 고소장을 제출하였는데, 피고인이 2010. 1. 1. 피고소인 甲과 위 내용과 같은 계약을 체결한 사실이 없는 것으로 드러난 경우 피고인의 위 고소 행위는 무고죄에 해당한다.

③ 무고죄에서 허위사실의 신고방식은 구두에 의하건 서면에 의하건 관계가 없다.

④ 피무고자의 승낙을 받아 허위사실을 기재한 고소장을 제출한 경우 무고죄가 성립될 수 있다.

해설

② [×] "피고소인이 송이의 채취권을 이중으로 양도하여 손해를 입었으니 엄벌하여 달라"는 내용의 **고소사실이 횡령죄나 배임죄 기타 형사범죄를 구성하지 않는 내용의 신고에 불과하여 그 신고 내용이 허위라고 하더라도 무고죄가 성립할 수 없다.**(대법원 2007. 4. 13. 2006도558 송이채취권 이중양도 고소사건) 송이 채취권과 같은 '채권'의 이중양도는 죄가 되지 않기 때문에 무고죄가 성립하지 아니한다.

① [○] 고소인이 甲에게 대여하였다가 이미 변제받은 금원에 관하여 甲이 수개월간 변제치 않고 있었던 점을 들어 위 금원을 착복하였다고 고소장에 기재한 경우 그것이 甲으로부터 아직 변제받지 못한 금원에 관한 고소내용의 정황을 **과장한 것이라면 특별의 사정이 없는 한 무고죄가 성립하지 않는다.**(대법원 1987. 6. 9. 87도1029)

③ [○] 무고죄에서 허위사실의 신고방식은 구두에 의하건 서면에 의하건 관계가 없고, 서면에 의하는 경우에도 그 신고내용이 타인으로 하여금 형사처분 또는 징계처분을 받게 할 목적의 허위사실이면 충분하며 그 **명칭을 반드시 고소장이라고 하여야만 무고죄가 성립하는 것은 아니다.**(대법원 2014. 12. 24. 2012도4531 해병대 사령관 음해사건)

정답 | 105 ② 106 ②

④ [○] 무고에 있어서 **피무고자의 승낙이 있었다고 하더라도 무고죄의 성립에는 영향을 미치지 못한다.**(대법원 2005. 9. 30. 2005도2712 합의주선용 무고사건)

107 다음 무고죄에 관한 설명 중 가장 적절하지 않은 것은? (다툼이 있으면 판례에 의함)

□□□

12 경찰채용 [Essential ★]

① 금원을 대여한 甲은 차용금을 갚지 않은 乙을 '乙이 변제의사와 능력도 없이 차용금 명목으로 돈을 편취하였으니 사기죄로 처벌하여 달라'는 내용으로 고소하면서, 대여금의 용도에 관하여 '도박자금'으로 빌려준 사실을 감추고 '내비게이션 구입에 필요한 자금'이라고 허위기재하였다. 甲이 차용금의 '용도'를 사실과 달리 기재한 사정만으로는 무고죄의 '허위 사실 신고'에 해당하지 않는다.

② 甲이 변호사 乙로 하여금 징계처분을 받게 할 목적으로 서울지방변호사회에 허위 내용의 진정서를 제출한 경우 甲에 대하여는 무고죄가 성립한다.

③ 甲이 허위내용의 고소장을 경찰관에게 제출한 후 나중에 그 고소장을 되돌려 받았다 하더라도 무고죄의 성립에 아무런 영향이 없다.

④ 피무고자의 교사·방조 하에 제3자가 피무고자에 대한 허위의 사실을 신고한 경우 피무고자의 행위는 자기무고의 교사·방조에 불과하므로 무고죄의 교사·방조범으로서의 죄책을 부담하지 아니한다.

해설

④ [×] 피무고자의 교사 · 방조 하에 제3자가 피무고자에 대한 허위의 사실을 신고한 경우에는 **제3자의 행위는 무고죄의 구성요건에 해당하여 무고죄를 구성하므로,** 제3자를 교사 · 방조한 **피무고자도 교사 · 방조범으로서의 죄책을 부담한다.**(대법원 2008. 10. 23. 2008도4852 자기무고 방조사건)

① [○] 금원을 대여한 고소인이 차용금을 갚지 않는 차용인을 사기죄로 고소함에 있어서 (1) 피고소인이 차용금의 용도를 사실대로 이야기하였더라면 금원을 대여하지 않았을 것인데 차용금의 용도를 속이는 바람에 대여하였다고 주장하는 사안이라면 그 차용금의 실제 용도는 사기죄의 성립 여부에 영향을 미치는 것으로서 고소사실의 중요한 부분이 되고 따라서 그 실제 용도에 관하여 고소인이 허위로 신고할 경우에는 그것만으로도 무고죄에 있어서의 허위의 사실을 신고한 경우에 해당한다. (2) 그러나 단순히 차용인이 변제의사와 능력의 유무에 관하여 기망하였다는 내용으로 고소한 경우에는 차용금의 용도와 무관하게 다른 자료만으로도 충분히 차용인의 변제의사나 능력의 유무에 관한 기망사실을 인정할 수 있는 경우도 있을 것이므로, 그 차용금의 실제 용도에 관하여 사실과 달리 신고하였다 하더라도 그것만으로는 **범죄사실의 성립 여부에 영향을 줄 정도의 중요한 부분을 허위로 신고하였다고 할 수 없다.** 이와 같은 법리는 고소인이 차용사기로 고소함에 있어서 묵비하거나 사실과 달리 신고한 차용금의 실제 용도가 도박자금이었다고 하더라도 달리 볼 것은 아니다.(대법원 2011. 9. 8. 2011도3489 용도묵비 차용금사기 고소사건Ⅲ)

② [○] (1) 변호사에 대한 징계처분은 무고죄에서 말하는 '**징계처분'에 포함된다고 봄이 상당하고**, 구 변호사법 제97조의2 등 관련 규정에 의하여 그 징계 개시의 신청권이 있는 지방변호사회의 장은 '공무소 또는 공무원'에 포함된다. (2) 피고인 甲이 변호사인 피해자 乙로 하여금 징계처분을 받게 할 목적으로 서울지방변호사회에 허위사실의 진정서를 제출한 경우 무고죄가 성립한다.(대법원 2010. 11. 25. 2010도10202 변호사무고사건)

③ [○] 피고인이 최초에 작성한 허위내용의 고소장을 **경찰관에게 제출하였을 때** 이미 허위사실의 신고가 수사기관에 도달되어 **무고죄의 기수**에 이른 것이라 할 것이므로 그 후에 그 고소장을 되돌려 받았다 하더라도 이는 무고죄의 성립에 아무런 영향이 없다.(대법원 1985. 2. 8. 84도2215 횡령착복 자임 사건)

108 무고죄에 관한 다음 설명 중 가장 옳지 않은 것은? (다툼이 있으면 판례에 의함)

□□□

22 법원9급 [*Core* ★★]

① 무고죄는 국가의 형사사법권 또는 징계권의 적정한 행사를 주된 보호법익으로 하는 것이지 개인의 부당하게 처벌 또는 징계받지 아니할 이익을 보호하는 죄는 아니므로 설사 무고에 있어서 피무고자의 승낙이 있었다고 하더라도 무고죄의 성립에는 영향을 미치지 못 한다 할 것이다.

② 고소인이 차용금을 갚지 않는 차용인을 사기죄로 고소함에 있어서, 피고소인이 차용금의 용도를 속이는 바람에 대여하였다고 주장하는 경우 실제 용도에 관하여 고소인이 허위로 신고를 할 경우에는 그것만으로도 무고죄에 있어서의 허위의 사실을 신고한 경우에 해당한다.

③ 무고죄에서 신고한 사실이 객관적 사실에 반하는 허위사실이라는 요건은 적극적인 증명이 있어야 하며, 신고사실의 진실성을 인정할 수 없다는 소극적 증명만으로 곧 그 신고 사실이 객관적 진실에 반하는 허위사실이라고 단정하여 무고죄의 성립을 인정할 수는 없다.

④ 무고죄에 있어서 형사처분 또는 징계처분을 받게 할 목적은 허위신고를 함에 있어서 다른 사람이 그로 인하여 형사 또는 징계처분을 받게 될 것이라는 인식이 있으면 족한 것이고 그 결과발생을 희망하는 것까지를 요하는 것은 아니므로 고소인이 고소장을 수사기관에 제출한 이상 그러한 인식은 있었다고 보아야 한다.

정답 | 107 ④ 108 ①

해설

① [×] 무고죄는 국가의 형사사법권 또는 징계권의 적정한 행사를 주된 보호법익으로 하고, 다만 개인의 부당하게 처벌 또는 징계받지 아니할 이익을 부수적으로 보호하는 죄이므로 설사 무고에 있어서 피무고자의 승낙이 있었다고 하더라도 무고죄의 성립에는 영향을 미치지 못한다.(대법원 2005. 9. 30. 2005도2712 합의주선용 무고사건)

② [○] 금원을 대여한 고소인이 차용금을 갚지 않는 차용인을 사기죄로 고소함에 있어서 (1) 피고소인이 차용금의 용도를 사실대로 이야기하였더라면 금원을 대여하지 않았을 것인데 차용금의 용도를 속이는 바람에 대여하였다고 주장하는 사안이라면 그 차용금의 실제 용도는 사기죄의 성립 여부에 영향을 미치는 것으로서 고소사실의 중요한 부분이 되고 따라서 그 **실제 용도에 관하여 고소인이 허위로 신고할 경우에는 그것만으로도 무고죄에 있어서의 허위의 사실을 신고한 경우에 해당한다.** (2) 그러나 단순히 차용인이 변제의사와 능력의 유무에 관하여 기망하였다는 내용으로 고소한 경우에는 차용금의 용도와 무관하게 다른 자료만으로도 충분히 차용인의 변제의사나 능력의 유무에 관한 기망사실을 인정할 수 있는 경우도 있을 것이므로, 그 차용금의 실제 용도에 관하여 사실과 달리 신고하였다 하더라도 그것만으로는 범죄사실의 성립 여부에 영향을 줄 정도의 중요한 부분을 허위로 신고하였다고 할 수 없다. 이와 같은 법리는 고소인이 차용사기로 고소함에 있어서 묵비하거나 사실과 달리 신고한 차용금의 실제 용도가 도박자금이었다고 하더라도 달리 볼 것은 아니다.(대법원 2011. 9. 8. 2011도3489 용도묵비 차용금사기 고소사건Ⅲ)

③ [○] 무고죄에서 신고한 사실이 객관적 사실에 반하는 허위사실이라는 요건은 적극적인 증명이 있어야 하며, 신고사실의 진실성을 인정할 수 없다는 **소극적 증명만으로 곧 그 신고 사실이 객관적 진실에 반하는 허위사실이라고 단정하여 무고죄의 성립을 인정할 수는 없다.**(대법원 2019. 7. 11. 2018도2614 직장선배 기습키스 사건)

④ [○] 무고죄에 있어서 형사처분 또는 징계처분을 받게 할 목적은 허위신고를 함에 있어서 다른 사람이 그로 인하여 형사 또는 징계처분을 받게 될 것이라는 인식이 있으면 족한 것이고 그 결과발생을 희망하는 것까지를 요하는 것은 아니므로 **고소인이 고소장을 수사기관에 제출한 이상 그러한 인식은 있었다고 보아야 한다.**(대법원 2014. 3. 13. 2012도2468 위조·행사 여부를 가려달라 사건)

109 무고죄에 관한 설명으로 옳지 않은 것을 모두 고른 것은? (다툼이 있으면 판례에 의함)

□□□

22 경찰채용 [Core ★★]

㉠ 자기 자신을 무고하기로 제3자와 공모하고 이에 따라 무고 행위에 가담한 경우 무고죄의 공동정범으로 처벌할 수 없다.

㉡ 신고사실의 일부에 허위의 사실이 포함되어 있다고 하더라도 그 허위부분이 범죄의 성부에 영향을 미치는 중요한 부분이 아니고 단지 신고한 사실을 과장한 것에 불과한 경우에는 무고죄에 해당하지 아니하지만, 그 일부 허위인 사실이 국가의 심판작용을 그르치거나 부당하게 처벌을 받지 아니할 개인의 법적 안정성을 침해할 우려가 있을 정도로 고소사실 전체의 성질을 변경시키는 때에는 무고죄가 성립될 수 있다.

㉢ 신고자가 진실이라고 확신하고 신고하였을 때에는 무고죄가 성립하지 않는다고 할 것이고, '진실이라고 확신한다' 함에는 신고자가 알고 있는 객관적 사실관계에 의하여 신고사실이 허위라거나 허위일 가능성이 있다는 인식을 하면서도 이를 무시한 채 무조건 자신의 주장이 옳다고 생각하는 경우까지 포함되는 것은 아니다.

㉣ 무고죄에 있어서의 신고는 자발적인 것이어야 하고 수사기관 등의 추문에 대하여 허위의 진술을 하는 것은 무고죄를 구성하지 않는 것이므로, 당초 고소장에 기재하지 않은 사실을 수사기관에서 고소보충조서를 받을 때 자진하여 진술하였다 하더라도 이 진술 부분까지 신고한 것으로 볼 수는 없다.

㉤ 타인에게 형사처분을 받게 할 목적으로 '허위의 사실'을 신고한 행위가 무고죄를 구성하기 위해서는 신고된 사실 자체가 형사처분의 대상이 될 수 있어야 하므로 허위로 신고한 사실이 신고 당시에는 형사처분의 대상이 될 수 있었으나 이후 그러한 사실이 형사처분의 대상이 되지 않는 것으로 대법원 판례가 변경된 경우 무고죄는 성립하지 않는다.

① ㉠㉡　② ㉡㉢　③ ㉢㉣　④ ㉣㉤

해설

④ ㉣㉤ 2 항목이 옳지 않다.

㉠ [O] 자기 자신을 무고하기로 제3자와 공모하고 이에 따라 무고행위에 가담하였다고 하더라도 이는 자기자신에게는 무고죄의 구성요건에 해당하지 않아 범죄가 성립할 수 없는 행위를 실현하고자 한 것에 지나지 않아 **무고죄의 공동정범으로 처벌할 수 없다**.(대법원 2017. 4. 26. 2013도12592 자기무고 공모사건)

㉡ [O] 신고사실의 일부에 허위의 사실이 포함되어 있다고 하더라도 그 허위부분이 범죄의 성부에 영향을 미치는 중요한 부분이 아니고 단지 신고한 사실을 과장한 것에 불과한 경우에는 무고죄에 해당하지 아니하지만, 그 일부 허위인 사실이 국가의 심판작용을 그르치거나 부당하게 처벌을 받지 아니할 개인의 법적안정성을 침해할 우려가 있을 정도로 고소사실 전체의 성질을 변경시키는 때에는 **무고죄가 성립될 수 있다**.(대법원 2012. 5. 24. 2011도11500 에쿠스 담보권자 무고사건)

정답 | 109 ④

ⓒ [O] 신고자가 진실이라고 확신하고 신고하였을 때에는 무고죄가 성립하지 않는다고 할 것이고, '진실이라고 확신한다' 함에는 신고자가 알고 있는 객관적 사실관계에 의하여 신고사실이 허위라거나 허위일 가능성이 있다는 인식을 하면서도 이를 무시한 채 **무조건 자신의 주장이 옳다고 생각하는 경우까지 포함되는 것은 아니다.**(대법원 2008. 5. 29. 2006도6347 **상관 협박 · 무고사건**)

ⓓ [×] 무고죄에 있어서의 신고는 자발적인 것이어야 하고 수사기관 등의 추문(推問)에 대하여 허위의 진술을 하는 것은 무고죄를 구성하지 않는 것이지만, **당초 고소장에 기재하지 않은 사실을 수사기관에서 고소보충조서를 받을 때 자진하여 진술하였다면 이 진술부분까지 신고한 것으로 보아야 한다.**(대법원 1996. 2. 9. 95도2652)

ⓔ [×] 허위로 신고한 사실이 무고행위 당시 형사처분의 대상이 될 수 있었던 경우에는 국가의 형사사법권의 적정한 행사를 그르치게 할 위험과 부당하게 처벌받지 않을 개인의 법적 안정성이 침해될 위험이 이미 발생하였으므로 무고죄는 기수에 이르고, 이후 그러한 사실이 형사범죄가 되지 않는 것으로 **판례가 변경되었다고 하더라도 특별한 사정이 없는 한 이미 성립한 무고죄에는 영향을 미치지 않는다.**(대법원 2017. 5. 30. 2015도15398 **고소 후 판례변경 사건**)

110 무고죄에 대한 설명으로 가장 적절한 것은? (다툼이 있으면 판례에 의함)

17 경찰채용 [Essential ★]

□□□

① 신고자가 객관적 사실관계를 사실 그대로 신고한 이상 그 객관적 사실을 토대로 한 나름대로의 주관적 법률평가를 잘못하고 이를 신고하였다 하여 그 사실만을 가지고 허위사실을 신고한 것에 해당하여 무고죄가 성립한다고 할 수 없다.

② 신고자가 그 신고내용을 허위라고 믿었다면 그것이 객관적으로 진실한 사실에 부합할 때에도 허위사실의 신고에 해당하여 무고죄가 성립한다.

③ 무고죄는 국가의 형사사법권 또는 징계권의 적정한 행사를 주된 보호법익으로 하는 죄이므로, 스스로 본인을 무고하는 자기무고는 무고죄의 구성요건에 해당하여 무고죄를 구성한다.

④ 무고죄에 있어서 신고한 사실이 객관적 사실에 반하는 허위사실이라는 요건은 신고사실의 진실성을 인정할 수 없다는 소극적 증명만으로 곧 그 신고사실이 객관적 진실에 반하는 허위사실이라고 단정하여 무고죄의 성립을 인정할 수 있고, 적극적인 증명이 있어야만 하는 것은 아니다.

해설

① [O] 피고인의 고소가 매매대금 수령 전에 등기를 넘겨받은 매수인이 대금을 지급하지 않은 채 타에 처분한 것을 탓하는 취지라면 피고인이 **주관적 법률평가의 잘못으로 명의신탁이라는 표현을 썼어도** 매수인의 행위는 **형사범죄가 되지 않는 것이므로** 이러한 내용의 허위사실의 신고는 **무고죄에 해당하지 않는다.**(대법원 1992. 10. 13. 92도1799 **토지매수인 임의처분 고소사건**)

② [×] 무고죄에서 신고자가 그 신고내용을 허위라고 믿었다 하더라도 그것이 **객관적으로 진실한 사실에 부합할 때에는 허위사실의 신고에 해당하지 않아 무고죄는 성립하지 않는다.**(대법원 1991. 10. 11. 91도1950)

③ [×] 자기 자신으로 하여금 형사처분 또는 징계처분을 받게 할 목적으로 허위의 사실을 신고하는 행위, 즉 **자기 자신을 무고하는 행위는 무고죄의 구성요건에 해당하지 않아 무고죄가 성립하지 않는다.**(대법원 2017. 4. 26. 2013도12592 **자기무고 공모사건**)

④ [×] 무고죄는 신고한 사실이 객관적 진실에 반하는 허위사실이라는 점에 관하여는 **적극적인 증명**이 있어야 하며, 신고사실의 진실성을 인정할 수 없다는 점만으로 곧 그 신고사실이 객관적 진실에 반하는 허위사실이라고 단정하여 무고죄의 성립을 인정할 수 없다.(대법원 2014. 2. 13. 2011도15767)

111 무고죄에 관한 설명으로 옳지 않은 것을 모두 고른 것은? (다툼이 있으면 판례에 의함)
□□□

24 경찰승진 [Core ★★]

㉠ 무고죄에 있어 타인은 자연인은 물론 법인도 포함하므로 특정되지 않은 이름을 알 수 없는 사람(성명불상자)에 대한 무고죄는 성립한다.
㉡ 성폭행 등의 피해를 입었다는 신고사실에 관하여 불기소처분 내지 무죄판결이 내려졌다고 하여, 그 자체를 무고를 하였다는 적극적인 근거로 삼아 신고내용을 허위라고 단정하여서는 아니 된다.
㉢ 신고자가 알고 있는 객관적인 사실관계에 의하더라도 신고사실이 허위라거나 또는 허위일 가능성이 있다는 인식을 하지 못하였다면 무고의 고의를 부정할 수 있다.
㉣ 공동피고인 중 1인이 타범죄로 조사를 받는 과정에서 사법경찰관의 신문에 따라 다른 공동피고인의 범죄사실을 진술한 경우에 위 진술내용이 허위라면 이는 무고에 해당한다.

① ㉠㉢ ② ㉠㉣
③ ㉡㉢ ④ ㉢㉣

해설

② ㉠㉣ 2 항목이 옳지 않다.

㉠ [×] **특정되지 않은 성명불상자에 대한 무고죄는 성립하지 않는다.** 공무원에게 무익한 수고를 끼치는 일은 있어도 심판 자체를 그르치게 할 염려가 없으며 피무고자를 해할 수도 없기 때문이다.(대법원 2022. 9. 29. 2020도11754 **골프연습장 운영자 아들 사건**)

㉡ [○] 성폭행 등의 피해를 입었다는 **신고사실에 관하여 불기소처분 내지 무죄판결이 내려졌다고 하여 그 자체를 무고를 하였다는 적극적인 근거로 삼아 신고내용을 허위라고 단정하여서는 아니 됨**은 물론, 개별적, 구체적인 사건에서 피해자임을 주장하는 자가 처하였던 특별한 사정을 충분히 고려하지 아니한 채 진정한 피해자라면 마땅히 이렇게 하였을 것이라는 기준을 내세워 성폭행 등의 피해를 입었다는 점 및 신고에 이르게 된 경위 등에 관한 변소를 쉽게 배척하여서는 아니 된다.(대법원 2019. 7. 11. 2018도2614 **직장선배 기습키스 사건**)

정답 | 110 ① 111 ②

ⓒ [○] 신고자가 알고 있는 객관적인 사실관계에 의하더라도 **신고사실이 허위라거나 또는 허위일 가능성이 있다는 인식을 하지 못하였다면 무고의 고의를 부정할 수 있으나,** 이는 알고 있는 객관적 사실관계에 의하여 신고사실이 허위라거나 허위일 가능성이 있다는 인식을 하면서도 그 인식을 무시한 채 무조건 자신의 주장이 옳다고 생각하는 경우까지 포함하는 것은 아니다.(대법원 2022. 6. 22. 2022도3413 국민신문고 약국 고발사건)

ⓓ [×] 공동피고인 중 1인 甲이 타 범죄로 조사를 받는 과정에서 **사법경찰관 및 검사의 심문에 따라 다른 공동피고인 乙의 범죄사실을 진술한 경우라면** 가사 위 진술내용이 허위라 하더라도 **이를 무고라고는 할 수 없다.**(대법원 1985. 7. 26. 85모14 무고× 재심사유× 사건)

112 위증죄 및 무고죄에 관한 설명이다. 다음 중 가장 적절하지 않은 것은? (다툼이 있으면 판례에 의함)

□□□

15 경찰채용 [Essential ★]

① 법률에 의하여 선서한 증인이 허위의 공술을 한 때에 위증죄가 성립하는 것으로서, 그 공술의 내용이 당해 사건의 요증사실에 관한 것인지의 여부나 판결에 영향을 미친 것인지의 여부는 위증죄의 성립과 아무런 관계가 없다.

② 민사소송의 당사자는 증인능력이 없으므로 증인으로 선서하고 증언하였다고 하더라도 위증죄의 주체가 될 수 없고, 민사소송에서의 당사자인 법인의 대표자의 경우에도 같다.

③ 고소당한 범죄가 유죄로 인정되는 경우에 고소를 당한 사람이 자신을 고소한 사람에 대하여 '고소당한 죄의 혐의가 없는 것으로 인정된다면 고소인이 자신을 무고한 것에 해당하므로 고소인을 처벌해 달라.'는 내용의 고소장을 수사기관에 제출하였다면 자신의 결백을 주장하기 위한 것이라고 하더라도 방어권의 행사를 벗어난 것으로서 무고죄의 범의를 인정할 수 있다.

④ 피고인이 사립대학교 교수 甲, 乙로 하여금 징계처분을 받게 할 목적으로 국민권익위원회에서 운영하는 범정부 국민포털인 국민신문고에 민원을 제기한 경우에 무고죄가 성립한다.

해설

④ [×] **사립학교 교원에 대한 학교법인 등의 징계처분은 형법 제156조의 '징계처분'에 포함되지 않으므로,** 피고인이 사립대학교 교수인 피해자들로 하여금 징계처분을 받게 할 목적으로 국민권익위원회에서 운영하는 범정부 국민포털인 국민신문고에 민원을 제기한 경우라도 **무고죄가 성립하지 않는다.**(대법원 2014. 7. 24. 2014도6377 대학교수 시동생 무고사건)

① [○] 위증죄는 법률에 의하여 선서한 증인이 허위의 공술을 한 때에 성립하는 것으로서, 그 공술의 내용이 당해 사건의 **요증사실에 관한 것인지의 여부나 판결에 영향을 미친 것인지의 여부는 위증죄의 성립과 아무런 관계가 없다.**(대법원 1990. 2. 23. 89도1212)

② [○] 민사소송의 당사자는 증인능력이 없으므로 증인으로 선서하고 증언하였다고 하더라도 위증죄의 주체가 될 수 없고, 이러한 법리는 **민사소송에서의 당사자인 법인의 대표자의 경우에도 마찬가지로 적용된다.**(대법원 2012. 12. 13. 2010도14360 건축사사무소 대표 허위진술사건)

③ [○] 무고죄의 허위신고에 있어서 다른 사람이 그로 인하여 형사처분 또는 징계처분을 받게 될 것이라는 인식이 있으면 족하므로, 고소당한 범죄가 유죄로 인정되는 경우에, 고소를 당한 사람이 고소인에 대하여 '고소당한 죄의 혐의가 없는 것으로 인정된다면 **고소인이 자신을 무고한 것에 해당하므로 고소인을 처벌해 달라**'는 내용의 고소장을 제출하였다면 설사 그것이 자신의 결백을 주장하기 위한 것이라고 하더라도 방어권의 행사를 벗어난 것으로서 **고소인을 무고한다는 범의를 인정할 수 있다.**(대법원 2007. 3. 15. 2006도9453 **의제강간 미수사건**)

113 위증과 무고의 죄에 대한 설명 중 가장 적절한 것은? (다툼이 있으면 판례에 의함)

□□□

20 경찰승진 [Superlative ★★★]

① 유죄판결이 확정된 피고인이 별건으로 기소된 공범의 형사사건에서 자신의 범행사실을 부인하는 증언을 한 경우 피고인에게 사실대로 진술할 것이라는 기대가능성이 없으므로 위증죄가 성립하지 않는다.

② 별도의 증인신청 및 채택 절차를 거쳐 그 증인이 다시 신문을 받는 과정에서 종전 신문절차에서 한 허위의 진술을 철회·시정한 경우 위증죄가 성립하지 아니한다.

③ 상대방의 범행에 공범으로 가담한 자가 자신의 범죄 가담사실을 숨기고 상대방인 공범자만을 고소하였다면 무고죄가 성립한다.

④ 위증죄에 있어서 형의 감면 규정은 재판 확정전의 자백을 형의 필요적 감면 사유로 한다는 것이고, 자발적인 고백은 물론 법원이나 수사기관의 심문에 의한 고백도 위 자백의 개념에 포함된다.

해설

④ [○] 형법 제153조에서 자백의 절차에 관하여는 아무런 제한이 없으므로 그가 공술한 사건을 다루는 기관에 대한 자발적인 고백은 물론, 위증사건의 피고인 또는 피의자로서 **법원이나 수사기관의 심문에 의한 고백도 위 자백의 개념에 포함된다.**(대법원 1973. 11. 27. 73도1639)

① [×] 이미 유죄의 확정판결을 받은 피고인은 공범의 형사사건에서 그 범행에 대한 증언을 거부할 수 없을 뿐만 아니라 나아가 사실대로 증언하여야 하고, 설사 피고인이 자신의 형사사건에서 시종일관 그 범행을 부인하였다 하더라도 이를 이유로 **피고인에게 사실대로 진술할 것을 기대할 가능성이 없다고 볼 수는 없다.**(대법원 2008. 10. 23. 2005도10101 **황제룸주점 강도상해사건**) 지문의 경우 위증죄가 성립한다.

② [×] 증인이 1회 또는 수회의 기일에 걸쳐 이루어진 1개의 증인신문절차에서 허위의 진술을 하고 그 진술이 철회·시정된 바 없이 그대로 증인신문절차가 종료된 경우 그로써 **위증죄는 기수에 달하고**, 그 후 별도의 증인 신청 및 채택 절차를 거쳐 **그 증인이 다시 신문을 받는 과정에서 종전 신문절차에서의 진술을 철회·시정**한다 하더라도 그러한 사정은 형법 제153조가 정한 형의 감면사유에 해당할 수 있을 뿐, **이미 종결된 종전 증인신문절차에서 행한 위증죄의 성립에 어떤 영향을 주는 것은 아니다.**(대법원 2010. 9. 30. 2010도7525 **9회와 21회 공판기일 증언사건**)

정답 | 112 ④ 113 ④

③ [×] 피고인의 고소내용이 **상대방의 범행 부분에 관한 한 진실에 부합하므로 이를 허위의 사실로 볼 수 없고**, 상대방의 범행에 피고인이 공범으로 가담한 사실을 숨겼다고 하여도 그것이 상대방에 대한 관계에서 독립하여 형사처분 등의 대상이 되지 아니할뿐더러 전체적으로 보아 **상대방의 범죄사실의 성립 여부에 직접 영향을 줄 정도에 이르지 아니하는 내용에 관계되는 것이므로 무고죄가 성립하지 않는다.**(대법원 2010. 2. 25. 2009도1302 **전세자금편취 공범 무고사건**)

114 위증 및 무고의 죄에 관한 설명으로 옳은 것을 모두 고른 것은? (다툼이 있으면 판례에 의함)

□□□

24 경찰채용 [*Core* ★★]

㉠ 헌법 제12조 제2항에 정한 불이익 진술의 강요금지 원칙을 구체화한 자기부죄거부특권에 관한 것이거나 기타 증언거부사유가 있음에도 증인이 증언거부권을 고지받지 못함으로 인하여 그 증언거부권을 행사하는 데 사실상 장애가 초래되었다고 볼 수 있는 경우에는 위증죄의 성립을 부정하여야 할 것이다.

㉡ 무고죄에 있어서 '허위의 사실'이라 함은 그 신고된 사실로 인하여 상대방이 형사처분이나 징계처분 등을 받게 될 위험이 있는 것이어야 하고, 독립하여 형사처분 등의 대상이 되지 아니하고 단지 신고사실의 정황을 과장하는 데 불과하거나 전체적으로 보아 범죄사실의 성립 여부에 직접 영향을 줄 정도에 이르지 아니하는 내용에 관계되는 것이라면 무고죄가 성립하지 아니한다.

㉢ 형법 제153조 소정의 위증죄를 범한 자가 자백, 자수를 한 경우의 형의 감면규정은 재판 확정 전의 자백을 형의 필요적 감경 또는 면제사유로 한다는 것이며, 또 위 자백의 절차에 관하여는 공술한 사건을 다루는 기관에 대한 자발적인 고백은 포함되나, 위증사건의 피고인 또는 피의자로서 법원이나 수사기관의 신문에 의한 고백은 위 자백의 개념에 포함되지 않는다.

㉣ 고소인이 고소장을 접수하더라도 수사기관의 고소인 출석 요구에 응하지 않음으로써 그 단계에서 수사중지를 의도하고 있었고, 더 나아가 피고소인들에 대한 출석요구와 피의자신문 등의 수사권까지 발동될 것은 의욕하지 않았다고 하더라도 고소장을 수사기관에 제출한 이상 무고죄는 성립한다.

① ㉠㉡
② ㉠㉡㉣
③ ㉠㉢㉣
④ ㉡㉢㉣

해설

② ㉠㉡㉣ 3 항목이 옳다.

㉠ [○] 헌법 제12조 제2항에 정한 불이익 진술의 강요금지 원칙을 구체화한 자기부죄거부특권에 관한 것이거나 기타 증언거부사유가 있음에도 증인이 증언거부권을 고지받지 못함으로 인하여 그 증언거부권을 행사하는 데 **사실상 장애가 초래되었다고 볼 수 있는 경우에는 위증죄의 성립을 부정하여야 할 것이다.**(대법원 2010. 1. 21. 2008도942 全合 **해운대 노점 싸움사건**)

㉡ [○] 신고내용에 일부 객관적 진실에 반하는 내용이 포함되었다 하더라도 그것이 독립하여 형사처분 등의 대상이 되지 아니하고 단지 신고사실의 **정황을 과장하는 데 불과하거나 허위의 일부사실의 존부가 전체적으로 보아 범죄사실의 성부에 직접 영향을 줄 정도에 이르지 아니하는 내용에 관계되는 것이라면 무고죄가 성립하지 아니한다.**(대법원 2010. 2. 25. 2009도1302 **전세자금편취 공범 무고사건**)

㉢ [×] 형법 제153조에 의하면 동법 제152조의 위증죄를 범한자가 그 공술한 사건의 재판 또는 징계처분이 확정되기전에 자백 또는 자수를 한 때에는 그 형을 감경 또는 면제한다고 되어 있어 이러한 재판확정전의 자백을 필요적 감경 또는 면제사유로 규정하고 있으며, 위와 같은 자백의 절차에 관하여는 아무런 법령상의 제한이 없으므로 **그가 공술한 사건을 다루는 기관에 대한 자발적인 고백은 물론 위증사건의 피고인 또는 피의자로서 법원이나 수사기관에서의 심문에 의한 고백 또한 위 자백의 개념에 포함된다.**(대법원 1973. 11. 27. 73도1639 **위증 피고인 자백 간과사건**)

㉣ [○] 피고인의 주장과 같이 실제 고소를 한 공소외인이 고소장을 접수하더라도 수사기관의 고소인 출석요구에 응하지 않음으로써 그 단계에서 수사가 중지되고 고소가 각하될 것으로 의도하고 있었고, 더 나아가 피고소인들에 대한 출석요구와 피의자신문 등의 수사권까지 발동될 것은 의욕하지 않았다고 하더라도 피고인들이 공소외인과 공모하여 공소외인으로 하여금 그러한 **허위 사실이 기재된 고소장을 수사기관에 제출하도록 한 이상 피고인들에게는 그 피고소인들이 그로 인하여 형사처분을 받게 될 수도 있다는 점에 대한 인식이 있었**다고 보아야 하고 또 그 고소장 접수 당시에 이미 국가의 형사사법권의 적정한 행사가 저해될 위험도 발생하였다고 보아야 한다.(대법원 2006. 8. 25. 2006도3631 **케이티씨텔레콤 사건**)

정답 | 114 ②

115 □□□ **다음 중 국가의 기능에 대한 죄와 관련하여 형법상 처벌받지 않는 자는? (다툼이 있으면 판례에 의함)**

13 법원9급 [Core ★★]

① 자기의 형사사건에 관한 증거를 인멸하기 위하여 타인을 교사하여 죄를 범하게 한 자

② 피고인 자신이 직접 형사처분이나 징계처분을 받게 될 것을 두려워한 나머지 자기의 이익을 위하여 증인이 될 사람을 도피하게 하였는데, 그 행위가 동시에 다른 공범자의 형사사건이나 징계사건에 관한 증인을 도피하게 한 결과가 된 경우 그 피고인

③ 피무고자의 교사 하에 제3자가 피무고자에 대한 허위의 사실을 신고한 경우 제3자를 교사한 피무고자

④ 자기의 형사사건에 관하여 타인을 교사하여 위증죄를 범하게 한 자

해설

② 피고인 자신이 직접 형사처분이나 징계처분을 받게 될 것을 두려워한 나머지 자기의 이익을 위하여 증인이 될 사람을 도피하게 하였다면 그 행위가 동시에 다른 공범자의 형사사건이나 징계사건에 관한 증인을 도피하게 한 결과가 된다고 하더라도 **증인도피죄로 처벌할 수 없다.**(대법원 2003. 3. 14. 2002도6134 홍성식구파 사건)

① 자기의 형사사건에 관한 증거를 인멸하기 위하여 타인을 교사하여 죄를 범하게 한 자에 대하여는 **증거인멸교사죄가 성립한다.**(대법원 2000. 3. 24. 99도5275)

③ 피무고자의 교사 · 방조 하에 제3자가 피무고자에 대한 허위의 사실을 신고한 경우에는 **제3자의 행위는 무고죄의 구성요건에 해당하여 무고죄를 구성하므로,** 제3자를 교사 · 방조한 **피무고자도 교사 · 방조범으로서의 죄책을 부담한다.**(대법원 2008. 10. 23. 2008도4852 자기무고 방조사건)

④ 자기의 형사사건에 관하여 타인을 교사하여 위증죄를 범하게 하는 것은 이러한 방어권을 남용하는 것이라고 할 것이어서 **교사범의 죄책을 부담한다.**(대법원 2004. 1. 27. 2003도5114)

116 무고죄에 관한 다음 설명 중 가장 옳지 않은 것은? (다툼이 있으면 판례에 의함)

□□□

16 법원행시 [Superlative ★★★]

① 신고한 사실이 객관적 진실에 반하는 허위사실이라는 점에 관하여는 적극적인 증명이 없더라도, 신고사실의 진실성을 인정할 수 없다면 무고죄의 성립을 인정할 수 있다.

② 형법 제156조는 타인으로 하여금 형사처분 또는 징계처분을 받게 할 목적으로 공무소 또는 공무원에 대하여 허위의 사실을 신고한 자를 처벌하도록 정하고 있고, 여기서 '징계처분'이란 공법상의 감독관계에서 질서유지를 위하여 과하는 신분적 제재를 말한다.

③ 무고죄에 있어서 형사처분 또는 징계처분을 받게 할 목적은 허위신고를 함에 있어서 다른 사람이 그로 인하여 형사 또는 징계처분을 받게 될 것이라는 인식이 있으면 족한 것이고 그 결과발생을 희망하는 것을 요하는 것은 아닌바, 피고인이 고소장을 수사기관에 제출한 이상 그러한 인식은 있었다 할 것이니 피고인이 고소를 한 목적이 피고소인들을 처벌받도록 하는 데에 있지 아니하고 단지 회사 장부상의 비리를 밝혀 정당한 정산을 구하는 데에 있다 하여 무고의 범의가 없다 할 수 없다.

④ 무고죄는 국가의 형사사법권 또는 징계권의 적정한 행사를 주된 보호법익으로 하고 다만, 개인의 부당하게 처벌 또는 징계받지 아니할 이익을 부수적으로 보호하는 죄이므로, 설사 무고에 있어서 피무고자의 승낙이 있었다고 하더라도 무고죄의 성립에는 영향을 미치지 못한다.

⑤ 1통의 고발장에 의하여 수개의 혐의사실을 들어 고발한 경우, 그 중 일부 사실이 진실이라 하더라도 다른 사실이 허위이면 그 허위사실 부분은 독립하여 무고죄를 구성한다.

해설

① [×] 무고죄는 신고한 사실이 객관적 진실에 반하는 허위사실이라는 점에 관하여는 적극적인 증명이 있어야 하며, 신고사실의 진실성을 인정할 수 없다는 점만으로 곧 그 신고사실이 객관적 진실에 반하는 허위사실이라고 단정하여 무고죄의 성립을 인정할 수 없다.(대법원 2014. 2. 13. 2011도15767)

② [○] (1) 학교법인 등의 사립학교 교원에 대한 인사권의 행사로서 징계 등 불리한 처분은 사법적 법률행위의 성격을 가지므로, 사립학교 교원에 대한 **학교법인 등의 징계처분은 무고죄에서의 '징계처분'에 포함되지 않는다.** (2) 피고인이 사립대학교 교원들로 하여금 징계처분을 받게 할 목적으로 국민권익위원회에서 운영하는 범정부 국민포털인 국민신문고에 민원을 제기하였더라도 **무고죄가 성립하지 아니한다.**(대법원 2014. 7. 24. 2014도6377 대학교수 시동생 무고사건)

③ [○] 무고죄에 있어서 형사처분 또는 징계처분을 받게 할 목적은 허위신고를 함에 있어서 다른 사람이 그로 인하여 형사 또는 징계처분을 받게 될 것이라는 인식이 있으면 족한 것이고 그 결과발생을 희망하는 것을 요하는 것은 아닌바, 피고인이 고소장을 수사기관에 제출한 이상 그러한 인식은 있었다 할 것이니 피고인이 고소를 한 목적이 피고소인들을 처벌받도록 하는 데에 있지 아니하고 단지 **회사 장부상의 비리를 밝혀 정당한 정산을 구하는 데에 있다 하여 무고의 범의가 없다 할 수 없다.**(대법원 1991. 5. 10. 90도2601)

④ [○] 무고에 있어서 **피무고자의 승낙이 있었다고 하더라도 무고죄의 성립에는 영향을 미치지 못한다.**(대법원 2005. 9. 30. 2005도2712 합의주선용 무고사건)

⑤ [○] 1통의 고발장에 의하여 수개의 혐의사실을 들어 고발한 경우, 그 중 일부 사실이 진실이라 하더라도 다른 사실이 허위이면 그 **허위사실 부분은 독립하여 무고죄를 구성한다.**(대법원 2007. 3. 29. 2006도8638 부산교도소장 무고사건)

정답 | 115 ② 116 ①

117 다음 설명 중 적절하지 않은 것으로 묶인 것은? (다툼이 있으면 판례에 의함) 12 경찰채용 [Core ★★]

□□□

㉠ 위증죄와 모해위증죄가 형법 제33조 단서 소정의 '신분관계로 인하여 형의 경중이 있는 경우'에 해당한다.
㉡ 위증죄와 무고죄에서의 '허위'의 개념은 동일하다.
㉢ 진술내용이 당해 사건의 요증사실에 관한 것인지 여부나 판결에 영향을 미친 것인지의 여부는 위증죄의 성립과 관계가 없다.
㉣ 피고인이 선서무능력자로서 범죄현장을 목격하지도 못한 사람으로 하여금 범죄현장을 목격한 것처럼 허위의 증언을 하도록 한 경우에는 증거위조죄가 성립한다.

① ㉠㉡ ② ㉠㉢
③ ㉡㉢ ④ ㉡㉣

해설

④ ㉡㉣ 2 항목이 옳지 않다.
㉠ [○] (1) 형법 제152조는 위증을 한 범인이 형사사건의 피고인 등을 '모해할 목적'을 가지고 있었는가 아니면 그러한 목적이 없었는가 하는 범인의 특수한 상태의 차이에 따라 범인에게 과할 형의 경중을 구별하고 있으므로 이는 바로 형법 제33조 단서 소정의 '**신분관계로 인하여 형의 경중이 있는 경우**'에 **해당한다.**
(2) 甲이 A를 모해할 목적으로 乙에게 위증을 교사한 이상, 가사 정범인 乙에게 모해의 목적이 없었다고 하더라도 형법 제33조 단서의 규정에 의하여 甲을 모해위증교사죄로 처단할 수 있다.(대법원 1994. 12. 23. 93도1002 **모해위증교사 사건**)
㉡ [×] (1) **위증죄**에 있어서의 허위의 공술이란 증인이 **자기의 기억에 반하는 사실**을 진술하는 것을 말하는 것으로서 그 내용이 객관적 사실과 부합한다고 하여도 위증죄의 성립에 장애가 되지 않는다.(대법원 1989. 1. 17. 88도580)
(2) **무고죄**에서 신고자가 그 신고내용을 허위라고 믿었다 하더라도 그것이 **객관적으로 진실한 사실에 부합할 때에는 허위사실의 신고에 해당하지 않아 무고죄는 성립하지 않는다.**(대법원 1991. 10. 11. 91도1950) 위증죄에서 '허위'는 이른바 주관설에 의하고, 무고죄에서 '허위'는 이른바 객관설에 의한다.
㉢ [○] 위증죄는 법률에 의하여 선서한 증인이 허위의 공술을 한 때에 성립하는 것으로서, 그 공술의 내용이 당해 사건의 **요증사실에 관한 것인지의 여부나 판결에 영향을 미친 것인지의 여부는 위증죄의 성립과 아무런 관계가 없다.**(대법원 1990. 2. 23. 89도1212)
㉣ [×] 선서무능력자로서 범죄현장을 목격하지도 못한 사람으로 하여금 형사법정에서 범죄 현장을 목격한 양 허위의 증언을 하도록 하는 것은 **증거위조죄를 구성하지 아니한다.**(대법원 1998. 2. 10. 97도2961)

제7절 | 국가의 기능에 관한 죄 종합

118 다음 중 미수범을 처벌하는 범죄는? 17 경찰간부 [Core ★★]

□□□

① 공무집행방해죄
② 공무상비밀표시무효죄
③ 위증죄
④ 공무상비밀누설죄

해설

② 공무상비밀표시무효죄는 **미수범 처벌규정이 있다.**(제143조)
①③④ 모두 **미수범 처벌규정이 없다.**

119 국가의 기능과 관련한 죄에 대한 설명으로 옳은 것은? (다툼이 있으면 판례에 의함)

□□□

19 국가7급 [Core ★★]

① 甲이 자기 자신을 무고하기로 제3자와 공모하고 이에 따라 무고행위에 가담한 경우, 甲에게 무고죄의 공동정범이 성립한다.
② 甲이 허위로 신고한 사실이 무고행위 당시에는 형사처분의 대상이 될 수 있었으나, 이후 그러한 사실이 형사범죄가 되지 않는 것으로 판례가 변경된 경우, 甲에게 무고죄가 성립하지 않는다.
③ 甲이 자신에 대한 형사처분이나 징계처분을 피하기 위하여 증거를 인멸한 것이 동시에 다른 공범자의 증거를 인멸한 결과가 된 경우, 甲에게 증거인멸죄가 성립한다.
④ 공무원인 甲이 직무관련자에게 제3자와 계약을 체결하도록 요구하여 계약 체결을 하게 한 행위가 제3자뇌물수수죄의 구성요건과 직권남용권리행사방해죄의 구성요건에 모두 해당하는 경우, 제3자뇌물수수죄와 직권남용권리행사방해죄는 상상적 경합의 관계에 있다.

해설

④ [○] 공무원이 직무관련자에게 제3자와 계약을 체결하도록 요구하여 그 계약 체결을 하게 한 행위가 제3자뇌물수수죄의 구성요건과 직권남용죄의 구성요건에 모두 해당하는 경우에는 **제3자뇌물수수죄와 직권남용죄가 각각 성립하고, 두 죄는 상상적 경합관계에 있게 된다.**(대법원 2017. 3. 15. 2016도19659 **이천시 건축민원담당 공무원 사건**)

① [×] (1) **자기 자신을 무고하기로 제3자와 공모하고 이에 따라 무고행위에 가담하였다고 하더라도** 이는 자기 자신에게는 무고죄의 구성요건에 해당하지 않아 범죄가 성립할 수 없는 행위를 실현하고자 한 것에 지나지 않아 **무고죄의 공동정범으로 처벌할 수 없다.** (2) 甲이 乙, 丙과 공모한 후, 乙이 그 공모에 따라 甲을 처벌하

정답 | 117 ④ 118 ② 119 ④

여 달라는 허위 내용의 고소장을 작성하여 제출하였더라도 甲을 乙, 丙과 함께 무고죄의 공동정범으로 처벌할 수 없다.(대법원 2017. 4. 26. 2013도12592 자기무고 공모사건)

② [×] 허위로 신고한 사실이 무고행위 당시 형사처분의 대상이 될 수 있었던 경우에는 국가의 형사사법권의 적정한 행사를 그르치게 할 위험과 부당하게 처벌받지 않을 개인의 법적 안정성이 침해될 위험이 이미 발생하였으므로 무고죄는 기수에 이르고, 이후 그러한 사실이 형사범죄가 되지 않는 것으로 판례가 변경되었다고 하더라도 특별한 사정이 없는 한 이미 성립한 무고죄에는 영향을 미치지 않는다.(대법원 2017. 5. 30. 2015도15398 고소 후 판례변경 사건)

③ [×] 증거인멸죄는 타인의 형사사건 또는 징계사건에 관한 증거를 인멸하는 경우에 성립하는 것으로서, 피고인 자신이 직접 형사처분이나 징계처분을 받게 될 것을 두려워한 나머지 자기의 이익을 위하여 그 증거가 될 자료를 인멸하였다면, 그 행위가 동시에 다른 공범자의 형사사건이나 징계사건에 관한 증거를 인멸한 결과가 된다고 하더라도 이를 증거인멸죄로 다스릴 수 없다.(대법원 2013. 11. 28. 2011도5329 공직윤리지원관실 불법사찰사건Ⅱ)

120 국가의 사법기능을 보호하기 위한 범죄에 관한 설명 중 옳지 않은 것은? (다툼이 있으면 판례에 의함)

□□□

24 변호사 [Core ★★]

① 신고자가 허위라고 확신한 사실을 신고한 경우뿐만 아니라 진실하다는 확신 없는 사실을 신고하는 경우에도 무고죄의 범의를 인정할 수 있다.

② 타인으로 하여금 형사처분을 받게 할 목적으로 공무소에 대하여 허위의 사실을 신고하였다고 하더라도 그 사실이 친고죄로서 그에 대한 고소기간이 경과하여 공소를 제기할 수 없음이 그 신고내용 자체에 의하여 분명한 때에는 무고죄가 성립하지 아니한다.

③ 허위로 신고한 사실이 무고행위 당시 형사처분의 대상이 될 수 있었던 경우에는 무고죄가 성립하고, 이후 그러한 사실이 형사범죄가 되지 않는 것으로 판례가 변경되었더라도 특별한 사정이 없는 한 이미 성립한 무고죄에는 영향을 미치지 않는다.

④ 甲이 A사건의 제9회 공판기일에 증인으로 출석하여 한 허위 진술이 철회·시정된 바 없이 증인신문절차가 그대로 종료되었다가, 그 후 甲이 제21회 공판기일에 다시 출석하여 종전 선서의 효력이 유지됨을 고지받고 증언하면서 종전 기일에 한 진술이 허위 진술임을 시인하고 이를 철회하는 취지의 진술을 하였다면 甲에게는 위증죄가 성립하지 않는다.

⑤ 변호인 甲이 A의 감형을 받기 위해서 A의 은행 계좌에서 B회사 명의의 은행 계좌로 금원을 송금하고 다시 되돌려 받는 행위를 반복한 후 그 중 송금자료만을 발급받아서 이를 2억원을 변제하였다는 허위 주장과 함께 법원에 제출한 경우 甲에게는 증거위조죄가 성립하지 않는다.

해설

④ [×] 증인이 1회 또는 수회의 기일에 걸쳐 이루어진 1개의 증인신문절차에서 허위의 진술을 하고 그 진술이 철회·시정된 바 없이 그대로 증인신문절차가 종료된 경우 그로써 위증죄는 기수에 달하고, 그 후 별도의 증인 신청 및 채택 절차를 거쳐 그 증인이 다시 신문을 받는 과정에서 종전 신문절차에서의 진술을 철회·시정한다 하더라도 그러한 사정은 형법 제153조가 정한 형의 감면사유에 해당할 수 있을 뿐, 이미 종결된 종전 증인신문절차에서 행한 위증죄의 성립에 어떤 영향을 주는 것은 아니고, 위와 같은 법리는 증인이 별도의 증인신문절차에서 새로이 선서를 한 경우뿐만 아니라 종전 증인신문절차에서 한 선서의 효력이 유지됨을 고지받고 진술한 경우에도 마찬가지로 적용된다.(대법원 2010. 9. 30. 2010도7525 9회와 21회 공판기일 증언사건)

① [○] 무고죄의 범의는 반드시 확정적 고의일 필요가 없고 미필적 고의로도 충분하므로 신고자가 허위라고 확신한 사실을 신고한 경우뿐만 아니라 **진실하다는 확신 없는 사실을 신고하는 경우에도 그 범의를 인정할 수 있다.**(대법원 2022. 6. 22. 2022도3413 국민신문고 약국 고발사건)

② [○] 타인으로 하여금 형사처분을 받게 할 목적으로 공무소에 대하여 허위의 사실을 신고하였다고 하더라도 그 사실이 **친고죄로서 그에 대한 고소기간이 경과하여 공소를 제기할 수 없음이 그 신고내용 자체에 의하여 분명한 때에는 당해 국가기관의 직무를 그르치게 할 위험이 없으므로 무고죄는 성립하지 아니한다.**(대법원 2018. 7. 11. 2018도1818 누나 동생 무고사건)

③ [○] 허위로 신고한 사실이 무고행위 당시 형사처분의 대상이 될 수 있었던 경우에는 국가의 형사사법권의 적정한 행사를 그르치게 할 위험과 부당하게 처벌받지 않을 개인의 법적 안정성이 침해될 위험이 이미 발생하였으므로 무고죄는 기수에 이르고, 이후 그러한 사실이 **형사범죄가 되지 않는 것으로 판례가 변경되었다고 하더라도 특별한 사정이 없는 한 이미 성립한 무고죄에는 영향을 미치지 않는다.**(대법원 2017. 5. 30. 2015도15398 고소 후 판례변경 사건)

⑤ [○] 변호사인 甲이 A 명의 은행 계좌에서 B회사 명의 은행 계좌에 금원을 송금하고 다시 되돌려 받는 행위를 반복한 후 그 중 송금자료만을 발급받아 이를 3억 5,000만원을 변제하였다는 허위 주장과 함께 법원에 제출한 행위는 형법상 증거위조죄의 보호법익인 사법기능을 저해할 위험성이 있지만, **甲이 제출한 입금확인증 등은 금융기관이 금융거래에 관한 사실을 증명하기 위해 작성한 문서로서 그 내용이나 작성명의 등에 아무런 허위가 없는 이상 이를 증거의 '위조'에 해당한다고 볼 수 없고, 나아가 '위조한 증거를 사용'한 행위에 해당한다고 볼 수도 없다.**(대법원 2021. 1. 28. 2020도2642 허위 입금확인증 사건)

정답 | 120 ④

121 공무원의 직무에 관한 죄에 대한 설명 중 옳지 않은 것은 몇 개인가? (다툼이 있으면 판례에 의함)

□□□

16 경찰간부 [Core ★★]

㉠ 행정관청이 출원에 의한 인·허가처분을 함에 있어 출원자가 행정관청에 허위의 출원사유를 주장하면서 이에 부합하는 허위의 소명자료를 첨부하여 제출한 경우 허가관청이 나름대로 충분히 심사를 하였으나 출원사유 및 소명자료가 허위임을 발견하지 못하여 인·허가처분을 하게 되었다면 위계에 의한 공무집행방해죄가 성립한다.

㉡ 공무원의 직권남용행위가 있었다면 현실적으로 권리행사의 방해라는 결과가 발생하지 않았더라도 직권남용권리행사방해죄가 성립한다.

㉢ 뇌물죄에서 뇌물의 내용인 이익이란 함은 금전, 물품 기타의 재산적 이익뿐만 아니라 사람의 수요·욕망을 충족시키기에 족한 일체의 유형·무형의 이익을 포함하므로, 제공된 것이 성적 요구의 충족이라고 하여 달리 볼 것이 아니다.

㉣ 뇌물은 직무에 관하여 수수된 것으로 족하고 개개의 직무행위와 대가적 관계에 있을 필요는 없으나, 죄형법정주의의 원칙상 그 직무행위는 특정된 것임을 요한다.

① 1개 ② 2개 ③ 3개 ④ 4개

해설

② ㉡㉣ 2 항목이 옳지 않다.

㉠ [○] 행정관청이 출원에 의한 인·허가처분을 함에 있어서는 그 출원사유가 사실과 부합하지 아니하는 경우가 있음을 전제로 하여 인·허가할 것인지의 여부를 심사, 결정하는 것이므로 (1) 행정관청이 사실을 충분히 확인하지 아니한 채 출원자가 제출한 허위의 출원사유나 허위의 소명자료를 가볍게 믿고 인가 또는 허가를 하였다면 이는 행정관청의 불충분한 심사에 기인한 것으로서 출원자의 위계가 결과 발생의 주된 원인이었다고 할 수 없어 위계에 의한 공무집행방해죄를 구성하지 않는다고 할 것이지만 (2) 출원자가 행정관청에 허위의 출원사유를 주장하면서 이에 부합하는 허위의 소명자료를 첨부하여 제출한 경우 허가관청이 관계 법령이 정한 바에 따라 인·허가요건의 존부 여부에 관하여 나름대로 **충분히 심사를 하였으나 출원사유 및 소명자료가 허위임을 발견하지 못하여 인·허가처분을 하게 되었다면** 이는 허가관청의 불충분한 심사가 그의 원인이 된 것이 아니라 출원인의 위계행위가 원인이 된 것이어서 **위계에 의한 공무집행방해죄가 성립된다.**(대법원 2009. 3. 12. 2008도1321 **산업기능요원 부정편입사건**)

㉡ [×] 직권남용죄에서 **'권리행사를 방해한다' 함은** 법령상 행사할 수 있는 권리의 정당한 행사를 방해하는 것을 말한다고 할 것이므로 이에 해당하려면 **구체화된 권리의 현실적인 행사가 방해된 경우라야 할 것이고,** 따라서 공무원의 직권남용행위가 있었다 할지라도 **현실적으로 권리행사의 방해라는 결과가 발생하지 아니하였다면 본죄의 기수를 인정할 수 없다.**(대법원 2008. 12. 24. 2007도9287 **포항 폐기물처리장부지 사건**)

㉢ [○] 뇌물의 내용인 이익이라 함은 금전, 물품 기타의 재산적 이익뿐만 아니라 사람의 수요·욕망을 충족시키기에 족한 일체의 유형·무형의 이익을 포함하며 제공된 것이 **성적 욕구의 충족이라고 하여 달리 볼 것이 아니다.**(대법원 2014. 1. 29. 2013도13937 **피의자와 성관계 검사 사건**)

㉣ [×] 뇌물죄는 직무집행의 공정과 이에 대한 사회의 신뢰에 기하여 직무수행의 불가매수성을 직접적인 보호법익으로 하고 있으므로, **공무원의 직무와 금원의 수수가 전체적으로 대가관계에 있으면 뇌물수수죄가 성립하고, 특별히 청탁의 유무, 개개의 직무행위의 대가적 관계를 고려할 필요는 없으며 또한 그 직무행위가 특정된 것일 필요도 없다.**(대법원 2011. 12. 8. 2010도15628 **서울시의회 부위원장 수뢰사건**)

122 □□□ 직권남용권리행사방해죄에 관한 다음 설명 중 옳지 않은 것은 모두 몇 개인가? (다툼이 있으면 판례에 의함)

20 법원행시 [Superlative ★★★]

㉠ 공무원이 한 행위가 직권남용에 해당한다고 하여 그러한 이유만으로 상대방이 한 일이 '의무 없는 일'에 해당한다고 인정할 수는 없다. '의무 없는 일'에 해당하는지는 직권을 남용하였는지와 별도로 상대방이 그러한 일을 할 법령상 의무가 있는지를 살펴 개별적으로 판단하여야 한다. 직권남용 행위의 상대방이 일반 사인인 경우 특별한 사정이 없는 한 직권에 대응하여 따라야 할 의무가 없으므로 그에게 어떠한 행위를 하게 하였다면 '의무 없는 일을 하게 한 때'에 해당할 수 있다.

㉡ '직권남용'이란 공무원이 일반적 직무권한에 속하는 사항에 관하여 그 권한을 위법·부당하게 행사하는 것을 뜻한다. 어떠한 직무가 공무원의 일반적 직무권한에 속하는 사항이라고 하기 위해서는 그에 관한 법령상 근거가 필요하고, 명문의 규정 없이 법령과 제도를 종합적, 실질적으로 살펴보아 그것이 해당 공무원의 직무권한에 속한다고 해석된다는 이유만으로 직권남용죄에서 말하는 일반적 직무권한에 포함된다고 보아서는 아니 된다.

㉢ 직권남용권리행사방해죄는 공무원에게 직권이 존재하는 것을 전제로 하는 범죄이고, 직권은 국가의 권력 작용에 의해 부여되거나 박탈되는 것이므로, 공무원이 공직에서 퇴임하면 해당 직무에서 벗어나고 그 퇴임이 대외적으로도 공표된다. 공무원인 피고인이 퇴임한 이후에는 위와 같은 직권이 존재하지 않으므로, 퇴임 후의 범행에 관하여는 공범으로서 책임을 지지 않는다고 보아야 하고, 퇴임 후에도 실질적 영향력을 행사하는 등으로 퇴임 전 공모한 범행에 관한 기능적 행위지배가 계속되었다고 인정할 만한 사정이 있다고 달리 볼 것은 아니다.

㉣ 공무원인 행위자가 상대방에게 어떠한 이익 등의 제공을 요구한 경우 발생 가능한 것으로 생각할 수 있는 정도의 구체적인 해악의 고지로 인정될 수 없다면 직권남용이나 뇌물요구 등이 될 수는 있어도 협박을 요건으로 하는 강요죄가 성립하기는 어렵다.

㉤ 직권남용권리행사방해죄는 단순히 공무원이 직권을 남용하는 행위를 하였다는 것만으로 곧바로 성립하는 것이 아니다. 직권을 남용하여 현실적으로 다른 사람이 법령상 의무 없는 일을 하게 하였거나 다른 사람의 구체적인 권리행사를 방해하는 결과가 발생하여야 하고, 그 결과의 발생은 직권남용 행위로 인한 것이어야 한다.

① 1개 ② 2개 ③ 3개
④ 4개 ⑤ 없음

제3편 국가적 법익에 관한 죄

정답 | 121 ② 122 ②

해설

② ㉡㉢ 2 항목이 옳지 않다.

㉠ [○] 공무원이 한 행위가 직권남용에 해당한다고 하여 그러한 이유만으로 상대방이 한 일이 '의무 없는 일'에 해당한다고 인정할 수는 없다. '의무 없는 일'에 해당하는지는 직권을 남용하였는지와 별도로 상대방이 그러한 일을 할 법령상 의무가 있는지를 살펴 개별적으로 판단하여야 한다. 직권남용 행위의 상대방이 **일반 사인인 경우 특별한 사정이 없는 한 직권에 대응하여 따라야 할 의무가 없으므로 그에게 어떠한 행위를 하게 하였다면 '의무 없는 일을 하게 한 때'에 해당할 수 있다.**(대법원 2020. 2. 13. 2019도5186 김기춘 · 조윤선 화이트리스트 사건)

㉡ [×] 직권남용죄에서 어떠한 직무가 공무원의 일반적 직무권한에 속하는 사항이라고 하기 위해서는 그에 관한 법령상 근거가 필요하다. 법령상 근거는 반드시 명문의 규정만을 요구하는 것이 아니라 명문의 규정이 없더라도 법령과 제도를 종합적, 실질적으로 살펴보아 그것이 해당 공무원의 직무권한에 속한다고 해석되고, 이것이 남용된 경우 상대방으로 하여금 사실상 의무 없는 일을 하게 하거나 권리를 방해하기에 충분한 것이라고 인정되는 경우에는 직권남용죄에서 말하는 일반적 직무권한에 포함된다.(대법원 2020. 2. 13. 2019도5186 김기춘 · 조윤선 화이트리스트 사건)

㉢ [×] 직권남용죄는 공무원에게 직권이 존재하는 것을 전제로 하는 범죄이고, 직권은 국가의 권력 작용에 의해 부여되거나 박탈되는 것이므로 공무원이 공직에서 퇴임하면 해당 직무에서 벗어나고 그 퇴임이 대외적으로도 공표된다. 공무원인 피고인이 퇴임한 이후에는 직권이 존재하지 않으므로 퇴임 후에도 실질적 영향력을 행사하는 등으로 퇴임 전 공모한 범행에 관한 기능적 행위지배가 계속되었다고 인정할 만한 특별한 사정이 없는 한, 퇴임 후의 범행에 관하여는 공범으로서 책임을 지지 않는다.(대법원 2020. 2. 13. 2019도5186 김기춘 · 조윤선 화이트리스트 사건)

㉣ [○] 공무원인 행위자가 상대방에게 어떠한 이익 등의 제공을 요구한 경우 그것이 객관적으로 사람의 의사결정의 자유를 제한하거나 의사실행의 자유를 방해할 정도로 겁을 먹게 할 만한 **해악의 고지로 인정될 수 없다면** 직권남용이나 뇌물요구 등이 될 수는 있어도 협박을 요건으로 하는 **강요죄가 성립하기는 어렵다.**(대법원 2020. 2. 13. 2019도5186 김기춘 · 조윤선 화이트리스트 사건)

㉤ [○] 직권남용죄는 단순히 공무원이 직권을 남용하는 행위를 하였다는 것만으로 곧바로 성립하는 것이 아니고, 직권을 남용하여 현실적으로 다른 사람이 법령상 의무 없는 일을 하게 하였거나 다른 사람의 **구체적인 권리행사를 방해하는 결과가 발생하여야 하고,** 그 결과의 발생은 직권남용 행위로 인한 것이어야 한다.(대법원 2020. 1. 30. 2018도2236 全合 김기춘 문화계 블랙리스트 사건)

123 □□□ 다음 설명 중 옳지 않은 것은? (다툼이 있으면 판례에 의함) 12 국가7급 [Core ★★]

① 경찰관이 방치된 오토바이가 있다는 신고를 받거나 순찰중 이를 발견하고 오토바이 상회운영자에게 연락하여 오토바이를 수거해 가도록 하고 그 대가를 받은 경우 직무유기죄에 해당하지 않는다.

② 피고인이 자동차를 운전하고 가다 경찰관을 차 앞범퍼로 들이받고, 차를 그대로 몰고 진행하던 중 가로수를 들이받아 차범퍼와 가로수 사이에 피해자가 끼어 사망에 이른 경우 위험한 물건을 휴대한 것이다.

③ 피고인 자신을 위해 증인을 도피하게 한 행위가 동시에 다른 공범자의 형사사건이나 징계사건에 관한 증인을 도피하게 한 결과로 되는 경우에는 증인도피죄에 해당하지 않는다.

④ 공무원의 직무 수행에 대한 비판이나 시정 등을 요구하는 집회·시위 과정에서 일시적으로 상당한 소음이 발생하였다는 사정만으로는 이를 공무집행방해죄에서의 음향으로 인한 폭행이 있었다고 할 수는 없으나 의사전달수단으로서 합리적 범위를 넘어서 상대방에게 고통을 줄 의도로 음향을 이용하였다면 이를 폭행으로 인정할 수 있다.

해설

① [×] 경찰관의 행위는 습득물을 단순히 상회 운영자에게 보관시키거나 소유자를 찾아서 반환하도록 협조를 구한 정도를 벗어나 상회 운영자에게 그 습득물에 대한 임의적인 처분까지 용인한 것으로서 습득물처리지침에 따른 직무를 의식적으로 방임 내지 포기하고 정당한 사유 없이 **직무를 수행하지 아니한 경우에 해당한다.**(대법원 2002. 5. 17. 2001도6170 **오토바이 무단처분 사건**)

② [○] 피고인이 정지 지시를 무시하고 도주한 자신을 추격해 온 경찰관 2명이 피고인의 차 앞뒤로 오토바이를 세워놓고 피고인에게 하차하라고 요구하였음에도 이에 불응한 채 차를 후진하여 차 뒤에 있는 오토바이를 들이받은 후, 앞에 있는 오토바이와의 사이에 생긴 공간을 이용하여 핸들을 좌측으로 꺾으면서 급발진함으로써 운전석 쪽의 펜더 옆에 서 있던 경찰관 A의 다리를 차 앞범퍼로 들이받았고, 이에 A가 차 본넷 위에 앞으로 넘어지면서 본넷을 붙잡고 있는데도 차를 그대로 몰고 진행하던 중 가로수를 들이받아 차 범퍼와 가로수 사이에 A의 다리가 끼어 절단되게 하여 저혈량성 쇼크 등으로 사망에 이르게 한 경우, 피고인의 이러한 행위는 '위험한 물건'인 자동차를 이용하여 경찰관의 직무집행을 방해하고 그로 인해 사망에 이르게 한 **특수공무집행방해치사죄에 해당한다.**(대법원 2008. 2. 28. 2008도3)

③ [○] 증인도피죄는 타인의 형사사건 또는 징계사건에 관한 증인을 은닉·도피하게 한 경우에 성립하는 것으로서, 피고인 자신이 직접 형사처분이나 징계처분을 받게 될 것을 두려워한 나머지 자기의 이익을 위하여 증인이 될 사람을 도피하게 하였다면, 그 행위가 동시에 다른 공범자의 형사사건이나 징계사건에 관한 증인을 도피하게 한 결과가 된다고 하더라도 이를 **증인도피죄로 처벌할 수 없다.**(대법원 2003. 3. 14. 2002도6134 **홍성식구파 사건**)

④ [○] (1) 공무집행방해죄에서 폭행이라 함은 공무원에 대하여 직접적인 유형력의 행사뿐만 아니라 간접적으로 유형력을 행사하는 행위도 포함하는 것이고, 음향으로 상대방의 **청각기관을 직접적으로 자극하여 육체적·정신적 고통을 주는 행위도 유형력의 행사로서 폭행에 해당할 수 있다.**

(2) 공무원의 직무 수행에 대한 비판이나 시정 등을 요구하는 집회·시위 과정에서 일시적으로 상당한 소음이 발생하였다는 사정만으로는 이를 공무집행방해죄에서의 음향으로 인한 폭행이 있었다고 할 수는 없을 것이나, 그와 같은 의사전달수단으로서 합리적 범위를 넘어서 상대방에게 고통을 줄 의도로 음향을 이용하였다면 이를 폭행으로 인정할 수 있다.(대법원 2009. 10. 29. 2007도3584 **용산구청앞 시위사건**)

정답 | 123 ①

124 다음 설명 중 옳지 않은 것은? (다툼이 있으면 판례에 의함) 13 사법시험 [Superlative ★★★]

□□□

① 무고죄에서 무고는 '타인으로 하여금 형사처분 또는 징계처분'을 받게 할 목적으로 허위의 사실을 신고하는 행위를 말하며, '징계처분'에는 변호사에 대한 징계처분도 포함된다.

② 재산세 과세대장을 작성할 권한이 있던 자가 인사이동되어 그 권한이 없어진 후 그 기재 내용을 변경한 경우, 공문서변조죄가 성립한다.

③ 자신의 강도상해 범행을 일관되게 부인하였으나 유죄판결이 확정된 甲이 별건으로 공소 제기된 강도상해 공범 乙의 형사사건에서 범행 사실을 부인하는 증언을 한 경우, 甲에게는 사실대로 진술할 기대가능성이 있으므로 위증죄가 성립한다.

④ 돈을 갚지 않은 차용인을 사기죄로 고소하면서 변제의사와 능력의 유무에 관하여 기망하였다는 내용으로 고소한 경우, 고소인이 차용금의 '용도'를 묵비하거나 사실과 달리 신고하더라도 무고죄의 '허위사실 신고'에 해당하지 않아 무고죄가 성립하지 않는다.

⑤ 증언거부권자가 증언거부권을 고지받지 못하고 허위진술한 경우라도 증언거부권을 고지받았어도 그와 같이 증언했을 것이라는 취지의 증언거부권자의 진술 내용이 있다면 위증죄가 성립하지 않는다.

해설

⑤ [×] (1) 재판장이 신문 전에 증인에게 증언거부권을 고지하지 않은 경우에도 증인이 침묵하지 아니하고 진술한 것이 자신의 진정한 의사에 의한 것인지 여부를 기준으로 위증죄의 성립 여부를 판단하여야 한다.
(2) 허위의 진술을 한 증인이 "증언거부권을 고지받았더라도 동일한 증언을 하였을 것이다"라는 취지의 진술을 한다면, 선서 전에 재판장으로부터 증언거부권을 고지받지 아니하였다 하더라도 이로 인하여 **증언거부권이 사실상 침해당한 것으로 평가할 수 없으므로 위증죄가 성립한다.**(대법원 2010. 2. 25. 2007도6273 전처 위증사건)

① [○] **변호사에 대한 징계처분은 형법 제156조에서 정하는 '징계처분'에 포함된다**고 봄이 상당하므로 피고인이 변호사인 피해자로 하여금 징계처분을 받게 할 목적으로 서울지방변호사회에 변호사회 회장을 수취인으로 하는 허위 내용의 진정서를 제출한 경우 무고죄가 성립한다.(대법원 2010. 11. 25. 2010도10202 변호사무고사건)

② [○] 재산세 과세대장의 **작성 권한이 있던 자가 인사이동되어 그 권한이 없어진 후 그 기재내용을 변경한 경우 공문서변조죄가 성립한다.**(대법원 1996. 11. 22. 96도1862)

③ [○] (1) 이미 **유죄의 확정판결**을 받은 피고인은 공범의 형사사건에서 그 범행에 대한 증언을 거부할 수 없을 뿐만 아니라 나아가 사실대로 증언하여야 하고, 설사 피고인이 자신의 형사사건에서 시종일관 그 범행을 부인하였다 하더라도 이러한 사정은 위증죄에 관한 양형참작사유로 볼 수 있음은 별론으로 하고 이를 이유로 피고인에게 사실대로 진술할 것을 기대할 가능성이 없다고 볼 수는 없다.
(2) 자신의 강도상해 범행을 일관되게 부인하였으나 유죄판결이 확정된 피고인이 별건으로 기소된 **공범의 형사사건에서 자신의 범행사실을 부인하는 증언을 한 경우 위증죄가 성립한다.**(대법원 2008. 10. 23. 2005도10101 황제룸주점 강도상해사건)

④ [○] 금원을 대여한 고소인이 단순히 차용인이 변제의사와 능력의 유무에 관하여 기망하였다는 내용으로 고소한 경우에는 차용금의 용도와 무관하게 다른 자료만으로도 충분히 차용인의 변제의사나 능력의 유무에 관한 기망사실을 인정할 수 있는 경우도 있을 것이므로, **차용금의 실제 용도에 관하여 사실과 달리 신고하였다는 것만으로는 범죄사실의 성립 여부에 영향을 줄 정도의 중요한 부분을 허위로 신고하였다고 할 수 없다.**(대법원 2011. 9. 8. 2011도3489 차용금사기 고소사건 Ⅲ)

정답 | 124 ⑤

제 4 편

종합문제

제4편 종합문제

001 범죄의 본질에 관한 甲과 乙의 이론에 대한 설명 중 옳은 것은 모두 몇 개인가?

□□□

22 경찰채용 [Superlative ★★★]

> 甲 : 형법적 평가의 중심은 외부적인 행위와 현실적으로 발생한 결과에 두고 책임과 형벌을 결정해야 한다.
> 乙 : 그렇지 않다. 외부적 행위와 현실적으로 발생한 결과가 아니라 이를 발생시킨 행위자의 반사회적 성격에 두고 책임과 형벌을 결정해야 한다.

> ㉠ 甲은 미수범의 처벌근거를 구성요건적 결과 실현에 근접한 위험에 있다고 주장하고, 乙은 행위자의 법적대적(法敵對的) 의사에 있다고 주장한다.
> ㉡ 甲은 공동정범의 본질을 행위 속에 표현된 의식적인 공동 작용이라고 주장하고, 乙은 공동정범이 각자 최소한 하나의 객관적 구성요건 실현에 스스로 참여한 것이라고 주장한다.
> ㉢ 甲은 책임의 근거를 행위자의 반사회적 성격에 기인해 행위자가 사회방위처분을 받아야 하는 지위가 책임이라 주장하고, 乙은 행위자가 적법행위를 할 수 있었음에도 불구하고 위법행위를 했기 때문에 가해지는 도의적 비난이라 주장한다.
> ㉣ 甲은 공범의 종속성에 대해 타인으로 하여금 죄를 범하게 하려는 의사 자체가 외부로 표명되는 이상 정범의 실행행위와 상관없이 독자적으로 가벌성이 인정된다고 주장하고, 乙은 정범의 실행행위가 있어야 그 정범의 실행행위에 종속해서만 공범이 성립할 수 있다고 주장한다.

① 1개 ② 2개 ③ 3개 ④ 4개

해설

① ㉠ 항목만 옳다.
甲은 객관주의(고전학파) 범죄이론을, 乙은 주관주의(근대학파) 범죄이론을 취하고 있다.

㉠ [○] **객관주의는** 미수범의 처벌근거를 구성요건적 결과 실현에 근접한 위험에 있다고 주장하고, **주관주의는** 행위자의 법적대적(法敵對的) 의사에 있다고 주장한다.

㉡ [×] **주관주의는** 공동정범의 본질을 행위 속에 표현된 의식적인 공동 작용이라고 주장하고(행위공동설), **객관주의는** 공동정범이 각자 최소한 하나의 객관적 구성요건 실현에 스스로 참여한 것이라고 주장한다(범죄공동설).

㉢ [×] **주관주의는** 책임의 근거를 행위자의 반사회적 성격에 기인해 행위자가 사회방위처분을 받아야 하는 지위가 책임이라 주장하고(사회적 책임론), **객관주의는** 행위자가 적법행위를 할 수 있었음에도 불구하고 위법행위를 했기 때문에 가해지는 도의적 비난이라 주장한다(도의적 책임론).

㉣ [×] **주관주의는** 공범의 종속성에 대해 타인으로 하여금 죄를 범하게 하려는 의사 자체가 외부로 표명되는 이상 정범의 실행행위와 상관없이 독자적으로 가벌성이 인정된다고 주장하고(공범독립성설), **객관주의는** 정범의 실행행위가 있어야 그 정범의 실행행위에 종속해서만 공범이 성립할 수 있다고 주장한다(공범종속성설).

002 형의 감면에 관한 설명 중 가장 옳은 것은? (다툼이 있으면 판례에 의함) 19 법원9급 [Core ★★]

□□□

① 자기 또는 타인의 법익에 대한 현재의 부당한 침해에 대한 방위행위가 그 정도를 초과한 때에는 그 형을 감경할 수 있을 뿐, 면제할 수는 없다.

② 범행이 심신미약의 상태에서 저질러진 때에는 그 형을 감경해야 한다.

③ 경합범 중 판결을 받지 아니한 죄가 있는 때에는 그 죄와 판결이 확정된 죄를 동시에 판결할 경우와 형평을 고려하여 그 죄에 대하여 형을 선고하되, 이 경우 그 형을 감경 또는 면제해야 한다.

④ 범인이 자의로 실행에 착수한 행위를 중지하거나 그 행위로 인한 결과의 발생을 방지한 때에는 형을 감경 또는 면제해야 한다.

해설

④ [○] 범인이 자의로 실행에 착수한 행위를 중지하거나 그 행위로 인한 결과의 발생을 방지한 때에는 형을 **감경 또는 면제해야 한다.**(제26조)

① [×] 자기 또는 타인의 법익에 대한 현재의 부당한 침해를 방위하기 위한 행위가 그 정도를 초과한 때에는 정황에 의하여 **그 형을 감경 또는 면제할 수 있다.**(제21조 제2항)

② [×] 심신장애로 인하여 사물을 변별할 능력이 없거나 의사를 결정할 능력이 미약한 자의 행위는 **형을 감경할 수 있다.**(제10조 제2항)

③ [×] 경합범 중 판결을 받지 아니한 죄가 있는 때에는 그 죄와 판결이 확정된 죄를 동시에 판결할 경우와 형평을 고려하여 그 죄에 대하여 형을 선고한다. 이 경우 **그 형을 감경 또는 면제할 수 있다.**(제39조 제1항)

003 형법상 구성요건에 대한 설명으로 옳은 것은? (다툼이 있으면 판례에 의함) 21 경찰간부 [Core ★★]

□□□

① 특수상해죄(형법 제258조의2)는 흉기를 휴대하거나 2인 이상이 합동하여 상해 또는 존속 상해의 죄를 범한 경우를 처벌하는 규정이다.

② 중체포·감금죄(형법 제277조)는 사람을 체포 또는 감금하여 생명에 대한 위험을 발생하게 한 경우를 처벌하는 규정으로, 결과적 가중범이자 구체적 위험범이다.

③ 준사기죄(형법 제348조)는 미성년자의 심신상실 또는 항거불능 상태를 이용하여 재물의 교부를 받거나 재산상의 이익을 취득한 경우를 처벌하는 규정이다.

④ 업무상과실장물취득죄(형법 제364조)는 '업무'가 신분요소로 작용하는 경우로서, 업무자의 신분이 있는 경우에만 범죄가 성립하는 진정신분범이다.

정답 | 001 ① 002 ④ 003 ④

해설

④ [○] 과실장물죄의 경우 단순과실장물죄는 없고, **'업무상'과실장물죄와 '중'과실장물죄만 있을 뿐이므로 옳은 지문이다.**
① [×] 특수상해죄는 **단체 또는 다중의 위력을 보이거나 위험한 물건을 휴대하여** 상해죄 또는 존속상해죄를 범한 경우에 성립한다.(제258조의2 제1항)
② [×] 중체포 · 감금죄는 사람을 체포 또는 감금하여 **가혹한 행위를 가한 경우에 성립하고, 이는 결과적 가중범이 아니다.**
③ [×] 준사기죄는 **미성년자의 지려천박 또는 사람의 심신장애를 이용하여** 재물의 교부를 받거나 재산상의 이익을 취득한 경우에 성립한다.(제348조 제1항)

004 형법상 범죄의 구성요건에 대한 설명으로 옳은 것은?

21 국가9급 [Superlative ★★★]

□□□

① 외교상기밀누설죄(제113조 제1항), 공무상비밀누설죄(제127조) 및 업무상비밀누설죄(제317조 제1항)는 신분범이다.
② 수뢰죄(제129조 제1항), 증뢰죄(제133조 제1항) 및 알선수뢰죄(제132조)는 뇌물을 약속한 때에도 성립한다.
③ 직권남용죄(제123조), 불법체포·감금죄(제124조) 및 폭행·가혹행위죄(제125조)의 행위 주체는 같다.
④ 사전수뢰죄(제129조 제2항)와 사후수뢰죄(제131조 제3항)는 범죄의 성립에 '부정한 청탁'을 요구한다.

해설

② [○] 공무원 또는 중재인이 그 직무에 관하여 뇌물을 수수, 요구 또는 **약속**한 때에는 5년 이하의 징역 또는 10년 이하의 자격정지에 처한다.(제129조 제1항) 공무원이 그 지위를 이용하여 다른 공무원의 직무에 속한 사항의 알선에 관하여 뇌물을 수수, 요구 또는 **약속**한 때에는 3년 이하의 징역 또는 7년 이하의 자격정지에 처한다.(제132조) 제129조부터 제132조까지에 기재한 뇌물을 **약속**, 공여 또는 공여의 의사를 표시한자는 5년 이하의 징역 또는 2천만원 이하의 벌금에 처한다.(제133조 제1항)
① [×] **외교상기밀누설죄의 주체에는 아무런 제한이 없으므로 이는 신분범이 아니다.**(제113조 제1항) 공무상비밀누설죄의 주체는 공무원 또는 공무원이었던 자이고, **업무상비밀누설죄**의 주체는 의사, 한의사, 치과의사, 약제사, 약종상, 조산사, 변호사, 변리사, 공인회계사, 공증인, 대서업자나 그 직무상 보조자 또는 차등의 직에 있던 자이므로(제127조, 제317조 제1항) 이들은 **진정신분범이다.**
③ [×] 직권남용죄의 주체는 **공무원이다.**(제123조) 불법체포 · 감금죄와 폭행 · 가혹행위죄의 주체는 모두 **재판, 검찰, 경찰 기타 인신구속에 관한 직무를 행하는 자 또는 이를 보조하는 자이다.**(제124조 제1항, 제125조)
④ [×] 사전수뢰죄와 사후수뢰죄는 범죄의 성립에 **'청탁'을 요구한다.**(제129조 제2항, 제131조 제3항)

005 다음 중 가장 적절하지 않은 것은? (다툼이 있으면 판례에 의함)

□□□ 23 경찰채용 [Essential ★]

① 협박죄는 사람의 의사결정의 자유를 보호법익으로 하는 위험범이라 봄이 상당하고, 협박죄의 미수범 처벌조항은 해악의 고지가 현실적으로 상대방에게 도달하지 아니한 경우나 도달은 하였으나 상대방이 이를 지각하지 못하였거나 고지된 해악의 의미를 인식하지 못한 경우 등에 적용될 뿐이다.

② 체포죄는 계속범으로서 원칙적으로 체포의 행위에 확실히 사람의 신체의 자유를 구속한다고 인정할 수 있을 정도의 시간적 계속이 있어야 성립하고, 신체의 자유에 대한 구속이 그와 같은 정도에 이르지 못하고 일시적인 것으로 그친 경우라면 체포죄의 성립은 부정되어 무죄가 된다.

③ 강간죄의 성립에 언제나 직접적으로 또 필요한 수단으로서 감금행위를 수반하는 것은 아니므로 감금행위가 강간미수죄의 수단이 되었다하여 감금행위는 강간미수죄에 흡수되어 범죄를 구성하지 않는다고 할 수는 없는 것이고, 그때에는 감금죄와 강간미수죄는 일개의 행위에 의하여 실현된 경우로서 형법 제40조의 상상적 경합관계에 있다.

④ 甲은 A로 하여금 주차장을 이용하지 못하게 할 의도로 乙과 공모하여 乙의 차량을 A의 주택 앞에 주차하였으나, 주차 당시 甲과 A 사이에 물리적 접촉이 있거나 甲이 A에게 어떠한 유형력을 행사했다고 볼만한 사정이 없고, 甲의 행위로 A 본인의 차량을 주택 내부의 주차장에 출입시키지 못하는 불편은 발생하였으나 A는 차량을 용법에 따라 정상적으로 사용할 수 있었다면 甲은 A를 폭행하여 차량 운행에 관한 권리행사를 방해하였다고 평가하기는 어렵다.

해설

② [×] 체포죄는 계속범으로서 체포의 행위에 확실히 사람의 신체의 자유를 구속한다고 인정할 수 있을 정도의 시간적 계속이 있어야 기수에 이르고, 신체의 자유에 대한 구속이 그와 같은 정도에 이르지 못하고 일시적인 것으로 그친 경우에는 **체포죄의 미수범이 성립할 뿐이다.**(대법원 2020. 3.27. 2016도18713 남대문 경찰서 경비과장 체포시도 사건)

① [○] 협박죄는 사람의 의사결정의 자유를 보호법익으로 하는 **위험범**이라 봄이 상당하고, 협박죄의 미수범 처벌조항은 해악의 고지가 현실적으로 상대방에게 도달하지 아니한 경우나 도달은 하였으나 상대방이 이를 지각하지 못하였거나 고지된 해악의 의미를 인식하지 못한 경우 등에 적용될 뿐이다.(대법원 2007. 9.28. 2007도606 全合 정보과 형사 협박사건)

③ [○] 강간죄의 성립에 언제나 직접적으로 또 필요한 수단으로서 감금행위를 수반하는 것은 아니므로 감금행위가 강간미수죄의 수단이 되었다 하여 감금행위는 강간미수죄에 흡수되어 범죄를 구성하지 않는다고 할 수는 없는 것이고, 그때에는 감금죄와 강간미수죄는 일개의 행위에 의하여 실현된 경우로서 형법 제40조의 **상상적 경합관계에 있다.**(대법원 1983. 4.26. 83도323 조개트럭 사건)

④ [○] 甲은 A로 하여금 주차장을 이용하지 못하게 할 의도로 乙과 공모하여 乙의 차량을 A의 주택 앞에 주차하였으나. 주차 당시 甲과 A 사이에 물리적 접촉이 있거나 甲이 A에게 어떠한 유형력을 행사했다고 볼만한 사정이 없고, 甲의 행위로 A 본인의 차량을 주택 내부의 주차장에 출입시키지 못하는 불편은 발생하였으나 A는 차량을 용법에 따라 정상적으로 사용할 수 있었다면 甲은 **A를 폭행하여 차량 운행에 관한 권리행사를 방해하였다고 평가하기는 어렵다.**(대법원 2021.11.25. 2018도1346 주차방해 사건)

정답 | 004 ② 005 ②

006 범죄성립의 조각사유에 대한 설명으로 옳은 것만을 모두 고르면? (다툼이 있으면 판례에 의함)

□□□

14 국가9급 [Superlative ★★★]

㉠ 위법성을 조각하기 위해서는 객관적 정당화상황뿐만 아니라 주관적 정당화요소도 갖추어야 한다.
㉡ 위법성조각사유에 대한 제한적 유추적용은 죄형법정주의에 반하여 허용되지 않는다.
㉢ 형법 제10조 제1항의 심신상실은 사물변별능력과 의사결정능력 중 어느 한쪽이 결여되어도 인정된다.
㉣ 자의로 심신장애를 야기한 경우에도 위험발생에 대한 예견가능성이 있을 뿐인 경우에는 원인에 있어서 자유로운 행위로 인정되지 않는다.
㉤ 강요상태를 예견하고 이를 스스로 자초하였다면 강요된 행위라고 할 수 없다.

① ㉠㉡㉣㉤
② ㉠㉡㉢㉤
③ ㉠㉢㉣
④ ㉡㉢㉣

해설

② ㉠㉡㉢㉤ 4 항목이 옳다.
㉠ [○] 통설과 판례의 입장이다.(대법원 1997. 4. 17. 96도3376 全合 **신군부 내란사건**)
㉡ [○] 위법성 및 책임의 조각사유나 소추조건 또는 처벌조각사유인 형면제 사유에 관하여 그 범위를 **제한적으로 유추적용하게 되면 행위자의 가벌성의 범위는 확대되어 행위자에게 불리하게 되는바**, 이는 가능한 문언의 의미를 넘어 범죄구성요건을 유추적용하는 것과 같은 결과가 초래되므로 죄형법정주의의 파생원칙인 유추해석금지의 원칙에 위반하여 **허용될 수 없다**.(대법원 1997. 3. 20. 96도1167 全合 **공직선거법 자수 사건**)
㉢ [○] 심신장애로 인하여 사물을 변별할 능력이 없거나 의사를 결정할 능력이 없는 자의 행위는 **벌하지 아니한다**.(제10조 제1항)
㉣ [×] 형법 제10조 제3항은 고의에 의한 원인에 있어서의 자유로운 행위만이 아니라 과실에 의한 원인에 있어서의 자유로운 행위까지도 포함하는 것으로서, **위험의 발생을 예견할 수 있었는데도** 자의로 심신장애를 야기한 경우도 **그 적용 대상이 된다**.(대법원 1992. 7. 28. 92도999 **음주만취후 운전사건Ⅰ**)
㉤ [○] 전에 월선조업을 하다가 납북되었다가 돌아온 경험이 있는 피고인이, **스스로 월선조업을 하다가** 북괴에 납북된 후 그들의 물음에 답을 하는 등 반공법위반 행위를 한 경우(대법원 1971. 2. 23. 70도2629)

007 甲에게 임의적 감면사유가 존재하는 것은? (다툼이 있으면 판례에 의함)

11 경찰채용 [Essential ★]

□□□

① 甲이 피해자 외 2인에게 깨진 병과 벽돌 등으로 집단 구타당하는 상황에서 이에 대항하기 위해 곡괭이 자루를 마구 휘두른 결과 피해자가 머리 뒷부분을 맞고 사망한 경우

② 甲이 피해자를 강간할 마음을 먹고 폭행한 후 강간하려 하였으나 피해자가 다음에 만나 친해지면 응해 주겠다는 취지의 간곡한 부탁으로 인해 그 이상 강간의 실행 행위에 나아가지 아니한 경우

③ 통화위조죄를 범할 목적으로 예비 또는 음모한 甲이 그 목적한 죄의 실행에 이르기 전에 자수한 경우

④ 甲은 A에게 자동차 운전면허가 없다는 사실을 알면서도 A의 부탁에 따라 승용차를 제공하였고, A가 이를 운전한 경우

해설

① 과잉방위에 해당하여 **형의 임의적 감면사유**가 된다.(대법원 1985. 9. 10. 85도1370, 제21조 제2항)
② 중지미수에 해당하여 **형의 필요적 감면사유**가 된다.(대법원 1993. 10. 12. 93도1851 **친해지면 응해주겠다 사건**, 제26조)
③ 자수의 특칙에 해당하여 **형의 필요적 감면사유**가 된다.(제213조)
④ 방조에 해당하여 **형의 필요적 감경사유**가 된다.(대법원 2000. 8. 18. 2000도1914)

008 형법상 착오문제에 대한 설명으로서 틀린 것은? (다툼이 있으면 판례에 의함)

□□□

12 경찰간부 [Core ★★]

① 불능미수의 문제는 사실의 착오문제가 반전된 경우이지만, 환각범문제는 법률의 착오가 반전된 경우이다.

② 甲은 乙과 싸우다가 힘이 달리자 옆 포장마차로 달려가 길이 30센티미터의 식칼을 가지고 나와 乙에게 휘두르다가 이를 말리면서 뺏으려던 丙의 귀를 찔러 상해를 입힌 경우 甲은 과실치상죄에 해당하지 아니한다.

③ 공무원이 그 직무에 관하여 실시한 봉인 등의 표시를 손상 또는 기타의 방법으로 그 효용을 해함에 있어서 그 봉인 등의 표시가 법률상 효력이 없다고 믿은 경우, 그와 같이 믿은 데에 정당한 이유가 없는 이상 공무상 표시무효죄의 죄책을 면할 수 없다.

④ 자기의 아들이 물에 빠져 허우적거리고 있음을 알고도 망나니 같은 아들에 대해서는 구조의무가 없다고 생각하고 구조하지 않은 경우를 환각범이라 한다.

정답 | 006 ② 007 ① 008 ④

해설

④ [×] 통설인 이분설(二分說)에 의할 때 보증의무는 위법성 요소이므로, 이에 대하여 착오를 일으킨 경우(구조의무가 있는데 구조의무가 없다고 착오를 일으킨 경우)는 금지의 착오에 해당한다. 착오에 정당한 이유가 없기 때문에 살인죄로 처벌될 수 있다.
① [○] 통설의 입장이다.
② [○] **고의범인 상해죄**가 성립한다.(대법원 1987. 10. 26. 87도1745 포장마차 식칼 사건)
③ [○] 공무원이 그 직무에 관하여 실시한 봉인 등의 표시를 손상 또는 은닉 기타의 방법으로 그 효용을 해함에 있어서 그 봉인 등의 표시가 법률상 효력이 없다고 믿은 것은 법규의 해석을 잘못하여 행위의 위법성을 인식하지 못한 것이라고 할 것이므로 그와 같이 믿은 데에 정당한 이유가 없는 이상, 그와 같이 **믿었다는 사정만으로는 공무상표시무효죄의 죄책을 면할 수 없다.**(대법원 2000. 4. 21. 99도5563 가압류 기계 임의처분사건)

009 □□□ **다음 설명 중 옳은 것은? (다툼이 있으면 판례에 의함)** 16 국가9급 [*Core* ★★]

① 甲이 식당주인 A를 살해할 의사로 농약 1포를 숭늉그릇에 투입하여 식당에 놓아두었는데, 식당주인의 딸 B가 이를 마시고 사망한 경우, 甲은 살인죄가 아닌 과실치사죄가 성립한다.
② 선박침몰 등과 같은 급박한 상황이 발생한 경우에 선박의 운항을 지배하고 있는 선장 甲이 자신에게 요구되는 개별적·구체적인 구호의무를 이행함으로써 사망의 결과를 쉽게 방지할 수 있음에도 이를 방관하여 승객의 사망을 초래한 경우, 甲은 부작위에 의한 살인죄가 성립한다.
③ 甲이 7세, 3세 남짓 된 어린 자식들에게 함께 죽자고 자살을 권유하여 죽음에 이르게 한 경우 甲은 자살교사·방조죄가 성립한다.
④ 군인 甲이 하사 A를 살해할 목적으로 발사한 총탄에 이를 제지하려고 甲 앞으로 뛰어들던 병장 B가 맞아 사망한 경우 甲은 A에 대한 살인미수죄와 B에 대한 과실치사죄의 상상적 경합이 된다.

해설

② [○] 세월호가 침몰해 가는 상태에서 **선장**인 피고인이 선내 대기 중인 승객 등에 대한 퇴선조치 없이 갑판부 선원들과 함께 해경 경비정으로 퇴선하였을 뿐 아니라 퇴선 이후에도 아무런 조치를 취하지 아니하여 승객 등이 스스로 세월호에서 탈출하는 것이 불가능하게 되는 결과가 초래되어 많은 승객 등이 사망한 경우, 피고인의 이러한 퇴선조치의 불이행은 승객 등을 적극적으로 물에 빠뜨려 익사시키는 행위와 다름이 없어 작위에 의한 살인의 실행행위와 동일하게 평가할 수 있고, 승객 등의 사망 또는 상해의 결과는 **작위행위에 의해 결과가 발생한 것과 규범적으로 동일한 가치가 있다고 할 것이다.**(대법원 2015. 11. 12. 2015도6809 全合 세월호 사건) **세월호 선장은 부작위에 의한 살인죄가 성립한다.**
① [×] 피고인이 사람을 살해할 의사로서 행위를 하였고 그와 같은 행위에 의하여 살해라는 결과가 발생한 이상 피고인의 행위와 살해라는 결과와의 사이에는 인과관계가 있다고 아니할 수 없으므로 A의 장녀 B를 살해할 의사는 없었다고 주장함으로써 살인기수 사실을 부인하는 취지의 논지는 이유없다.(대법원 1968. 8. 23. 68도884)

③ [×] 7세, 3세 남짓 된 어린 자식들에게 함께 죽자고 권유하여 물속으로 따라 들어오게 하여 어린 자식들을 익사하게 한 경우 피고인에게 살인의 범의가 인정된다(살인죄가 성립한다).(대법원 1987. 1. 20. 86도2395 어린 자식들 사건)

④ [×] (1) 사람을 살해할 목적으로 총을 발사한 이상 그것이 목적하지 아니한 다른 사람에게 명중되어 사망의 결과가 발생하였다 하더라도 살의를 조각하지 않는다.
(2) 피고인 甲이 하사 A를 살해할 목적으로 발사한 총탄이 이를 제지하려고 甲 앞으로 뛰어들던 병장 B에게 명중되어 B가 사망한 경우 B에 대한 살인죄가 성립한다.(대법원 1975. 4. 22. 75도727)

010 □□□ **착오에 대한 설명으로 옳지 않은 것은? (다툼이 있으면 판례에 의함)** 19 국가7급 [Superlative ★★★]

① 甲이 한밤 중에 좁은 골목길을 지나가던 A를 강도범으로 오인하여 방위의 의사로 아령이 든 가방으로 쳐서 A에게 전치 3주의 상해를 입힌 경우, 위법성 인식의 체계적 지위에 관한 고의설에 의하면 상해죄의 고의범으로 처벌할 수 없다.

② 甲이 살인의 고의로 형수 A를 향하여 골프채를 휘둘렀으나 A의 등에 업혀 있던 조카 B가 머리를 맞고 그 자리에서 사망한 경우, 甲에게는 B에 대한 살인죄가 성립한다.

③ 의사 甲이 고질적인 만성질환으로 평소 안락사를 요청하던 A로부터 "부탁한다"라는 말과 함께 봉투를 건네받자 이를 유서와 안락사비용으로 오인하여 촉탁살인의 고의로 독극물을 주입하여 A를 살해한 경우, 공판과정에서 A의 촉탁이 없었음이 판명되었다면 형법 제 15조 제1항에 의하면 甲에게는 보통살인죄가 성립한다.

④ 甲이 상해의 고의로 주차장에 서 있던 乙에게 돌을 던졌으나 빗나가서 의도치 않게 그 옆에 주차되어 있던 乙의 자동차가 파손되었다면, 甲에게는 상해미수죄가 성립한다.

해설

③ [×] 촉탁이 없음에도 촉탁이 있는 것으로 오인하고 살해한 경우 형법 제15조 제1항에 의하여 촉탁살인죄가 성립한다는 것이 통설의 입장이다.

① [○] 위법성의 인식을 고의의 요소로 파악하는 고의설에 의할 때 위법성조각사유의 전제사실의 착오가 있는 경우 **고의가 조각되고, 그 착오에 과실이 있으면 (과실범 처벌규정이 있을 때에 한하여) 과실범으로 처벌한다.**

② [○] (1) 소위 타격의 착오가 있는 경우라 할지라도 행위자의 살인의 고의 성립에 방해가 되지 아니한다.
(2) 피고인이 형수 A를 향하여 살의를 갖고 몽둥이를 힘껏 후려친 가격으로 마당에 고꾸라진 A녀와 등에 업힌 조카 B의 머리 부분을 몽둥이로 내리쳐 B를 현장에서 사망하게 한 소위를 **살인죄로 의율한 원심조처는 정당하게 긍인된다.**(대법원 1984. 1. 24. 83도2813 형수 · 조카 살해사건)

④ [○] 추상적 사실의 착오 중 방법의 착오 사례이다. 법정적 부합설(판례의 입장)과 구체적 부합설 모두 乙에 대한 **상해미수죄로 처리한다.** 과실손괴는 불가벌이다.

정답 | 009 ② 010 ③

011 고의와 과실에 대한 설명으로 가장 적절하지 않은 것은? (다툼이 있으면 판례에 의함)

□□□

21 경찰채용 [Essential ★]

① 채권자 A가 채무자 甲의 신용상태를 인식하고 있어 장래의 변제지체 또는 변제불능에 대한 위험을 예상하고 있거나 예상할 수 있었다면 甲이 구체적인 변제의사, 변제능력, 거래조건 등 거래 여부를 결정지을 수 있는 중요한 사항을 허위로 말하였다는 등의 사정이 없는 한 그 후 제대로 변제하지 못했다는 사실만으로 甲에게 사기죄의 고의가 있다고 볼 수 없다.

② 방조범은 정범의 실행을 방조한다는 방조의 고의와 정범의 행위가 구성요건에 해당하는 행위인 점에 대한 정범의 고의가 있어야 하나, 이 경우 정범의 고의는 적어도 정범에 의하여 실현되는 범죄의 구체적 내용을 인식할 것을 필요로 한다.

③ 전기배선이 벽 내부에 매립 설치되어 건물 구조의 일부를 이루고 있다면 그에 관한 관리 책임은 일반적으로 소유자에게 있다고 보아야 하나, 그 전기배선을 임차인이 직접 하였으며 그 이상을 미리 알았거나 알 수 있었다는 등의 특별한 사정이 있는 때에는 임차인에게 도 그 부분의 하자로 인한 화재를 예방할 주의의무가 인정될 수 있다.

④ 甲은 A와 함께 술을 마시고 중앙선에 서서 도로횡단을 중단한 상황에서 지나가는 차량의 유무를 확인하지 아니하고 고개를 숙인 채 서 있는 A의 팔을 갑자기 잡아끌어 무단횡단을 하다가 지나가던 차량에 A가 충격당하여 사망한 경우, 甲이 술에 취해 있었다 하더라도 甲에게는 A의 안전을 위하여 차량의 통행 여부 및 횡단 가능 여부를 확인하여야 할 주의 의무가 인정된다.

해설

② [×] 방조범에서 요구되는 **정범의 고의는 정범에 의하여 실현되는 범죄의 구체적 내용을 인식할 것을 요하는 것은 아니고** 미필적 인식이나 예견으로 족하다.(대법원 2018. 9. 13. 2018도7658 **인천 초등생 살인사건**)

① [○] 피해자가 피고인의 신용상태를 인식하고 있어 장래의 변제지체 또는 변제불능에 대한 위험을 예상하고 있거나 예상할 수 있었다면, 피고인이 구체적인 변제의사, 변제능력, 거래조건 등 거래 여부를 결정지을 수 있는 중요한 사항을 허위로 말하였다는 등의 사정이 없는 한, 피고인이 그 후 **제대로 변제하지 못하였다는 사실만 가지고 변제능력에 관하여 피해자를 기망하였다거나 사기죄의 고의가 있었다고 단정할 수 없다.**(대법원 2016. 6. 9. 2015도18555 **철강재 납품사건**)

③ [○] 전기배선이 벽 내부에 매립 설치되어 건물 구조의 일부를 이루고 있다면 그에 관한 관리책임은 일반적으로 소유자에게 있다고 보아야 하나, 그 **전기배선을 임차인이 직접 하였으며 그 이상을 미리 알았거나 알 수 있었다는 등의 특별한 사정이 있는 때에는 임차인에게도 그 부분의 하자로 인한 화재를 예방할 주의의무가 인정될 수 있다.**(대법원 2009. 5. 28. 2009도1040 **서예학원 화재사건**)

④ [○] 중앙선에 서서 도로횡단을 중단한 피해자의 **팔을 갑자기 잡아끌고 도로를 횡단하게 하여 무단횡단을 하는 도중에 지나가는 차량에 충격당하여 피해자가 사망한 경우에는 과실치사죄가 성립한다.**(대법원 2002. 8. 23. 2002도2800 **대전 로드킬 사건**)

012 형법상 착오의 처리에 대한 다음 설명 중 적절하지 않은 것만을 고른 것은 모두 몇 개인가? (다툼이 있으면 판례에 의함)

□□□ 20 경찰채용 [Superlative ★★★]

㉠ 행위자가 제1행위에 의하여 이미 의도한 결과가 발생했다고 믿었으나 실제로는 연속된 제2행위에 의하여 그 결과가 발생된 사안은, 제1행위에 대한 미수범과 제2행위에 대한 과실범의 실체적 경합범으로 처리된다.
㉡ 정당방위 상황이 존재하지 않는데도 불구하고 그러한 상황이 존재한다고 오인한 상태에서 행한 방위행위에 대해서, 위법성 인식을 독자적인 책임요소로 파악하는 엄격책임설에 따르면 구성요건적 고의는 언제나 인정된다.
㉢ 위법하지 않은 행위를 행위자는 위법한 것으로 오인한 경우, 그 행위자는 금지규범에 대한 착오를 일으킨 것이며 그러한 법률의 무지에 대해서 형벌을 부여해야 한다.
㉣ 추상적 사실의 착오 중 객체의 착오 및 방법의 착오에 대한 구체적 부합설과 법정적 부합설의 결론은 동일하다.

① 없음 ② 1개
③ 2개 ④ 3개

해설

③ ㉠㉢ 2 항목이 옳지 않다.
㉠ [×] 피해자가 피고인들의 살해의 의도로 행한 구타행위에 의하여 직접 사망한 것이 아니라 죄적을 인멸할 목적으로 행한 매장행위에 의하여 사망하게 되었다 하더라도 전 과정을 개괄적으로 보면 피해자의 살해라는 처음의 예견된 사실이 결국은 실현된 것으로서 피고인들은 **살인죄의 죄책을 면할 수 없다.**(대법원 1988. 6. 28. 88도650 **개괄적 고의 사건**) 판례에 의할 때 지문의 경우 **제1행위에 대한 기수범으로 처리된다.**
㉡ [○] 지문은 위법성조각사유 전제사실의 착오의 사례이다. 엄격책임설에 의하면 이는 금지의 착오가 되어 그 오인에 정당한 이유가 없으면 고의범으로 처벌되고, 그 오인에 정당한 이유가 있으면 **책임이 조각되어 무죄가 된다.** 엄격책임설에 의할 때 **구성요건적 고의는 언제나 인정된다.**
㉢ [×] 위법하지 않은 행위를 위법한 것으로 오인하고 한 행위는 **환각범으로(형법 제16조의 금지의 착오가 아니다) 언제나 불가벌이다.**
㉣ [○] 추상적 사실의 착오 중 객체의 착오 및 방법의 착오의 경우 구체적 부합설과 법정적 부합설 **모두** 인식한 사실의 미수범과 발생한 사실의 과실범의 상상적 경합으로 처리한다.

정답 | 011 ② 012 ③

013 □□□ **甲의 죄책에 관한 설명으로 옳은 것은? (다툼이 있으면 판례에 의함)** 22 국가7급 [Core ★★]

① 乙의 행위가 범죄구성요건에 해당하지만 위법하지 않은 경우 甲이 乙의 행위를 방조하였더라도 공범의 종속성에 관해 제한종속형식을 취하는 때에는 종범(형법 제32조 제1항)이 성립하지 않는다.

② 甲의 행위가 범죄구성요건에 해당하고 위법하더라도 甲이 듣거나 말하는 데 모두 장애가 있는 사람이라면 甲의 행위에 대해서는 형을 면제한다.

③ 甲의 행위가 범죄구성요건에 해당하고 위법하더라도 甲이 심신상실자(형법 제10조 제1항)라면 甲에게 보안처분을 과할 수 없다.

④ 乙의 행위가 범죄구성요건에 해당하지만 위법하지 않은 경우 乙의 행위를 교사한 甲을 간접정범(형법 제34조 제1항)으로는 처벌할 수 없다.

해설

① [○] **제한종속형식**에 의할 때 정범의 행위가 구성요건에 해당하고 위법할 때 공범이 성립한다. 따라서 乙의 행위가 **범죄구성요건에 해당하지만 위법하지 않은 경우 甲이 乙의 행위를 방조하였더라도 종범(방조범)이 성립하지 않는다.**

② [×] 듣거나 말하는 데 모두 장애가 있는 사람의 행위에 대해서는 형을 감경한다.(제11조) 甲의 행위에 대해서는 형을 감경한다.

③ [×] 甲의 행위가 범죄구성요건에 해당하고 위법하다면 甲이 심신상실자라도 보안처분을 과할 수 있다.(치료감호법 제2조 제1항 제1호)

④ [×] 어느 행위로 인하여 처벌되지 아니하는 자 또는 과실범으로 처벌되는 자를 교사 또는 방조하여 범죄행위의 결과를 발생하게 한 자는 교사 또는 방조의 예에 의하여 처벌한다.(제34조 제1항).

014 다음 설명 중 옳지 않은 것은? (다툼이 있으면 판례에 의함) 19 국가9급 [Core ★★]

□□□

① 신분관계로 인하여 형의 경중이 있는 경우에 신분이 있는 자가 신분이 없는 자를 교사하여 죄를 범하게 한 때에는 형법 제33조 단서가 형법 제31조 제1항에 우선하여 적용됨으로써 신분이 있는 교사범이 신분이 없는 정범보다 중하게 처벌된다.

② 공동정범 중 1인이 자기만의 범의를 철회·포기하여도 다른 공범의 범행을 중지하게 하지 아니한 이상 중지미수로 인정되지 아니한다.

③ 뇌물공여죄와 뇌물수수죄 같이 대향범 관계에 있는 필요적 공범은 서로 대향된 행위의 존재를 필요로 할 뿐 각자 자신의 구성요건을 실현하고 별도의 형벌규정에 따라 처벌된다.

④ 2016.1.6. 형법 개정으로 특수상해죄가 형법 제258조의2로 신설되어 형법 제262조의 '제257조 내지 제259조의 예에 의한다'는 규정에 형법 제258조의2가 포함되었으므로 특수폭행치상의 경우에는 특수상해인 형법 제258조의2 제1항의 예에 의하여 처벌되어야 한다.

해설

④ [×] 형법 제258조의2 특수상해죄의 신설로 형법 제262조, 제261조의 특수폭행치상죄에 대하여 형법 제258조의2 제1항의 예에 따라 처벌할 수 있다고 한다면, 종래에 벌금형을 선택할 수 있었던 경미한 사안에 대하여도 일률적으로 징역형을 선고해야 하므로 형벌체계상의 정당성과 균형을 갖추기 위함이라는 2016. 1.6. 형법 개정의 취지와 목적에 맞지 않고 또한 형의 경중과 행위자의 책임, 즉 형벌 사이에 비례성을 갖추어야 한다는 형사법상의 책임원칙에 반할 우려도 있으며, 법원이 해석으로 특수폭행치상에 대한 가중규정을 신설한 것과 같은 결과가 되어 죄형법정주의원칙에도 반하는 결과가 된다.(대법원 2018. 7. 24. 2018도3443 자전거 전도 사건)

① [○] '타인을 교사하여 죄를 범하게 한 자는 죄를 실행한 자와 동일한 형으로 처벌한다'고 규정한 형법 제31조 제1항은 협의의 공범의 일종인 교사범이 그 성립과 처벌에 있어서 정범에 종속한다는 일반적인 원칙을 선언한 것에 불과하고, 따라서 신분관계로 인하여 형의 경중이 있는 경우에 신분이 있는 자가 신분이 없는 자를 교사하여 죄를 범하게 한 때에는 **형법 제33조 단서가 제31조 제1항에 우선하여 적용**됨으로써 신분이 있는 교사범이 신분이 없는 정범보다 중하게 처벌된다.(대법원 1994. 12. 23. 93도1002 모해위증교사사건)

② [○] **다른 공범의 범행을 중지하게 하지 아니한 이상** 자기만의 범의를 철회, 포기하여도 중지미수로는 인정될 수 없다.(대법원 2005. 2. 25. 2004도8259 텐트 강간사건)

③ [○] 뇌물공여죄와 뇌물수수죄 사이와 같은 이른바 **대향범 관계**에 있는 자는 강학상으로는 필요적 공범이라고 불리고 있으나, 서로 대향된 행위의 존재를 필요로 할 뿐 각자 자신의 구성요건을 실현하고 **별도의 형벌규정에 따라 처벌되는 것**이어서, 2인 이상이 가공하여 공동의 구성요건을 실현하는 공범관계에 있는 자와는 본질적으로 다르다.(대법원 2015. 2. 12. 2012도4842 제3자뇌물교부 공범사건)

정답 | 013 ① 014 ④

015 **형법에 관한 설명 중 가장 옳지 않은 것은? (다툼이 있으면 판례에 의함)** 20 법원행시 [Core ★★]

□□□

① 형법은 범죄를 목적으로 하는 단체 또는 집단을 조직하거나 이에 가입 또는 그 구성원으로 활동한 사람은 그 목적한 죄에 정한 형으로 처벌하고, 다만 형을 감경할 수 있다는 조항을 두고 있다.

② 인신매매 범죄에 대한 형법 규정은 대한민국 영역 밖에서 죄를 범한 외국인에게도 적용하는 규정을 두고 있다.

③ 3년 이하의 징역이나 금고 또는 500만원 이하의 벌금형을 선고할 경우에만 1년 이상 5년 이하의 기간 형의 집행을 유예할 수 있다.

④ 가석방의 기간은 무기형에 있어서는 10년으로 하고, 유기형에 있어서는 남은 형기로 하되, 그 기간은 10년을 초과할 수 없다.

⑤ 형법은 공무원이 직권을 이용하여 제7장 공무원의 직무에 관한 죄 이외의 죄를 범한 때에는 그 죄에 정한 형의 2분의 1까지 가중하도록 하는 규정을 두고 있다.

해설

① [×] **사형, 무기 또는 장기 4년 이상의 징역에 해당하는 범죄를** 목적으로 하는 단체 또는 집단을 조직하거나 이에 가입 또는 그 구성원으로 활동한 사람은 그 목적한 죄에 정한 형으로 처벌한다. 다만, 형을 감경할 수 있다.(제114조)

② [○] 제287조부터 제292조까지 및 제294조는 대한민국 영역 밖에서 죄를 범한 **외국인에게도 적용**한다.(제289조, 제296조의2)

③ [○] 3년 이하의 징역이나 금고 또는 500만원 이하의 벌금의 형을 선고할 경우에 제51조의 사항을 참작하여 그 정상에 참작할 만한 사유가 있는 때에는 **1년 이상 5년 이하의 기간 형의 집행을 유예할 수 있다**(제62조 제1항)

④ [○] 석방의 기간은 무기형에 있어서는 10년으로 하고, 유기형에 있어서는 남은 형기로 하되, 그 기간은 **10년을 초과할 수 없다**.(제73조의2 제1항)

⑤ [○] 공무원이 직권을 이용하여 본장 이외의 죄를 범한 때에는 그 죄에 정한 형의 **2분의 1까지 가중한다**.(제135조)

016 다음 설명 중 옳은 것을 모두 고른 것은? (다툼이 있으면 판례에 의함) 19 변호사 [Superlative ★★★]

□□□

> ㉠ 업무상과실장물죄에서 업무자의 신분은 부진정신분범 요소이다.
> ㉡ 「형법」 제10조 제3항은 고의에 의한 원인에 있어서의 자유로운 행위에만 적용되고 과실에 의한 원인에 있어서의 자유로운 행위까지는 포함하지 않는다.
> ㉢ 방조범은 정범의 실행을 방조한다는 방조의 고의와 정범의 행위가 구성요건에 해당한다는 점에 대한 정범의 고의가 있어야 한다.
> ㉣ 과실에 의한 공동정범은 물론 과실에 의한 위험범의 성립도 가능하다.

① ㉠㉡ ② ㉠㉢ ③ ㉡㉢
④ ㉡㉣ ⑤ ㉢㉣

해설

⑤ ㉢㉣ 2 항목이 옳다.

㉠ [×] 과실장물죄의 경우 단순과실장물죄는 없고 '업무상'과실장물죄와 '중'과실장물죄만 있을 뿐이므로, 업무상과실장물죄에서 업무자의 신분은 **진정신분범적 요소이다.**

㉡ [×] **형법 제10조 제3항은** '위험의 발생을 예견하고 자의로 심신장애를 야기한 자의 행위에는 전2항의 규정을 적용하지 아니한다'고 규정하고 있는 바, 이 규정은 **고의에 의한 원인에 있어서의 자유로운 행위만이 아니라 과실에 의한 원인에 있어서의 자유로운 행위까지도 포함하는 것으로서** 위험의 발생을 예견할 수 있었는데도 자의로 심신장애를 야기한 경우도 그 적용 대상이 된다.(대법원 1992. 7. 28. 92도999 음주만취 후 운전사건Ⅰ)

㉢ [○] 방조는 정범이 범행을 한다는 것을 알면서 그 실행행위를 용이하게 하는 종범의 행위이므로 종범은 정범의 실행을 방조한다는 **방조의 고의**와 정범의 행위가 구성요건에 해당한다는 점에 대한 **정범의 고의**가 있어야 한다.(대법원 2018. 1. 25. 2016도18715 우리민족끼리 리트윗 사건)

㉣ [○] **과실에 의한 공동정범**도 성립할 수 있고(대법원 1994. 5. 24. 94도660 구포역 열차전복 사건 참고), **과실에 의한 위험범**도 성립할 수 있다.(실화죄, 과실교통방해죄 등)

정답 | 015 ① 016 ⑤

017 다음 설명 중 옳지 않은 것은? (다툼이 있으면 판례에 의함) 16 사법시험 [Superlative ★★★]

□□□

① 「가정폭력범죄의 처벌 등에 관한 특례법」이 정한 사회봉사명령은 보안처분의 성격을 가지지만 실질적으로는 신체적 자유를 제한하게 되므로, 원칙적으로 형벌불소급의 원칙이 적용된다.

② 피고사건에 대하여 무죄의 판결 또는 면소의 판결을 선고하는 경우 판결공시의 취지를 선고하여야 한다.

③ 집행유예의 선고를 받은 자가 그 선고의 실효 또는 취소됨이 없이 유예기간을 경과한 경우 형의 선고 효력이 상실되므로 누범전과가 되지 아니한다.

④ A주식회사 대표이사인 피고인이 B회사로부터 대출알선행위에 대한 대가를 A회사 계좌를 통해 수수료 명목으로 송금받음으로써 위 수수료에 대한 권리가 A회사에 귀속된다 하더라도 특정경제범죄 가중처벌 등에 관한 법률 위반(배임수재)죄가 인정되는 경우 피고인으로부터 이를 몰수·추징할 수 있다.

⑤ 사형이 무기징역으로 특별감형된 경우 사형집행대기기간을 가석방에 필요한 형의 집행기간에 산입할 수 없다.

해설

② [×] (1) 피고사건에 대하여 무죄의 판결을 선고하는 경우에는 **무죄판결공시의 취지를 선고하여야 한다.** 다만, 무죄판결을 받은 피고인이 무죄판결공시 취지의 선고에 동의하지 아니하거나 피고인의 동의를 받을 수 없는 경우에는 그러하지 아니하다.(제58조 제2항)
(2) 피고사건에 대하여 면소의 판결을 선고하는 경우에는 **면소판결공시의 취지를 선고할 수 있다.**(동조 제3항)

① [○] (1) 가폭법상 사회봉사명령은 가정폭력범죄행위에 대하여 형사처벌 대신 부과되는 것으로서 가정폭력범죄를 범한 자에게 의무적 노동을 부과하고 여가시간을 박탈하여 실질적으로는 신체적 자유를 제한하게 되므로 이에 대하여는 원칙적으로 **형벌불소급의 원칙에 따라 행위시법을 적용함이 상당하다.** (2) 법원이 가정폭력행위자에게 사회봉사명령을 부과하면서, 행위시법상 사회봉사명령 부과시간의 상한인 100시간을 초과하여 상한을 200시간으로 올린 신법을 적용한 것은 위법하다.(대법원 2008. 7. 24. 2008어4 **사회봉사 200시간 사건**)

③ [○] 금고 이상의 형을 받아 그 집행을 종료하거나 면제를 받은 후 3년 내에 금고 이상에 해당하는 죄를 범한 자는 **누범으로 처벌한다.**(제35조 제1항) 집행유예의 선고를 받은 자가 그 선고의 실효 또는 취소됨이 없이 유예기간을 경과한 경우 형 선고 효력이 상실된 것이고 또한 형의 집행을 종료하거나 면제를 받은 것이 아니므로 이는 누범 전과가 되지 아니한다.

④ [○] 피고인이 주식회사의 대표이사로서 특경법 제7조(알선수재)에 해당하는 행위를 하고 당해 행위로 인한 대가로 수수료를 받았다면 **수수료에 대한 권리가 회사에 귀속된다 하더라도 행위자인 피고인으로부터 수수료로 받은 금품을 몰수 또는 그 가액을 추징할 수 있고,** 이는 피고인이 개인적으로 실제 사용한 금품이 없다고 하더라도 마찬가지이다.(대법원 2015. 1. 15. 2012도7571 **100억 대출알선사건**)

⑤ [○] 사형집행을 위한 구금은 미결구금도 아니고 형의 집행기간도 아니며 특별감형은 형을 변경하는 효과만 있을 뿐이고 이로 인하여 형의 선고에 의한 기성의 효과는 변경되지 아니하므로 사형이 무기징역으로 특별감형된 경우 사형의 판결확정일에 소급하여 무기징역형이 확정된 것으로 보아 무기징역형의 형기 기산일을 사형의 판결 확정일로 인정할 수도 없고 **사형집행대기 기간이 미결구금이나 형의 집행기간으로 변경된다고 볼 여지도 없으며** 또한 특별감형은 수형 중의 행장의 하나인 사형집행대기 기간까지를 참작하여 되었다고 볼 것이므로 사형집행대기 기간을 처음부터 무기징역을 받은 경우와 동일하게 가석방요건 중의 하나인 형의 집행기간에 다시 산입할 수는 없다.(대법원 1991. 3. 4. 90모59)

018 법원 판례가 인정하고 있지 않는 것만을 모두 고르면? 20 국가9급 [Superlative ★★★]

□□□

㉠ 예비죄의 중지범
㉡ 진정결과적가중범의 공동정범
㉢ 부작위범 사이의 공동정범
㉣ 사후방조로서의 종범
㉤ 편면적 종범
㉥ 예비죄의 공동정범

① ㉠㉣
② ㉠㉡㉥
③ ㉠㉣㉥
④ ㉡㉢㉤

해설

① ㉠㉣ 2 항목은 판례가 인정하고 있지 않다.

㉠ 중지범은 범죄의 실행에 착수한 후 자의로 그 행위를 중지한 때를 말하는 것이고 실행의 착수가 있기 전인 **예비음모의 행위를 처벌하는 경우에 있어서 중지범의 관념은 이를 인정할 수 없다.**(대법원 1999. 4. 9. 99도424 **녹두 밀수사건**)

㉡ **결과적 가중범의 공동정범은** 기본행위를 공동으로 할 의사가 있으면 성립하고, 결과를 공동으로 할 의사는 필요 없으며, 그 결과의 발생을 예견할 수 있으면 족하다.(대법원 2005. 5. 26. 2005도945 **서울지검 가혹행위사건**)

㉢ **부작위범 사이의 공동정범은** 다수의 부작위범에게 공통된 의무가 부여되어 있고 그 의무를 공통으로 이행할 수 있을 때에만 성립한다.(대법원 2009. 2. 12. 2008도9476 **세경대학교 사건**)

㉣ 종범은 정범의 실행행위 전이나 실행행위 중에 정범을 방조하여 그 실행행위를 용이하게 하는 것을 말하므로 **정범의 범죄종료 후의 이른바 사후방조를 종범이라고 볼 수 없다.**(대법원 2009. 6. 11. 2009도1518 **논문대행 사건**)

㉤ **편면적 종범에서도** 정범의 범죄행위 없이 방조범만이 성립될 수 없다.(대법원 1974. 5. 28. 74도509)

㉥ 정범이 실행의 착수에 이르지 아니한 예비의 단계에 그친 경우에는 이에 가공하는 행위가 **예비의 공동정범이 되는 경우를 제외하고는** 이를 종범으로 처벌할 수 없다.(대법원 1976. 5. 25. 75도1549 **강도예비 방조사건**)

정답 | 017 ② 018 ①

019 □□□ **공범에 관한 설명 중 옳은 것(○)과 옳지 않은 것(×)을 올바르게 조합한 것은? (다툼이 있으면 판례에 의함)**

20 변호사 [Superlative ★★★]

㉠ 공무원이 부정한 청탁을 받고 제3자에게 뇌물을 제공하게 하고 제3자가 그러한 공무원의 범죄행위를 알면서 방조한 경우, 그에 대한 별도의 처벌규정이 없더라도 제3자에게는 방조범에 관한 형법총칙의 규정이 적용되어 제3자뇌물수수방조죄가 인정될 수 있다.
㉡ 물건의 소유자가 아닌 사람이 소유자의 권리행사방해범행에 가담한 경우에는 「형법」 제33조 본문에 따라 권리행사방해죄의 공범이 될 수 있으며, 공범으로 기소된 물건의 소유자에게 고의가 없어 범죄가 성립하지 않더라도 권리행사방해범행을 공동으로 하였음이 인정되는 한 공동정범의 죄책을 진다.
㉢ 공범 중 1인이 그 범행에 관한 수사절차에서 참고인 또는 피의자로 조사받으면서 자기의 범행을 구성하는 사실관계에 관하여 허위로 진술하고 허위 자료를 제출하는 것이 다른 공범을 도피하게 하는 결과가 된다고 하더라도 범인도피죄로 처벌되지 않으나, 공범이 이러한 행위를 교사하였다면 범인도피교사의 죄책을 면할 수 없다.
㉣ 신분관계가 없는 사람이 신분관계로 인하여 성립될 범죄에 가공한 경우 신분관계가 없는 사람에게 공동가공의 의사와 이에 기초한 기능적 행위지배를 통한 범죄의 실행이라는 주관적·객관적 요건이 충족되면 공동정범으로 처벌된다.

① ㉠ × ㉡ × ㉢ × ㉣ ○
② ㉠ ○ ㉡ × ㉢ ○ ㉣ ×
③ ㉠ ○ ㉡ × ㉢ × ㉣ ○
④ ㉠ × ㉡ ○ ㉢ ○ ㉣ ×
⑤ ㉠ × ㉡ ○ ㉢ × ㉣ ○

해설

③ 이 지문이 옳은 연결이다.

㉠ [○] 제3자뇌물수수죄에서 제3자란 행위자와 공동정범 이외의 사람을 말하고, 교사자나 방조자도 포함될 수 있다. 그러므로 공무원 또는 중재인이 부정한 청탁을 받고 제3자에게 뇌물을 제공하게 하고 그 제3자가 그러한 공무원 또는 중재인의 범죄행위를 알면서 방조한 경우에는 그에 대한 별도의 처벌규정이 없더라도 방조범에 관한 형법 총칙의 규정이 적용되어 **제3자뇌물수수방조죄가 인정될 수 있다.**(대법원 2017. 3. 15. 2016도19659 이천시 건축민원 담당 공무원 사건)

㉡ [×] 물건의 소유자가 아닌 사람은 형법 제33조 본문에 따라 소유자의 권리행사방해 범행에 가담한 경우에 한하여 그의 공범이 될 수 있을 뿐이다. 그러나 **권리행사방해죄의 공범으로 기소된 물건의 소유자에게 고의가 없는 등으로 범죄가 성립하지 않는다면 공동정범이 성립할 여지가 없다.**(대법원 2017. 5. 30. 2017도4578 에쿠스 담보제공 사건)

㉢ [×] 공범 중 1인이 그 범행에 관한 수사절차에서 참고인 또는 피의자로 조사받으면서 자기의 범행을 구성하는 사실관계에 관하여 허위로 진술하고 허위 자료를 제출하는 것은 **자신의 범행에 대한 방어권 행사의 범위를 벗어난 것으로 볼 수 없어 범인도피죄로 처벌할 수 없고, 이때 공범이 이러한 행위를 교사하였더라도 범인도피교사죄는 성립하지 않는다.**(대법원 2018. 8. 1. 2015도20396 콜라텍 허위양도 사건)

㉣ [○] **신분관계가 없는 사람이 신분관계로 인하여 성립될 범죄에 가공한 경우에는** 신분관계가 있는 사람과 공범이 성립한다. 이 경우 신분관계가 없는 사람에게 공동가공의 의사와 이에 기초한 **기능적 행위지배를 통한 범죄의 실행이라는 주관적·객관적 요건이 충족되면 공동정범으로 처벌한다.**(대법원 2019. 8. 29. 2018도13792 全合 국정농단 최순실 사건 I)

020 □□□ "생명, 신체 또는 재산에 대한 위험"의 발생을 범죄구성요건으로 하는 범죄는? 11 경찰채용 [Essential ★]

① 중체포감금죄(제277조), 중손괴죄(제368조 제1항)

② 자기소유일반건조물방화죄(제166조 제2항), 일반물건방화죄(제167조)

③ 폭발성물건파열죄(제172조 제1항), 가스전기등방류죄(제172조의2 제1항)

④ 중상해죄(제258조 제1항), 중유기죄(제271조 제3항, 제4항)

해설

③ 보일러, 고압가스 기타 폭발성있는 물건을 파열시켜 사람의 **생명, 신체 또는 재산에 대하여 위험**을 발생시킨 자는 1년 이상의 유기징역에 처한다.(제172조 제1항), 가스, 전기, 증기 또는 방사선이나 방사성 물질을 방출, 유출 또는 살포시켜 사람의 **생명, 신체 또는 재산에 대하여 위험**을 발생시킨 자는 1년 이상 10년 이하의 징역에 처한다.(제172조의2 제1항)
① 사람을 체포 또는 감금하여 **가혹한 행위**를 가한 경우에 성립한다.(제277조)
② 불을 놓아 (중략) **공공의 위험**을 발생하게 한 경우에 성립한다.(제166조 제2항, 제167조)
④ 사람의 신체를 상해하여 **생명에 대한 위험**을 발생하게 하거나(제258조 제1항), 유기의 죄를 범하여 **생명에 대한 위험**을 발생하게 한 경우에 성립한다.(제271조 제3항 · 제4항)

021 □□□ 다음 중 형법에서 '위계'를 구성요건으로 하는 범죄로만 모두 묶은 것은? 13 법원행시 [Superlative ★★★]

㉠ 입찰방해죄
㉡ 신용훼손죄
㉢ 업무상위력 등에 의한 간음죄
㉣ 권리행사방해죄
㉤ 업무방해죄
㉥ 미성년자에 대한 간음죄(제305조)
㉦ 강제집행면탈죄
㉧ 특수공무집행방해치상죄

① ㉠㉡㉢㉤　② ㉡㉢㉣㉦　③ ㉠㉢㉥㉧
④ ㉢㉤㉦㉧　⑤ ㉣㉥㉦㉧

해설

① ㉠㉡㉢㉤ 4 항목이 '위계'를 구성요건으로 하는 범죄이다.
㉠ 입찰방해죄는 위계 또는 위력 기타 방법으로 입찰의 공정을 해한 때에 성립한다.(제315조)
㉡ 신용훼손죄는 허위의 사실을 유포하거나 기타 **위계**로써 사람의 신용을 훼손한 때에 성립한다.(제313조)
㉢ 업무상위력 등에 의한 간음죄는 업무, 고용 기타 관계로 인하여 자기의 보호 또는 감독을 받는 사람에 대하여 위계 또는 위력으로써 간음한 때에 성립한다.(제303조 제1항)

정답 | 019 ③　020 ③　021 ①

㉣ 권리행사방해죄는 타인의 점유 또는 권리의 목적이 된 자기의 물건 또는 전자기록 등 특수매체기록을 취거, 은닉 또는 손괴하여 타인의 권리행사를 방해한 때에 성립한다.(제323조)
㉤ 업무방해죄는 허위의 사실을 유포하거나 기타 **위계** 또는 위력으로써 사람의 업무를 방해한 때에 성립한다.(제314조)
㉥ 미성년자에 대한 간음죄는 13세 미만의 사람에 대하여 간음한 때에 성립한다.(제305조)
㉦ 강제집행면탈죄는 강제집행을 면할 목적으로 재산을 은닉, 손괴, 허위양도 또는 허위의 채무를 부담하여 채권자를 해한 때에 성립한다.(제327조)
㉧ 특수공무방해치상죄는 단체 또는 다중의 위력을 보이거나 위험한 물건을 휴대하여 공무집행방해죄 등을 범하여 공무원을 상해에 이르게 한 때에 성립한다.(제144조)

022 다음 사례에서 甲과 乙의 죄책에 대한 설명으로 가장 옳지 않은 것은? (다툼이 있으면 판례에 의함)

□□□

19 해경간부 [Superlative ★★★]

사장 甲은 자신이 추진하는 사업에 반대하는 장인(丈人) A를 주주총회에 참석하지 못하게 하기 위하여 친구 乙에게 "어떻게 해서든 네 차에 A를 태워 여기저기 돌아다니면서 A가 총회장에 참석할 수 없도록 해라"고 교사하였고, 乙은 이를 승낙하였다. 乙은 사건 당일 집을 나오는 A를 협박하여 강제로 승용차에 태운 뒤 A의 하차요구에도 불구하고 몇 시간 동안 도로를 주행하다가 집에 데려다 주었다.

① 만약 A가 감금상태를 벗어나기 위하여 달리던 차량을 빠져나오다가 길바닥에 떨어져 사망하였다면, 乙이 A의 사망을 예견할 수 있었던 경우 乙은 감금치사죄의 죄책을 진다.
② 만약 乙이 A를 자동차에 감금한 상태에서 A를 폭행·협박하여 금품을 강취한 후 약 1시간 동안 도로를 주행하다가 집으로 데려다 주고 도주하였다면, 乙은 감금죄와 강도죄의 상상적 경합의 죄책을 진다.
③ 감금하기 위해 그 수단으로 행사된 협박에 대해서는 별개의 죄가 성립하지 않는다.
④ A가 정신병자인 경우에도 乙에게는 감금죄가 성립하는 데 지장이 없다.

해설

② [×] 감금행위가 단순히 강도상해 범행의 수단이 되는 데 그치지 아니하고 강도상해의 범행이 끝난 뒤에도 계속된 경우에는 감금죄와 강도상해죄는 **실체적 경합범에 해당한다.**(대법원 2003. 1. 10. 2002도4380 **월드컵경기장까지 사건**)
① [○] 피해자가 감금상태를 벗어날 목적으로 차량을 빠져 나오려다가 길바닥에 떨어져 상해를 입고 그 결과 사망에 이르렀다면 감금행위와 피해자의 사망 사이에는 상당인과관계가 있다고 할 것이므로 **감금치사죄에 해당한다.**(대법원 2000. 2. 11. 99도5286)
③ [○] 감금을 하기 위한 수단으로서 행사된 단순한 협박행위는 **감금죄에 흡수되어 따로 협박죄를 구성하지 아니한다.**(대법원 1982. 6. 22. 82도705 **망우리 공동묘지까지 사건**)
④ [○] **정신병자도 감금죄의 객체가 될 수 있다.**(대법원 2002. 10. 11. 2002도4315 **정신병자 감금치사사건**)

023 각 사례에서 甲의 죄책에 대한 설명으로 옳은 것은? (다툼이 있으면 판례에 의함)

□□□

19 5급승진 [Core ★★]

① 甲이, A가 인터넷 포털사이트 카페에서 다른 회원을 강제탈퇴시킨 후 보여 준 태도에 불만을 가지고 그 카페에 접속하여, '자칭 타칭 A하면 떠오르는 키워드!!!'라는 제목의 게시 글에 '공황장애 ㅋ'라는 댓글을 게시하였다면 A에 대한 모욕죄가 성립한다.

② 이사회 회의록 작성권한이 있는 사(私)법인 이사장인 甲이 법인의 이사회 회의록 중 '이사장의 이사회 내용 사전 유출로 인한 책임을 물어 회의록 서명을 거부합니다. 乙'이라고 기재된 부분 및 그 옆에 있던 이사 乙의 서명 부분을 임의로 삭제하였다면 사문서위조죄가 성립한다.

③ 甲이 자신의 남편을 살해하려고 하였으나 어두운 밤이어서 시아버지를 남편으로 오인하여 살해하였다면 존속살해죄가 성립한다.

④ 甲은 살해할 의사로 A의 머리를 아령으로 가격하여 A가 실신하자 죽었다고 생각하고 죄적을 인멸할 목적으로 다리 위에서 강에 던졌다. 그러나 실제로는 A가 교각에 머리를 부딪혀 사망하였다면 甲에게는 살인미수죄와 과실치사죄의 상상적 경합이 인정된다.

⑤ 집행관이 유체동산을 가압류하면서 이를 채무자 甲에게 보관하도록 하였는데, 甲이 이 유체동산을 제3자에게 양도하고 그 점유를 이전한 경우에는 특별한 사정이 없는 한 공무상표시무효죄가 성립하며, 이는 甲과 양수인이 이 유체동산을 원래 있던 장소에 그대로 두었다고 하더라도 마찬가지이다.

해설

⑤ [○] 집행관이 유체동산을 가압류하면서 이를 채무자에게 보관하도록 한 경우 그 가압류의 효력은 압류된 물건의 처분행위를 금지하는 효력이 있으므로 채무자가 가압류된 유체동산을 **제3자에게 양도하고 그 점유를 이전한 경우**, 이는 가압류집행이 금지하는 처분행위로서 특별한 사정이 없는 한 **가압류표시 자체의 효력을 사실상으로 감쇄 또는 멸각시키는 행위에 해당한다.** 이는 채무자와 양수인이 가압류된 유체동산을 원래 있던 장소에 그대로 두었다고 하더라도 마찬가지이다.(대법원 2018. 7. 11. 2015도5403 **가압류 동산 양도사건**)

① [×] '공황장애 ㅋ'라는 댓글을 게시하였다고 하더라도, 그 표현은 상대방을 불쾌하게 할 수 있는 무례한 표현이기는 하나 **상대방의 인격적 가치에 대한 사회적 평가를 저하시킬 만한 표현에 해당한다고 보기는 어렵다.** (대법원 2018. 5. 30. 2016도20890 **공황장애 사건**)

② [×] 이사가 이사회 회의록에 서명 대신 서명거부사유를 기재하고 그에 대한 서명을 하면 특별한 사정이 없는 한 그 내용은 이사회 회의록의 일부가 되고, 이사회 회의록의 작성권한자인 이사장이라 하더라도 임의로 이를 삭제한 경우에는 **이사회 회의록 내용에 변경을 가하여 새로운 증명력을 가져오게 되므로 사문서변조에 해당한다.**(대법원 2018. 9. 13. 2016도20954 **성신학원 이사장 사건**)

③ [×] 보통살인의 의사로 존속살해의 결과를 발생시킨 경우로써 형법 제15조 제1항에 의하여 **보통살인죄가 성립한다.**(대법원 1977. 1. 11. 76도3871)

④ [×] 피해자가 피고인들의 살해의 의도로 행한 구타행위에 의하여 직접 사망한 것이 아니라 죄적을 인멸할 목적으로 행한 매장행위에 의하여 사망하게 되었다 하더라도 전 과정을 개괄적으로 보면 피해자의 살해라는 처음의 예견된 사실이 결국은 실현된 것으로서 피고인들은 **살인죄의 죄책을 면할 수 없다.**(대법원 1988. 6. 28. 88도650 **개괄적 고의 사건**)

정답 | 022 ② 023 ⑤

024 '재산에 대한 죄'에 대한 설명으로 가장 적절한 것은? (다툼이 있으면 판례에 의함)

□□□

18 경찰승진 [*Core* ★★]

① 甲이 A 자동차를 절취한 후 자동차등록번호판을 떼어내는 행위는 새로운 법익의 침해로 볼 수 없으므로, 절취한 A 자동차의 자동차등록번호판을 떼어내는 행위는 절도범행의 불가벌적 사후행위에 해당한다.

② 甲이 점유자 또는 소유자의 승낙 없이 물건을 갖고 나오다 경비원에게 발각되어 경비원이 절도범인 체포사실을 파출소에 신고 전화하려는데 甲이 경비원에게 대들면서 폭행을 가한 경우 준강도가 성립하지 않는다.

③ 특정 권원에 기하여 민사소송을 진행하던 중 법원에 조작된 증거를 제출하면서 종전에 주장하던 특정 권원과 별개의 허위의 권원을 추가로 주장하는 경우 소송사기의 실행의 착수로 볼 수 있다.

④ 피고인이 타인의 권리의 목적이 된 자기의 물건을 그 점유자의 점유로부터 자기의 점유로 옮긴 경우, 그것이 피고인의 기망에 의한 하자 있는 의사에 기한 것이었다면 권리행사방해죄가 성립한다.

해설

③ [○] 피고인이 특정 권원에 기하여 민사소송을 진행하던 중 법원에 조작된 증거를 제출하면서 종전에 주장하던 특정 권원과 **별개의 허위의 권원을 추가로 주장하는 경우에** 그 당시로서는 종전의 특정 권원의 인정 여부가 확정되지 아니하였고, 만약 종전의 특정 권원이 배척될 때에는 조작된 증거에 의하여 법원을 기망하여 추가된 허위의 권원을 인정받아 승소판결을 받을 가능성이 있으므로, 가사 나중에 법원이 종전의 특정 권원을 인정하여 피고인에게 승소판결을 선고하였다고 하더라도, 피고인의 이러한 행위는 특별한 사정이 없는 한 **소송사기의 실행의 착수에 해당된다**.(대법원 2004. 6. 25. 2003도7124 보관금 → 연대보증 사건)

① [×] 절취한 후 자동차등록번호판을 떼어내는 행위는 새로운 법익의 침해로 보아야 하므로 위와 같은 **번호판을 떼어내는 행위가 절도범행의 불가벌적 사후행위가 되는 것은 아니다**.(대법원 2007. 9. 6. 2007도4739) 별도의 자동차관리법위반죄가 성립한다.

② [×] 피고인이 물건을 훔쳐 갖고 나오다 경비원 A에게 발각되어 A가 절도범인 체포사실을 파출소에 신고전화하려는데 피고인이 "잘해 보자"며 대들면서 폭행을 가한 경우, 설사 그 행위가 피고인이 사장도 잘안다하며 전화확인을 하자는 제의를 A가 거부하면서 "내일이나 모레 와서 확인한 후에 가져가라"하자 피고인이 "자기의 것이니 무조건 달라"고 시비한 끝에 저질러진 것이라 하여도 **준강도 행위에 해당한다**.(대법원 1984. 7. 24. 84도1167 잘해보자 사건)

④ [×] 권리행사방해죄에 있어서의 '취거'라 함은 타인의 점유 또는 권리의 목적이 된 자기의 물건을 점유자의 의사에 반하여 그 점유자의 점유로부터 자기 또는 제3자의 점유로 옮기는 것을 말하므로 **점유자의 의사나 그의 하자있는 의사에 기하여 점유가 이전된 경우에는 여기에서 말하는 취거로 볼 수 없다**.(대법원 1988. 2. 23. 87도1952 백콜 사건)

025 「특정경제범죄 가중처벌 등에 관한 법률」(이하 '특경법')에 관한 설명 중 가장 적절하지 않은 것은? (다툼이 있으면 판례에 의함)

23 경대편입 [Core ★★]

① 「특경법」 제3조의 특정재산범죄의 주체는 사기, 컴퓨터등사용사기, 공갈, 특수공갈 및 그 각각의 상습범, 횡령·배임, 업무상 횡령·배임죄의 죄를 범한 자이다.

② 「특경법」 제3조가 적용되려면 우선 「형법」상 특정재산범죄의 기수범이 성립하여야 하며, 이득액이 적어도 5억원 이상이 되어야 한다.

③ 「형법」상 친족특례규정은 「특경법」 제3조 위반죄에도 그대로 적용된다.

④ 이득액의 산정에서 포괄일죄는 그 액수를 합산할 수 없으나 경합범은 그 액수를 합산한다.

⑤ 「특경법」 제7조 위반(알선수재)죄의 주체에는 제한이 없으나, 알선의 대상은 '금융회사의 임직원의 직무에 속한 사항'이어야 한다.

해설

④ [×] 특경법 제3조에서 말하는 '이득액'은 단순일죄의 이득액이나 혹은 포괄일죄가 성립하는 경우의 이득액의 합산액을 의미하는 것이고, 경합범으로 처벌될 수죄의 각 이득액을 합한 금액을 의미하는 것은 아니다.(대법원 2015. 4. 23. 2014도16980 파주시 만우리 임야사건) 포괄일죄의 경우 그 액수를 합산하여야 하지만, 경합범의 경우는 그 액수를 합산할 수 없다.

①② [○] **「형법」 제347조(사기), 제347조의2(컴퓨터등 사용사기), 제350조(공갈), 제350조의2(특수공갈), 제351조(제347조, 제347조의2, 제350조 및 제350조의2의 상습범만 해당한다), 제355조(횡령·배임) 또는 제356조(업무상의 횡령과 배임)의 죄를 범한** 사람은 그 범죄행위로 인하여 취득하거나 제3자로 하여금 취득하게 한 재물 또는 재산상 이익의 가액(이하 이 조에서 "이득액"이라 한다)이 **5억원 이상**일 때에는 가중처벌한다(특경법 제3조 제1항)

③ [○] (1) 형법상 사기죄의 성질은 **특경법 제3조 제1항에 의해 가중처벌되는 경우에도 그대로 유지되어 친족상도례에 관한 형법 제354조, 제328조가 그대로 적용된다.**(대법원 2010. 2. 11. 2009도12627 다단계사기사건)

(2) 형법상 횡령죄의 성질은 특경법 제3조 제1항에 의해 가중처벌되는 경우에도 그대로 유지되고 친족상도례에 관한 형법 제361조, 제328조가 그대로 적용된다.(대법원 2013. 9. 13. 2013도7754 외사촌 횡령사건)

⑤ [○] **금융회사등의 임직원의 직무에 속하는 사항의 알선에 관하여** 금품이나 그 밖의 이익을 수수, 요구 또는 약속한 사람 또는 제3자에게 이를 공여하게 하거나 공여하게 할 것을 요구 또는 약속한 사람은 5년 이하의 징역 또는 5천만원 이하의 벌금에 처한다.(특경법 제7조) 형법상의 알선수뢰죄와 달리 주체에 공무원임을 요하지 않는다.

정답 | 024 ③ 025 ④

026 다음 설명 중 옳지 않은 것은? (다툼이 있으면 판례에 의함) 12 국가9급 [Core ★★]

□□□

① 甲이 사기범행에 이용되리라는 사정을 알고서도 자신명의의 계좌를 乙에게 양도하고, 乙이 丙을 속여 丙으로 하여금 현금을 甲의 계좌로 송금하게 한 경우, 甲이 자신의 계좌로 송금된 돈 중 일부를 인출한 행위는 장물취득죄가 성립한다.

② 피해신고를 받고 출동한 두 명의 경찰관에게 욕설을 하면서 순차로 폭행을 하여 정당한 직무집행을 방해한 사안에서, 위 공무집행방해죄가 상상적 경합의 관계에 있다.

③ '보전처분 단계에서의 가압류채권자의 지위' 자체는 원칙적으로 민사집행법상 강제집행 또는 보전처분의 대상이 될 수 없어 강제집행면탈죄의 객체에 해당한다고 볼 수 없다.

④ 진정한 문서의 사본을 전자복사기를 이용하여 복사하면서 일부 조작을 가하여 그 사본 내용과 전혀 다르게 만드는 행위는 문서위조행위에 해당한다.

해설

① [×] (1) 장물취득죄에 있어서 **'취득'이라 함은 장물의 점유를 이전받음으로써 그 장물에 대하여 사실상 처분권을 획득하는 것을 의미하는데** (2) 본범(乙)의 사기행위는 피고인(甲)이 예금계좌를 개설하여 본범에게 양도한 방조행위가 가공되어 본범에게 편취금이 귀속되는 과정 없이 피고인이 피해자(丙)로부터 피고인의 예금계좌로 돈을 송금받아 취득함으로써 종료되는 것이고, 그 후 피고인이 자신의 예금계좌에서 돈을 인출하였다 하더라도 이는 예금명의자로서 은행에 예금반환을 청구한 결과일 뿐 **본범으로부터 돈에 대한 점유를 이전받아 사실상 처분권을 획득한 것은 아니므로**, 피고인의 인출행위를 **장물'취득'죄로 벌할 수는 없다**.(대법원 2010. 12. 9. 2010도6256 **대포통장 현금 인출사건Ⅱ**)

② [○] 동일한 공무를 집행하는 여럿의 공무원에 대하여 폭행 · 협박 행위를 한 경우에는 공무를 집행하는 공무원의 수에 따라 여럿의 공무집행방해죄가 성립하고, 위와 같은 폭행 · 협박 행위가 동일한 장소에서 동일한 기회에 이루어진 것으로서 사회관념상 1개의 행위로 평가되는 경우에는 여럿의 **공무집행방해죄는 상상적 경합의 관계에 있다**.(대법원 2009. 6. 25. 2009도3505 **경찰관 2명 폭행사건**)

③ [○] '보전처분 단계에서의 **가압류채권자의 지위' 자체는** 원칙적으로 민사집행법상 강제집행 또는 보전처분의 대상이 될 수 없어 **강제집행면탈죄의 객체에 해당한다고 볼 수 없고**, 이는 가압류채무자가 가압류해방금을 공탁한 경우에도 마찬가지이다.(대법원 2008. 9. 11. 2006도8721 **가압류집행해제 사건**)

④ [○] (1) 진정한 문서의 사본을 전자복사기를 이용하여 복사하면서 일부 조작을 가하여 그 사본 내용과 전혀 다르게 만드는 행위는 공공의 신용을 해할 우려가 있는 별개의 **문서사본을 창출하는 행위로서 문서위조행위에 해당한다.**

(2) 피고인이 타인의 주민등록증을 이용하여 주민등록증상 이름과 사진을 하얀 종이로 가린 후 복사기로 복사를 하고, 다시 컴퓨터를 이용하여 위조하고자 하는 당사자의 인적사항과 주소, 발급일자를 기재한 후 덮어쓰기를 하여 이를 다시 복사하는 방식으로 전혀 별개의 주민등록증사본을 창출시킨 경우, 그 사본 또한 공문서위조 및 행사죄의 객체가 되는 공문서에 해당한다.(대법원 2004. 10. 28. 2004도5183)

027 다음 설명 중 옳지 않은 것을 모두 고른 것은? (다툼이 있으면 판례에 의함) 17 경찰채용 [Essential ★]

□□□

㉠ 피해자 본인이나 그 친족뿐만 아니라 그 밖의 '제3자'에 대한 법익 침해를 내용으로 하는 해악을 고지하는 것이라고 하더라도 피해자 본인과 '제3자'가 밀접한 관계에 있어 그 해악의 내용이 피해자 본인에게 공포심을 일으킬 만한 정도의 것이라면 협박죄가 성립할 수 있다. 이때 '제3자'에는 자연인은 포함되나 법인은 포함되지 않는다.

㉡ 독립행위가 경합하여 상해의 결과를 발생하게 한 경우에 있어서 원인된 행위가 판명된 때에는 공동정범의 예에 의한다.

㉢ 피고인이 간음할 목적으로 새벽 4시에 여자 혼자 있는 방문 앞에 가서 피해자가 방문을 열어주지 않으면 부수고 들어갈 듯한 기세로 방문을 두드리고 피해자가 위험을 느껴 창문에 걸터앉아 가까이 오면 뛰어내리겠다고 하는데도 베란다를 통하여 창문으로 침입하려고 하였다면 강간의 착수가 인정된다.

㉣ 피고인이 밤에 술을 마시고 배회하던 중 버스에서 내려 혼자 걸어가는 피해자 甲(女, 17세)을 발견하고 마스크를 착용한 채 뒤따라가다가 인적이 없고 외진 곳에서 가까이 접근하여 껴안으려 하였으나, 甲이 뒤돌아보면서 소리치자 그 상태로 몇 초 동안 쳐다보다가 다시 오던 길로 되돌아간 경우 「아동·청소년의 성보호에 관한 법률」 상 아동·청소년에 대한 강제추행미수죄에 해당한다.

① ㉠ ② ㉠㉡㉣ ③ ㉠㉡ ④ ㉢㉣

해설

③ ㉠㉡ 2 항목이 옳지 않다.

㉠ [×] (1) 피해자 본인이나 그 친족뿐만 아니라 그 밖의 제3자에 대한 법익 침해를 내용으로 하는 해악을 고지하는 것이라고 하더라도 피해자 본인과 제3자가 밀접한 관계에 있어 그 해악의 내용이 피해자 본인에게 공포심을 일으킬 만한 정도의 것이라면 협박죄가 성립할 수 있다. (2) 이때 **'제3자'에는 자연인뿐만 아니라 법인도 포함된다 할 것인데,** 피해자 본인에게 법인에 대한 법익을 침해하겠다는 내용의 해악을 고지한 것이 피해자 본인에 대하여 공포심을 일으킬 만한 정도가 되는지 여부는 고지된 해악의 구체적 내용 및 그 표현방법, 피해자와 법인의 관계, 법인 내에서의 피해자의 지위와 역할, 해악의 고지에 이르게 된 경위, 당시 법인의 활동 및 경제적 상황 등 여러 사정을 종합하여 판단하여야 한다.(대법원 2010. 7. 15. 2010도1017 **회사를 아작내겠다 사건**)

㉡ [×] 독립행위가 경합하여 상해의 결과를 발생하게 한 경우에 있어서 원인된 행위가 판명된 때에는, **그 원인에 따라 미수 또는 기수로 처벌한다.** 상해죄의 동시범의 특례는 원인된 행위가 판명되지 아니한 때에만 적용된다.(제263조)

㉢ [○] 피고인이 여자를 간음할 목적으로 그 방문 앞에 가서 피해자가 방문을 열어주지 않으면 부수고 들어갈 듯 한 기세로 방문을 두드리고 피해자가 위험을 느끼고 **창문에 걸터앉아 가까이 오면 뛰어내리겠다고 하는데도 베란다를 통하여 창문으로 침입하려고 하였다면 강간의 수단으로서의 폭행에 착수하였다고 할 수 있다.** (대법원 1991. 4. 9. 91도288 **엿집 아저씨 사건**)

정답 | 026 ① 027 ③

㉣ [O] 피고인이 혼자 걸어가는 피해자(女, 17세)를 발견하고 마스크를 착용한 채 200m 정도 뒤따라 간 후, 인적이 없고 외진 곳에 이르러 피해자에게 약 1m 간격으로 접근하여 양팔을 높이 들어 피해자를 껴안으려고 하였으나 피해자가 뒤돌아보면서 '왜 이러세요?'라고 소리치자, 그 상태로 몇 초 동안 피해자를 쳐다보다가 다시 오던 길로 되돌아 온 경우, 양팔을 높이 들어 뒤에서 피해자를 껴안으려는 행위는 피해자의 의사에 반하는 유형력의 행사로서 폭행행위에 해당하고, 그 때에 이른바 '**기습추행**'에 관한 **실행의 착수가 있다**고 볼 수 있으므로 아동 · 청소년에 대한 강제추행미수죄에 해당한다.(대법원 2015. 9. 10. 2015도6980 기습추행 미수사건)

028 다음 설명 중 옳은 것을 모두 고른 것은? (다툼이 있으면 판례에 의함)

□□□ 22 변호사 [Core ★★]

㉠ 피해자 본인이나 그 친족뿐만 아니라 그 밖의 제3자에 대한 법익 침해를 내용으로 하는 해악을 고지하는 것이라고 하더라도 피해자 본인과 제3자가 밀접한 관계에 있어 그 해악의 내용이 피해자 본인에게 공포심을 일으킬 만한 정도의 것이라면 협박죄가 성립할 수 있고, 이 때 제3자에는 자연인뿐만 아니라 법인도 포함된다.

㉡ 4층 건물의 소유자가 그 중 2층을 임대하여 임차인이 학원을 운영하던 중 건물 내부 벽면에 설치된 분전반을 통해 3층과 4층으로 가설된 전선이 합선으로 단락되어 화재가 나 학생들에게 상해가 발생한 경우, 건물의 소유자로서 건물을 비정기적으로 수리하거나 건물의 일부분을 임대하였다는 사정만으로는 업무상과실치상죄의 '업무'로 보기 어렵다.

㉢ 주택재건축조합 조합장이 자신에 대한 감사활동을 방해하기 위하여 조합사무실에 있던 다른 직원의 컴퓨터에 비밀번호를 설정하고 조합 업무 담당자의 컴퓨터 하드디스크를 분리 · 보관하여 조합 업무를 방해한 경우 형법 제314조 제1항의 업무방해죄에 해당한다.

㉣ 강요죄에서 '의무 없는 일'이란 법령, 계약 등에 기하여 발생하는 법률상 의무 없는 일을 말하므로 폭행 또는 협박으로 법률상 의무 있는 일을 하게 한 경우에는 폭행 또는 협박죄만 성립할 뿐 강요죄는 성립하지 아니한다.

① ㉠㉢　② ㉡㉣　③ ㉠㉡㉣
④ ㉡㉢㉣　⑤ ㉠㉡㉢㉣

해설

③ ㉠㉡㉣ 3 항목이 옳다.

㉠ [O] 피해자 본인이나 그 친족뿐만 아니라 그 밖의 제3자에 대한 법익 침해를 내용으로 하는 해악을 고지하는 것이라고 하더라도 피해자 본인과 제3자가 밀접한 관계에 있어 그 해악의 내용이 피해자 본인에게 공포심을 일으킬 만한 정도의 것이라면 협박죄가 성립할 수 있고, 이 때 **제3자에는 자연인뿐만 아니라 법인도 포함된다.**(대법원 2010. 7. 15. 2010도1017 회사를 아작내겠다 사건)

㉡ [O] 4층 **건물의 소유자**가 그 중 2층을 임대하여 임차인이 학원을 운영하던 중 건물 내부 벽면에 설치된 분전반을 통해 3층과 4층으로 가설된 전선이 합선으로 단락되어 화재가 나 학생들에게 상해가 발생한 경우, 건물의

소유자로서 건물을 비정기적으로 수리하거나 건물의 일부분을 임대하였다는 사정만으로는 **업무상과실치상죄의 '업무'로 보기 어렵다.**(대법원 2009. 5. 28. 2009도1040 서예학원 화재사건)

ⓒ [×] 주택재건축조합 조합장인 피고인이 조합의 감사 A가 자신을 탄핵하는 것을 저지하기 위하여 조합사무실에 있던 컴퓨터 중 경리 여직원 B가 사용하던 컴퓨터에 자신만이 아는 비밀번호를 설정하고, 조합업무 담당자 C가 사용하던 컴퓨터의 하드디스크를 분리하여 사무실 금고에 보관하게 하여 감사 A가 탄핵자료를 수집하지 못하게 한 경우 함부로 컴퓨터에 비밀번호를 설정한 행위는 '허위의 정보 또는 부정한 명령의 입력'에 해당하고 컴퓨터의 하드디스크를 분리 · 보관한 행위는 '손괴'에 해당하므로 형법 제314조 제2항의 컴퓨터등장애업무방해죄가 성립한다.(대법원 2012. 5. 24. 2011도7943 조합장 감사 방해사건)

ⓔ [○] 강요죄에서 '의무 없는 일'이란 법령, 계약 등에 기하여 발생하는 법률상 의무 없는 일을 말하므로 폭행 또는 협박으로 **법률상 의무 있는 일을 하게 한 경우에는 폭행 또는 협박죄만 성립할 뿐 강요죄는 성립하지 아니한다.**(대법원 2008. 5. 15. 2008도1097 팬미팅 강요사건)

029 다음 설명 중 옳은 것만을 모두 고른 것은? (다툼이 있으면 판례에 의함)

17 국가9급 [Core ★★]

㉠ 외교상기밀누설죄는 공무원 또는 공무원이었던 자가 직무와 관련하여 알게 된 외교상 기밀을 누설한 때에 성립하는 신분범이다.
㉡ 직무유기죄에서 '직무를 유기한 때'란 공무원이 법령, 내규 등에 의한 추상적 충근의무를 태만히 하는 일체의 경우를 의미한다.
㉢ 인신구속에 관한 직무를 보조하는 자가 피해자를 구속하기 위하여 진술조서 등을 허위로 작성한 후 검사와 영장전담판사를 기망하여 구속영장을 발부받아 피해자를 구금한 경우 직권남용감금죄가 성립한다.
㉣ 공무상비밀누설죄의 보호법익은 비밀 그 자체가 아니라 비밀의 누설에 의하여 위협받는 국가의 기능이다.

① ㉠㉡　② ㉠㉢　③ ㉡㉢　④ ㉢㉣

해설

④ ⓒⓔ 2 항목이 옳다.

㉠ [×] 외교상기밀누설죄는 주체의 제한 없이 외교상의 기밀을 누설하는 경우에 성립하는 비신분범이다.(제113조 제1항)

Ⓛ [×] 직무유기죄는 공무원이 법령 · 내규 등에 의한 추상적 충근의무를 태만히 하는 일체의 경우에 성립하는 것이 아니라, 직장의 무단이탈이나 직무의 의식적인 포기 등과 같이 국가의 기능을 저해하고 국민에게 피해를 야기시킬 구체적 위험성이 있고 불법과 책임비난의 정도가 높은 법익침해의 경우에 한하여 성립한다.(대법원 2012. 8. 30. 2010도13694 불법게임장 비호 경찰관 사건)

정답 | 028 ③　029 ④

ⓒ [O] 인신구속에 관한 직무를 행하는 자 또는 이를 보조하는 자가 피해자를 구속하기 위하여 진술조서 등을 허위로 작성한 후 이를 기록에 첨부하여 구속영장을 신청하고, 진술조서 등이 허위로 작성된 정을 모르는 검사와 영장전담판사를 기망하여 구속영장을 발부받은 후 그 영장에 의하여 피해자를 구금하였다면 형법 제124조 제1항의 **직권남용감금죄가 성립한다.**(대법원 2006. 5. 25. 2003도3945 **서류조작 구속사건**)

ⓔ [O] 공무상비밀누설죄는 비밀 그 자체를 보호하는 것이 아니라 공무원의 비밀엄수의무의 침해에 의하여 위험하게 되는 이익, 즉 **비밀의 누설에 의하여 위협받는 국가의 기능을 보호하기 위한 것이다.**(대법원 2012. 3. 15. 2010도14734 **차량소유정보 사건**)

030 스토킹범죄에 관한 설명으로 가장 적절한 것은? (다툼이 있으면 판례에 의함)

□□□

24 경찰채용 [*Core* ★★]

① 빌라 아래층에 살던 사람이 주변의 생활소음에 대한 불만으로 이웃을 괴롭히기 위해 불상의 도구로 수개월에 걸쳐 늦은 밤부터 새벽 사이에 반복하여 벽 또는 천장을 두드려 '쿵쿵' 소리를 내어 이를 위층에 살던 피해자의 의사에 반하여 피해자에게 도달하게 한 경우 이는 객관적·일반적으로 상대방에게 불안감 내지 공포심을 일으키기에 충분한 행위라 볼 수 없어 스토킹범죄를 구성하지 않는다.

② 전화를 걸어 상대방의 휴대전화에 벨소리가 울리게 하거나 부재 중 전화 문구 등이 표시되도록 하여 상대방에게 불안감이나 공포심을 일으키는 행위는 실제 전화통화가 이루어졌는지와 상관없이 구 「스토킹범죄의 처벌 등에 관한 법률」 제2조 제1호 (다)목에서 정한 스토킹행위에 해당한다.

③ 피해자와의 전화통화 당시 아무런 말을 하지 않은 경우 이는 피해자가 전화를 수신하기 전에 전화 벨소리를 울리게 하거나 발신자 전화번호를 표시되도록 한 것까지 포함하여 피해자에게 불안감이나 공포심을 일으킨 것으로 평가되더라도 '음향, 글 등을 도달하게 하는 행위'로 볼 수 없어 스토킹행위에 해당하지 않는다.

④ 구 「스토킹범죄의 처벌 등에 관한 법률」 제2조 제1호 각 목의 행위가 객관적·일반적으로 볼 때 이를 인식한 상대방으로 하여금 불안감 또는 공포심을 일으키기에 충분한 정도라고 평가되는 경우라도 상대방이 현실적으로 불안감 내지 공포심을 갖게 되어야 스토킹행위에 해당한다.

해설

② [○] 피고인이 전화를 걸어 피해자의 휴대전화에 벨소리가 울리게 하거나 부재 중 전화 문구 등이 표시되도록 하여 상대방에게 불안감이나 공포심을 일으키는 행위는 **실제 전화통화가 이루어졌는지 여부와 상관없이 스토킹처벌법 제2조 제1호 다목이 정한 스토킹행위에 해당한다고 볼 수 있다.**(대법원 2023. 5. 18. 2022도12037 ***28회 부재 중 전화 표시 사건***)

① [×] 피고인의 행위는 층간소음의 원인 확인이나 해결방안 모색 등을 위한 사회통념상 합리적 범위 내의 정당한 이유 있는 행위에 해당한다고 볼 수 없고 객관적·일반적으로 상대방에게 불안감 내지 공포심을 일으키기에 충분하다고 보이며, 나아가 **위와 같은 일련의 행위가 지속되거나 반복되었으므로 스토킹범죄를 구성한다고 본 원심의 판단은 수긍할 수 있다.**(대법원 2023.12.14. 2023도10313 ***벽·천장 쿵쿵 쿵쿵 사건***)

③ [×] 피고인이 피해자의 의사에 반하여 정당한 이유 없이 전화를 걸어 피해자와 전화통화를 하여 말을 도달하게 한 행위는 전화통화 내용이 불안감 또는 공포심을 일으키는 것이었음이 밝혀지지 않더라도 피고인과 피해자의 관계, 지위, 성향, 행위 전후의 여러 사정을 종합하여 전화통화 행위가 피해자의 불안감 또는 공포심을 일으키는 것으로 평가되면 스토킹처벌법 제2조 제1호 다목 스토킹행위에 해당하게 된다. 설령 피고인이 피해자와의 전화통화 당시 아무런 말을 하지 않아 '말을 도달하게 하는 행위'에 해당하지 않더라도 **피해자의 수신 전화 벨소리가 울리게 하거나 발신자 전화번호가 표시되도록 한 것까지 포함하여 피해자에게 불안감이나 공포심을 일으킨 것으로 평가된다면** '음향, 글 등을 도달하게 하는 행위'에 해당하므로 마찬가지로 **스토킹행위에 해당한다.**(대법원 2023. 5.18. 2022도12037 ***28회 부재중 전화 표시 사건***)

④ [×] 스토킹행위를 전제로 하는 스토킹범죄는 행위자의 어떠한 행위를 매개로 이를 인식한 상대방에게 불안감 또는 공포심을 일으킴으로써 그의 자유로운 의사결정의 자유 및 생활형성의 자유와 평온이 침해되는 것을 막고 이를 보호법익으로 하는 **위험범이라고 볼 수 있으므로** 스토킹처벌법 제2조 제1호 각 목의 행위가 객관적·일반적으로 볼 때 이를 인식한 상대방으로 하여금 불안감 또는 공포심을 일으키기에 충분한 정도라고 평가될 수 있다면 **현실적으로 상대방이 불안감 내지 공포심을 갖게 되었는지 여부와 관계없이 스토킹행위에 해당한다.**(대법원 2023.12.14. 2023도10313 ***벽·천장 쿵쿵 쿵쿵 사건***)

정답 | 030 ②

031 □□□ **다음의 ㉠부터 ㉣까지의 설명 중 옳고 그름의 표시(○, ×)가 모두 바르게 된 것은? (다툼이 있으면 판례에 의함)**

21 경찰채용 [Essential ★]

㉠ 직권남용 행위의 상대방이 공무원이거나 법령에 따라 일정한 공적 임무를 부여받고 있는 공공기관 등의 임직원인 경우에는 법령에 따라 임무를 수행하는 지위에 있으므로 그가 직권에 대응하여 어떠한 일을 한 것이 의무 없는 일인지 여부는 관계 법령 등의 내용에 따라 개별적으로 판단하여야 한다.
㉡ 공무원이 자신의 직무와 관련된 상대방에게 공무원 자신 또는 자신이 지정한 제3자를 위하여 재산적 이익 등의 제공을 요구하고 상대방은 어떠한 이익을 기대하며 그에 대한 대가로 요구에 응하였다면, 다른 사정이 없는 한 협박을 요건으로 하는 강요죄가 성립하지 않는다.
㉢ 공무원이 자신의 직무권한에 속하는 사항에 관하여 실무 담당자로 하여금 그 직무집행을 보조하는 사실행위를 하도록 하였다면, 이는 원칙적으로 직권남용권리행사방해죄에서 말하는 '의무 없는 일을 하게 한 때'에 해당한다.
㉣ 학대죄는 자기의 보호 또는 감독을 받는 사람에게 육체적으로 고통을 주거나 정신적으로 차별대우를 하는 행위가 있음과 동시에 범죄가 완성되는 상태범 또는 즉시범이다.

① ㉠ ○ ㉡ ○ ㉢ × ㉣ ○
② ㉠ ○ ㉡ × ㉢ × ㉣ ×
③ ㉠ × ㉡ ○ ㉢ ○ ㉣ ○
④ ㉠ ○ ㉡ ○ ㉢ × ㉣ ×

해설

① 이 지문이 옳은 연결이다.

㉠ [○] 직권남용 행위의 상대방이 일반 사인인 경우 특별한 사정이 없는 한 직권에 대응하여 따라야 할 의무가 없으므로 그에게 어떠한 행위를 하게 하였다면 '의무 없는 일을 하게 한 때'에 해당할 수 있다. 그러나 상대방이 공무원이거나 법령에 따라 일정한 공적 임무를 부여받고 있는 공공기관 등의 임직원인 경우에는 법령에 따라 임무를 수행하는 지위에 있으므로 그가 직권에 대응하여 어떠한 일을 한 것이 의무 없는 일인지 여부는 **관계 법령 등의 내용에 따라 개별적으로 판단하여야 한다.**(대법원 2020. 12. 10. 2019도17879 기장군수 사건)

㉡ [○] 행위자가 직무상 또는 사실상 상대방에게 영향을 줄 수 있는 직업이나 지위에 있고 **직업이나 지위에 기초하여 상대방에게 어떠한 요구를 하였더라도 곧바로 그 요구 행위를 해악의 고지라고 단정하여서는 안 된다.** 특히 공무원이 자신의 직무와 관련한 상대방에게 공무원 자신 또는 자신이 지정한 제3자를 위하여 재산적 이익 또는 일체의 유·무형의 이익 등을 제공할 것을 요구하고 상대방은 공무원의 지위에 따른 직무에 관하여 어떠한 이익을 기대하며 그에 대한 대가로서 요구에 응하였다면, 다른 사정이 없는 한 공무원의 위 요구 행위를 객관적으로 사람의 의사결정의 자유를 제한하거나 의사실행의 자유를 방해할 정도로 겁을 먹게 할 만한 해악의 고지라고 단정하기는 어렵다.(대법원 2019. 8. 29. 2018도13792 全合 국정농단 사건 I)

㉢ [×] 공무원이 자신의 직무권한에 속하는 사항에 관하여 실무 담당자로 하여금 그 직무집행을 보조하는 사실행위를 하도록 하더라도 이는 공무원 자신의 직무집행으로 귀결될 뿐이므로 원칙적으로 의무 없는 일을 하게 한 때에 해당한다고 할 수 없다. 그러나 직무집행의 기준과 절차가 법령에 구체적으로 명시되어 있고 실무 담당자에게도 직무집행의 기준을 적용하고 절차에 관여할 고유한 권한과 역할이 부여되어 있다면 실무 담당자로 하여금 그러한 기준과 절차를 위반하여 직무집행을 보조하게 한 경우에는 '의무 없는 일을하게 한 때'에 해당한다.(대법원 2020. 1. 9. 2019도11698)

㉣ [○] **학대죄는** 자기의 보호 또는 감독을 받는 사람에게 육체적으로 고통을 주거나 정신적으로 차별대우를 하는 행위가 있음과 동시에 범죄가 완성되는 **상태범 또는 즉시범이라 할 것이고** 비록 수십회에 걸쳐서 계속 되는 일련의 폭행행위가 있었다 하더라도 그 중 친권자로서의 징계권의 범위에 속하여 위법성이 조각되는 부분이 있다면 그 부분을 따로 떼어 무죄의 판결을 할 수 있다.(대법원 1986. 7. 8. 84도2922)

032 다음 설명 중 가장 적절하지 않은 것은? (다툼이 있으면 판례에 의함) 22 경찰간부 [*Core* ★★]

□□□

① 법인이 컴퓨터 등 정보처리장치를 이용하여 전자적 방식에 의한 정보의 생성·처리·저장·출력을 목적으로 전산망 시스템을 구축하여 설치·운영하는 경우 위 시스템을 설치·운영하는 주체는 법인이고, 법인의 임직원은 법인으로부터 정보의 생성·처리·저장·출력의 권한을 위임받아 그 업무를 실행하는 사람에 불과하다. 따라서 법인이 설치·운영하는 전산망 시스템에 제공되어 정보의 생성·처리·저장·출력이 이루어지는 전자기록 등 특수매체기록은 그 법인의 임직원과의 관계에서 '타인'의 전자기록 등 특수매체기록에 해당한다.

② 형법 제20장에서 규정하고 있는 문서죄와 전자기록죄의 각 죄명에 비추어 형법 제227조의2와 제232조의2에서 정한 '위작(僞作)'에 유형위조는 물론 권한남용적 무형위조도 포함된다는 것은 불명확한 용어를 피고인에게 불리하게 해석하는 것일 뿐만 아니라 합리적 이유 없이 문언의 의미를 확장하여 처벌범위를 지나치게 넓히는 것이어서 형사법의 대원칙인 죄형법정주의의 원칙에 반한다.

③ 추상적 위험범으로서 명예훼손죄는 개인의 명예에 대한 사회적 평가를 진위에 관계없이 보호함을 목적으로 하고, 적시된 사실이 특정인의 사회적 평가를 침해할 가능성이 있을 정도로 구체성을 띠어야 하나 침해할 위험이 발생한 것으로 족하고 침해의 결과를 요구하지 않으므로 다수의 사람에게 사실을 적시한 경우뿐만 아니라 소수의 사람에게 발언하였다고 하더라도 그로 인해 불특정 또는 다수인이 인식할 수 있는 상태를 초래한 경우에도 공연히 발언한 것으로 해석할 수 있다.

④ 사실적시의 내용이 사회 일반의 일부 이익에만 관련된 사항이라도 다른 일반인과의 공동생활에 관계된 사항이라면 공익성을 지닌다고 할 것이고, 이에 나아가 개인에 관한 사항이더라도 그것이 공공의 이익과 관련되어 있고 사회적인 관심을 획득한 경우라면 직접적으로 국가·사회 일반의 이익이나 특정한 사회집단에 관한 것이 아니라는 이유만으로 형법 제310조의 적용을 배제할 것은 아니다.

정답 | 031 ① 032 ②

해설

② [×] 시스템을 설치 · 운영하는 주체와의 관계에서 전자기록의 생성에 관여할 권한이 없는 사람이 전자기록을 작출하거나 전자기록의 생성에 필요한 단위 정보의 입력을 하는 경우는 물론 **시스템의 설치 · 운영 주체로부터 각자의 직무 범위에서 개개의 단위정보의 입력 권한을 부여받은 사람이 그 권한을 남용하여 허위의 정보를 입력함으로써 시스템 설치 · 운영 주체의 의사에 반하는 전자기록을 생성하는 경우도 공전자기록등위작죄에서 말하는 전자기록의 '위작'에 포함되고, 위 법리는 사전자기록등위작죄에서 행위의 태양으로 규정한 '위작'에 대해서도 마찬가지로 적용된다.**(대법원 2020. 8. 27. 2019도11294 전원합의체 가상화폐거래량 허위입력 사건)

① [○] 법인이 컴퓨터 등 정보처리장치를 이용하여 전자적 방식에 의한 정보의 생성 · 처리 · 저장 · 출력을 목적으로 전산망 시스템을 구축하여 설치 · 운영하는 경우 시스템을 설치 · 운영하는 주체는 법인이고, 법인의 임직원은 법인으로부터 정보의 생성 · 처리 · 저장 · 출력의 권한을 위임받아 그 업무를 실행하는 사람에 불과하므로 법인이 설치 · 운영하는 전산망 시스템에 제공되어 정보의 생성 · 처리 · 저장 · 출력이 이루어지는 전자기록 등 특수매체기록은 **법인의 임직원과의 관계에서 '타인'의 전자기록등 특수매체기록에 해당한다.**(대법원 2020. 8. 27. 2019도11294 전원합의체 가상화폐거래량 허위입력 사건)

③ [○] 추상적 위험범으로서 명예훼손죄는 개인의 명예에 대한 사회적 평가를 진위에 관계없이 보호함을 목적으로 하고, 적시된 사실이 특정인의 사회적 평가를 침해할 가능성이 있을 정도로 구체성을 띠어야 하나 침해할 위험이 발생한 것으로 족하고 침해의 결과를 요구하지 않으므로 다수의 사람에게 사실을 적시한 경우뿐만 아니라 소수의 사람에게 발언하였다고 하더라도 그로 인해 **불특정 또는 다수인이 인식할 수 있는 상태를 초래한 경우에도 공연히 발언한 것으로 해석할 수 있다.**(대법원 2020. 11. 19. 2020도5813 전원합의체 징역살다온 전과자다 사건)

④ [○] 사실적시의 내용이 사회 일반의 일부 이익에만 관련된 사항이라도 다른 일반인과의 공동생활에 관계된 사항이라면 공익성을 지닌다고 할 것이고, 이에 나아가 개인에 관한 사항이더라도 그것이 공공의 이익과 관련되어 있고 사회적인 관심을 획득한 경우라면 직접적으로 **국가 · 사회 일반의 이익이나 특정한 사회집단에 관한 것이 아니라는 이유만으로 형법 제310조의 적용을 배제할 것은 아니다.**(대법원 2020. 11. 19. 2020도5813 전원합의체 징역 살다온 전과자다 사건)

033 형사특별법에 대한 설명으로 옳지 않은 것은? (다툼이 있으면 판례에 의함)

□□□

24 경대편입 [Superlative ★★★]

① 전화를 걸어 상대방의 휴대전화에 벨소리가 울리게 하거나 부재 중 전화 문구 등이 표시되도록 하여 상대방에게 불안감이나 공포심을 일으키는 행위는 실제 전화통화가 이루어졌는지와 상관없이 「스토킹범죄의 처벌 등에 관한 법률」 소정의 스토킹행위에 해당한다.

② 「아동·청소년의 성보호에 관한 법률」 제8조 제1항은 19세 이상의 사람이 13세 이상의 장애 아동·청소년(「장애인복지법」 제2조 제1항에 따른 장애인으로서 신체적인 또는 정신적인 장애로 사물을 변별하거나 의사를 결정할 능력이 미약한 아동·청소년)에 대한 간음을 처벌하고 있는데, 비록 장애가 있더라도 성적 자기결정권을 완전하게 행사할 능력이 충분히 있다고 인정되는 아동·청소년과의 간음행위는 그 조항으로 처벌할 수 없다.

③ 아동청소년성착취물임을 알면서 이를 소지한 자는 「아동·청소년의 성보호에 관한 법률」에 따라 처벌의 대상이 되는데, 여기에서의 '소지'란 자기가 지배할 수 있는 상태에 두고 지배관계를 지속시키는 행위를 말한다.

④ 사기로 인한 「특정경제범죄 가중처벌 등에 관한 법률」 위반 죄에서는 편취한 재물이나 재산상 이익의 가액이 '5억원 이상 50억원 미만' 또는 '50억원 이상'이라는 것이 범죄구성요건이 된다.

⑤ 「특정경제범죄 가중처벌 등에 관한 법률」 제4조 제1항은 '법령을 위반하여 대한민국 또는 대한민국 국민의 재산을 국외로 이동하거나 국내로 반입하여야 할 재산을 국외에서 은닉 또는 처분하여 도피시켰을 때'를 재산국외도피죄의 구성요건으로 규정하고 있는데, 여기에서 '국내로 반입하여야 할 재산'이란 법령상 국내로의 반입 의무 유무와 상관없이 국내로의 반입이 예정된 재산을 의미한다.

해설

⑤ [×] 특경법 제4조 제1항 후단이 규정하는 국외에서의 은닉 또는 처분에 의한 재산국외도피죄는 법령에 의하여 국내로 반입하여야 할 재산을 이에 위반하여 은닉 또는 처분시킨 때에 성립한다. 그러므로 위 조항에서 말하는 **'국내에 반입하여야 할 재산'이라 함은 법령에 의하여 국내에 반입하여야 할 의무를 부담하는 대한민국 또는 대한민국 국민의 재산을 의미하는 것으로 보아야 한다.**(대법원 2018. 11. 9. 2014도9026 *완구왕 사건*)

① [○] 피고인이 전화를 걸어 피해자의 휴대전화에 벨소리가 울리게 하거나 부재중 전화 문구 등이 표시되도록 하여 상대방에게 불안감이나 공포심을 일으키는 행위는 **실제 전화통화가 이루어졌는지 여부와 상관없이 스토킹처벌법 제2조 제1호 다목이 정한 스토킹행위에 해당한다고 볼 수 있다.**(대법원 2023. 5. 18. 2022도12037 *28회 부재 중 전화 표시 사건*)

정답 | 033 ⑤

② [○] 비록 **장애가 있더라도 성적 자기결정권을 완전하게 행사할 능력이 충분히 있다고 인정되는 경우에는 아동 · 청소년의 성보호에 관한 법률 제8조 제1항의 '사물을 변별하거나 의사를 결정할 능력이 미약한 아동 · 청소년'에 해당하지 않게 되어** 이러한 아동 · 청소년과의 간음행위를 위 조항으로 처벌할 수 없으므로 위 조항이 장애인의 일반적인 성적 자기결정권을 과도하게 침해한다고 볼 수 없다.(대법원 2015. 3. 20. 2014도17346 **지적장해 3급 여중생 사건**)

③ [○] 아동 · 청소년의 성보호에 관한 법률 제11조 제5항은 "아동 · 청소년이용음란물임을 알면서 이를 소지한 자는 1년 이하의 징역 또는 2천만원 이하의 벌금에 처한다."라고 규정하고 있다. 여기서 '소지'란 아동 · 청소년이용음란물을 자기가 지배할 수 있는 상태에 두고 지배관계를 지속시키는 행위를 말하고, 인터넷 주소(URL)는 인터넷에서 링크하고자 하는 웹페이지나 웹사이트 등의 서버에 저장된 개개의 영상물 등의 웹 위치 정보 또는 경로를 나타낸 것에 불과하다. 따라서 아동 · 청소년이용음란물 파일을 구입하여 시청할 수 있는 상태 또는 접근할 수 있는 상태만으로 곧바로 이를 소지로 보는 것은 소지에 대한 문언 해석의 한계를 넘어서는 것이어서 허용될 수 없으므로 **피고인이 자신이 지배하지 않는 서버 등에 저장된 아동 · 청소년이용음란물에 접근하여 다운로드받을 수 있는 인터넷 주소 등을 제공받은 것에 그친다면 특별한 사정이 없는 한 아동 · 청소년이용음란물을 '소지'한 것으로 평가하기는 어렵다.**(대법원 2023. 6. 29. 2022도6278 **음란물 클라우드 스토리지 사건**)

④ [○] 사기로 인한 특경법위반죄는 편취한 재물 또는 재산상 이익의 가액이 **5억원 이상 또는 50억원 이상인 것이 범죄구성요건의 일부로 되어 있고** 그 가액에 따라 그 죄에 대한 형벌도 가중되어 있으므로 이를 적용함에 있어서는 편취한 재물이나 재산상 이익의 가액을 엄격하고 신중하게 산정함으로써 죄형균형 원칙이나 책임주의 원칙이 훼손되지 않도록 유의하여야 한다. 그러므로 사기로 편취한 재물 또는 재산상의 이익의 가액을 구체적으로 산정할 수 없는 경우에는 특경법위반(사기)죄로 처벌할 수 없다.(대법원 2022. 6. 30. 2022도3771 **중국산 참조기 판매사건**)

034 범죄와 그 보호법익에 대한 설명으로 가장 적절한 것은? (다툼이 있으면 판례에 의함)

□□□

18 경찰채용 [Essential ★]

① 「형법」 제287조의 미성년자약취유인죄는 미성년자의 자유 외에 보호감독자의 감호권도 보호법익으로 한다.

② 「형법」 제127조의 공무상비밀누설죄는 비밀누설에 의하여 위협받는 국가의 기능이 아니라 비밀 그 자체를 보호법익으로 한다.

③ 「성폭력범죄의 처벌 등에 관한 특례법」 제13조의 통신매체이용음란죄는 성적 자기결정권에 반하여 성적 수치심을 일으키는 그림 등을 개인의 의사에 반하여 접하지 않을 권리를 보장하기 위한 것으로 개인의 성적 자유를 보호하기 위한 것이며, 사회적 법익으로서 건전한 성풍속을 보호하기 위한 구성요건이 아니다.

④ 「형법」 제156조의 무고죄는 국가의 형사사법권 또는 징계권의 적정한 행사를 보호법익으로 하며, 부당하게 처벌 또는 징계받지 않을 개인적 이익을 보호하기 위한 구성요건이 아니다.

해설

① [○] 미성년자약취죄는 심신의 발육이 불충분하고 지려와 경험이 풍부하지 못한 미성년자를 특별히 보호하기 위하여 그를 약취하는 행위를 처벌하려는 데 그 입법의 취지가 있으며, **미성년자의 자유 외에 보호감독자의 감호권도 그 보호법익으로 하고 있다.**(대법원 2003. 2. 11. 2002도7115)
② [×] 공무상비밀누설죄는 **비밀 그 자체를 보호하는 것이 아니라** 공무원의 비밀엄수의무의 침해에 의하여 위험하게 되는 이익, 즉 비밀의 누설에 의하여 위협받는 **국가의 기능을 보호하기 위한 것이다.**(대법원 2012. 3. 15. 2010도14734 **차량소유정보 사건**)
③ [×] 통신매체이용음란죄는 '성적 자기결정권에 반하여 성적 수치심을 일으키는 그림 등을 개인의 의사에 반하여 접하지 않을 권리'를 보장하기 위한 것으로 **성적 자기결정권과 일반적 인격권의 보호, 사회의 건전한 성풍속 확립을 보호법익으로 한다.**(대법원 2018. 9. 13. 2018도9775 **까맣고 더러운 성기 사건**)
④ [×] 무고죄는 **부수적으로 개인이 부당하게 처벌받거나 징계를 받지 않을 이익도 보호하나,** 국가의 형사사법권 또는 징계권의 적정한 행사를 주된 보호법익으로 한다.(대법원 2017. 5. 30. 2015도15398 **고소 후 판례변경 사건**)

035 범죄의 성립요건 중 조각되는 사유가 다른 것은? (다툼이 있으면 판례에 의함)

□□□

20 경찰채용 [Superlative ★★★]

① 피고인이 동거 중인 피해자의 지갑에서 현금을 꺼내 가는 것을 피해자가 현장에서 목격하고도 만류하지 아니한 경우(형법상 절도죄)
② 중대장의 지시에 따라 관사를 지키고 있던 당번병인 피고인이 중대장의 처가 마중 나오라는 지시를 정당한 명령으로 오인하고 관사를 무단이탈하였는데 당번병으로서의 그 임무 범위 내에 속하는 일로 오인하고, 그 오인에 정당한 이유가 있는 경우(군형법상 무단이탈죄)
③ 병역법 제88조 제1항은 국방의 의무를 실현하기 위하여 현역입영 또는 소집통지서를 받고도 정당한 사유 없이 이에 응하지 않은 사람을 처벌하는데, 피고인에게 정당한 사유가 있는 경우(병역법상 입영 등 기피죄)
④ 사용자의 직장폐쇄가 정당한 쟁의행위로 인정되지 아니하고 다른 특별한 사정이 없어 근로자가 평소 출입이 허용되는 사업장 안에 들어가는 경우(형법상 주거침입죄)

해설

①③④ 이들은 구성요건해당성이 조각되는 경우이고, ② 이는 위법성이 조각되는 경우이다.
② 원심은, 피고인의 관사이탈 행위가 중대장의 직접적인 허가를 받지 아니하였다 하더라도 피고인은 당번병으로서의 그 임무범위 내에 속하는 일로 오인한 행위로서 그 오인에 정당한 이유가 있으므로 **위법성이 없다고 하여**

정답 | 034 ① 035 ②

피고인에게 무죄를 선고하였는바, 원심의 이와 같은 사실인정과 판단은 정당하다.(대법원 1986. 10. 28. 86도1406 중대장 당번병 사건)

① 피고인이 동거 중인 피해자의 지갑에서 현금을 꺼내가는 것을 피해자가 현장에서 목격하고도 만류하지 아니하였다면 피해자가 이를 허용하는 묵시적 의사가 있었다고 봄이 상당하여 이는 절도죄를 구성하지 않는다.(대법원 1985. 11. 26. 85도1487)

③ 병역법 제88조 제1항은 현역입영 또는 소집통지서를 받고도 '정당한 사유' 없이 이에 응하지 않은 사람을 처벌하는데, 여기에서 '정당한 사유'는 구성요건해당성을 조각하는 사유로서 위법성조각사유인 정당행위나 책임조각사유인 기대불가능성과는 구별된다.(대법원 2018. 11. 1. 2016도10912 全合 종교적 병역거부사건 I)

④ 사용자의 직장폐쇄가 정당한 쟁의행위로 인정되지 아니하는 때에는 다른 특별한 사정이 없는 한 근로자가 평소 출입이 허용되는 사업장 안에 들어가는 행위는 주거침입죄를 구성하지 아니한다.(대법원 2002. 9. 24. 2002도2243 남서울대학교 사건)

036 다음 설명 중 옳고 그름의 표시(○, ×)가 옳게 된 것은? (다툼이 있으면 판례에 의함)

□□□

13 경찰채용 [Essential ★]

㉠ 피고인이 지하철 환승 에스컬레이터 내에서 카메라폰으로 성적 수치심을 느낄 수 있는 치마 속 신체 부위를 피해자 의사에 반하여 동영상 촬영 중 경찰관에게 발각되어 저장버튼을 누르지 않고 촬영을 종료하였다면, 영상정보가 기계장치 내 임시저장된 데 불과하므로 구 성폭력범죄의 처벌 및 피해자보호 등에 관한 법률에서 정한 '카메라등이용촬영죄'의 미수이다.

㉡ 신용카드를 절취하여 대금을 결제하기 위하여 신용카드를 제시하고 카드회사의 승인을 받았지만 매출전표에 서명한 사실이 없고 도난카드임이 밝혀져 최종적으로 매출취소로 거래가 종결되었을지라도, 여신전문금융업법상 신용카드 부정사용의 기수가 된다.

㉢ 甲이 乙을 살해하기 위하여 丙, 丁 등을 고용하면서 그들에게 대가의 지급을 약속한 경우, 甲에게는 살인죄를 범할 목적 및 살인에 관한 고의가 인정되며 객관적으로 살인죄의 실현을 위한 준비행위를 완료하였으므로 살인죄의 미수로 처벌된다.

㉣ 금융기관 직원이 전산단말기를 이용하여 다른 공범들이 지정한 특정계좌에 돈이 입금된 것처럼 허위의 정보를 입력하는 방법으로 위 계좌로 입금되도록 하고, 이러한 입금절차를 완료하였지만 입금이 취소되어 현실적으로 인출되지 못하였다면 컴퓨터등사용사기죄의 미수범이다.

① ㉠ × ㉡ ○ ㉢ ○ ㉣ ○ ② ㉠ × ㉡ × ㉢ ○ ㉣ ×

③ ㉠ ○ ㉡ ○ ㉢ × ㉣ ○ ④ ㉠ × ㉡ × ㉢ × ㉣ ×

해설

④ 모든 항목이 옳지 않다.

㉠ [×] 피고인이 휴대폰을 이용하여 동영상 촬영을 시작하여 일정한 시간이 경과하였다면 설령 촬영 중 경찰관에게 발각되어 저장버튼을 누르지 않고 촬영을 종료하였더라도 카메라등이용촬영 범행은 이미 '기수'에 이르렀다고 볼 여지가 매우 크다.(대법원 2011. 6. 9. 2010도10677 치마속 촬영사건)

㉡ [×] 신용카드의 사용이라 함은 대금결제를 위하여 가맹점에 신용카드를 제시하고 매출표에 서명하여 이를 교부하는 일련의 행위를 가리키므로, 단순히 신용카드를 제시하는 행위만으로는 신용카드부정사용죄의 실행에 착수한 것에 불과하고 그 사용행위를 완성한 것으로 볼 수 없다.(대법원 1993. 11. 23. 93도604 서명 직전검거사건)

㉢ [×] 甲에게 살인죄를 범할 목적 및 살인의 준비에 관한 고의뿐만 아니라 살인죄의 실현을 위한 준비행위를 하였음이 인정되므로 살인예비죄가 성립한다.(대법원 2009. 10. 29. 2009도7150 실패한 살인교사 사건)

㉣ [×] 입금절차를 완료함으로써 장차 그 계좌에서 이를 인출하여 갈 수 있는 재산상 이익을 취득하였으므로 컴퓨터등사용사기죄는 기수에 이르렀고, 그 후 그러한 입금이 취소되어 현실적으로 인출되지 못하였다고 하더라도 이미 성립한 컴퓨터등사용사기죄에 어떤 영향이 있다고 할 수는 없다.(대법원 2006. 9. 14. 2006도4127 봉평농협 사건)

037 다음 설명 중 가장 적절한 것은? (다툼이 있으면 판례에 의함) 18 경찰승진 [*Core* ★★]

□□□

① 甲이 피해자의 재물을 강취한 후 살해할 목적으로 피해자의 집에 방화하여 피해자가 사망하였다면 甲의 행위는 강도살인죄와 현주건조물방화치사죄의 상상적 경합이 성립한다.

② 경찰공무원이 지명수배 중인 범인을 발견하고도 직무상 의무에 따른 적절한 조치를 취하지 아니하고 오히려 범인을 도피하게 하는 행위를 한 경우, 범인도피죄와 직무유기죄가 성립하고 양 죄는 실체적 경합관계에 있다.

③ 건설업자가 건설기술자를 현장에 배치할 의무를 위반하여, 도로의 지반침하 방지를 위한 그라우팅 공사 과정에서 가스가 폭발하였다고 하더라도 건설업자의 건설기술자 현장배치의무 위반과 가스 폭발사고 사이에 인과관계가 인정되지 않는다.

④ 성을 사는 행위를 알선하는 행위를 업으로 하는 자가 성매매알선을 위한 종업원을 고용하면서 고용대상자에 대하여 아동·청소년의 보호를 위한 연령확인의무의 이행을 다하지 아니한 채 아동·청소년을 고용하였다고 하더라도, 특별한 사정이 없는 한 아동·청소년의 성을 사는 행위의 알선에 관한 미필적 고의는 인정되지 않는다.

정답 | 036 ④ 037 ①

해설

① [○] 피고인들이 피해자들의 재물을 강취한 후 그들을 살해할 목적으로 현주건조물에 방화하여 사망에 이르게 한 경우, 피고인들의 행위는 **강도살인죄와 현주건조물방화치사죄에 모두 해당하고 두 죄는 상상적 경합범관계에 있다.**(대법원 1998. 12. 8. 98도3416 **강도 방화살인사건**)

② [×] 경찰공무원이 지명수배 중인 범인을 발견하고도 직무상 의무에 따른 적절한 조치를 취하지 아니하고 오히려 범인을 도피하게 하는 행위를 하였다면, 그 직무위배의 위법상태는 범인도피행위 속에 포함되어 있다고 보아야 할 것이므로, 이와 같은 경우에는 **작위범인 범인도피죄만이 성립하고 부작위범인 직무유기죄는 따로 성립하지 아니한다.**(대법원 2017. 3. 15. 2015도1456 **조폭 도피 경찰관 사건**)

③ [×] 건설업자가 토공사 및 흙막이공사의 감리업무까지 수행하기로 약정하였음에도 이에 위반하여 실질적인 감리업무를 수행할 수 있는 사람을 감리자로 파견하지 않은 상태에서, **건설기술자를 현장에 배치할 의무를 위반하여 건설기술자조차 현장에 배치하지 아니한 과실은** 공사현장 인접 소방도로의 지반침하 방지를 위한 **그라우팅공사 과정에서 발생한 가스폭발사고와 상당한 인과관계가 있다.**(대법원 1997. 1. 24. 96도776 **대구 지하철공사장 도시가스 폭발사건**)

④ [×] **성을 사는 행위를 알선하는 행위를 업으로 하는 자가** 성매매알선을 위한 종업원을 고용하면서 고용대상자에 대하여 **연령확인의무의 이행을 다하지 아니한 채 아동·청소년을 고용하였다면, 특별한 사정이 없는 한 적어도 아동·청소년의 성을 사는 행위의 알선에 관한 미필적 고의는 인정된다.**

(2) 피고인은, A에 대하여는 그가 성인이라거나 신분증을 가지고 오지 않았다는 말만을 듣고는 더 이상 A의 신분증을 확인하지 아니하였고, B의 경우 B로부터 제시받은 신분증의 사진이 실물과 달라 보였음에도 말로써 확인하여 본 외에는 추가적인 확인조치를 취하지 아니하였으므로, 피고인에게는 아동·청소년인 A, B를 고용하여 이들의 성을 사는 행위의 알선을 한다는 사실에 관하여 적어도 미필적 고의가 있었다고 볼 여지가 충분하다.(대법원 2014. 7. 10. 2014도5173 **17세 백양 18세 최양 사건**)

038 다음 중 판례의 태도에 합치되는 것은? 13 경찰간부 [Core ★★]

□□□

① 甲은 乙의 부탁을 받고 차적 조회 시스템을 이용하여 유사 휘발유 제조 현장 부근에서 경찰의 잠복근무에 이용되고 있던 경찰청 소속 차량의 소유관계에 관한 정보를 알아내 甲에게 알려주었다. 甲의 행위는 공무상비밀누설죄에 해당한다.

② 甲은 乙이 벌금 이상의 형에 해당하는 죄를 범한 자라는 것을 인식하면서도 乙이 도피할 수 있도록 필요한 조치를 하였다. 그러나 그 당시에는 아직 乙이 수사대상이 되어 있지 않은 경우라면 甲의 행위는 범인도피죄에 해당하지 않는다.

③ 甲은 乙이 리스기간이 만료하고도 차량을 납부하지 않자 차량도난신고를 하면 전국수배가 되어 차량을 신속히 회수할 수 있다는 점을 알고 경찰서 지구대에 허위차량도난신고를 하였다. 甲의 행위는 위계공무집행방해죄에 해당한다.

④ 甲은 변호사인 乙로 하여금 징계처분을 받게 할 목적으로 서울지방변호사회장을 수취인으로 하는 허위 내용의 진정서를 제출하였다. 甲의 행위는 무고죄에 해당한다.

해설

④ [○] (1) **변호사에 대한 징계처분은 무고죄에서 말하는 '징계처분'에 포함된다**고 봄이 상당하고, 구 변호사법 제97조의2 등 관련 규정에 의하여 그 징계 개시의 신청권이 있는 지방변호사회의 장은 '공무소 또는 공무원'에 포함된다.

(2) 피고인 甲이 변호사인 피해자 乙로 하여금 징계처분을 받게 할 목적으로 서울지방변호사회에 허위사실의 진정서를 제출한 경우 무고죄가 성립한다.(대법원 2010. 11. 25. 2010도10202 **변호사무고사건**)

① [×] 재산의 소유 주체에 관한 정보에 불과한 자동차 소유자에 관한 정보를 정부나 공무소 또는 국민이 객관적, 일반적인 입장에서 외부에 알려지지 않는 것에 상당한 이익이 있는 사항으로서 실질적으로 비밀로 보호할 가치가 있다거나 그 누설에 의하여 국가의 기능이 위협받는다고 볼 수 없어 **'법령에 의한 직무상 비밀'에 해당한다고 볼 수 없다.**(대법원 2012. 3. 15. 2010도14734 **차량소유정보 사건**)

② [×] '벌금 이상의 형에 해당하는 죄'를 범한 자라는 것을 인식하면서도 도피하게 한 경우에는 그 자가 당시에는 **아직 수사대상이 되어 있지 않았다고 하더라도 범인도피죄가 성립한다.**(대법원 2003. 12. 12. 2003도4533 **내연남 외국도피사건**)

③ [×] 경찰관서에 허위신고를 하였다고 하여 곧 **위계에 의한 공무집행방해죄가 성립한다고 할 수 없다.**(대법원 1974. 12. 10. 74도2841)

정답 | 038 ④

039 □□□ **甲의 죄책에 관한 설명 중 옳은 것(○)과 옳지 않은 것(×)을 올바르게 조합한 것은? (다툼이 있으면 판례에 의함)**

19 변호사 [Superlative ★★★]

㉠ 경찰공무원인 甲이 지명수배 중인 범인을 발견하고도 그를 체포하지 아니하고 오히려 범인을 도피하게 하는 행위를 한 경우에는 작위범인 범인도피죄 이외에 부작위범인 직무유기죄도 성립하고 양 죄는 상상적 경합범 관계에 있다.

㉡ 甲이 A의 집에 침입하여 재물을 강취한 후 A를 살해할 목적으로 A의 집에 불을 놓아 A를 사망에 이르게 한 경우에는 강도살인죄와 현주건조물방화치사죄가 성립하고 양 죄는 상상적 경합범 관계에 있다.

㉢ 유가증권을 위조한 甲이 그 위조유가증권을 다른 사람에게 행사하여 그 이익을 나누어 가질 것을 乙과 공모한 후 그에게 위 위조유가증권을 교부함에 그친 경우라면, 甲에게는 유가증권위조죄와 위조유가증권행사죄가 성립하고 양 죄는 실체적 경합범 관계에 있다.

㉣ 타인 명의의 휴대전화 신규 가입신청서를 위조한 甲이 이를 스캔한 이미지 파일을 제3자에게 이메일로 전송하여 컴퓨터 화면상으로 보게 한 경우에는 사문서위조죄와 위조사문서행사죄가 성립하고 양 죄는 실체적 경합범 관계에 있다.

㉤ 甲이 A를 살해함에 있어 나중에 사체의 발견이 불가능 또는 심히 곤란하게 하려는 의사로 인적이 드문 장소로 A를 유인하여 그곳에서 살해하고 사체를 그대로 방치한 채 도주한 경우에는 살인죄와 사체은닉죄가 성립하고 양 죄는 상상적 경합범 관계에 있다.

① ㉠ ○ ㉡ × ㉢ ○ ㉣ × ㉤ ×
② ㉠ ○ ㉡ ○ ㉢ × ㉣ ○ ㉤ ×
③ ㉠ × ㉡ ○ ㉢ × ㉣ ○ ㉤ ×
④ ㉠ × ㉡ ○ ㉢ × ㉣ × ㉤ ○
⑤ ㉠ × ㉡ × ㉢ ○ ㉣ ○ ㉤ ○

해설

③ 이 지문이 옳은 연결이다.

㉠ [×] 경찰공무원이 지명수배 중인 범인을 발견하고도 직무상 의무에 따른 적절한 조치를 취하지 아니하고 오히려 범인을 도피하게 하는 행위를 하였다면, 그 직무위배의 위법상태는 범인도피행위 속에 포함되어 있다고 보아야 할 것이므로, 이와 같은 경우에는 작위범인 범인도피죄만이 성립하고 부작위범인 직무유기죄는 따로 성립하지 아니한다.(대법원 2017. 3. 15. 2015도1456 조폭 도피 경찰관 사건)

㉡ [○] 피고인들이 피해자들의 재물을 강취한 후 그들을 살해할 목적으로 현주건조물에 방화하여 사망에 이르게 한 경우, 피고인들의 행위는 **강도살인죄와 현주건조물방화치사죄에 모두 해당**하고 두 죄는 **상상적 경합범관계**에 있다.(대법원 1998. 12. 8. 98도3416 강도 방화살인사건)

㉢ [×] 위조유가증권의 교부자와 피교부자가 서로 유가증권위조를 공모하였거나 위조유가증권을 타에 행사하여 그 이익을 나누어 가질 것을 공모한 공범의 관계에 있다면, 그들 사이의 위조유가증권 교부행위는 그들 이외의 자에게 행사함으로써 범죄를 실현하기 위한 전단계의 행위에 불과한 것으로서 **위조유가증권은 아직 범인들의 수중에 있다고 볼 것이지 행사되었다고 볼 수는 없다.**(대법원 2010. 12. 9. 2010도12553 수표대여 연출사건) 유가증권위조죄만 성립하고 위조유가증권행사죄는 성립하지 아니한다.

㉣ [○] 피고인 甲이 이미 자신이 위조한 휴대전화 신규 가입신청서를 스캐너로 읽어 들여 이미지화한 다음 그 이미지 파일을 乙에게 이메일로 전송하여 컴퓨터 화면상에서 보게 한 경우, 스캐너로 읽어 들여 **이미지화한**

것은 문서에 관한 죄에 있어서의 '문서'에 해당하지 않는다고 하더라도, 자신이 이미 위조한 휴대전화 신규가입신청서를 행사한 것에 해당하여 위조문서행사죄가 성립한다.(대법원 2008. 10. 23. 2008도5200 휴대폰가입신청서 스캔 · 전송 사건) 사문서위조죄와 위조사문서행사죄가 모두 성립하고 양 죄는 실체적 경합범의 관계에 있다.

ⓜ [×] 살인, 강도살인 등의 목적으로 사람을 살해한 자가 그 살해의 목적을 수행함에 있어 사후 사체의 발견이 불가능 또는 심히 곤란하게 하려는 의사로 인적이 드문 장소로 피해자를 유인하거나 실신한 피해자를 끌고 가서 그곳에서 살해하고 사체를 그대로 둔 채 도주한 경우에는 비록 결과적으로 사체의 발견이 현저하게 곤란을 받게 되는 사정이 있다 하더라도 별도로 사체은닉죄가 성립되지 아니한다.(대법원 1986. 6. 24. 86도891 만경산 강도살인사건)

040 □□□ **다음 설명 중 옳은 것은 모두 몇 개인가? (다툼이 있으면 판례에 의함)** 22 법원행시 [Superlative ★★★]

㉠ 게임물 자체의 내용뿐만 아니라 게임물의 내용 구현과 밀접한 관련이 있는 게임물의 운영방식을 등급분류신청서나 그에 첨부된 게임물내용설명서에 기재된 내용과 다르게 변경하여 이용에 제공하는 행위도 게임산업진흥에 관한 법률 제32조 제1항 제2호에서 정한 '등급을 받은 내용과 다른 내용의 게임물을 이용에 제공하는 행위'에 해당한다.

㉡ 사기도박과 같이 도박당사자의 일방이 사기의 수단으로써 승패의 수를 지배하는 경우에는 도박죄와 사기죄에 해당하고 두 죄는 상상적 경합범관계에 있다.

㉢ 피고인이 피해자의 아들과 성관계 목적으로 피해자의 주거지에 들어갔더라도 출입문을 통하여 통상적인 출입방법에 따라 피해자의 주거지에 들어갔고, 피해자의 사실상 평온상태를 해치는 행위태양으로 피해자의 주거지에 들어간 것이 아니라면 주거침입죄는 성립하지 않는다.

㉣ 피고인이 甲과 공모하여 甲 소유의 차량을 피해자 소유 주택 대문 바로 앞부분에 주차하는 방법으로 피해자가 차량을 피해자 소유 주택 내부의 주차장에 출입시키지 못하게 하였더라도 피해자는 차량을 용법에 따라 정상적으로 사용할 수 있었으므로 주차 당시 피고인과 피해자 사이에 물리적 접촉이 있거나 피고인이 피해자에게 어떠한 유형력을 행사했다고 볼만한 사정이 없다면 강요죄는 성립하지 않는다.

㉤ 수인의 피해자에 대하여 각별로 기망행위를 하여 각각 재물을 편취한 경우에 범의가 단일하고 범행방법이 동일하면 피해자별로 이득액을 합산하여 이득액이 5억원 이상이면 특정경제범죄 가중처벌 등에 관한 법률 제3조 제1항을 적용하여야 한다.

① 1개 ② 2개 ③ 3개
④ 4개 ⑤ 5개

정답 | 039 ③ 040 ③

해설

③ ㉠㉢㉣ 3 항목이 옳다.

㉠ [○] 게임물 자체의 내용뿐만 아니라 게임물의 내용 구현과 밀접한 관련이 있는 게임물의 운영방식을 등 급분류신청서나 그에 첨부된 게임물내용설명서에 **기재된 내용과 다르게 변경하여 이용에 제공하는 행위도** 게임산업진흥에 관한 법률 제32조 제1항 제2호에서 정한 '**등급을 받은 내용과 다른 내용의 게임물을 이용에 제공하는 행위**'에 **해당한다.**(대법원 2014. 11. 13. 2013도9831)

㉡ [×] 사기도박과 같이 도박당사자의 일방이 사기의 수단으로써 승패의 수를 지배하는 경우에는 도박에서의 우연성이 결여되어 **사기죄만 성립하고 도박죄는 성립하지 아니한다.**(대법원 2011. 1. 13. 2010도9330 **보령사기도박사건**)

㉢ [○] 외부인이 공동거주자의 일부가 부재 중에 주거 내에 현재하는 **거주자의 현실적인 승낙을 받아 통상적인 출입방법에 따라 공동주거에 들어간 경우라면** 그것이 부재 중인 다른 거주자의 추정적 의사에 반하는 경우에도 **주거침입죄가 성립하지 않는다.**(대법원 2021. 9. 9. 2020도12630 全合 **유부녀 아파트에서 간통사건**)

㉣ [○] 피고인은 乙로 하여금 주차장을 이용하지 못하게 할 의도로 甲 차량을 乙 주택 대문 앞에 주차하였으나 주차 당시 피고인과 乙 사이에 물리적 접촉이 있거나 피고인이 乙에게 어떠한 유형력을 행사했다고 볼만한 사정이 없는 점, 피고인의 행위로 乙에게 주택 외부에 있던 乙 차량을 주택 내부의 주차장에 출입시키지 못하는 불편이 발생하였으나 乙은 차량을 용법에 따라 정상적으로 사용할 수 있었던 점을 종합하면 **피고인이 乙을 폭행하여 차량 운행에 관한 권리행사를 방해하였다고 평가하기 어렵다.**(대법원 2021. 11. 25. 2018도1346 **주차방해 사건**)

㉤ [×] 특정경제범죄 가중처벌 등에 관한 법률 제3조에서 말하는 이득액은 단순일죄의 이득액이나 혹은 포괄일죄가 성립하는 경우의 이득액의 합산액을 의미하는 것이고, 경합범으로 처벌될 수죄의 각 이득액을 합한 금액을 의미하는 것은 아니며, 다수의 피해자에 대하여 각별로 기망행위를 하여 각각 재산상 이익을 편취한 경우에는 범의가 단일하고 범행방법이 동일하더라도 **각 피해자의 피해법익은 독립한 것이므로 이를 포괄일죄로 파악할 수 없고 피해자별로 독립한 사기죄가 성립된다.**(대법원 2015. 4. 23. 2014도16980 **파주시만우리 임야사건**) 피해자별로 이득액을 합산하여 이득액이 5억원 이상이라도(예 피고인 甲이 A로부터 4억원을 편취한 후 며칠 뒤 다시 B로부터 3억원을 편취하여 실체적 경합범으로 처벌되는 경우) 특경법 제3조 제1항을 적용하여 처벌할 수 없다.

041 甲의 죄책에 관한 설명 중 옳지 않은 것은? (다툼이 있으면 판례에 의함) 16 사법시험 [Superlative ★★★]

□□□

① 甲이 공무원의 직무수행에 대한 비판이나 시정 등을 요구하는 집회·시위 과정에서, 의사전달 수단으로써 합리적 범위를 넘어서 공무원에게 고통을 줄 의도로 장시간 음향으로 상대방의 청각기관을 직접적으로 자극하여 육체적·정신적 고통을 줄 경우 공무집행방해죄의 폭행으로 인정할 수 있다.

② 평상시 금융기관의 여·수신업무를 처리할 권한이 있는 금융기관 직원 甲이 범죄의 목적으로 전산단말기를 이용하여 다른 공범들이 지정한 특정계좌에 무자원 송금의 방식으로 거액을 입금한 경우 컴퓨터등사용사기죄가 성립한다.

③ 甲이 타인소유의 입목을 절취하기 위하여 이를 완전히 캐냈으나, 이를 운반하거나 반출하지 못한 경우 절도죄의 기수에 해당한다.

④ 배임증재자 甲이 배임수재자 乙에게 무상으로 물건을 빌려주어 사용할 수 있도록 해주던 중 乙은 공무원이 되었고, 甲은 乙에게 뇌물공여의 뜻을 밝히고 종전대로 물건을 계속하여 乙이 사용할 수 있는 상태로 둔 경우, 특별한 사정이 없는 한 뇌물공여죄가 성립한다.

⑤ 공군 복지근무지원단 예하 부대의 매점 및 창고관리 부사관으로 근무하던 甲이 이미 자신이 횡령한 바 있는 면세주류를 마치 정상적으로 판매한 것처럼 위 지원단 업무관리 전산시스템에 입력한 행위는 공전자기록등위작죄가 성립한다.

해설

④ [×] **배임수재자가 배임증재자에게서 그가 무상으로 빌려준 물건을 인도받아 사용하고 있던 중에 공무원이 된 경우, 그 사실을 알게 된 배임증재자가 배임수재자에게 앞으로 물건은 공무원의 직무에 관하여 빌려주는 것이라고 하면서 뇌물공여의 뜻을 밝히고 물건을 계속하여 배임수재자가 사용할 수 있는 상태로 두더라도,** 처음에 배임증재로 무상대여할 당시에 정한 사용기간을 추가로 연장해 주는 등 새로운 이익을 제공한 것으로 평가할 만한 사정이 없다면, 이는 종전에 이미 제공한 이익을 나중에 와서 뇌물로 하겠다는 것에 불과할 뿐 **새롭게 뇌물로 제공되는 이익이 없어 뇌물공여죄가 성립하지 않는다.**(대법원 2015. 10. 15. 2015도6232 제주판타스틱아트시티 비리사건)

① [○] (1) 공무집행방해죄에서 폭행이라 함은 공무원에 대하여 직접적인 유형력의 행사뿐만 아니라 간접적으로 유형력을 행사하는 행위도 포함하는 것이고, 음향으로 상대방의 청각기관을 직접적으로 자극하여 육체적·정신적 고통을 주는 행위도 유형력의 행사로서 폭행에 해당할 수 있다.
(2) 공무원의 직무 수행에 대한 비판이나 시정 등을 요구하는 집회·시위 과정에서 일시적으로 상당한 소음이 발생하였다는 사정만으로는 이를 공무집행방해죄에서의 음향으로 인한 폭행이 있었다고 할 수는 없을 것이나, 그와 같은 의사전달수단으로서 합리적 범위를 넘어서 상대방에게 **고통을 줄 의도로 음향을 이용하였다면 이를 폭행으로 인정할 수 있다.**(대법원 2009. 10. 29. 2007도3584 용산구청앞 시위사건)

② [○] (1) 금융기관 직원이 범죄의 목적으로 전산단말기를 이용하여 다른 공범들이 지정한 특정계좌에 무자원 송금의 방식으로 거액을 입금한 것은 컴퓨터등사용사기죄에서의 '권한 없이 정보를 입력하여 정보처리를 하게 한 경우'에 해당한다고 할 것이고, 이는 그 직원이 평상시 금융기관의 여·수신업무를 처리할 권한이 있었다고 하여도 마찬가지이다.

정답 | 041 ④

(2) 외환은행 지점 직원인 피고인 甲과 농협 지소장인 피고인이 乙이 다른 공범들의 지시에 따라 은행지점 또는 농협지소에 설치된 컴퓨터 단말기를 이용하여 특정계좌에 **거액의 돈을 입금한 것은 컴퓨터등사용사기죄에 해당한다.**(대법원 2006. 1. 26. 2005도8507)

③ [○] 입목을 절취하기 위하여 이를 캐낸 때에는 그 시점에서 이미 소유자의 입목에 대한 점유가 침해되어 범인의 사실적 지배하에 놓이게 됨으로써 범인이 그 점유를 취득하게 되는 것이므로 이때 **절도죄는 기수**에 이르렀다고 할 것이고, 이를 **운반하거나 반출하는 등의 행위는 필요로 하지 않는다.**(대법원 2008. 10. 23. 2008도6080 **영산홍 사건**)

⑤ [○] 공군 복지근무지원단 예하 18지구대에서 부대매점 및 창고관리 부사관으로 근무하던 피고인 甲이 창고관리병 乙로 하여금 복지전산시스템에 甲이 그 전에 횡령한 바 있는 **면세주류를 마치 정상적으로 판매한 것처럼 허위로 입력하게 한 경우,** 각 지구대의 판매량의 신뢰도에 직접 영향을 미쳐 관련 업무를 처리함에 있어 중요한 정보를 허위로 생성하게 한 것으로서 **공전자기록위작죄가 성립한다.**(대법원 2010. 7. 8. 2010도3545 **PX 부사관 횡령사건**)

042 판례의 태도와 일치하는 내용을 모두 고르면?

□□□

13 국가7급 [Core ★★]

㉠ 피고인이 7세의 아들에게 함께 죽자고 하여 물속에 따라 들어오게 함으로써 익사하게 한 경우, 위계에 의한 승낙살인죄가 성립한다.
㉡ 협박을 수단으로 하여 피해자를 감금하더라도 감금죄만 성립한다.
㉢ 법원을 기망하여 얻은 승소판결에 기하여 소유권이전등기를 경료함으로써 그 등기부를 등기소에 비치하게 한 경우는 사기죄와 공정증서원본부실기재죄 및 부실기재공정증서원본행사죄의 실체적 경합에 해당된다.
㉣ 장물의 보관자가 그 장물을 횡령한 경우 장물보관죄와 횡령죄의 실체적 경합에 해당된다.
㉤ 사자(死者) 명의의 문서를 위조한 경우는 사문서위조죄를 구성하지 않는다.

① ㉠㉣
② ㉡㉢
③ ㉠㉢㉤
④ ㉡㉣㉤

해설

② ㉡㉢ 2 항목이 옳다.

㉠ [×] 비록 피해자들을 물 속에 직접 밀어서 빠뜨리지는 않았다고 하더라도 자살의 의미를 이해할 능력이 없고 피고인의 말이라면 무엇이나 복종하는 어린 자식들을 권유하여 익사하게 한 이상 **살인죄의 범의는 있었음이 분명하다.**(대법원 1987. 1. 20. 86도2395 **어린 자식들 사건**) 지문의 경우 살인죄가 성립한다.

㉡ [○] 감금을 하기 위한 수단으로서 행사된 단순한 **협박행위는 감금죄에 흡수되어 따로 협박죄를 구성하지 아니한다.**(대법원 1982. 6. 22. 82도705 **망우리 공동묘지까지 사건**)

㉢ [○] 법원을 기망하여 승소판결을 받고 그 확정판결에 의하여 소유권이전등기를 경료한 경우에는 **사기죄와 별도로 공정증서원본부실기재죄가 성립하고 양죄는 실체적 경합범 관계에 있다.**(대법원 1983. 4. 26. 83도188)

ⓔ [×] 절도 범인으로부터 장물보관 의뢰를 받은 자가 그 정을 알면서 이를 인도받아 보관하고 있다가 임의처분하였다 하여도 장물보관죄가 성립하는 때에는 이미 그 소유자의 소유물 추구권을 침해하였으므로 그 후의 횡령행위는 불가벌적 사후행위에 불과하여 **별도로 횡령죄가 성립하지 않는다.**(대법원 2004. 4. 9. 2003도8219 **고려청자 사건**)

ⓜ [×] **명의인이 실재하지 않는 허무인이거나 또는 문서의 작성일자 전에 이미 사망하였다고 하더라도** 그러한 문서 역시 공공의 신용을 해할 위험성이 있으므로 **문서위조죄가 성립한다**고 봄이 상당하며 이는 공문서뿐만 아니라 사문서의 경우에도 마찬가지라고 보아야 할 것이다.(대법원 2005. 2. 24. 2002도18 순합 **임상경력증명서 사건**)

043 □□□ 다음 사례에 대한 설명으로 옳지 않은 것은? (다툼이 있으면 판례에 의함) 18 국가7급 [Core ★★]

> 甲은 A와 채무 변제기의 유예 여부 등을 놓고 언쟁을 벌이다가 순간적으로 A를 살해하여 채무의 지급을 면하기로 마음먹고, 망치로 A의 뒷머리 부분을 수회 때리는 등의 방법으로 살해하였다. 마침 A의 옷에 지갑이 있는 것을 발견하고, 장차 사체가 발견될 때 A의 신원이 밝혀지는 게 두려워 이를 숨기기 위하여 지갑을 꺼내 A가 타고 온 차량의 사물함에 통째로 넣어두었다. 그로부터 15시간 가량 지난 후인 그 다음 날 10:00경 범행현장에 다시 와서 A의 사체를 인근 공사장 창고에 버리고, 지갑 속에 들어 있던 돈을 꺼내어 가서 담뱃값으로 사용하였다.

① 채무면탈 목적으로 A를 살해하는 행위는 채무의 존재가 명백할 뿐만 아니라 채권자의 상속인이 존재하고 그 상속인에게 채권의 존재를 확인할 방법이 확보되어 있다면 강도살인죄가 성립하지 않는다.

② A의 사체가 발견될 때 피해자의 신원이 밝혀지는 게 두려워 이를 숨기기 위하여 지갑을 꺼내 차량의 사물함에 통째로 넣어 두는 행위에 대하여 甲에게 지갑에 대한 불법영득의 의사를 인정하기 어렵다.

③ 지갑 속의 돈을 꺼내어 담뱃값으로 사용한 행위는 살인행위와 시간상 및 거리상 극히 근접하여 사회통념상 범죄행위가 완료되지 아니한 상태에서 이루어진 것이므로 甲에게는 강도살인죄가 성립한다.

④ A의 사체를 공사장 창고에 버리는 행위는 사체유기죄에 해당하며, 사체유기죄는 살인행위 등으로 성립될 범죄와 실체적 경합관계에 있다.

정답 | 042 ② 043 ③

해설

③ [×] 피고인이 피해자 소유의 돈과 신용카드에 대하여 불법영득의 의사를 갖게 된 것이 피해자 살해 후 상당한 시간이 지난 후로서 살인의 범죄행위가 이미 완료된 후인 경우, **살해 후 상당한 시간이 지난 후에 별도의 범의에 터잡아 이루어진 재물 취거행위를 그보다 앞선 살인행위와 합쳐서 강도살인죄로 처단할 수는 없다.** (대법원 2004. 6. 24. 2004도1098 **채권자 망치살해사건**) 甲은 살인죄와 절도죄의 죄책을 진다.

① [○] 피고인의 피해자에 대한 채무의 존재가 명백할 뿐만 아니라 피해자의 상속인이 존재하고 그 상속인에게 채권의 존재를 확인할 방법이 확보되어 있다면, 비록 피고인들이 채무를 면탈할 의사로 채권자인 피해자를 살해하였다고 하더라도 일시적으로 채권자측의 추급을 면한 것에 불과하고 재산상 이익의 지배가 채권자측으로부터 피고인 앞으로 이전되었다고 볼 수 없어 **강도살인죄가 성립할 수 없다.**(대법원 2010. 9. 30. 2010도7405 **무주 채권자 살인사건**)

② [○] 절도죄의 성립에 필요한 불법영득의 의사라 함은 권리자를 배제하고 타인의 물건을 자기의 소유물과 같이 그 경제적 용법에 따라 이용, 처분하려는 의사를 말한다.(대법원 2000. 10. 13. 2000도3655 **지갑 소각사건**) 甲은 A의 신원이 밝혀지는 게 두려워 이를 숨기기 위하여 지갑을 꺼내 차량의 사물함에 넣어 두었는데, 甲에게는 A의 지갑을 자기의 소유물과 같이 경제적 용법에 따라 이용, 처분하려는 의사가 없었으므로(**불법영득의사가 없었으므로**) 재물은닉죄가 성립할 수는 있어도 **절도죄는 성립하지 아니한다.**

④ [○] 사람을 살해한 자가 그 사체를 다른 장소로 옮겨 유기하였을 때에는 별도로 사체유기죄가 성립하고, 이와 같은 **사체유기를 불가벌적 사후행위로 볼 수는 없다.**(대법원 1997. 7. 25. 97도1142 **페스카마호 사건**)

044 다음 경계침범죄와 일반교통방해죄에 관한 설명으로 가장 옳지 않은 것은? (다툼이 있으면 판례에 의함)

□□□

13 경찰간부 [*Core* ★★]

① 형법 제370조 경계침범죄에서 말하는 경계는 법률상의 정당한 경계임을 요한다.

② 불특정 다수인의 통행로로 이용되어 오던 도로의 토지 일부의 소유자라고 하더라도 그 도로의 중간에 바위를 놓아두거나 이를 파헤침으로써 통행을 못하게 한 행위는 일반교통방해죄에 해당한다.

③ 소수인이 통행에 사용하던 도로라도 교통방해죄의 성립에는 영향이 없으므로, 주민들에 의하여 공로로 통하는 유일한 통행로로 오랫동안 이용되어 온 폭 2m의 골목길을 자신의 소유라는 이유로 폭 50 내지 75cm 가량만 남겨두고 담장을 설치하여 주민들의 통행을 현저히 곤란하게 하였다면 일반 교통방해죄를 구성한다.

④ 경계침범죄의 경계는 당사자의 명시적 혹은 묵시적 합의에 의하여 정하여진 것이면 족하다.

해설

① [×] 경계침범죄에서 말하는 **'경계'는 반드시 법률상의 정당한 경계를 가리키는 것은 아니고**, 비록 법률상의 정당한 경계에 부합되지 않는 경계라 하더라도 그것이 종래부터 일반적으로 승인되어 왔거나 이해관계인들의 명시적 또는 묵시적 합의에 의하여 정해진 것으로서 **객관적으로 경계로 통용되어 왔다면 경계라 할 것이다.** (대법원 2007. 12. 28. 2007도9181)

② [O] 피고인이 도로의 일부가 자신의 소유라 하더라도 적법한 절차에 의하여 문제를 해결하려고 하지 아니하고 도로의 **중간에 바위를 놓아두거나 이를 파헤침**으로써 차량의 통행을 못하게 한 경우, **일반교통방해죄와** (부근에서 여관 및 식당을 운영하는 A와 버섯농장을 운영하는 B에 대한) **업무방해죄가 성립한다.**(대법원 2002. 4. 26. 2001도6903 바위 사건)

③ [O] 피고인 甲 소유의 대지 및 인접한 乙의 집 사이의 폭 2m의 골목길이 주민들에 의하여 공로로 통하는 유일한 통행로로 오랫동안 이용되어 왔음에도, 甲이 **건축물을 재축하면서 폭 50 내지 75cm 가량만 남겨두고 담장을 설치하여 주민들의 통행을 현저히 곤란하게 하였다면 일반교통방해죄가 성립한다.**(대법원 1994. 11. 4. 94도2112 담장 설치사건)

④ [O] 경계침범죄에서 말하는 '경계'는 반드시 법률상의 정당한 경계를 가리키는 것은 아니고, 비록 법률상의 정당한 경계에 부합되지 않는 경계라 하더라도 그것이 종래부터 일반적으로 승인되어 왔거나 **이해관계인들의 명시적 또는 묵시적 합의에 의하여 정해진 것으로서 객관적으로 경계로 통용되어 왔다면 경계라 할 것이다.** (대법원 2007. 12. 28. 2007도9181)

045 이른바 '부진정' 범죄에 대한 설명으로 옳지 않은 것은? (다툼이 있으면 판례에 의함)

□□□

17 국가7급 [Core ★★]

① 부진정신분범은 신분이 없어도 범할 수 있지만 신분이 있으면 형이 가중 또는 감경되는 범죄를 말하는데, 형법상 존속살해죄는 보통살인죄와 비교하여 형이 가중되는 부진정신분범이다.

② 부진정목적범은 목적이 없어도 범할 수 있지만 목적이 있으면 형이 가중 또는 감경되는 범죄를 말하는데, 형법상 결혼목적 약취유인죄는 미성년자약취유인죄와 비교하여 형이 감경되는 부진정목적범이다.

③ 부진정부작위범의 경우에는 보호법익의 주체가 법익에 대한 침해위협에 대처할 보호능력이 없고, 부작위행위자에게 침해 위협으로부터 법익을 보호해 주어야 할 법적 작위의무가 있을 뿐 아니라, 부작위행위자가 그러한 보호적 지위에서 법익침해를 일으키는 사태를 지배하고 있어 작위의무의 이행으로 결과발생을 쉽게 방지할 수 있어야 부작위로 인한 법익 침해가 작위에 의한 법익침해와 동등한 형법적 가치가 있는 것으로서 범죄의 실행행위로 평가될 수 있다.

④ 부진정결과적 가중범에 있어서 고의로 중한 결과를 발생하게 한 행위가 별도의 구성요건에 해당하고 그 고의범에 대하여 결과적 가중범에 정한 형보다 더 무겁게 처벌하는 규정이 있는 경우에는 그 고의범과 결과적 가중범의 상상적 경합이 인정된다.

정답 | 044 ① 045 ②

해설

② [×] **결혼목적 약취유인죄는** 미성년자약취유인죄와 비교하여 **형이 가중되는 부진정목적범이다.** 미성년자약취유인죄는 10년 이하의 징역에 처하지만, 결혼목적 약취유인죄는 1년 이상 10년 이하의 징역에 처한다.(제287조, 제288조 제1항)

① [○] 사람을 살해한 자는 사형, 무기 또는 **5년 이상**의 징역에 처한다. 자기 또는 배우자의 직계존속을 살해한 자는 사형, 무기 또는 **7년 이상**의 징역에 처한다.(제250조)

③ [○] 살인죄와 같이 일반적으로 작위를 내용으로 하는 범죄를 부작위에 의하여 범하는 이른바 부진정 부작위범의 경우에는 보호법익의 주체가 그 법익에 대한 침해위협에 대처할 보호능력이 없고, 부작위행위자에게 그 침해위협으로부터 법익을 보호해 주어야 할 법적 작위의무가 있을 뿐 아니라, 부작위행위자가 그러한 보호적 지위에서 법익침해를 일으키는 사태를 지배하고 있어 그 작위의무의 이행으로 결과발생을 쉽게 방지할 수 있어야 그 **부작위로 인한 법익침해가 작위에 의한 법익침해와 동등한 형법적 가치가 있는 것으로서 범죄의 실행행위로 평가될 수 있다.** 다만 여기서의 작위의무는 법령, 법률행위, 선행행위로 인한 경우는 물론, 신의성실의 원칙이나 사회상규 혹은 조리상 작위의무가 기대되는 경우에도 인정된다.(대법원 2015. 11. 12. 2015도6809 全合 **세월호 사건**)

④ [○] 부진정결과적 가중범에 있어서, **고의로 중한 결과를 발생하게 한 행위**가 별도의 구성요건에 해당하고 그 고의범에 대하여 결과적 가중범에 정한 형보다 더 무겁게 처벌하는 규정이 있는 경우에는 그 **고의범과 결과적 가중범이 상상적 경합관계에 있지만,** 고의범에 대하여 더 무겁게 처벌하는 규정이 없는 경우에는 결과적가중범이 고의범에 대하여 특별관계에 있다고 해석되므로 결과적 가중범만 성립하고 이와 법조경합의 관계에 있는 고의범에 대하여는 별도로 죄를 구성한다고 볼 수 없다.(대법원 2008. 11. 27. 2008도7311 **음주단속경찰관 치상사건**)

046 다음 사례에 관한 설명 중 가장 적절한 것은? (다툼이 있으면 판례에 의함) 22 경찰채용 [*Core* ★★]

□□□

① 甲은 A(만 10세)를 약취한 후 강간을 목적으로 상해 등을 가하고 나아가 강간 및 살해하고자 하였으나 미수에 그친 경우 甲에게는 약취한 미성년자에 대한 상해 등으로 인한 특정범죄가중처벌 등에 관한 법률 위반죄와 미성년자에 대한 강간 및 살인미수행위로 인한 성폭력범죄의 처벌 등에 관한 특례법 위반죄가 성립하고, 양자는 상해의 결과가 피해자에 대한 강간 및 살인미수행위 과정에서 발생한 것이기에 상상적 경합의 관계에 있다.

② 甲이 상대방에게 성적 수치심을 일으키는 그림 등이 담겨 있는 웹페이지에 대한 인터넷 링크를 A에게 보낸 경우 A가 그 링크를 이용하여 별다른 제한 없이 이에 바로 접할 수 있는 상태가 조성되었는지 여부를 묻지 않고 甲에게는 성폭력범죄의 처벌 등에 관한 특례법 위반(통신매체이용음란)죄가 성립한다.

③ 甲이 용변을 보고 있는 사람을 촬영하기 위해 자신의 휴대전화의 카메라 기능을 켜고 A가 있는 화장실 칸 너머로 휴대전화를 든 손을 넘겼으나, A가 놀라 소리를 질러 실제 촬영은 하지 못한 경우 甲의 행위는 성폭력범죄의 처벌 등에 관한 특례법 위반(카메라등이용촬영)죄의 실행에 착수했다고 볼 수 없다.

④ 군인 甲은 자신의 독신자 숙소에서 군인 A와 서로 키스, 구강성교나 항문성교를 하는 방법으로 추행하고, 군인 乙은 자신의 독신자 숙소에서 동일한 방법으로 甲과 추행한 경우 이는 독신자숙소에서 휴일 또는 근무시간 이후에 성인 남성들의 자유로운 의사에 기초한 합의된 행위로 「군형법」 제92조의6에서 처벌대상으로 규정한 '항문성교나 그 밖의 추행'에 해당하지 아니한다.

해설

④ [○] 군형법 제92조의6의 문언, 개정 연혁, 보호법익과 헌법 규정을 비롯한 전체 법질서의 변화를 종합적으로 고려하면, 위 규정은 동성인 군인 사이의 항문성교나 그 밖에 이와 유사한 행위가 **사적 공간에서 자발적 의사 합치에 따라 이루어지는 등 군이라는 공동사회의 건전한 생활과 군기를 직접적, 구체적으로 침해한 것으로 보기 어려운 경우에는 적용되지 않는다.**(대법원 2022. 4. 21. 2019도3047 全合 **군인들 항문성교 사건**) 이와 달리 남성 군인간 항문성교를 비롯한 성행위가 그 자체만으로 객관적으로 일반인에게 혐오감을 일으키게 하고 선량한 성적 도덕관념에 반하는 행위라는 이유로 사적 공간에서 합의하여 이루어진 성행위인지 여부 등을 따지지 않고 제정 군형법 제92조와 구 군형법 제92조의5 규정이 적용된다는 취지로 판단한 대법원 2008. 5. 29. 선고 2008도2222 판결, 대법원 2012. 6. 14. 선고 2012도3980 판결을 비롯하여 같은 취지의 대법원판결들은 이 판결의 견해에 배치되는 범위 내에서 변경하였다.

① [×] 미성년자인 피해자를 약취한 후에 강간을 목적으로 피해자에게 가혹한 행위 및 상해를 가하고 나아가 강간 및 살인미수를 범하였다면, 이에 대하여는 약취한 미성년자에 대한 상해 등으로 인한 특가법위반죄 및 미성년자인 피해자에 대한 강간 및 살인미수행위로 인한 성폭법위반죄가 각 성립하고, 설령 상해의 결과가 피해자에 대한 강간 및 살인미수행위 과정에서 발생한 것이라 하더라도 **각 죄는 실체적 경합범 관계에 있다.**(대법원 2014. 2. 27. 2013도12301 **고종석 사건Ⅱ**)

② [×] 통신매체이용음란죄에서 '성적 수치심을 일으키는 그림 등을 상대방에게 도달하게 한다'라는 것은 '상대방이 성적 수치심을 일으키는 그림 등을 직접 접하는 경우뿐만 아니라 상대방이 실제로 이를 인식할 수 있는 상태에 두는 것'을 의미한다. 상대방에게 성적 수치심을 일으키는 그림 등이 담겨 있는 웹페이지 등에 대한 인터넷 링크(internet link)를 보내는 행위를 통해 그와 같은 그림 등이 상대방에 의하여 인식될 수 있는 상태에 놓이고 실질에 있어서 이를 직접 전달하는 것과 다를 바 없다고 평가되고, 이에 따라 **상대방이 이러한 링크를 이용하여 별다른 제한 없이 성적 수치심을 일으키는 그림 등에 바로 접할 수 있는 상태가 실제로 조성되었다면** 그러한 행위는 전체로 보아 성적 수치심을 일으키는 그림 등을 상대방에게 도달하게 한다는 구성요건을 충족한다.(대법원 2017. 6. 8. 2016도21389 **나체사진 인터넷링크 전송사건**)

③ [×] 범인이 피해자를 촬영하기 위하여 육안 또는 캠코더의 줌 기능을 이용하여 피해자가 있는지 여부를 탐색하다가 피해자를 발견하지 못하고 촬영을 포기한 경우에는 촬영을 위한 준비행위에 불과하여 카메라등 이용촬영죄의 실행에 착수한 것으로 볼 수 없다. 이에 반하여 범인이 카메라 기능이 설치된 휴대전화를 **피해자의 치마 밑으로 들이밀거나 피해자가 용변을 보고 있는 화장실 칸 밑 공간 사이로 집어넣는 등 카메라등이용촬영 범행에 밀접한 행위를 개시한 경우에는 카메라등이용촬영죄의 실행에 착수하였다고 볼 수 있다.**(대법원 2021. 8. 12. 2021도7035 **편의점 몰카 미수사건**)

정답 | 046 ④

047 다음 <보기> 중 옳은 것을 모두 고른 것은? (다툼이 있으면 판례에 의함) 23 해경승진 [Core ★★]

□□□

㉠ 직무유기죄에서 '직무를 유기한 때'란 공무원이 법령, 내규 등에 의한 추상적 성실의무를 태만히 하는 일체의 경우에 성립하는 것이 아니라 직장의 무단이탈, 직무의 의식적인 포기 등과 같이 국가의 기능을 저해하고 국민에게 피해를 야기시킬 가능성이 있는 경우를 가리킨다.
㉡ 직권남용권리행사방해죄에서 공무원이 직무와는 상관없이 단순히 개인적인 친분에 근거하여 문화예술 활동에 대한 지원을 권유하거나 협조를 의뢰한 경우에는 직권남용에 해당하지 않는다.
㉢ 직무유기교사죄는 피교사자인 공무원이 수인이라고 하더라도 1개의 직무유기교사죄만 성립한다.
㉣ 직권남용권리행사방해죄에서 말하는 '권리'는 법률에 명기된 권리에 한하지 않고 법령상 보호되어야 할 이익이면 족하고, 그것이 공법상의 권리인지 사법상의 권리인지를 묻지 않는다.
㉤ 뇌물을 받는 주체가 아닌 자가 수고비로 받은 부분이나 뇌물을 받기 위하여 형식적으로 체결된 용역계약에 따른 비용으로 사용된 부분은 뇌물의 가액과 추징액에서 공제할 항목에 해당한다.

① ㉠㉡㉢
② ㉠㉡㉣
③ ㉠㉡㉢㉣
④ ㉠㉡㉣㉤

해설

② ㉠㉡㉣ 3 항목이 옳다.

㉠ [○] 직무유기죄에서 '직무를 유기한 때'란 공무원이 법령, 내규 등에 의한 추상적 성실의무를 태만히하는 일체의 경우에 성립하는 것이 아니라 **직장의 무단이탈, 직무의 의식적인 포기 등과 같이 국가의 기능을 저해하고 국민에게 피해를 야기시킬 가능성이 있는 경우를 가리킨다.**(대법원 2014. 4. 10. 2013도229 전북교육감 사건 I)

㉡ [○] 직권남용죄에서 '직권남용'이란 공무원이 그 일반적 직무권한에 속하는 사항에 관하여 직권의 행사에 가탁(假託)하여 실질적, 구체적으로 위법 · 부당한 행위를 하는 경우를 의미하고, 공무원이 직무와는 상관없이 단순히 **개인적인 친분에 근거하여 문화예술 활동에 대한 지원을 권유하거나 협조를 의뢰한 것에 불과한 경우까지 직권남용에 해당한다고 할 수는 없다.**(대법원 2009. 1. 30. 2008도6950 변양균 · 신정아 사건)(대법원 2009. 1. 30. 2008도6950)

㉢ [×] 직무유기교사죄는 **피교사자인 공무원별로 1개의 죄가 성립되는 것이므로** 피교사자인 공무원별로 사실을 특정할 수 있도록 공소사실을 기재하여야 한다.(대법원 1997. 8. 22. 95도984 전국기관차협의회 파업사건)

㉣ [○] 직권남용죄에서 '권리'는 법률에 명기된 권리에 한하지 않고 법령상 보호되어야 할 이익이면 족한 것으로서 공법상의 권리인지 사법상의 권리인지를 묻지 않으므로 **경찰관의 범죄수사권도 직권남용죄에서 말하는 '권리'에 해당한다.**(대법원 2010. 1. 28. 2008도7312 전경찰청장 사건)

㉤ [×] **공무원이 뇌물을 받는 데에 필요한 경비를 지출한 경우 그 경비는 뇌물수수의 부수적 비용에 불과하여 뇌물의 가액과 추징액에서 공제할 항목에 해당하지 않는다.** 뇌물을 받는 주체가 아닌 자가 수고비로 받은 부분이나 뇌물을 받기 위하여 형식적으로 체결된 용역계약에 따른 비용으로 사용된 부분은 뇌물수수의 부수적 비용에 지나지 않는다.(대법원 2017. 3. 22. 2016도21536)

048 다음 설명 중 옳고 그름의 표시(○, ×)가 바르게 된 것은? (다툼이 있으면 판례에 의함)
□□□

23 경찰채용 [Core ★★]

㉠ 범죄 또는 징계사유의 성립 여부에 관한 것뿐만 아니라 형 또는 징계의 경중에 영향을 미치는 정상을 인정하는 데 도움이 될 자료까지도 증거위조죄에서 규정한 '증거'에 포함된다.
㉡ 자신이 직접 형사처분을 받게 될 것을 두려워한 나머지 자기의 이익을 위하여 그 증거가 될 자료를 은닉하였다면 증거은닉죄에 해당하지 않고, 제3자와 공동하여 그러한 행위를 하였더라도 마찬가지이다.
㉢ 모해위증죄에 있어서 甲이 A를 모해할 목적으로 그러한 목적이 없는 乙에게 위증을 교사한 경우 공범종속성에 관한 일반 규정인 형법 제31조 제1항이 공범과 신분에 관한 형법 제33조 단서에 우선하여 적용되므로 신분이 있는 甲이 신분이 없는 乙보다 무겁게 처벌된다.
㉣ 甲이 자기 자신을 무고하기로 乙과 공모하고 공동의 의사에 따라 乙과 함께 자신을 무고한 경우 甲과 乙은 무고죄의 공동정범으로서의 죄책을 진다.

① ㉠ ○ ㉡ ○ ㉢ ○ ㉣ ×
② ㉠ ○ ㉡ ○ ㉢ × ㉣ ×
③ ㉠ × ㉡ ○ ㉢ ○ ㉣ ○
④ ㉠ × ㉡ × ㉢ ○ ㉣ ○

해설

② 이 지문이 옳은 연결이다.

㉠ [○] 증거위조죄에서 말하는 '증거'라 함은 타인의 형사사건 또는 징계사건에 관하여 수사기관이나 법원 또는 징계기관이 국가의 형벌권 또는 징계권의 유무를 확인하는 데 관계있다고 인정되는 일체의 자료를 뜻한다. 따라서 **범죄 또는 징계사유의 성립 여부에 관한 것뿐만 아니라 형 또는 징계의 경중에 관계있는 정상을 인정하는 데 도움이 될 자료까지도 본조가 규정한 증거에 포함된다.**(대법원 2021. 1. 28. 2020도2642 허위 입금확인증 사건)

㉡ [○] 증거은닉죄는 타인의 형사사건이나 징계사건에 관한 증거를 은닉할 때 성립하고, 범인 자신이 한 증거은닉 행위는 형사소송에 있어서 피고인의 방어권을 인정하는 취지와 상충하여 처벌의 대상이 되지 아니하므로 범인이 증거은닉을 위하여 타인에게 도움을 요청하는 행위 역시 원칙적으로 처벌되지 아니한다. 따라서 **피고인 자신이 직접 형사처분을 받게 될 것을 두려워한 나머지 자기의 이익을 위하여 그 증거가 될 자료를 은닉하였다면 증거은닉죄에 해당하지 않고, 제3자와 공동하여 그러한 행위를 하였다고 하더라도 마찬가지이다.**(대법원 2018. 10. 25. 2015도1000 오병윤 의원 사건)

㉢ [×] 신분관계로 인하여 형의 경중이 있는 경우에 신분이 있는 자가 신분이 없는 자를 교사하여 죄를 범하게 한 때에는 형법 제33조 단서가 제31조 제1항에 우선하여 적용됨으로써 신분이 있는 교사범이 신분이 없는 정범보다 중하게 처벌된다.(대법원 1994. 12. 23. 93도1002 모해위증교사 사건)

㉣ [×] 자기 자신을 무고하기로 제3자와 공모하고 이에 따라 무고행위에 가담하였다고 하더라도 이는 자기 자신에게는 무고죄의 구성요건에 해당하지 않아 범죄가 성립할 수 없는 행위를 실현하고자 한 것에 지나지 않아 무고죄의 공동정범으로 처벌할 수 없다.(대법원 2017. 4. 26. 2013도12592 자기무고 공모사건)

정답 | 047 ② 048 ②

049 다음 설명 중 옳은 것은 모두 몇 개인가? (다툼이 있으면 판례에 의함) 23 법원행시 [Superlative ★★★]

□□□

ㄱ 형사사건으로 외국 법원에 기소되었다가 무죄판결을 받은 사람은 설령 그가 무죄판결을 받기까지 상당 기간 미결구금되었더라도 이를 유죄판결에 의하여 형이 실제로 집행된 것으로 볼 수는 없으므로 '외국에서 형의 전부 또는 일부가 집행된 사람'에 해당한다고 볼 수 없고, 그 미결구금 기간은 형법 제7조에 의한 산입의 대상이 될 수 없다.

ㄴ 사형은 인간의 생명을 박탈하는 냉엄한 궁극의 형벌로서 사법제도가 상정할 수 있는 극히 예외적인 형벌이라는 점을 감안할 때, 사형의 선고는 범행에 대한 책임의 정도와 형벌의 목적에 비추어 누구라도 그것이 정당하다고 인정할 수 있는 특별한 사정이 있는 경우에만 허용되어야 한다. 따라서 형법 제51조가 규정한 사항을 중심으로 양형의 조건이 되는 모든 사항을 철저히 심리하여야 하고, 그러한 심리를 거쳐 사형의 선고가 정당화될 수 있는 사정이 있음이 밝혀진 경우에 한하여 비로소 사형을 선고할 수 있다.

ㄷ 포도주 원액이 부패하여 포도주 원료로서의 효용가치는 상실되었으나 그 산도가 1.8도 내지 6.2도에 이르고 있어 식초의 제조등 다른 용도에 사용할 수 있는 경우에는 재물손괴죄의 객체가 될 수 있다.

ㄹ 소매치기가 피해자의 주머니에 손을 넣어 금품을 절취하려 한 경우 비록 그 주머니 속에 금품이 들어있지 않았었다 하더라도 위 소위는 절도라는 결과 발생의 위험성을 충분히 내포하고 있으므로 이는 절도미수에 해당한다.

ㅁ 형법 제114조 소정 범죄단체조직죄는 범죄를 목적으로 하는 단체를 조직함으로써 성립하는 것이고 그 후 목적한 범죄의 실행행위를 하였는가 여부는 위 죄의 성립에 영향이 없다.

① 1개 ② 2개 ③ 3개
④ 4개 ⑤ 5개

해설

⑤ 모든 항목이 옳다.

ㄱ [○] 형사사건으로 외국 법원에 기소되었다가 무죄판결을 받은 사람은 설령 그가 무죄판결을 받기까지 상당 기간 미결구금되었더라도 이를 유죄판결에 의하여 형이 실제로 집행된 것으로 볼 수는 없으므로 '외국에서 형의 전부 또는 일부가 집행된 사람'에 해당한다고 볼 수 없고, 그 **미결구금 기간은 형법 제7조에 의한 산입의 대상이 될 수 없다.**(대법원 2017. 8. 24. 2017도5977 全合 **필리핀 5년 미결구금 사건**)

ㄴ [○] 사형은 인간의 생명을 박탈하는 냉엄한 궁극의 형벌로서 사법제도가 상정할 수 있는 극히 예외적인 형벌이라는 점을 감안할 때, 사형의 선고는 범행에 대한 책임의 정도와 형벌의 목적에 비추어 누구라도 그것이 정당하다고 인정할 수 있는 특별한 사정이 있는 경우에만 허용되어야 한다. 따라서 형법 제51조가 규정한 사항을 중심으로 양형의 조건이 되는 모든 사항을 철저히 심리하여야 하고, 그러한 심리를 거쳐 사형의 선고가 정당화될 수 있는 사정이 있음이 밝혀진 경우에 한하여 비로소 **사형을 선고할 수 있다.**(대법원 2017. 4. 28. 2017도2188 **수락산 살인사건**)

ㄷ [○] 포도주 원액이 부패하여 포도주 원료로서의 효용가치는 상실되었으나 그 산도가 1.8도 내지 6.2도에 이르고 있어 식초의 제조등 다른 용도에 사용할 수 있는 경우에는 **재물손괴죄의 객체가 될 수 있다.**(대법원 1979. 7. 24. 78도2138 **포도주 원액 사건**)

㉣ [○] 소매치기가 피해자의 주머니에 손을 넣어 금품을 절취하려 한 경우 비록 그 주머니 속에 금품이 들어있지 않았었다 하더라도 위 소위는 절도라는 결과 발생의 위험성을 충분히 내포하고 있으므로 이는 **절도미수에 해당한다.**(대법원 1986. 11. 25. 86도2090)

㉤ [○] 형법 제114조 소정 범죄단체조직죄는 범죄를 목적으로 하는 단체를 조직함으로써 성립하는 것이고 그 후 **목적한 범죄의 실행행위를 하였는가 여부는 위 죄의 성립에 영향이 없다.**(대법원 1975. 9. 23. 75도2321)

050 공무원의 직무에 관한 범죄에 대한 다음 설명 중 가장 옳지 않은 것은? (다툼이 있으면 판례에 의함)

□□□

18 해경간부 [Core ★★]

① 어업허가신청권자가 어업허가를 받을 수 없는 자임을 알면서도 담당공무원이 실태조사를 하지 않고 오히려 부하 직원에게 어업허가처리 기안문을 작성하게 한 다음 스스로 중간결재를 한 후 그 정을 모르는 농수산국장의 최종결재를 받았다면, 작위범인 위계에 의한 공무집행방해죄만이 성립하고 부작위범인 직무유기죄는 따로 성립하지 아니한다.

② 해군본부 법무실장인 피고인이 국방부 검찰수사관 甲에게 군내 납품비리 수사와 관련한 수사기밀사항을 보고하게 하였는데, 甲으로서는 외부에 유출될 경우 검찰단의 수사 기능에 현저한 장애를 초래할 수 있는 검찰단 내부 수사 내용을 피고인에게 보고할 법률상의 의무가 없었던 경우, 피고인에게 직권남용권리행사방해죄가 성립한다.

③ 경찰관이 직무와 관련하여 증거물로 압수한 오락기의 변조기판을 범죄 혐의의 입증에 사용하기 위한 적절한 조치를 취하지 않고 피압수자에게 돌려준 경우, 작위범인 증거인멸죄만이 성립하고 부작위범인 직무유기(거부)죄는 따로 성립하지 아니한다.

④ 세금계산서 관련 업무를 담당하는 세무공무원 甲은 乙이 실제 거래 없이 교부받은 허위세금계산서를 사용하여 세금을 포탈한 사실을 확인하였음에도, 乙에 대한 세금추징 조치만 취하였을 뿐 권한 있는 자에게 乙에 대한 통고처분이나 고발조치의 건의 등의 절차를 취하지 않았다면 직무유기죄가 성립한다.

해설

④ [×] 군산세무서 세무공무원인 피고인 甲이 乙의 부가가치세 포탈행위를 밝혀내고 포탈세액 및 가산세를 추징하였을 뿐만 아니라 乙에게 허위세금계산서를 교부하였던 丙이 고발되도록 하는 등 일련의 조치를 취한 이상, 乙에 대한 통고처분이나 고발조치를 건의하는 등의 조치를 취하지 않았다고 하더라도 그것이 직무를 성실히 수행하지 못한 것이라고 할 수 있을지언정 **직무를 의식적으로 방임 내지 포기하였다고 볼 수는 없다.**(대법원 1997. 4. 11. 96도2753 **군산세무서 세무공무원 사건**)

정답 | 049 ⑤ 050 ④

① [O] 피고인이 출원인이 어업허가를 받을 수 없는 자라는 사실을 알면서도 그 직무상의 의무에 따른 적절한 조치를 취하지 않고 오히려 부하직원으로 하여금 어업허가 처리기안문을 작성하게 한 다음 피고인 스스로 중간결재를 하는 등 위계로써 농수산국장의 최종결재를 받았다면, 직무위배의 위법상태가 위계에 의한 공무집행방해행위 속에 포함되어 있는 것이라고 보아야 할 것이므로, 이와 같은 경우에는 **작위범인 위계에 의한 공무집행방해죄만이 성립하고 부작위범인 직무유기죄는 따로 성립하지 아니한다.**(대법원 1997. 2. 28. 96도2825 이상한 어업허가 사건)

② [O] 해군본부 법무실장인 피고인이 국방부 검찰수사관 甲에게 군내 납품비리 수사와 관련한 수사기밀사항을 보고하게 하여 직무상 권한을 남용하였다는 내용으로 기소된 사안에서, 피고인은 해군 검찰업무뿐 아니라 소송, 징계업무 등 법무업무 전반에 관하여 해군참모총장을 보좌하는 자로서 해군 소속 인원의 사법처리와 관련된 중요 사항에 관하여 보고를 받을 일반적인 직무권한이 있으나, 여기서 나아가 국방부검찰단의 향후 수사방향에 대한 내용 등 수사기밀사항에 대한 보고를 요구하는 행위는 형식적, 외형적으로는 직무집행으로 보이나 실질은 일반적 직무권한 범위를 넘어 직무의 행사에 가탁한 부당한 행위이고, 甲으로서는 외부에 유출될 경우 검찰단의 수사 기능에 현저한 장애를 초래할 수 있는 검찰단 내부 수사내용을 피고인에게 보고할 법률상의 의무가 없었다고 보아, 피고인에게 **직권남용권리행사방해죄를 인정한다.**(대법원 2011. 7. 28. 2011도1739 해군 법무실장 사건)

③ [O] 대법원 경찰서 방범과장이 압수물을 수사계에 인계하고 검찰에 송치하여 범죄 혐의의 입증에 사용하도록 하는 등의 적절한 조치를 취하지 않고, 오히려 부하직원에게 압수한 변조 기판을 돌려주라고 지시하여 오락실 업주에게 이를 돌려준 경우, **작위범인 증거인멸죄만이 성립하고 부작위범인 직무유기(거부)죄는 따로 성립하지 아니한다.**(대법원 2006. 10. 19. 2005도3909 全合 변조기판 환부사건)

051 다음 중 필요적 감경 또는 면제 사유에 해당하지 않은 것은? (다툼이 있는 경우 판례에 의함)

□□□

18 법원9급 [*Core* ★★]

① 위증죄를 범한 자가 그 공술한 사건의 재판이 확정되기 전에 자백한 때

② 형법상 추행목적약취유인죄를 범한 자가 그 약취유인된 사람을 안전한 장소로 풀어준 때

③ 현주건조물방화예비죄를 범한 자가 그 목적한 죄의 실행에 이르기 전에 자수한 때

④ 장물취득죄를 범한 자가 본범과 동거친족인 때

해설

② 형을 감경할 수 있다.(제295조의2)
①③④ 모두 형을 감경 또는 면제한다.(① 제153조 ③ 제175조 ④ 제365조 제2항)

052 □□□ 다음 <사례>와 형의 가중 · 감경 · 면제사유가 동일한 것은 모두 몇 개인가? (다툼이 있으면 판례에 의함)

20 해경승진 [Superlative ★★★]

〈사례〉
강간하려고 피해자를 폭행하였으나 피해자가 다음에 친해지면 응해주겠다고 설득하여 그만둔 경우

㉠ 통화위조죄에 있어서 실행에 이르기 전에 자수한 때
㉡ 경합범 중 판결을 받지 아니한 죄에 대하여 형을 선고할 때
㉢ 타인을 무고한 사람이 그 무고한 사건의 재판이 확정되기 전에 수사기관에 자수한 때
㉣ 장물취득죄를 범한 자가 본범과 동거친족인 때

① 1개　② 2개
③ 3개　④ 4개

해설

설문은 중지미수에 해당하여 형의 **필요적 감면사유**가 된다.(대법원 1993. 10. 12. 93도1851 친해지면 응해주겠다 사건)
③ ㉠㉢㉣ 3 항목은 형의 **필요적 감면사유**이다(㉠ 제213조, ㉢ 제153조, 제157조 ㉣ 제365조 제2항).
㉡ 항목은 형의 **임의적 감면사유**이다(제39조 제1항).

정답 | 051 ② 052 ③

053 범죄의 종류에 관한 설명 중 옳은 것(○)과 옳지 않은 것(×)을 올바르게 조합한 것은? (다툼이 있으면 판례에 의함)
□□□

19 변호사 [Superlative ★★★]

㉠ 도주죄는 계속범이므로 도주죄의 범인이 도주행위를 하여 기수에 이른 이후에 그 범인의 도피를 도와주는 행위는 도주원조죄에 해당한다.
㉡ 「폭력행위 등 처벌에 관한 법률」 제4조 제1항 소정의 단체 등의 구성죄는 같은 법에 규정된 범죄를 목적으로 한 단체 또는 집단을 구성함으로써 즉시 성립하고 그와 동시에 완성되는 즉시범이라 할 것이므로, 피고인이 범죄단체를 구성하기만 하면 위 범죄가 성립하고 그와 동시에 공소시효도 진행된다.
㉢ 「형법」 제136조에서 정한 공무집행방해죄는 직무를 집행하는 공무원에 대하여 폭행 또는 협박한 경우에 성립하고, 추상적 위험범으로서 구체적으로 직무집행의 방해라는 결과발생을 요하지 아니한다.
㉣ 일반교통방해죄에서 교통방해 행위는 계속범의 성질을 가지는 것이어서 교통방해의 상태가 계속되는 한 위법상태는 계속 존재하므로, 교통방해를 유발한 집회에 피고인이 참가한 경우 참가 당시 이미 다른 참가자들에 의해 교통의 흐름이 차단된 상태였다고 하더라도 교통방해를 유발한 다른 참가자들과 암묵적·순차적으로 공모하여 교통방해의 위법상태를 지속시켰다고 평가할 수 있다면 피고인에게 일반교통방해죄가 성립한다.
㉤ 내란죄는 다수인이 결합하여 국토를 참절하거나 국헌을 문란할 목적으로 한 지방의 평온을 해할 정도의 폭행·협박행위를 하면 기수에 이르지만, 그 목적 달성 여부와 관계없이 한 지방의 평온을 해할 정도의 폭행·협박행위를 하는 한 가벌적인 위법행위가 계속 반복되고 있는 계속범이라고 보아야 한다.

① ㉠ ○ ㉡ ○ ㉢ ○ ㉣ × ㉤ ○
② ㉠ ○ ㉡ × ㉢ ○ ㉣ × ㉤ ×
③ ㉠ ○ ㉡ × ㉢ ○ ㉣ ○ ㉤ ×
④ ㉠ × ㉡ ○ ㉢ ○ ㉣ ○ ㉤ ×
⑤ ㉠ × ㉡ ○ ㉢ × ㉣ ○ ㉤ ○

해설

④ 이 지문이 옳은 연결이다.

㉠ [×] **도주죄는 즉시범으로서** 범인이 간수자의 실력적 지배를 이탈한 상태에 이르렀을 때에 기수가 되어 도주행위가 종료하는 것이고, 도주원조죄는 도주죄에 있어서의 범인의 도주행위를 야기시키거나 이를 용이하게 하는 등 그와 공범관계에 있는 행위를 독립한 구성요건으로 하는 범죄이므로 **도주죄의 범인이 도주행위를 하여 기수에 이른 이후에 범인의 도피를 도와주는 행위는 범인도피죄에 해당할 수 있을 뿐 도주원조죄에는 해당하지 아니한다.**(대법원 1991. 10. 11. 91도1656 **병원탈출 동생 사건**)

㉡ [○] 「폭력행위 등 처벌에 관한 법률」제4조 제1항 소정의 **단체 등의 구성죄는** 같은 법에 규정된 범죄를 목적으로 한 단체 또는 집단을 구성함으로써 즉시 성립하고 그와 동시에 완성되는 **즉시범**이라 할 것이므로, 피고인이 범죄단체를 구성하기만 하면 위 범죄가 성립하고 그와 동시에 공소시효도 진행된다.(대법원 2013. 10. 17. 2013도6401 **당진식구파 사건**)

㉢ [○] **공무집행방해죄는** 직무를 집행하는 공무원에 대하여 폭행 또는 협박한 경우에 성립하고, **추상적 위험범**으로서 구체적으로 직무집행의 방해라는 **결과발생을 요하지 아니한다.**(대법원 2018. 3. 29. 2017도21537 **주차장 행패 사건**)

㉣ [○] **일반교통방해죄에서 교통방해 행위는 계속범**의 성질을 가지는 것이어서 교통방해의 상태가 계속되는 한 위법상태는 계속 존재한다. 따라서 교통방해를 유발한 집회에 참가한 경우 참가 당시 이미 다른 참가자들에 의해 교통의 흐름이 차단된 상태였다고 하더라도 교통방해를 유발한 다른 참가자들과 암묵적 · 순차적으로 공모하여 교통방해의 위법상태를 지속시켰다고 평가할 수 있다면 일반교통방해죄가 성립한다.(대법원 2018. 5. 11. 2017도9146 **세월호 1주기 추모제 사건**)

㉤ [×] **내란죄는** 국토를 참절하거나 국헌을 문란할 목적으로 폭동한 행위로서, 다수인이 결합하여 위와 같은 목적으로 한 지방의 평온을 해할 정도의 폭행 · 협박행위를 하면 기수가 되고, 그 목적의 달성 여부는 이와 무관한 것으로 해석되므로 다수인이 한 지방의 평온을 해할 정도의 폭동을 하였을 때 이미 내란의 구성요건은 완전히 충족된다고 할 것이어서 **상태범으로 봄이 상당하다.**(대법원 1997. 4. 17. 96도3376 순合 **신군부 내란사건**) 상태범과 즉시범은 같은 말이다.

054 다음 중 괄호 안의 숫자의 합은? 20 해경채용 [Superlative ★★★]

㉠ 「형법」은 형사미성년자로 ( )세 되지 아니한 자의 행위는 벌하지 아니한다고 규정하고 있다.
㉡ 「소년법」 상의 소년은 ( )세 미만자를 말한다.
㉢ 「형법」은 금고 이상의 형을 받아 그 집행을 종료하거나 면제를 받은 후 ( )년 내에 금고 이상에 해당하는 죄를 범한 자는 누범으로 처벌하고 누범의 형은 그 죄에 정한 형의 장기의 ( )배까지 가중한다.
㉣ 형의 선고유예를 받은 날로부터 ( )년을 경과한 때에는 면소된 것으로 간주한다.
㉤ 가석방의 기간은 무기형에 있어서는 ( )년으로 하고, 유기형에 있어서는 남은 형기로 하되, 그 기간은 ( )년을 초과할 수 없다.

① 59 ② 60
③ 69 ④ 70

해설

② ㉠ 14 ㉡ 19 ㉢ 3, 2 ㉣ 2 ㉤ 10, 10으로 숫자의 합은 **60**이다.
㉠ 제9조 ㉡ 소년법 제2조
㉢ 제35조 제1항 · 제2항 ㉣ 제60조
㉤ 제73조의2 제1항

정답 | 053 ④ 054 ②

김대환

약력

현 | 해커스 경찰학원 형법 · 형사소송법 강의

전 | 경찰공제회 경찰 채용 형법 · 형사소송법 강의
김대환 경찰학원 형법 · 형사소송법 강의
아모르이그잼경찰 / 메가CST 형사소송법 대표교수
경찰대학교 행정학과 졸업(16기)
용인대학교 경찰행정학과 석사 수료
사법시험 최종합격(제46회, 2004)
사법연수원 수료(제36기)

저서

갓대환 형사법 기출총정리, 해커스경찰
갓대환 형법 기출1200제, 해커스경찰
갓대환 형사소송법 기출1000제, 해커스경찰
갓대환 형법 기적의 특강, 해커스경찰
갓대환 형사소송법 기적의 특강, 해커스경찰
갓대환 형사법 전범위 모의고사, 해커스경찰
갓대환 형사법 진도별 문제풀이 1000제 2차 시험 대비, 해커스경찰
갓대환 형사법 심화문제집, 해커스경찰
갓대환 형사법 진도별 문제풀이 1000제, 해커스경찰
갓대환 형사법 핵심요약집, 해커스경찰
갓대환 형사법 기본서, 해커스경찰
갓대환 형법/형사소송법 진도별 문제풀이 500제, 해커스경찰
갓대환 핵심 요약집 형법/형사소송법, 해커스경찰
갓대환 형법/형사소송법 기본서, 해커스경찰
갓대환 형법 기출 1200제, 멘토링
갓대환 형법 기적의 특강 with 5개년 최신판례, 멘토링
갓대환 형법, 형사소송법 승진 삼삼 모의고사, 멘토링
갓대환 형법, 형사소송법 경찰 오오 모의고사, 멘토링
갓대환 형법 적중 모의고사: 시즌1, 시즌2
갓대환 형법/형사소송법 단원별 문제풀이